CONZE · FREI · HAYES · ZIMMERMANN

DAS AMT
UND DIE
VERGANGENHEIT

ECKART CONZE
NORBERT FREI
PETER HAYES
MOSHE ZIMMERMANN

DAS AMT
UND DIE
VERGANGENHEIT

DEUTSCHE DIPLOMATEN
IM DRITTEN REICH UND
IN DER BUNDESREPUBLIK

Unter Mitarbeit von Annette Weinke
und Andrea Wiegeshoff

Karl Blessing Verlag

Wissenschaftliche Mitarbeiter der Kommission

Dr. Jochen Böhler
Dr. Irith Dublon-Knebel
Prof. Dr. Astrid M. Eckert
Prof. Dr. Norman Goda
Prof. Dr. William Gray
Lars Lüdicke M.A.
Prof. Dr. Thomas Maulucci
Prof. Dr. Katrin Paehler
Dr. Jan-Erik Schulte
Daniel Stahl M.A.
Dr. Annette Weinke
Andrea Wiegeshoff M.A.
Endredaktion: Thomas Karlauf

Inhalt

Zweiter Teil   Das Amt und die Vergangenheit

Einleitung

Franz Krapf wurde 1911 geboren. 1938 trat er in den Auswärtigen Dienst ein. Bereits seit 1933 gehörte er der SS an, 1936 wurde er Mitglied der NSDAP, seit 1938 war er Untersturmführer im Stab des SS-Hauptamts. Von 1940 an verbrachte er die Kriegsjahre an der deutschen Botschaft in Tokio und wirkte dort auch als Mitarbeiter des Sicherheitsdienstes (SD) der SS. Über Krapfs Tätigkeit ist wenig bekannt, aber klar ist: Selbst im fernen Ostasien waren deutsche Diplomaten mit der »Endlösung« der Judenfrage befasst. Im Herbst 1947 kehrte Krapf nach Deutschland zurück, hielt sich dann aber für einige Jahre in der Heimat seiner schwedischen Frau auf. Bestens vernetzt, übernahm er 1950 zunächst eine Stelle im Presse- und Informationsamt der Bundesregierung, bevor er ein Jahr später in den soeben gegründeten Auswärtigen Dienst der Bundesrepublik Deutschland berufen wurde. Als Diplomat diente er in der Bonner Zentrale, in Paris und Washington. Er war Botschafter in Tokio und leitete zuletzt die Ständige Vertretung der Bundesrepublik bei der NATO. 1976 trat er in den Ruhestand. Hochbetagt und geehrt starb Krapf im Herbst 2004.

Fritz Kolbe wurde 1900 geboren. In den diplomatischen Dienst trat er 1925 ein und diente als Konsulatssekretär an der deutschen Botschaft in Madrid, später auch in Kapstadt. Bei Kriegsbeginn in die Berliner AA-Zentrale zurückgekehrt, wirkte er dort als Persönlicher Referent von Botschafter Karl Ritter. Der NSDAP beizutreten, weigerte sich Kolbe. Schockiert angesichts der nationalsozialistischen Verbrechen und überzeugt, dass der NS-Terror nur von außen zu überwinden sei, lieferte er seit 1943 geheime Nachrichten und Dokumente an den amerikanischen Geheimdienst. Nach Kriegsende unterstützte er die Vereinigten Staaten bei der Vorbereitung des Nürnberger Prozesses. Nach einigen Jahren in der Schweiz und in den USA, wo er nicht Fuß fassen konnte, kehrte er

1949 nach Deutschland zurück. Der angestrebte Wiedereinstieg in den öffentlichen Dienst gelang ihm nicht, man stigmatisierte ihn als Verräter und verwehrte ihm einen Eintritt in das Auswärtige Amt der Bundesrepublik. Dort wird die Widerstandstätigkeit Kolbes erst seit 2004 offiziell gewürdigt.

Franz Nüßlein, Jahrgang 1909, trat nach seinem Jura-Studium 1937 der NSDAP bei und wurde im Oktober 1939 als Erster Staatsanwalt zur »Gruppe Justiz« bei der Behörde des Reichsprotektors in Böhmen und Mähren abgeordnet. 1942 wurde er, protegiert von Reinhard Heydrich, im Alter von nur 32 Jahren zum Oberstaatsanwalt befördert. Seit 1943 Generalreferent für Angelegenheiten der deutschen Strafjustiz beim Deutschen Staatsministerium für Böhmen und Mähren, gehörten vor allem Gnadensachen zu seinem Aufgabengebiet; insbesondere in diesem Zusammenhang war Nüßlein für die Bestätigung zahlreicher Todesurteile gegen tschechische Bürger verantwortlich. Bei Kriegsende floh er nach Bayern, wurde von den Amerikanern verhaftet und an die Tschechoslowakei ausgeliefert. Dort verurteilte man ihn 1948 zu 20 Jahren Zuchthaus. Als »nicht amnestierter Kriegsverbrecher« wurde er 1955 in die Bundesrepublik abgeschoben. Nicht zuletzt aufgrund persönlicher Beziehungen gelang ihm noch im gleichen Jahr der Eintritt in den Auswärtigen Dienst, wo er unter anderem als Referent in der Personalabteilung wirkte. Von 1962 bis zu seiner Pensionierung 1974 war Nüßlein deutscher Generalkonsul in Barcelona.

Bei seinem Tod 2003 widmete ihm das Auswärtige Amt in seiner Mitarbeiterzeitschrift einen ehrenden Nachruf, so wie ihn bis dahin jeder verstorbene Angehörige des Auswärtigen Dienstes erhielt. Als Kritik an der postumen Ehrung des verurteilten Kriegsverbrechers Nüßlein laut wurde, änderte Bundesaußenminister Joschka Fischer die Nachrufpraxis: Ehemalige NSDAP-Mitglieder, so verfügte er, sollten in der AA-Zeitschrift keinen Nachruf mehr erhalten. Einer der Ersten, die von dieser Regelung betroffen waren, war Franz Krapf.

Drei verschiedene Biographien, drei verschiedene Perspektiven. Die Geschichte, die dieses Buch zum Gegenstand hat, ist unabgeschlossen. Das Buch selbst, sein Zustandekommen und seine Rezeption sind unauflöslich verbunden mit der Thematik, die es behandelt: Es geht um die Geschichte des Auswärtigen Dienstes in der Zeit des Nationalsozialismus, um den Umgang mit dieser Geschichte nach 1945 und um die Wirkungen der NS-Vergangenheit des Auswärtigen Amtes auf seine Entwicklung nach der Wiedergründung 1951.

Schon 1948/49 gelangte der amerikanische Militärgerichtshof im so genannten Wilhelmstraßenprozess, bei dem AA-Staatssekretär Ernst von Weizsäcker und andere hohe Diplomaten auf der Anklagebank saßen, zu dem Urteil, das Amt sei an den Verbrechen des Nationalsozialismus und insbesondere an der Ermordung der europäischen Juden beteiligt gewesen.

Das AA selbst war in den Nachkriegsjahrzehnten wieder und wieder mit seiner Geschichte in der Zeit zwischen 1933 und 1945 konfrontiert und stand vor allem wegen der hohen personellen Kontinuität in der Kritik. Immer wieder boten sich in dieser Zeit Anlässe, die eigene Geschichte aufzuarbeiten oder für eine unabhängige Aufarbeitung zu sorgen, doch das Amt fand dazu nicht die Kraft. Im Geleitwort zu einer Festschrift zum 100-jährigen Bestehen des Auswärtigen Amts im Jahr 1970 kündigte der damalige Bundesaußenminister Walter Scheel eine solche umfassende Darstellung zwar an, geschrieben indes wurde sie nicht.

Dennoch kam seit den siebziger Jahren die historische Erforschung der NS-Vergangenheit des Amtes und damit auch seiner Beteiligung am Holocaust langsam in Gang. Den Anfang bildete dabei die Untersuchung des amerikanischen Historikers Christopher Browning über das »Judenreferat« des Auswärtigen Amtes in den Jahren des Zweiten Weltkriegs. Deutsche Historiker folgten ihm, allen voran Hans-Jürgen Döscher, der 1987 seine viel beachtete Studie über die »Diplomatie im Schatten der Endlösung« vorlegte und in den folgenden Jahren der Thematik weitere Untersuchungen widmete. Über Döscher und Browning hinaus, dessen Buch von 1978 mit 32-jähriger Verspätung soeben in deutscher Übersetzung erschienen ist, sind in den letzten Jahren verschiedene Arbeiten zu Einzelaspekten der Geschichte des Auswärtigen Amts im Dritten Reich, zu einzelnen Protagonisten, zur Beteiligung deutscher Diplomaten an Besatzungsherrschaft und Holocaust, aber auch zur Gründungs- und Frühgeschichte des Auswärtigen Amts der Bundesrepublik erschienen; nicht nur deutsche Historiker, sondern die internationale Forschung hat sich dieser Themen zunehmend angenommen. Nach wie vor fehlt jedoch eine aus den Quellen und der verstreuten Forschungsliteratur gearbeitete systematische und integrierende Gesamtdarstellung.

Das vorliegende Buch versucht, dieses Defizit zu beheben. Der Auftrag, den Bundesaußenminister Joschka Fischer im Jahr 2005 der von ihm berufenen Unabhängigen Historikerkommission erteilte, schuf dafür die Möglichkeit und den Rahmen. Die Kommission, so heißt es in dem im Sommer 2006 unterzeichneten Vertrag, sollte die »Geschichte des Auswärtigen Dienstes in der Zeit des Nationalsozialismus, den Umgang mit dieser Vergangenheit nach der Wiedergründung des Auswärtigen Amtes 1951 und die Frage personeller Kontinuität beziehungsweise Diskontinuität nach 1945« aufarbeiten. Dieser Auftrag bestimmt auch die Gliederung des Buches, das entsprechend aus zwei Teilen besteht.

In einer Broschüre über »Auswärtige Politik heute«, die das Amt 1979 herausgab – ein Jahr nach Erscheinen der unmissverständlichen Studie von Browning –, wird die Geschichte des Ministeriums zwischen 1933 und 1945 in wenigen Sätzen zusammengefasst: »Das AA leistete den Plänen der NS-Machthaber zähen, hinhaltenden Widerstand, ohne jedoch das Schlimmste verhüten zu können. Das Amt blieb lange eine ›unpolitische‹ Behörde und galt den Nationalsozialisten als eine Stätte der Opposition. In der Eingangshalle des neuen Amtes in Bonn befindet sich eine Gedenktafel, die an diejenigen Mitarbeiter des AA erinnert, die im Kampf gegen das Hitler-Regime ihr Leben gaben.« Das war bestenfalls die halbe damals bekannte Wahrheit. Denn die Geschichte des Auswärtigen Dienstes in der Zeit des Nationalsozialismus bestand nicht vorwiegend aus Widerstand und Opposition. Das über Jahrzehnte gepflegte Selbst- und Geschichtsbild des Auswärtigen Dienstes der Bundesrepublik ist ein Mythos.

Auch die gerne zitierte These von der Verdrängung und Marginalisierung der traditionellen diplomatischen Elite durch nationalsozialistische Karrieristen und SS-Angehörige greift viel zu kurz. Diese Deutung, die sogar in der wissenschaftlichen Literatur ihre Spuren hinterlassen hat, wurde schon unmittelbar nach Kriegsende im Kreise ehemaliger deutscher Diplomaten entwickelt. Sie war ein Ablenkungsmanöver und ein wichtiges Mittel, Angehörigen der alten Wilhelmstraßen-Diplomatie den Weg in einen wieder entstehenden Auswärtigen Dienst der Nachkriegszeit zu bahnen. Denn dass es früher oder später wieder einen deutschen Auswärtigen Dienst geben würde, darüber war man sich einig. Wilhelm Melchers, vor 1945 Leiter des Orientreferats im AA und seit Ende 1949 im entstehenden Außenamt der Bundesrepublik für Personalfragen zuständig, lieferte in einer Aufzeichnung über den 20. Juli 1944 im Auswärtigen Amt die zentralen Elemente des NS-bezogenen Selbstbilds des Auswärtigen Amtes und seiner höheren Diplomaten. Als Kronzeuge diente dabei der nach dem 20. Juli hingerichtete Adam von Trott zu Solz, von dem Melchers unmittelbar vor dem missglückten Attentat auf Hitler gehört haben will, die alte Beamtenschaft habe sich den »Nazifizierungsversuchen« Ribbentrops entzogen und könne daher nach einem erfolgreichen Coup übernommen werden. Der Kern des Amtes, so angeblich Trott, sei »gesund«.

Doch wie verhielten sich die Angehörigen des Auswärtigen Amtes nach der nationalsozialistischen Machtübernahme 1933 tatsächlich? Welche Rolle spielte der Auswärtige Dienst im nationalsozialistischen Herrschaftssystem und Terrorapparat? Wie war das Auswärtige Amt an der deutschen Herrschaft über weite Teile Europas im Zweiten Weltkrieg beteiligt? Welchen Anteil hatten deutsche Diplomaten seit 1933 an der Verfolgung und Ermordung der deutschen und europäischen Juden? Diese Fragen leiten die Darstellung im ersten Teil des vorliegenden Buches.

Von wenigen Ausnahmen abgesehen, führten die deutschen Diplomaten auch im Übergang von der Weimarer Republik zum Dritten Reich ihre Tätigkeit bruchlos fort. Die Motive dafür waren vielgestaltig. Sie reichten von einer patriotisch bestimmten Mentalität des Dienstes – »Man lässt sein Land nicht im Stich, weil es eine schlechte Regierung hat« – über Hoffnungen auf einen autoritär gestützten machtpolitischen Wiederaufstieg Deutschlands bis hin zur Übereinstimmung mit den Prämissen der nationalsozialistischen Politik: von der Demokratiefeindschaft bis zum Antisemitismus. Es gab eine weitreichende Teilidentität der Ziele; sie hilft, das Weiterfunktionieren gerade der Spitzendiplomaten zu erklären. Deswegen schirmten deutsche Diplomaten die systematische und gewaltsame Entrechtungs- und Diskriminierungspolitik des Dritten Reiches gegenüber den Juden nicht nur nach außen ab, sondern sie waren von 1933 an aktiv an ihr beteiligt.

Seit dem 30. Januar 1933 war das Auswärtige Amt das Auswärtige Amt des Dritten Reiches, und als solches funktionierte es bis 1945. Es gestaltete zentrale Politikbereiche und verkörperte in diesem Sinne das Dritte Reich nicht nur im Ausland. Das Amt repräsentierte, dachte und handelte im Namen des Regimes. Der diplomatische Apparat, den die Nationalsozialisten 1933 übernahmen, war routiniert und erfahren, die deutsche

Diplomatie war hoch professionalisiert. Auch deshalb wurde sie zu einer wichtigen Stütze der nationalsozialistischen Herrschaft. Zugleich jedoch wähnten sich viele Diplomaten angesichts der Ansprüche rivalisierender Institutionen – von der NSDAP-Auslandsorganisation bis zur »Dienststelle Ribbentrop« – mit einem schleichenden Funktionsverlust konfrontiert. Dagegen setzte sich das Amt zur Wehr, indem es wieder und wieder seine eigene Unentbehrlichkeit zu demonstrieren versuchte und dabei auch seine Handlungsfelder beträchtlich erweiterte. Nicht erst in den Kriegsjahren kooperierte das Amt mit der Gestapo: Die deutschen Auslandsmissionen wirkten mit an der Erfassung und Überwachung von Emigranten; bei der Ausbürgerung von Deutschen – Albert Einstein, Thomas Mann, Willy Brandt und vielen anderen – spielte die Zentrale in Berlin ebenso eine aktive Rolle wie beim Raub des Vermögens der Ausgebürgerten, darunter vieler Juden.

Ziel unserer Darstellung musste es sein, sowohl individuelles Verhalten zu erklären als auch die strukturellen Rahmenbedingungen und ihre Dynamik zu berücksichtigen. Die Herausforderung liegt dabei in der Verknüpfung beider Ebenen. Welche individuellen Überzeugungen oder Dispositionen waren notwendig, um für den einzelnen Diplomaten die Politik und die Verbrechen des Dritten Reiches akzeptabel zu machen, sie geschehen zu lassen, sie in vielen Fällen aber auch aktiv mitzugestalten, ja zu forcieren? Und wie wirkten umgekehrt strukturelle Entwicklungen – die institutionelle Konkurrenz, die Dynamik des militärischen Erfolges oder die Handlungszwänge in einer Diktatur – auf das Verhalten Einzelner ein? Solche Fragen unterstreichen, dass es diesem Buch nicht, wie gelegentlich gemutmaßt wurde, um eine »zweite Entnazifizierung« geht, sondern um die allerdings eminente Frage, warum und in welcher Weise das Auswärtige Amt und seine Angehörigen an der nationalsozialistischen Gewaltpolitik und an den nationalsozialistischen Verbrechen beteiligt gewesen sind. Die Antwort auf diese Frage erschöpft sich indes nicht im Verweis auf institutionelle Bedingungen und strukturelle Faktoren, sondern sie muss zwingend auch individuelles Verhalten, individuelle Handlungsspielräume und Handlungsmöglichkeiten mit in den Blick nehmen.

Für die »neue« Diplomatie des Auswärtigen Amtes, wie sie sich sukzessive in den Jahren nach 1933 herausbildete – keineswegs nur durch den Wechsel von Neurath zu Ribbentrop im Amt des Außenministers

1938 –, standen nicht nur neue Diplomaten, sondern auch sehr viele alte. Gerade auf der Führungsebene war das Ausmaß der Personalveränderungen, die Ribbentrop nach seiner Amtsübernahme vornahm, denkbar gering. Stattdessen kam es 1937 und 1940 bei den deutschen Spitzendiplomaten zu regelrechten Eintrittswellen in die NSDAP. Zugleich – und nicht nur mit Blick auf das Auswärtige Amt – lösten sich seit den späten dreißiger Jahren zunehmend die Grenzen zwischen allgemeiner Verwaltung, Parteistellen und dem von der SS kontrollierten Sicherheitsapparat auf. Auch wenn sich keine integrierte »SS-Weltanschauungsbürokratie« (Michael Wildt) herausbildete, so waren doch die in den Kriegsjahren zunehmende Kompetenzverflechtung und Instanzenrivalität eine entscheidende Voraussetzung für die sich unter Beteiligung auch des Auswärtigen Amtes radikalisierende Dynamik der Judenvernichtung und ihren Vollzug.

Im Oktober 1941 entsandte das Auswärtige Amt seinen »Judenreferenten« Franz Rademacher – den Mann, der ein Jahr zuvor maßgeblich an den Planungen beteiligt gewesen war, alle europäischen Juden nach Madagaskar zu vertreiben, nach Belgrad, um dort mit Vertretern anderer deutscher Behörden, darunter dem Reichssicherheitshauptamt, die Behandlung der serbischen Juden zu koordinieren. Worum es ging, verrät nicht ein Geheimdokument, sondern die Reisekostenabrechnung, die Rademacher nach seiner Rückkehr in Berlin einreichte. Jeder Buchhalter in der Reisekostenstelle des AA konnte es lesen: Reisezweck war die »Liquidation von Juden in Belgrad«.

Von Anfang an war das Auswärtige Amt über die deutschen Verbrechen in dem 1939 begonnenen Eroberungs- und Vernichtungskrieg umfassend informiert. Diplomatische Beobachter dokumentierten die verbrecherischen Methoden der deutschen Kriegführung ebenso wie die brutale Besatzungsherrschaft. Ein enger Informationsaustausch mit dem Reichssicherheitshauptamt, der Zentrale von Terror und Völkermord, versorgte das Amt auch mit Kenntnissen über die »Endlösung« der Judenfrage, die Deportation und Vernichtung von sechs Millionen europäischen Juden. Mit Unterstaatssekretär Martin Luther war das Amt im Januar 1942 bei der Wannsee-Konferenz vertreten, die das Schicksal der Juden in Europa besiegelte und ihre Vernichtung koordinierte. Das einzige Exemplar des Protokolls dieser Konferenz fand sich nach 1945 in den Akten des Auswärtigen Amtes.

Die Mitwisser im Amt waren auch Mittäter. Nicht nur beschäftigten sich eigene Abteilungen im AA mit der Organisation moderner Sklavenarbeit und mit Kunstraub. Die deutsche auswärtige Politik machte sich die »Lösung der Judenfrage« in Deutschland, dann die »Endlösung«, zu ihrer Aufgabe, die Mitwirkung daran wurde zu einem Tätigkeitsfeld deutscher Diplomaten überall in Europa. In vielen Fällen waren Angehörige des Auswärtigen Dienstes – und nicht nur Seiteneinsteiger aus der Zeit nach 1933 – an der Deportation von Juden unmittelbar beteiligt, mitunter ergriffen sie sogar die Initiative. Je größer der Herrschaftsbereich des Dritten Reiches wurde, desto mehr war auch das Auswärtige Amt mit der Politik der »Endlösung« befasst. Neue, ja präzedenzlose Aufgabenfelder, der überkommenen Außenpolitik und Diplomatie ganz fremd, wuchsen den deutschen Diplomaten zu: Plünderung, Raub, Verfolgung und Massenmord. Zugleich umgab das Amt sein Handeln mit dem Schein bürokratischer Kontinuität, Professionalität und damit Legitimität – und trug so dazu bei, moralische Bedenken angesichts ungeheurer Verbrechen zu relativieren. Einzelne Fälle von Kritik können darüber nicht hinwegtäuschen.

Grundlegende Debatten über den Holocaust, an deren Ende der Entschluss zum Widerstand hätte stehen können, hat es auf der Leitungsebene des Auswärtigen Amtes so wenig gegeben wie in anderen deutschen Behörden. Debatten und Dissens gab es mit Blick auf außenpolitische Zielsetzungen und Vorgehensweisen, auf die Besatzungspolitik und die Rolle des Amtes dabei, nicht jedoch mit Blick auf die Verbrechen des Regimes. Individuell abweichendes und oppositionelles Verhalten war dennoch möglich und konnte auch aus der verbrecherischen Politik des Dritten Reiches resultieren. Um nur ein Beispiel zu nennen: Gerhart Feine, Botschaftsrat an der deutschen Botschaft in Budapest, half 1944 mit, zahlreiche ungarische Juden vor dem Abtransport in die deutschen Vernichtungslager zu bewahren.

Gewiss, es gab Widerstand aus dem Auswärtigen Amt heraus und Widerstand von Diplomaten. Doch dieser Widerstand blieb individuell und die Ausnahme. Ulrich von Hassell, der den diplomatischen Dienst schon 1938 quittiert hatte, Adam von Trott zu Solz, der als Quereinsteiger und Wissenschaftlicher Hilfsarbeiter in den Kriegsjahren ins Auswärtige Amt gekommen war, oder Hans Bernd von Haeften, Vertrauensmann von Claus Graf Stauffenberg im Auswärtigen Amt, waren Außenseiter, nicht die führenden Köpfe einer breiten Oppositionsbewegung in der Wilhelmstraße. Albrecht Graf Bernstorff, den die SS im April 1945 ermordete, hatte den Auswärtigen Dienst als einer von ganz wenigen schon 1933 verlassen. Dass Hassell, Trott, Haeften und Bernstorff und wenige andere nach 1945 für die Traditionsbildung des Auswärtigen Dienstes der Bundesrepublik in Anspruch genommen wurden, ist legitim und nachvollziehbar. Viele Diplomaten, mit denen eine solch positive Identifikation möglich war, gab es indes nicht.

Überdies waren es im Zweifelsfall die Nationalkonservativen aus der Wilhelmstraße, die in den traditionsbildenden Kreisen des Auswärtigen Dienstes der jungen Bundesrepublik den Ton angaben. Fritz Kolbe galt ihnen als Landesverräter, der 1942 hingerichtete Rudolf von Scheliha wurde mit dem kommunistischen Widerstand in Verbindung gebracht. Was blieb, war der Kreis um den ehemaligen Staatssekretär Ernst von Weizsäcker, der sich 1939 zwar bemüht hatte, den Krieg zu verhindern, der aber bis 1945 mit der deutschen Gewaltpolitik eng verbunden war. Weizsäcker konnte für all jene stehen, die den Dienst nicht quittiert und bis zum Ende des Krieges auf ihren Posten ausgeharrt hatten, vorgeblich in dem Bemühen, von innen, aus dem Amt heraus, Sand ins Getriebe der nationalsozialistischen Kriegs- und Mordpolitik streuen zu können.

Auch darum richteten sich nach 1945 die konzertierten Bemühungen vieler Ehemaliger darauf, einen Freispruch Weizsäckers zu erreichen, der 1948/49 im Nürnberger Wilhelmstraßenprozess auf der Anklagebank saß. Konnte man den ehemaligen Staatssekretär entlasten, der 1942 mit seiner Paraphe die Deportation französischer Juden in den Osten abgezeichnet hatte, dann war man selbst entlastet und durfte auf eine Verwendung im Auswärtigen Dienst des 1949 gegründeten westdeutschen Staates hoffen. Doch die Anstrengungen hatten nicht den gewünschten Erfolg. Weizsäcker wurde 1949 als Kriegsverbrecher zu sieben Jahren Haft verurteilt. Selbst ein Militärtribunal, das der Anklage überaus skeptisch gegenüberstand, zweifelte nicht an seiner Mitschuld an Verbrechen gegen die Menschlichkeit.

Das Nürnberger Verfahren wird am Beginn des zweiten Teils des Buches ausführlich analysiert. Dahinter steht die Erkenntnis, dass der Wilhelmstraßenprozess für die Entstehung und frühe Entwicklung des Selbstbildes des AA und die Deutung seiner NS-Vergangenheit von konstitutiver Bedeutung gewesen ist. In Nürnberg – und das gilt auch für andere Kriegsverbrecherprozesse – waren hochrangige Vertreter des NS-Regimes oftmals über Monate auf engstem Raum zusammen, standen Angeklagte in intensiver Kommunikation mit Zeugen und Verteidigern. Das waren geradezu ideale Bedingungen für die Konstruktion und die Abstimmung von Geschichtsdeutungen und Schuldzuschreibungen. Was wir in den Selbstdarstellungen des Auswärtigen Amtes bis in die siebziger, achtziger Jahre über seine Geschichte nach 1933 lesen können und was seine Traditionsbildung über Jahrzehnte bestimmte, mag zwar schon im Kontext der Entnazifizierung zur individuellen Rechtfertigung artikuliert worden sein. Doch in Nürnberg hat es sich zum Topos verdichtet – um fortan auf das Amt im Ganzen und auf so gut wie alle seine Angehörigen bezogen zu werden.

Welche Rolle spielte die NS-Vergangenheit des Amtes und seiner Diplomaten nach 1945? Seine Vergangenheit hat das Auswärtige Amt der Bundesrepublik seit 1951 immer wieder eingeholt. Ein ums andere Mal rückte vor allem die hohe personelle Kontinuität zwischen der Wilhelmstraße in Berlin und der Koblenzer Straße in Bonn in den Fokus der öffentlichen Aufmerksamkeit. Parlamentarische Untersuchungsausschüsse befassten sich mit dieser Kontinuität und ihren Folgen ebenso wie die westdeutschen Medien. In den vergangenheitspolitischen Entwicklungen der jungen Bundesrepublik war der Auswärtige Dienst keine Ausnahme. Doch wie kam es, dass Adenauers Wunsch von 1949 nicht in Erfüllung ging: ein neues Amt aufzubauen, »das mit den alten Leuten möglichst wenig zu tun hat«?

Vor dem Hintergrund des Ost-West-Konflikts standen die Außenpolitik der Bundesrepublik und mit ihr das Auswärtige Amt unter Dauerbeschuss aus dem Osten, vor allem aus der DDR. Nicht nur deren »Braunbuch« von 1965 verwies auf die hohe personelle Kontinuität zwischen dem alten und dem neuen Amt und auf die NS-Belastung führender westdeutscher Diplomaten. Die Angaben in dem Buch trafen zum allergrößten Teil zu; aber weil die Vorwürfe aus der DDR kamen, halfen sie, wie auch der Fall Franz Nüßlein zeigt, im antikommunistischen Klima des Kalten Krieges den Beschuldigten eher, als dass sie ihnen schadeten. Und sie trugen dazu bei, dass die in den späten vierziger und fünfziger Jahren entstandenen Geschichtsbilder und Geschichtslegenden erhalten blieben und fortwirkten.

Zwar war der institutionelle Wiederbeginn des Auswärtigen Amtes nach Gründung der Bundesrepublik insofern ein Neuanfang, als sich das Amt in das demokratische Gefüge des jungen westdeutschen Staates einpassen musste. Doch gerade die Personalpolitik des in Bonn wiedergegründeten Amtes stand von Anfang an in einem Spannungsverhältnis von Kontinuität und Neubeginn. Das führte immer wieder zu amtsinternen Konflikten, aber auch zu öffentlichen Kontroversen und Skandalen, in deren Zentrum stets aufs Neue die NS-Vergangenheit des Amtes und vieler seiner Diplomaten stand. Ernst Kutscher, in der Berliner Zentrale des AA 1944 mit »antijüdischer Auslandsaktion« befasst, wirkte noch in den sechziger Jahren als Botschaftsrat in Paris, später bei der EWG in Brüssel. Werner von Bargen, als Vertreter des Auswärtigen Amtes an der Deportation von Juden in Belgien beteiligt, beendete seine diplomatische Karriere als Botschafter der Bundesrepublik in Bagdad. Außerhalb des Auswärtigen Amtes stieg Ernst Achenbach, seit 1940 Leiter der politischen Abteilung der deutschen Botschaft in Paris, mitverantwortlich für die Deportation französischer Juden, nach 1945 Verteidiger im Wilhelmstraßenprozess, als Bundestagsabgeordneter zu einem der führenden Außenpolitiker der FDP auf – und 1970 beinahe zum deutschen EWG-Kommissar.

Weil das Auswärtige Amt für die Außenpolitik des westdeutschen Staates zuständig war, stand es unter besonderer Beobachtung. Hochsensibel verfolgte man im Ausland den Wiederaufbau des deutschen diplomatischen Dienstes. Man suchte zu prüfen, wen die Bundesrepublik an ihre konsularischen und diplomatischen Missionen entsandte. Kein außenpolitisches Thema, kein Thema der bilateralen Beziehungen der Bundesrepublik zu anderen Staaten war ohne Bezüge zur nationalsozialistischen Vergangenheit – weit über das deutsch-israelische Verhältnis hinaus, mit dem deutsche Diplomaten allerdings auch schon vor der Aufnahme diplomatischer Beziehungen befasst waren. Das erforderte permanente Selbstverständigungsprozesse innerhalb des diplomatischen Personals, deren Veränderung und Wirkmächtigkeit in unterschiedlichen Politikbereichen zu den Themen dieses Buches gehören. Die deutsche Außenpolitik hatte – und hat – eine vergangenheitspolitische Dimension, und insofern ist die Geschichte des Auswärtigen Dienstes der Bundesrepublik auch ein Beitrag zur Geschichte ihrer auswärtigen Politik.

Wo aber lagen die außenpolitischen Zielsetzungen und Überzeugungen jener Wilhelmstraßen-Beamten, die in den Auswärtigen Dienst der Bundesrepublik übernommen wurden? Für welche Politik traten sie ein, welche lehnten sie ab? Wie verhielten sie sich zu Adenauers Kurs der Westintegration? Aus solchen Fragen die These einer von Diplomaten getragenen Kontinuität nationalsozialistischer Außenpolitik zu konstruieren, läuft ins Leere. Natürlich gab es keine Kontinuität nationalsozialistischer Außenpolitik. Wohl aber waren außenpolitische und diplomatische Denktraditionen, die nicht nur um die Idee und Realität der Nation kreisten, sondern auch um die Denkfigur des autonomen nationalen Machtstaats, von der die deutsche Außenpolitik seit 1870 bestimmt war, nach 1945 noch lange nicht abgerissen. Gerade die deutsche Teilung und das Ziel der Wiedervereinigung trugen zum Erhalt solcher außenpolitischen Grundüberzeugungen bei.

Doch Einstellungen können sich verändern, und trotz schwerer Belastungen hat der Auswärtige Dienst der Bundesrepublik Deutschland im Laufe der Jahrzehnte seinen Platz im liberal-demokratischen Institutionengefüge der Bundesrepublik gefunden. Auch diese Entwicklung versucht das Buch nachzuzeichnen, nicht zuletzt mit Blick auf Veränderungen der Rekrutierungspraxis und der Diplomatenausbildung. Für die diplomatischen Eliten im Übergang vom Dritten Reich zur Nachkriegszeit gilt wohl, was bereits für andere Eliten und Personengruppen herausgearbeitet worden ist: Je erfolgreicher die Politik und hier vor allem die Außenpolitik der Bundesrepublik war, desto größer wurde die Wahrscheinlichkeit, dass gerade die Angehörigen belasteter Eliten von einem anfänglichen Opportunismus voller Vorbehalte zu einer wirklichen Zustimmung gelangen konnten. Gewiss spielte in diesen Wandlungsprozessen auch der Kalte Krieg eine wichtige Rolle, der die Kontinuität antikommunistischer Überzeugungen erlaubte, ja geradezu einforderte, und zugleich den Hintergrund bildete für eine zunächst (außen-)politische, später auch ideelle Westorientierung.

Man mag bestreiten, dass es je ein Monopol des Auswärtigen Dienstes für auswärtige Beziehungen gegeben hat, und gerade der Nationalsozialismus hat, wie dieses Buch zeigt, den Alleinstellungs- und Dominanzanspruch des Auswärtigen Amtes bei der Vertretung der auswärtigen Politik gebrochen. In der Bundesrepublik trug der Verlust dieser Vorrangstellung in Verbindung mit dem Aufstieg neuer Kräfte und Institutionen auf diesem Gebiet einerseits dazu bei, dass sich der Auswärtige Dienst für seinen führenden Anspruch in der Pflege der internationalen Beziehungen eines demokratischen Staates mit einer pluralistischen Gesellschaft immer wieder aufs Neue rechtfertigen musste. So gelangten überkommene Überzeugungen auf den Prüfstand und begannen sich zu wandeln. Andererseits führten der – tatsächliche oder vermeintliche – Bedeutungsverlust des Auswärtigen Dienstes und die Angst vor einer Marginalisierung intern auch zu einem Festhalten am traditionellen Selbstverständnis. Zu diesem Selbstverständnis gehörte ein homogenes und positives Geschichtsbild eindeutig dazu.

Franz Krapf, Fritz Kolbe und Franz Nüßlein – ihre Biographien stehen in gewisser Weise exemplarisch für die Geschichte, die dieses Buch schreibt. In ihren Lebenswegen spiegelt sich die Geschichte einer Institution, die in der deutschen Geschichte des 20. Jahrhunderts tiefe Spuren hinterlassen hat. Das Buch will diese Spuren identifizieren, und es will sie lesen. Eine Erfolgsgeschichte schreibt es nicht. Es schreibt eine typische deutsche, eine paradigmarische Geschichte sowohl mit Blick auf den Nationalsozialismus als auch mit Blick auf die Nachwirkungen des Dritten Reiches und den Umgang mit der NS-Vergangenheit nach 1945.

Erster Teil

Die Vergangenheit des Amts

Das Auswärtige Amt und die Errichtung der Diktatur

Als sich am »Tag von Potsdam« der neue Reichskanzler Adolf Hitler vor der Garnisonkirche vor Reichspräsident Paul von Hindenburg verbeugte, traf in Washington ein Telegramm aus Berlin ein. An diesem 21. März 1933, genau 50 Tage nach Hitlers Ernennung zum Reichskanzler, drahtete der Staatssekretär des Auswärtigen Amts, Bernhard von Bülow, an die Deutsche Botschaft in den USA: »Teil der ausländischen Presse veröffentlicht unsinnigste von angeblichen Flüchtlingen stammende Gerüchte aus Deutschland. Danach sollen u. a. Verhaftete in grausamer Weise misshandelt und insbesondere Ausländer vielfach täglich angegriffen werden. Es liegt auf der Hand, dass diese Gerüchte von den Feinden der nationalen Regierung in böswilliger Absicht verbreitet werden, um in Ermangelung anderer Mittel durch eine wohl organisierte Greuelpropaganda das Ansehen und die Autorität der nationalen Regierung zu untergraben. Mit allem Nachdruck muss festgestellt werden, dass alle solchen Gerüchte in das Reich der Fabel gehören. Im übrigen ist der Reichskanzler, wie er in seinen öffentlichen Erklärung betont hat, fest entschlossen, die bisherige Disziplin der nationalen Revolution mit aller Energie auch weiterhin aufrechtzuerhalten. Die Übergriffe Einzelner, die vorwiegend auf Provokateure zurückzuführen sind, sind für die Zukunft durch scharfe Kontrollmaßnahmen unterbunden. Bitte in jeder Weise verwerten.«[1]

Bülows Telegramm war ein beredtes Zeugnis für das Verhalten der deutschen Diplomaten in der Anfangsphase der nationalsozialistischen Machteroberung. Mit technokratischer Selbstverständlichkeit trugen sie der neuen Regierung ihre Dienste an und ließen keinerlei Skrupel erkennen, den unmittelbar nach dem 30. Januar 1933 einsetzenden Terror gegenüber dem Ausland zu bagatellisieren und zu rechtfertigen. Bülows

Anweisung war eine direkte Reaktion auf vor allem aus den USA eintreffende Nachrichten, wonach die jüngsten Entwicklungen in Deutschland international auf viel Kritik stießen.

Acht Tage zuvor hatte der deutsche Generalkonsul in Chicago an die Botschaft in Washington telegrafiert, dass die »Stimmung in der hiesigen Bevölkerung und der Presse ... neuerdings unter dem Eindruck der aus Deutschland kommenden Pressemeldungen von Terrorakten gegen Angehörige jüdischen Glaubens immer unfreundlicher« werde. Das Generalkonsulat werde »täglich von Personen, insbesondere jüdischen Glaubens, mit Anfragen überlaufen, die für die Sicherheit ihrer Angehörigen in Deutschland besorgt sind«; es sei zu befürchten, »dass dem Ansehen Deutschlands durch die Vorgänge ein Schaden entsteht, der in Jahren nicht wieder gutzumachen ist«.

Vier Tage später berichtete der Generalkonsul aus New York, eine »akute deutschfeindliche Stimmung« beherrsche die »stark jüdischdurchsetzte Presse und Bevölkerung«. Da die Meldungen »über erfolgte Judenmisshandlungen« sowie über »Masseninternierungen politischer Gefangener in Konzentrationslagern« nicht abrissen, sehe sich das Konsulat »von Beschwerden und Empörungsäußerungen einflussreicher Persönlichkeiten und Organisationen, wie von besorgten Warnungen und Mahnungen aus deutschfreundlichen und deutschinteressierten Kreisen überschwemmt«.[2]

Aus allen deutschen Konsulaten in den USA trafen seit Mitte März 1933 beinahe täglich ähnlich lautende Meldungen in der Botschaft Washington ein, der Botschafter Friedrich von Prittwitz und Gaffron unterrichtete seinerseits fortlaufend das Auswärtige Amt in Berlin. Aufgrund seiner Berichte war die Zentrale genau darüber im Bilde, wie die amerikanische Öffentlichkeit, aber auch wie Politik und Wirtschaft in den USA auf die Nachrichten über die Gewaltaktionen in Deutschland reagierten. Aus den großen europäischen Hauptstädten berichteten die Botschafter Ähnliches. Leopold von Hoesch, der deutsche Botschafter in Großbritannien, rief aus London an, um mitzuteilen, dass sich immer mehr Personen an ihn wendeten, »um Auskunft über die Vorgänge in Deutschland« und »die Behandlung gewisser Persönlichkeiten des öffentlichen Lebens« zu erhalten.[3] Aus Paris telegrafierte Botschafter Roland Köster, bei ihm würden Erkundigungen über Personen eingeholt, »über deren Schicksal ... alarmierende Gerüchte in Paris umliefen«. Jüdische Emigranten, die »nach Paris und Elsass-Lothringen ziehen«, würden »ihren dort ansässigen Glaubensgenossen die unglaublichsten Fabeln erzählen von der Terror- und Greuelwirtschaft in Berlin und Deutschland sowie insbesondere von antisemitischen Ausschreitungen«.[4]

Schwerpunkt der Proteste aber blieben die USA. Außenminister Constantin von Neurath wandte sich daher über die Presse direkt an den Bostoner Kardinal William Henry O'Connell, der zu den Mitorganisatoren einer geplanten Protestkundgebung im Madison Square Garden zählte. »Die angeblichen Pogrome an deutschen Juden«, so Neurath, würden »jeder Grundlage entbehren. Die nationale Revolution in Deutschland, die die Ausrottung der kommunistischen Gefahr und die Säuberung des öffentlichen Lebens von marxistischen Elementen zum Ziele hat, hat sich mit vorbildlicher Ordnung vollzogen. Fälle ordnungswidrigen Verhaltens waren bemerkenswert selten und unbedeutend. Hunderttausende von Juden gehen in ganz Deutschland ihrer Beschäftigung wie bisher nach, Tausende von jüdischen Geschäften sind jeden Tag geöffnet, große jüdische Zeitungen … erscheinen täglich, die Synagogen und jüdischen Friedhöfe bleiben unbehelligt.«[5] Der amerikanischen Nachrichtenagentur Associated Press gab er ein Interview, in dem er die Gewalt als »Übergriffe Einzelner« bagatellisierte und die erpresserisch klingende Drohung aussprach, die jüdische Propaganda im Ausland erweise ihren Glaubensgenossen in Deutschland keinen Dienst, »wenn sie durch entstellte und falsche Nachrichten über Judenverfolgungen, Folter etc. der deutschen Öffentlichkeit den Eindruck« gebe, »dass sie tatsächlich vor keinem Mittel, selbst vor Lüge und Verleumdung«, zurückschrecke, um die neue deutsche Regierung zu bekämpfen.[6]

In der Tat hatte die Auslandspresse auch Meldungen verbreitet, welche die schreckliche Realität noch überboten. Daraufhin veröffentlichte der Central-Verein deutscher Staatsbürger jüdischen Glaubens, mit mehr als 500 000 Mitgliedern die bedeutendste Organisation assimilierter Juden in Deutschland, am 24. März 1933 eine Erklärung, in der die »unverantwortlichen Entstellungen« in der ausländischen Berichterstattung »aufs schwerste« verurteilt wurden. Zwar sei es »zu politischen Racheakten und Ausschreitungen auch gegen Juden gekommen«, aber »vor allem der Befehl des Reichskanzlers, Einzelaktionen zu unterlassen, hat seine

Wirkung getan«.[7] Die Presseerklärung wurde vom Auswärtigen Amt eilends nach Washington übermittelt, wo sie Botschafter Prittwitz dazu diente, davor zu warnen, »jedem Verbreiter übertriebener und falscher Meldungen Glauben zu schenken«.[8]

Eine Absage der New Yorker Protestveranstaltung zu erreichen, gelang allerdings weder dem Auswärtigen Amt noch dem Central-Verein, dem das AA die Verantwortung für diese Aktion zuzuschieben suchte. Am 26. März 1933 versammelten sich 250 000 Menschen in New York und mehr als eine Million überall in den USA zu einer großen Demonstration gegen die Verfolgung und Diskriminierung der Juden in Deutschland. Das Auswärtige Amt hatte alle Hände voll damit zu tun, für Schadensbegrenzung zu sorgen. »Im Sinne einer objektiven Berichterstattung über die Vorgänge in Deutschland« habe man auf die Korrespondenten der ansässigen Zeitungen »einzuwirken« versucht. In Einzelfällen sei es sogar gelungen, mit Chefredakteuren persönlich zu sprechen und Informationen »zu lancieren«. Unter dem Strich, so Prittwitz, sei es der Botschaft und den Konsularbehörden, auch dank der Mithilfe jüdischer Organisationen in Deutschland, gelungen, die »Greuelpropaganda« merklich einzudämmen.[9]

Sich ein realistisches Bild von den Zuständen in Deutschland zu machen, war für Prittwitz kaum möglich. Angewiesen auf die amtliche Berichterstattung und Pressemeldungen aus Berlin, hielt er die Berichte der Auslandspresse für »gehässige Meldungen«. Dennoch schien ihm manches nicht völlig aus der Luft gegriffen. Das Auswärtige Amt, mahnte er in einem bemerkenswerten Telegramm, müsse dafür sorgen, dass Deutschlands Ruf als Ordnungsstaat gewahrt bleibe, denn die ausländischen »Hetzer werden sich keine Gelegenheit entgehen lassen, wirkliche Geschehnisse ... aufzugreifen, zu entstellen, aufzubauschen«. Hitler müsse der antisemitischen Agitation Einhalt gebieten und das Ausland davon überzeugen, dass Recht und Gerechtigkeit immer noch oberstes Gesetz im Deutschen Reich seien.[10]

Als die Meldungen aus Deutschland nicht abrissen, erneuerte er seine Mahnung zur Mäßigung. Längst hätten in den USA die Protestaktionen gegen »die angeblichen Judenverfolgungen in Deutschland« den Charakter einer gefährlichen »Deutschhetze« angenommen und würden inzwischen sogar »von dem politisch und wirtschaftlich sehr einflussreichen amerikanischen Judentum unter Führung des American Jewish

Congress« organisiert. Auch auf Präsident Roosevelt werde starker Druck ausgeübt. Anlass zur Sorge gebe vor allem die »Boykottbewegung gegen deutsche Waren und deutsche Schiffe«, die sich bereits bemerkbar mache.[11]

Die Berichterstattung von Prittwitz bewirkte in Berlin das Gegenteil dessen, was der Botschafter beabsichtigt hatte. Indem er explizit auf die amerikanischen Juden als Träger der Proteste verwies und andeutete, dass in den USA der Eindruck herrsche, die Regierung in Berlin sei nicht mehr Herr der Lage, lieferte er Hitler den entscheidenden Vorwand für einen »Gegenboykott«. In einer reichsweiten Aktion gegen jüdische Geschäfte sollten nicht nur die deutschen Juden für die Auslandsproteste gewissermaßen in Geiselhaft genommen, sondern auch die Gewalttätigkeit der SA auf ein definiertes Ziel gelenkt und damit dem Eindruck von Führungsschwäche entgegengewirkt werden. Die Berichterstattung der Deutschen Botschaft in Washington wurde damit indirekt zum Auslöser für den Boykott jüdischer Geschäfte am 1. April 1933.

Die Durchführung der Aktion übernahm ein »Zentralkomitee zur Abwehr der jüdischen Greuel- und Boykotthetze« unter der Regie des Reichsministers für Volksaufklärung und Propaganda Joseph Goebbels. Obwohl die Maßnahmen als Vergeltung für jüdische Provokationen aus dem Ausland dargestellt wurden, zeigte der Boykott keineswegs die Wirkung, die sich Goebbels erhofft hatte. Das Ausland aber reagierte mit tiefer Empörung. Vier Tage nachdem in Deutschland die Fensterscheiben jüdischer Geschäfte zerschlagen, die Auslagen demoliert und Kunden am Betreten jüdischer Geschäfte gehindert worden waren, berichtete Prittwitz von einem erneuten »Aufleben der Protestbewegung«. Weil der Boykott auf einen Tag beschränkt gewesen und offenbar maßvoll durchgeführt worden sei, könne inzwischen allerdings ein »Abflauen der Erregung« festgestellt werden.[12] In Paris seien »große Mengen deutschen Porzellans inzwischen zerschlagen«, meldete Köster, und es werde viel Aufklärungsarbeit nötig sein, um die Beunruhigung zu beseitigen. Hoesch mahnte, dass Deutschland in den letzten Wochen außerordentlich viel Terrain in England verloren habe.[13]

Was dem Propagandaminister als »ein großer moralischer Sieg« erschien, markierte – für jeden erkennbar – den Übergang zur staatlich legitimierten Ausgrenzung und Unterdrückung der Juden in Deutschland.[14] War der Antisemitismus das eigentlich Spezifische des neuen Regimes, so stieß er jedenfalls bei den Diplomaten auf keinen grundsätzlichen Widerspruch. Sie sorgten sich lediglich um den guten Ruf Deutschlands. »Die anti-jüdische Aktion zu begreifen, fällt dem Ausland besonders schwer, denn es hat diese Judenüberschwemmung eben nicht am eigenen Leibe verspürt«, notierte der aufstrebende Gesandte Ernst von Weizsäcker mit Blick auf den Boykott. »Das Faktum besteht, dass unsere Position in der Welt darunter gelitten hat und dass die Folgen sich schon zeigen und in politische und andere Münze umsetzen.« Weizsäcker gehörte zu jenen Laufbahnbeamten, die sich über die weitere Entwicklung Sorgen machten, weil sie fürchteten, das Ganze könne aus dem Ruder laufen, wenn die radikalen Kräfte innerhalb der NS-Bewegung jetzt Oberhand bekämen. Man müsse dem Regime deshalb »alle Hilfe und Erfahrung angedeihen lassen und mit dafür sorgen, dass die jetzt einsetzende zweite Etappe der neuen Revolution eine ernsthaft konstruktive wird«.[15]

Mit seiner Ansicht, »der Fachmann dürfe das Feld nicht einfach räumen«, sei er »in guter Gesellschaft gewesen«, schrieb Weizsäcker rückblickend.[16] Wie Weizsäcker führten die meisten Laufbahndiplomaten, die mehrheitlich bereits im Kaiserreich in den Auswärtigen Dienst eingetreten waren, ihre Arbeit bruchlos auch unter dem neuen Regime fort. Noch über jeden Regierungswechsel hinweg hatte das Amt seine Aufgaben erledigt, und in der 63-jährigen Geschichte hatte es einige gegeben. Zweifellos war die Regierung am 30. Januar 1933 auf verfassungsmäßigem Wege ernannt worden, aber von Anfang an hat sie den Terror legitimiert. Als der gewalttätige Charakter des Regimes immer deutlicher hervortrat, quittierten die Mitglieder der alten AA-Garde indes mitnichten den Dienst, und viele von ihnen gehörten auch im Krieg noch dem Auswärtigen Amt an. Es war die gleiche Elite, die unter dem Kaiser gedient und die Weimarer Republik – aus ihrer Sicht – überstanden hatte, die 1941 zum Träger der nationalsozialistischen Eroberungs- und Vernichtungspolitik werden sollte.

Traditionen und Strukturen

Reichsminister des Auswärtigen in dem am 30. Januar 1933 ernannten Kabinett der »nationalen Konzentration« wurde Constantin Freiherr von Neurath, der bereits seit Juni 1932 das Auswärtige Amt leitete, in das er 1901 eingetreten war. Im Vertrauen darauf, dass personelle Kontinuität außenpolitische Stetigkeit verbürge, hatte Hindenburg auf Neuraths Übernahme besonderen Wert gelegt. Auch sonst blieb im Amt alles beim Alten.

Seit seiner Gründung im Jahr 1871 bestand das Auswärtige Amt als Reichsbehörde. Hervorgegangen war es aus dem Ministerium der auswärtigen Angelegenheiten des Königreichs Preußen, das 1870 zum Auswärtigen Amt des Norddeutschen Bundes und im Folgejahr zum Auswärtigen Amt des Deutschen Reiches umgewandelt worden war. Es war neben dem Kanzleramt das älteste Reichsamt und galt als »vornehmste« Behörde. In der Tat hatte das Auswärtige Amt eine homogene Sozialstruktur aufzuweisen, in keiner anderen Behörde wurde ein so exklusives und korporatives Selbstverständnis gepflegt. Der Korpsgeist der Wilhelmstraße, wie das Amt nach seiner Adresse im Zentrum Berlins direkt neben dem Reichskanzleramt genannt wurde, war geradezu sprichwörtlich, und entsprechend ausgeprägt war auch der Dünkel.

Die Vertreter des höheren Auswärtigen Dienstes, Botschafter, Gesandte und Ministerresidenten, genossen eine Reihe ungewöhnlicher Privilegien. Sie waren die persönlichen Abgesandten des Kaisers und beim Staatsoberhaupt des Landes, in dem sie Seine Majestät vertraten, persönlich akkreditiert. Sie genossen diplomatische Immunität, nahmen hoheitliche Aufgaben wahr und hatten Anspruch auf die gleichen Ehrenbezeigungen wie der Souverän. Ihr Status, als ständige Vertreter in einem fremden Land die Interessen des eigenen Staates wahrzunehmen und zugleich über die Entwicklung dort regelmäßig nach Hause zu berichten, war im Grunde so alt wie Staatengeschichte selbst und reichte bis in das 15. Jahrhundert zurück.

Vor diesem Hintergrund war die Diplomatie ein Betätigungsfeld, das bis weit ins 20. Jahrhundert hinein dem Adel vorbehalten blieb. Vor allem für die Ernennung zum Botschafter, die höchste Klasse unter den Gesandten, die nur von den Großmächten entsandt und empfangen wurden, galt die Formel: Je feiner der Stammbaum, desto größer die

Chancen. Da die prestigeträchtigen Botschafterposten im Regelfall nur beim Ausscheiden eines Diplomaten aus dem Dienst für Nachrückende frei wurden, umfasste der Kreis der Personen, die zwischen der Reichsgründung und dem Ersten Weltkrieg als Botschafter tätig waren, weniger als 50 Diplomaten. Ausschließlich Adelige fanden zwischen 1871 und 1914 als Botschafter Verwendung; auf den europäischen Gesandtenposten dienten immerhin 93 Prozent, auf den außereuropäischen 71 Prozent Adlige als Missionschefs. Wie adelige Abstammung unerlässliche Voraussetzung war, um auf bestimmten Auslandsposten akzeptiert zu werden, so verliehen Adelige dem Berufsstand des Diplomaten das besondere Flair der Exklusivität.

Aber auch die Zusammensetzung des Auswärtigen Amts insgesamt blieb während des Kaiserreichs stärker vom Adel geprägt als die jedes anderen Reichsamtes. Während Adelige mit einem Anteil von etwa 0,15 Prozent an der Gesamtbevölkerung eine kleine Minderheit stellten, dominierten sie den Auswärtigen Dienst. Der Adel hatte sich hier eine nach außen wirkungsvoll abgeschirmte Bastion geschaffen, die seinen Niedergang im Zuge der Industrialisierung und Modernisierung aufhielt. Auch wenn im Amt die Normen und Kriterien des Adels wie ein anachronistisches Herrschaftssystem tradiert wurden, war adelige Abstammung allerdings kein formelles Zulassungskriterium, sondern gehörte lediglich zu den informellen »Kompetenzen«. Zu den informellen Rekrutierungs- und Beförderungskriterien zählte auch die Mitgliedschaft in einer der angesehenen Studentenverbindungen, möglichst einer schlagenden; zudem galt der Besitz des Reserveoffizierspatents als selbstverständliche Zugangsvoraussetzung.

Offiziell wurde von einem Bewerber für den höheren Dienst zunächst ein mit dem Referendarexamen abgeschlossenes Jurastudium verlangt. Je nach Laufbahn mussten Erfahrungen im Justiz- oder Verwaltungsdienst belegt sowie englische und französische Sprachkenntnisse nachgewiesen werden. Darüber hinaus musste der Militärdienst abgeleistet sein. Weil ein Anwärter während seiner Ausbildungszeit keine oder nur eine unzureichende Vergütung erhielt, hatte er zuletzt ein nicht unbeträchtliches Vermögen nachzuweisen, das eine »standesgemäße« Lebensführung während der Ausbildung und auch später sicherstellte. Nach Art selbstreferenzieller Systeme stellten diese Auslesemechanismen zusammen mit den informellen Kriterien jene soziale Homogenität und gesinnungsethische Loyalität sicher, die den höheren Dienst des Auswärtigen Amts vom Kaiserreich über den Untergang der Monarchie und das Ende des Weimarer Demokratieversuchs hinaus bis ins Dritte Reich kennzeichnete.

Im Januar 1933 war noch gut die Hälfte der Spitzendiplomaten adeliger Abstammung. Der älteste Angehörige des höheren Dienstes war zu diesem Zeitpunkt 70 Jahre alt, der jüngste 48, das Durchschnittsalter lag bei 56 Jahren. Die Gruppe der Spitzendiplomaten vom Gesandten I. Klasse aufwärts – Besoldungsgruppe B5, Generalmajor aufwärts – bestand zum Stichtag 30. Januar 1933 aus 40 Personen inklusive Minister. Drei Viertel von ihnen waren in das kaiserliche Auswärtige Amt eingetreten, nämlich 14 der 22 Gesandten I. Klasse, alle neun Botschafter sowie die gesamte Führungsebene in der Zentrale, zu der neben dem Minister und dem Staatssekretär die sechs Abteilungsleiter im Rang eines Ministerialdirektors gezählt werden (der Leiter der Wirtschaftsabteilung war nicht in das Auswärtige Amt, sondern in das Reichskolonialamt eingetreten).

Sowohl die leitenden Beamten in der Zentrale als auch die neun Botschafter waren während der Weimarer Republik in die Spitzenpositionen aufgestiegen, und maßgeblichen Anteil daran hatte Hindenburg, der seit seiner Wahl zum Reichspräsidenten im April 1925 zielgerichtet die Karrieren betont national gesinnter Diplomaten förderte. In extensiver Auslegung der ihm nach Artikel 46 der Reichsverfassung zukommenden Rechte hatte er sich nicht nur die Entscheidung über die Beförderung oder Versetzung eines Diplomaten vorbehalten, sondern auch das Vorschlagsrecht beansprucht. Die Folge war, dass sich antidemokratisches und revisionistisches Denken in der Wilhelmstraße unter besonders günstigen Bedingungen entfalten und verbreiten konnte.

Als Hindenburg von 1925 an die nationalkonservative Umgründung des Auswärtigen Dienstes einleitete, hatte das Amt allerdings bereits selbst einige personalpolitische Weichen umgestellt. Mit Gründung der Republik war das Auswärtige Amt nicht nur zu einem Reichsministerium geworden, das ein dem Reichstag verantwortlicher Reichsminister leitete, sondern auch in einer großen Reform demokratisiert worden. Die grundlegenden Veränderungen des Jahres 1920, die nach Edmund Schüler, dem Leiter der Personal- und Verwaltungsabteilung, benannt wurden, hatten das bis dahin gültige Real- zugunsten des Regionalsystems beseitigt und die Geschäftsverteilung nach Sachgebieten zu einem nach Länderabteilungen gegliederten System umorganisiert. Nur die Sachabteilungen für Personal und Verwaltung, Außenhandel und Recht waren erhalten geblieben; neue Referate, etwa das für innere Angelegenheiten zuständige Deutschlandreferat oder das Sonderreferat Völkerbund, waren hinzugekommen. Die vormals bestehenden, strikt getrennten Laufbahnen – entweder in der prestigeträchtigen Abteilung I für politische Angelegenheiten oder in der für Handels-, Rechts- und Konsularsachen zuständigen Abteilung II – waren zu einer diplomatisch-konsularischen Laufbahn im höheren Auswärtigen Dienst zusammengelegt und vereinheitlicht worden. Es wurden Quereinsteiger einberufen, außerdem verbreiterte man die Rekrutierungsbasis für den Nachwuchs, indem Attachés fortan zu besolden waren.

Strukturell änderte sich mit der Schüler'schen Reform allerdings sehr viel weniger, als es den Anschein hatte. In einer hoch industrialisierten, arbeitsteilig organisierten Gesellschaft bedurfte es der Kontinuität einer spezialisierten und effizienten Funktionselite, um den Übergang von der Monarchie zur Republik ohne größere Reibungsverluste zu gewährleisten. Zwar wurden Spitzenposten in der Berliner Zentrale sowie auf den Auslandsmissionen mit Mitarbeitern besetzt, die gegenüber der neuen Republik Loyalität an den Tag legten und bei denen es sich meist um sogenannte Quereinsteiger handelte. Das hohe Maß an personeller Kontinuität wurde damit aber nur überdeckt, der eigentliche Apparat blieb »völlig intakt«. Auch wenn man »ab und zu, um der republikanischen Form in der Heimat Rechnung zu tragen, an die Spitze der Mission einen bürgerlichen Funktionär gestellt« habe, sei nach wie vor »eine exklusive Garde ... beinahe unverändert an der Macht«, urteilte die republiknahe Presse kritisch.[17]

Der Kern des alten Beamtenkörpers, mit dem zugleich ein konservativ-reaktionärer Geist erhalten wurde, der dem Obrigkeitsstaat nachtrauerte, wurde zu Beginn der zwanziger Jahre kontinuierlich ausgebaut. Bereits 1921 war Neurath, zu diesem Zeitpunkt deutscher Gesandter in Kopenhagen, mit der Reorganisation der Schüler'schen Reform beauftragt worden. Seine Aufgabe hatte er dahingehend interpretiert, »das Auswärtiges Amt von unliebsamen Neulingen ohne geeignete Vorbildung, darunter diverse Juden, zu reinigen«.[18] Es war dieser traditionelle Antisemitismus der konservativen Eliten, der sie, neben der gemeinsamen Frontstellung gegen Republik, Demokratie, Parteienstaat und Parlamentarismus und der von Hitler in Aussicht gestellten Revision des Versailler Vertrages, im Januar 1933 so anfällig machte. Dabei verschwammen zunehmend die Grenzen zwischen dem spezifischen Oberklassen-Antisemitismus des Kaiserreichs, der sich gegen die vermeintliche Überrepräsentation von Juden in Schlüsselbereichen des öffentlichen Lebens richtete, und dem Rassismus auf völkischer Grundlage.

Trotz formaler Gleichstellung waren die Juden im Kaiserreich vom Auswärtigen Dienst weitgehend ausgeschlossen gewesen. Die wenigen Juden im Amt, deren Aufnahme sich zumeist unmittelbarer Protektion verdankte und die vornehmlich auf nachgeordneten Posten unterkamen, bestätigten die Regel, dass im politischen Klima des wilhelminischen Deutschland Juden nur in Ausnahmefällen reüssierten. Weil unter allen Konfessionen die Juden den höchsten Anteil an Hochschulabsolventen aufwiesen, hätten sie theoretisch in viel höherem Maße Zugang zu öffentlichen Ämtern haben müssen. In den Bewerberakten des Auswärtigen Amtes fand die Diskriminierung zwar keinen Niederschlag, aber die Denkmuster waren allgemein internalisiert. Noch auf der Nürnberger Anklagebank behauptete Neurath, »niemals Antisemit gewesen« zu sein. Eine Zurückdrängung des übermäßigen Einflusses der Juden auf allen Gebieten des öffentlichen und kulturellen Lebens habe er aber durchaus »als erwünscht« betrachtet.[19]

»Unvereinbar mit einer gesunden Außenpolitik«

An der Spitze des Auswärtigen Amts stand mit Constantin Freiherr von Neurath ein Karrierediplomat, der sich das Vertrauen und die Fürsprache Hindenburgs erworben hatte. Ein ausgeprägter Antiintellektualismus und eine politische Haltung, die vom Primat des Militärischen bestimmt war, bildeten die Schnittmenge zwischen beiden Männern. Eine freundschaftliche Sympathie gründete darüber hinaus in der gemeinsamen Leidenschaft für die Jagd. Von 1922 bis 1930 war Neurath als Botschafter in Rom tätig gewesen, im Juni des gleichen Jahres hatte er auf Hindenburgs Wunsch den Posten in London übernommen, den wichtigsten Botschafterposten des Auswärtigen Amts. In der zweiten Hälfte der zwanziger Jahre dank Hindenburgs Protektion zum Primus inter pares unter den Spitzendiplomaten aufgestiegen, galt Neurath bereits 1929 als Wunschkandidat des Reichspräsidenten für die Nachfolge Stresemanns im Ministeramt, war zu diesem Zeitpunkt politisch aber noch nicht durchsetzbar. Im Juni 1932 musste Hindenburg ihn dann regelrecht zum Eintritt in das Kabinett Papen überreden; Neurath tauschte den sicheren Londoner Posten nur ungern gegen ein Ministeramt in einer Regierung, der er keine lange Lebensdauer zutraute. Ein gutes halbes Jahr später hieß der neue Reichskanzler Adolf Hitler.

Mit Neurath war ein Mann an die Spitze des Auswärtigen Amts getreten, der nach seiner ganzen Biographie die Gewähr dafür bot, dass die forcierte Pressionspolitik des Präsidialkabinetts Brüning fortgesetzt wurde. Als Botschafter am Quirinal hatte er aus nächster Nähe mitverfolgen können, wie Mussolini das krisengeschüttelte Italien in die »Stabilität« einer Diktatur überführte. Seither galt ihm das faschistische Italien als Vorbild für das Reich. Eines Tages müsse »doch auch bei uns ein Mussolini kommen«, hatte er sich 1923, im ersten Krisenjahr der Weimarer Republik, gewünscht, und zehn Jahre später war er bereit, alles dafür zu tun, um aus Hitler einen zweiten Mussolini zu machen.[20] Neurath, der im Nationalsozialismus nur die deutsche Variante des Faschismus sah, vertraute wie andere im Kabinett der »nationalen Konzentration« auf die Tragfähigkeit des »Einrahmungskonzeptes« und erhoffte sich von der Einigung der nationalen Rechten einen Staatsumbau, der den Weg zu einer autoritären, vom Parlament weitgehend unabhängigen, militärgestützten Revisionspolitik ebnen sollte. Deshalb setzte er sich dafür ein, die neue Regierung zu stabilisieren und international zu etablieren.

Diese Einstellung teilten viele unter den Spitzendiplomaten, besonders prononciert Ulrich von Hassell, Neuraths Nachfolger als Botschafter in Rom. Bereits seinen Eintritt in den Auswärtigen Dienst im April 1909 hatte er vor allem der Patronage seines Corpsbruders Neurath zu verdanken. Im September 1914 schwer verwundet, hatte er eine Zeit lang seinem Schwiegervater, Großadmiral Tirpitz, als Privatsekretär gedient. Im Auswärtigen Amt zählte er zu den beredtesten Befürwortern einer Wirtschafts- und Handelspolitik, deren erklärtes Ziel eine deutsche Hegemonie in Südosteuropa war. Deutschlands Wiederaufstieg zu einer Großmacht mit Weltgeltung sollte durch eine Annäherung an das faschistische Italien flankiert werden. Beide Länder müssten schon deshalb zusammenarbeiten, weil sie ihre territorialen Ziele nur durchsetzen könnten, wenn sie gemeinsam gegen Frankreich vorgingen, das wie kein anderes Land an der Aufrechterhaltung des Status quo festhalte. Wie Neurath knüpfte Hassell an die Machtübernahme der Nationalsozialisten die Hoffnung auf »Stabilität nicht nur für unsere Innen-, sondern auch für unsere Außenpolitik«. Von starkem Ehrgeiz getrieben, wollte er unter der neuen Regierung eine führende Rolle spielen, oder, wie er an seine Frau schrieb, »aktiver Kämpfer sein, d.h. mitbestimmen«. 1944 endete diese Karriere vor dem Volksgerichtshof, wo Hassell wegen seiner Beteiligung am Attentat vom 20. Juli anklagt war; den sicheren Tod vor Augen, erklärte er, er sei »nicht mit dem Weimarer System einverstanden gewesen und habe deshalb auch 1933 den Nationalsozialismus begrüßt«.[21]

Den Gegenpol zu Neurath und Hassel bildete Friedrich von Prittwitz und Gaffron. Er war der einzige Spitzendiplomat, der im Frühjahr 1933 den Dienst quittierte. Bevor er den Botschafterposten in Washington angetreten hatte, war er sechs Jahre als Botschaftsrat in Rom der Stellvertreter Neuraths gewesen. Schon in dieser Zeit war die unterschiedliche politische Einstellung der beiden immer wieder hervorgetreten. Während Prittwitz die »konsequente Einhaltung der Verständigungslinie« beschwor, setzte Neurath auf Konfrontation.[22] Es war von hoher Symbolkraft, dass Prittwitz sein Demissionsgesuch im März 1933 ausgerechnet an Neurath richtete. Er habe nie einen Hehl aus seiner politischen Einstellung gemacht, die in einer freiheitlichen Staatsauffassung und republikanischen Grundsätzen wurzele, schrieb Prittwitz; da diese Prinzipien nach Ansicht führender Mitglieder der neuen Reichsregierung aber zu verurteilen seien, könne er »sowohl aus Gründen des persönlichen Anstandes wie solchen der sachlichen Aufgaben« nicht weiter seinen Dienst ausüben, ohne sich »selbst zu verleugnen«. Er habe, so trug Prittwitz später noch nach, auf die Amerikaner einzuwirken versucht, nicht »allen Sensationsmeldungen aus Europa Glauben zu schenken« – der Loyalitätskonflikt, den verantwortungsbewusste Diplomaten in diesen ersten Monaten der Regierung Hitler auszuhalten hatten, lässt sich an diesem Dokument eindrucksvoll ablesen.[23]

Der entschlossene Schritt des erst 49-jährigen Prittwitz, dessen steile Karriere damit vom einen auf den anderen Tag beendet war, fand gegen seine Erwartung keine Nachahmer. Charakteristisch für die vorherrschende Haltung innerhalb der Spitzendiplomatie war das Beispiel

Bernhard von Bülows, des seit 1930 amtierenden Staatssekretärs. Bülow, ein Neffe des ehemaligen Reichskanzlers und Patensohn Wilhelms II., stand dem Nationalsozialismus unverkennbar ablehnend gegenüber. Kurioserweise waren es gerade die in der Endphase der Weimarer Republik erzielten Revisionserfolge, die ihn gegen den Nationalsozialismus Stellung beziehen ließen, weil er die Fortschritte durch die Politik Hitlers gefährdet sah. Andererseits war er der Überzeugung, dass das Auswärtige Amt »selbst eine Nazi-Regierung ohne sehr wesentlichen direkten Schaden für die Außenpolitik durchhalten« werde, wie er ein Jahr vor der nationalsozialistischen Machtübernahme an seinen Duz-freund Prittwitz schrieb.[24] In dieser Formulierung deutete sich an, was Bülows Haltung nach dem 30. Januar auszeichnete: die Gewissheit, dass es sich um eine Übergangsperiode handeln und Hitler im Amt scheitern werde. Durch das fehlgeschlagene »Experiment«[25] würden die Nationalsozialisten ihre Bedeutung als zentraler politischer Faktor verlieren und die Kräfteverhältnisse neu verteilt werden; dann ließe sich ein gesellschaftlicher Rückhalt für einen Staatsumbau nach konservativ-autoritärem Ideal organisieren. Wunsch und Wirklichkeit hätten kaum deutlicher auseinanderfallen können. Dafür, dass er trotz unüberwindbarer Vorbehalte gegen den Nationalsozialismus im Amt verblieb, lieferte Bülow kurz vor seinem Tod 1936 eine Begründung, die von der Mehrheit der Diplomaten mit Sicherheit geteilt worden wäre und die nach dem Krieg dann auch in mehr oder weniger allen Rechtfertigungsversuchen auftauchte: »Man lässt sein Land nicht im Stich, weil es eine schlechte Regierung hat.«[26]

Die Herrschaftsstruktur des NS-Regimes ließ eine derartige Unterscheidung zwischen Staat und Regierung allerdings gar nicht zu. Bülow, nach Einschätzung des französischen Botschafters in Berlin von einem »fast religiösen Vaterlandsgefühl« durchdrungen, muss sich dieses Dilemmas sehr wohl bewusst gewesen sein.[27] Jedenfalls entwarf er im Mai 1933 handschriftlich ein Rücktrittsgesuch, das er jedoch nicht einreichte. Der Entwurf lässt darauf schließen, dass Bülow eine Reihe von Spitzendiplomaten zur Abgabe gleichlautender Demissionen bewegen wollte, um auf diese Weise verlorenen Einfluss zurückzugewinnen. In einer – später wieder gestrichenen – Passage hieß es, er, Bülow, gebe sein Entlassungsgesuch zugleich im Namen der Botschafter in Paris, London und Moskau ab.[28]

Mit Roland Köster in Paris, Leopold von Hoesch in London und Herbert von Dirksen in Moskau wollte Bülow die Botschafter der wichtigsten Missionen zum kollektiven Rücktritt bewegen. Die drei verkörperten die Spitzendiplomatie der Weimarer Republik. Nahezu gleich alt und untereinander freundschaftlich verbunden, waren sie noch in den Auswärtigen Dienst des Kaiserreiches eingetreten und nach 1918/19 in höchste Positionen aufgestiegen. Sie entstammten privilegierten und vermögenden Familien, waren evangelischer Konfession, promovierte Juristen, Einjährig-Freiwilligeninhaber und Inhaber des Reserveoffizierspatents. Der pöbelhaften Massenbewegung des Nationalsozialismus standen sie kritisch distanziert gegenüber. Aber anders als der entschlossene Prittwitz, der zögernde Bülow oder der hyperaktive Hassell, mit denen sie nicht nur viele politische Überzeugungen teilten, sondern auch die Grundauffassung der Diplomaten, die politische Entwicklung beeinflussen zu können, waren sie keineswegs bereit, dem Rad der Geschichte in die Speichen zu greifen.

Offenbar war Köster am ehesten entschlossen, gemeinsam mit Bülow Konsequenzen aus der Entwicklung nach dem 30. Januar zu ziehen. Zu dem Zeitpunkt, an dem Bülow sein Rücktrittsgesuch aufsetzte, reiste er zwei Mal mit Wissen, vielleicht auch im Auftrag des Staatssekretärs zu Gesprächen mit Hoesch nach London. Was auch immer besprochen wurde, für eine kollektive Rücktrittsdrohung fehlte letztlich die Grundlage. Im Ergebnis blieben alle vier im Dienst des Regimes, das sie ablehnten, und halfen mit, eine Brücke zu schlagen von der nationalistischen Großmachtpolitik, die sie mit Überzeugung vertraten, zu der rassistisch-weltanschaulich fundierten Außenpolitik des Dritten Reichs. Die nach 1933 zunehmende Isolierung des Reiches schien ihren Handlungsspielraum zwar einzuschränken, bot ihnen andererseits aber eine willkommene Begründung für das Verbleiben im Amt. Ihre Ablehnung der Weimarer Demokratie machte sie empfänglich für die Versprechungen eines autoritären Machtstaats, der die Politik gegen Versailles zunehmend forcierte. Die mit Hitlers Machtübernahme verbundenen Gewaltexzesse hielten sie »für Revolutionserscheinungen«, die sich mit der Zeit »allmählich abschleifen« würden.[29] Die Neugestaltung Deutschlands habe »Erscheinungen und Vorgänge gezeigt, die mit der Würde und Sicherheit des Reiches und mit der Fortführung einer gesunden Außenpolitik unvereinbar sind«, hieß es in Bülows Entwurf seines Rücktrittsgesuchs.[30]

Bereits Mitte März hatte Köster vor dem Anstieg der »Fieberkurve« in Paris gewarnt: Der »Gedanke einer gewaltsamen rechtzeitigen Verhinderung der vermeintlich drohenden Gefahr« gewinne in Frankreich zunehmend an Bedeutung.[31] Nahezu zeitgleich telegrafierte Dirksen aus Moskau, es sei »eine sehr ernste Lage« entstanden und er müsse vor der »Gefahr eines tiefgreifenden, dauernden, auf alle Teile der Beziehungen sich ausdehnenden Konflikts« warnen. »Die neuen Zwischenfälle der letzten Tage« hätten »den Becher zum Überlaufen gebracht«.[32] Moskau war über die brutale Verfolgung deutscher Kommunisten und die gesteigerte antibolschewistische Propaganda ebenso irritiert wie über die sich häufenden Übergriffe auf Sowjetbürger, Haussuchungen in sowjetischen Handelsinstitutionen oder die Boykott- und Requirierungsmaßnahmen bei der Benzingesellschaft Derop, dem wichtigsten sowjetischen Unternehmen in Deutschland.

Noch bedrohlicher klangen die Signale aus Polen, das wegen der Territorialregelungen des Versailler Vertrages zum Hauptziel des deutschen Revisionismus geworden war und mit demonstrativen Gesten auf die Ereignisse im Nachbarland reagierte. Bereits im Sommer 1932 hatte Polen einen Zerstörer in den Hafen der Freien Stadt Danzig einlaufen lassen und damit auf Papens Vorstoß zu einer Lösung der Frage des Korridors reagiert, der Ostpreußen vom Reich trennte. In Berlin rechnete man damit, dass Polen deutsche Gebiete als Faustpfand besetzen könnte; die Äußerung des polnischen Gesandten bei einem Besuch im Auswärtigen Amt am 17. Februar, er sehe beide Länder »am Vorabend eines Krieges«, bot Anlass zu erheblicher Sorge.[33]

Angesichts dieser durchaus krisenhaften Zuspitzung waren die Diplomaten bemüht, jede weitere Eskalation abzuwenden. Oberste Priorität hatte die Verhinderung eines militärischen Konflikts, der nur mit einer Niederlage und Besetzung Deutschlands enden konnte. Allein die Tatsache, dass angesehene Diplomaten wie Bülow, Dirksen oder Hoesch auf ihrem Posten verblieben, wirkte im Ausland beruhigend, schienen sie doch die Kontinuität und Berechenbarkeit deutscher Außenpolitik zu verbürgen. Doch mehr noch: Wo immer die deutschen Diplomaten in diesen Wochen mit Auslandsvertretern zusammenkamen, ob in Berlin oder in den Repräsentanten draußen, stets vertraten sie mit Routine und Geschick eine Politik der Deeskalation. Während etwa Neurath dem sowjetischen Botschafter in Berlin ein ums andere Mal versicherte, eine

Änderung der politischen Linie gegenüber Russland werde nicht erfolgen, wiederholte der in diesem Sinne instruierte Dirksen in Moskau das immer gleiche Argument, es handele sich bei der Verfolgung der Kommunisten um eine innerdeutsche Angelegenheit, die für die bilateralen Beziehungen keinerlei Bedeutung habe.[34] Die Anregung zu Hitlers Rede vom 17. Mai 1933, die als »Friedensrede« im Ausland wohlwollende Beachtung fand, ging nicht zufällig auf eine Empfehlung Neuraths zurück. Dass sich die Lage allmählich entspannte, hing allerdings weniger mit wohlfeilen Reden als mit konkreten außenpolitischen Projekten zusammen: den Verhandlungen über den von Mussolini vorgeschlagenen Viermächtepakt, dem Abschluss des Reichskonkordats oder der Verlängerung des 1926 mit der Sowjetunion geschlossenen Berliner Vertrages.

In den ersten Monaten des Dritten Reichs waren es die Spitzendiplomaten im Auswärtigen Amt, die selbstbewusst außenpolitische Akzente setzten. Vorsätzlich wurde dabei bisweilen auch der neue Kanzler übergangen, der keine Erfahrung auf außenpolitischem Terrain besaß und entsprechend verhalten agierte. Nachdem Neurath im Zusammenspiel mit Reichwehrminister Werner von Blomberg das Reich auf der Genfer Abrüstungskonferenz in eine prekäre Isolation manövriert hatte, gingen die außenpolitischen Initiativen jedoch immer stärker von Hitler aus. Von ihm eingeleitet, von Neurath in die Tat umgesetzt und von den Spitzendiplomaten abgewickelt, gelang dem Reich jetzt eine Reihe außenpolitischer Überraschungsmanöver: Im Oktober 1933 verkündete Deutschland den Rückzug von der Genfer Abrüstungskonferenz und den Austritt aus dem Völkerbund, im Januar 1934 schloss es einen als Sensation empfundenen Nichtangriffspakt mit Polen.

Damit waren jedoch grundsätzliche Überlegungen durchkreuzt, die Bülow im März 1933 ausgearbeitet hatte. In einer Denkschrift hatte der Staatssekretär den Kurs der Außenpolitik auf die alten Ziele verpflichten wollen und dafür die taktischen Leitlinien skizziert. Ein Stufenplan sah vor, dass Deutschland in einer ersten Phase militärisch, finanziell und wirtschaftlich erstarken müsse, bevor in einer zweiten Phase territoriale Revisionen vorgenommen werden konnten. Dabei war auch an den Erwerb alter wie neuer Kolonien gedacht. Zu einem späteren Zeitpunkt sei dann im Westen die Rückgliederung von Elsass-Lothringen, im Norden die Revision der schleswigschen Grenze und im Südosten der Anschluss Österreichs anzustreben. Vorher sei »die Umgestaltung der Ostgrenze« in die Wege zu leiten,»wobei die Wiedergewinnung sämtlicher in Frage kommenden polnischen Gebiete gleichzeitig anzustreben und Teil- oder Zwischenlösungen abzulehnen sind (Nur noch *eine* Teilung Polens)«.[35] Bülows Denkschrift enthielt keine auf Kooperation und Wandel angelegte Konzeption, sondern zielte auf ein imperialistisch-expansionistisches Wiedererstarken Deutschlands. In der Formulierung der Ziele zeichneten sich sowohl die Voraussetzungen als auch die Grenzen der Kooperation zwischen den alten Eliten und den neuen Machthabern ab. Manfred Messerschmidt sprach in diesem Zusammenhang von einer »Teilidentität der Ziele«, durch die sich die Beamten des Auswärtigen Amts zur aktiven Mitarbeit motiviert fühlten. Gleichzeitig bestanden unterschiedliche Vorstellungen über die dabei einzusetzenden Mittel und Methoden.

Erste Maßnahmen gegen Juden

Als sich nach der Reichstagswahl vom 6. März 1933 die Übergriffe auf jüdische Bürger zu häufen begannen, sah sich das Auswärtige Amt gezwungen, auf die Ausschreitungen zu reagieren. Also bastelten die Diplomaten an einer Rechtfertigung. Noch unmittelbar nach dem Krieg vertrat Ernst von Weizsäcker die Auffassung, Deutschland habe zu Beginn der zwanziger Jahre »im Osten die Grenzen zu weit aufgemacht. Die Inflation hatte viele Juden angezogen«, die sich »zu einer Großmacht« entwickelt hätten.[36] In diesem Sinne äußerte sich im März 1933 auch Staatssekretär Bülow: Er habe in Gesprächen mit Diplomaten immer auf den »starken Zustrom von Ostjuden« hingewiesen, die im sozialdemokratisch regierten Preußen massenweise eingebürgert worden seien. Die Stadtverwaltung von Berlin und die städtischen Krankenhäuser seien vollkommen »verjudet« gewesen, auch das »Vordringen der Juden in Justiz, Universitäten, Schulen u. a. m. seit 1918« habe man nicht übersehen können. Zu alledem »müssten Zahlen erhältlich sein«, mit denen die Außenposten »etwas anfangen« könnten. Vielleicht könnten Parteistellen oder die inneren Behörden »unter der Hand« Fakten und Zahlen liefern. »Mit einer Anzahl handgreiflicher Beispiele« lasse sich gegenüber den in Berlin akkreditierten Auslandsvertretern, die in ihrer Mehrzahl »durchaus nicht philosemitisch« gesinnt seien, jedenfalls besser argumentieren.[37]

Der Auftrag des Staatssekretärs, Material zusammenzustellen, das als Unterlage für Gespräche mit Ausländern dienen und die Ursachen der antisemitischen Bewegung in Deutschland erläutern sollte, ging an seinen Neffen Vicco von Bülow-Schwante, der soeben in das Auswärtige Amt berufen und dort an die Spitze des wiedererrichteten Referats Deutschland gestellt worden war. Als Spross einer weitverzweigten Familie von Diplomaten und Militärs hatte der 1891 geborene Bülow-Schwante zunächst die Militärlaufbahn eingeschlagen. Bei einem Reitunfall verunglückt, war er felddienstuntauglich im Ersten Weltkrieg an verschiedene Auslandsmissionen abkommandiert worden. Nach dem Krieg hatte er sich aus antirepublikanischer Überzeugung aus dem Militär- und Diplomatendienst zurückgezogen und sich auf die Verwaltung seiner Güter verlegt. Seit 1928 Mitglied der rechtskonservativen Deutschnationalen Volkspartei, hatte er im Vorstand des paramilitärischen Stahlhelms die Auslandsabteilung geleitet. In dieser Funktion hatte er eine Partnerschaft zwischen seinem Bund der Frontsoldaten und den Fasci di Combattimento, den faschistischen Kampfbünden, aufzubauen und den Kontakt zu Mussolini zu intensivieren versucht. Auch um partielle Zusammenarbeit mit der NSDAP hatte sich Bülow-Schwante frühzeitig bemüht und bereits Ende 1929 Hitler für die Zusammenarbeit mit einer von DNVP und Stahlhelm initiierten Propagandakampagne gewinnen können. Seine Aufnahme in den Auswärtigen Dienst als Leiter des neuen Referats Deutschland unterstrich die von Hindenburg gewünschte »Einigung der Nationalen Rechten«.[38]

Der Ernennung Bülow-Schwantes war eine heftige Diskussion zwischen dem Außenminister und seinem Staatssekretär vorausgegangen. Anfang Februar 1933 hatte sich der Vorsitzende des Stahlhelms und neue Arbeitsminister, Franz Seldte, an seinen Kabinettskollegen Neurath gewandt und ihn gebeten, Bülow-Schwante in das Auswärtige Amt zu übernehmen.[39] Der Außenminister kannte Bülow-Schwante seit fast zwanzig Jahren und schätzte ihn wegen seiner nationalen Gesinnung. Er nahm ihn zunächst für den Posten des Dirigenten der Personalabteilung in Aussicht, aber da hatte er die Rechnung ohne den Staatssekretär gemacht. Er halte es für seine Pflicht, »auf die gefährlichen Folgen einer derartigen Politisierung des auswärtigen Dienstes hinzuweisen«, schrieb Bülow an Neurath. Obgleich er mit seinem Neffen seit vielen Jahren befreundet sei und gegen dessen moralische und charakterliche Eigenschaften nicht das Mindeste einzuwenden habe, müsse er gegen dessen Einberufung protestieren, da damit »ein Nichtbeamter ohne entsprechende Vorbildung zu einer der höchsten Dienststellen des Auswärtigen Amts« befördert werde, lediglich weil er der Stahlhelmführung angehöre und in dieser Funktion das Vertrauen der Regierungsparteien erworben habe.

Die drohende Politisierung der Beamtenschaft war für Bülow ein Graus. Selbst in den besonders »marxistischen« Jahren – gemeint war die Zeit der Schüler'schen Reform – sei der Versuch der Einflussnahme durch die Parteien erfolgreich abgewehrt worden; selbst damals »konnte der gerade für den auswärtigen Dienst besonders wichtige Grundsatz, dass die Beamten Diener der Gesamtheit und nicht einer Partei sein sollen, im wesentlichen gewährleistet werden«. An diesem Grundsatz sei mit allen Mitteln festzuhalten. Die Arbeit des Auswärtigen Amts werde generell infrage gestellt, wenn man die Leitung der Personalabteilung einer Persönlichkeit übertrage, die weder die Beamten und ihre Qualifikation noch die Erfordernisse der einzelnen Posten und des Dienstes überhaupt genügend kenne und die deshalb von vornherein im Ruf stehe, die politischen Ziele und Ideen derjenigen zu fördern, die gerade an der Regierung seien.[40]

Deutlicher konnte die Kritik kaum ausfallen. Das von Bülow beschworene Ideal einer unpolitischen Beamtenschaft entsprach allerdings keineswegs dem Selbstverständnis der Diplomaten. Das Leitbild vom unpolitischen, ausschließlich professionell urteilenden Beamten war erst mit Gründung der Republik entstanden und in erster Linie Ausdruck des Protests gegen das parlamentarische System. Dahinter verbarg sich ein hochpolitisches Selbstverständnis, das sich an einem abstrakten Staatsideal orientierte, das irgendwo zwischen glorifizierter Vergangenheit und ersehnter Zukunft verortet wurde. Um die politisch unerfüllte Gegenwart einigermaßen unbeschadet zu überstehen, musste sich das Auswärtige Amt gegen jeden Versuch der Politisierung zur Wehr setzen. Bülows Einsatz für den Erhalt eines unpolitischen Beamtentums im Februar 1933 spiegelte insofern auch seine Einschätzung wider, dass der Nationalsozialismus eine vorübergehende Erscheinung sei, die man dank einer unabhängigen und selbstständig arbeitenden Beamtenschaft überdauern werde.

Mit der Wiedereinrichtung des »Sonderreferats Deutschland« deutete sich jedoch an, dass auch für das Auswärtige Amts eine neue Zeitrechnung angebrochen war. Ein Referat, dem die »Beobachtung für die Außenpolitik wichtiger innerpolitischer Vorgänge in Deutschland« sowie umgekehrt die »Beobachtung von Einwirkungen des Auslandes auf innerpolitische Verhältnisse Deutschlands« oblag, konnte nach Lage der Dinge nur als Eingriff in die Autonomie des Amts verstanden werden.[41] Auch die eigens erwähnte Bearbeitung der »Judenfrage« fiel in den Bereich des Deutschlandreferats und ließ nichts Gutes ahnen.[42] Indem Bülow – höchstwahrscheinlich – die Berufung seines Vetters auf den Schlüsselposten des Personalchefs verhinderte, beförderte er ihn unwillentlich zum Leiter dieses für die weitere Entwicklung des Amtes besonders wichtigen Referats.

Nun gab es ein für die Wechselwirkung von Innen- und Außenpolitik zuständiges Deutschlandreferat bereits seit 1919, erst 1931 war es aufgelöst worden. Insofern handelte es sich also nicht um einen »Fremdkörper«, und auch die Referenten rekrutierten sich aus dem Amtspersonal. Neu war nur der Quereinsteiger Bülow-Schwante. Die stellvertretende Leitung lag zunächst bei dem auf innenpolitische Fragen spezialisierten Laufbahndiplomaten Hans Röhrecke, ab 1936 bei Walter Hinrichs, promovierten Juristen, die im Weltkrieg als Offiziere gedient hatten und 1919 in den Auswärtigen Dienst eingetreten waren.

Auf eine ähnliche Laufbahn blickte Emil Schumburg zurück, dem im Referat Deutschland die Bearbeitung der »Judenfrage« übertragen wurde.[43] Geboren 1898 als Sohn eines Generalarztes, hatte der 18-Jährige das Notabitur erworben und sich anschließend zum Militärdienst gemeldet, aus dem er 1919 ausschied. Nach seinem Jurastudium, anschließender Promotion und verschiedenen Auslandsaufenthalten war Schumburg zum 1. Januar 1926 als Attaché in das Auswärtige Amt einberufen worden. 1928 hatte er die diplomatisch-konsularische Prüfung absolviert und war anschließend auf verschiedenen Posten im Ausland verwendet worden. 1939 übernahm Schumburg die Leitung des Referats Deutschland, aus dem er ein Jahr später ausschied.[44] Auch der zweite »Judenreferent« des Auswärtigen Amts, Franz Rademacher, war Jurist; 1906 als Arbeitersohn geboren, hatte er in der Brigade Ehrhardt gedient und war im März 1928 als Gerichtsreferendar in den Reichsdienst eingetreten. Zum Jahresende 1937 wurde Rademacher als Legationssekretär in das Auswärtige Amt übernommen und zunächst der deutschen Gesandtschaft in Montevideo als Geschäftsträger zugeteilt.[45] Schumburg und Rademacher gehörten, wie in gewisser Weise auch noch der 1937 einberufene Eberhard von Thadden, der 1943 den Posten des »Judenreferenten« antrat, zum Personal der Ära Neurath. Auf dem Weg zur »Endlösung der Judenfrage« markiert Bülows Weisung vom 13. März 1933, statistisches Material zum überproportionalen »Vordringen der Juden« im öffentlichen Leben Deutschlands zu sammeln, gewissermaßen den Anfang. Bülow-Schwante setzte den Auftrag des Staatssekretärs sogleich um. Am Rande der Reichstagssitzung vom 24. März, auf der das Ermächtigungsgesetz beschlossen wurde, bat er Propagandaminister Goebbels um Mithilfe. In einem sich rege entwickelnden Kontakt zwischen dem Deutschlandreferat und dem Propaganda- beziehungsweise Reichsinnenministerium wurden Rücksprachen zu Einzelfragen genommen und Statistiken und Traktate zusammengestellt. Die Mitarbeiter im Referat Deutschland entwickelten dabei ein hohes Maß an Eigeninitiative, da sie das vorhandene Material für »recht dürftig und für die Zwecke der Auslandspropaganda nur teilweise verwendbar« hielten.[46] Am Ende stand dann das »Gesellenstück« des Deutschlandreferats, das von Bülow und Neurath abgesegnet und auf den Tag genau drei Monate nach Hitlers Machtübernahme an alle Auslandsmissionen verschickt wurde.

»Mangels Kenntnis der einschlägigen Verhältnisse« stehe das Ausland »der Judenfrage in Deutschland beinahe verständnislos gegenüber«, heißt es am Anfang dieses Papiers. Es sei jedoch eine Tatsache, dass seit 1918 »das politische Leben, die Regierungsgewalt und das geistige Leben der Nation ganz außerordentlich stark jüdischen Einflüssen ausgesetzt« gewesen seien. »Die jetzigen Vorgänge« stellten nichts anderes dar als »eine Reaktion gegen die seit 1918 erfolgte Entwicklung«. Insbesondere die »hohe Zahl von jüdischen Abgeordneten und Parteifunktionären bei der sozialdemokratischen und kommunistischen Partei« habe dafür gesorgt, der »Judenschaft im allgemeinen eine ihr nach ihrem Verhältnis zur Bevölkerungszahl nicht zustehenden Einfluss im öffentlichen Leben, in der Regierung, der Justiz und der Verwaltung« zuzugestehen. Anhand von Zahlenmaterial wurde nicht nur nachzuweisen versucht, dass Juden in bestimmten Berufszweigen überrepräsentiert seien, sondern auch, dass Juden »als Verbrecher« sowie als »anstaltsbedürftige Geisteskranke« eine statistische Signifikanz aufwiesen.[47] In einem weiteren »informatorischen Runderlass« wurde ein Jahr später nachgelegt. Die »ausländischen Juden« sowie die »deutschen jüdischen Emigranten« hätten gegen das nationalsozialistische Deutschland »eine seit der Kriegspropaganda der Alliierten nicht dagewesene Greuel- und Lügenhetze« entfesselt. »Diese Hetze führte schließlich zu einem Boykott deutscher Waren«, gegen den sich Deutschland am 1. April 1933 zur Wehr gesetzt habe. Dabei habe die nationalsozialistische Regierung ihre volle Autorität unter Beweis gestellt, indem es ihr gelungen sei, »den gegen das Judentum in den Revolutionstagen impulsiv ausbrechenden Volkszorn in geregelte Bahnen zu lenken«. Seither habe die »Judenfrage in Deutschland eine ruhige und stetige Entwicklung« genommen, die schrittweise dem politischen Ziel näher komme: Ausschaltung des Judentums von öffentlichen Ämtern und Diensten bei grundsätzlicher Aufrechterhaltung seiner wirtschaftlichen und sozialen Freizügigkeit. Trotz der »jüdischen Hetzpropaganda« werde die »Entjudung des öffentlichen Lebens« in Deutschland auch weiterhin in festgelegten Bahnen erfolgen.[48]

Solchen Runderlassen, die als Argumentationshilfe für die Auslandsmissionen gedacht waren, gingen in der Regel umfängliche Vorarbeiten voraus, die vom Referentenentwurf bis zur Paraphierung durch den Staatssekretär oder Minister verschiedene Etappen durchlaufen hatten. Dabei kamen mitunter kleine Meisterwerke der Dialektik zustande. So war zwei Monate nach dem Aprilboykott in einem Informationserlass zu lesen, dass auch »ruhig urteilende deutsche Juden« den »Tag des Judenboykotts und die folgenden Maßnamen gegen die jüdische Überfremdung« als »Beweis großer Staatskunst ansehen« würden. Die »vollkommen disziplinierte Durchführung« habe den »aufgestauten antisemitischen Tendenzen ein Ventil geöffnet«. Damit sei »der Druck ständiger Angst, was aus den antisemitischen Tendenzen einmal sich explosiv entladen könnte, von dem deutschen Judentum weggenommen worden«.[49]

Die antisemitische Propaganda, die das Auswärtige Amt zur Rechtfertigung der Unrechtspraxis nach außen entfaltete, war weder vom Propagandaministerium oder einer der Parteistellen inspiriert, noch gab es

dafür irgendeine Notwendigkeit. Es sei denn die, dass man sich als
Reichsbehörde in der Pflicht sah, Schaden abzuwenden. Hierbei ging
man allerdings mit der ganzen Professionalität einer Traditionsbehörde
vor, die sich nicht damit begnügte, nur auszuführen, sondern auch begleiten und beraten wollte. So empfahl Bülow-Schwante dem Propagandaministerium, aus außenpolitischen Gründen unter allen Umständen
an der rigorosen Linie in der »Judenfrage« festzuhalten. Es dürfe zu keinerlei Annäherung an jüdische Organisationen kommen. Auch wenn
der Boykott deutscher Exporte zu wirtschaftlichen Nachteilen führe, sei
doch der außenpolitische Schaden noch viel größer, sollte auch nur »die
leiseste Bereitschaft« Deutschlands erkennbar werden, mit jüdischen
Organisationen »auch nur Fühlung zu nehmen«, denn dies würde »als
Zeichen der Schwäche ausgelegt werden«. Die deutschen diplomatischen und konsularischen Behörden seien gehalten, auf entsprechende
Sondierungen »unter keinen Umständen« einzugehen.[50]

Und nach diesem Grundsatz wurde verfahren. Im September 1934
etwa berichtete die Londoner Botschaft über einen Sondierungsvor-
schlag eines prominenten jüdischen Publizisten. Am Anfang solle eine
offizielle deutsche Erklärung stehen, dass »mancher deutsche Bürger jüdischen Glaubens infolge der Missetaten seiner Glaubensgenossen, die
den Anlass zu den gegen das Judentum gerichteten Maßnahmen der Regierung geben, unberechtigterweise in Mitleidenschaft gezogen worden«
sei. Außerdem sei eine Formulierung gewünscht, »dass in Zukunft diejenigen deutschen Staatsbürger jüdischen Glaubens, die sich als gute deutsche Bürger aufführen, ungehindert und frei in Deutschland leben können«.[51] Auf ein Zeichen der Reichsregierung, dass man bereit sei, eine
solche Erklärung abzugeben, könne eine Delegation britischer Juden
umgehend zu weiteren Beratungen nach Berlin reisen.

Die Antwort ließ an Deutlichkeit nichts zu wünschen übrig. Von Bülow-Schwante ausgearbeitet, von Neurath handschriftlich überarbeitet
und von Bülow gegengezeichnet, legte sie fest, dass »ein Verhandeln
oder Paktieren mit irgend welchen jüdischen Organisationen oder jüdischen repräsentativen Körperschaften in der Judenfrage, sei es im Inland
oder Ausland«, nicht infrage komme. »Wenn eines Tages an der Judenfrage gerührt werden sollte, so dürfte eine solche Geste lediglich einen
Ausdruck der Stärke und nicht der Schwäche darstellen ... Ein Nachgeben in der Judenfrage unter wirtschaftlichem und politischem Druck

würde auch zu keiner Befriedigung der innen- oder außenpolitischen Situation bzw. zu einer Befriedigung des jüdischen Gegners führen, sondern die Unterminierung der weltanschaulichen Grundposition des nationalsozialistischen Deutschlands zur Folge haben. Je schlechter daher die Wirtschaftslage ist, desto weniger sollte an Kompromisse in der Judenfrage gedacht werden.« So endete der Text, der als Informationserlass sogleich an alle deutschen Auslandsmissionen übersandt wurde.[52] Eine Abschrift zur Kenntnisnahme erhielten auch die Partei- und Staatsstellen, mit denen das Amt über diese Frage in dauerndem Kontakt stand, etwa das Rassenpolitische Amt der NSDAP, mit dessen Leiter, Walter Groß, »Judenreferent« Schumburg wenige Tage zuvor die »nachteiligen Auswirkungen der deutschen Rassenpolitik auf das Ausland« eingehend erörtert hatte.[53]

Auch wenn das Amt Verhandlungen mit Vertretern jüdischer Organisationen und ein »Nachgeben in der Judenfrage« kategorisch ablehnte, konnte es diese Linie nicht in jedem Fall durchhalten. Bereits im Jahr 1933 erlebte das Deutsche Reich, vertreten durch das Auswärtige Amt, eine Niederlage vor dem Völkerbund in Genf.[54] Am 17. Mai 1933 hatte der oberschlesische Jude Franz Bernheim eine Petition an den Völkerbund gerichtet. Darin beschwerte er sich über antijüdische Maßnahmen im deutschen Teil Oberschlesiens, mit denen das Reich gegen die nach wie vor gültigen Minderheitenschutzbestimmungen des deutsch-polnischen Abkommens über Oberschlesien von 1922 verstoße. Die Petition forderte den Völkerbund auf, Deutschland zur Beendigung der Diskriminierung und zu Wiedergutmachungen zu veranlassen. Initiiert worden war dieses als »Bernheim-Petition« bekannt gewordene Dokument »jüdischer Diplomatie« von einer Gruppe jüdischer Minderheitenrechtler.[55]

Der deutsche Gesandte beim Völkerbund in Genf, Friedrich von Keller, Angehöriger des AA seit 1899, informierte die Berliner Zentrale sofort und mit unverkennbar antisemitischen Stereotypen über diese Aktion der »internationalen jüdischen Organisationen«.[56] Dem Auswärtigen Amt lagen zwar zu diesem Zeitpunkt bereits Berichte aus Oberschlesien vor, in denen die Problematik des deutsch-polnischen Abkommens angesprochen wurde. Doch erst aufgrund der Bernheim-Petition entfaltete man nun hektische Aktivität. Außenminister Neurath veranlasste eine Ministerbesprechung, um das deutsche Vorgehen mit den anderen Reichsministerien abzustimmen. Seitens des AA nahmen Neurath selbst und Bülow-Schwante teil und plädierten nachdrücklich für eine vorsichtige Reaktion: Um Schaden für das internationale Ansehen Deutschlands abzuwenden, müsse eine »Judendebatte« in Genf mit allen Mitteln verhindert werden.[57] Angesichts der drohenden öffentlichkeitswirksamen Abrechnung mit der deutschen Politik konnte auch Innenminister Frick überzeugt werden, die antijüdische Gesetzgebung in Oberschlesien vorerst auszusetzen.

Der Gesandte Keller wurde angewiesen, in Genf zu erklären, das Deutsche Reich achte internationale Verträge, Verstöße gingen lediglich auf nachgeordnete Behörden vor Ort zurück. Durch das Bekenntnis zu internationalen Verpflichtungen, verbunden mit Hinweisen auf die in den Augen der Deutschen zweifelhafte Legitimität des Petitionstellers Bernheim – vergeblich hatte man im Vorfeld versucht, Kompromittierendes über ihn in Erfahrung zu bringen –, hoffte das Amt, eine große Debatte in Genf zu verhindern. Eine kritische Diskussion indes konnte das Amt nicht verhindern. Am 30. Mai 1933 verurteilte ein Großteil der Mitgliedsstaaten des Völkerbundrats die antijüdische deutsche Politik, und zwar nicht nur mit Blick auf Oberschlesien, sondern grundsätzlich. Am 6. Juni verpflichtete der Rat das Deutsche Reich zur Einhaltung des deutsch-polnischen Abkommens und zur Wiedergutmachung.

Tatsächlich galten auf Grundlage dieses Beschlusses bis zum Auslaufen des Abkommens im Jahr 1937 die antijüdischen Bestimmungen des Reiches in Oberschlesien nicht. Staatssekretär Bülow sah sich sogar veranlasst, das Reichsinnenministerium und das preußische Innenministerium aufzufordern, die geänderte Rechtslage rasch umzusetzen. Dabei ging es Bülow und dem Auswärtigen Amt allein um das außenpolitische Ansehen Deutschlands. Angesichts einer drohenden internationalen Isolierung so bald nach dem Regierungsantritt Hitlers mahnte das Amt erfolgreich die Zurückstellung innenpolitischer Ziele an.

Wie die Bernheim-Petition zeigte, konnten durch die antijüdischen Maßnahmen des Reiches internationale Abkommen tangiert werden, und deshalb wurde die Wilhelmstraße auch über Planungen auf dem Laufenden gehalten, die zwischen anderen Behörden und Ämtern diskutiert wurden. Die zentrale Aufgabe lautete, Wege zu finden, die geeignet waren, »die Auswanderung der in Deutschland lebenden Juden zu fördern«. So berieten das Innenministerium, das Geheime Staatspolizeiamt und das Ministerium für Ernährung und Landwirtschaft zwecks Aussiedlung nach Palästina die Vor- und Nachteile einer »landwirtschaftlichen Umschulung von Juden« in »geschlossenen Lagern«.[58] Das Auswärtige Amt war über den Stand der Diskussion jederzeit im Bilde und blieb in die Suche nach einer »Lösung der Judenfrage« eingebunden. Seine vorrangige Aufgabe bestand einstweilen allerdings darin, die Verfolgung der deutschen Juden gegenüber dem Ausland zu rechtfertigen. Dazu bediente man sich in der Wilhelmstraße nicht zuletzt der von Hitler immer wieder beschworenen Gleichsetzung von Judentum und Bolschewismus, appellierte an die Ängste des europäischen Bürgertums vor der »bolschewistischen Gefahr« und pries das Reich als »Bollwerk«. Die »Gefahr neuen Elends von Europa abgewandt zu haben, ist das große Verdienst Adolf Hitlers«, lautete die von den deutschen Diplomaten in aller Welt verkündete Botschaft.[59]

Entlassungen und Neueinstellungen

Dem Boykott vom 1. April folgte am 7. April das Gesetz zur Wiederherstellung des Berufsbeamtentums. Danach mussten alle Beamten, die nicht arischer Abstammung waren, zwingend in den Ruhestand versetzt werden, sofern sie nicht unter die Ausnahmeregelung fielen, die Hindenburg für Frontkämpfer, Väter oder Söhne von Kriegsgefallenen oder Vorkriegsbeamte in das Gesetz hatte schreiben lassen. Beamte, die nach ihrer »bisherigen politischen Betätigung« nicht die Gewähr dafür boten, dass sie »jederzeit rückhaltlos« für den neuen Staat eintraten, konnten aus dem Dienst entlassen werden.[60] Das Gesetz diente der Säuberung der Reichs-, Landes- und Kommunalbehörden von politischen Gegnern und war zugleich die staatliche Legitimation des Antisemitismus.

Auch im Auswärtigen Amt griff man die Gelegenheit beim Schopf, politisch missliebige Beamte zu entlassen. Die Zustimmung fiel auch deshalb leicht, weil man als zuverlässig geltende Beamte durch die »Frontkämpferklausel« geschützt glaubte und der »Arierparagraph« nur für wenige Mitarbeiter galt. Während neben Hunderten von Hochschullehrern etwa 4 000 Rechtsanwälte, 3 000 Ärzte, 2 000 Beamte sowie 2 000 Künstler ihren Arbeitsplatz verloren, wurden von den höheren Beamten des Auswärtigen Dienstes weniger als ein Dutzend entlassen. Einer von ihnen war der Gesandtschaftsrat I. Klasse an der Deutschen Botschaft Paris, Hans Riesser.

Riesser hatte nach seinem Studium in Oxford, München und Berlin mit anschließender Promotion ab August 1914 Kriegsdienst geleistet und war im Dezember 1918 in den Auswärtigen Dienst eingetreten. Leopold von Hoesch, sein langjähriger Chef in Paris, hatte sich mehrfach außerordentlich lobend über Riesser geäußert: Er wünsche unbedingt, dass Riesser in seiner Laufbahn voran komme, auch wenn er bedaure, dadurch »Herrn Riesser als Mitarbeiter zu verlieren«.[61] Im Oktober 1932 war Hoesch als Botschafter von Paris nach London gewechselt. Der im November eintreffende Nachfolger, Roland Köster, der für eineinhalb Jahre die vergleichsweise unbedeutende Mission in Oslo geleitet und die übrige Zeit in der Berliner Zentrale verbracht hatte, fasste auf seinem neuen Posten nur schwer Tritt. Der routinierte Gesandtschaftsrat Riesser geriet ihm dabei offenbar immer wieder in die Quere, Differenzen entwickelten sich zu einer grundsätzlichen Verstimmung, in die wohl auch persönliche Animositäten hineinspielten. Am Ende verlangte Köster die Abberufung Riessers – die dann unmittelbar zu seiner Entlassung aus dem Auswärtigen Dienst führte.

Flankiert von Gerüchten, die Riesser eine Verbindung zur Sozialdemokratie in früheren Jahren andichteten, lag der eigentliche Grund der Entlassung, über den wohlweislich geschwiegen wurde, offenbar in Riessers nichtarischer Abstammung. Ende Juli 1933 wurde der erfahrene Diplomat, nach 24-jähriger Dienstzeit als Beamter und nach 15-jähriger Tätigkeit im diplomatischen Dienst, in den einstweiligen Ruhestand versetzt. Es sei Riesser nicht gelungen, so die lapidare Begründung, »sich in den Rahmen der Botschaft so einzupassen, wie dies im Interesse des Dienstes erforderlich gewesen wäre«. Im Entwurf des Schreibens hatte es noch geheißen, dass Riessers Tätigkeit im Auswärtigen Dienst ein Ende finden müsse, da er »in den Rahmen dieser Behörde nicht mehr recht hineinpassen« würde. Da half es auch nichts, dass Hoesch als derjenige, unter dessen Leitung Riesser am längsten gearbeitet hatte, sich bei Bülow für seinen ehemaligen Mitarbeiter verwendete. Riesser habe sich »in der einwandfreiesten Form« in den Rahmen der Botschaft eingefügt und sich »erhebliche Verdienste um die deutschen Interessen« erworben.[62] Riessers Bitte um die Einleitung einer Untersuchung wurde vom Minister mit einem kurzen »Ablehnen« quittiert; im Antwortschreiben hieß es, dass die Voraussetzung für eine Untersuchung fehle, die »an der getroffenen Entscheidung *ja doch* nichts ändern« könne.[63] Im März 1934 vollzog dann Bülow einen jener in Landes- und Reichsbehörden inzwischen geläufigen Verwaltungsakte: Das Auswärtige Amt sei in Ausführung § 6 des Gesetzes zur Wiederherstellung des Berufsbeamtentums vom 7.4.1933 verpflichtet, die Zahl der Wartestandbeamten auf das Äußerste zu beschränken; deshalb werde Riesser nunmehr in den dauernden Ruhestand versetzt.[64]

Da man es im Auswärtigen Amt ganz offensichtlich vorzog, Entlassungen nach »rassischen« Kriterien »dienstlich« zu begründen, ist die Zahl der Diplomaten, die aufgrund des neuen Beamtengesetzes in den Ruhestand verabschiedet wurden, nicht genau zu ermitteln. Symptomatisch – und einigermaßen bizarr – ist der Fall des Legationssekretärs Georg von Broich-Oppert. Geboren 1897 in Preußen, las sich Broich-Opperts Lebenslauf wie aus dem deutschnationalen Bilderbuch: Erwerb des Notabiturs mit 17 Jahren; Kriegsdienst von 1915 bis 1918; Ordonanzoffizier beim »Grenzschutz Ost« von Herbst 1919 bis Herbst 1920; anschließend Jurastudium in Göttingen und Bonn, Mitglied in den Corps Saxonia und Borussia; 1924 Eintritt in den Auswärtigen Dienst. Seit 1932 war Broich-Oppert an der Gesandtschaft in Wien tätig. Hier unterzeichnete er im August 1934 eine dienstliche Erklärung, deren Abgabe das Auswärtige Amt im Januar 1934 angeregt hatte: »Im eigenen Interesse«, so hieß es in einem Runderlass, sollten auch jene Beamten den »Ariernachweis« erbringen, die Frontkämpfer oder Vorkriegsbeamte waren; es sei ihnen jedoch freigestellt, die erforderlichen Urkunden vorzulegen oder eine dienstliche Erklärung abzugeben.[65]

Broich-Oppert entschied sich für die Abgabe der Erklärung. Darin versicherte er, ihm seien »trotz sorgfältiger Prüfung keine Umstände bekannt, die die Annahme rechtfertigen könnten«, dass er »nicht arischer Abstammung sei« oder dass einer seiner »Eltern- und Großelternteile zu irgendeiner Zeit der jüdischen Religion angehört haben«. Nur wenige Tage später erhielt das Auswärtige Amt von einem einstigen Familienfreund der Broich-Opperts indirekt den Hinweis, die väterliche Familie sei nichtarischer Abstammung. Daraufhin verlangte die Personalabteilung von Broich-Oppert, »dass die Tatsache Ihrer arischen Abstammung von Ihrer Seite durch Erbringung des Urkundennachweises so klargestellt wird, dass für irgendwelche gegenteiligen Behauptungen

kein Raum mehr bleibt, was ja auch Ihrem eigenen Interesse entsprechen dürfte.«[66] Während Broich-Oppert von Wien aus die erforderlichen Schritte zur
Beschaffung der nötigen Urkunden einleitete, ergriff die Personalabteilung die Initiative und beauftragte den »Sachverständigen für Rassenfor-
schung im Reichsministerium des Innern« mit einer Überprüfung. Da
das Amt ein »dringendes Interesse an der Klarstellung der Frage« habe,
ob die gegen Broich-Oppert vorgebrachte Behauptung den Tatsachen
entspreche, bitte man, dass »der Fall« mit »tunlichster Beschleunigung
geprüft« werde. Bereits zwei Wochen später, am 12. Oktober 1934, lag die
Auskunft vor, »dass der Vater des Leg.Sekr. von Broich-Oppert von
Vater- und Mutterseite her jüdischer Herkunft sei«.[67]

Am 17. Oktober wurde Broich-Oppert aus Wien zurückberufen, am
26. Oktober wurde ein förmliches Disziplinarverfahren gegen ihn eingeleitet. Gemessen an dem Vorwurf, dass der Legationssekretär »wissent-
lich oder grob fahrlässig die der Wahrheit nicht entsprechende dienstliche Erklärung abgegeben« hatte, betrieb das Auswärtige Amt einen
beträchtlichen Aufwand. Unter Leitung von Paul Barandon, dem stellvertretenden Leiter der Rechtsabteilung, entfaltete das Amt regelrechte
kriminalistische Methoden: Personalakten und Adoptionsurkunden der
Vorfahren Broich-Opperts wurden angefordert, Verwandte und Bekannte befragt, Auskünfte von Korpsbrüdern und Schulkameraden
eingeholt. Da über seine jüdische Herkunft kein Zweifel bestand, konzentrierte sich die Ermittlung auf die Frage, ob sich Broich-Oppert eines
Dienstvergehens schuldig gemacht hatte, weil ihm »zu einem gewissen Zeitpunkt die Tatsache seiner jüdischen Abstimmung bekannt war
oder hätte bekannt sein müssen«. Am Ende der fünfmonatigen Untersuchung wurde festgestellt, dass die Angaben in der dienstlichen Erklärung zwar »objektiv falsch gewesen« seien, dass aber eine bewusste
Falschaussage nicht habe nachgewiesen werden können. Auf dieser
Grundlage erfolgte die Einstellung des Verfahrens gegen Broich-Oppert;
im April 1935 wurde er dennoch aus »dienstlichen Gründen« in den
Ruhestand entlassen.[68]

Es dürfte für den Ausgang des Disziplinarverfahrens von nicht zu
unterschätzender Bedeutung gewesen sein, dass eine ganze Reihe von
Zeugen auftrat, die Broich-Opperts aufrechte nationale Gesinnung betonten. Kurt Rieth, der deutsche Gesandte in Wien, bestätigte in seiner

Vernehmung im Auswärtigen Amt, dass Broich-Oppert einer seiner »wertvollsten Mitarbeiter« gewesen sei. Als Gesandter habe er »mit allen ihm zur Verfügung stehenden Mitteln die nationale Bewegung« unterstützen wollen, sich aber zurückhalten müssen, da er »unter keinen Umständen die Reichspolitik kompromittieren« durfte. Deshalb habe er Broich-Oppert als seinen »Verbindungsmann zu den in Österreich leitenden Persönlichkeiten der NSDAP und der nationalen Gruppen« eingesetzt, und dieser habe die ihm übertragene Aufgabe »stets mit dem größten Pflichtbewusstsein« erfüllt. SA-Brigadeführer Rudolf May, zeitweilig »Führer der SA-Brigade Wien«, gab zu Protokoll, »dass Herr Georg von Broich-Oppert in vorbildlicher Weise die Belange der Partei, insbesonderheit diejenigen der SA vertreten hat« und »hierbei völlig selbstlos und mit Hintansetzung der Interessen seiner Person handelte. Herr von Broich-Oppert hat in der schweren Zeit des Parteiverbots in Österreich der Partei und daher auch der SA unschätzbare Dienste erwiesen.« Auch andere SA-Führer unterstrichen die »unschätzbare[n] Dienste«, die Broich-Oppert »unter Exponierung seiner Person« für »die in Österreich verbotene NSDAP« geleistet habe. Wie sehr die SA den Einsatz des Legationssekretärs der Wiener Gesandtschaft schätzte, war bereits ein halbes Jahr vor dem Verfahren klar geworden, als die Oberste SA-Führung – »vorsorglich ausgesprochen« – im Auswärtigen Amt darum bat, dass »von Broich-Oppert in Wien verbleibe«.[69]

So großzügig man in der Wilhelmstraße bei der Vermischung von »rassischen« und »dienstlichen« Kriterien verfuhr, so allergisch reagierte man auf die unerwünschten Rückwirkungen der antisemitischen Gesetze im Ausland. Besonders in England habe man dadurch viele Sympathien verloren, konstatierte Bülow, und »eine Feindschaft gegen Deutschland hervorgerufen, die nahezu alle Schichten der Bevölkerung erfasst hat«.[70] Auch wenn sich viele Diplomaten am Geist der neuen Gesetze störten, machten sie sich in erster Linie Sorgen wegen der zu erwartenden Außenwirkung. Im Juli 1933 berichtete Bülow in einem privaten Schreiben Neurath von angeblichen Plänen des Innenministeriums, »ein neues Staatsangehörigkeitsgesetz« auf den Weg zu bringen, das auf die Schaffung von »Bürgern I. und II. Klasse« hinauslaufe und die Juden offenbar »noch einschneidender als durch die bisherige Gesetzgebung vom Berufsleben« ausschließe. Das Ausland, so Bülows größte Sorge, werde »mit einem Sturm der Entrüstung antworten. Die Hetze würde

noch viel ärger als z. Zt. der Beamten-usw.-Gesetze.« Es wäre besser, so
Bülows Empfehlung, man würde »spätestens bis zum Herbst die Judenfrage praktisch abwickeln und keine neuen Gesetze erlassen, die offenkundig auf Judenverfolgung abzielen. Das Reichsministerium des Innern
sollte endlich lernen, seine Maßnahmen gegen die Juden usw. in die un-
kontrollierbaren Regionen der Verwaltung zu verlegen, statt Gesetze zu
erlassen, deren innerpolitischer Propagandawert durch den außenpolitischen Schaden mehr als aufgewogen wird.«[71]

Die von der Wilhelmstraße an die deutschen Auslandsmissionen verschickten Informationserlasse, in denen die antijüdische Gesetzgebung
gerechtfertigt wurde, waren kaum geeignet, der zunehmenden außenpolitischen Isolierung entgegenzuwirken. Von heute aus sind diese Erlasse
nichts als beredte Zeugnisse der Selbstgleichschaltung. Der »Schlag gegen das Judentum«, hieß es in einem dieser Rundschreiben vom Juli
1933, habe »auf allen Gebieten des Geisteslebens einheitlich, lückenlos
und rasch geführt werden« müssen, »damit nicht Keime jener gefährlichen Mentalität von Anfang an wieder Eingang fänden in den geistigen
Aufbau des neuen Deutschland, um früher oder später bewusst oder
unbewusst wieder Schaden anzurichten und den Gehalt der nationalen
Bewegung zu verfälschen oder zu verflechten«.[72]

Nach dem Krieg mit solchen Dokumenten konfrontiert, redeten sich
die Angehörigen des Auswärtigen Amts heraus, dafür seien allein die
Beamten des Deutschlandreferats zuständig gewesen. Aber zum einen
handelte Bülow-Schwante nicht eigenmächtig, sondern mit Kenntnis
und Zustimmung der Leitungsebene. Zum anderen bestand das Deutschlandreferat keineswegs, wie die alten Laufbahnbeamten glauben machen
wollten, aus »amtsfremden« Personen, die dem Amt oktroyiert worden
seien. Das hohe Maß an personeller Kontinuität beim Übergang von der
Weimarer Republik ins Dritte Reich wurde durch die wenigen Quereinsteiger nach 1933 paradoxerweise eher noch verstärkt. Dies zeigt besonders gut das Beispiel des Erbprinzen Josias zu Waldeck und Pyrmont,
dessen Einberufung in den Auswärtigen Dienst auf eine Anregung Görings zurückging. Über den Staatssekretär im preußischen Staatsministerium, Paul Körner, hatte er einen entsprechenden Wunsch des Erbprinzen übermitteln lassen. Die Wilhelmstraße entsprach dem mit der
Einberufung Waldecks als »Außergewöhnliche Aushilfe im Referenten-
dienst des Auswärtigen Amts« zum 1. April 1933.

Waldeck, der 1896 geborene älteste Sohn des letzten regierenden Fürsten des Fürstentums Waldeck-Pyrmont, war bereits am 1. November 1929 in die NSDAP und SS eingetreten. Seit April 1930 fungierte der hauptamtliche SS-Führer als Adjutant Sepp Dietrichs und Heinrich Himmlers. Für seine Einstellung als Legationsrat im Auswärtigen Dienst war er durch nichts qualifiziert; weder verfügte er über die diplomatische Ausbildung noch über das notwendige Assessorexamen, noch über Sprachkenntnisse. Gleichwohl wurde er zum 31. Mai 1933 »aus politischen Gründen«, wie es im Schreiben des Auswärtigen Amts an das Reichsfinanzministerium hieß, in eine unbefristete Beschäftigung übernommen. Waldeck hatte Wert darauf gelegt, in die Personal- oder die Politische Abteilung zu kommen, und Neurath war dieser Bitte ohne erkennbaren Widerstand gefolgt, wohl nicht zuletzt deshalb, weil der Wunsch auf Hitler selbst zurückging.[73] Neurath hatte in die Berufung eingewilligt, um Konzessionsbereitschaft zu demonstrieren; in Einzelfällen exponierte Parteivertreter einzuberufen, schien ihm ein akzeptabler Preis, wenn nur die weitgehende Unabhängigkeit der von ihm vertretenen Außenpolitik gewahrt blieb. Es dauerte denn auch nur ein gutes Jahr, bis Waldeck, desillusioniert ob der eigenen Einflusslosigkeit, nach dem 30. Juni 1934 den Dienst quittierte.

Einer der Außenseiter, die ohne Protektion ins Amt gelangten, war Ex-Kanzler Hans Luther. Im März 1933 musste er als Reichsbankpräsident weichen und wurde mit dem Posten des Botschafters in Washington entschädigt – als Nachfolger des soeben zurückgetretenen Friedrich von Prittwitz und Gaffron. Seine Ernennung war immerhin ein politisches Signal, hatte der parteilose Luther doch stets der Partei Stresemanns nahegestanden. Auch Franz von Papen, im Kabinett Hitler zunächst Vizekanzler, wurde vom Auswärtigen Amt übernommen, nachdem er im Juli 1934 sein Amt wegen des so genannten Röhm-Putsches niedergelegt hatte; auf Geheiß Hitlers wurde er als Gesandter in besonderer Mission nach Wien geschickt. Mit Luther und Papen waren zwei Außenseiter in den Auswärtigen Dienst berufen worden, die über politische Erfahrung verfügten und gut in Neuraths Konzept passten. De facto allerdings hatte sich Hitler auf diese Weise zweier Kritiker entledigt.

Im Sommer 1933 fand ein seit Längerem vorbereitetes großes Revirement statt, in das 23 Diplomaten einbezogen werden sollten. Bei den geplanten Umbesetzungen, die mehrere Auslandsmissionen betrafen, handelte es sich nach einem Vermerk Bülows explizit um »Entscheidungen, die sowohl unter Berücksichtigung der dienstlichen Notwendigkeiten als auch der veränderten Zeitumstände als dringlich erscheinen«.[74] Bei der Neuverteilung der Posten kamen jedoch Interessen ins Spiel, in denen sich die »veränderten Zeitumstände« plötzlich gegen das Amt selbst richteten. Vorgesehen war, den Generalkonsul in Shanghai, Heinrich Freiherr Rüdt von Collenberg-Bödigheim, zum Gesandten in Mexiko zu befördern und den dortigen Missionschef Walter Zechlin in den Ruhestand zu versetzen. Ersterer war ein Corpsbruder Neuraths, letzterer der langjährige sozialdemokratische Pressechef, der nach dem Sturz Brünings mit einem Gesandtenposten abgefunden worden war.[75] Zum Nachfolger in Shanghai sollte Erich Michelsen, der Ostasienexperte aus der Berliner Zentrale, ernannt werden.

Michelsen war mit Urkunde vom 16. September 1933 zum Generalkonsul I. Klasse in Shanghai ernannt worden, und der deutsche Geschäftsträger in Shanghai hatte bereits die telegrafische Anweisung erhalten, das Exequatur der chinesischen Regierung für ihn einzuholen, als sich kurz vor Michelsens Abreise Wilhelm Keppler meldete, der Beauftragte des Reichskanzlers für Wirtschaftsfragen. »Bei der deutschen Kolonie und unserer Ortsgruppe in Schanghai« herrsche »eine sehr große Misstimmung«, denn es habe sich herumgesprochen, dass »ein Jude mit der Führung des dortigen Konsulats« betraut werden solle.[76] Kepplers Gewährsmann war Franz Xaver Hasenöhrl, ein ehemaliger Berufsoffizier, der als kaufmännischer Angestellter in Shanghai die dortige Landesgruppe der NSDAP gegründet und geleitet hatte. Er galt in der Partei als einer der »besten Mitarbeiter draußen«.[77] Zur Vorbereitung auf neue Aufgaben hielt sich Hasenöhrl im Sommer 1933 in Deutschland auf und nutzte seine gute Verbindung zu Rudolf Heß, um gegen Michelsens Entsendung Protest anzumelden. Keppler übernahm es, das Auswärtige Amt einzuschalten, und wandte sich an Josias von Waldeck und Pyrmont. Außerdem schrieb er einen Brief an Neurath, in dem er, deutlich konzilianter im Ton, seine Bedenken vortrug, »den Konsulatsposten mit einem nichtarischen Herrn zu besetzen«. Er bitte den Minister, dieser Angelegenheit nochmals »Aufmerksamkeit zuwenden zu wollen«.[78]

Das Auswärtige Amt reagierte mit gewohnter Geschäftsmäßigkeit. Es stimme, »dass Herr Michelsen jüdischer Abstammung« sei; »als Vorkriegsbeamter« unterliege er aber nicht den Bestimmungen des Berufsbeamtengesetzes. Im Übrigen sei er »durchaus zuverlässig national gesinnt« und »auf Grund seiner langjährigen Erfahrungen der beste Chinakenner, über den wir verfügen«. Da er auch die chinesische Sprache in Wort und Schrift vollkommen beherrsche, sei er im Augenblick die am besten geeignete Persönlichkeit für die Besetzung eines so wichtigen Postens wie Shanghai.[79] Michelsen seinerseits reagierte, wie es von einem pflichttreuen Beamten erwartete wurde: Er ließ sich beurlauben und erklärte sich im »Interesse des Dienstes« einverstanden, wenn das Auswärtige Amt von seiner Entsendung nach Shanghai Abstand nehme.[80] Die Personalabteilung beeilte sich, die Diplomaten vor Ort anzuweisen, das beantragte Exequatur zurückzunehmen. Im Januar 1934 wurde Michelsen in den Wartestand, im März in den dauerhaften Ruhestand versetzt. Neurath fand ungewöhnlich herzliche Worte: Es sei ihm ein Bedürfnis, sein »aufrichtiges Bedauern« über Michelsens »Weggang zum Ausdruck zu bringen«. Er spreche ihm seinen »wärmsten Dank« aus und wünsche ihm alles Gute für die weitere Zukunft.[81]

Waldeck fühlte sich in der ganzen Angelegenheit übergangen. Im Juni hatte er sich darüber beschwert, dass Staatssekretär und Minister die anstehenden Personalveränderungen abstimmten, ohne dass er beteiligt werde; er habe überhaupt nur unter der Hand davon erfahren, und im Übrigen könne er einige der Vorschläge auch keineswegs billigen.[82] Neurath würdigte ihn nicht einmal einer Antwort. Der Fall Michelsen habe gezeigt, schrieb Waldeck ein halbes Jahr später triumphalistisch, welche verheerenden Auswirkungen nicht abgesprochene Personalveränderungen »auf die nationalsozialistische Öffentlichkeit« hätten.[83] Neurath quittierte die Eingabe mit einem Vermerk: »Damit, dass der Erbprinz zu Waldeck seine Bedenken gegen die beabsichtigten Personalveränderungen vorgebracht hat, hat er seine Pflicht voll erfüllt. Die Entscheidung, ob trotz der geltend gemachten Bedenken aus sachlichen und rechtlichen Gründen dennoch eine Personalveränderung im einzelnen Falle vorzunehmen ist, habe ich als verantwortlicher Ressortminister allein zu treffen, wobei ich stets erst nach vorherigem Vortrag beim Herrn Reichskanzler die Ernennung dem Herrn Reichspräsidenten unterbreite.«[84] Waldeck offiziell in die Schranken zu weisen traute sich der Minister wohl nicht.

Immerhin setzte er sich dafür ein, dass Michelsen mit den Dienstbezügen eines Generalkonsuls I. Klasse in den Ruhestand treten konnte.

Die Personalabteilung führte daraufhin Gespräche mit den für Besoldungs- und Beamtenfragen zuständigen Referenten im Finanz- und Innenministerium, die unterschiedliche Standpunkte vertraten. Da Michelsen »den maßgebenden Stellen des A. A.'s seine nichtarische Abstammung nicht etwa verschwiegen« habe und somit seine Nichtentsendung nach Shanghai eine Maßnahme darstelle, die nicht von Herrn Michelsen zu vertreten sei, sprach sich der Referent des Innenministeriums für die Ruhestandversetzung als Generalkonsul I. Klasse aus. Der Kollege im Finanzministerium vertrat dagegen die Auffassung, dass die Nichtendsendung »letzten Endes doch auf einen in der Person des Herrn Michelsen liegenden Grund zurückzuführen« sei. Nach Auffassung des für Etat- und Finanzangelegenheiten zuständigen Referenten im Auswärtigen Amt kam eine Gewährung der Bezüge als Generalkonsul I. Klasse nicht infrage, »da die Nicht-Entsendung des H[err]n Michelsen zwar nicht auf seinem Verschulden beruht, aber doch in seiner Person« begründet liege. Allerdings sei »die Rechtslage nicht ganz zweifelfrei«. Um »zu einer völlig einwandfreien Klärung zu kommen«, regte er eine Klage Michelsens gegen das Amt an, die im Einvernehmen mit dem Amt erfolgen könne. Es war schon einigermaßen skurril, wie hier versucht wurde, eine Rechtsordnung aufrechtzuerhalten, die in der Praxis längst ausgehebelt war. Am Ende erhielt Michelsen die Ruhestandsbezüge eines Generalkonsuls I. Klasse.[85]

Den für Michelsen vorgesehenen Posten in Shanghai besetzte der 57-jährige Hermann Kriebel, der im im Februar 1934 Verbindungsmann der Obersten SA-Führung zum Auswärtigen Amt geworden war und zwei Monate später die diplomatisch-konsularische Prüfung abgelegt hatte. Der ehemalige Berufsoffizier hatte zu den Teilnehmern des Hitler-Putsches von 1923 gehört und später als Militärberater in China eng mit Hasenöhrl zusammengearbeitet, in dem er einen mächtigen Fürsprecher für den Posten des Generalkonsuls in Shanghai fand.[86]

Der letzte Quereinsteiger nach Bülow-Schwante, Waldeck und Kriebel war der spätere Reichsaußenminister Joachim von Ribbentrop. Zwar galt er erst mit seiner Ernennung zum etatmäßigen Beamten im Juni 1935 als Angehöriger des Auswärtigen Dienstes, einen offiziellen Titel trug er aber bereits seit April 1934, als er zum Beauftragten der Reichsregierung für Abrüstungsfragen berufen wurde. Geboren 1893 als Sohn eines Offiziers, hatte sich Ribbentrop im Alter von 32 Jahren von einer entfernten

Tante aus dem 1884 geadelten Zweig der Familie adoptieren lassen. Bevor er sich 1914 freiwillig meldete, hatte er viel im Ausland gearbeitet, vor allem in Kanada, wo er zuletzt als Importeur für deutsche Weine und Spirituosen tätig war. 1920 war er durch seine Eheschließung mit der Tochter des Sektfabrikanten Otto Henkell nicht nur zu Vermögen gekommen, sondern hatte sich auch Zugang zu gehobenen Wirtschafts- und Gesellschaftskreisen verschafft. 1930 wurde er mit Hitler bekannt, dem er sich durch sein weltläufiges Auftreten als Experte für außenpolitische Fragen zu empfehlen vermochte. Dass er sich bei der Regierungsbildung im Januar 1933 Hoffnungen auf den Posten des Außenministers machte, war Ausdruck seines gewaltigen Ehrgeizes, den alle Zeugen übereinstimmend hervorheben.

Im März 1933 versuchte Ribbentrop mit Wissen und im Auftrag Hitlers, Gespräche über einen deutsch-französischen Ausgleich in die Wege zu leiten, mit denen er die zunehmende außenpolitische Isolierung Deutschlands zu durchbrechen hoffte. Mehr als das Zustandekommen informeller Gespräche erreichte Ribbentrop mit seiner Geheimdiplomatie nicht, und auch seine übrigen »Sondermissionen« blieben ohne konkrete Ergebnisse. Anfang 1934 schickte Hitler Ribbentrop als persönlichen Emissär zu dem neuen französischen Außenminister Louis Barthou, der die Europäer zu einem entschiedeneren Vorgehen gegen Deutschland aufgefordert hatte. Er sei von Hitler gebeten worden, schrieb Außenminister Neurath an Botschafter Köster in Paris, ihm den »schon bekannten Herrn von Ribbentrop zu empfehlen«. Dieser genieße »das Vertrauen des Kanzlers«, der ihn »hin und wieder zur Ausführung privater Aufträge benützt«. Ribbentrop werde sich, wenn er nach Paris komme, bei Köster vorstellen; der Botschafter möge ihm dann Gelegenheit geben, mit führenden französischen Politikern zusammenzukommen.[87]

Neuraths ostentative Fürsprache war in Wirklichkeit die Einfädelung einer Intrige, mit der er die Ribbentrop'sche Privatdiplomatie, die er für unzweckmäßig und gefährlich hielt, ein für alle Mal beenden wollte. Neurath hatte Köster nämlich auch gebeten, ihm seine Eindrücke von Ribbentrops Visite persönlich mitzuteilen. Anschließend unterrichtete Staatssekretär Bülow den Reichspräsidenten darüber, »dass Herr Barthou von dem Besuch wenig angenehm berührt war und deshalb Herrn Ribbentrop mit betontem Sarkasmus begegnet ist. Den Antrag des Herrn Ribbentrop nach Aufnahme direkter deutsch-französischer Besprechungen hat Herr Barthou ... für seine Person glatt abgelehnt und für alle Verhandlungen auf den amtlichen diplomatischen Weg verwiesen.« Persönlich fügte Bülow hinzu: »Agenten ähnlicher Art« seien »schon früher und besonders seit dem Kriege wiederholt tätig gewesen«, indes sei ihr Erfolg »meist gering« gewesen, da es verantwortliche Staatsmänner naturgemäß ablehnten, sich gegenüber nicht verantwortlichen Agenten festzulegen. Der Reichspräsident reagierte wie erwartet: Er halte »die Verwendung solcher Mittelsleute, wie des Herrn Ribbentrop«, für nicht zweckmäßig.[88]

Diese präsidiale Rüge, so hatte es Neurath geplant, sollte nur den Vorwand für eine offizielle Unterredung zwischen Außenminister und Reichspräsident liefern, die ihrerseits den Schlussakt des geschickt aufgebauten Intrigenspiels markierte. »Einer Anregung des Herrn Reichskanzlers folgend« – so die offizielle Verlautbarung nach dem Gespräch – habe »der Herr Reichspräsident Herrn Joachim von Ribbentrop zum Beauftragten für Rüstungsfragen ernannt.« In dieser Eigenschaft sei Ribbentrop fortan dem Reichsminister des Äußern unterstellt; es verstehe sich von selbst, dass Herr von Ribbentrop Regierungsmitglieder anderer Staaten nur in Begleitung des jeweiligen Missionschefs aufsuchen und die zu unternehmenden Schritte, auch solche inoffizieller Natur, beraten werde. Auch sollte Ribbentrop hinterher über alle Eindrücke und Erfahrungen berichten.[89]

Ribbentrop befolgte die Auflagen, ohne sein heimliches Ziel, den Posten des Außenministers, aufzugeben. Wie schon der Fall des Erbprinzen Waldeck und Pyrmont macht auch das Beispiel Ribbentrops deutlich, wie stark Neurath in personalpolitischen Fragen von der Rückendeckung des greisen Hindenburg abhängig war. Es ist kein Zufall, dass Ribbentrops Einberufung in den Auswärtigen Dienst erst nach Hindenburgs Ableben erfolgte.

Angesichts der Fluktuationen, denen der höhere Dienst des Auswärtigen Amts von jeher unterlag, kann mit Bezug auf die vier Außenseiter nicht von einer Usurpation des Amts durch die Nationalsozialisten gesprochen werden, zumal Waldeck im Juni 1934 wieder ausschied, Kriebel weit ab vom Schuss saß und Bülow-Schwante sich gegenüber seinem Onkel letztlich loyal verhielt. Das Auswärtige Amt war in seiner Homogenität durch Quereinsteiger jedenfalls nicht beeinträchtigt, eine Infiltration durch Externe hat, aufs Ganze gesehen, nicht stattgefunden: Dies

festzuhalten ist wichtig, weil genau an diesem Punkt die Rechtfertigungs-
bemühungen nach dem Krieg ansetzten.

Der höhere Dienst umfasste im Jahr 1933 etwa 436 Beamte. Die Spitze
der streng hierarchisch organisierten und funktionierenden Behörde bildete die Leitungsebene unter Führung des Ministers und des Staatssekretärs als oberstem Beamten. Sechs Ministerialdirektoren leiteten die
Abteilungen in der Berliner Zentrale, in denen insgesamt 83 Beamte des
höheren Dienstes arbeiteten. In neun Hauptstädten wurden Botschaften unterhalten. Diese wurden von einem Botschafter geleitet, der im
Rang zwischen dem Staatssekretär und den Ministerialdirektoren stand.
Es folgten die übrigen Auslandsmissionen, gestaffelt nach Bedeutung,
Größe und Aufgaben: 22 Gesandtschaften I. Klasse, 17 Generalkonsulate
I. Klasse, 19 Gesandtschaften, 16 Generalkonsulate, 76 Konsulate I. Klasse und Konsulate. Insgesamt arbeiteten auf diesen 150 deutschen Auslandsmissionen 353 Planstellenbeamte des höheren Dienstes. Hinzu
kamen etwa 80 Attachés im Aus- und Inland.

Aufgrund politischer Veränderungen und der zunehmenden Ausdifferenzierung von Aufgabenbereichen wuchs in den dreißiger Jahren
nicht nur der Personalbestand des Auswärtigen Amts, es wurden auch
mehrere Gesandtschaften zu Botschaften aufgewertet: im Oktober 1934
Warschau, im März 1936 Santiago und Buenos Aires, im Juli 1936 Rio de
Janeiro. Als im Oktober 1938 die Gesandtschaft Brüssel zur Botschaft erhoben wurde, stieg die Zahl der Spitzenbeamten, die einem Generals-
rang entsprachen, auf 23: neben dem Minister drei Staatssekretäre, fünf
Ministerialdirektoren sowie 14 Botschafter. Der Gesamtbestand des höheren Dienstes hatte sich von 436 (1933) auf etwa 550 (1938) Beamte
erhöht, von denen 353 (1933) beziehungsweise 384 (1938) auf die Auslandsmissionen entfielen.[90]

Eine qualitative Auswertung der Personalbestände bestätigt den Befund, dass von einer Übernahme wichtiger Funktionen durch Außenseiter, die von der Partei protegiert ins Amt kamen, nicht die Rede sein
kann. Vielmehr verfolgte Neurath während seiner gesamten Amtszeit
eine Personalpolitik im betont nationalen Sinn. So entsprach es zum Beispiel ganz der antidemokratischen Haltung Neuraths, den aus Alters-
gründen frei werdenden Gesandtenposten in der Schweiz mit einem
Mann seines Vertrauens zu besetzen. Adolf Müller, der letzte im Dienst
verbliebene Sozialdemokrat in herausgehobener Stellung, wurde durch

Ernst von Weizsäcker ersetzt, der bis dahin im fernen Oslo residierte. Auch der Botschafter in Tokio wurde in den regulären Ruhestand verabschiedet; dort rückte Dirksen nach, der in Moskau seinerseits durch Rudolf Nadolny ersetzt wurde.

Nadolny, ein impulsiver Ostpreuße, der als rechthaberisch und eigensinnig galt und sich in der Vergangenheit wiederholt zu vorschnellen Schritten hatte verleiten lassen, gab in Moskau nur ein kurzes Gastspiel. Nachdem er vergeblich eine Kurswende der antisowjetisch ausgerichteten deutschen Ostpolitik gefordert hatte, in einem eskalierenden Streitgespräch mit Hitler aneinandergeraten war und daraufhin vom Außenminister fallengelassen wurde, erklärte Nadolny im Juni 1934 seine Demission – ein couragierter Schritt, der seiner Prinzipientreue entsprach. Anders als Prittwitz ließ sich Nadolny dabei nicht von einer grundsätzlichen Ablehnung des Nationalsozialismus leiten, sondern von seiner Überzeugung, dass Hitlers Politik gegenüber der Sowjetunion falsch war. Nadolnys Demission war der zweite und bis 1939 letzte Abschied eines Spitzendiplomaten aus eigener Entscheidung.

Selbstgleichschaltung

Zum Nachfolger Nadolnys wurde Friedrich-Werner Graf von der Schulenburg bestellt, der wie die meisten Spitzendiplomaten seit der Jahrhundertwende dem Auswärtigen Dienst angehörte. Wie sein Kollege in Rom, Ulrich von Hassell, war Schulenburg 1933 in die NSDAP eingetreten. Die Duplizität bleibt in doppelter Hinsicht bemerkenswert: Hassell und Schulenburg, die beiden Einzigen aus dem 17 Personen umfassenden Kreis der Spitzendiplomaten, die der Partei beitraten, werden später beide zum Widerstandskreis des 20. Juli 1944 zählen und hingerichtet werden.

Während sich die Gründe für Schulenburgs Parteibeitritt nicht rekonstruieren lassen – eine ganze Reihe seiner Verwandten trat bereits vor dem 30. Januar 1933 bei –, sind die Motive des Parteibeitritts von Hassell belegt. So wenig er als Anhänger der »Jungkonservativen« Bedenken gegen die Beseitigung von Liberalismus und Demokratie trug, so stark erregten ihn der gewalttätige Charakter der Bewegung und ihr totalitärer

Anspruch, Unmoral und Unsittlichkeit. Sein gesamtes Denken kreiste um die Frage, wie das Deutsche Reich als Großmacht wiederhergestellt werden könnte. Insofern darf er als ein typischer Vertreter des Auswärtigen Amtes gelten, dem der Sieg der »nationalen Bewegung« über die Republik als Grundvoraussetzung für einen Wiederaufstieg galt.

Zu dieser prinzipiellen Offenheit gegenüber dem Nationalsozialismus kam ein pragmatisch-taktisches Kalkül hinzu, das Hassell zum Parteibeitritt bewog. Als Botschafter in Rom war er kurz vor Ostern 1933 mit dem selbsternannten Italien-Spezialisten Göring aneinandergeraten, der sich von Hassel über die deutsch-italienischen Beziehungen belehren lassen musste. Dass Hassell mit seiner Einschätzung recht behielt, dürfte Görings Eitelkeit aufs Äußerste gereizt haben. Auch andere prominente Besucher aus dem neuen Deutschland sowie die Führer der örtlichen Parteigruppe fühlten sich von Hassells Arroganz brüskiert. Um Konflikten aus dem Weg zu gehen, bat Hassell in einer Unterredung mit Hitler, der Partei beitreten zu dürfen; es sei wichtig, dass das Reich gerade bei Mussolini durch einen Mann vertreten werde, der der Bewegung angehöre. Hitler, der auf Hassells Expertise nicht verzichten wollte, nahm ihn »ohne weitere Formalität in die Partei« auf.[91] Mitmachen, um mitgestalten zu können, dies sei Hassells Credo gewesen, schrieb nach dem Krieg Ernst von Weizsäcker.[92] Mochte der Parteibeitritt für ihn nur eine Formalität ohne Bedeutung sein, so war er für das Regime doch ein demonstratives Zeichen der Loyalität.

Eine ähnliche Grundhaltung wie Hassell vertrat auch Neurath. Bereits im Januar 1932 hatte er in einer Unterredung mit Hitler und Göring seine prinzipielle Bereitschaft erklärt, in einem von Nationalsozialisten gebildeten Kabinett das Außenministerium zu übernehmen.[93] Da Neurath, der zu diesem Zeitpunkt noch Botschafter in London war, allgemein als Hindenburgs Wunschkandidat für das Außenministerium galt, eröffnete sich damit für Hitler eine höchst interessante Perspektive – ein Jahr vor seiner Ernennung zum Kanzler. Der Partei trat Neurath erst 1937 bei.

Von den 22 Gesandten I. Klasse waren im August 1934 vier als NSDAP-Mitglieder gemeldet. Drei, Hans Georg von Mackensen, Edmund Freiherr von Thermann und Heinrich Freiherr Rüdt von Collenberg, traten der NSDAP nach dem Regierungswechsel bei, der Vierte, Viktor Prinz zu Wied, war bereits zum 1. Januar 1932 Parteigenosse geworden. Dass Wied, der 1905 in den Auswärtigen Dienst eingetreten, aber seit 1923 ohne Verwendung war, im Dezember 1933 zum Gesandten I. Klasse in Stockholm ernannt wurde, war eine Belohnung und, ähnlich wie im Fall Kriebel, ein Signal. Wied stand seit Jahren in engem Kontakt zur NSDAP. Als Gastgeber sogenannter Herrenessen, zu denen auch Bülow-Schwante geladen war, hatte er sowohl Hitler und Ribbentrop miteinander bekannt gemacht als auch die Unterredung zwischen Hitler und Neurath im Januar 1932 vermittelt.[94]

Auch für Mackensen, Thermann und Rüdt galt, dass sie den Nationalsozialismus begrüßten; Rüdt hatte sich in Shanghai bereits vor der Machtübernahme »äußerst loyal und sogar wohlwollend« gegenüber der Bewegung verhalten, wie ein Bericht der NSDAP-Auslandsorganisation hervorhob.[95] Neuraths Schwiegersohn Mackensen hatte als Sohn des zum Mythos stilisierten Feldmarschalls August von Mackensen zunächst eine Militärkarriere eingeschlagen und im Weltkrieg dem befreundeten Hohenzollernprinzen August Wilhelm als persönlicher Adjutant gedient. Mit Jurastudium und Assessorexamen Ende April 1919 in den Auswärtigen Dienst einberufen, hatte Mackensen an der Gesandtschaft Kopenhagen und in Rom unter Neurath gearbeitet. Im September 1933 wurde er von Neurath, dessen Tochter er 1926 geheiratet hatte, zum Gesandten in Budapest befördert.

Während Mackensen erst im Mai 1934 dem Beispiel seines Freundes August Wilhelm »Auwi« von Preußen folgte und in die NSDAP eintrat, hatte Thermann diesen Schritt bereits im April 1933 vollzogen. Thermann, der 1913 in den Auswärtigen Dienst einberufen und 1925 zum Leiter des politisch heiklen Generalkonsulats in Danzig ernannt worden war, bemühte sich kurz darauf auch um Aufnahme in die SS. Es sei ihm »als altem Leibhusaren eine besondere Ehre und Freude«, führte er in seinem Bewerbungsschreiben aus, im Reitersturm der SS »unserer großen Bewegung dienen zu dürfen«.[96] Als ehemaliger Weltkriegshusar fand Thermann einen Fürsprecher in Werner Lorenz; der ehemalige Kavallerieoffizier und Gutsbesitzer bei Danzig war ein Vertrauensmann Himmlers. Im September 1933 von Himmler persönlich in die SS aufgenommen, wurde Thermann, der demonstrativ in SS-Uniform auftrat, bis 1942 in rascher Folge bis zum Brigadeführer befördert.[97]

Es war möglicherweise das stramme Auftreten Thermanns, das Bülow bewog, ihn im Sommer 1933 von der exponierten Mission in Danzig abzuberufen und zum Gesandten in Buenos Aires zu ernennen. In der NSDAP galt Thermann weithin als »ein eifriger und energischer Verfechter der nationalsozialistischen Weltanschauung«; die ganze Arbeit im Ausland würde eine »wesentlich einfachere sein, wenn alle Reichsvertreter so positiv zum neuen Staat eingestellt wären wie Herr v. Thermann«.[98] Als im März 1936 die Gesandtschaft in Buenos Aires zur Botschaft erhoben wurde, rückte mit Thermann das erste SS-Mitglied in die Riege der Spitzendiplomaten auf.

Auch der 57-jährige Heinrich Rüdt von Collenberg profitierte vom großen Revirement im Sommer 1933. Mit der Beförderung vom Generalkonsul in Shanghai zum Gesandten in Mexiko hatte der Corpsbruder von Neurath zweifellos den Zenit seiner Karriere erreicht. Dass er dennoch im November desselben Jahres der NSDAP beitrat, unterstreicht seine politische Nähe zum Nationalsozialismus. Bereits vor der Machtübernahme hatte sich Rüdt nach einem Bericht der NSDAP-Auslandsorganisation äußerst loyal und wohlwollend gegenüber der Partei verhalten und auch den Wunsch geäußert, beizutreten.[99]

Während der Parteieintritt von Thermann und Rüdt ideologischer Überzeugung entsprach, spekulierten die Diplomaten der unteren Ebene in der Regel auf einen Karrierevorteil. Eine gehörige Portion Opportunismus lag etwa dem Parteibeitritt Otto von Bismarcks zugrunde. Der 1897 geborene Enkel des Reichsgründers, der von 1919 bis 1931 der DNVP angehört hatte, rechnete sich offenbar bereits zum Jahreswechsel 1932/33 von einer Berufung Hitlers größere Chancen für die eigene Karriere aus. Im Mai 1933, nachdem die Märzwahl die Konsolidierung des Regimes bestätigt hatte, trat er der NSDAP bei. Sein Kalkül sollte aufgehen: Unter Neurath brachte er es bis zum Gesandten I. Klasse zur besonderen Verwendung.

Stichproben auf der untersten Ebene des höheren Dienstes erhärten die Tendenz, dass Karrieredenken vor allem bei den jüngeren Diplomaten ein starkes Motiv für den Parteibeitritt war. Als exemplarische Konjunkturritter können Hasso von Etzdorf und Werner von Bargen gelten. Beide standen – als Attaché beziehungsweise Legationssekretär – 1933 am Beginn ihrer Karriere, und beide traten der NSDAP bereits im Sommer bei. Etzdorfs Beitritt soll allerdings auf Gruppendruck erfolgt sein: Als jüngstes Mitglied der Botschaft in Tokio sei er von seinen Kollegen zum Parteibeitritt gedrängt worden, um ein Zeichen demonstrativer Loyalität für das Botschaftspersonal zu setzen.[100] Sehr viel später als Etzdorf und Bargen traten die Legationssekretäre Otto Bräutigam und Emil Schumburg der NSDAP bei, nämlich erst im Oktober 1936 beziehungsweise im Juli 1938; Schumburg gehörte seit Oktober 1936 bereits der SS an. Beide waren während des Zweiten Weltkriegs maßgeblich an Vorbereitungen zur Vernichtung der Juden beteiligt.

Die Anzahl der Parteimitglieder im gesamten höheren Dienst des Auswärtigen Amts lag zum Jahresende 1933 bei etwa zwölf Prozent. Bei den meisten handelte es sich um Berufsdiplomaten, nicht um Quereinsteiger. Berücksichtigt man, dass bei vielen das Karrieredenken eine nicht zu unterschätzende Rolle für den Entschluss zum Parteibeitritt spielte, lässt sich aus den Zahlen ableiten, mit welchem Tempo sich das nationalsozialistische Regime etablierte. Eine bejahende Grundhaltung zum neuen Staat war die selbstverständliche Voraussetzung für einen Parteibeitritt. Eine reine Parteimitgliedschaftsarithmetik hat jedoch – wie insbesondere die Fälle Hassell und Schulenburg zeigen – nur bedingten Erklärungswert. Sie liefert allgemeine Hinweise auf Prädispositionen und Motive für den Parteibeitritt und auf den Grad der Selbstgleichschaltung des Auswärtigen Amtes. Individuelles Handeln vermag sie nicht auszuleuchten.

Um das Bild abzurunden, seien zum Schluss auch die Zahlen des mittleren und einfachen Dienstes genannt. 226 Beamte im mittleren und 117 Beamte im einfachen Dienst, die 1933 in der Berliner Zentrale arbeiteten, sorgten für das reibungslose Funktionieren des Dienstbetriebs. Unter den Amtmännern, Regierungsinspektoren und Kanzleivorstehern des mittleren Dienstes, die als Sachbearbeiter und Leiter von Sachgebieten die qualifizierten Verwaltungsaufgaben bewältigten, hatte die NSDAP bereits vor dem Januar 1933 mindestens 26 Mitglieder gewinnen können. Das entsprach einem Anteil von knapp fünf Prozent, der durch die Neueintritte des Jahres 1933 auf elf Prozent beziehungsweise 66 Mitglieder stieg.[101] Dieses Bild entsprach der allgemeinen Entwicklung: Während sich die Mitgliederzahl der NSDAP 1933/34 reichsweit fast vervierfachte, stieg der Anteil der Beamten in der NSDAP um gut die Hälfte, von 5,2 auf 11,2 Prozent.

Karriere ließ sich in den ersten Jahren freilich auch ohne Parteibuch machen. Bülow-Schwante ging seiner Aufgabe bis September 1936 ohne Mitgliedsausweis nach; Hans Felix Röhrecke, stellvertretender Leiter des

Deutschlandreferats, trat erst im August 1939 bei, obwohl er zuvor in der Zentrale der NSDAP tätig gewesen war. Der signifikanteste Fall einer Karriere ohne Parteibuch – vorerst! – war der des Gesandten I. Klasse Ernst Freiherr von Weizsäcker. Vor der Übernahme der Gesandtschaft Bern im September 1933 leitete Weizsäcker sieben Wochen kommissarisch die Personalabteilung der Berliner Zentrale. Dem neuen Regime begegnete er mit großer Skepsis. Er fühle sich an die »von 1918/1919 gewohnten Probleme« erinnert, schrieb er im Februar 1933: »Kann man da eigentlich mitmachen? Wie sichert man dem noch intakten Teil der Bürokratie den nötigen Einfluss? Wie bringt man die richtige ›mesure‹ in das neue System?«[102] Deutlich kam in solchen Einlassungen das Bewusstsein zum Ausdruck, einem Umbruch beizuwohnen, den er durch persönliche Einflussnahme allerdings mitgestalten wollte. Eine »einfache Wahrheit ist doch, dass dieses Regime nicht umschmeißen darf. Denn welches Negativ davon käme hinter ihm!«[103]

Nach dem Ende der Weimarer Republik, die er als eine Phase innerer Zerrissenheit und außenpolitischer Schwäche empfunden hatte, vermochte Weizsäcker die Zukunft Deutschlands nur in einer Stabilisierung der neuen Regierung zu erkennen. Sie schien ihm die einzige Alternative zu Bürgerkrieg und Chaos, und so formulierte er das Gebot der Stunde: »Unsereiner *muss* die neue Ära stützen. Denn was käme denn nach ihr, wenn sie versagte! Natürlich muss man auch mit Erfahrung, Auslandskenntnis und allgemeiner Lebensweisheit beiseite stehen. Hierzu bin ich entschlossen und berichte nach Kräften objektiv.«[104] Der Regierungswechsel möge eine »konstruktive Etappe« begründen, schrieb er Anfang März 1933, und deshalb sei er »geradezu froh«, dass Neurath und Bülow gemeinsam in »Stehkraft und Elastizität unsere Geschäfte« führten. »Der Kampf der Extremen gegen die Gemäßigten innerhalb der Regierung ist doch wohl die nächste Etappe.«[105]

Weizsäckers Ausführungen spiegelten die Gedanken und Wünsche der Spitzendiplomaten nachgerade exemplarisch wider: Das liberaldemokratische System, das sie geschlossen ablehnten, sollte durch eine autoritäre Staatsform ersetzt werden, ein Ziel, das der Reichspräsident »Projekt der nationalen Erneuerung und Einigung« nannte.[106] Beruhigend dabei wirkte, dass Hitler auf legalem Weg ins Amt gekommen war und dass er im Kabinett von den alten Eliten »eingerahmt« wurde, aus deren Reihen die übergroße Mehrheit der Minister kam. Für den Bereich der Außenpolitik galt überdies die von Neurath verkörperte und von Hindenburg garantierte personelle Kontinuität als ausreichende Gewähr für die Fortsetzung der bisherigen Linie. Nicht zuletzt gründete die Zuversicht der Diplomaten auf der Überzeugung, als loyale Staatsdiener mit einer weit zurückreichenden Tradition unentbehrlich zu sein.

Unter dem Ansturm von Parteieintritten hatte die NSDAP im April eine Aufnahmesperre verhängt, die für die Beamten des Auswärtigen Amts allerdings bald aufgehoben wurde. Im Juli registrierte Weizsäcker, dass »alle oder fast alle meiner Kollegen den Beitritt erklären oder richtiger um Aufnahme bitten«; er selbst wolle sich jedoch erst »die schweizerische Lage« näher ansehen.[107] In Berlin kam er in persönlichen Kontakt mit Hitler, Göring und Goebbels. Von Hitler gewann er dabei einen rundum positiven Eindruck: »Sehr ernst und fest in sich gekehrt[,] überragt die anderen ohne Frage weit. Es ist etwas wie eine metaphysische Einstellung an ihm, die ihm den Vorsprung wahrt.« Der neue Geist, der heute durch Deutschland ziehe, sei durchaus als Gewinn zu buchen: »Die Aufrüttelung aus einer Schicksalsergebenheit, der Sinn für Haltung und Disziplin ... Anerkennung der Familienwerte, kurzum ein moralischer Aufschwung.« Auf verschiedenen Gebieten, nicht zuletzt auf dem Gebiet der internationalen Beziehungen, seien allerdings noch Fragezeichen angebracht. Für umso notwendiger halte er es, dass hier »der Sachverstand zum idealen Schwung kommt, sonst wird die erste Etappe der nationalen Revolution abgelöst durch eine zweite, die alles in Frage stellt. Jeder Spezialist sollte sich in den Dienst der Sache stellen, um ein Unglück zu verhindern.«[108] Genau in dieser Uneindeutigkeit lag die eigentliche Dynamik der Selbstgleichschaltung.

Nicht einmal Versuche plumper parteipolitischer Infiltration wehrte das Amt entschieden genug ab. Zwei Tage nach Hitlers Ernennung, am 1. Februar, beantragte der Ministerialamtmann Leopold Thomas, Fachschaftsleiter der N.S. Beamtenschaft, die Überlassung des Bundesratssaals; er wolle in diesem Saal eine Versammlung abhalten, um allen Beamten Gelegenheit zu geben, sich über den Zweck und die Ziele der Fachschaft zu informieren. Da es sich um eine prinzipielle Frage handele, bitte er im Zweifelsfall die Entscheidung der Reichskanzlei einzuholen.[109] Ein halbes Jahr zuvor hatte sich Thomas, ein 1872 im Regierungsbezirk Marienwerder geborener Westpreuße, der nach neunjähriger Militärdienstzeit 1903 in die mittlere Laufbahn des Auswärtigen Dienstes eingetreten war, mit einem ähnlichen Vorstoß einen scharfen Verweis eingehandelt. In Erwartung eines sicheren Sieges der NSDAP bei den für den 31. Juli angesetzten Reichstagswahlen hatte er im Juni 1932 zu einer Werbeveranstaltung eingeladen. »Parteipolitische Auseinandersetzung in die Amtsräume der Behörde hineinzutragen«, so wurde ihm damals unmissverständlich mitgeteilt, sei »mit den Interessen des Dienstes schlechthin unvereinbar.«[110]

Neurath hatte die Angelegenheit zum Anlass genommen, sämtliche Beamte, Angestellte und Arbeiter in einem Runderlass darauf hinzuweisen, dass eine parteipolitische Werbetätigkeit innerhalb der Amtsräume nicht geduldet werden könne.[111] Das »unpolitische« Beamtentum müsse frei vom parteipolitischen Tagesstreit arbeiten können. Ein halbes Jahr später war es mit dieser Argumentation vorbei. Nachdem die zuständige Abteilung I den Antrag von Thomas abgelehnt hatte, erbat dieser eine Entscheidung durch die Reichskanzlei. Die Abteilung I legte die Angelegenheit daraufhin über den Staatssekretär dem Minister zur Entscheidung vor; Neurath und Bülow bestätigten, dass eine politische Werbetätigkeit innerhalb der Amtsräume unzulässig sei.[112]

Dennoch hielt am Abend des 6. Februar im Auswärtigen Amt ein Vertrauensmann des Reichsinnenministers Wilhelm Frick ein Referat zur politischen Lage. Thomas war bei der Leitungsebene keineswegs auf hartnäckigen Widerstand gestoßen. Neurath hatte lediglich die Einhaltung der amtsinternen Grundsätze angemahnt. Wie wenig Schwierigkeiten er den Aktivitäten von Thomas entgegensetzte, wurde bei Neuraths Verabschiedung 1937 deutlich. Thomas bedankte sich überschwänglich, dass der Minister ihm das Privileg eingeräumt habe, »die erste Hakenkreuzfahne über dem Auswärtigen Amt zu hissen«. Das sei nur möglich gewesen, so Thomas in seinem Dankschreiben, weil Neurath ihm in seiner »Werbearbeit für die Idee des Führers weitestgehend freie Hand gelassen« habe, obwohl der Minister auch anders hätte handeln können.[113]

In seiner Zeit als Botschafter in Rom hatte Neurath die Etablierung des Faschismus aus nächster Nähe beobachten können. Jetzt übertrug er die dort gewonnenen Erkenntnisse und half tatkräftig beim Aufbau der »Volksgemeinschaft« mit, die ihm als Voraussetzung zur Gewinnung neuer außenpolitischer Stärke galt. Im Juni 1933 hob er seinen eigenen, aus dem Dezember 1932 stammenden Erlass auf, mit dem er angeordnet hatte, dass der Beamte des Auswärtigen Dienstes »in parteipolitischer Beziehung seine Zurückhaltung so vollständig wie nur möglich« zu üben habe.[114] Die innerpolitischen Voraussetzungen, die zu diesem Erlass geführt hätten, seien hinfällig, hieß es jetzt. Jedem Beamten des Auswärtigen Dienstes stehe es frei, in die NSDAP einzutreten. Die nationale Erhebung stelle nämlich auch an den Auslandsbeamten erhöhte Anforderungen: Auch der Auslandsbeamte »muss sich zu dem neuen Deutschland bekennen und muss an dem Bau des neuen Staates mithelfen. Von jedem Auslandsbeamten – wie übrigens von jedem Berufsbeamten – wird erwartet, dass er sich nach diesen Grundsätzen selbst geprüft hat, denn ohne innere Übereinstimmung mit den Motiven und Zielen der jetzigen Regierung würde er nicht imstande sein, als Vertreter der Heimat zu gelten.«[115]

Vor diesem Hintergrund schritt die Selbstgleichschaltung des Auswärtigen Amts zügig voran, ohne dass von außen besonderer Druck aufgebaut werden musste. Ihren sinnfälligen Ausdruck fand dieser Prozess im Dezember 1933, als die Erweisung des »deutschen Grußes« zur verpflichtenden Grußform unter Diplomaten erhoben wurde.[116] Auch wenn dies eine Anweisung des Reichsinnenministers war, fügte sie sich dennoch ein in den Prozess der Selbstgleichschaltung des Auswärtigen Amts, das gegen diese Anweisung in keiner Weise Vorbehalte anmeldete. Im Januar 1934 jährte sich dann der Tag der Machtübernahme, zu dem Neurath mit einem in der *Berliner Börsen-Zeitung* publizierten Artikel unter der Überschrift »Arbeit des Auswärtigen Amts im ersten Jahr der nationalen Regierung« beitrug. Der Beamte des Auswärtigen Dienstes sei »durch seine ganze Erziehung und Arbeitsweise darauf eingestellt, Deutschland als ganzes, das deutsche Volk als Einheit zu sehen«. Deshalb habe die »Staatsräson des Nationalsozialismus, die konsequente und entschlossene Unterordnung des Einzelinteresses unter das Gesamtinteresse, das Prinzip: alles für Deutschland, sowie der nationale Ehr- und Freiheitsbegriff, kurz, das ganze Ideengut des Nationalsozialismus« in der Beamtenschaft des Auswärtigen Amts freudige Zustimmung gefunden. Dass sich die »geistige Gleichschaltung der Beamtenschaft des Auswärtigen Amts mit dem Nationalsozialismus ohne Schwierigkeiten vollziehen« konnte, sei dadurch erleichtert worden, dass das Amt von den Einflüssen des Weimarer Parteienstaates weitgehend frei geblieben sei. Am Ende des ersten Jahres der Regierung Hitler könne er mit Genugtuung feststellen, dass das politische Instrument, das das Auswärtige Amt darstelle, »in der Hand der neuen Staatsführung erfolgreich gearbeitet hat. Dass es von den neuen Ideen vollkommen erfüllt ist und dass für seine Wirksamkeit durch die Begründung und den Ausbau des neuen Staates bessere und sicherere Grundlagen geschaffen worden sind. Das Auswärtige Amt und jedes seiner Mitglieder beginnt das zweite Jahr der Regierung Adolf Hitlers mit dem festen Glauben an Deutschlands Zukunft und dem entschlossenen Willen, an ihr zu seinem Teil mit allen Kräften mitzubauen.«[117]

Die Jahre bis zum Krieg

In der Nacht vom 27. auf den 28. Februar 1933 ging der Reichstag in Flammen auf. Mit der noch am selben Tag erlassenen Verordnung des Reichspräsidenten zum Schutz von Volk und Staat wurden die in der Weimarer Verfassung verbürgten Grundrechte de facto außer Kraft gesetzt: Hindenburgs Unterschrift besiegelte die Grundlegung der Diktatur. Die Revolution sei insgesamt »streng verfassungsmäßig« durchgeführt worden, lautete die in sich widersprüchliche Schlussfolgerung, die Bülow-Schwante Anfang Juni an alle Missionen sandte. Noch nie habe sich eine Revolution in solchem Maße durch »disziplinierten und unblutigen Verlauf« ausgezeichnet.[1]

Die Diplomaten waren in diesen Tagen vor allem damit beschäftigt, die mit der Reichstagsbrandverordnung legalisierte Verfolgung politischer Gegner zu rechtfertigen. Außenminister Neurath forderte sämtliche deutschen Auslandsmissionen – außer Moskau – telegrafisch auf, »nichts unversucht zu lassen, um Falschmeldungen in dortiger Presse nachdrücklich entgegenzutreten«. Die Behauptung, »die Brandstiftung im Reichstag sei bestellte Arbeit der Reichsregierung, um Riesenschlag gegen das Proletariat zu führen«, entbehre jeder Grundlage. Es liege erdrückendes Beweismaterial dafür vor, dass hinter der Brandstiftung eine kommunistische Verschwörung stecke. Ein vorübergehendes Verbot der linken Presse sei erforderlich, um der systematischen Untergrabung der Autorität der Regierung entgegenzuwirken.[2]

Die Kritik des Auslands entzündete sich vor allem an den Massenverhaftungen politisch unliebsamer Gegner, und das Auswärtige Amt hatte alle Hände voll zu tun, um Nachrichten über Verschleppungen und die ungezügelte Brutalität der SA-Trupps in Gefängnissen und »wilden« Konzentrationslager zu dementieren. In vielen Ländern entstanden Hilfskomitees, zahlreiche Organisationen riefen zu Protesten und Sammlungen auf. Tageszeitungen, zuerst in den Niederlanden und Dänemark, später auch in Großbritannien und den USA, berichteten regelmäßig. Um die öffentliche und veröffentlichte Meinung im Ausland zu beeinflussen, standen dem Amt nicht allzu viele Mittel zur Verfügung. Geradezu unbeholfen wirkte es, wenn in einem Runderlass versichert wurde, »dass schärfste Anweisungen an die Leiter der Konzentrationslager gegeben worden sind, darüber zu wachen, dass kein Schutzhäftling angefasst wird, d.h. dass hiermit jegliche Misshandlungen ausgeschlossen sind«. Lasse sich ein Häftling »etwas zuschulden kommen, so genügt sehr oft schon ein Rauch- und Schreibverbot«.[3] Selbst in der Zentrale scheint man sich von solchen Attesten wenig Wirkung versprochen zu haben.

Im August 1933 erkundigte sich Prinz Carl von Schweden, der Präsident des Schwedischen Roten Kreuzes, bei seinem deutschen Kollegen Joachim von Winterfeldt-Menkin, ob es möglich sei, deutsche Konzentrationslager zu besuchen. Das Auswärtige Amt, an das die Anfrage weitergeleitet wurde, erkannte hier eine Chance, verlorenen Boden wettzumachen, und riet zu. Neurath beauftragte Bülow-Schwante, die Angelegenheit mit dem Reichsinnenministerium zu klären; als man dort auf den Wunsch der Schweden hinhaltend reagierte, wandte er sich persönlich an Frick: »Der bedeutende außenpolitische Wert« einer Einladung des schwedischen Prinzen dürfe »nicht verkannt werden«. Nach starkem Drängen des Auswärtigen Amts und einiger Verzögerung willigte das Innenministerium schließlich ein. Das Deutsche Rote Kreuz erteilte daraufhin die im Wortlaut vom Auswärtigen Amt entworfene Einladung, in der noch einmal eigens auf die fürsorgliche Behandlung der Gefangenen hingewiesen wurde. Die Behandlung der Häftlinge richte sich nach den Grundsätzen des modernen Strafvollzugs. Für die Masse derer, die aus proletarischem Milieu stammten, sei der Lebensstandard sogar höher als ihr früherer.[4] Das Schwedische Rote Kreuz wollte sich das Besuchsprogramm jedoch nicht vorschreiben lassen und reagierte, als das Regime auf die Forderung nach freiem Zugang nicht einging, mit einer Absage, die wiederum für Schlagzeilen in der ausländischen Presse sorgte.

Verfolgung, Emigration, Ausbürgerung

Das Auswärtige Amt suchte nicht nur die Zusammenarbeit und Abstimmung mit dem Innen- und Propagandaministerium, es übernahm bei der interministeriellen Kooperation gern auch die Initiative. In der Wilhelmstraße verstand man sich wie selbstverständlich als zentrale Schaltstelle zwischen Innen- und Außenpolitik, deren wichtigste Aufgabe darin bestand, die Innenpolitik gegen Kritik von außen abzuschirmen. Dieses Grundmuster wurde in den folgenden Jahren beibehalten: Auf die Gewaltpraxis im Innern suchte das Amt grundsätzlich nur insofern einzuwirken, als es für die Vertretung nach außen zweckmäßig erschien. Die erste Bewährungsprobe hatte das Amt nach dem Boykott jüdischer Geschäfte am 1. April zu bestehen; einen Monat später wurden die Gewerkschaften zerschlagen, am 22. Juni folgte das Verbot der SPD.

Noch am selben Tag wurden zahlreiche sozialdemokratische Funktionäre in einer groß angelegten Verhaftungswelle aufgegriffen und in Konzentrationslager verschleppt. Unter den Inhaftierten befand sich der langjährige Reichstagspräsident Paul Löbe, dessen besorgte Ehefrau sich Hilfe suchend an das Reichspräsidialamt wandte. Hindenburgs Kanzlei erfuhr durch Rückfrage bei Rudolf Diels, dem Chef der preußischen politischen Polizei, dass »gegen Herrn Löbe eigentlich nichts vorliege«, und bat das Auswärtige Amt, sich der Angelegenheit anzunehmen. Bülow schrieb daraufhin an Neurath, der Reichspräsident habe die Bitte geäußert, dass der Außenminister »persönlich bei dem Herrn Reichskanzler wegen der Freilassung von Herrn Löbe vorstellig werden« solle. Der Herr Reichspräsident sei der Ansicht, dass die Inhaftierung des früheren Reichstagspräsidenten außenpolitisch eine fatale Wirkung haben müsse. Hindenburg, der Löbe für einen hochanständigen Menschen halte, bitte um eine rasche Erledigung der Angelegenheit; man möge mit Herrn Löbe dahingehend verhandeln, dass seine Freilassung gegen die Zusage erfolge, sich politisch nicht zu betätigen. Auch das Auswärtige Amt, fügte Bülow hinzu, habe ein gewisses Interesse an der Sache, »da der Reichstagspräsident in fast allen Ländern und auch bei uns einen sehr hohen Rang führt«.[5]

Wie später noch oft, nahm Neurath den für informelle Unterredungen üblichen »Dienstweg«, indem er von seinem württembergischen Familiensitz nach Berchtesgaden fuhr. Hitler war mit einer Freilassung

Löbes einverstanden und sagte zu, mit Göring in diesem Sinn zu sprechen; er plädiere dafür, dass man auch andere verhaftete Sozialisten gegen das Versprechen, sich nicht politisch zu betätigen, in Freiheit setze.[6] Kurz darauf wurde Löbe aus einem Konzentrationslager in ein Gefängnis nach Berlin überstellt, aus dem er nach vier Monaten im Rahmen einer Weihnachtsamnestie entlassen wurde. Am Fall Löbe lässt sich ein immer wiederkehrendes Grundmuster ablesen: Je prominenter eine Person – vor allem im Ausland –, desto mehr setzte sich das Auswärtige Amt für ihre Freilassung ein.

Weniger prominente Zeitgenossen konnten, wenn sie über gute Auslandskontakte verfügten, ebenfalls vor Schlimmerem bewahrt werden. So verdankte etwa Kurt Hahn seine Entlassung aus KZ-Haft einflussreichen Freunden in England. Hahn hatte zwischen 1914 und 1919 im Auswärtigen Amt gearbeitet und anschließend die über Deutschlands Grenzen hinaus bekannte Internatsschule Salem gegründet. Den Nationalsozialisten als Jude und Reformpädagoge seit Langem verhasst, war Hahn am 11. März in Schutzhaft genommen worden. Erstmals am 15. März meldete sich Botschafter Hoesch aus London mit der Nachricht, dass »in prominenten Kreisen eine gewisse Aufregung über das Schicksal Hahns« herrsche, der angeblich verhaftet sei und in Todesgefahr schwebe.[7] Tag für Tag wiederholte Hoesch seine Mahnung. Neurath wies Bülow-Schwante an, bei Robert Wagner, dem Reichskommissar für das Land Baden, Erkundigungen einzuholen, und wurde persönlich bei Innenminister Frick vorstellig. Der Fall Hahn sei inzwischen auch zur Kenntnis des Premierministers Ramsay MacDonald gelangt; da eine größere Anzahl englischer Kinder in Salem unterrichtet werde, bestehe überdies die Gefahr, dass die englische Presse sich des Falles »in einem uns abträglichen Sinne« annehme.[8] Hahn wurde entlassen, seine Wiedereinsetzung als Direktor in Salem aber verweigerte Frick – gegen den Rat Neuraths, der meinte, Hahn sei »hier noch immer unschädlicher, als wenn er ins Ausland geht u[nd] dort gegen die Reichsregierung stänkert«.[9]

Besonders dramatisch entwickelte sich der Fall Gerhart Seger, der genau genommen erst mit seiner Flucht ins Exil begann. Seger war als einer der ersten sozialdemokratischen Reichstagsabgeordneten in Schutzhaft genommen worden. Anfang Januar 1934 gelang es ihm, aus dem Konzentrationslager Oranienburg zu entkommen und nach Prag zu fliehen; seine Ehefrau und Tochter wurden daraufhin von der Gestapo in

Geiselhaft genommen. Diesen Akt der Barbarei versuchte Seger propagandistisch auszunutzen, indem er in zahlreichen Reden, Interviews und Veröffentlichungen, die in der Auslandspresse auf ein breites Echo stießen, über Verfolgung und Unterdrückung, über Quälereien und Morde im Dritten Reich berichtete. Aufmerksam registrierte das Auswärtige Amt, dass Segers Erfahrungsbericht über Oranienburg in fast allen europäischen Sprachen in großer Auflage verbreitet wurde. Die »Hetzschrift«, so das Deutschlandreferat, enthalte Verleumdungen schlimmster Art und sei in besonderem Maße an der Vergiftung der Weltmeinung über das neue Deutschland schuld.[10]

Seit Seger sein Manuskript am 27. Januar 1934 als Strafanzeige an das Reichsjustizministerium gesandt hatte, stand er unter lückenloser Beobachtung. Wo auch immer er sich aufhielt – die Geheime Staatspolizei war schon da, weil sie vom Auswärtigen Amt im Vorfeld über Segers Reiseroute informiert wurde; was auch immer Seger in seinen Vorträgen über das nationalsozialistische Regime verbreitete – deutsche Diplomaten berichteten es nach Berlin. Welche Bedeutung das Regime den Aktivitäten Segers beimaß, zeigte sich im Mai. Da die »weitere Inschutzhaftnahme der Frau Seger und ihres Kindes« im Ausland und »namentlich in England erhebliche außenpolitische Schwierigkeiten« bereite, ordnete Frick beim zuständigen Anhaltinischen Staatsministerium an, »Frau Seger sofort aus der Schutzhaft zu entlassen«.[11] Eine Kopie des Schreibens erhielt routinemäßig auch das Auswärtige Amt zur Kenntnisnahme; die deutschen Missionen in London und Oslo wurden daraufhin über die Entlassung von Frau und Tochter unterrichtet. Das beliebte »Hetzargument des geflüchteten Seger, dass Frau und Kind als Geiseln in Schutzhaft« gefangen gehalten würden, sei damit hinfällig.[12]

Wie das Beispiel zeigt, verlief die Zusammenarbeit zwischen den Reichsbehörden weitgehend ohne Komplikationen. Mit der Machtübernahme war jedoch eine Situation des permanenten Ausnahmezustands eingetreten, die zu tief greifenden Änderungen auch im Auswärtigen Amt führte. Da der Umbruch in Innern, der vielen als Voraussetzung für den ersehnten außenpolitischen Aufstieg galt, wegen des damit einhergehenden Terrors die Isolierung des Reiches zunehmend verstärkte, beanspruchte die Rechtfertigung der Gewaltpolitik gegenüber dem Ausland immer mehr Kapazitäten des Dienstes. Interventionen wie im Fall Löbe oder Hahn waren meist von pragmatischen Überlegungen geleitet.

Nur deshalb setzte sich das Amt auch für den KPD-Vorsitzenden Ernst Thälmann ein und drängte auf einen beschleunigten Prozess. Wie Bülow-Schwante an Reichsjustizminister Franz Gürtner schrieb, biete Thälmanns Inhaftierung den Gegnern des nationalsozialistischen Deutschland zu viel Angriffsfläche.[13] Den Missionen wurde ein Interview mit dem zuständigen Oberreichsanwalt über das bevorstehende Verfahren zugeleitet. Das Interview sei dazu bestimmt, hieß es in einer vertraulichen Mitteilung, die öffentliche Meinung des Auslands darüber aufzuklären, dass Thälmann wegen bestimmter Straftaten zu Rechenschaft gezogen werde und das Verfahren an die Strafprozessordnung gebunden sei. Auch sei darauf hinzuweisen, dass nach der Erklärung des Oberreichsanwalts die Thälmann zur Last gelegten Straftaten lediglich mit Freiheitsstrafe bedroht seien.[14] Der Prozess gegen Thälmann wurde bekanntlich nie eröffnet, weil das Regime ein ähnliches Fiasko wie im Reichstagsbrandprozess fürchtete; der KPD-Führer blieb bis zu seiner Ermordung im August 1944 in Haft.

Zwischen den Reichsbehörden wurden fortlaufend Ideen darüber ausgetauscht, wie man die in ausländischen Zeitungen immer wieder auftauchenden »Greuelnachrichten über angebliche Missstände in den deutschen Konzentrationslagern« verhindern könne. Himmler, der im April 1934 zum Inspekteur der preußischen Geheimen Staatspolizei aufgestiegen war, empfahl, auf andere Länder zu verweisen, wo Staatsfeinde ebenfalls in Konzentrationslager verbracht würden.[15] Seine Anregung aber, deutsche Konzentrationslager mit englischen »Concentration Camps« aus dem Burenkrieg aufzurechnen, hielt Bülow-Schwante für nicht zielführend; damit würde nämlich »zugegeben werden, dass die Greuel als solche begangen wurden«. Die Missionen seien ja im Gegenteil »bemüht, in mühseliger Kleinarbeit solche Greuelmeldungen nach Möglichkeit in jedem Einzelfall zu dementieren oder in anderer Form aufklärend zu wirken«.[16]

Im November 1934 hielt Göring vor der Akademie für Deutsches Recht einen Vortrag, in dem er über den Rückgang der Kriminalität seit der Machtübernahme berichtete. Röhrecke maß dieser Tatsache eine besondere propagandistische Wirkung auf das Ausland bei und bat das Geheime Staatspolizeiamt, ihm dafür die einschlägigen Zahlen zur Verfügung zu stellen.[17] Keine vier Wochen später war der entsprechende Runderlass an alle Missionen fertig. Während »unter dem alten Regime das Verbrecherunwesen auf fast allen Gebieten in geradezu beängstigendem Ansteigen begriffen« gewesen sei, habe die »zielbewusste und tatkräftige Bekämpfung des gewerbs- und gewohnheitsmäßigen Verbrechertums« unter der nationalsozialistischen Regierung große Erfolge erzielt.[18] Welche Wirkung das Auswärtige Amt mit solchen Handreichungen im Einzelnen zu erzielen vermochte, lässt sich nicht belegen. So viel aber ist sicher: Dass die Repräsentanten des Dienstes im Ausland mit solchem Nachdruck für das Dritte Reich eintraten, wirkte beruhigend. Im Ergebnis war aus einer angesehenen Traditionsbehörde das Auswärtige Amt des Dritten Reiches geworden, das den Weg in die Diktatur durch Zusammenarbeit mit anderen Behörden – und durch ein hohes Maß an Eigeninitiative – absicherte.

Mit seinem weltweiten Netz an Auslandsmissionen bildete das Auswärtige Amt einen Apparat, dessen Effizienz von keiner anderen staatlichen oder parteiamtlichen Institution hätte ersetzt werden können. Und dieses Monopol wurde beharrlich verteidigt. So war die Berliner Zentrale zum Beispiel über Interna der Emigrantenszene, deren Planungen und Publikationen meist besser und schneller informiert als das Innenministerium oder die Polizeibehörden. Bülow-Schwante sagte der Geheimen Staatspolizei zwar unumwunden zu, »eilbedürftige und wichtige Berichte der deutschen Auslandsmissionen rechtzeitig« weiterzuleiten. Die erbetene »unmittelbare Weitergabe von Berichten deutscher Auslandsmissionen an eine inländische Behörde ohne Vermittlung des Auswärtigen Amts« verweigerte er aber aus »grundsätzlichen Erwägungen«.[19]

Aus verschiedenen Gründen legte das Auswärtige Amt Wert darauf, seine Autonomie zu behaupten. Zum einen stand dahinter die prinzipielle Erwägung, keinen Einbruch in die ureigene Domäne, die Außenpolitik, zuzulassen; zum anderen resultierten aus dem Wissensvorsprung unmittelbare Vorteile, die halfen, die eigene Position innerhalb des diffizilen Machtapparates abzusichern. Daraus ergab sich aber auch die Notwendigkeit, die eigene Unentbehrlichkeit ständig unter Beweis zu stellen. Auch deshalb wurden zahlreiche Meldungen ohne Einschränkung direkt an das Geheime Staatspolizeiamt und andere Behörden weitergeleitet. Zwischen der Wilhelmstraße und der wenige Hundert Meter entfernten Gestapo-Zentrale in der Prinz-Albrecht-Straße entwickelte sich bald ein reger Informationsaustausch. Die Materialien unter dem Rubrum »Emigrantentätigkeit im Ausland« oder »Hetze seitens deutscher

Emigranten« füllten ganze Aktenmappen. Im Mittelpunkt der Überwachung standen so unterschiedliche Persönlichkeiten wie der Komponist Hanns Eisler oder der Journalistikstudent Stefan Heym, der Schriftsteller Emil Ludwig oder der junge Sozialdemokrat Herbert Frahm (Willy Brandt).

Die Auslandsmissionen setzten rund um den Globus eifrig um, was ihnen von der Zentrale vorgegeben wurde, nämlich »sämtliche Tätigkeit der sozialdemokratischen und kommunistischen Flüchtlinge zu beobachten und umgehend zu berichten«.[20] Über Sinn und Zweck dieser Berichte bestand völlige Klarheit: »Um die wirksame Bekämpfung aller gegen den Bestand und die Sicherheit des Staates gerichteten Angriffe zu ermöglichen«, sei eine »namentliche Erfassung aller derjenigen Personen erforderlich, die seit der nationalen Erhebung des deutschen Volkes außer Landes gegangen sind und die Vermutung rechtfertigen, dass sie im Ausland staatsfeindliche Bestrebungen verfolgen«, hieß es im Initialschreiben der Gestapo, das Bülow-Schwante kurzerhand an alle Missionen in Europa weiterleitete. »Es wird sich hierbei in erster Linie um bisher führende deutsche Kommunisten, Pazifisten und Sozialdemokraten handeln. Darüber hinaus verdienen besondere Beachtung die Angehörigen der jüdischen Intelligenz, auch soweit sie bisher politisch noch nicht besonders hervorgetreten sind. Zur Erfassung dieser Personenkreise wird beim Geheimen Staatspolizeiamt eine Namenskartothek angelegt werden, die ständig auf dem Laufenden zu halten sein wird.«[21]

Selbst vor geheimdienstlicher Tätigkeit schreckte das Auswärtige Amt nicht zurück. Anfang Mai 1934 bot sich ein Emigrant der Londoner Botschaft als Spitzel an; er könne »eine Menge wichtiger Aufschlüsse über Persönlichkeiten und Pläne der dem Londoner Kreis angehörenden Pazifisten geben«, meldete Otto Graf von Bismarck an die Zentrale.[22] In Berlin wurden die Informationen von Bülow-Schwante sogleich an das Geheime Staatspolizeiamt weitergeleitet. Dies war der Auftakt für eine monatelange Kooperation zwischen Londoner Botschaft, Berliner Zentrale und Gestapa. Um diplomatische Verwicklungen auszuschließen, hatte das Amt gebeten, auf die Einschaltung der Botschaft zu verzichten, dennoch wurde die Überwachungsarbeit vier Monate lang über den diplomatischen Kanal abgewickelt.[23]

Die reibungslose Zusammenarbeit zwischen inneren Behörden und Auswärtigem Amt bei der Emigrantenüberwachung wurde bei der Ausbürgerungspraxis fortgesetzt. In den ersten vier Jahren wurden 375 Deutsche ausgebürgert. Für die Wilhelmstraße kam es vor allem darauf an, dass sich die Richtlinien der Gestapo mit den Grundsätzen deckten, nach denen das Amt seine Zustimmung zu den einzelnen Ausbürgerungen erteilte. Ausgewiesen wurden in erster Linie Personen, die nach Auffassung des Amts durch staatsfeindliche Betätigung im Ausland die deutschen Belange schädigten. Bei ehemaligen sozialdemokratischen oder kommunistischen Abgeordneten musste diese staatsfeindliche Betätigung allerdings nicht erst ausdrücklich festgestellt werden, es genügte, dass sie sich im Ausland aufhielten, um ein Verfahren auf Aberkennung der deutschen Reichsangehörigkeit gegen sie einzuleiten.[24] Mit der ersten Ausbürgerungsliste, die am 25. August 1933 im Deutschen Reichsanzeiger erschien – und der bis zum 7. April 1945 358 weitere Listen folgten – wurde 33 Deutschen die Staatsbürgerschaft aberkannt, darunter prominenten Sozialdemokraten wie Rudolf Breitscheid, Philipp Scheidemann und Otto Wels und Schriftstellern wie Lion Feuchtwanger, Heinrich Mann und Kurt Tucholsky. Der Theaterkritiker Alfred Kerr hatte sich die Gelegenheit nicht nehmen lassen, vor Bekanntgabe seiner Ausbürgerung an den Außenminister zu schreiben. Er habe die ihm zur Last gelegte »Hetzrede« gegen Deutschland schon deshalb nicht halten können, weil er entgegen der Zeitungsberichterstattung seit drei Jahren nicht in Paris gewesen sei, sondern seit Monaten schwer krank im schweizerischen Cassarate verweile. »Ich vertrete meine Handlungen allemal«, schloss Kerr seinen Brief an Neurath, »aber nur, wenn ich sie beging.«[25]

Der Außenminister stieß sich an derlei Unstimmigkeiten nicht. »Auf Grund des § 2 des Gesetzes über den Widerruf von Einbürgerungen und die Aberkennung der deutschen Staatsangehörigkeit vom 14. Juli 1933« habe er, hieß es in einer Pressemitteilung, im Einvernehmen mit dem Innenminister die 33 Personen »der deutschen Staatsangehörigkeit für verlustig erklärt, weil sie durch ein Verhalten, das gegen die Pflicht zur Treue gegen Reich und Volk verstößt, die deutschen Belange geschädigt haben.«[26] Nur in einem einzigen Fall hatte er Widerspruch eingelegt: gegen die geplante Ausbürgerung von Albert Einstein.

Der weltberühmte Physiker und Nobelpreisträger war im Dezember 1932 zu einer Vortragsreise in die USA aufgebrochen, von der er wegen der Ernennung Hitlers nicht mehr zurückkehrte. Seine am 10. März 1933 in den USA veröffentlichte Stellungnahme, er wolle nur in einem Land leben, in dem »politische Freiheit, Toleranz und Gleichheit aller Bürger vor dem Gesetz« herrschten, erregte bereits den besonderen Unmut des Regimes.[27] Es folgten Einsteins Austritt aus der Preußischen Akademie der Wissenschaften, den er Ende März erklärte, sowie sein Antrag auf Entlassung aus der preußischen Staatsangehörigkeit Anfang April 1933, den die Gestapo mit Haussuchungen und der Beschlagnahme seines Vermögens beantwortete. Nach der in diesem Zusammenhang vom Justizministerium angeordneten »Lex Einstein« sollten Eingaben von Personen, die versuchten, dem Aberkennungsverfahren zuvorzukommen, indem sie selbst die Entlassung aus der Staatsangehörigkeit beantragten, künftig so lange nicht bearbeitet werden, bis eine Entschließung der zuständigen Reichsministerien vorlag.

Auf einer gemeinsamen Sitzung von Innen- und Außenministerium am 16. August 1933 konnte über die Ausbürgerung Einsteins keine Einigung erzielt werden. Weil ein solcher Schritt wegen der Einstein »zu Recht oder zu Unrecht zuerkannten Weltgeltung« höchst negative Reaktionen im Ausland nach sich ziehen würde, habe Bülow-Schwante gemäß seiner Instruktion die Zustimmung des Auswärtigen Amts zur Ausbürgerung verweigert, berichtete Bülow noch am selben Tag an Neurath. Da die inneren Ressorts aber darauf bestehen würden, die erste Liste so schnell wie möglich fertigzustellen, bitte er Neurath um Mitteilung, ob an der Weigerung unbedingt festzuhalten sei oder ob er sich mit dem Kompromiss – der Ausbürgerung Einsteins bei ausdrücklicher Freigabe und Übersendung seines wissenschaftlichen Eigentums – einverstanden erklären könne.[28] Neurath schien eine gewisse Vorsicht dringend geboten, so wenig es Einstein »durch sein Verhalten gegenüber seinem ursprünglichen Vaterlande verdient« habe.[29] Die Ausbürgerung wurde zurückgestellt. Einstein seinerseits ließ es an Klarheit nicht fehlen: Es sei ihm unverständlich, dass die zivilisierte Welt sich nicht vereinige, um dieser Barbarei ein Ende zu machen, so zitierte ihn der *Völkische Beobachter*. »Ist es möglich, dass die Welt nicht begreift, dass Hitler uns alle in den Krieg hineinziehen wird.« Das NS-Organ schäumte: Der »Psychopath« und »Relativitäts-Jude« Einstein fordere »einen neuen Weltkrieg gegen Deutschland«.[30]

Der Druck auf das Auswärtige Amt, der Ausbürgerung Einsteins endlich zuzustimmen, wuchs. Bülow aber hielt dagegen, dass »dieses Vorgehen dem Auslande zum Anlass einer neuen Hetze dienen würde«. Er empfehle, Einsteins eigenem Ausbürgerungsantrag stattzugeben und zugleich »bekanntzugeben, dass Einstein einer Anzahl von kommunistischen Organisationen in Deutschland angehört habe und mit seinem Antrage selbst anerkenne, dass er nicht würdig sei, deutscher Staatsbürger zu bleiben«.[31] Das war Frick zu wenig. Zum einen seien die »hetzerischen Auslassungen« besonders verwerflich, zum anderen würde Einstein die Bewilligung seines Entlassungsantrags »eher als einen persönlichen Erfolg gegenüber der Deutschen Regierung buchen. Dieser aber würde die Schonung dieses besonders hervorragenden und herausfordernden Verräters nur als unverständliche Schwäche ausgelegt werden.«[32] Weil aber nicht prinzipielle, sondern nur rein taktische Gesichtspunkte die beiden Ministerien trennten, fand man schließlich einen Kompromiss. In einer Chefbesprechung Anfang Februar 1934 verständigten sich Auswärtiges Amt und Innenministerium darauf, dem Entlassungsantrag nicht stattzugeben, aber auch keine separate Ausbürgerung vorzunehmen. Stattdessen erfolgte Einsteins Ausbürgerung auf der zweiten Liste, die am 29. März 1934 veröffentlicht wurde.

Anfang August 1936 – die Olympischen Sommerspiele von Berlin verbreiteten gerade trügerischen Glanz – liefen hinter den Kulissen die Planungen für die siebente Ausbürgerungsliste an, auf der nun auch der Name jenes Mannes stehen sollte, den das Veto des Auswärtigen Amts bis dahin vor dem Entzug seiner deutschen Staatsangehörigkeit bewahrt hatte: Thomas Mann. Seit Frühjahr 1933 lebte Mann im schweizerischen Exil. Das Innenministerium hatte ihn immer wieder für eine Ausbürgerung vorgesehen, weil Mann als »der typische intellektuelle Marxist und Pazifist« gelten müsse.[33] Der Fall blieb in der Schwebe, denn immer wenn das Innenministerium den Antrag wieder hervorholte, erneuerte die Wilhelmstraße ihre Auffassung, dass gegen die Aberkennung der Staatsbürgerschaft sowohl rechtliche als auch insbesondere außenpolitische Erwägungen sprächen. Eine Ausbürgerung Thomas Manns, hieß es im Oktober 1934, würde »im Ausland sensationell wirken und in noch weit stärkerem Maße zu unfreundlichen Kommentaren Anlass geben, als etwa der Fall Albert Einstein«. Anders als dieser habe Mann »gegenüber dem nationalsozialistischen Deutschland betonte Zurückhaltung gezeigt«. Überdies sei er Arier, »sodass die ausländische Öffentlichkeit mit voller Verständnislosigkeit eine Ausbürgerung Thomas Manns kritisieren würde«. Es könne auch kaum im Reichsinteresse liegen, Mann

»durch seine Ausbürgerung in das Lager der antideutschen Hetzer zu treiben«.[34]

Im März 1935 schaltete sich Reinhard Heydrich, Chef des preußischen Geheimen Staatspolizeiamts, in die Diskussion ein, aber nach Rücksprache Fricks mit Neurath und Goebbels wurde abermals gegen die Ausbürgerung entschieden. Im September 1935 unternahm Innenstaatssekretär Wilhelm Stuckart einen weiteren vergeblichen Anlauf. Überraschend war es dann das Auswärtige Amt selbst, von dem einige Monate später, im Mai 1936, die Initiative ausging, die letzten Endes zur Ausbürgerung Manns führte.

Am 1. Mai berichtete Botschafter Welczeck aus Paris, Thomas Mann habe »mit seinen letzten Kundgebungen seine früher beobachtete Zurückhaltung aufgegeben«, sodass er gegen dessen Ausbürgerung jetzt keine Bedenken mehr habe.[35] Weizsäcker gab aus Bern eine ähnliche Stellungnahme ab, in der er hervorhob, dass Mann den »bisherigen Langmut der deutschen Behörden gegenüber seiner Person mit höhnischen Bemerkungen bedacht« und somit den Tatbestand der »feindseligen Propaganda gegen das Reich im Ausland« erfüllt habe. Deshalb bestünden von seiner Seite keine Bedenken, das Ausbürgerungsverfahren gegen ihn nunmehr in die Wege zu leiten.[36]

Unmittelbarer Anlass für die Berichte aus Paris und Bern, zu denen ähnlich lautende Stellungnahmen aus Prag und Wien hinzukamen, war ein Anfang Februar 1936 in der *Neuen Zürcher Zeitung* veröffentlichter Brief Thomas Manns, in dem er unmissverständlich seinen Bruch mit dem nationalsozialistischen Deutschland vollzog. Der entscheidende Satz, der Welczeck und Weizsäcker in Harnisch brachte, lautete: »Der deutsche Judenhass aber, oder derjenige der deutschen Machthaber, gilt, geistig gesehen, gar nicht den Juden oder nicht ihnen allein: er gilt Europa und jedem höheren Deutschtum selbst; er gilt, wie sich immer deutlicher erweist, den christlich-antiken Fundamenten der abendländischen Gesittung: er ist der (im Austritt aus dem Völkerbund symbolisierte) Versuch einer Abschüttelung zivilisatorischer Bedingungen, der eine furchtbare, eine unheilschwangere Entfremdung zwischen dem Lande Goethes und der übrigen Welt zu bewirken droht.«[37]

Das Regime reagierte nicht sofort. Während das Innenministerium das Mantra der alsbaldigen Ausbürgerung wiederholte, bat das Propagandaministerium »dringend, jedenfalls bis zur 2. Hälfte des Monats

August«, die »Sache ruhen zu lassen«.[38] Der Hintergrund war klar: Die Olympischen Spiele, die am 16. August zu Ende gingen, sollten nicht von unwillkommenen Schlagzeilen überschattet sein. Anfang September meldete sich wieder das Innenministerium: Die beschleunigte Durchführung des Ausbürgerungsverfahrens sei jetzt dringend geboten.[39] Da das Auswärtige Amt nach Ministerentscheidung keine Einwände mehr erhob, wurde Thomas Mann zusammen mit seiner Ehefrau Katharina auf einer Liste mit 38 weiteren Personen Anfang Dezember 1936 ausgebürgert. Die Auslandsbehörden wurden instruiert, bei sich bietender Gelegenheit »den Betroffenen die in ihren Händen befindlichen deutschen Pässe abzunehmen. Die Gewährung deutschen Schutzes kommt selbstverständlich nicht mehr in Frage.«[40]

Damit war für das Auswärtige Amt der Fall allerdings noch längst nicht erledigt. Am 19. November 1936 hatte die Tschechoslowakische Republik Thomas Mann die Staatsangehörigkeit verliehen, sodass die zwei Wochen später erfolgte Ausbürgerung und die damit verbundene Beschlagnahme des Vermögens unwirksam waren. Die Tschechen richteten über ihre Gesandtschaft in Berlin ein Gesuch um Aufhebung der Beschlagnahme an das Innenministerium, was eine fieberhafte Aktivität auslöste. Unter Zugzwang gebracht, weil es die gegenstandlose Ausbürgerung einräumen und doch die Aufhebung der Beschlagnahme nicht hinnehmen wollte, bat das Innenministerium das Auswärtige Amt um Prüfung, »inwiefern das bei der Einbürgerung des Thomas Mann tschechoslowakischerseits gewählte Verfahren von der normalen Einbürgerungspraxis erheblich« abweiche.[41]

So sehr sich die Rechts- und Deutschlandabteilung des Auswärtigen Amts auch bemühten, dem Innenministerium zu Diensten zu sein, man kam immer zu dem gleichen Ergebnis, dass »vom rechtlichen Standpunkt aus« eine Aufhebung der Beschlagnahme kaum zu umgehen sein dürfte.[42] Mit juristischer Pedanterie wurde jede noch so abstruse Anregung des Innenministeriums überprüft. Bei der Lösung, die schließlich gefunden wurde, um den Status quo juristisch abzusichern, griff man auf ein Gesetz vom Juli 1933 zurück, mit dem das Vermögen von Sozialdemokraten eingezogen worden war. Das Vermögen von Thomas Mann, darunter das Preisgeld des Nobel-Komitees, sei zur Förderung »volks- und staatsfeindlicher Bestrebungen bestimmt« gewesen und werde deshalb eingezogen.[43]

Wie schnell sich die Gewalt des Regimes auch gegen Angehörige des Auswärtigen Amtes selbst richten konnte, bekam als einer der Ersten paradoxerweise ausgerechnet Vicco von Bülow-Schwante zu spüren, der Leiter des Deutschlandreferats, der Anfang 1933 nur auf politischen Druck ins Amt gekommen war. Beim sogenannten Röhm-Putsch am 30. Juni 1934, als Hitler mit Unterstützung der Reichswehr die »revolutionäre« SA entmachtete, wurde er vom Erbprinzen zu Waldeck und Pyrmont im Auswärtigen Amt verhaftet und in das Geheime Staatspolizeiamt überführt. Welche Rolle persönliche Animositäten gespielt haben und ob Waldeck im Auftrag oder eigenmächtig handelte, bleibt unklar, jedenfalls wurde Bülow-Schwante nach drei Stunden wieder entlassen. Spätestens an diesem Tag dürfte man im Auswärtigen Amt die Brutalität des Regimes begriffen haben; die einschüchternde Wirkung des großen Mordens jedenfalls muss enorm gewesen sein.[44]

Neurath beschwerte sich zwar in scharfer Form bei Hitler und Himmler über die Verhaftung Bülow-Schwantes und reiste umgehend zu dem todkranken Hindenburg ins ferne Ostpreußen, um sich des präsidialen Rückhalts zu versichern. Nach außen aber begründete er noch am selben Tag die Mordaktion als unumgängliche Maßnahme zur Erhaltung der Ordnung. Die SA-Führung, so ließ er die Auslandsmissionen wissen, habe einen »gewaltsamen Umsturz« geplant, der von der »Staatsautorität mit allen Mitteln unterdrückt« worden sei; inzwischen sei die »Lage überall ruhig«.[45] Zwei Tage später reichte er ein Telegramm nach, in dem er von einem »Komplott aus persönlichem Machthunger« berichtete. »Ziel der Verschwörung« sei »die Beseitigung jetziger Regierung und Ersetzung durch Minister aus S.A. Kreisen mit Röhm an der Spitze« gewesen. Hitler habe »persönlich durchgegriffen und Verschwörung wie bekannt liquidiert ohne jede Mitwirkung Reichswehr, obwohl geplanter Aufstand sich auch gegen diese richtete.« Schleicher sei »lediglich erschossen [worden], weil er sich mit der Waffe der Verhaftung widersetzte, als er zur Vernehmung über seine neuerlich aufgenommenen Verbindung zu Röhm abgeführt werden sollte. Irrige Gerüchte über Verhaftung Vizekanzlers von Papen darauf zurückzuführen, da Personen seines Büros kompromittiert ... Überall völlige Ruhe.«[46] Goebbels hätte es nicht prägnanter formulieren können.

Es überrascht denn auch nicht, dass sich Neurath vier Wochen später bei Hindenburgs Tod für die Verschmelzung der Ämter des Reichspräsidenten und des Reichskanzlers in der Person Hitlers aussprach. Über Rundfunk rief er, getreu seiner Überzeugung, dass die innere Einheit die äußere Kraft bestimme, zur »Einigkeit und Geschlossenheit des Deutschen Volkes« auf. »Unsere Gegner im Ausland wünschen kein starkes und einiges Deutschland«, so Neurath. »Das Ziel dieser Gegner ist damals wie heute dasselbe: die Niederringung des deutschen Willens zur Selbstbehauptung.«[47] Eine »erfolgreiche Außenpolitik« sei »nicht möglich, wenn hinter ihr nicht ein richtiger geleiteter Volkswille steht. Außenpolitik und innere Uneinigkeit sind unversöhnliche Gegensätze«, schrieb er vier Tage später in einem Artikel für die deutsche Presse. »Die Durchführung des Einigungsprogramms Adolf Hitlers soll für alle Zukunft die Wiederkehr eines solchen nationalen Unglücks verhindern.«[48]

Mit der Übertragung sämtlicher Vollmachten des Staatsoberhauptes auf Hitler, die durch eine Volksabstimmung am 19. August plebiszitär abgesichert wurde, war die Phase der »Machtergreifung« institutionell abgeschlossen. Die Reichsbeamten einschließlich der Beamten des Auswärtigen Dienstes leisteten einen neuen Eid – »dem Führer des Deutschen Reiches und Volkes, Adolf Hitler, treu und gehorsam« zu dienen.[49]

Als »Staatsoberhaupt, Reichskanzler und Führer«, so ließ Bülow-Schwante die Auslandsmissionen nicht ohne Stolz wissen, besitze Hitler »eine Machtfülle, wie sie vor ihm noch kein Deutscher innegehabt hat«. Im neuen »Führerstaat« sei der Begriff der Gewaltenteilung »gegenstandslos geworden ... die Gedankenwelt der französischen Revolution überwunden ... Es gibt keinen Streit der Gewalten und keine Verfassungskonflikte mehr. Es gibt keine Parteien mehr ... Der Führer will den Staat bewusst nach seinen Grundsätzen führen und hat dafür vor Volk und Geschichte die volle Verantwortung übernommen.«[50]

Ribbentrop ad portas

Weder hatten die Diplomaten erkennbar gegen die Repressions- und Gewaltpraxis in Deutschland protestiert, noch hatten sie sich der Anpassung verweigert. Eine scheinbar unpolitische Beamtenmentalität, in der Pflichtbewusstsein, Zuverlässigkeit, Effizienz und Staatstreue zählten, aber auch die aus dem Kaiserreich tradierte Anpassungs- und Unterordnungsbereitschaft sowie nicht zuletzt ein ausgeprägtes Standesbewusstsein hatten es dem Gros der Beamten im Auswärtigen Dienst ermöglicht, relativ rasch und zielstrebig zum nationalsozialistischen Staat zu finden.

Mit dem Tod des Reichspräsidenten verlor das Auswärtige Amt seine bis dahin wichtigste Stütze in der Führung des Reiches und Außenminister Neurath seinen langjährigen Gönner. Umso wichtiger erschien es ihm fortan, Eigenständigkeit und Professionalität seiner Behörde durch eine möglichst enge Zusammenarbeit mit Hitler zu wahren. Dieser hatte sich in den zurückliegenden anderthalb Jahren für Ratschläge und Empfehlungen durchaus empfänglich gezeigt. Hitlers unverkennbar vorsichtiges Taktieren in außenpolitischen Fragen beruhte jedoch auf der Annahme, dass die westlichen Demokratien nach den gleichen Prämissen handelten wie er. Wenn Frankreich richtige »Staatsmänner« habe, werde es noch vor einer deutschen Aufrüstung »über uns herfallen«.[51] Deshalb war er dem Rat der diplomatischen Routiniers gefolgt, deren Kompetenzen und Kapazitäten für ihn unverzichtbar waren.

Von Erfolg zu Erfolg waren aber auch die aggressiven Züge der Hitler'schen Außenpolitik immer deutlicher hervorgetreten. Es konnte dem Auswärtigen Amt nicht verborgen bleiben, dass Hitler immer stärker Kurs, Methode und Tempo der Außenpolitik zu bestimmen suchte und der Funktionselite im Auswärtigen Amt lediglich die tägliche Routine überlassen wollte. Da die Ziele der meinungsbildenden Spitzendiplomaten mit dem allgemeinen politischen Kurs übereinstimmten, den Wiederaufstieg Deutschlands ins Werk zu setzen, zog man am gleichen Strang. Die Zusammenarbeit bewährte sich sowohl bei der Wiedereinführung der Wehrpflicht im März 1935 als auch bei der Besetzung der entmilitarisierten Rheinlandzone im März 1936, zwei Überraschungscoups, mit denen internationale Verträge gebrochen und vollendete Tatsachen geschaffen wurden.

Bei der Umsetzung der Revisionspolitik konnte und wollte Hitler auf die Mitarbeit der Diplomaten nicht verzichten. Wie unentbehrlich sie für ihn waren, zeigten die Expeditionen seiner eigenen außenpolitischen »Experten«. Wo immer Ribbentrop als Beauftragter für Rüstungsfragen auftrat, blieben nur Misserfolge in Erinnerung. Alfred Rosenberg, dem Chefideologen der NSDAP, der ebenfalls auf den Außenministerposten spekulierte, waren ähnliche Fehlschläge beschieden. Im Juni 1935 konnte

Ribbentrop erstmals triumphieren und aus London den Abschluss eines deutsch-britischen Flottenabkommens melden, das den Deutschen den Bau einer Flotte zubilligte, deren Stärke über Wasser 35 Prozent der britischen betragen durfte. Obwohl Ribbentrop äußerst ungeschickt aufgetreten war und die Verhandlungen beinahe gescheitert wären, wurde ihm das Ergebnis als großer persönlicher Erfolg angerechnet: Hitler nannte den 18. Juni den »glücklichsten Tag seines Lebens«.[52] Der Pakt sanktionierte nicht nur die zurückliegenden Vertragsbrüche und die Wiederaufrüstung, Hitler meinte darin auch den Anfang einer weitergehenden deutsch-englischen Zusammenarbeit zu erkennen. Ribbentrop erschien ihm im Lichte des Londoner Erfolges als »der größte Außenminister Deutschlands seit Otto von Bismarck«.[53]

Ribbentrop war lediglich als Außerordentlicher und Bevollmächtigter Botschafter in besonderer Mission nach London gereist. Und selbst diese Bezeichnung hatte er sich offenbar erkämpfen müssen; nachdem er bei Hitler Beschwerde darüber geführt habe, dass er von den Berufsdiplomaten in Protokollfragen benachteiligt werde, sei er von Hitler mit diesem Titel versehen worden, erinnerte sich Bülow-Schwante.[54] Anfang August gab Hitler bekannt, dass Ribbentrop bei allen Staatsempfängen unmittelbar hinter den Reichsministern rangiere und bei Parteiveranstaltungen den Reichsleitern gleichzusetzen sei.[55] Ribbentrops Eitelkeit war damit aber keinesfalls befriedigt.

Zur Vorbereitung seiner Londoner Mission hatte er im Auswärtigen Amt selbstbewusst um »prompte und automatische Orientierung« in allen außenpolitischen Fragen gebeten.[56] Neurath dachte nicht daran und fertigte Ribbentrop ab: Er erhalte die für ihn relevanten Informationen, im Übrigen weise er ihn bei dieser Gelegenheit nochmals darauf hin, dass er ihm »unterstellt« sei.[57] Trotz aller Vorbehalte begleitete die Wilhelmstraße Ribbentrops London-Mission materiell und personell, lag doch ein Erfolg in der Flottenfrage auch in ihrem Interesse. Nach den Beobachtungen des mitreisenden Chefdolmetschers Paul Otto Schmidt stand Ribbentrop in einem »ausgesprochenen Hörigkeitsverhältnis« zu Hitler, dessen Weisungen er »ohne viel eigene Überlegungen und Phantasie« ausführte.[58] Für den französischem Botschafter in Berlin François-Poncet war er »der Typ des vollendeten Höflings ... Nicht nur widersprach er niemals seinem Gebieter, erhob niemals einen Einwand; er teilte systematisch seine Ansicht, er war hitlerischer als Hitler.«[59]

Mit seinem Londoner Erfolg stieg Ribbentrop schlagartig in Hitlers Gunst. Da seine Vorschläge meist von Hitlers Ideen inspiriert waren, die er sich in symbiotischer Weise zu eigen machte, und er nur das reproduzierte, was mit Sicherheit Hitlers Zustimmung fand, entwickelte sich zwischen beiden eine Form des suggestiven Einvernehmens, das zu durchdringen die alten Diplomaten kaum eine Chance hatten. Dies zeigte sich in aller Deutlichkeit erstmals im Januar 1936 bei der Planung des Einmarsches in das entmilitarisierte Rheinland. Vorwand, Durchführung und Absicherung: Alles, was für den Gewaltcoup notwendig war, war in Hitlers Planung bereits enthalten. In der modernen Staatengeschichte waren es stets die Diplomaten gewesen, die in solchen Situationen beauftragt wurden, Methoden der Abschirmung zu entwickeln; jetzt war es Hitler, der aus den vorangegangenen Krisenplänen gelernt hatte und vor seinen außenpolitischen Ratgebern die einzuschlagende Taktik ausbreitete.

Am 19. Februar war Ulrich von Hassell bei einer der Besprechungen zur Vorbereitung der Rheinlandbesetzung zugegen. Auch wenn Hassell grundsätzlich jede außenpolitische Aktivität begrüßte, schien ihm das Risiko zu hoch. Hitler aber vertrat die Auffassung, dass »Passivität auf die Dauer keine Politik« sei, und pries den Angriff auch in diesem Fall als die bessere Strategie – ein Gedanke, für den er, wie Hassell trocken vermerkte, die »lebhafte Zustimmung Ribbentrops« erhielt.[60] Mit der ihm eigenen Überheblichkeit mokierte sich Hassell über die Servilität des Emporkömmlings: Ribbentrop »hing mit andächtigem Ausdruck an H[itlers] Lippen, sagte fortwährend ›mein Führer‹ und redete ihm in plumpster Weise nach dem Munde, was letzterer nicht zu merken schien. Wenn H[itler] drei Möglichkeiten so skizzierte, dass jedes Kind merken konnte, dass er für die dritte wäre, so schoss Ribbentrop nach vorn und flüsterte: ›Die dritte, mein Führer, die dritte!‹«[61]

Wenngleich die Diplomaten ihren Beitrag zur Absicherung der Rheinlandbesetzung leisteten – eine Aktion, mit der in eklatanter Weise die Verträge von Versailles und Locarno gebrochen wurden –, konnten sie den Erfolg dennoch nicht in ihre eigene Scheune einfahren, im Gegenteil. Hassell hatte bei Mussolini die italienische Billigung für das deutsche Vorgehen eingeholt; Neurath hatte den Missionschefs streng geheim detaillierte Instruktionen und ausführliche Argumentationsrichtlinien für jede Eventualität zugeschickt und die protestierenden Botschafter beschwichtigt. Als Hitler, sichtbar nervös, zum Abbruch tendierte, bestärkte ihn Neurath, das einmal Begonnene fortzusetzen. Als alles vorbei war und die Rheinlandbesetzung sich als der bis dahin größte außenpolitische Erfolg des Regimes herausstellte, trugen die Diplomaten den Spott davon, weil sie von der Aktion abgeraten hatten. Goebbels nannte sie »Angstmeier im Gewand des Warners«, unfähig »zu jedem kühnen Entschluß«.[62] Während sie mit ihren zur Vorsicht tendierenden, abwägenden Ratschlägen immer weniger Gehör fanden, kam das Selbst- und Sendungsbewusstsein des Diktators nun vollends zum Durchbruch: »Weder Drohung noch Warnungen« würden ihn fortan von seinem Weg abbringen, erklärte Hitler, einem Weg, den ihn »die Vorsehung gehen heißt«.[63]

Wegen seines Londoner Erfolges wurde Ribbentrop im August 1936 als etatmäßiger Beamter auf einer Planstelle in den Auswärtigen Dienst übernommen. Eine Reihe von Todesfällen hatte diesen Schritt begünstigt. Am Silvesterabend 1935 war der schwer kranke Köster gestorben, dessen Tod in Frankreich großes Bedauern hervorrief. Im April 1936 starb völlig überraschend Hoesch, ein ruhiger und überlegener Charakter, der immer zu den maßvollen Diplomaten gezählt hatte. Mit aufrichtiger Anteilnahme verabschiedeten sich das Königshaus und das politische London auf einer Trauerfeier vom deutschen Botschafter. Als Hoeschs Sarg – in die Hakenkreuzflagge gehüllt – mit militärischer Eskorte nach Deutschland überführt wurde, schrieb die *Times*: »Es darf bezweifelt werden, dass Deutschland über einen Diplomaten mit außergewöhnlicherer Begabung, reiferem Wissen und Erfahrung oder einer gewinnenderen Persönlichkeit verfügt.«[64] Drei Monate später, im Juni 1936, verstarb Bülow, dessen Tod von der Propaganda zu einem nationalen Ereignis stilisiert wurde: Hitler ließ ihn mit einer großen Trauerfeier in der Berliner Kaiser-Wilhelm-Gedächtniskirche ehren.

Die drei Vakanzen machten ein neuerliches Revirement notwendig. Langfristige Planungen und Improvisation gingen dabei Hand in Hand. Als Erstes wurde im Mai die 1920 eingeführte Regionaleinteilung abgeschafft und das Organisationsprinzip der Kaiserzeit wieder eingeführt. Fortan existierten im Kern acht Abteilungen, die zum Teil aus mehreren Referaten bestanden. Die Geschäfte des Staatssekretärs übernahm kommissarisch der vormalige Leiter der Abteilung III, Hans Heinrich Dieckhoff, der ursprünglich an die Spitze der wichtigsten Arbeitseinheit, der neu geschaffenen Politischen Abteilung, gestellt worden war. Auf diesem

Posten vertrat ihn – vorläufig interimistisch – der Gesandte Weizsäcker. Als Dieckhoff im März 1937 als Botschafter nach Washington wechselte, wo er Altkanzler Luther ersetzte, rückte Neuraths Schwiegersohn, Hans Georg von Mackensen, auf den Staatssekretärsposten nach. Von den unverändert erhaltenen Sachabteilungen wurde lediglich die Leitung der Personalabteilung umbesetzt: Den Personalchef Werner Freiherr von Grünau ersetzte der Laufbahnbeamte Curt Prüfer. Die Ministerialdirektoren Friedrich Gaus und Karl Ritter amtierten weiterhin als Leiter der Rechts- beziehungsweise Wirtschaftsabteilung; der Gesandte Gottfried Aschmann blieb Leiter der Presse-, der Vortragende Legationsrat Friedrich Stieve Leiter der Kulturabteilung; und auch die Leitung des Deutschlandreferats blieb unverändert.

Um- und neubesetzt wurde eine Reihe von Missionsposten. Die Botschaft Paris wurde mit Johannes Graf von Welczeck beschickt, der zuvor Botschafter in Madrid gewesen war. Zum Botschafter in London wurde Ribbentrop bestellt, der seine Entsendung auf den wichtigsten Botschafterposten vergeblich zu verhindern gesucht hatte. Denn die Ernennung war nur auf den ersten Blick eine Beförderung, in Wirklichkeit – das durchschaute Ribbentrop schnell – wollte Neurath seinen Widersacher auf dem schwierigen Londoner Posten auflaufen lassen. In der Wilhelmstraße habe man Ribbentrops Entsendung allgemein mit Erleichterung aufgenommen, denn damit schien der Mann, der sich längst als »präsumptiver Nachfolger« fühlte, den »psychologische[n] Augenblick« zum Aufstieg auf den Ministerposten verpasst zu haben.[65]

Zunächst schien Neuraths Plan aufzugehen. Das von Hitler angestrebte Bündnis mit England war ohnehin chancenlos, und Ribbentrop mit seiner notorisch antibritischen Haltung fehlten alle Voraussetzungen, zur Verbesserung der deutsch-britischen Beziehungen beizutragen. Bereits bei seiner Akkreditierung hatte er sich einen Fauxpas erlaubt, mit dem er den beißenden Spott der englischen Presse auf sich zog: Er entbot Eduard VIII. den »deutschen Gruß«. Verstoß gegen die Etikette des Hofes oder demonstrative Kampfansage an die traditionelle Diplomatie – Ribbentrop scheiterte auf der ganzen Linie, aber trotz seines Scheiterns profitierte er von seinem Londoner Posten. Als Botschafter hatte er Zugriff auf sämtliche Informationen im weltweit gespannten Netz der diplomatischen Vertretungen. Diesen Vorsprung nutzte Ribbentrop zum Ausbau der seit April 1934 bestehenden, später nach ihm benannten

»Dienststelle«. Deren Bedeutung lag weniger in ihrem realen Einfluss auf die Außenpolitik, der gering war, als vielmehr in der bloßen Existenz. Finanziert mit Zuschüssen, die aus Hitlers Sonderfonds kamen oder auf Anweisung der Reichskanzlei aus dem Staatsetat zugeteilt wurden, erwuchs dem Auswärtigen Amt in dieser parallelen außenpolitischen Behörde zwar keine ernsthafte Konkurrenz – die maximal 150 Mitarbeiter der Dienststelle Ribbentrop waren »zu keinem Zeitpunkt in der Lage, mit dem Auswärtigen Amt als Apparat zu konkurrieren«.[66] Aber darin lag auch nicht der von Ribbentrop verfolgte Sinn; vielmehr plante er im Hinblick auf seine Übernahme des Auswärtigen Amts einen Personalstamm aufzubauen, der ihm loyal ergeben war.

In der Wilhelmstraße, wo man die Arbeit der Dienststelle als fragwürdig und undurchsichtig, bisweilen hinderlich, nicht selten auch als kontraproduktiv empfand, suchte man über Ribbentrop hinwegzusehen. Seine Behörde sei ein »sonderbarer Privatladen«, schrieb Hassell an seine Frau, über ihn selbst kursierten in Berlin »mehr lächerliche als gravierende Geschichten«.[67] Anlass zu Spott gab den altgedienten Laufbahndiplomaten bereits die Art und Weise, wie Ribbentrop Mitarbeiter rekrutierte. Vorbildung wurde nicht verlangt, ja manche verfügten nicht einmal über eine akademische Ausbildung. Einige reizte wohl die schnelle Karriere, die sie der mühsam-langwierigen Prozedur im Auswärtigen Amt vorzogen, bei anderen überwog das ideologische Moment. Ribbentrop selbst lag zum Zeitpunkt seiner Berufung mit 42 Jahren immerhin 16 Jahre unter dem Altersdurchschnitt seiner Botschafterkollegen, noch deutlicher fiel der Unterschied beim Blick auf die Mitarbeiter der Dienststelle aus: Sie waren im Schnitt eine Generation jünger als die Diplomaten auf der Führungsebene des Auswärtigen Dienstes, und der Erfahrungshorizont differierte erheblich. Der Generationenbruch war im Übrigen ein entscheidender Grund dafür, dass Ribbentrops Mitarbeiter später innerhalb des Auswärtigen Amtes kaum ernst genommen wurden.

Mitunter waren sie auf recht kuriosen Wegen in die Dienststelle gekommen. Nicht selten spielten dabei Zufall und Beziehungen eine Rolle: So erkundigte sich Ribbentrop bei Albrecht Haushofer, der an der Deutschen Hochschule für Politik in Berlin lehrte, ob er ihm »so rasch als möglich eine geeignete Kraft für die England-Abteilung der Dienststelle« empfehlen könne. Haushofer riet zu Eberhard von Thadden, der ihm »durch eine ausgezeichnete Arbeit über die englische Politik in Ägypten aufgefallen war«. Vor diesem Hintergrund wurde Thadden gegen seinen Wunsch, erst das Assessorexamen abzulegen, von Ribbentrop mit der Argumentation verpflichtet, »dass die Arbeit der Dienststelle vorgehen müsse«.[68] Thadden, geboren 1909, hatte zwischen 1926 und 1933 der DNVP angehört und war im April 1933 der NSDAP, im Mai 1933 der SA und im September 1936 der SS beigetreten. Am 2. Januar 1936 wurde er Mitarbeiter der Englandabteilung der Dienststelle, aus der er im Oktober 1937 ausschied, um als kommissarischer Hilfsarbeiter, anschließend als Attaché in das Auswärtige Amt zu wechseln. Die Dienststelle bezeichnete Thadden im Arbeitszeugnis als »einen wesentlich über den Durchschnitt befähigten und erfahrenen Menschen mit unbedingt lauterem Charakter«, der »sehr gewandt, arbeitsfreudig und strebsam« sei. Vor allem besitze Thadden ein breites »allgemeines Wissen, verbunden mit einer guten Auffassungsgabe«, das ihn befähige, sich schnell in das ihm zugewiesene Gebiet einzuarbeiten.[69] Diese Voraussetzungen dürften sechs Jahre später Thaddens Ernennung zum dritten »Judenreferenten« des Auswärtigen Amts begünstigt haben.

Neurath hatte Ribbentrops Beförderung zum Botschafter unter der Bedingung zugestimmt, dass die Dienststelle abgewickelt würde.[70] Seine Rechnung, ihn durch Entsendung nach London loszuwerden, ging jedoch nicht auf. Ribbentrop erklärte unumwunden, dass er sich als Botschafter an »keinerlei Weisungen« des Außenministers gebunden fühle, sondern »vielmehr durchaus selbstständig die deutsch-englische Politik zu bearbeiten habe«.[71] Als Neurath daraufhin mit Rücktritt drohte, erhielt er von Hitler Zusicherungen, die ihm als Sicherheit genügt haben müssen. In der Praxis aber handelte Ribbentrop nur dann im Sinne der Absprache, wenn es zu seinem eigenen Vorteil war. Die Informationstätigkeit des Auswärtigen Amts nutzte er zum Vorteil der Dienststelle, die sich ihrerseits aber nicht dazu verstand, dem Auswärtigen Amt zuzuarbeiten.

Als Botschafter war Ribbentrop an Weisungen Neuraths gebunden; als Leiter der halb staatlichen, halb parteiamtlichen Dienststelle fühlte er sich jedoch nur Hitler persönlich unterstellt. Auch durch die räumliche Entfernung ließ sich Ribbentrop nicht isolieren; nach dem für den Zeitraum Februar bis Oktober 1937 erhaltenen Itinerar hielt sich der deutsche Botschafter fast ein Drittel des Jahres in Berlin auf. Wie Erich Kordt, der zur Dienststelle abkommandierte Verbindungsmann des Auswärtigen Amts, urteilte, war Ribbentrop »Botschafter im Nebenberuf«, der sich im Ganzen sogar »über die Hälfte seiner Botschafterzeit« in Deutschland aufgehalten habe, »um nicht den Kontakt mit Hitler zu verlieren«.[72] Stets um Hitlers Wohlwollen bemüht, rühmte er dessen »Weitblick« und »geniale Schachzüge«, »übertrumpfte noch Hitlers Ansichten, indem er weiter in dieser Richtung phantasierte«, »erzählte seinem Führer« allerdings »nur, was er hören wollte«.[73]

So wie sich das an Ribbentrops Berufung geknüpfte Kalkül als Illusion erwies, stärkten auch die übrigen Veränderungen des Sommers 1936 das Auswärtige Amt nur vordergründig. In den meisten Fällen rückten altgediente Diplomaten auf die freigewordenen Posten nach. Sie erwiesen sich als effektive Sachwalter im Dienst des Dritten Reiches, selbst wenn sie sich durch innere Distanz zum Regime auszeichneten. Beispielsweise ersetzte der auslandserfahrene Herbert von Richthofen den im Juni 1935 verstorbenen deutschen Gesandten in Brüssel, Raban Graf Adelmann von Adelmannsfelden. Mackensens Wechsel von Budapest nach Berlin glich die Entsendung Otto von Erdmannsdorffs aus, der seit 1918 im Dienst des Auswärtigen Amts stand. Selbst die beiden Quereinsteiger, die neben Ribbentrop in den Dienst gelangten, schienen das nationalkonservative Profil des Auswärtigen Amts zu schärfen: Wilhelm Faupel, der noch unter Hindenburg als Generalstabsoffizier gedient hatte, wurde Geschäftsträger und später Botschafter im Spanien Francos; Heinrich Sahm, der 1932 einen Ausschuss zur Wiederwahl des Reichspräsidenten Hindenburg geleitet hatte, wurde als Gesandter nach Oslo geschickt.

Sahm, ein Konservativer ohne Parteibindung mit einem von hoher Pflichterfüllung geprägten Dienstverständnis, stand seit April 1931 als Oberbürgermeister an der Spitze der Reichshauptstadt. Als Sachwalter der Interessen Berlins hatte er im neuen Staat sein Amt weiterführen wollen und dem Regime seine Mitarbeit angetragen; im November 1933 war er deshalb der NSDAP beigetreten. De facto seit März 1933 entmachtet, blieb Sahm trotz aufreibender Kompetenzstreitigkeiten und diffamierender Kampagnen dennoch im Amt. Nachdem er 1935 seinen Posten hatte räumen müssen, wurde er im Mai 1936 in den Auswärtigen Dienst übernommen, wo er eine Stelle als Gesandter I. Klasse in Oslo antrat. Sahm gehörte zu jenen Außenseitern, die zwar keine überzeugten Nationalsozialisten waren, aber dennoch die Politik des neuen Staates vollzogen. Da seit Februar 1935 die Ernennung und Entlassung aller höheren Beamten im Reichs- und Landesdienst allein Hitler vorbehalten war, kamen für Beförderungen nur Personen infrage, die dem Regime als loyale Vertreter erschienen.

Das enge Zusammenwirken zwischen Partei und Amt zeigt sich auch bei der Ernennung des 1881 geborenen Curt Prüfer zum Personalchef. Prüfer war seit 1930 Dirigent der angloamerikanischen Abteilung des Auswärtigen Amts und bereits im Februar 1934 von Ernst Wilhelm Bohle, dem Leiter der Auslandsabteilung der NSDAP, für diesen Posten ins Gespräch gebracht worden. Offenbar erschien ihm der seit 1907 im Auswärtigen Dienst stehende Laufbahnbeamte als Idealbesetzung. Auf der Leitungsebene des Auswärtigen Amts gab es offenbar keine Bedenken: Außenminister Neurath, der Prüfer aus der gemeinsamen Zeit an der Botschaft in Konstantinopel während des Ersten Weltkriegs kannte, stand Bohles Vorschlag aufgeschlossen gegenüber, und Staatssekretär Bülow erschien eine Ernennung Prüfers als »durchaus annehmbar«.[74]

Und doch vergingen zwischen Anregung und Umsetzung mehr als zwei Jahre. Seit 1930 nämlich leitete der Karrierediplomat Werner Freiherr von Grünau die Personalabteilung. Er hatte sich 1934 gegen den Vorwurf verteidigen müssen, er sehe »die nationalsozialistische Revolution nur als eine vorübergehende Erscheinung« an. Seither war Grünau, dem Bohle bestenfalls bürokratische Unflexibilität, aber keine fehlerhafte Amtsführung nachweisen konnte, offenbar zum Ziel wiederholter Anfeindungen geworden. Um Grünau aus der Schusslinie zu nehmen, hatte Bülow die Versetzung des 61-jährigen Personalchefs auf den einträglichen Ruheposten als Gesandter in Kopenhagen betrieben. Im Frühjahr 1936 schienen alle Weichen gestellt: Hitler hatte die Ernennungsurkunde unterzeichnet, das Agrément des Empfangsstaates war eingeholt, dänische Zeitungen kündigten bereits das baldige Eintreffen des neuen Gesandten in Kopenhagen an, als eine schwere Erkrankung von Grünaus Ehefrau die Entsendung auf absehbare Zeit vereitelte.

In dieser Situation ergriff Bohle die Gelegenheit, eine Rückkehr des im Grunde abgelösten Personalchefs abzuwenden. Gestützt auf seinen Mentor Heß, lancierte er abermals den Vorwurf, Grünau arbeite »gegen die Partei« und leite die Personalabteilung »in einem dem Nationalsozialismus entgegengesetzten Sinne«. Da über die Berufung Prüfers seit Längerem Einigkeit herrschte, musste Grünau in den vorzeitigen Ruhestand verabschiedet werden. Prüfer entsprach den Wünschen der Partei in einem Maße, dass Martin Bormann sogleich bat, dem designierten Personalchef die Stelle »möglichst bald zu übertragen«.[75]

Wiederbesetzt wurde nun auch die seit Oktober 1934 vakante Stelle des stellvertretenden Leiters der Personal- und Verwaltungsabteilung. Damals war der Berufsdiplomat Walter Poensgen in den vorzeitigen Ruhestand verabschiedet worden. Ihm war ein eigenhändiges Postscriptum zum Verhängnis geworden, das er Mitte Februar 1933 einem Brief an den deutschen Gesandten in Santiago de Chile angefügt hatte; er hoffe, hieß es dort, dass »die Nazis« bei den März-Wahlen »keine Majorität bekommen« und es gelingt, einen »starken Block unter Papen« zu bilden. Anderthalb Jahre später tauchte dieses Schreiben plötzlich aus dem Aktenbestand der Gesandtschaft in Santiago auf, gelangte über den Presseattaché an das Propagandaministerium und von dort zu Hitler, der umgehend die Entlassung des stellvertretenden Personalchefs verlangte.[76]

Die Nachfolge der seither vakanten Stelle trat im Januar 1937 Hans Schroeder an, den Bohle und Heß gegen Grünaus Widerstand langfristig aufgebaut hatten. Er war nach mittlerer Reife und Kaufmannsausbildung im April 1925 in die mittlere Laufbahn des Auswärtigen Dienstes getreten und im Dezember 1928 als Konsulatssekretär an die deutsche Gesandtschaft in Kairo berufen worden. In Ägypten traf Schroeder mit Rudolf Heß zusammen, der nach 1933 eine Art Protektorrolle für ihn übernahm. Um seine Karriereperspektiven zu verbessern, trat Schroeder zum 1. März 1933 der NSDAP bei, bald darauf avancierte er zum Ortsgruppenleiter in Alexandrien, 1934 wurde er Landesgruppenleiter von Ägypten. Zuvor hatte er auf persönlichen Wunsch von Heß an einem mehrwöchigen Kursus der Reichsführerschule teilgenommen.[77] Heß und Bohle protegierten nicht nur den Aufstieg Schroeders in den höheren Dienst, sondern auch seine weitere Karriere: Am Ende, im Februar 1941, stand schließlich die Berufung Schroeders zum Ministerialdirektor und Leiter der Personal- und Verwaltungsabteilung.

Diplomatie, Ideologie und Rassenpolitik

In der Endphase der Weimarer Republik war es für einen Bewerber zum höheren Dienst vorteilhafter gewesen, seine nationale Gesinnung und damit seine Eignung für den Dienst in der »unpolitischen« Beamtenschaft nicht durch eine Parteimitgliedschaft unter Beweis zu stellen. In den Kladden, in denen über die Vorstellungsgespräche der Bewerber sorgfältig Buch geführt wurde, finden sich so gut wie keine Eintragungen zur Parteizugehörigkeit. Nach dem 30. Januar 1933 änderte sich diese Praxis in zweifacher Hinsicht: Mitgliedschaften in der NSDAP oder den angeschlossenen Verbänden wurden nicht nur notiert, sondern als Referenz eines Anwärters besonders hervorgehoben. So hinterließ etwa ein Bewerber, der SA-Mann war, einen »ganz ausgezeichneten Eindruck«, während ein anderer »kaum in Frage« kam, zumal bei ihm »keine Beziehung zur NSDAP« bestehe. Sukzessive nahm die Zahl von Bewerbungen mit Parteihintergrund zu: 1934 finden sich unter insgesamt 112 Bewerbern sieben Mitglieder der NSDAP, von denen manche auch der SA oder SS angehörten. 1935 stieg die Zahl bei 108 Bewerbern auf insgesamt 54 Mitglieder der NSDAP oder einer ihrer Gliederungen.[78]

Wie schnell sich die im Auswärtigen Amt etablierten Rekrutierungskriterien veränderten, zeigt beispielhaft ein Blick auf den Attachéjahrgang 1937. Alle waren zwischen 24 und 29 Jahren alt, zum weit überwiegenden Teil juristisch ausgebildet. Die übergroße Mehrzahl der 23 Nachwuchsdiplomaten erbrachte ihren »Gesinnungsnachweis« durch Mitgliedschaften in Partei und NS-Organisationen. 17 gehörten der NSDAP an, elf von ihnen galten trotz ihrer Jugendlichkeit als »alte« Parteigenossen, hatten den Beitritt also vor dem 30. Januar 1933 vollzogen – was in der Personalliste farblich hervorgehoben wurde. Drei der zukünftigen Attachés waren Mitglied der SS, drei weitere Anwärter, fünf Mitglied der SA und drei Reserveoffiziersanwärter.[79] Von der bis heute kolportierten These einer geglückten personellen Abschirmung des Auswärtigen Amts kann angesichts solcher Zahlen jedenfalls keine Rede sein, im Gegenteil.

Zur Attachéausbildung des Vorjahrgangs gehörte eine Reise nach Bayern, deren Höhepunkt ein Empfang bei Hitler auf dem Obersalzberg war. Neben Vorträgen über die »weltanschauliche Bedingtheit der Außenpolitik« oder die »nationalsozialistische Weltanschauung als Kirchenersatz« standen Besuche in »Führerschulen« auf dem Programm, aber auch die Besichtigung einer psychiatrischen Anstalt und des Konzentrationslagers Dachau. In wessen Dienst sie traten, war den Nachwuchsdiplomaten also ebenso klar wie die ihnen zugedachte Aufgabe, an der »Durchdringung der Beamtenschaft mit [dieser] Weltanschauung« mitzuwirken.[80] Der Nachwuchs sollte die Indoktrination des Auswärtigen Dienstes auf längere Sicht gewährleisten.

Ende 1934 hatte das Auswärtige Amt erstmals zu einer Besprechung geladen, auf der »die nachteiligen Wirkungen der deutschen Rassepolitik« diskutiert werden sollten, die zu einer schweren Belastung der auswärtigen Beziehungen geworden seien. Die Besprechung mit dem Reichsminister des Innern (als der federführenden Behörde auf dem Gebiet der Rassengesetzgebung), dem Beauftragten des Stellvertreters des Führers, Walter Groß (zugleich Leiter des Rassenpolitischen Amts der NSDAP), und den zunächst beteiligten Reichsministerien endete ohne konkrete Ergebnisse. An den rassenpolitischen Grundsätzen der nationalsozialistischen Weltanschauung dürfe, wie Innenminister Frick vier Monate später festhielt, auch unter starkem außenpolitischen Druck nicht gerührt werden.[81] Im August 1935 war es Hjalmar Schacht, der in dieser Frage die Initiative ergriff und zu einer Chefbesprechung im Reichswirtschaftsministerium lud. Das Zurückdrängen des jüdischen Einflusses aus dem deutschen Wirtschaftsleben müsse »unter staatlicher Führung geschehen« und dürfe »nicht ungeregelten Einzelaktionen überlassen bleiben«.[82] Damit umschrieb der Wirtschaftsminister auch den Standpunkt des Auswärtigen Amts, für das Röhrecke in Vorbereitung auf die Konferenz notiert hatte: »Die Frage, ob die außenpolitische (nicht die wirtschaftliche) Lage es wünschenswert erscheinen lässt, die deutsche Judenpolitik zu revidieren«, sei zu verneinen. »Dagegen sollten bei völliger Aufrechterhaltung des Judenprogramms der NSDAP im außenpolitischen Interesse unauffällige Methoden der Durchführung gewählt werden, die der antideutschen Hetze im Ausland kein Material in die Hände spielen können.«[83]

Auf der Konferenz vom 20. August 1935, an der die Ressortchefs von Innen-, Finanz- und Justizministerium sowie Vertreter des SD, der Gestapo und des Rassenpolitischen Amts teilnahmen, prallten die unterschiedlichen Ansätze aufeinander: »Die Ressortvertreter wiesen zumeist auf die ihrer Facharbeit entstehenden praktischen Nachteile hin, während die Partei die Notwendigkeit radikalen Vorgehens gegen die Juden mit politisch-stimmungsmäßigen und abstrakt-weltanschaulichen Motiven begründete.« Namentlich Schacht übte scharfe Kritik an Einzelaktionen bestimmter Parteidienststellen und deren »bedenklichen« Wirkungen auf die Gesamtwirtschaftslage. Ähnlich argumentierte Staatssekretär Bülow für das Auswärtige Amt: »Die Rückwirkungen von Ausschreitungen unverantwortlicher Stellen gegenüber den Juden bedeute eine erhebliche Belastung der Außenpolitik.« Was die Ausgrenzung der Juden aus dem Wirtschaftsleben angehe, müsse »zuvor sorgfältig geprüft werden, ob der innenpolitische Erfolg nicht durch die außenpolitischen Nachteile aufgewogen werde«. Am Ende verständigten sich die beteiligten Ressorts darauf, dass »die uferlose Ausdehnung antisemitischer Betätigung ... durch gesetzliche Maßnahmen unterbunden werden« solle. »Gleichzeitig soll das Judentum einer Sonder-Gesetzgebung auf bestimmten, vor allem wirtschaftlichen Gebieten unterworfen werden, im übrigen aber grundsätzlich seine Freizügigkeit behalten.«[84]

Das Ergebnis der Besprechung waren die Nürnberger Gesetze, die der eigens nach Nürnberg einberufene Reichstag am Rande des Parteitags verabschiedete. Durch »die Aufstellung ›klarer‹ legaler Richtlinien« sollten individuelle Gewaltakte unterbunden und der politische Aktivismus »auf wohldefinierte Ziele« gelenkt werden.[85] Hitler hatte die Ausarbeitung angeordnet und über den Wortlaut entschieden. Das Gesetz zum Schutze des deutschen Blutes und der deutschen Ehre verbot Eheschließungen sowie außerehelichen Geschlechtsverkehr von Juden und Staatsangehörigen »deutschen oder artverwandten Blutes« und belegte Zuwiderhandlungen mit Haftstrafen. Ferner war es Juden fortan bei Gefängnis- oder Geldstrafe verboten, »weibliche Staatsangehörige deutschen oder artverwandten Blutes unter 45 Jahren in ihrem Haushalt« zu beschäftigten. Das zweite Gesetz, das sogenannte Reichsbürgergesetz, unterschied zwischen Staatsangehörigen und der neu geschaffenen Rechtsfigur des Reichsbürgers, der »deutschen oder artverwandten Blutes« sein und durch sein Verhalten beweisen musste, »dass er gewillt und geeignet ist, in Treue dem Deutschen Volk und Reich zu dienen«.[86]

Am 14. November 1935 erging die erste Verordnung zum Reichsbürgergesetz, die definierte, wer als »Jude« galt – nämlich Personen mit mindestens drei jüdischen Großeltern sowie Angehörige der jüdischen Religionsgemeinschaft. Strittig war der Status der »Halbjuden«, also jener Personen, die zwei jüdische Großeltern aufwiesen. Nach der NS-

Rassenlehre galten sie fortan als Mischlinge, sofern sie nicht in Ehegemeinschaft mit einem jüdischen Partner lebten oder der jüdischen Religionsgemeinschaft angehörten. Nach Schätzungen des Reichsinnenministeriums betrafen die Bestimmungen etwa 2,3 Prozent der Bevölkerung, also etwa 1,5 Millionen Menschen, darunter 300 000 »Volljuden nichtjüdischen Glaubens« und 750 000 »jüdisch-deutsche Mischlinge 1. und 2. Grades«.[87]

Das Gesetz sah unter anderem vor, dass bis Jahresende 1935 nunmehr auch diejenigen jüdischen Beamten in Zwangspension zu schicken seien, die aufgrund der Frontkämpferklausel des Berufsbeamtengesetzes ihre Dienststellung behalten hatten. Dass sich die Hälfte der etwa 5 000 jüdischen Beamten auf dieses Privileg berufen konnte, hatte die Nationalsozialisten offenbar überrascht. Der neuen Verordnung fielen verdiente Diplomaten zum Opfer wie Richard Meyer, langjähriger Leiter der Ostabteilung, und sein Stellvertreter Siegfried Hey, ferner der bewährte Leiter der Westabteilung, Gerhard Köpke, der seit 1923 regelmäßig den Staatssekretär vertreten hatte. Meyer, ein Protestant jüdischer Herkunft, der sich im Weltkrieg an vorderster Front ausgezeichnet hatte, gehörte im März 1935 zu den Diplomaten, die in einem Hetzartikel des *Stürmer* gegen Juden im Auswärtigen Amt namentlich genannt wurden. Es sei unerfindlich, »was den Minister des Auswärtigen, Herrn v. Neurath, veranlasst, sich dieser Vollblutjuden an so wichtiger Stelle weiter zu bedienen«.[88] Daraufhin beschwerten sich zahlreiche kleine und mittlere Parteifunktionäre brieflich bei der Reichskanzlei und dem Auswärtigen Amt. Auf den Tisch des Ministers gelangte der Brief eines Breslauer Vertreters für Schuhbedarfsartikel; dass sich der Außenminister des »Vollblutjuden Mayer [sic]« bediene, zeige, wie »man geltlich [sic]« von den Juden abhängig sei, um später an ihnen zugrunde zu gehen.[89]

Noch bevor die Zwangspensionierung rechtskräftig wurde, setzte sich Neurath zunächst bei Frick, dann bei Hitler unter Berufung auf eine in der Verordnung zum Reichsbürgergesetz vorgesehene Ausnahmeregelung für Meyer ein. Meyer stehe seit 22 Jahren im Auswärtigen Dienst und habe »sich nicht nur als pflichttreuer Beamter und guter Diplomat«, sondern auch jederzeit als »streng nationaler Mann« erwiesen und sich insbesondere um die Neugestaltung der Beziehungen Deutschlands zu den östlichen Staaten große Verdienste erworben. Nicht zuletzt in Anbetracht der Tatsache, dass Meyers Familie im väterlichen und mütterlichen

Zweig seit Jahrhunderten ununterbrochen im Staats- und Kommunaldienst hohe Stellungen bekleidet habe, unterstütze er den Befreiungsantrag auf das Nachdrücklichste. Weil Meyer vier jüdische Großeltern habe, also »Volljude« sei, habe sich Hitler nicht dazu entschließen können, dem Gesuch stattzugeben, teilte die Reichskanzlei im Juni 1936 abschließend mit.[90]

Auch im Fall seines langjährigen Freundes Köpke scheiterten Neuraths Versuche. Köpke hatte den Anlass zu seiner Entlassung selbst geliefert, als er mit dem Gesandten in Stockholm Viktor Prinz zu Wied aneinandergeriet, einem überzeugten Nationalsozialisten. Auf seiner Rückreise vom Nürnberger Parteitag nach Stockholm hatte Wied der Berliner Zentrale einen Besuch abgestattet und war von Köpke in ein Streitgespräch verwickelt worden, über das der Prinz im direkten Anschluss an Hitler berichtete. In einer Unterredung mit Neurath äußerte sich Hitler daraufhin sehr unwillig über die Einstellung der Diplomaten generell: Das Auswärtige Amt »gehe nicht mit, es stehe außerhalb der Bewegung«, es wolle die Politik des Nationalsozialismus »nicht verstehen und mache überall Schwierigkeiten«.[91] Obgleich Neurath sofort Partei ergriff, vermochte er Köpke nicht zu halten, der mit einer nichtarischen Großmutter nach den Nürnberger Gesetzen zudem als »jüdischer Mischling zweiten Grades« galt.

Mit seinem Eintreten für Meyer und Köpke suchte Neurath die ihm überzogen erscheinenden Folgen eines rassischen Antisemitismus abzufangen, der mit den Nürnberger Gesetzen zur staatlichen Doktrin erhoben worden war. Dennoch ist festzuhalten, dass die gesetzliche Entrechtung der Juden wie auch ihre berufliche Ausgrenzung und ihre gesellschaftliche Isolierung bei den alten Eliten durchaus auf Zustimmung stieß und das Amt sich nur in Einzelfällen engagierte, nicht aber gegen die Rassengesetze als solche. Weil man nach den hergebrachten Prinzipien des Beamtentums handelte, wurden selbst inhumane Gesetze und Verordnungen nicht infrage gestellt. Einige hofften vielleicht auch, dass die gesetzliche Regelung ein baldiges Ende der gewalttätigen Aktionen herbeiführen würde.

Dem Deutschlandreferat unter Bülow-Schwante war vor allem an einer eindeutigen, auch »wissenschaftlich« haltbaren Definition des Begriffs »Rasse« gelegen. Die Nürnberger Gesetze hätten den Standpunkt des Auswärtigen Amts insofern bestätigt, als sie den negativen Begriff

»nichtarisch« durch die positive Bestimmung »jüdisch« ersetzt hätten. Unter außenpolitischen Gesichtspunkten sei es nämlich wünschenswert, »die Rassegesetzgebung grundsätzlich auf die Juden zu beschränken« und »von einer weiteren Anwendung des Rasseprinzips auf andere farbige bezw. artfremde Rassen und Völker abzusehen«. Eine auf die Juden beschränkte Rassengesetzgebung minimiere die außenpolitischen Nachteile und schaffe zugleich mehr »Spielraum und Schlagkraft« gegenüber den Juden.[92] In der Tat hatte die Rassenpolitik die deutsche Diplomatie immer wieder in Erklärungsnot gebracht. Der Ärger der Italiener über »die in Deutschland angeblich herrschende Idee des auserwählen Volkes« sei groß, berichtete Hassell.[93] Der japanische Botschafter hatte unumwunden mit negativen Folgen für die deutsch-japanischen Beziehungen gedroht, sollte sich »die Diskriminierung der japanischen Rasse«, die bereits »in Japan sehr viel böses Blut gemacht« habe, in Gesetzestexten manifestieren.[94]

Taktische Erwägungen beherrschten auch die Vorbereitung der Olympischen Spiele im August 1936. Unkontrollierte Gewaltaktionen, warnte Bülow, müssten mit allen Mitteln unterbunden werden.[95] Bereits 1933 hatte sich das Internationale Olympische Komitee mit der Frage befasst, ob die Olympischen Spiele, die im Mai 1931 an Deutschland vergeben worden waren, wegen fortgesetzter Verstöße gegen das Prinzip der religiösen und politischen Gleichheit abgesagt werden sollten. Vor allem in den USA hatte sich eine breite Bewegung gebildet, die für einen Boykott warb. Es zeichnete sich ein empfindlicher Imageverlust für das Deutsche Reich ab, zumal wenn andere Nationen dem Beispiel Amerikas folgten, das angedroht hatte, den Spielen fernzubleiben. Vor diesem Hintergrund war die Arbeit des Auswärtigen Amts von enormer Bedeutung.

Fast anderthalb Jahre vor den Olympischen Spielen – und ein halbes Jahr vor den Nürnberger Gesetzen – wurden alle Auslandsmissionen mit einem Informationserlass zur Sprachregelung versorgt, der die offizielle Linie widerspiegelte. Gegen die Beteiligung deutscher Juden an Wettkämpfen im Ausland würden grundsätzlich keine Bedenken erhoben, hieß es dort. Die Diplomaten am Ort sollten jedoch darauf achten, dass für jüdische Sportler im Ausland nicht die gleichen Bedingungen gelten wie für deutsche. Von einer Betreuung jüdischer Sportmannschaften sei abzusehen, ein Besuch ihrer Wettkämpfe sei abzulehnen, und über das Auftreten der Sportler, insbesondere über eventuelle Zwischenfälle, sei

zu berichten. Beim Hissen der Flagge und beim Abspielen der National-
hymne sei von Juden nicht zu verlangen, dass sie den deutschen Gruß
erweisen.[96]

Zwar hatte das Reichsinnenministerium den Organisatoren der Spiele
versichert, dass »alle olympischen Regeln beachtet würden« und ein
»grundsätzlicher Ausschluss der Juden« von den deutschen Mannschaften nicht erfolge. Inoffiziell aber wurde längst nach dem Grundsatz verfahren, dass sich die »Zusage auf die Beteiligung der Juden allgemein
bezogen hätte und keinesfalls etwa eine Verpflichtung übernommen worden sei, für eine jüdische Beteiligung innerhalb der deutschen Olympiamannschaft Sorge zu tragen«. Es sei dem Reichssportführer und Präsidenten des Deutschen Olympischen Ausschusses überlassen, »auf Grund
der Leistungsprüfungen in allen Sportarten diejenigen Spieler deutscher
Staatsangehörigkeit auszusuchen, die für die olympische Mannschaft in
Frage kommen, wobei er allerdings die olympischen Regeln beachten
muss«.[97]

Es gab drei deutsch-jüdische Sportler, deren herausragende Leistungen es gar nicht zuließen, dass sie übergangen wurden: den Eishockey-
spieler Rudi Ball, die Hochspringerin Gretel Bergmann sowie Helene
Mayer, die mehrfache deutsche Meisterin im Florettfechten. Die beiden
Athletinnen, die bereits außerhalb Deutschlands lebten, waren dazu bestimmt, »zur Schachfigur in Hitlers politischem Täuschungsmanöver«
zu werden.[98] Mayer kam der Einladung zum olympischen Training aus
Heimatliebe nach und errang bei den Olympischen Spielen die Silber-
medaille, die sie auf dem Siegerpodest mit dem deutschen Gruß entge-
gennahm. Bergmann fügte sich erst nach erpresserischen Drohungen
gegen ihre Familie, die noch in Deutschland lebte. Bei den Vorberei-
tungswettkämpfen siegte sie mit deutschem Rekord und 20 Zentimetern
Vorsprung vor ihren Konkurrentinnen; zwei Wochen später wurde ihr
in einem Formbrief mitgeteilt, dass sie wegen unbeständiger Leistungen
nicht in die Olympiamannschaft aufgenommen werde. Abgeschickt
wurde der Ablehnungsbescheid erst, nachdem das amerikanische Olym-
piateam die USA per Schiff verlassen hatte: Die deutsch-jüdischen
Sportler hatten ihre Alibifunktion erfüllt.

Charles Sherrill, ein einflussreiches Mitglied des amerikanischen Komitees, hatte seine anfänglichen Bedenken gegen Deutschland als Aus-
tragungsort aufgegeben, nachdem die Frage der gleichberechtigten Teil-

nahme von Juden in seinen Augen geklärt war. Im September 1935, nach einer persönlichen Unterredung mit Hitler, war er von Reichssportführer Hans von Tschammer und Osten über die Aktivitäten des Deutschen Olympischen Ausschusses informiert worden. Man habe Mayer und Bergmann zum Eintritt in den deutschen Olympiakader aufgefordert, sagte Tschammer; Bergmann habe ihre Teilnahme bereits »zugesagt«, die Antwort Mayers stehe noch aus. Er hoffe, so der Reichssportführer, Sherrills »Bemühungen, für die Beteiligung Amerikas einzutreten«, damit nicht unwesentlich unterstützt zu haben.[99]

Das Auswärtige Amt erfasste den propagandistischen Wert der jüdischen Quotensportler schnell und wies die Auslandsmissionen auf »die grundsätzliche Gleichstellung der Juden bei der Auswahl und Vorbereitung der deutschen Nationalmannschaft für die Olympischen Spiele 1936« hin. Auch indem die Wilhelmstraße ihren Beitrag zu den koordinierten Bemühungen leistete, die zur Durchführung »störungsfreier« Spiele nötig waren, stellte sie sich in den Dienst des Dritten Reichs. Hätte die Protestbewegung in den USA einen Boykott der Spiele erwirkt und wären andere Länder dem Beispiel gefolgt, hätte dies einen erheblichen Ansehensverlust für Hitler und das Dritte Reich bedeutet. So aber gewann man, wie der französische Botschafter in Berlin, André François-Poncet, in seinen Erinnerungen schrieb, »das Bild eines versöhnten Europas, das seine Streitigkeiten in Wettlauf, Hochsprung, Wurf und Speerwerfen austrug«.[100]

Das Haavara-Abkommen

Das nationalsozialistische Deutschland war ein Auswanderungsland. Allein zwischen 1933 und 1936 emigrierten etwa 38 500 Juden nach Palästina; bis 1939 stieg ihre Zahl auf 50 000 bis 60 000.[101] Um die Auswanderung zu forcieren, schloss das Reichswirtschaftsministerium im August 1933 mit zionistischen Vertretern aus Deutschland und Palästina das so genannte Haavara-Abkommen (Transfer-Abkommen), das zugleich den deutschen Export fördern und einem befürchteten internationalen Handelsboykott entgegenwirken sollte. Dieses Abkommen, das den Transfer von Auswanderervermögen durch Verrechnung deutscher Warenexporte nach Palästina regelte, umging die massive Besteuerung, der Kapitaltransfers ins Ausland unterlagen; es eröffnete damit auch mittellosen Juden die Auswanderung, da das für die Einwanderung nach Palästina benötigte sogenannte »Vorzeigegeld« in Höhe von 1000 palästinensischen Pfund, die etwa 15000 Reichsmark entsprachen, durch die Einnahmen des Warentransfers finanziert wurde.

Auf der Basis des Abkommens stieg die Emigration deutscher Juden nach Palästina rapide an; bereits Mitte 1937 stellten sie mit 16,1 Prozent den größten Anteil unter den Einwanderern. Diese Entwicklung veranlasste den deutschen Generalkonsul in Jerusalem, Walter Döhle, der Ende 1935 den mit einer jüdischen Frau verheirateten Generalkonsul Heinrich Wolff ersetzt hatte, zu einer Intervention, die eine neuerliche Radikalisierung der »Judenpolitik« auslöste. In einem mehrseitigen Bericht vom März 1937 warnte er vor der innenpolitischen Entwicklung im britischen Mandatsgebiet Palästina und insbesondere vor einer durch die Einwanderung aus Deutschland drohenden »Verschärfung des arabisch-jüdischen Gegensatzes«. Bislang seien nach seiner Überzeugung die eigentlichen deutschen Interessen stets zurückgestellt worden, nun aber müsse er in aller Deutlichkeit vor einer Weiterverfolgung dieser Politik warnen.

Bisher, so Döhle, habe Deutschland »wenig getan, um die Sympathie, welche die Araber für das neue Deutschland hegen, zu stärken und zu erhalten«. Es müsse aber »unser Bestreben sein, die bestehende arabische Sympathie für das neue Deutschland und seinen Führer zu erhalten und zu pflegen«, auch und gerade, weil die palästinensischen Araber »sich im Kampf gegen die Juden in einer Front mit den Deutschen fühlen«. Darüber hinaus könne Deutschland auch deshalb an einem »wirklichen Gelingen des jüdischen Aufbauwerkes, besonders auf industriellem Gebiet«, kein Interesse haben, weil damit »auf die Dauer sogar eine Gefahr für den deutschen Außenhandel« drohe. »Bei der grundsätzlich feindseligen Einstellung des Judentums dem neuen Deutschland gegenüber« sehe er »von seiten der palästinensischen Juden einen scharfen Kampf gegen Deutschland voraus für die Zeit, wo eine Transferierung der jüdischen Vermögen aus Deutschland nicht mehr stattfindet und das jüdische Interesse an dem Warenbezug aus Deutschland also aufhört. Jede Mitwirkung am Aufbau und an der Stärkung der jüdischen Wirtschaft in Palästina muss sich dann gegen uns auswirken.« Bei einer »vollen jüdischen Lösung« wäre dann in Palästina »für Araber und auch für Deutsche keine normale Lebensmöglichkeit mehr vorhanden«.[102]

Mit Döhles Schreiben vom März 1937 rückte das Palästina-Thema zum ersten Mal in den Interessenfokus. Wie bereits beim Aprilboykott 1933, der maßgeblich durch die Berichterstattung der deutschen Auslandsmissionen ausgelöst worden war, ging der Radikalisierungsschub auch diesmal vom Auswärtigen Amt aus. Ernst von Weizsäcker, der seit August 1936 die Politische Abteilung interimistisch leitete, legte als »Richtlinien für die künftige Behandlung der Palästina-Frage« fest, »dass 1. eine Zersplitterung des Weltjudentums der Gründung eines Palästina-Staates vorzuziehen sei« und »2. dass bei einem Tätigwerden der deutschen Außenpolitik in dieser Richtung es jedenfalls unzweckmäßig erscheine, auf die britische Mandatsmacht zurzeit direkt einzuwirken«.[103] Bülow-Schwante empfahl, diese Richtlinien den innerdeutschen Ressorts zur Stellungnahme zuzuleiten, um »eine einheitliche Stellungnahme zu dem Problem eines Judenstaates in Palästina herbeizuführen«. Ferner sei sicherzustellen, dass bei allen innerpolitischen Maßnahmen, die der jüdischen Auswanderung dienen, berücksichtigt werde, dass »die jüdische Auswanderung nach Palästina nicht bedenkenlos zu fördern, sondern die Auswanderung nach jeder anderen Richtung der Welt« vorzuziehen sei. Auch das Referat Deutschland beobachte nämlich, dass »der jüdische Anspruch auf Gründung eines Judenstaates in Palästina« seit einiger Zeit »immer deutlicher und mit immer größerer Selbstverständlichkeit verfochten« werde. Deshalb vertrete es die »Auffassung, dass eine Zersplitterung des Weltjudentums im deutschen Interesse zweckmäßiger ist, als eine politische Konsolidierung in einem Palästina-Staat mit eigenen diplomatischen Vertretungen, Sitz im Völkerbund etc.«[104]

In der Kontroverse über das Haavara-Abkommen verlief die Grenze zwischen den Befürwortern des Status quo und den Verfechtern einer radikaleren Lösung nicht etwa zwischen Parteiämtern und Reichsbehörden, sondern mitten durch die Ministerien. Das Außenhandelsamt der Auslandsorganisation der NSDAP (AHA) plädierte für eine weitgehende Abänderung des Haavara-Abkommens, da dieses »eine wertvolle Unterstützung zur Errichtung eines jüdischen Nationalstaates mit Hilfe deutschen Kapitals« bedeute und zu einem »Abfluss von Gütern ohne volkswirtschaftliche Gegenleistung« führe. Erwartungsfroh registrierte das AHA, dass man in der Person des Parteigenossen Döhle einen wertvollen Verbündeten gefunden habe und dass auch im Meinungsaustausch mit Schumburg viel Übereinstimmung mit dem Deutschlandreferat zu erkennen gewesen sei.[105] Tatsächlich vertrat das Deutschlandreferat den Standpunkt, dass eine »wesentlich verstärkte Abwanderung des Judentums aus Deutschland nicht durch eine verwaltungsmäßige Förderung von deutscher Seite – womöglich unter devisenpolitischen Opfern (Haavara) – zu erreichen ist, sondern durch eine Förderung des eigenen jüdischen Auswanderungsdranges«. Dieses Ziel sei zu erreichen durch eine Verschärfung der »innenpolitischen Judengesetzgebung (z. B. Sonderbesteuerung jüdischen Einkommens) bis zu einem Grade, der die Abwanderung der Juden aus eigener Initiative automatisch zur Folge hätte«.[106]

Keinesfalls einen gegensätzlichen, sondern bestenfalls eine abweichenden Standpunkt vertraten die Wirtschaftsabteilung des AA und das Reichswirtschaftsministerium, ferner die Reichsstelle für Devisenbewirtschaftung sowie die Reichsbank. Ihre Vertreter erhoben gegen die Austreibung deutscher Juden ebenso wenig Einspruch wie gegen die »Zersplitterung« der Auswandererströme. Nur aus Sorge um ein Aufleben des Boykotts deutscher Waren und mit Blick auf die deutsche Exportindustrie machten sie Einwände gegen die Aufkündigung des Haavara-Abkommens geltend. Eine Annäherung der Standpunkte sollte eine für Ende September 1937 angesetzte Ressortbesprechung bringen; Göring als Beauftragter für den Vierjahresplan hatte dazu den Leitgedanken vorgegeben, dass »die Beibehaltung des Haavara-Abkommens in der bisherigen Form vom volkswirtschaftlichen Gesichtspunkt aus nicht mehr tragbar« sei und »eine Abänderung möglichst sofort« erfolgen müsse.[107]

Hinzu kam eine Weisung Hitlers, der »auf Grund eines ihm in der Auswanderungsfrage der Juden gehaltenen Vortrages« nunmehr generell entschieden habe, die »weitere Judenauswanderung zu fördern, ohne hierbei ausschließlich auf Palästina« hinzuweisen. Innerhalb des Rahmens dieser Grundsatzentscheidung, die jede klare Festlegung vermied, versuchten die Teilnehmer der Ressortbesprechung darüber Einigkeit zu erzielen, wie dem Führerwillen am besten entsprochen werden könne. Die lebhafte Diskussion endete allerdings ohne greifbares Ergebnis: »Nach eingehendem Überlegen des Für und Wider kam man zu dem Entschluss, einer Interimslösung … näherzutreten.«[108]

Die Folge waren fortwährende Meinungs- und Kompetenzstreitigkeiten. Die Wirtschaftsabteilung des Auswärtigen Amts sowie namentlich Werner Otto von Hentig, der die Orientabteilung leitete, sahen sich mit dem Vorwurf des AHA konfrontiert, sie würden gegen die offizielle Linie ihrer eigenen Behörde Stellung beziehen. Hentig hielt trotz einer gegen ihn geführten Denunziation an seinem Standpunkt fest und entgegnete auf die Vorhaltungen, die als offiziell bezeichnete Linie sei »nur persönliche Ansicht eines jungen Mannes im A.A. namens Schomburg [sic]«. Ferner beharrte er darauf, »dass wir das Privateigentum respektieren müssten«. Im Übrigen könne er nur allzu gut beurteilen, »wie sehr uns die judenfeindliche Politik schon geschadet habe und wie großer Schaden uns aus dieser Politik noch in Zukunft erwachsen werde«.[109] Auch wenn Hentig wohl nur die Aufgabe eines sorgsam abwägenden Diplomaten wahrnehmen wollte, so bleibt das Memorandum, das er an Weizsäcker sandte, doch eine Besonderheit, weil es immerhin auch Argumente für einen Judenstaat anführte.[110] Im Gesamtergebnis freilich kam auch Hentig zu der Schlussfolgerung, dass »die Bildung eines mehr oder weniger unter jüdischer Leitung stehenden selbständigen Staaten-Gebildes deutscherseits nicht begrüßt werden« könne.[111]

Ungeachtet der zwischen Deutschlandreferat und Wirtschafts- beziehungsweise Orientabteilung bestehenden Differenzen über das Haavara-Abkommen blieb für das Auswärtige Amt die Linie verpflichtend, die Außenminister Neurath ausgegeben hatte. Danach lag die »Bildung eines Judenstaates oder jüdisch geleiteten Staatsgebilden [sic] unter britischer Mandatshoheit nicht im deutschen Interesse, da ein Palästina-Staat das Weltjudentum nicht absorbieren, sondern zusätzliche völkerrechtliche Machtbasis für internationales Judentum schaffen würde etwa wie Vatikan-Staat für politischen Katholizismus oder Moskau für Komintern«.[112]

Monatelang blieb der Streit in der Schwebe, bis im Januar 1938 ein »Führerentscheid« die Richtungs- und Kompetenzkämpfe eindämmte. Auf erneuten Vortrag von Reichsleiter Rosenberg entschied Hitler jetzt, dass die Judenauswanderung aus Deutschland, die weiterhin mit allen Mitteln gefördert werden solle, sich in erster Linie auf Palästina zu konzentrieren habe.[113] Hitler hatte also gegen einen Abbruch des Haavara-Abkommens und für das bislang gültige Procedere entschieden. Damit rückten die Haavara-Gegner von ihrer Fundamentalposition ab und plädierten nur noch für Abänderungen, um »die deutschen und

arabischen Interessen in vollem Umfang zu sichern«.[114] Die Auseinandersetzung zeigt, dass das Auswärtige Amt die Außenpolitik des Dritten
Reichs durchaus aktiv mitgestalten konnte, sofern es sich an den Vorgaben Hitlers orientierte.

Blockbildung gegen Ribbentrop

Kooperierte das Auswärtige Amt mit anderen Ministerien und Behörden trotz mancher inhaltlicher Differenzen ohne größere Konflikte, so
gestaltete sich das Verhältnis zu den nachgeordneten Parteiinstanzen im
Ausland zunehmend schwierig. Im Frühjahr 1935 spitzten sich die Spannungen dermaßen zu, dass sich Neurath und der Leiter der Auslandsorganisation der NSDAP Bohle zu einem koordinierten Schritt veranlasst
sahen. In ähnlich lautenden Weisungen stellten sie fest, dass in jüngster
Zeit zahlreiche Meinungsverschiedenheiten zwischen Reichsvertretern
und örtlichen Gruppen der Partei im Ausland »zu einem unfruchtbaren
Schriftwechsel« geführt hätten. Das Auswärtige Amt und die NSDAP-
Auslandsorganisation seien übereinstimmend der Ansicht, dass ein
derartiger Schriftverkehr unnötig und unzweckmäßig sei. Die Auslandsmissionen sollten auf eine vertrauensvolle und ungestörte Zusammenarbeit bedacht sein und sich um die Herbeiführung eines Ausgleichs durch
unmittelbare mündliche Aussprache bemühen.[115]
    Der Appell führte zu keiner dauerhaften Entspannung der Lage. Be-
reits im November 1935 beschwerte sich der deutsche Gesandte in Belgrad, Viktor von Heeren, über Franz Neuhausen, den örtlichen NSDAP-
Landesgruppenleiter. Neuhausen, Inhaber eines Verkehrsbüros in der
jugoslawischen Hauptstadt, war im Mai 1933 der NSDAP beigetreten
und verfügte offenbar seit Mai 1935 über das Wohlwollen Görings, dessen Hochzeitsreise er organisiert hatte. Im Vertrauen auf diesen Rückhalt verlangte Neuhausen, zu einem Abendempfang für den jugoslawischen Ministerpräsidenten eingeladen zu werden. Da Neuhausen keine
offizielle Funktion habe, müsse die Gesandtschaft entscheiden, ob eine
solche Einladung der »gesellschaftlichen Aufgabe dienlich oder schädlich« sei, schrieb Heeren. »Um für die Zukunft Meinungsverschiedenheiten auszuschalten, die aus derartigen Anlässen entstehen können,

halte er die Herbeiführung einer generellen und klaren Entscheidung für unbedingt erforderlich.«[116] Die Antwort, die am Ende der Beratungen zwischen dem Auswärtigen Amt und der Auslandsorganisation gefunden wurde, war alles andere als hilfreich: »Strikte allgemeine Regeln« ließen sich »selbstverständlich nicht aufstellen«; vielmehr müsse danach gehandelt werden, ob die Hinzuziehung des Landesgruppenleiters für »die deutsche Sache« nützlich sei.[117] Dieser Kompromiss war sinnfälliger Ausdruck des Hitler-Staates, in dem die Frage nach dem Verhältnis von Staat und Partei nie definitiv entschieden wurde.

Während sich Anfragen und Beschwerden von Diplomaten in der Wilhelmstraße häuften, ging zwischen der Zentrale und der Auslandsorganisation der Disput weiter. Die Auffassung des Auswärtigen Amts, »dass aus völkerrechtlichen Gründen ein Primat des Hoheitsträgers der Partei im Ausland« ausgeschlossen sei, könne er nicht teilen, schrieb Bohle an Bülow-Schwante, der sich grundsätzlich für den Vorrang des Reichs- vor dem Parteivertreter ausgesprochen hatte.[118] Nach einer Auseinandersetzung, die sich fast ein Jahr lang hinzog, kam schließlich eine Kompromissformel zustande. Danach rangierte der »Hoheitsträger der NSDAP« stets »unmittelbar hinter dem Missionschef«. Bei Empfängen, bei denen fremde Diplomaten oder Staatsmänner unter den Gästen seien, könne der Parteivertreter allerdings nicht in Erscheinung treten, sondern müsse durch ein Missionsmitglied, das zugleich Hoheitsträger sei, vertreten werden. Selbst zwischen der dienstlichen Funktion und der Parteifunktion eines Missionsmitgliedes wurde unterschieden – ein bemerkenswerter Widerspruch zu dem proklamierten Leitsatz, nach dem »jede organisatorische Maßnahme dem Zweck zu dienen hat, dem Ausland die Einheit von Partei und Staat sichtbar vor Augen zu führen«.[119]

Um die Trennung von Partei- und Staatsämtern allmählich zu überwinden, wurde Bohle am 30. Januar 1937 von Hitler in das Auswärtige Amt berufen und zum Chef der Auslandsorganisation im Auswärtigen Amt ernannt. Zuständig für die einheitliche Betreuung der Reichsdeutschen im Ausland, wurde Bohle dem Außenminister »persönlich und unmittelbar unterstellt«. Gleichzeitig blieb er aber als Leiter der NSDAP-Auslandsorganisation »unter den Stellvertreter des Führers« gestellt.[120] Weil die Angelegenheiten der Reichsdeutschen im Ausland eo ipso die Außenpolitik betrafen und weil umgekehrt die Außenpolitik die Belange der Auslandsdeutschen berührte, war Bohles Doppelstellung unter Neurath *und* unter Heß potenziell konfliktreich – aber sie war typisch für das charakteristische »Gemisch aus traditioneller Verwaltung und neuen Gewalten«.[121]

Wenngleich Bohle seine Ernennung als logische Fortsetzung der nationalsozialistischen Aufbauarbeit ausgab, war sie in Wirklichkeit das Ergebnis eines monatelangen Machtkampfes, aus dem scheinbar auch das Auswärtige Amt als Sieger hervorging. Ernst Wilhelm Bohle, 1903 als Sohn eines ausgewanderten College-Lehrers im englischen Bradford geboren, hatte seine Kindheit und Schulzeit im südafrikanischen Kapstadt verbracht. Nach einem in Deutschland absolvierten Studium der Staats- und Handelswissenschaften war er in verschiedenen angelsächsischen Firmen beschäftigt gewesen. Infolge der Weltwirtschaftskrise arbeitslos geworden, hatte er als Auslandsdeutscher Ende 1931 eine Stelle in der NSDAP-Auslandsabteilung angetreten. Mit dem Aufbau der Auslands-organisation begann zugleich sein eigener Aufstieg. Bestanden im September 1932 zehn Landesgruppen, 34 Ortsgruppen und 43 Stützpunkte in aller Welt, so stieg die Gesamtzahl bis September 1933 auf 230. Bohle, der erst im März 1932 der NSDAP beigetreten war, hatte als Mitarbeiter im Referat für Süd- und Südwestafrika angefangen und durch Auslands-erfahrung, Organisationsgeschick und Protektion eine Karriere gemacht, die schließlich im Mai 1933 zu seiner Ernennung als Leiter der Auslands-abteilung führte.

All das beflügelte seinen Ehrgeiz. Im Dezember 1933, als Rudolf Heß zum Reichsminister (ohne Geschäftsbereich) ernannt wurde, schlug Bohle seinem Mentor postwendend die Gründung eines Reichsministe-riums für Auslandsdeutschtum vor. Von Heß geleitet und von Bohle als Amtschef geführt, sollte das Ministerium alle im Ausland lebenden Deutschen erfassen, um »ein brauchbares und von der Heimat kontrol-liertes Machtinstrument« zu schaffen. Das Auswärtige Amt biete näm-lich »im Großen und Ganzen keine Gewähr dafür«, Deutschland »kraft-voll und positiv im nationalsozialistischen Sinne« zu vertreten. Obschon sich die Berufsdiplomaten bemühten und es sich um »sehr charmante und gewandte Leute« handele, verkörperten sie nicht »den kraftvollen Typ von Auslandsvertretern«, den »Deutschland in seiner heutigen be-drängte Lage« benötige.[122]

Heß hatte den Vorschlag zwar nicht aufgegriffen, aber im Februar 1934 die Umbildung der Auslandsabteilung zur Auslandsorganisation der

NSDAP verfügt. In einer mehr als fünfstündigen Aussprache, die Bohle »in jeder Beziehung außerordentlich wertvoll und fruchtbringend« nannte, hatte er sich mit Vertretern der Personalabteilung des AA – unter ihnen Abteilungsleiter Grünau, sein Stellvertreter Walter Poensgen und der Erbprinz Waldeck und Pyrmont – auf den Rahmen der künftigen Zusammenarbeit verständigt. Die »Unsicherheit« der letzten Monate sei »hierdurch völlig beseitigt«, schrieb Bohle an Heß, zumal die Abmachung »allen Wünschen und Absichten« der Auslandsabteilung entspreche.[123] Nach der getroffenen Regelung gehörten fortan alle Parteimitglieder, die ihren ständigen Wohnsitz im Ausland hatten, der Auslandsorganisation an. Damit wurden aber auch alle im Ausland lebenden Diplomaten mit Parteibuch organisatorisch von der Auslandsabteilung erfasst. Ferner hatten in der Zukunft alle Diplomaten, die der NSDAP beizutreten wünschten, ihren Aufnahmeantrag an den Leiter der Auslandsorganisation zu richten, der über den Antrag entschied.[124] Bohle hat mit dieser Übereinkunft einen starken Machtgewinn verzeichnen können. Bereits im Oktober 1933 war er zum Gauleiter ernannt worden: mit 31 Jahren der jüngste aller Gauleiter und zugleich der mit dem denkbar größten »Gau«, der alle im Ausland lebenden Parteigenossen umfasste.

Im Februar 1936 nutzte Bohle die Gunst der Stunde zu einem neuerlichen Versuch, seine Macht auszuweiten. Im schweizerischen Davos war am 4. Februar der dortige Landesgruppenleiter der Auslandsorganisation, Wilhelm Gustloff, von dem jüdischen Medizinstudenten David Frankfurter erschossen worden. Frankfurter war im Oktober 1933 von Deutschland ins schweizerische Exil geflohen und hatte seither die aus Deutschland über die Grenze gelangenden Berichte von ermordeten und misshandelten Juden verfolgt. Sein Attentat hatte dem Leiter der aktivsten Landesgruppe der AO gegolten. Zwar gehörten nur knapp 1 400 der 120 000 in der Schweiz lebenden Deutschen der Auslandsorganisation an, dennoch entfaltete sie durch Bespitzelung und Denunziation große Wirkung. Bohle hatte das Attentat gleich doppelt instrumentalisiert: Zum einen, indem er Gustloff zum Märtyrer stilisierte und Konsequenzen forderte; zum anderen durch die Forderung nach einer Integration der AO in das Auswärtige Amt, dessen Mitarbeiter diplomatische Immunität genossen.[125] In zahlreichen Besprechungen und Denkschriften war daraufhin zwischen Auswärtigem Amt und Auslandsorganisation erörtert worden, ob und wie den Parteivertretern im Ausland zur

Exterritorialität verholfen werden konnte, um sie auch vor einer Ausweisung zu schützen. Man dachte an Ernennungen von Landesgruppenleitern zu Mitgliedern der diplomatischen Missionen oder, nach dem Muster der Militärattachés, an die Einsetzung von Parteiattachés in den diplomatischen Vertretungen.

Hitler begrüßte es, dass die Parteivertreter durch Eingliederung als Parteiattachés legalisiert werden sollten, und Außenminister Neurath erklärte sich mit einer solchen Regelung »grundsätzlich einverstanden«, weil damit »den politischen Leitern der NSDAP im Ausland ein ausreichender Schutz gewährt wird«. Seine einzige Bedingung war, dass die Parteiattachés voll und ganz dem Leiter der jeweiligen Mission unterstellt waren und »auf eine praktische propagandistische oder organisatorische Tätigkeit in der Öffentlichkeit des Gastlandes«, ja auf »politische« Arbeit im weitesten Sinn verzichteten. Insgeheim aber hoffte der Außenminister vor allem, dass durch diese Maßnahme »dem häufig äußerst nachteilig wirkenden Dualismus zwischen Reichsbehörde und örtlicher Parteistelle im Ausland ein Ende gemacht würde«.[126]

In der Praxis bestand zwischen Auswärtigem Amt und Auslandsorganisation nie eine scharfe Trennung, schon gar nicht personell. So trat Gustloffs Nachfolge als Landesgruppenleiter für die Schweiz der Berufsdiplomat Sigismund von Bibra an, der zuvor Ortsgruppenleiter der AO in Prag gewesen war. Bibra war 1922 in den Auswärtigen Dienst eingetreten, 1931 als Legationssekretär an die Prager Gesandtschaft und 1936 als Gesandtschaftsrat II. Klasse nach Bern versetzt worden. Er zählte zu einer Gruppe von Berufsdiplomaten, die auf den unteren Ebenen des höheren Auswärtigen Dienstes rangierten und parallel eine Funktion in der Auslandsorganisation ausübten. Friedhelm Dräger etwa, der Kreisleiter der NSDAP für Boston, Cleveland, New York und Chicago, war 1928 als Attaché in den Auswärtigen Dienst eingetreten und seit 1934 am Generalkonsulat New York beschäftigt. Walter Pausch, tätig in der Landesgruppe der AO in Tokio, war zugleich Honorarattaché an der dortigen Botschaft. Die Mitarbeiter der AO ließen sich ohne Probleme in den Dienstbetrieb des Auswärtigen Amts integrieren. Botschafter Dirksen jedenfalls, der ohnehin frühzeitig auf »eine harmonische und intensive Zusammenarbeit« mit der Auslandsorganisation gesetzt hatte, fand lobende Worte für Pausch, der sich seinerseits über die »wohlwollende Unterstützung« seines Chefs freuen konnte.[127]

Angesichts der längst etablierten Verflechtungen zwischen Auswärtigem Amt und Auslandsorganisation versprach sich Neurath von einer Übereinkunft mit Bohle manche Vorteile. Bohle eilte nämlich der Ruf voraus, »nicht partei-orthodox« zu sein, wie sich Weizsäcker erinnerte. Mit ihm habe er »nicht viel Schwierigkeiten gehabt«; ihm verdanke er »die besten Witze über die Partei«, und »außerdem bewies er Intelligenz durch seinen Hass auf Ribbentrop«. Indem er zusicherte, die Rolle des Auswärtigen Amts nicht anzutasten und die Reibungen zwischen Parteivertretern und Auslandsbeamten zu beenden, legte Bohle die Basis, die schließlich zu seiner Einberufung in das Auswärtige Amt führte. Vor allem aber glaubte Neurath durch das Arrangement mit Bohle das Kerngeschäft des Auswärtigen Amts gegenüber jenem Mann abzuschirmen, der in den zentralen Fragen unbedingt mitreden wollte: Ribbentrop. Nachdem das Auswärtige Amt einige Mitarbeiter von Rosenberg übernommen und nun auch die Auslandsorganisation Bohles eingebaut habe, könne der Eindruck entstehen, warnte Ribbentrops Vertrauensmann Rudolf Likus, dass die Partei nunmehr in der Wilhelmstraße verankert sei. Das Amt »zieht die Parteimänner zu sich herüber, behandelt sie sehr zuvorkommend und beeinflusst sie ganz in seinem Sinne«. Auf diese Weise habe es das Amt verstanden, »sein Verhältnis zur Partei in einer positiven Form zu festigen«. Die Folge sei, dass der Stabsleiter von Heß, Martin Bormann, einen starken Widerstand gegen die Dienststelle entwickle. Hier sei »eine Einheitsfront« im Entstehen, die sich »gegen die Dienststelle Ribbentrop« richte.[128]

Neuraths Kalkül, zusammen mit Bohle einen Block gegen Ribbentrop zu errichten, musste schon deshalb scheitern, weil die eigentliche Antriebskraft der Außenpolitik Hitler war und Ribbentrop nur eine »Bekräftigungsfunktion«[129] ausübte. Aber auch Bohle selbst nutzte seine neue Stellung nach Kräften. Zwar versagte er sich jegliche Einmischung in die Außenpolitik, ja er disziplinierte sogar die Parteivertreter im Ausland, die seine »strengste Anweisung« erhielten, »die Autorität des Reichsvertreters ... unter allen Umständen zu achten«.[130] Parallel dazu aber baute er zielstrebig seinen Einflussbereich aus und trieb die Nazifizierung der Beamtenschaft voran. »Der empfindliche Mangel an nationalsozialistischen Beamten im Auswärtigen Dienst« veranlasse ihn, »ständig nach geeigneten und möglichst alten Parteigenossen Umschau zu halten, die zur Übernahme in den Dienst vorgeschlagen werden können«, schrieb er an Heß.[131] Mit Hilfe von Heß gelang es Bohle, direkten Einfluss auf die Beförderung von Diplomaten zu nehmen. Bis dahin mussten Beförderungen dem Stellvertreter des Führers zur Stellungnahme zugeleitet werden, bevor sie von Hitler bestätigt wurden. Jetzt wurde dieses Verfahren dadurch abgekürzt, dass die Parteizentrale in München umgehend ihr Placet erteilte, nachdem Bohle zugestimmt hatte. »Damit war das generelle Einspruchsrecht der Partei gegenüber unliebsamen und parteipolitisch nicht zuverlässigen Diplomaten verankert.«[132]

Bohles Einfluss auf die Personalpolitik trat jetzt immer stärker hervor. Auf seine Veranlassung wurde eine Reihe von Diplomaten entlassen oder versetzt, so der Gesandte in Habana, die Konsuln in Durban und St. Gallen, ein Gesandtschaftsrat in Mexiko und ein in Südafrika tätiger Legationssekretär. Auf der anderen Seite traten noch im Jahr 1937 – vermutlich durch Bohles Förderung – mindestens sechs Mitarbeiter der Auslandsorganisation in den höheren Auswärtigen Dienst ein, in dem sie allerdings keine bis in Spitzenpositionen führenden Karrieren machten. Ferner wurde auch die Ein- oder Angliederung von hohen Parteifunktionären geläufige Praxis. Dass es in allen diesen Fällen zu irgendwelchen Konflikten mit der Amtspitze und dem Minister kam, ist nicht belegt. Nach wie vor besprach Neurath im gewohnten Einvernehmen mit Hitler die Ernennungen von Botschaftern und Gesandten; für nachgeordnete Hierarchieebenen war die Personalabteilung zuständig, die unter Bohles Vertrauensmann Prüfer reibungslos mit der Auslandsorganisation zusammenarbeitete.[133]

Im Dezember 1937 wurde Bohle durch die Verleihung der Amtsbezeichnung Staatssekretär ausgezeichnet und rückte damit auf eine Stufe mit Mackensen und direkt hinter den Minister. Der Stellvertreter des Führers habe ihn gerade angerufen, notierte Mackensen lapidar, »um mitzuteilen, dass er Gelegenheit genommen habe, dem Führer und Reichskanzler die vom Chef der Auslandsorganisation, Herrn Bohle, mit dem Herrn Reichsminister bereits besprochene Angelegenheit der Beilegung des Titels ›Staatssekretär‹ für Herrn Bohle vorzutragen«.[134] Neurath ergriff die Initiative und informierte »zur Beseitigung gewisser Unklarheiten« alle Arbeitseinheiten des Auswärtigen Amts darüber, dass Entscheidungen des Chefs der Auslandsorganisation im Auswärtigen Amt in jedem Fall ministerielle Entscheidungen seien.[135]

Ein Jahr nach seiner Berufung gründete Bohle – wie stets mit Rückendeckung des Außenministers – die Ortsgruppe Auswärtiges Amt der AO,
in der alle beamteten Parteigenossen des Auswärtigen Dienstes (Beamte,
Arbeiter, Angestellte) zusammenfasst wurden. Hatten bislang nur die im
Ausland lebenden Diplomaten, sofern sie Parteimitglied waren, der Auslandsorganisation unterstanden, so weitete Bohle seine Zuständigkeit
jetzt auch über die in Berlin wohnhaften Diplomaten aus. »Hauptaufgabe der Ortsgruppe Auswärtiges Amt« sei es, »die Parteigenossen des
Auswärtigen Dienstes unter zentraler Leitung fest zusammenzuschließen und zu weltanschaulich gefestigten und einsatzbereiten Nationalsozialisten zu erziehen«.[136] Wer ins Ausland entsandt wurde, hatte am
Leben der jeweiligen Ortsgruppe teilzunehmen.

Die schleichende personelle Durchdringung wurde sowohl von einzelnen Diplomaten als auch vom Auswärtigen Amt als Institution aus
verschiedenen Motiven befürwortet und unterstützt. Die Zusammenarbeit war längst etabliert. So etwa erörterte Otto Butting, der Landesgruppenleiter in den Niederlanden, mehrmals wöchentlich mit dem
deutschen Gesandten in Den Haag, Julius Graf Zech-Burkersroda, die
wichtigsten Tagesfragen. Als Bohle vorschlug, Butting »gegenüber den
holländischen Behörden eine etwas bessere Plattform zu geben« und
ihm die Amtsbezeichnung Gesandtschaftsrat beizulegen, erhob Zech
keine prinzipiellen Einwände, sondern regte aus rechtlichen Erwägungen nur die Beilegung der Amtsbezeichnung Konsul an.[137] Als Diplomat
geschützt, betätigte sich Butting fortan als Informant für den Spionage-
dienst der Wehrmacht und lieferte Auskünfte, »die der einmarschieren-
den Armee zur rechten Zeit helfen würden«.[138]

Eine beachtliche Reihe von Mitarbeitern der Auslandsorganisation
wurde jetzt dem Auswärtigen Amt angegliedert: Willi Köhn, der frühere
Landesgruppenleiter in Chile, avancierte zum Generalkonsul in Sala-
manca, Otto Bene, der Landesgruppenleiter in England, zum Generalkonsul in Mailand, Carl Dedering, der Landesgruppenleiter in Peru,
zum Konsul in Lima. Erwin Ettel, der Landesgruppenleiter in Italien,
wurde zum Legationssekretär an der Deutschen Botschaft in Italien,
Friedhelm Burbach, der ehemalige Landesgruppenleiter in Porto, zum
Landesgruppenleiter an der Botschaft in Spanien ernannt. In der Berliner Zentrale avancierten etwa der Gaustellenleiter Fritz Gebhardt von
Hahn und der Gauhauptstellenleiter Peter Bachmann zu Attachés; zu

Legationssekretären wurden der Gauamtsleiter Karl Klingenfuß und Bohles persönlicher Referent, Emil Erich ernannt; zum Legationsrat beziehungsweise zum Vortragenden Legationsrat brachten es die Gauamtsleiter Robert Fischer und Wilhelm Bisse.[139]

Dank Bohles Protektion traten auch Wilhelm Rodde und Werner Gerlach in die Dienste des Auswärtigen Amts. SS-Standartenführer Rodde, Hauptreferent in Ribbentrops Dienststelle, wurde Konsul in Winnipeg, später Leiter des Konsulats in Kronstadt; im Krieg war er mitverantwortlich für die NS-Umsiedlungspolitik in Südosteuropa. Gerlach, Professor für Pathologie und Hauptsturmführer im Persönlichen Stab RFSS, vorübergehend für das Konzentrationslager Buchenwald zuständig, wurde Leiter des Konsulats Reykjavík, wo er sich unter anderem im Auftrag des Ahnenerbes der SS betätigte.

Die Bandbreite der Qualifikationen, die Bohles Protegés aufwiesen, reichte von akademischen Laufbahnen über militärische Karrieren bis hin zu kaufmännischen Tätigkeiten. Sie bildeten einen Querschnitt durch die Gesellschaft. Bereits 1933 war mit Friedrich Franz Erbgroßherzog von Mecklenburg ein Spross aus dem Hochadel in die Auslandsabteilung, den Vorläufer der AO, eingetreten. Wie Bohle bereits Ende 1933 lobend an Heß berichten konnte, war der älteste Sohn des letzten regierenden Herzogs von Mecklenburg-Schwerin »in kluger und geschickter Weise für unsere Idee draußen eingetreten«; er habe insbesondere dort, »wo noch sehr viel deutschnationaler Geist herrscht, heilsam gewirkt«.[140] Viktor Prinz zu Wied, der Gesandte I. Klasse in Stockholm, hatte Mecklenburg als ehrenamtlichen Attaché nach Schweden holen wollen und dafür auch das grundsätzliche Placet Neuraths erhalten. Nachdem die Einberufung aus unbekannten Gründen vertagt worden war, kam Ende 1937 nochmals die Idee auf, Mecklenburg aus der Auslandsorganisation in das Auswärtige Amt zu übernehmen. Geplant war, Mecklenburg, der seit 1931 der NSDAP und seit 1934 der SS angehörte, als SS-Hauptsturmführer dem Reichsminister als Adjutant zuzuteilen.[141]

SS und Auswärtiges Amt

Mit Bohles Machterweiterung konnte auch Himmler seinen Einfluss über das Auswärtige Amt ausbauen. Im September 1936 hatte der Reichsführer-SS den aufstrebenden Chef der AO als SS-Brigadeführer – das Äquivalent zum Generalmajor – in die Schutzstaffel aufgenommen; im April 1937, also zum nächstmöglichen Beförderungstermin nach seiner Ernennung im Auswärtigen Amt, wurde Bohle zum Gruppenführer befördert. Diese Maßnahme entsprach dem durchweg erkennbaren Bestreben der SS, Männer, die im Auswärtigen Amt Schlüsselpositionen besetzten, durch Mitgliedschaft auf ihre Grundsätze zu verpflichten. Neurath selbst wurde im September 1937 im Rang eines SS-Gruppenführers in die SS aufgenommen; eineinhalb Monate später folgte Staatssekretär Mackensen im Rang eines SS-Oberführers. In beiden Fällen war die Ernennung von Hitler beziehungsweise Himmler ausgegangen. Nachdem der Führer seinen Außenminister bereits am 30. Januar 1937 mit der Verleihung des Goldenen Parteiabzeichens in die NSDAP aufgenommen hatte, folgte anlässlich von Mussolinis Deutschlandbesuch »ganz überraschend« die Aufnahme in die SS. Auch die »freundlich zugedachte Ernennung« Mackensens hatte Himmler offenbar ohne Rücksprache mit dem Staatssekretär veranlasst – ein außergewöhnlicher Vorgang, der unterstreicht, wie gezielt die SS zu Werke ging.[142]

Wenngleich der Außenminister und sein Staatssekretär durch die Aufnahme in die SS keinerlei Befehlsbefugnisse erwarben und auch keinen Dienst in SS-Einheiten abzuleisten hatten, so handelte es sich doch nicht um »Ehrenränge«, wie Neurath im Nürnberger Prozess reklamierte. Solche »Ehrenränge« gab es seit 1936 nicht mehr; die SS-Führer aus dem Auswärtigen Amt gehörten wie fast alle freiwilligen und nebenamtlichen SS-Mitglieder der Allgemeinen SS an, mit dem Unterschied, dass die Diplomaten nicht in einer der über ganz Deutschland verteilten Territorialgliederungen dienten, sondern den Berliner Zentralbehörden zugeordnet waren.[143] Vom Oberführer aufwärts firmierten die Diplomaten mit SS-Rang als Führer beim Persönlichen Stab Reichsführer-SS. Die übrigen SS-Führer des Auswärtigen Amtes, falls sie nicht ausnahmsweise bei einer anderen SS-Dienststelle geführt wurden, zählten zu den Führern beim Stab SS-Hauptamt. Auch wenn es sich bei den in die SS aufgenommenen Diplomaten also nicht um Inhaber von Dienststellungen, ausgestattet mit der vollen Funktion eines SS-Führers, handelte, wurde doch erwartet, dass die – zumeist prominenten – Träger von SS-Führer-rängen die Regularien und Riten der SS einschließlich ihrer Weltan-schauung übernahmen und verkörperten.

Die Vereidigung von Gruppenführern wurde durch Himmler persön-lich vorgenommen. So auch im Fall des Außenministers. Und wie stets wurde auch über Neuraths Vereidigung »als Hüter des Bluts- und Le-bensgesetzes der Schutzstaffel« ein Protokoll angefertigt, das mit Hand-schlag bekräftigt wurde.[144] Neurath leistete seinen Eid am Jahrestag des gescheiterten Bürgerbräu-Putsches, ein Jahr später wurde ihm der Eh-rendegen der SS überreicht; im Juni 1943 wurde er zum SS-Obergrup-penführer befördert.[145] Mackensen machte eine ähnliche Karriere: Nach-dem er im November 1937 zum Oberführer ernannt worden war, folgte im Januar 1939 die Beförderung zum Brigadeführer und im Januar 1942 zum Gruppenführer. Stets reagierte Mackensen auf Beförderungen und Anerkennungen mit ausgesuchten Worten der Dankbarkeit: Nachdem ihm Himmler im Januar 1939 den Totenkopfring der SS zuerkannt hatte, beeilte er sich, seinen »aufrichtigen Dank« für die »hohe Auszeichnung« auszusprechen, und gab dem Reichsführer die Zusicherung, dass er »die Bedeutung dieser Ehrung u[nd] zugleich Verpflichtung voll zu wür-digen« wisse. Zum Weihnachtsfest 1942 bedankte er sich bei Himm-ler für eine »prachtvolle Gabe« mit der Versicherung seiner »treuen Wünsche«.[146]

Die Ernennungen Neuraths und Mackensens wurden in der deut-schen Presse als demonstratives Loyalitätsbekenntnis zum nationalso-zialistischen Staat groß herausgestellt. *Times* und *Neue Zürcher Zeitung* lagen ganz richtig, wenn sie kommentierten, dass mit der Aufnahme Neuraths in die SS die »Bindung an die Politik Hitlers nochmals in aus-führlicher Form unterstrichen« worden sei.[147] Wer diese Zusammenhän-ge erkannte und sich nicht gemein machen wollte, konnte eine Aufnah-me in die SS etwa dadurch umgehen, dass er, wie Ulrich von Hassell im September 1937, dem NS-Kraftfahrerkorps beitrat. Auch einige andere Diplomaten, die zumeist nicht auf den höchsten Ebenen ihren Dienst verrichteten, umgingen gezielt eine Aufnahme in die SS. Der Laufbahn-beamte Günther Altenburg etwa, der im Dezember 1935 der NSDAP bei-getreten war, wich einer Aufnahme in die SS durch eine auf Ablehnung hinauslaufende dilatorische Behandlung des Angebots Himmlers aus.[148]

Dennoch brachte es Altenburg bis Kriegbeginn zum Gesandten I. Klasse als Ministerialdirigent und Leiter der Informationsabteilung.

Andere Laufbahnbeamte dagegen renommierten gerade mit ihrer SS-Mitgliedschaft. Franz Krapf etwa, der im Juni 1938 in den Auswärtigen Dienst einberufen wurde, trat bei offiziellen Anlässen ganz bewusst in der »Eigenschaft als SS-Mann« auf.[149] Mit Botschafter Thermann in Buenos Aires, der zwischen Januar 1936 und April 1938 in rascher Folge vom Hauptsturmführer zum Standartenführer befördert wurde, stieß der erste SS-Dienstgrad in die Gruppe der Spitzendiplomaten vor. Mit Thermann, Bohle, Ribbentrop, Mackensen und Neurath bekleideten auf der Führungsebene des Auswärtigen Dienstes – insgesamt 43 Beamte im Rang vom Gesandten I. Klasse aufwärts – zum Jahresende 1937 fünf Diplomaten einen SS-Rang.[150] Deutlich geringer war der Anteil an SS- oder SA-Mitgliedschaften auf den nachfolgenden Hierarchieebenen. Bei den Nachwuchsdiplomaten hingegen waren SA- und SS-Angehörige überproportional vertreten: Mitglied- oder Anwartschaften stiegen unter den Attachéjahrgängen kontinuierlich von 19 Prozent im Jahr 1935 auf 35 Prozent im Jahr 1937 und 60 Prozent im Jahr 1939. In dem 1937 eingestellten Ausbildungsjahrgang gab es nur noch einen einzigen Attaché, der weder der Partei noch der SA beziehungsweise SS angehörte.[151]

Verdeutlichen lässt sich die charakteristische Verschränkung von Partei, SS und Staat am Beispiel des Diplomaten Werner Picot. Geboren 1903, hatte Picot in einem Freikorps gedient und war nach dem Studium der Rechts- und Volkswissenschaft sowie der Staatswissenschaften im Januar 1931 in die NSDAP eingetreten. Nach dem zweiten juristischen Examen war er als Rechtsanwalt in Berlin und zugleich in der SA-Führung tätig gewesen. Ende Juni 1935 wurde er in den Auswärtigen Dienst einberufen, nur Tage später erfolgte seine Aufnahme in die SS im Rang eines Hauptsturmführers. Fortan ging die Beförderung in der SS der Beförderung im Auswärtigen Dienst immer um wenige Wochen voraus: Im April 1937 zum Sturmbannführer befördert, folgte im August 1937 die Ernennung zum Legationssekretär; im November 1940 wurde Picot Obersturmbannführer, im Dezember 1940 Legationsrat. Zu diesem Zeitpunkt war Picot zum stellvertretenden Leiter des umstrukturierten Deutschlandreferats aufgestiegen, der als Verbindungsmann zum Reichsführer-SS fungierte.[152]

Unschwer lässt sich aus den hier genannten Zahlen die von der SS verfolgte Doppelstrategie entschlüsseln: Zum einen versuchte Himmler, den Einfluss auf den Auswärtigen Dienst auszuweiten, indem er Spitzendiplomaten als Mitglieder gewann, zum anderen sicherte er durch den hohen Anteil von SS-Mitgliedern unter den Nachwuchsdiplomaten auf längere Sicht die Durchdringung des Auswärtigen Dienstes. Unverkennbar ist aber auch die Zurückhaltung der SS auf der diplomatischen Zwischenebene, deren Personal das Gros des höheren Dienstes stellte. Obschon hier eine regelrechte Tendenz zur »Massenflucht in die SS« bestand, wie Himmlers Mitarbeiter erstaunt feststellten, erschloss sich die SS diese Ebene kaum.[153] In Einzelfällen wurde eine beabsichtige Aufnahme in die SS sogar aufgeschoben, bis der Kandidat nach einer Auslandsverwendung wieder in die Zentrale zurückkehrte. Das Hauptmotiv für die Zurückhaltung dürfte im Selbstverständnis der SS zu suchen sein, neben den wichtigsten Entscheidungsträgern vor allem die Jugend zu gewinnen. Ohnehin lag der Anteil von SS-Angehörigen am Auswärtigen Dienst längst weit über dem Reichsdurchschnitt: Am Ende der Ära Neurath sind unter den etwa 500 Beamten des höheren Auswärtigen Dienstes etwa 50 SS-Führer nachweisbar.[154] Diese Zahl verdeutlicht noch einmal, wie zielgerichtet – und erfolgreich – Himmlers Organisation bei der Durchdringung des Auswärtigen Amtes vorging.

Von Neurath zu Ribbentrop

Für die Umsetzung seiner Ziele konnte Himmler kaum einen besseren Partner finden als Joachim von Ribbentrop. Ribbentrop war erst im Mai 1932 der NSDAP beigetreten und verfügte weder über eine Machtbasis in der Partei noch über eine einflussreiche Stellung. Dies erklärt sein taktisch begründetes Zusammengehen mit Himmler, der ihn im Mai 1933 als Standartenführer in die SS aufgenommen hatte. Im April 1935 zum Oberführer ernannt, folgte bereits zwei Monate später die Beförderung zum Brigadeführer. Sie war auf den 18. Juni 1935 datiert. Da Beförderungen üblicherweise nur zu den Feier- und Gedenktagen des Dritten Reichs ausgesprochen wurden, also am 30. Januar, 20. April, beim Reichsparteitag im September sowie am 9. November, lässt sich aus Ribbentrops Ernennung am Tag des Flottenpaktabschlusses schließen, dass Himmler an der schlagartig gestiegenen Bedeutung des Botschafters partizipieren wollte. Das Gleiche wiederholte sich im Folgejahr 1936: Im August wurde Ribbentrop als etatmäßiger Botschafter in den Auswärtigen Dienst einberufen, im September erfolgte seine Beförderung zum Gruppenführer.[155]

Vor diesem Hintergrund entwickelte sich eine gedeihliche Zusammenarbeit zwischen Ribbentrops Dienststelle und der SS. Bedeutsamer als der Austausch von Berichten zu innen- und außenpolitischen Vorgängen, die meist die politische Zuverlässigkeit von Auslandskorrespondenten oder Diplomaten betrafen, war das Faktum der Zusammenarbeit an sich. Ende 1936 stellte der Ribbentrop-Vertraute Likus nach einem Meinungsaustausch mit der SS fest, dass dort, »wo das SD-mäßige Interesse aufhöre, gewisse Möglichkeiten der Fortführung der Arbeit in außenpolitischem Sinne ungenutzt« blieben. Der Sicherheitsdienst der SS, den Himmler als Auslandsnachrichtendienst aufbaute, befasste sich nach eigenem Verständnis zwar »nicht mit Außenpolitik, doch ergäben sich aus der Arbeitspraxis oft Möglichkeiten, die für die mit der Führung der Außenpolitik beauftragte Stelle wertvoll sein könnten«. Als Ansprechpartner des SD komme nur die Dienststelle Ribbentrop infrage, »zumal der SD zu den außenpolitischen Praktiken des Auswärtigen Amtes kein Vertrauen habe«.[156] Die Bestrebungen Himmlers, seine Macht auch auf Bereiche der Außenpolitik auszudehnen, und Ribbentrops Bereitwilligkeit, »durch möglichst viele SS-Führer in seiner Umgebung die Dienststelle gegenüber anderen Parteiinstitutionen aufzuwerten und sich selbst Rückhalt in der Partei zu verschaffen«, ergänzten sich in optimaler Weise.[157] Sowohl nach Ribbentrops Ernennung zum Botschafter in Diensten des Auswärtigen Amts als auch nach seiner Berufung zum Außenminister nahm Himmlers Interesse an der Zusammenarbeit mit seinem Duzfreund noch einmal deutlich zu.

Die Ersetzung Neuraths durch Ribbentrop kam für alle ziemlich überraschend. Am 5. November 1937 hatte Hitler zu einer Führerbesprechung geladen, deren Verlauf in dem vom Wehrmachtadjutanten Friedrich Hoßbach erstellten Gedächtnisprotokoll überliefert ist. Vor einem kleinen Kreis skizzierte Hitler seine militärisch-strategischen Planungen für die folgenden Jahre. Zuhörer waren Außenminister Neurath und Reichskriegsminister Werner von Blomberg sowie die Oberbefehlshaber von Heer, Marine und Luftwaffe, Werner Freiherr von Fritsch, Erich

Raeder und Hermann Göring. Ihnen eröffnete Hitler in unmissverständlicher Weise, es sei »sein unabänderlicher Entschluss, spätestens 1943/45 die deutsche Raumfrage zu lösen«, und dafür könne es »nur den Weg der Gewalt geben«.[158] Neurath, Blomberg und Fritsch erhoben Bedenken und wiesen vor allem auf die Gefahren eines großen Krieges hin. Dieser deutliche Widerspruch führte dazu, dass Hitler »die bisherige Geschäftsgrundlage seines Modus Vivendi mit den konservativen Eliten« aufkündigte.[159] Blomberg musste am 27. Januar 1938 »aus gesundheitlichen Gründen« gehen, am 2. Februar wurde Fritsch, zwei Tage später Neurath entlassen.

Zu den Intrigen, die sich zum Jahreswechsel 1937/38 gegen Blomberg und Fritsch in Berlin zusammenbrauten, kam ein handfester Krach zwischen Ribbentrop und dem deutschen Botschafter in Rom, Ulrich von Hassell, hinzu. Im November 1937 waren die beiden in Rom aneinandergeraten. Es ging, wie so oft bei Ribbentrop, um Protokollfragen, aber auch um den grundsätzlichen Kurs der Außenpolitik und insbesondere die deutsch-italienischen Beziehungen. Hassells Position war bereits unterhöhlt. Wiederholt hatte er Repräsentanten des Regimes brüskiert, die ihrerseits einen »systematischen Feldzug« gegen ihn entfesselten und den Italienern nahelegten, dass Hassell »kein eigentlicher Repräsentant des nationalsozialistischen Regimes« sei.[160] Als Mussolini daraufhin über seinen Berliner Botschafter lancieren ließ, dass ihm ein Wechsel in Rom erwünscht erscheine, war die Stellung Hassells unhaltbar geworden; Mitte Januar 1938 verabschiedete ihn Hitler in den sofortigen Zwangsurlaub.

In dieser unübersichtlichen Situation entschloss sich Hitler, »die ganze Geschichte« nunmehr mit einem Schlag zu lösen, wie Goebbels in seinem Tagebuch notierte: »Führer will selbst Wehrmacht übernehmen … Um die ganze Sache zu vernebeln, soll ein großes Revirement stattfinden. Anstelle Neurath Ribbentrop als Außenminister. Neurath Minister ohne Portefeuille und persönlicher Ratgeber des Führers.«[161] Tatsächlich übernahm Hitler am 4. Februar die Befehlsgewalt über die Wehrmacht, die bis dahin beim Kriegsminister gelegen hatte und gliederte das Kriegsministerium in das neu geschaffene Oberkommando der Wehrmacht ein, dessen Leitung er dem subalternen Wilhelm Keitel übergab.

Auch im Auswärtigen Amt vollzog sich der Übergang reibungslos. Neurath hatte am 2. Februar seinen 65. Geburtstag gefeiert und zugleich aus Anlass seines 40. Dienstjubiläums das »Goldene Treuedienstabzeichen« aus Hitlers Hand empfangen; zwei Tage später wurde er von Hitler gebeten, auf seinen Posten als Außenminister zu verzichten und die Leitung des neu zu schaffenden »Geheimen Kabinettsrats« zu übernehmen. Mit dem Dank an seine Mitarbeiter und dem Aufruf zur treuen Pflichterfüllung schied Neurath aus dem Amt, um an die Spitze des pro forma geschaffenen Gremiums zu treten, das freilich nie zusammentrat. Ein Jahr später, nach der Besetzung der »Tschechei« durch die Wehrmacht, erhielt er eine neue Aufgabe als Reichsprotektor in Böhmen und Mähren, wo er für die Besatzungspolitik und die Einführung der Rassengesetze verantwortlich zeichnete.

Personell war das Amt zu dieser Zeit in einem dynamischen Wandlungsprozess begriffen, der durch Ribbentrop jetzt beschleunigt wurde. Auf den freien Botschafterposten in London wechselte der altgediente Karrierediplomat Dirksen. In Tokio wurde er durch Eugen Ott ersetzt, einen Mann, der dem Regime distanziert gegenüberstand. Als Leiter der Wehrmachtabteilung im Reichswehrministerium hatte der Oberst zum engeren Mitarbeiterkreis Schleichers gehört und war seiner Ermordung im Zuge der Röhm-Krise vermutlich nur deshalb entkommen, weil er seit Februar 1934 der deutschen Botschaft in Tokio als Militärattaché zugeteilt war. Ribbentrop hatte Otts Ernennung vor allem deshalb betrieben, weil er die – später tatsächlich erfolgte – Ernennung des japanischen Militärattachés in Berlin zum Botschafter fördern wollte, den er als Verfechter einer deutsch-japanischen Allianz schätzte.

Von taktischen Erwägungen waren auch andere Personalwechsel geprägt, zuallererst die Umbesetzung des Staatssekretärspostens. An die Stelle von Neuraths Schwiegersohn Mackensen, der als Nachfolger für den entlassenen Hassell nach Rom ging, trat Ernst von Weizsäcker, der seit April 1937 als Ministerialdirektor die Politische Abteilung leitete. Weizsäcker, der an Erfahrung und Sachverstand mitbrachte, was Ribbentrop fehlte, galt als Integrationsfigur, die weit über das Auswärtige Amt hinaus großes Vertrauen genoss: Es handele sich um eine »nach Begabung, Charakter und Gesinnung gleich positiv zu wertende Persönlichkeit«, schrieb Karl Haushofer an Ribbentrop.[162] Weizsäcker selbst drängte es freilich nicht, diese Aufgabe zu übernehmen: »Nun ist es einem aber nicht mehr an Karriere, wenn man ein gewisses Stadium erreicht hat«, schrieb Weizsäcker an seine Mutter. »Eigentlich noch nie« habe er sich »so gleichgültig in diesem Punkt gefühlt, wie gerade jetzt«.[163] Dass er sich dem Ruf des neuen Ministers dennoch nicht entzog, war nicht zuletzt das Ergebnis einer leichtfertigen Selbstüberschätzung. Laut Weizsäckers Aufzeichnungen fragte Ribbentrop am 5. März 1938 an, ob er sein Staatssekretär werden wolle. Die Voraussetzungen dafür seien erstens ein »volles Vertrauensverhältnis«, zweitens die Einwilligung in die »langsame Umgestaltung des A.A., wobei das Können ausschlaggebend« sei, und drittens die »grundsätzliche Übereinstimmung mit der Politik des Führers«. Dieser verfolge ein »Großes Programm, das nicht ohne das Schwert zu erfüllen [sei]; daher noch 3–4 Jahre Vorbereitung nötig. Wo und wofür zu fechten, bleibt späterer Erörterung vorbehalten.« Über den Charakter der künftigen Außenpolitik konnte also nicht der geringste Zweifel bestehen. Dass Weizsäcker dennoch den Staatssekretärsposten annahm, obwohl er »eigentlich ohne Ehrgeiz« sei, ging maßgeblich auf eine Fehleinschätzung zurück: Da er Ribbentrop für »beeinflussbar« hielt, glaubte er an einen »Spielraum«, der die Verhinderung eines Krieges ermöglichen würde. Dafür wollte er »dieses Kreuz« auf sich nehmen.[164]

Noch vor seiner Anfang April 1938 ausgesprochenen Ernennung, die rückwirkend auf den 19. März datiert wurde, trat Weizsäcker der NSDAP bei.[165] Vorausgegangen war ein entsprechender Antrag Bohles an den Reichsschatzmeister der NSDAP.[166] Am gleichen Tag, dem 24. März, hatte Bohle den designierten Staatssekretär aufgefordert, er solle »das Abzeichen alsbald tragen« – also in die Partei eintreten, um diesen »Schönheitsfehler« zu beseitigen.[167] Am 11. April wurde der obligatorische, von Weizsäcker ausgefüllte Aufnahmefragebogen an die Partei zurückgesandt; mit Wirkung vom 1. April 1938 wurde er als Mitglied der NSDAP geführt.[168] Am 20. April folgte dann Weizsäckers Aufnahme in die SS im Rang eines Oberführers.[169] Die Initiative dazu war von Ribbentrop ausgegangen, der die politische Konformität des von ihm geleiteten, aber als reaktionär verschrieenen Amts demonstrieren wollte.

Nach dem Krieg schrieb Weizsäcker über seinen Parteieintritt und die Mitgliedschaft in der SS: »Es verstand sich von selbst, dass ich die beiden Ernennungen nicht ablehnen konnte, ohne meine selbstgewählte Aufgabe alsbald wieder preiszugeben … Ich war in meine Stellung gekommen, nicht weil ich mit der Partei verbunden gewesen wäre, sondern obwohl ich mit ihr bis dahin nichts zu tun hatte.« Die Ernennungen seien ein gerechtfertigtes »Opfer« gewesen, um »den Frieden zu bewahren«.[170]

Unzutreffend daran ist nur eine Nuance: Dass es Weizsäcker nicht um die grundsätzliche Bewahrung des Friedens, sondern um die Verhinderung eines Krieges ging, der den Bestand des Reiches gefährdete. Seine Kernaussage aber unterstreicht, wie eng mittlerweile ein herausgehobenes Staatsamt und ein Rang in der Partei und ihren Organisationen miteinander verflochten waren. Die Parteimitgliedschaft war zur Voraussetzung für einen diplomatischen Schlüsselposten geworden, so wie umgekehrt die Diplomatenkarriere eine Mitgliedschaft in Partei und SS zur Folge hatte.

Neben Weizsäcker gelang auch Ernst Woermann durch den Ministerwechsel ein Karrieresprung. Woermann war Ribbentrops Vertreter an der Londoner Botschaft gewesen und gehörte zu jenen Berufsbeamten, an denen sich beispielhaft die Verflechtung der unterschiedlichen Entwicklungsstränge zeigen lässt. 1918 als Attaché in den Auswärtigen Dienst eingetreten, war Woermann bis zum Dezember 1937 parteilos geblieben. Dennoch muss Ribbentrop großes Vertrauen in seinen Londoner Botschaftsrat gesetzt haben, für den er persönlich bei Heß die Zustimmung zur Ernennung zum Ministerialdirektor einholte.[171] Woermann, dem die Amtsbezeichnung eines Unterstaatssekretärs beigegeben wurde, oblag ab dem 1. April 1938 die Leitung der Politischen Abteilung. Auch in seinem Fall hatte Ribbentrop ein gesteigertes Interesse an einer Mitgliedschaft in der SS, die – wie bei Weizsäcker – am 20. April 1938 wirksam wurde.

Von Ribbentrops Berufung zum Außenminister profitierten jedoch vor allem Mitarbeiter seiner Dienststelle. Alle 74 Referenten, die er zum Jahresende 1937 beschäftigt hatte, waren Parteimitglieder oder Parteianwärter. 28 von ihnen wechselten in das Auswärtige Amt, darunter 20 Angehörige der SS. Dazu zählten Walther Hewel, Paul Karl Schmidt und Horst Wagner, die noch im Laufe des Jahres 1938 in den Auswärtigen Dienst übernommen wurden und in späteren Jahren Schlüsselfunktionen in der Vernichtungspolitik übernahmen. Vier Mitarbeiter der Dienststelle, die Ribbentrop 1938/39 in das Auswärtige Amt übernahm, waren Mitglieder der SA, darunter Martin Luther, der spätere Leiter des Sonderreferats Partei, sowie Gustav Adolf Baron Steengracht von Moyland, der 1943 die Nachfolge Weizsäckers antrat. Da Ribbentrop den Personalbestand des Auswärtigen Amts von 2 665 Mitarbeitern (1938) auf 6 458 (1943) aufstockte, stellten die ehemaligen Referenten seiner Dienststelle höchstens einen Anteil von etwa fünf Prozent am Gesamtpersonal des höheren Dienstes. Da sie zudem nicht schlagartig, sondern sukzessive in den Auswärtigen Dienst übertraten, gab es kein größeres Revirement, das es rechtfertigen würde, den Wechsel von Neurath zu Ribbentrop als Zäsur zu bezeichnen. Überdies fehlte den Referenten der Dienststelle jegliche juristische, verwaltungspraktische und außenpolitische Qualifikation, um Leitungsposten im Auswärtigen Dienst zu übernehmen. Deshalb blieben die Schlüsselpositionen einstweilen mit spezialisierten Berufsdiplomaten besetzt, von denen Ribbentrop ein Weiterfunktionieren in seinem Sinne erwarten konnte.

Das galt auch und vor allem für die Diplomaten im Referat Deutschland, die auszutauschen Ribbentrop nicht für notwendig hielt. Erst im Laufe des Jahres 1938 wurde dieses Referat umstrukturiert. Ausschlaggebend dafür waren keine inhaltlichen Differenzen; vielmehr musste Referatsleiter Bülow-Schwante die Konsequenz aus einer protokollarischen Panne ziehen, die ihm in seiner zusätzlichen Funktion als Protokollchef (seit 1936) während der Italienreise Hitlers unterlaufen war. Er wurde im Sommer nach Brüssel »wegbefördert«; um ihn »angemessen« zu entschädigen, wurde die dortige Gesandtschaft zu einer Botschaft erhoben.[172] Seine Nachfolge im Deutschlandreferat übertrug Ribbentrop kommissarisch dem langjährigen stellvertretenden Referatsleiter Hinrichs und ab September 1939 dem dort tätigen »Judenreferenten« Schumburg. Zum Leiter des Sonderreferats Partei, das als Verbindungsglied zwischen Auswärtigem Amt und NSDAP-Dienststellen fungierte, ernannte Ribbentrop seinen Vertrauensmann Luther.

Bülow-Schwantes Nachfolge in der Protokollabteilung trat der Berufsdiplomat Alexander Freiherr von Dörnberg zu Hausen an, der Ribbentrops Legationssekretär in London gewesen war und zu den Duzfreunden des neuen Ministers zählte. Erst im April 1938 zum Legationsrat berufen, sollte der designierte Protokollchef mit seiner Ernennung zum Vortragenden Legationsrat nun sogar eine Besoldungsstufe überspringen – ein Vorhaben, dem die Parteikanzlei ihre Zustimmung nicht ohne Irritation über die »außergewöhnlich schnelle Beförderung des Freiherrn von Dörnberg« erteilte.[173] Den Nachweis seiner Befähigung konnte Dörnberg bald darauf erbringen: bei den Deutschlandbesuchen des britischen Premiers Neville Chamberlain sowie bei der Organisation und Durchführung der Münchener Konferenz.

Zu den ersten Personalmaßnahmen des neuen Ministers gehörte die Ernennung Wilhelm Kepplers zum Staatssekretär zu besonderer Verwendung. Keppler, seit Mai 1927 Mitglied der NSDAP und seit März 1933 in der SS, genoss gleichermaßen das Vertrauen Hitlers, Himmlers und Ribbentrops. Vor der Machtübernahme hatte Keppler in Wirtschafts- und Finanzkreisen um Unterstützung für die NSDAP geworben. Seit 1936 unterstand ihm in der von Göring geleiteten Behörde zur Durchführung des Vierjahresplanes die Abteilung zur Beschaffung kriegswichtiger Rohstoffe. In dieser Funktion war er zum Reichsbeauftragten für Österreich ernannt und dem Auswärtigen Amt angegliedert worden. Neu in die Spitzengruppe befördert wurden die Karrierediplomaten Altenburg, Bismarck, Clodius und Wiehl, die bis in das letzte Kriegsjahr hinein auf zentralen Posten verblieben. Die letzte, freilich bedeutsame Personalveränderung bestand in der Entsendung von Personalchef Prüfer, dem Vertrauensmann Bohles, als Botschafter nach Rio de Janeiro; seine Stelle übernahm im April 1939 der aus Shanghai zurückgekehrte Kriebel.

Der Leiter der Auslandsorganisation der NSDAP (AO), Gauleiter Bohle, konnte nach der Vorgeschichte um seine Berufung in das Auswärtige Amt kaum darüber im Zweifel sein, dass er seine Machtstellung unter dem neuen Minister verlieren würde. Mit Erfolg bemühte sich Ribbentrop um Hitlers Zustimmung, die erst kurz zuvor gebildete Ortsgruppe Auswärtiges Amt der Auslandsorganisation auflösen zu dürfen, und bereits im Mai 1938 erging ein entsprechender Tagesbefehl Hitlers, mit dem Bohle de facto entmachtet wurde. Fortan unterstanden der Reichsminister und die Staatssekretäre nicht mehr der AO, sondern der Sektion Reichsleitung der NSDAP. Die Missionschefs wurden der Ortsgruppe Braunes Haus zugeordnet und die Inlandsbeamten den Ortsgruppen, in denen sie ihren Wohnsitz hatten. Nur die Auslandsbeamten verblieben in den Ortsgruppen der Auslandsorganisation.[174]

Dennoch machte sich Bohle weiterhin Hoffnungen – stand er doch nach wie vor an der Spitze der weltumspannenden Vereinigung der Reichsdeutschen im Ausland, die er für die Zwecke der Kriegführung einzusetzen gedachte. Die Macht des Heß-Protegés war freilich, wie sich schnell erweisen sollte, begrenzt; die Politik mit den im Ausland lebenden »Volksdeutschen« wurde von der Volksdeutschen Mittelstelle betrieben, einem Hauptamt der SS, das später auch für die Angehörigen der deutschen Minderheiten in den eroberten Ländern zuständig war. Die von Bohle im Ausland organisierten Propagandaauftritte im Stil der heimischen Aufmärsche hingegen riefen in den betroffenen Ländern Misstrauen und Furcht vor einer »Fünften Kolonne« hervor, was wiederum in der Wilhelmstraße für Verstimmung sorgte.[175]

Tatsächlich war die Furcht vor einer subversiven Tätigkeit der Landesgruppen der AO nicht unbegründet. Die Mitglieder sammelten militärisch, wirtschaftlich und politisch relevante Daten in ihrem jeweiligen Gastland und übermittelten sie dem Wehrmachtamt Ausland/Abwehr sowie dem Sicherheitsdienst der SS. Außerdem bauten sie einen eigenen Nachrichtendienst auf; die Aufdeckung spektakulärer Spionagefälle in neutralen Ländern wie Argentinien oder verbündeten Staaten wie Italien brachte die Reichsregierung wiederholt in Erklärungsnot und sorgte für Irritation auf dem internationalen Parkett, was die Kluft zwischen Staatssekretär Bohle und dem Auswärtigen Amt weiter vertiefte.[176]

Mit dem Englandflug von Heß verlor Bohle im Mai 1941 nicht nur seinen wichtigsten Gönner; er musste sich auch vehement gegen den Verdacht zur Wehr setzen, er habe von der Aktion gewusst. Eine indirekte Folge war seine Entbindung von allen Dienstgeschäften am 27. November 1941 »auf eigenen wie auf Wunsch des Außenministers«. Bohle schied aus dem Auswärtigen Amt aus, durfte jedoch den Titel eines Staatssekretärs im Auswärtigen Amt bis zum Ende behalten. Ribbentrops Rechnung, die AO von Bohle übernehmen zu können, ging allerdings nicht auf, der Verband blieb auf Hitlers Weisung vom Auswärtigen Amt unabhängig.[177]

Einen neuen Gönner fand Bohle in Heinrich Himmler, der ihn bereits 1936 in die SS aufgenommen hatte und am 21. Juni 1943 zum SS-Obergruppenführer ernannte. Himmler schätzte vor allem Bohles Expertise in Kolonialfragen, für die sich der Reichsführer-SS brennend interessierte. Auch zu Goebbels pflegte Bohle ein freundschaftliches Verhältnis. Nach dem Vorbild des Propagandaministeriums baute er ein eigenes Reichspropagandaamt Ausland in der AO auf, das 40 Parteiblätter im Ausland und im Inland die Illustrierte *Deutsches Wollen* herausgab.[178]

Ähnlich überschaubar wie die Wechsel und Übernahmen blieben auch die Entlassungen des Jahres 1938. Im November scheiterte Ribbentrop mit dem Versuch, den Quereinsteiger Sahm zu entlassen, der sich als Gesandter in Oslo den Respekt der Norweger erworben hatte. Sahm, den die »wie ein Blitz aus heiterem Himmel kommende Nachricht nicht gerade angenehm überraschte«, führte unter Berufung auf die 1935 mit ihm ausgehandelte Absprache daraufhin Beschwerde bei Hitler: Seine Versetzung in den Ruhestand nach nur zweieinhalb Jahren verstoße »gegen den Geist der Abmachung«. Hitler lehnte eine Entlassung Sahms ab und befahl, »die Angelegenheit zurückzustellen« – eine Entscheidung, die durch Sahms Tod im Oktober 1939 hinfällig wurde.[179]

Alles in allem waren die von Ribbentrop betriebenen Personalmaßnahmen deutlich vom Willen zur Kontinuität geprägt. Quantitativ fielen die Neueinstellungen kaum ins Gewicht, und da die Referenten der Dienststelle nur auf nachgeordnete Positionen wechselten, nahmen sich die Veränderungen auch in qualitativer Hinsicht eher bescheiden aus. Der »Gesamteindruck, den das Revirement im Auswärtigen Dienst, im Diplomatischen Korps und in der in Berlin vertretenen Auslandspresse hervorgerufen« habe, so fasste es der Ribbentrop-Vertraute Likus zusammen, sei der, dass offenbar »keine Experimente in der Personalpolitik des Auswärtigen Amtes vorgenommen werden sollen«. Dies werde als »Zeichen dafür angesehen, dass der Führer auch auf außenpolitischem Gebiet sich noch allerhand vorgenommen habe und deshalb zur Zeit nicht wünscht, dass innerpolitischen Strömungen (von der Partei her) in der deutschen Diplomatie Rechnung« getragen werde.[180] Ein hohes Maß an personeller Kontinuität als Voraussetzung für die erwarteten nächsten außenpolitischen Schritte: Das Auswärtige Amt funktionierte in der Tat auch weiterhin nur, weil erfahrene und spezialisierte Fachbeamte, sei es aus politischer Überzeugung, aus Opportunismus oder traditionellem Pflichtgefühl, seine Leistungsfähigkeit sicherstellten. Wenn man berücksichtigt, dass die Selbstgleichschaltung des Auswärtigen Amts bereits mit der Machtübertragung an Hitler eingesetzt hatte, markierten Ribbentrops Ernennung sowie die von ihm vollzogenen Personalmaßnahmen nicht den Anfang, sondern den Abschluss der Gleichschaltung.

Wien, München, Prag

Seit dem gescheiterten Putsch der österreichischen Nationalsozialisten im Juli 1934 schwelte zwischen Berlin und Wien eine Krise, die Hitler im Januar 1938 zur Eskalation brachte. Papen hatte ein Treffen zwischen dem Führer und dem österreichischen Bundeskanzler Kurt Schuschnigg vermittelt, das am 12. Februar 1938 in Berchtesgaden stattfand. Schuschnigg wurde ultimativ gezwungen, seine Unterschrift unter ein Abkommen zu setzen, das die Nationalsozialisten an der österreichischen Regierung beteiligte. Am 12. März, einen Tag nach dem Rücktritt Schuschniggs, der im letzten Moment versucht hatte, die Unabhängigkeit seines Landes durch ein anberaumtes Plebiszit zu retten, marschierten deutsche Truppen in Österreich ein. Am 15. März verkündete Hitler auf dem Wiener Heldenplatz den »Anschluss« Österreichs an das Reich. Weizsäcker, der mit Ribbentrop nach Wien gereist war, erschien der Tag als »der bemerkenswerteste seit dem 18. Januar 1871«, dem Tag der Proklamation des Deutschen Kaiserreiches.[181]

Der Anschluss war sorgfältig vorbereitet worden. Zur Einholung des italienischen Placets war Philipp Prinz von Hessen nach Rom gereist, der als Schwiegersohn des italienischen Königs bereits mehrere diskrete Missionen unternommen hatte. In Wien hatte SS-Gruppenführer Keppler die Aktion per Telefon mit Göring koordiniert. Ribbentrop, der in London seine Koffer packte, hatte gemeldet, dass England gegen die »Heimkehr« Österreichs nicht in einen Krieg ziehen würde. Hitler hatte ihn bewusst nicht zurückbeordert, sondern den Routinier Neurath mit der Abwicklung in Berlin betraut. Das Auswärtige Amt war zu jedem Zeitpunkt in die Vorbereitung und den Vollzug der Aktion involviert und unterrichtete seinerseits fortlaufend die Reichskanzlei; nicht zuletzt trat die Wilhelmstraße dem Protest der Westmächte mit beruhigenden Zusicherungen entgegen.[182] Und das Auswärtige Amt profitierte: Zwar blieb österreichischen Spitzendiplomaten die Übernahme in den Reichsdienst verwehrt, aber etwa 15 Beamte aus der unteren und mittleren Ebene des höheren Auswärtigen Dienstes sowie mehr als hundert Beamte und Angestellte aus dem mittleren und einfachen Dienst Österreichs wurden in den Auswärtigen Dienst des Reiches übernommen; zudem wurde eine größere Anzahl neuer Planstellen geschaffen.[183]

Nur zwei Wochen nach dem Anschluss wandte sich Hitler seinem nächsten Ziel zu, der Tschechoslowakei. Am 30. Mai kündigte er den Spitzen aus Partei, Staat und Wehrmacht seinen Entschluss an, »die Tschechoslowakei in absehbarer Zeit durch eine militärische Aktion zu zerschlagen«.[184] Diese Drohung rief führende Militärs auf den Plan, die einen Krieg fürchteten, der, wie der Generalstabschef des Heeres Ludwig Beck formulierte, »nach menschlicher Voraussicht mit einer nicht nur militärischen, sondern auch allgemeinen Katastrophe für Deutschland endigen wird«.[185] Auch Staatssekretär Weizsäcker suchte den Sommer über mit diplomatischen Mitteln eine Entwicklung zu verhindern, die seiner Überzeugung nach in einer Katastrophe für Deutschland enden musste. Um Hitler zum Einlenken zu bewegen, veranlasste er zum Beispiel Botschafter Dirksen in London, seine Berichte so abzufassen, dass einerseits die Bereitschaft Englands, die Sudetenfrage im Rahmen einer friedlichen Regelung durch territoriale Zugeständnisse beizulegen, andererseits die Entschlossenheit der Briten zum Krieg hervorgehoben wurde.[186] Die Bemühungen oppositioneller Kreise, eine unmissverständliche Warnung Londons zu erwirken, blieben jedoch ebenso erfolglos wie der Versuch, Hitler von seinem Kriegskurs abzubringen.

Um den Frieden zu retten, flog der britische Premier Neville Chamberlain am 15. September nach München und traf sich eine Woche später noch einmal mit Hitler in Bad Godesberg. Auf der Münchener Konferenz am 29. September 1938 gingen Chamberlain und Frankreichs Regierungschef Edouard Daladier auf Hitlers Forderungen ein und stimmten der Abtretung der Sudetengebiete an das Deutsche Reich zu. Der Entwurf des Abkommens war von Weizsäcker, Neurath und Göring erarbeitet und als Vermittlungsvorschlag Mussolinis in München unterbreitet worden. Die Zerschlagung der Tschechoslowakei war damit allerdings nur aufgeschoben. Am 16. März 1939 verkündete Hitler auf dem Hradschin die Errichtung des Protektorats Böhmen und Mähren. Um die etwa 120 000 im Ausland lebenden »Protektoratsangehörigen« zu betreuen, wurden die konsularischen Vertretungen des Reiches ermächtigt, »sich bei dringender Notwendigkeit der Mitarbeit einzelner vertrauenswürdiger Angehöriger der bisherigen tschecho-slowakischen Konsularvertretungen unter wirksamer Überwachung vorübergehend zu bedienen«.[187] Später sollte Abhilfe durch Aufstockung entsprechender Planstellen geschaffen werden.

Das Amt des Reichsprotektors in Prag übernahm Neurath, dessen Reputation die gewaltsame Unterjochung allerdings nur schlecht camouflieren konnte. Weizsäcker räumte zwar ein, dass das Vorgehen gegen die Tschechoslowakei »international auf unser Minuskonto geschrieben wird«. Wichtiger war ihm aber die Erkenntnis, dass dadurch das Reich schlagartig als Machtfaktor aufgewertet werde. Was die Tschechen anging, zeigte er wenig Rührung: »Angenehm seien sie nie, außerhalb der Reichsgrenzen die Laus im Pelz, innerhalb die Krätze unter der Haut.«[188] Unter dem Strich zählte für ihn vor allem, dass die Expansion möglich gewesen war, ohne dass es zu dem von ihm befürchteten großen Krieg gekommen war.

Auf dem Höhepunkt der Krise hatte Weizsäcker mehrfach seine Demission angeboten. Nach dem Krieg erklärte er, mit seinen Rücktrittsdrohungen habe er seinen »Ratschlägen Nachdruck zu verleihen« versucht.[189] Weizsäcker sah sich offenbar in einem ähnlichen »Loyalitätskonflikt«, wie ihn Bülow bereits 1933 durchlebt hatte: Seine prinzipielle Zustimmung zur Großmachtpolitik Hitlers kollidierte mit stiller Resignation vor der risikoreichen Methode. Weizsäcker habe »ganz klar« ausgesprochen, notierte Hassell nach einem vertraulichen Gedankenaustausch in seinem Tagebuch, »dass mit der Tschechensache der Niedergang begonnen habe«.[190]

Und wieder legte Hitler nach. Eine Woche nach dem Einmarsch in Prag verlangte er von Polen die Rückgabe Danzigs und des Korridors. Das Auswärtige Amt war stärker noch als in den beiden zurückliegenden Krisen involviert. Im April 1939 glaubte Weizsäcker in einem Gespräch mit dem sowjetischen Botschafter erste Indizien dafür erkennen zu können, dass eine Abgrenzung der deutsch-sowjetischen Interessen in den Augen Stalins vorteilhafter schien als ein gegen die Deutschen gerichtetes Bündnis, für das die Westmächte in Moskau warben. Im Sommer ergriff Berlin die Initiative: Am 14. August wies Ribbentrop den deutschen Botschafter in Moskau an, ein Gespräch über die bilateralen Beziehungen anzubieten, in dem es auch um die Abgrenzung der Interessensphären gehen sollte. Am 23. August unterzeichnete Ribbentrop in Moskau den deutsch-sowjetischen Nichtangriffspakt.

Weizsäcker hatte die deutsch-sowjetische Annäherung aus Überzeugung unterstützt; es müsse unbedingt »Sand in das Getriebe der englisch-französisch-sowjetischen Verhandlungen« gestreut werden, um »die Gefahr einer völligen deutschen Einkesselung« zu verhindern.[191] Dass eine Einigung mit Moskau möglich war, hielt er allerdings für ausgeschlossen, es schien ihm auch nicht wünschenswert. Vielmehr wollte er die Sowjetunion in einer »Schwebelage« zwischen Deutschland und den Westmächten halten, nicht zuletzt um die Aussichten auf eine Revision der deutsch-polnischen Grenze zu verbessern.[192] Seine Hauptsorge galt allerdings nach wie vor einem großen Krieg. Um einen solchen zu verhindern, suchte er über verschiedene diplomatische Kanäle zu erreichen, dass England auf nicht öffentlichem Weg seine unmissverständliche Kriegsbereitschaft für den Fall einer militärischen Aktion Deutschlands gegen Polen erklärte. Bei diesen Versuchen stützte Weizsäcker sich vor allem auf Erich Kordt, der inzwischen das Ministerbüro Ribbentrops leitete, und dessen Bruder Theo, der als Botschaftsrat in London diente. Flankiert wurden die Vorstöße durch Weizsäckers Bemühungen um eine Neutralisierung Italiens.

Als alle Initiativen am unverkennbaren Kriegswillen Hitlers (und Ribbentrops) scheiterten, zog Weizsäcker allerdings keine Konsequenzen. Zwar bot er am Vorabend des Krieges noch einmal seinen Rücktritt an, verweigerte seine Mitarbeit jedoch auch in der Folgezeit nicht.[193] Als Begründung lieferte Weizsäcker nur wenige Monate nach Kriegsende eine Rechtfertigungsformel nach, die seine Selbsttäuschung deutlich zum Ausdruck brachte: »Denen, die Hitler durchschauten«, werfe man vor, »sie hätten den Dienst verlassen müssen«. Dieser Vorwurf entbehre allerdings jeder Grundlage, »gerade als ob auf einem Schiff in Seenot die Mannschaft unter Deck geht, wenn sie merkt, dass der Kapitän ein Irrer ist!« Er selbst »habe wiederholt gegenüber sachlichen Zumutungen« mündlich und schriftlich um seinen Abschied gebeten. »Dass Hitler ihn verweigerte«, habe Weizsäcker sodann »auf die Bahn der Pflicht« zurückgeführt. Und er »diente ja nicht Hitler«, so schrieb er 1945, »sondern der Idee des Friedens«.[194]

1939, nach sechseinhalb Jahren nationalsozialistischer Herrschaft, dürfte für Weizsäcker freilich kein Zweifel bestanden haben, wohin ihn dieses widersinnige Dienstverständnis bereits geführt hatte. Der »ganze Kreis um Weizsäcker zeigt auf die Dauer immer mehr, dass er im Grunde schwach und beeindruckbar ist. Etwas, das nach Handeln schmeckt, ist von dort nicht zu erwarten«, notierte Hassell mit Verbitterung.[195] Der in den Ruhestand verabschiedete Botschafter hatte sich unter dem Eindruck des immer deutlicher hervortretenden Kriegskurses vom Sympathisanten zum aktiven Gegner des Regimes gewandelt. Mit seiner Kritik stand Hassell unter den einstigen Kollegen jedoch ziemlich allein.

Alte und neue Diplomaten

»Nun sind wir im Kampf. Gebe Gott, dass nicht alles, was gut und wertvoll ist, dabei vollends zugrunde geht. Je kürzer er dauert, je besser.« So schrieb Ernst von Weizsäcker fünf Tage nach Ausbruch des Krieges, den er hatte verhindern wollen. Am zweiten Tag des Polenfeldzugs war sein zweitältester Sohn gefallen, was Weizsäckers Stimmung zusätzlich verdüsterte. Obwohl er davon überzeugt war, dass der Nationalsozialismus die Existenz des Reiches gefährde, weil »die Gegner mit Adolf Hitler und mit H[errn] v[on] Ribbentrop keinen Frieden schließen werden«, hielt er an der Vorstellung vom machtpolitischen Aufstieg Deutschlands fest.[1] Es war das gleiche Dilemma, dem sich auch die nationalkonservative Opposition um Beck, Goerdeler und Hassell ausgesetzt sah: Das Reich sollte dauerhaft als europäische Hegemonialmacht etabliert werden, aber dieses Ziel war nur um den Preis einer verbrecherischen Politik zu haben.

In dem Maße, in dem die Aufgaben der klassischen Diplomatie unter den Bedingungen des Krieges an Bedeutung verloren, ging auch der Einfluss der alten Diplomaten zurück. Bereits eine kurz nach Ribbentrops Amtsantritt angefertigte Denkschrift hatte von der Heranbildung eines »neuen Diplomatentyps« gesprochen. »Klare nationalsozialistische Grundsätze« hätten den künftigen Diplomaten zu leiten, der vor allem über drei Eigenschaften verfügen müsse: »Willensstärke, Charakterfestigkeit und diplomatisches Geschick«. Rekrutiert werden sollte der Nachwuchs vornehmlich unter den Absolventen der Ordensburgen, SS-Führerschulen und Nationalpolitischen Erziehungsanstalten (Napola). Nach der Ausbildung in diesen Eliteschulen des NS-Staates, in denen Gemeinschaftsgeist, weltanschauliche Gläubigkeit und blinder Gehorsam gelehrt wurden, hatten sich die Attachés auch in der diplomatischen Ausbildung »von fruchtloser Theorie fernzuhalten und den festen Boden der Wirklichkeit nie zu verlassen. Frei von persönlicher Eitelkeit müssen sie in den Erfolgen des Führers die beste Anerkennung für ihre eigene Arbeit sehen.« Neben der Ausbildung im praktischen Dienst des Auswärtigen Amts und der Vertiefung der Sprachkenntnisse sollten im Vordergrund der Ausbildung in erster Linie »weltanschauliche und geschichtliche Vorträge« stehen.[2]

Ein Schwerpunkt der zukünftigen Diplomatenausbildung hatte auch auf der »Erhaltung der körperlichen Elastizität« zu liegen, die vor allem »im Reiten, Fechten, Schwimmen, Schießen« weiterzubilden sei.[3] Ähnlich der soldatischen, sollte auch die diplomatische Ausbildung kaserniert werden und in einem Nachwuchshaus stattfinden, für das im Dezember 1939 Richtfest gefeiert wurde. Bei der architektonischen Gestaltung sei Wert darauf gelegt worden, »Straffheit und soldatische Strenge« zum Ausdruck zu bringen, ohne auf künstlerische Wärme zu verzichten, wie es ein Bildband des Amtes hervorhob.[4] In der Tat glich das im Berliner Tiergarten gelegene Haus mit seinen Gemeinschaftsschlafräumen, dem Flaggenhof und dem Krankenbehandlungszimmer eher einer militärischen Anlage. »Vornehmste diplomatische Eigenschaften« der Zukunft seien »Verantwortungsfreudigkeit und Initiative«; deshalb sollte jeder angehende Diplomat zu dem »rein militärischen Grundsatz erzogen werden, dass Unterlassen und Versäumnis ihn schwerer belasten, als ein Fehlgreifen in der Wahl der Mittel«.[5] Wo Entschlussfreudigkeit und Initiativkraft über Intellekt und Besonnenheit triumphierten, ließ sich die Hauptaufgabe, welcher der Diplomat im »Weltanschauungskrieg« gerecht werden musste, nur unschwer erkennen: Nicht mehr Repräsentant des Staates sollte er sein, sondern Vorkämpfer einer Ideologie, die auf Eroberung und Vernichtung abzielte.

Die Ausbildungsziele zeigen, wie aus schleichender Erosion immer stärker eine systematische Auflösung der Grenzen zwischen allgemeiner Verwaltung, Partei- und Sicherheitsapparat wurde. Diese Entwicklung betraf nicht nur den Auswärtigen Dienst; so wurden parallel erstmals gemeinsame Ausbildungsrichtlinien für Angehörige der Sicherheitspolizei und des SD erlassen, die zu einer Verschmelzung von SS und Polizei führen sollten.[6] Die Entgrenzung von Kompetenzen und Zuständigkeiten sollte einen Diplomatentypus fördern, der über ein Höchstmaß an Improvisationsfähigkeit verfügte, um sich jeweils veränderten Situationen anpassen zu können. Die »Hauptaufgabe des künftigen Diplomaten« sei »das dauernde Vorausdenken. Das wird ihn am besten befähigen, in jeder an ihn herantretenden Lage zweckmäßige Anordnungen und Maßnahmen zu treffen«, lautete der Schlüsselsatz, in dem sich das neue Aufgabenprofil andeutete.[7]

Auf diese »neue Diplomatie« steuerte die Wilhelmstraße mit einer Beamtenschaft zu, die zum Großteil dem Auswärtigen Dienst des Kaiserreiches und der Weimarer Republik entstammte. Von den 49 Personen, die bei Kriegsbeginn der Leitungsebene angehörten, waren 41 bereits vor 1933 in den Auswärtigen Dienst eingetreten, 23 sogar schon im Kaiserreich. Bemerkenswert ist freilich, wie sich »alte« und »neue« Diplomaten verteilten. Während von den drei Staatssekretären nur Weizsäcker *vor* 1933 in den Auswärtigen Dienst eingetreten war, gab es unter den sieben Abteilungsleitern des Amtes nur einen, der *nach* 1933 hinzugekommen war: Hermann Kriebel, der Leiter der Personalabteilung. Auf den Auslandsposten war diese Tendenz noch deutlicher: Nur vier Missionschefs waren in der Zeit des Dritten Reiches in den Auswärtigen Dienst eingetreten, 20 bereits im Kaiserreich, sieben in der Weimarer Republik.

Gegenüber dem Jahresende 1937, dem Zeitpunkt vor dem Ministerwechsel, war zum 1. September 1939 der Anteil der NSDAP-Mitglieder in der Spitzengruppe von 56 auf rund 75 Prozent gestiegen; der Anteil von SA- oder SS-Mitgliedern von etwa 12 auf 25 Prozent. Dieser augenfällige Anstieg war nicht etwa das Ergebnis von Übertritten aus Ribbentrops Dienststelle in das Auswärtige Amt. Neu im Dienst waren lediglich Staatssekretär Keppler und Botschafter Ott; sieben Karrierediplomaten waren hingegen in die umorganisierte und vergrößerte Spitzengruppe aufgestiegen. Nur vier Spitzendiplomaten von 1937 gehörten im September 1939 nicht mehr dem Auswärtigen Dienst an: die erklärten Ribbentrop-Gegner Neurath und Hassell, Friedrich von Keller, der Botschafter in Ankara, der das reguläre Pensionsalter erreicht hatte, und Eugen Rümelin, der Gesandte in Sofia, ein Corpsbruder Bohles, der möglicherweise wegen dieser Verbindung von Ribbentrop abberufen wurde.

Der Anstieg von Parteimitgliedschaften unter den Spitzendiplomaten ging vor allem auf NSDAP-Beitritte der altgedienten Laufbahnbeamten zurück. Nicht immer handelte es sich dabei um freie Entschlüsse. Im Falle Karl Ritters beispielsweise, der Ende 1937 zum Botschafter in Rio de Janeiro berufen worden war, ging die Initiative von Bohle aus. Auf seinen

Vorschlag und mit Zustimmung Ribbentrops erhielt der NSDAP-Landesgruppenleiter in Brasilien den Auftrag,»Herrn Dr. Ritter die Einreichung
eines Aufnahmegesuches anheim zu stellen«.[8] Das Begleitschreiben, das
der Landesgruppenleiter zusammen mit dem Aufnahmeformular an
Ritter weiterleiten sollte, war ein beredtes Zeugnis der neuen politischen
Realität. Bohle brachte seine Befriedigung darüber zum Ausdruck,»wie
sehr Sie in den vergangenen Monaten unter Einsatz Ihrer ganzen Person
die Belange unserer Bewegung in Brasilien wahrgenommen haben. In
Anerkennung Ihres Wirkens habe ich daher die Absicht, Sie als Mitglied
in die N.S.D.A.P. zu berufen. Der Herr Reichsminister des Auswärtigen
hat hierzu seine Zustimmung erteilt. Es sollte mich freuen, wenn Sie sich
entschließen würden, Ihre innere Zugehörigkeit zur Bewegung auf diese
Weise auch äußerlich zum Ausdruck zu bringen.«[9] Der Parteieintritt von
Botschafter Ott in Tokio hatte eine ähnliche Vorgeschichte.

In anderen Fällen ging die Initiative von den Diplomaten aus: Oswald
Freiherr von Hoyningen-Huene, Gesandter I. Klasse in Lissabon, beantragte aus eigenem Entschluss die Aufnahme in die NSDAP. Wenngleich
»eine Sonderbehandlung« für den Gesandten »natürlich nicht in Betracht kommen« könne, schrieb die Auslandsorganisation aus Berlin an
den zuständigen Landesgruppenleiter nach Lissabon, so sei Hoyningen-
Huene doch »entgegenkommend gegenüberzutreten«.[10] Karrieredenken
und politischer Opportunismus, verbunden mit Druck von oben, veranlassten eine ganze Reihe von Spitzendiplomaten in den letzten Friedens-
monaten, der NSDAP beizutreten.

Zwischen 1933 und 1939 hatte der Personalbestand des höheren Diens-
tes um etwa ein Drittel zugenommen: von 436 Beamten (1933) auf 596
Beamte (1939). Schätzungsweise etwa 30 hatten eine Verbindung zur
NSDAP-Auslandsorganisation; sie kamen zum Teil auf Initiative von
Bohle in den Dienst, zum Teil handelte es sich um Berufsdiplomaten, die
sich im Ausland der Auslandsorganisation zur Verfügung stellten. Wie
Bohle selbst waren die allermeisten der hauptamtlichen Mitarbeiter der
Auslandsorganisation zugleich Angehörige der SS. Auch Ribbentrop
förderte seit seiner Ernennung zum Außenminister gezielt die Verflech-
tung zwischen Diplomatie und SS. Zu diesem Zweck holte er seinen
Schulfreund und engsten Mitarbeiter Rudolf Likus in den Auswärtigen
Dienst, der bereits in der Dienststelle als Verbindungsmann zum SS-
Hauptamt und zum Reichsführer-SS fungiert hatte. Der Wechsel von

Likus gehöre »zu den besonderen Reorganisationsmaßnahmen des Auswärtigen Amtes«, hieß es in dem Begründungsschreiben an die Reichskanzlei.[11]

Der allmähliche Übergang des Auswärtigen Amts zur »neuen Diplomatie« lässt sich gut am Beispiel der Attachés dokumentierten. Auf der Nachwuchsebene vermochte die SS ihren Einfluss auch deshalb am schnellsten und umfassendsten durchzusetzen, weil Effizienz und Sachverstand der alten Eliten das reibungslose Funktionieren der Gesamtbehörde garantierten. Im November 1941, auf dem Höhepunkt der Machtentfaltung des Dritten Reiches, schrieb Karl Wolff, der Chef des Persönlichen Stabes von Heinrich Himmler, an Werner Best, der sich intensiv mit der Führungs- und Nachwuchsfrage im RSHA befasst hatte: »Wie Sie wissen, wünscht der Führer, dass die deutschen Gesandten und Botschafter alten Stils, die heute zum großen Teil das Dritte Reich dem Ausland gegenüber zu vertreten haben, baldmöglichst durch hoch qualifizierte Nationalsozialisten ersetzt werden sollen.«[12]

Die Personalstruktur in den Kriegsjahren

Der Beginn des Krieges am 1. September 1939 bedeutete für das Auswärtige Amt weder eine personelle noch strukturelle Zäsur. Die Einteilung des Amtes in fünf größere und zwei kleinere Sachabteilungen (Personal- und Verwaltungsabteilung, Politische Abteilung, Handels- beziehungsweise Wirtschaftspolitische Abteilung, Rechtsabteilung und Kulturpolitische Abteilung sowie Nachrichten- und Presseabteilung und Protokoll) blieb während des gesamten Krieges bestehen. Weder der Beginn des Feldzugs gegen Polen noch der Kriegseintritt Großbritanniens und Frankreichs erforderten eine generelle Neuausrichtung. Entscheidende Veränderungen, die Organisation und vor allem Personal betrafen, waren bereits unter Neurath vorgenommen worden. In unmittelbarer Vorbereitung auf den Krieg waren dann im Juli 1938 das Referat Pol. Ia in der Politischen Abteilung errichtet worden, das unter anderem die Mobilmachungsmaßnahmen für die Auslandsdeutschen koordinierte, und die im August 1939 gegründete Informationsabteilung, deren Selbstständigkeit allerdings nur von kurzer Dauer war. Einen Monat nach dem deutschen Angriff auf Polen, am 9. Oktober 1939, übernahm Botschafter Karl Ritter die Leitung aller mit dem Wirtschaftskrieg zusammenhängenden Aufgaben. Er blieb ohne eigenen größeren Apparat, konnte aber auf die einzelnen Abteilungen zurückgreifen. Ribbentrop direkt unterstehend, gehörte Ritter zu jenen Sonderbeauftragten, die während des Krieges wichtige Aufgaben übernahmen und den klassischen Instanzenweg nicht nur im Auswärtigen Amt zunehmend aushöhlten.

Ein großes Revirement, das Ribbentrop nach dem Sieg über Frankreich durchführen wollte, kam nicht zustande, weil Hitler sich dagegen aussprach. Jedoch wuchs im Laufe des Krieges die Bedeutung der Beziehungen zur SS und der Propaganda in einer Art und Weise, die die Struktur des Amtes deutlich veränderte. Durch Zusammenlegung der bisherigen Referate Deutschland und Partei entstand am 7. Mai 1940 die neue Abteilung Deutschland. Sie entsprach dem besonderen Interesse des Außenministers, den Kontakt zur NSDAP und ihren Gliederungen zu pflegen. Die Initiative war von Martin Luther ausgegangen, dem bisherigen Leiter des Referats Partei, der zum Chef der Abteilung Deutschland ernannt wurde. Luther, 1895 in Berlin geboren, Reserveleutnant des Ersten Weltkriegs, »alter Kämpfer«, war über Ribbentrops Frau mit dem späteren Außenminister in Kontakt gekommen und im August 1936 in die Dienststelle Ribbentrop eingetreten. Die persönliche Bindung an seinen Vorgesetzten und dessen Frau bildete eine wichtige Grundlage für Luthers Aufstieg im Amt. Als sich dieses Verhältnis Ende 1941 und verstärkt ab Mitte 1942 abkühlte, wurde Luthers Position zunehmend unhaltbar.

An den Beziehungen zwischen Luther und Ribbentrop sowie zwischen Luther und seinen Untergebenen lassen sich beispielhaft Möglichkeiten und Grenzen persönlicher Beziehungsgeflechte im Nationalsozialismus aufzeigen. Bis Mitte 1941 gelang es Luther, die Abteilung Deutschland weiter auszudehnen und weitgehende Kompetenzen zu erhalten. Fragen der Rassenpolitik und Judenverfolgung wurden im Referat D III der Abteilung Deutschland behandelt.

Bereits während seiner Zeit als Parteiverbindungsmann in Ribbentrops Dienststelle hatte es Luther verstanden, eine Gruppe jüngerer, gebildeter, überwiegend vor 1933 in die NSDAP eingetretener Mitarbeiter um sich zu scharen. Hierzu gehörte insbesondere sein wichtigster Mitarbeiter in der Abteilung Deutschland, Walter Büttner. Luther und Büttner ergänzten sich auch hinsichtlich ihrer Mitgliedschaften in SA und SS: Luther war SA-Brigadeführer, Büttner SS-Sturmbannführer. Mit Manfred Garben, Hans Kramarz, Wolfgang Pusch, Wilhelm Karbatsch und Walter Schultz-Thurmann hievte Luther weitere treue Mitarbeiter in leitende Positionen der Abteilung Deutschland. Darüber hinaus lancierte er Ernennungen in anderen Abteilungen des Auswärtigen Amtes, wie diejenige von Helmut Triska zum Leiter des Referats Kult A in der Kulturpolitischen Abteilung. Im Mai 1941 wurden dieses und ein weiteres Kulturreferat als Referate D VIII und D IX in die Abteilung Deutschland übernommen. Büttner gewann mit Walter Kieser und Gerhard Todenhöfer zwei Studienfreunde für seine Dienststelle. Offensichtlich gelang es, auch Seiteneinsteiger in die Arbeit der neuen Abteilung zu integrieren. Zu dieser Personengruppe, die nicht zum engeren Kreis um Luther zählte, gehörten vor allem die führenden Beamten des für »Judenfragen« zuständigen Referats D III mit ihrem Chef Franz Rademacher an der Spitze, aber auch Rudolf Likus und Werner Picot, den Luther vom Referat Deutschland übernahm. Zeitweilig arbeitete in der Abteilung Deutschland auch der nach dem 20. Juli 1944 hingerichtete Hans Bernd von Haeften, den Weizsäcker als seinen Spion im Luther-Imperium bezeichnete.[13]

Luthers Netzwerk reichte über die ihm unmittelbar unterstellten Referate weit hinaus. Mit Günther Altenburg, dem Leiter der Informationsabteilung, duzte er sich. Mit dessen Nachfolger, Walter Wüster, hatte er in der Dienststelle Ribbentrop zusammengearbeitet. Beide Männer erhielten sich das Wohlwollen Ribbentrops und seiner Frau, indem sie ihnen Luxusgüter für ihren aufwendigen Lebensstil verschafften. Auch mit SS-Gruppenführer Lorenz verband Luther seit gemeinsamen Tagen in der Dienststelle Ribbentrop eine Freundschaft. Nicht minder gut arbeitete Luther mit Otto Abetz, Botschafter in Paris, und Otto Bene, Vertreter des Auswärtigen Amtes in den besetzen Niederlanden, zusammen sowie mit den von ihm mitausgesuchten SA-Gesandten in südosteuropäischen Hauptstädten. Allerdings war Luthers Netzwerk nicht so stark, dass es seine persönliche Bindung an den Minister hätte ersetzen können.

Der von Luther um die Jahreswende 1942/43 angestrengte Putsch, mit dem Ribbentrop als Außenminister entmachtet werden sollte, war nicht etwa Ausdruck der Stärke Luthers, sondern spiegelte vielmehr dessen zunehmenden Bedeutungsverlust aufgrund seiner Entfremdung von Ribbentrop wider. Angetriebenen von seinen jüngeren Mitarbeitern, auf die er sich in seiner seit Mitte 1942 zunehmend defensiven Position immer mehr verlassen musste, wagte er eine Koalition mit der SS, die er bislang auf Distanz zu halten versucht hatte. Hier allerdings zeigte sich, dass sein persönliches Gewicht im Vergleich mit demjenigen Ribbentrops so gering war, dass Himmler die von Luther und Büttner eingefädelte und wohl von Walter Schellenberg, dem Chef der SS-Auslandsspionage, vorsichtig unterstützte Intrige scheitern ließ. Letztlich deckte Himmler seinen SS-Kameraden Ribbentrop, lieferte ihm Luther ans Messer und schickte Büttner sowie Kieser zur Bewährung in Waffen-SS-Einheiten an die Front. Büttner und Kieser, ebenfalls SS-Kameraden, entkamen also mit relativ milden Strafen. Auch der »alte Kämpfer« und SA-Mann Luther wurde nicht hingerichtet; im KZ Sachsenhausen inhaftiert, erfuhr er als prominenter Häftling eine bevorzugte Behandlung.

Aus der Konkursmasse der Abteilung Deutschland entstanden im April 1943 zwei Referatsgruppen, die sich Ribbentrop direkt unterstellte. Gruppe I übernahm die Kontakte zur Partei, Gruppe II die Verbindung zur SS. Während in der Abteilung Deutschland nur das Referat unter Likus und seinem Stellvertreter Picot für die Verbindung zur SS zuständig gewesen war, sollte jetzt eine Referatsgruppe mit zeitweise 55 Mitarbeitern diese Aufgabe erfüllen. Der erweiterte Verbindungsstab entsprach dem Bedeutungszuwachs der SS und der Ausweitung ihrer Tätigkeitsbereiche. Der neue Gruppenchef, Legationsrat Horst Wagner, Jahrgang 1906, war Ribbentrop besonders treu ergeben. Er verdankte ihm praktisch seine gesamte bürgerliche Existenz. Mittellos und ohne berufliche Qualifikation in die Dienststelle Ribbentrop eingetreten, nahm ihn der frisch gebackene Außenminister mit ins Auswärtige Amt. Eng an Ribbentrop gebunden, führte er dort Sonderaufträge aus. Möglicherweise hat Staatssekretär Steengracht, der 1942 die Aushöhlung der Position Luthers mit vorangetrieben hatte, Wagner als Gruppenchef vorgeschlagen. Ribbentrop und Steengracht konnten sicher sein, dass Wagner aus Dankbarkeit und weil ihm eine Hausmacht fehlte, nur begrenzt selbstständig agieren würde. Wagner prosperierte in seiner neuen Position als SS-Verbindungsführer und stieg bis zum Vortragenden Legationsrat und SS-Standartenführer auf. Seine Loyalität gehörte dabei weiterhin – vor der SS – in erster Linie dem Reichsaußenminister. Ein Konflikt, der die doppelte Loyalität auf die Probe gestellt hätte, tauchte aber nicht auf. Wagner erfreute sich der Wertschätzung sowohl Ribbentrops als auch Himmlers, mit denen er regelmäßig zusammentraf.

Seinen Stellvertreter, den Legationsrat Eberhard von Thadden, Jahrgang 1909, suchte Wagner selbst aus. Beide kannten sich seit der gemeinsamen Zeit in der Dienststelle Ribbentrop. Thadden war jedoch bereits 1937 ins Auswärtige Amt gewechselt. Alle vier Referatsgruppenleiter der Gruppe II Inland gehörten der NSDAP an, zwei waren vor 1933 beigetreten; drei standen in den Reihen der SS, einer gehörte der SA an.[14] Sämtliche Referenten außer Vizekonsul Emil Geiger waren nach dem 30. Januar 1933 in das Auswärtige Amt gekommen. Anders als Luther konnte Wagner weder über persönliche Verbindungen noch aufgrund des Gewichts seiner Dienststelle eine eigenständige Personalpolitik betreiben. Vielmehr war er mit seiner Gruppe eng an Ribbentrop gebunden – und so blieb es bis zum Kriegsende.

Neben dem Aufgabenbereich Deutschland beziehungsweise Inland wurde vor allem der Propagandaapparat des Auswärtigen Amts während des Krieges beständig personell erweitert und organisatorisch ausgedehnt. Der Versuch Ribbentrops, eine eigenständige Informationspolitik zu betreiben, scheiterte allerdings kläglich. »Die Kompetenzüberschneidungen im Haus und der alltägliche Kleinkrieg mit Goebbels' Propagandaministerium mündeten … in lähmende Bürokratie und weitgehende Ineffizienz.«[15] Allein drei Abteilungen des Amtes befassten sich in der zweiten Kriegshälfte mit Kommunikationsfragen: die Nachrichten- und Presseabteilung unter Paul Karl Schmidt, die Rundfunkpolitische Abteilung von Gerd Rühle und die Kulturpolitische Abteilung unter Franz Alfred Six. Alle drei entstammten der jüngeren, zwischen Jahrhundertwende und Erstem Weltkrieg geborenen Generation, verdankten dem NS-Regime ihre Karriere, waren Akademiker und ehemalige Gaustudentenbundführer, standen als »alte Kämpfer« in den Reihen der NSDAP und bekleideten hohe Ränge in der SS: Schmidt war SS-Obersturmbannführer, Rühle SS-Standartenführer und Six SS-Brigadeführer. Auf ihre Weise repräsentierten die drei Abteilungsleiter die neue Generation von Diplomaten.

Paul Karl Schmidt war 1938 mit 27 Jahren als Legationsrat in die Presse- und Nachrichtenabteilung des Auswärtigen Amtes übernommen worden und 1939 zum Stellvertreter des Leiters, 1940 zum Leiter der

Presse- und Nachrichtenabteilung im Range eines Gesandten aufgestiegen. Nach seiner eigenen Darstellung war seine Nominierung eine Reaktion Ribbentrops auf die drohende »Monopolisierung der Nachrichtenbeschaffung« durch das Propagandaministerium.[16] Der Machtkampf wurde auf Führerweisung vom 8. September 1939 zugunsten des Auswärtigen Amtes entschieden, das nunmehr »auf dem Gebiet der außenpolitischen Propaganda ... die allgemeinen Richtlinien und Anweisungen« erteile, während das Propagandaministerium »der praktischen Durchführung dieser Anweisungen zur Verfügung« zu stehen habe.[17] Damit war die Grundlage für Schmidts Wirken gelegt. Ihm oblagen die Information des Reichsaußenministers über die Berichterstattung der in- und ausländischen Presse, die Beeinflussung der Auslandspresse und die Lenkung der deutschen Presse bei außenpolitischen Themen.

Schmidts Stellung bei Ribbentrop umschrieb ein Mitarbeiter nach dem Krieg so: »Schmidts Position bei Ribbentrop beruht darauf, dass er in der Sache hart bleibt und nicht daran denkt, dem RAM nachzugeben, weil er sein Chef ist.«[18] In der ständigen Auseinandersetzung mit dem Propagandaministerium konnte Goebbels, der die einschlägige Führerweisung weitgehend ignorierte, im Oktober 1941 eine tendenzielle Gleichberechtigung beider Behörden erreichen, ohne dass Schmidts Lenkung der Auslandspropaganda dadurch indes wesentlich beeinträchtigt wurde.[19] Als die Propagandaabteilung der Wehrmacht einen Partner für die Gründung einer Auslandsillustrierten suchte, erhielt das Auswärtige Amt den Zuschlag. Verbindungsmann zwischen beiden Institutionen wurde Schmidts Stellvertreter, Legationsrat Günter Lohse. Zugleich wurde damit die Zeitschrift *Signal* aus der Taufe gehoben, die halbmonatlich und zeitweilig in einer Auflage von zweieinhalb Millionen Exemplaren in zwanzig Sprachen erschien. Die Zeitschrift, das Flaggschiff der NS-Auslandspropaganda, war weder im Reich noch für Wehrmachtangehörige erhältlich und ausschließlich dazu gedacht, die Ideen einer »Neuordnung Europas« und eines »Großgermanischen Reiches« im Ausland zu verbreiten. Daneben war Schmidt maßgeblich an der Formulierung der Leitlinien für die Rundfunkpropaganda im Reich beteiligt.

Zwei Mal war Paul Karl Schmidt in seiner Eigenschaft als Ribbentrops Pressechef direkt in die Verfolgung und Vernichtung der Juden involviert. In der »Feldscher-Affaire« beteiligte er sich an einem Geschacher der Reichsregierung um das Leben von 5 000 jüdischen Kindern, für deren Ausreisegenehmigung sich der Schweizer Gesandte Peter Anton Feldscher am 12. Mai 1943 im Auftrag der britischen Regierung in Berlin stark gemacht hatte. Im Frühjahr 1944 war er dann maßgeblich an der propagandistischen Flankierung der Deportation von ungarischen Juden in die Vernichtungslager beteiligt. Nach dem Krieg gelang ihm unter dem Pseudonym Paul Carell als politischer Journalist der *Zeit*, des *Spiegel* und der *Welt* sowie als Autor von Bestsellern über den Zweiten Weltkrieg eine beachtliche publizistische Karriere.

Als Seiteneinsteiger stützten sich Schmidt, Rühle und Six in vielen Fällen auf Wissenschaftliche Hilfsarbeiter. Die meisten gelangten erst nach Kriegsbeginn ins Auswärtige Amt und wurden nicht als Beamte übernommen. Allein 12 von 18 Referatsleitern in der Rundfunkpolitischen Abteilung gehörten im September 1943 zur Angestelltenkategorie.[20] Selbst Rühles Stellvertreter, der spätere Bundeskanzler Kurt Georg Kiesinger, machte keine Ausnahme. Kiesinger kann als exemplarisch für die Wissenschaftlichen Hilfsarbeiter gelten, auch wenn seine letzte Position im Amt ihn heraushebt. Am 1. Mai 1933 aus politischem Opportunismus[21] in die NSDAP eingetreten, kam der Jurist einige Monate nach Kriegsbeginn zum Auswärtigen Amt. Mit dem damaligen Stellvertreter Rühles, Legationsrat Hans Heinrich Schirmer, der ebenfalls 1933 in die NSDAP eingetreten war und seit 1939 im Auswärtigen Amt arbeitete, verstand sich Kiesinger auf Anhieb.

Ende 1941 übernahm Kiesinger die Leitung des Referats B in der Rundfunkpolitischen Abteilung. Diese Dienststelle beschäftigte sich mit allgemeinen Propagandafragen. Zudem diente Kiesinger als Verbindungsmann zum Reichsministerium für Volksaufklärung und Propaganda. In Personalunion stand er seit 1943 auch an der Spitze des Referats Rundfunkeinsatz. Vom März 1943 bis Kriegsende fungierte er als stellvertretender Abteilungsleiter. Damit war er der einzige Wissenschaftliche Hilfsarbeiter, der zu einer solchen Position aufstieg. Allerdings schwand die Bedeutung der Rundfunkpolitischen Abteilung zunehmend, nicht zuletzt durch die Zentralisierung propagandistischer Aufgaben im Führungsstab des Außenministers. Kiesingers Biograf Philipp Gassert hebt hervor, dass sich der spätere Bundeskanzler einerseits angepasst und durch seine Arbeit den Krieg zumindest partiell unterstützt habe; seine Kenntnisse von Verbrechen des NS-Regimes seien wohl umfassender gewesen als die vieler Zeitgenossen. Andererseits habe Kiesinger eine nationalkonservativ motivierte Distanz und Illoyalität gegenüber dem NS-Staat an den Tag gelegt; resistentes Verhalten sei jedoch schwer zu evaluieren. Als Widerstand könne es jedenfalls nicht bezeichnet werden.[22]

In der Kulturpolitischen Abteilung unter Franz Alfred Six sah es personell nicht viel anders aus als in der Rundfunkpolitischen Abteilung. Auch »Kult.« beschäftigte eine ganze Reihe nichtbeamtete Wissenschaftliche Hilfsarbeiter. Ein Stellenbesetzungsplan vom 1. August 1944 nennt 31, darunter einen Gruppenleiter, einen stellvertretenden Gruppenleiter und neun Referatsleiter. Von den Wissenschaftlern waren 17 promoviert, einer wurde als Professor bezeichnet. Zu dieser Angestelltenkategorie gehörten auch sechs Frauen, von denen vier promoviert waren.[23]

Die personelle Expansion der Informations- und Kommunikationssparte im Auswärtigen Amt lässt sich beispielhaft an der Entwicklung der Nachrichten- und Presseabteilung verdeutlichen. Von etwa 70 Mitarbeitern kurz vor Kriegsbeginn stieg die Zahl auf 117 Ende 1939, weiter auf 160 Anfang 1940 und erreichte Ende 1941 mit 330 vermutlich den Höchststand.[24] Das Führungspersonal war relativ jung, zwei Drittel waren nach 1900 geboren. Die älteren Mitglieder gehörten vorwiegend zu den Laufbahnbeamten, die schon vor 1933 im Auswärtigen Amt gearbeitet hatten. An der Spitze dieser Gruppe, hinter dem jungen Ribbentrop-Mann Paul Karl Schmidt, stand seit Dezember 1939 der stellvertretende Abteilungsleiter Gustaf Braun von Stumm, Jahrgang 1890, der nach mehreren Auslandsverwendungen 1931 in der Presseabteilung gelandet und für Routineaufgaben zuständig war.

Ein weiterer Ribbentrop-Adlatus, Karl Megerle, Jahrgang 1894, baute seine Position im Stab des Außenministers beständig aus und wurde im April 1943 zum Beauftragten für das Informationswesen im Persönlichen Stab ernannt. Ihm waren zuletzt 17 Länderinformationsstellen zugeordnet, geleitet in der Regel von ehemaligen Missionschefs und auslandserfahrenen Beamten. Megerle koordinierte jedoch nicht nur die Länderausschüsse, sondern sämtliche Auslandspropagandatätigkeiten des Amtes. Seine starke Stellung, auch gegenüber dem Chef der Kulturpolitischen Abteilung, der ein ähnliches Aufgabenfeld betreute, entsprang – wie im nationalsozialistischen Herrschaftssystem nicht unüblich – einer engen Anbindung an den Behördenleiter.

Im Zusammenhang mit dem Ausbau des Propagandaapparats im Auswärtigen Amt muss zuletzt auch Giselher Wirsing genannt werden, der auf der Gehaltsliste der Informationsabteilung stand. Der 1907 geborene Journalist war 1933 von Himmler persönlich zum außenpolitischen Chefredakteur der gleichgeschalteten *Münchner Neuesten Nachrichten* gemacht worden, zu deren Hauptschriftleiter er später aufstieg. Auf zahlreichen Reisen nach Osteuropa, Amerika und Palästina festigte Wirsing seine antirussische, antiamerikanische und antisemitische Weltsicht. Seine Arbeit als »ehrenamtlicher Mitarbeiter« – also Spitzel – der Münchner Inspektion des Sicherheitsdienstes brachte ihm kurz vor Kriegsbeginn seine Ernennung zum SS-Hauptsturmführer ein, 1940 erfolgte seine Ernennung zum SS-Sturmbannführer. Als Freund von Six machte er sich im Auswärtigen Amt vor allem als Verfasser antibolschewistischer Sprachregelungen einen Namen.

Als Sonderführer einer Propagandakompanie bereiste Wirsing die Ostfront und veröffentlichte regelmäßig Artikel in der Auslandsillustrierten *Signal*. Den Untergang der 6. Armee »unter der wehenden, im Eiswind der Steppe zerfetzten Kriegsfahne in den Trümmern von Stalingrad« nahm er zum Anlass, den »Heiligen Krieg Europas« auszurufen.[25] Ähnlich wie Hermann Neubacher auf dem Balkan vertrat Wirsing mit der Wende des Krieges die Auffassung, dass die Bevölkerung in den besetzten Ländern enger in die außenpolitischen Planspiele des Dritten Reiches eingebunden werden müsse. In einer Denkschrift vermerkte er im August 1942, die Haltung der Bürger der Sowjetunion »zu uns als dem Herrscher [sei] von ausschlaggebender Bedeutung«. Daher müsse man »in den weiträumigen Gebieten des Ostens das ›Divide et impera‹ in einem vernünftigen Sinn übernehmen«, um »die einzelnen Gebiete in ein gewisses Konkurrenzverhältnis zueinander« zu bringen.[26] Mitte 1943 avancierte Wirsing zum inoffiziellen, im Februar 1945 dann zum offiziellen Hauptschriftleiter von *Signal*. Gegen Ende des Krieges erstellte er für das Amt VI (Auslandsnachrichtendienst) im Reichssicherheitshauptamt die sogenannten Egmont-Berichte, in denen außenpolitische Fragen zur Unterrichtung des Reichsführers-SS und des Führerhauptquartiers analysiert wurden.

Anders als in den Propagandaabteilungen erfolgten die Wechsel an der Spitze der Politischen Abteilung und der Rechtsabteilung in den Bahnen des traditionellen Beamtenkörpers. Im März 1943 musste Unterstaatssekretär Gaus die Leitung der Rechtsabteilung abgeben; als Nachfolger wurde sein ehemaliger Stellvertreter Erich Albrecht eingesetzt. Einen Monat später übergab Unterstaatsekretär Ernst Woermann, Jahrgang 1888, seine Position an Andor Hencke, Jahrgang 1895. In den ersten Monaten des Jahres 1943 wurden damit neben dem Staatssekretär drei der fünf Ministerialdirektoren, die Abteilungsleiterposten bekleideten, abgelöst. Als einziger Abteilungsleiter konnte sich bis zum Schluss der Leiter der Personal- und Verwaltungsabteilung Hans Schroeder halten.

Das Revirement von 1943 erstreckte sich auch auf die Auslandsmissionen: Der als unsicherer Kantonist geltende Botschafter in Japan, Generalmajor Eugen Ott, wurde im Januar von Heinrich Georg Stahmer abgelöst, zuvor deutscher Vertreter in China und einziger Alt-Parteigenosse unter den als Missionschefs amtierenden Botschaftern. Stahmer war erst im Mai 1941 von der Dienststelle Ribbentrop ins Auswärtige Amt gewechselt und vier Monate später mit dem Botschafterposten in Nanking betraut worden.[27] Seine Position in China übernahm der Chef der Politischen Abteilung, Woermann. Ebenfalls im Januar 1943 trat Hans Adolf von Moltke an die Stelle des langjährigen deutschen Botschafters in Madrid, Eberhard von Stohrer. Nach Moltkes überraschendem Tod im März folgte ihm Hans Heinrich Dieckhoff, zuvor Botschafter in Washington. Nach seiner Abberufung als Staatssekretär übernahm auch Weizsäcker einen Botschafterposten: Im Juni 1943 ersetzte er Diego von Bergen als Botschafter beim Heiligen Stuhl. Damit waren von sieben zu Beginn des Jahres 1943 amtierenden deutschen Botschaftern vier ausgetauscht worden.

Nach Abbruch der diplomatischen Beziehungen zu Chile am 20. Januar 1943 verringerte sich die Zahl der mit Botschaftern besetzten Auslandsmissionen auf sechs. Die Botschaft in Buenos Aires ist hierbei nicht eingerechnet, da dort seit Februar 1942 nur noch ein Geschäftsträger amtierte.[28] Auch Otto Abetz als Botschafter und Bevollmächtigter des Auswärtigen Amtes beim deutschen Militärbefehlshaber in Paris gehörte nicht zur Kategorie der klassischen Missionschefs. Ohne je einen Auslandsposten geleitet zu haben, erhielt Walther Hewel, der Beauftragte Ribbentrops beim Führer, im Rahmen der Personalveränderungen am 31. März 1943 den Titel eines Botschafters zur besonderen Verwendung.

In den ersten vier Monaten des Jahres 1943 wurden die weitestgehenden Veränderungen in der Struktur des Auswärtigen Amtes während der NS-Zeit vorgenommen und praktisch die gesamte Führungsspitze ausgetauscht. Die Abteilungen, die maßgeblich an der Kriegführung beteiligt waren und die Absicherung der Herrschaft unterstützen sollten, lagen nun – erst recht – in den Händen von überwiegend jüngeren NS-Funktionären und Seiteneinsteigern. Ein »Schlag gegen das alte Beamtentum«, wie Ulrich von Hassell meinte, war das Revirement von 1943 aber nicht in jeder Beziehung.[29] In der Zentrale blieben die drei Kernabteilungen Politik, Recht und Wirtschaft weiterhin als Domäne der Karrierediplomaten erhalten. Gleiches galt für die Mehrzahl der noch bestehenden Auslandsvertretungen.

Sowohl in der Zentrale wie im Ausland schränkte der Krieg zunehmend die Arbeit der klassischen Diplomatie ein, Kriegserklärungen führten zum Abbruch diplomatischer Beziehungen. Ende August 1939 hatten noch 55 größere Auslandsmissionen einschließlich der Generalkonsulate in Ländern ohne höherrangige diplomatische Vertretung bestanden. Vom 1. September bis zum Jahresende 1939 schlossen zehn dieser Missionen, 1940 fünf, 1941 zwölf, 1942 sieben, 1943 eine und 1944 sechs weitere. Zwei diplomatische Dienststellen wurden im selben Zeitraum neu eröffnet. Ende 1944 bestanden noch 16 deutsche Auslandsvertretungen.[30]

Trotz der Schließungen nahm die Zahl der im Auswärtigen Amt Beschäftigten auch während des Krieges zunächst weiter zu. 1943 zählte das Amt 6 458 Mitarbeiter.[31] Über die Hälfte arbeitete in der Berliner Zentrale, Mitte 1942 waren es 3 408 Personen.[32] Die Gründe für die Expansion lagen in der Ausweitung der Zusammenarbeit mit anderen Reichsbehörden, der Beteiligung an der Besatzungsverwaltung sowie in der zunehmenden Propagandatätigkeit. Die quantitative Zunahme ging einher mit einer qualitativen Differenzierung. Gerade für den höheren Dienst bedeutete dies eine weitere Auflösung der überkommenen Homogenität. Da während des Krieges keine Attachés mehr eingestellt wurden, verlor die diplomatisch-konsularische Prüfung ihre Funktion als Nadelöhr, durch das die Beamten bis dahin ins Auswärtige Amt gelangt waren. Neben den älteren Karrierebeamten und den nach 1933 neu eingestellten standen die Männer, die Ribbentrop seit 1938 aus seiner Dienststelle ins Auswärtige Amt überführt hatte, sowie Angehörige der NS-Auslandsorganisation, Seiteneinsteiger aus NSDAP, SS und SA, kriegsbedingte Übernahmen aus anderen Behörden und eine größere Zahl Wissenschaftlicher

Hilfsarbeiter, also nichtbeamteter Angestellter. Diese stellten Mitte 1942 mindestens ein Viertel des gesamten Personals im höheren Dienst. Dienstverpflichtungen und Einberufungen zur Wehrmacht dünnten die Reihen der Amtsangehörigen weiter aus. Mitte 1942 waren von 2 497 in Berlin tätigen Angestellten und Arbeitern noch 975 männlichen Geschlechts.[33] Eineinhalb Jahre später waren unter insgesamt 1 406 Mitarbeitern der Vergütungsgruppen III bis X – vom Wissenschaftlichen Hilfsarbeiter bis zur Putzkraft – nur noch 350 Männer; von diesen nominell zum Auswärtigen Amt gehörenden Mitarbeitern standen nochmals 96 in den Reihen der Wehrmacht. Dienstverpflichtungen zu anderen Behörden und nicht näher erläuterte Kriegsdienste reduzierten die Beschäftigtenzahl um weitere 131 Personen. Selbst bei den höheren Angestellten (den Wissenschaftlichen Hilfsarbeitern) stellten die Frauen unterhalb der Referatsleiterebene rund ein Viertel der Mitarbeiter.[34]

Personalpolitik und interne Netzwerke

Ribbentrops frühe Personalpolitik konzentrierte sich auf Personen, die bereits vor seiner Ernennung zum Minister mit ihm zusammengearbeitet hatten. Deshalb übernahm er nicht nur Mitarbeiter aus seiner Dienststelle, sondern auch jüngere Karrierebeamte, die als Angehörige der Londoner Botschaft sein Vertrauen erworben hatten, erhielten Positionen in seiner Umgebung. Zu ihnen gehörte auch der Chef des Ministerbüros, Erich Kordt. Alle leitenden Angehörigen seines Persönlichen Stabes kamen erst nach Ribbentrops Ernennung ins Auswärtige Amt, viele von ihnen aus der Dienststelle: Walther Hewel, Gustaf Adolf Baron Steengracht von Moyland, Paul Karl Schmidt, Rudolf Likus, Bernd Gottfriedsen, Horst Wagner und Ernst Frenzel. Franz Edler von Sonnleithner wechselte vom Büro des Reichsstatthalters in Wien ins Auswärtige Amt; Karl Megerle hatte zuvor als Beauftragter des Propagandaministeriums in Österreich gearbeitet. Kurz: Seiteneinsteiger, vor allem aus der Dienststelle Ribbentrop, blieben bis Kriegsende Ribbentrops engste Mitarbeiter.

Und sie besetzten zentrale Funktionen. Hewel fungierte als Ständiger Beauftragter des Reichsministers des Auswärtigen beim Führer. Dieser empfand eine besondere Sympathie für Hewel, der dadurch eine Unabhängigkeit erlangte, die seinem Vorgesetzten ein Dorn im Auge war. Persönliche Animositäten und politische Differenzen scheinen die Zusammenarbeit erschwert zu haben; Hewel soll den Außenminister »dumm, dreist und humorlos« genannt haben.[35] Um Hewel zu umgehen, installierte Ribbentrop mit Sonnleithner einen zweiten Verbindungsmann im Führerhauptquartier. Als verlängerter Arm Ribbentrops diente jedoch vor allem Steengracht von Moyland. Geboren 1902, Mitglied der NSDAP und der SA seit 1933, arbeitete der Jurist von 1934 bis 1936 als Kreisbauernführer. Danach holte ihn Ribbentrop in seine Dienststelle, nahm ihn mit in die Londoner Botschaft und später ins Auswärtige Amt. Es ist bezeichnend für Steengrachts enge Anbindung an Ribbentrop, dass er seine Funktion als Chef des Persönlichen Stabes auch nach seiner Ernennung zum Staatssekretär zunächst behielt. Goebbels galt er als »mittelmäßige Figur«; Steengracht könne »höchstens als besserer Sekretär gewertet werden«. Hassell fand ihn »unbedeutend, gänzlich unerfahren«.[36]

Die Ernennung Steengrachts drückte nicht nur Ribbentrops »Vorbehalte gegen Berufsdiplomaten« aus,[37] sondern war eine natürliche Wahl in einem auf persönliche Loyalität aufbauenden Klientelsystem, wie es das Dritte Reich darstellte. Steengracht hatte Ribbentrops Personalpolitik, die darauf zielte, Vertreter wichtiger Parteigliederungen in sein Amt zu integrieren und die Berufsdiplomaten auf einen eng beschränkten Aufgabenbereich zu reduzieren, vollkommen verinnerlicht. Erich Albrecht, der letzte Leiter der Rechtsabteilung, versicherte nach dem Krieg, dass Steengracht 1943 erklärt habe, der einzige Weg, auf dem das Auswärtige Amt wieder mehr Einfluss auf die Politik gewinnen könne, sei der, »stetig die persönlichen Beziehungen zu den führenden Persönlichkeiten der SS und der Parteiorganisationen zu verbessern, um ständig über deren Ansichten und Absichten informiert zu sein«.[38] Steengracht zog aus dieser Strategie vor allem in der letzten Kriegsphase Nutzen, indem er dafür sorgte, dass das Auswärtige Amt und besonders der Reichsaußenminister im Herrschaftssystem des Dritten Reiches besser verankert wurden.

Mit der Hereinnahme von Seiteneinsteigern löste sich das vormals als homogen begriffene Diplomatenkorps weiter auf. Wie stark der Zusammenhalt der traditionell rekrutierten Beamten durch differierende politische Anschauungen beeinträchtigt wurde, ist im Einzelnen schwer festzustellen. Die traditionellen Beamten, die bereits vor 1933 in den diplomatischen Dienst berufen worden waren, dominierten weiterhin die drei Kernabteilungen Politik, Wirtschaft und Recht sowie das Protokoll und bis März 1943 auch die Kulturpolitische Abteilung. Bis hinunter zum Legationsrat I. Klasse hatten die vor 1933 in das Amt eingetretenen Beamten zumindest bis 1943 das Übergewicht, in den höheren Rängen der Auslandsmissionen blieben sie fast unter sich. Nur die Gesandten I. Klasse bildeten eine Ausnahme, da über ein Drittel von ihnen nach 1933 in den Auswärtigen Dienst eingetreten war. Hierzu gehörten die SA-Generale, die die Mehrzahl der Gesandtschaften in Südosteuropa leiteten. Von 183 Diplomaten der Ranggruppen Botschafter bis Konsul I. Klasse gehörten 152 schon vor der nationalsozialistischen Machtübernahme dem Auswärtigen Amt an.[39] Die klassischen Aufgaben der Diplomatie lagen also weiterhin fest in der Hand der Traditionsbeamten.

Es ist daher nicht verwunderlich, dass auch Diplomaten der Weimarer Zeit unter dem NS-Regime reüssieren konnten. Zu ihnen gehörte der Leiter des Protokolls, Alexander Freiherr von Dörnberg zu Hausen (Jahrgang 1901, NSDAP 1934). Wie Erich Kordt hatte es Dörnberg 1937/38 verstanden, sich in London das Vertrauen Ribbentrops zu erwerben. Unmittelbar vor seinem kometenhaften Aufstieg, der ihn innerhalb eines guten Jahres vom Legationssekretär zum Gesandten I. Klasse als Ministerialdirigent und Abteilungsleiter katapultierte, war er in die SS eingetreten. Bald gehörte er als SS-Oberführer zu den ranghöchsten SS-Führern im Auswärtigen Amt. Dörnberg, der im Dienst stets das SS-Zivil-Abzeichen trug und somit auch ohne Uniform als SS-Mitglied zu erkennen war, blieb bis zum Ende der NS-Herrschaft in seiner Position.[40]

Alte Verbindungen gaben auch während der Kriegszeit weiter Halt. Hierauf konnte sich der Gesandte Werner Otto von Hentig verlassen. Gesellschaftlich repräsentierte Hentig den Typus des kaiserlichen Diplomaten: Sein Vater war preußischer Staatsminister gewesen, seine zweite Frau Tochter eines Gutsbesitzers, er selbst Einjährig-Freiwilliger, Doktor der Rechtswissenschaften und bis zu seinem Eintritt ins Auswärtige Amt 1911 im preußischen Justizdienst beschäftigt. Schon in jüngeren Jahren war er ein konfliktbereiter, zum Teil rabiater Diplomat, der später auch nicht davor zurückschreckte, NSDAP-Funktionäre vor den Kopf zu stoßen. Auf diese Weise verspielte er in den späten dreißiger Jahren seine Ernennung zum Gesandten I. Klasse. Als anerkannter Orientkenner wurden ihm trotzdem immer wieder spezielle Aufträge erteilt. Er trat weder der NSDAP noch der SS oder SA bei. Seiner kritischen Linie blieb Hentig auch während des Krieges als Vertreter des Auswärtigen Amtes beim Armeeoberkommando 11 im Südabschnitt der Ostfront und als Beobachter der Lage in Kroatien treu. Seine Vorgesetzten scheinen die Hand über ihn gehalten zu haben, und auch mit dem Leiter der Personalabteilung Schroeder stand er offensichtlich auf gutem Fuß.[41]

Obwohl sie für ein reibungsloses Funktionieren des Apparates unverzichtbar waren, strebte Ribbentrop danach, das Korps der vor 1933 aktiven Diplomaten zu verkleinern. Sein Versuch, nach dem Sieg über Frankreich ältere und politisch als nicht zuverlässig eingeschätzte Mitarbeiter zu verabschieden, lässt hieran kaum Zweifel. Von den 24 offensichtlich zur Entlassung vorgesehenen Beamten, für die sich Weizsäcker in einem Schreiben vom 26. Juni 1940 verwandte, besaßen mindestens zehn zu diesem Zeitpunkt kein NSDAP-Parteibuch.[42] Da Hitler den Antrag seines Außenministers ablehnte, wurden die Pensionierungen nicht durchgeführt. Ein Resultat hatte der Vorstoß aber doch. Im Umfeld der Diskussion um die Abberufungen trat eine Reihe höherer Beamter in die NSDAP ein. Einer Aufstellung aus dem Jahr 1941 ist zu entnehmen, dass von insgesamt 50 Vortragenden Legationsräten vier 1940 in die Partei aufgenommen worden waren und fünf weitere als Anwärter geführt wurden. Diese plötzliche Eintrittswelle lässt sich mit dem durch das Vorgehen Ribbentrops erhöhten Druck auf die Parteilosen erklären. Aber auch der deutsche Sieg über Frankreich dürfte ein wichtiges Eintrittsmotiv dargestellt haben. Bis hinunter zu den Legationsräten und Konsuln waren hiervon ausschließlich Personen betroffen, die bereits vor 1933 im diplomatischen Dienst gestanden hatten.[43]

Eine der erstaunlichsten Karrieren im Windschatten der nationalsozialistischen Machtdurchsetzung machte Hans Schroeder: Am 28. Februar 1941 übernahm er als Ministerialdirektor die Leitung der Personal- und Verwaltungsabteilung und baute sie planmäßig aus. Im August 1940 mit einer einzigen Ministerialdirigenten-Planstelle ausgestattet, die Schroeder selbst besetzte, gehörten im Dezember 1941 bereits zwei und im September 1943 drei Ministerialdirigenten der Personal- und Verwaltungsabteilung an. Schroeder balancierte die Personalstruktur seiner Dienststelle fein aus. Helmut Bergmann, fast parallel mit Schroeder aufgestiegen, aber erst 1936 in die NSDAP eingetreten, leitete das wichtige

Referat für die Beamten des höheren Dienstes (Pers H). Nach seiner Beförderung zum Abteilungsleiter machte Schroeder ihn zu seinem Stellvertreter. Während Schroeder unter Kollegen dafür geschätzt wurde, dass er die Belange des Amtes und seiner Beamten vertrat, galt Bergmann als politisch zurückhaltend, jedoch offen für oppositionelle Ansichten.

Schroeders Parteibeauftragter war der Vortragende Legationsrat Spelsberg, ein »alter Kämpfer«, der schon vor dem Hitler-Putsch 1923 der Partei beigetreten war. Spelsberg, der auch die Fachschaftsgruppe Auswärtiges Amt des Reichsbundes Deutscher Beamter leitete, gehörte zu den sogenannten »Gottgläubigen« im höheren Dienst – ein Epitheton, das als Ausweis besonderer ideologischer Nähe zum Nationalsozialismus galt. Die Ministerialdirigenten Schwager und Selchow waren erst nach der Machtübernahme der NSDAP beigetreten: Schwager 1934, Selchow 1940. Beide waren, wie auch Bergmanns Nachfolger als Chef des wichtigen Referats Pers H, Adolf Freiherr Marschall von Bieberstein, langjährige Laufbahnbeamte. Zwar setzte auch Schroeder auf Fachleute, anders als in der Rechtsabteilung achtete er aber darauf, dass seine wichtigsten Untergebenen zumindest nominell der NSDAP beitraten. Eine Ausnahme bildete Legationsrat Johannes Ullrich, der Leiter des Politischen Archivs, der kein Parteibuch besaß.

In der Erinnerung von Angehörigen des Auswärtigen Amtes aus der Zeit nach 1945 erscheint Schroeder als die graue Eminenz der Wilhelmstraße. Zahlreiche Kollegen fühlten sich ihm verpflichtet, weil er ihnen auf die eine oder andere Weise geholfen habe. Seine Position als Personalchef bot ihm dazu einzigartige Möglichkeiten. Auch Beamten, die vom Regime rassistisch diskriminiert wurden oder mit der Partei oder NS-Gliederungen in Konflikt gerieten, eilte er in vielen Fällen zu Hilfe. »Unerschrocken und tatkräftig stellte er sich schützend vor mich und andere, die in der gleichen Lage waren«, lobte Hans von Herwarth, der als »Nichtarier« vor der vorzeitigen Pensionierung bewahrt wurde.[44] Offener Widerstand gegen das Regime konnte bei Schroeder allerdings auf keine Unterstützung zählen. Rudolf von Scheliha, dessen Verhaftung Schroeder angekündigt worden war, wurde ohne ein Wort der Warnung ausgeliefert.[45] Eine ähnliche Rolle spielte Schroeder bei der Festnahme des stellvertretenden Presseattachés der Botschaft in Madrid, Eckhard Tertsch, der unter einem Vorwand nach Berlin gelockt wurde. Vom Gesandten Freiherr von Bibra zu größter Geheimhaltung aufgefordert, spielte Schoeder offensichtlich mit und tat nichts, um Tertschs Einlieferung in das KZ Sachsenhausen zu verhindern.[46]

Schroeders Bild changiert: einerseits der NS-Karrierist, andererseits der für Beamte des Ministeriums eintretende Wohltäter. Hierbei scheint er aber vor allem die Funktionsfähigkeit des Amtes und seiner Abteilung im Blick gehabt zu haben. Seine Haltung als Resistenz oder gar Widerstand auszulegen, hieße das NS-Regime als monolithischen Block missverstehen. Das war es nicht. Widerstreitende Interessen forderten immer aufs Neue eine Abwägung, und dabei nahm Schroeder, wenn möglich und politisch sinnvoll, seine Beamten in Schutz. Zugleich offenbarte er sich aber nicht nur als aktiver Befürworter der nationalsozialistischen Außenpolitik, sondern auch als Helfershelfer der Gestapo, wie der Fall Scheliha zeigt. Werner Otto von Hentig fasste den Zwiespalt dieser Persönlichkeit, den offenbar auch die Kollegen empfanden, nach dem Krieg mit der ihm eigenen Deutlichkeit so zusammen: »ein Nationalsozialist, der seiner alten Behörde und ihrem Beamtenethos treu blieb«.[47] Dass dieses Beamtenethos dem Regime von sich aus weit entgegengekommen war, erwähnte er nicht.

Mitgliedschaften in Partei, SS und SA

Eine Mitgliedschaft in der NSDAP – das hat die vorliegende Untersuchung zur Genüge gezeigt – kann keinen Aufschluss über die wirkliche politische Einstellung der Beamtenschaft geben. Gleichwohl bietet sie die Möglichkeit, die Gruppe derer zu bestimmen, die aus unterschiedlichen Gründen die Nähe zum Regime suchte. Denn bei allem Druck, den der Einzelne verspüren mochte, blieb doch der Antrag auf Parteimitgliedschaft ein individuell zu verantwortender Akt. Dass dem Antrag nicht automatisch auch eine Mitgliedschaft folgte, machen die Fälle deutlich, in denen nach Überprüfung durch die NSDAP-Bürokratie im Braunen Haus in München dem Gesuch nicht stattgegeben wurde. Abgelehnt wurde zum Beispiel der Antrag von Erich Albrecht, dem stellvertretenden Leiter der Rechtsabteilung. Aber auch ohne Parteibuch übernahm er 1943 die Rechtsabteilung von seinem bisherigen Chef Gaus, der ebenfalls kein Parteigenosse war.

Weder Albrecht noch Gaus können als typische Vertreter des diplomatischen Dienstes der Kriegszeit gelten. Denn von 120 höheren Beamten gehörten 1940 immerhin 71 der NSDAP an. Elf weitere, unter ihnen Albrecht, hatten einen Antrag gestellt, waren aber nicht aufgenommen worden. Außer Gaus besaßen alle 1940 amtierenden Abteilungsleiter ein NSDAP-Parteibuch. Eine Statistik aus dem Jahr 1941 weist auf einen noch höheren Anteil der Parteimitglieder hin: Von 611 aktiven Angehörigen des Auswärtigen Dienstes – einschließlich der Verwaltungskarrieren – waren 465 Parteimitglieder oder Anwärter.[48]

Nach der kleinen Eintrittswelle von 1940 traten nur noch wenige Diplomaten der Partei bei. Durch Neueinstellungen und Versetzungen in den Warte- oder Ruhestand erhöhte sich der Anteil der Parteimitglieder bis 1943 dennoch: Am 1. Mai 1943 gehörten von 603 aktiven Angehörigen des höheren Dienstes 522 der NSDAP an. Hinzu kamen 51 reaktivierte Warte- und Ruhestandsbeamte sowie 52 kommissarisch beschäftigte Beamte. Von dieser 103 Personen umfassenden Gruppe mit einem hohen Anteil älterer Diplomaten, die ihre Karriere bereits hinter sich hatten, besaßen nur 51 ein Parteibuch. Die Gesamtzahl der im Auswärtigen Amt beschäftigten Beamten des höheren Dienstes betrug folglich 706, von denen 573 Personen der NSDAP beigetreten waren.[49]

Die NSDAP-Mitglieder verteilten sich nicht gleichmäßig auf alle Abteilungen und Dienststellen. In den Kernabteilungen der traditionellen Bürokratie traten sie nach wie vor in geringerer Zahl auf; zudem arbeiteten hier vergleichsweise wenig »alte Kämpfer«. Gemessen an der NSDAP-Mitgliedschaft auf Abteilungsleiter- und Referentenebene, gehörte die Rechtsabteilung zu den am wenigsten mit Parteiangehörigen durchsetzten Dienststellen im Amt. Noch im September 1943 besaßen von den 16 leitenden Beamten (Abteilungsleiter, Stellvertreter, Referatsleiter) sieben kein Parteibuch. Von den Parteigenossen war keiner vor 1933 eingetreten, zwei gar erst 1940.[50] Gustav Rödiger gehörte zu denen, die sich einer Mitgliedschaft in der NSDAP verweigerten. Im Januar 1933 zum Referatsleiter in der Rechtsabteilung ernannt, erlebte er das Kriegsende in derselben Position, in der Zwischenzeit lediglich zum Vortragenden Legationsrat befördert. Obwohl er sich vorsichtig vom Regime zu distanzieren suchte, blieb er doch eingebunden und stimmte 1943 dem Ersuchen der Gestapo zu, ausländische Pässe von Juden, die deportiert werden sollten, nicht anzuerkennen.[51]

Auch sein langjähriger Vorgesetzter Friedrich Gaus war, wie gesagt, der NSDAP nicht beigetreten. Seine Haltung zur NS-Politik erweist sich ebenfalls als ambivalent. Gaus war in einer exponierteren Position. Nach den Nürnberger Gesetzen galt seine Frau als »Mischling«, Angst um sie war daher sein ständiger Begleiter. Seine hohe Beamtenposition habe zumindest ein wenig Schutz geboten, betonte er später.[52] Als bereits seit 1923 amtierender Ministerialdirektor und Abteilungsleiter sowie anerkannter Völkerrechtler war sein Sachverstand auch unter dem neuen Regime kaum zu ersetzen. 1925 einer der Architekten des Locarno-Vertrags, arbeitete er auch den deutsch-sowjetischen Nichtangriffspakt vom August 1939 mit aus. Seine Beteiligung an den Bemühungen, den norwegischen König Haakon VII. am 11. April 1940 durch die Einladung zu einem Gespräch mit dem deutschen Gesandten Bräuer am Verlassen des Landes zu hindern, zeigt deutlich, dass die Tätigkeit von Beamten der Wilhelmstraße zu Kriegsbeginn nur noch wenig mit Diplomatie im klassischen Sinn zu tun hatte: Gaus war hier nichts anderes als der Erfüllungsgehilfe eines plumpen Entführungsversuches.[53]

Juristische Expertisen zu außenpolitischen Fragen wurden spätestens mit dem Überfall auf die Sowjetunion reine Makulatur. Und gegen das Protokoll der Wannsee-Konferenz, das er als Leiter der Rechtsabteilung kannte, brachte Gaus nicht einmal juristische Bedenken vor. Für Hassell war er »gesinnungsmäßig höchst subaltern«.[54] Im März 1943 wurde Gaus von seinem Posten abgelöst; als Botschafter zur besonderen Verwendung beriet er fortan Ribbentrop.[55]

Anders als die Rechtsabteilung war die Protokollabteilung, eine der ältesten Dienststellen des Auswärtigen Amtes, in den Führungspositionen, von einer Ausnahme abgesehen, ausschließlich mit NS-Parteigängern besetzt. Im September 1943 gehörten alle Referatsleiter der NSDAP an. Der stellvertretende Abteilungsleiter, Heinrich Adolf Ruhe, war als vormaliger hauptamtlicher SA-Brigadeführer bereits 1930 in die Partei eingetreten. Zudem weist der Stellenbesetzungsplan aus dieser Zeit jeweils einen SS-, SA- und NSKK-Führer an der Spitze eines Referats aus – hier scheint Ribbentrops Kurs einer paritätischen Verteilung von Angehörigen der NS-Gliederungen auf das Auswärtige Amt mustergültig umgesetzt worden zu sein.[56]

Die Parteimitgliedschaft mag nicht per se über die ideologische Überzeugung Auskunft geben. Trotzdem führte der Eintritt in die NSDAP automatisch dazu, dass man in das NS-Netzwerk eingebunden war und der ihm eigenen sozialen Kontrolle unterlag. Es fing damit an, dass für einen Parteiantrag in der Regel Gewährsleute benannt werden mussten. Der Antragsteller begab sich also in ein Abhängigkeitsverhältnis zu denjenigen, die für ihn bürgen sollten. Entweder existierten bereits informelle Abhängigkeiten, oder sie entstanden durch die Bitte nach den entsprechenden Leumundszeugnissen. Gerade für einen Parteibeitritt während des Krieges war es ratsam, exponierte Fürsprecher zu finden. Ob nach dem Ausbruch des Krieges allein eine Parteimitgliedschaft die Karriere befördern konnte, ist indes zweifelhaft. Es standen genug Parteigenossen zur Verfügung. Auf der anderen Seite scheint eine Nichtmitgliedschaft als negative Auslese den weiteren Aufstieg gehemmt zu haben. Jedenfalls besaßen nur rund zehn Prozent der zwischen dem 1. September 1939 und dem 1. Mai 1943 zu den Rängen Legationsrat, Legationsrat I. Klasse, Vortragender Legationsrat und Ministerialdirigent Beförderten kein Parteibuch. Bei Beförderungen in den unteren Rängen war das Verhältnis für Nichtmitglieder noch ungünstiger. Im selben Zeitraum wurden nur drei Diplomaten ohne Parteimitgliedschaft zu Legationssekretären oder Vizekonsuln ernannt, die übrigen 99 Beförderten gehörten der NSDAP an. Ohne Parteibuch war eine weitere Karriere im Auswärtigen Amt der Kriegszeit also offensichtlich erschwert.[57]

Im Rahmen des Personalrevirements nach dem gescheiterten Putsch des Unterstaatssekretärs Luther soll Ribbentrop zu Hitler gesagt haben, »es komme im auswärtigen Dienst nur auf die Gesinnung an, er wolle 40 SS-Leute, 40 SA-Leute und 40 HJ-Leute haben und das Amt neu besetzen«.[58] Falls Ribbentrop diese Aussage tatsächlich gemacht hat, offenbart sie vor allem, wie sehr er auf eine paritätische Verankerung verschiedener NS-Gliederungen in seinem Ministerium achtete. Obwohl die SS zunehmend wichtiger wurde, was sich an der Aufwertung des Verbindungsbüros zur SS zu einer Referatsgruppe (Inland II) im April 1943 ablesen lässt, war der Minister doch bemüht, die Verbindungen zu verschiedenen Parteiinstanzen zu pflegen. Deshalb berücksichtigte er bei Personalentscheidungen Mitglieder unterschiedlicher NS-Organisationen, zu denen er im Übrigen vielfältige Kontakte unterhielt.

Gerade Himmler machte es Ribbentrop allerdings schwer, aktive SS-Führer für den Auswärtigen Dienst zu gewinnen. Ribbentrop wollte vor allem profilierte höhere SS-Chargen ins Amt holen und sprach sich explizit für »langjährige Angehörige der Schutzstaffel«[59] aus, denn diese schienen ihm eine besondere Gewähr für die Konsolidierung der Position des Auswärtigen Amtes im Herrschaftsgefüge des Dritten Reiches zu bieten. Himmler jedoch bot ihm nur wenige und zudem an der Peripherie der SS stehende Personen an, wie beispielsweise den SS-Brigadeführer Werner Best. Möglicherweise war Himmler durch den wenig erfolgreichen Einbau von Josias Erbprinz zu Waldeck und Pyrmont 1933/34 ins Auswärtige Amt abgeschreckt, ein Rückschlag, der sich später im Fall des SS-Brigadeführers Walter Stahlecker wiederholen sollte. Für Best hingegen bedeutete der 1942 erfolgte Eintritt ins Auswärtige Amt nach dem Zerwürfnis mit Heydrich eine Karrierechance; Ähnliches galt auch für SS-Oberführer Six.

Anders als Ribbentrop war Himmler daran interessiert, seinerseits fest im Amt installierte Diplomaten für die SS zu gewinnen. Die Zeiten, in denen der Eintritt hochrangiger AA-Beamter ein Prestigegewinn für die SS war, waren mit Kriegsausbruch jedoch vorbei. An der Spitze der SS-Hierarchie im Auswärtigen Amt standen weiterhin Ribbentrop und Keppler als SS-Obergruppenführer. Abetz, Ettel, Hewel, Mackensen, Weizsäcker sowie der Gesandte Edmund Veesenmayer trugen SS-Brigadeführerränge. Den SS-Oberführern wurde ebenfalls das Privileg zuteil, als »Führer beim Persönlichen Stab Reichsführer-SS« zu firmieren. Zu dieser Gruppe gehörten auch die Botschafter Woermann und Thermann sowie der Abteilungsleiter Dörnberg und der Ribbentrop-Vertraute Likus. Niederrangige SS-Mitglieder blieben anderen SS-Behörden zugeordnet, üblicherweise dem SS-Hauptamt.

Eine Liste von 1939 führt 58 Angehörige des Auswärtigen Amtes als SS-Führer beim Stab des SS-Hauptamts auf. Hinzu trat noch eine Reihe von Beamten, die dem SD-Hauptamt und dem Sicherheitshauptamt unterstellt waren, sodass bei Kriegsbeginn vermutlich rund 65 SS-Führer in den Reihen des Auswärtigen Amtes standen. Bis 1944 sollte sich ihre Zahl nur auf 73 Personen erhöhen.[60] Allerdings schieden zwischenzeitlich 16 SS-Führer aus unterschiedlichen Gründen aus dem Auswärtigen Amt aus. Zu diesem Personenkreis gehörten beispielsweise Eduard Brücklmeier aus Ribbentrops Ministerbüro, dem Defätismus vorgeworfen worden war, und Stephan Prinz zu Schaumburg-Lippe, der aufgrund des Führererlasses zur Fernhaltung international gebundener Männer, deren Verwandtschaft über Deutschlands Grenzen hinausreichte, 1943 die

Dienststelle verlassen musste. Edmund Freiherr von Thermann, der erste hochrangige Diplomat, der nach dem 30. Januar 1933 in die SS eingetreten war, stand weiterhin auf der SS-Liste im Auswärtigen Amt, obwohl er seit 1942 beurlaubt und als SS-Sturmbannführer der Reserve beim Höheren SS- und Polizeiführer Russland-Süd eingesetzt war. Da auf den überlieferten Listen einzelne Namen fehlten, sind absolute Zahlen mit Vorsicht zu behandeln. Es erscheint jedoch einigermaßen gesichert, dass von 1939 bis 1944 etwa 25 SS-Führer neu ins Auswärtige Amt kamen, zu einem SS-Offiziersrang aufstiegen oder in die SS aufgenommen wurden.

SS-Führer fanden sich in fast allen Diensträngen und Abteilungen der Berliner Zentrale. 1944 standen neben Ribbentrop und Staatssekretär Keppler sechs Botschafter, elf Gesandte, vier Generalkonsuln, sechs Vortragende Legationsräte, zehn Legations- oder Gesandtschaftsräte sowie Konsuln I. Klasse, ein Oberregierungsrat, 19 Legations- und Gesandtschaftsräte sowie Konsuln und 13 Legationssekretäre beziehungsweise Vizekonsuln in den Reihen der SS.[61] Zu ihnen zählten die Chefs des Büros Reichsaußenminister und der Abteilungen Protokoll, Presse, Kulturpolitik und Rundfunk, die hohe SS-Ränge bekleideten.

Die Übernahme in die SS wurde während des Krieges strikter gehandhabt als in der Vorkriegszeit. Offensichtlich musste die SS kaum noch Kompromisse eingehen. Auch weiterhin hatte der Bewerber Bürgen beizubringen.[62] Wie beim Parteieintritt musste sich der SS-Anwärter persönlich an ältere Partei- beziehungsweise SS-Mitglieder binden – eine Voraussetzung bei der Antragstellung. Nicht selten wurden Diplomaten von SS-Führern für eine Aufnahme vorgeschlagen. Der Chef der Volksdeutschen Mittelstelle und ehemalige Angehörige der Dienststelle Ribbentrop, SS-Obergruppenführer Werner Lorenz, scheint hier besonders rührig gewesen zu sein. Aber auch untere Chargen, wie der Konsul und SS-Standartenführer Herbert Scholz oder Eberhard von Thadden von der Gruppe Inland II, bemühten sich um die Aufnahme von Kollegen in die SS.

Der Aufnahmeantrag musste stets selbst eingereicht werden, die Bewerbung bei der SS war immer ein individueller Akt. Auch wer starke Fürsprecher nachweisen konnte, wurde nicht automatisch aufgenommen. Reichssicherheitshauptamt und SS-Personalhauptamt rieten wiederholt von einer Aufnahme ab oder artikulierten Bedenken. Auch war ein Eintritt zumindest ab 1943/44 nicht mehr ohne Kirchenaustritt möglich. Dieses Junktim machte Thadden im Juli 1944 dem SS-Aspiranten Kassler, Gesandtschaftsrat in Kopenhagen, deutlich: »Aufgrund meiner heutigen Unterhaltung mit dem SS-Personalhauptamt habe ich den Eindruck, dass sich die Angelegenheit völlig auf die Frage zuspitzt, ob Sie bereit sind, aus der Kirche auszutreten oder nicht.«[63]

Eine Bewerbung bei der SS griff tief in die persönlichen Verhältnisse ein und forderte die Offenlegung der gesamten Privatsphäre. Neben der konfessionellen Zugehörigkeit waren Ehe- und Kinderlosigkeit Aspekte, die von den zuständigen Stellen im SS-Personalhauptamt sowie im Rassen- und Siedlungshauptamt kritisch beurteilt wurden. Selbst ein altgedienter SS-Führer wie Oberführer Wilhelm Rodde, Generalkonsul in Kronstadt, wurde mit intimen Fragen konfrontiert. Am 2. März 1944 bat der Chef des SS-Personalhauptamtes, Maximilian von Herff, den zuständigen Sachbearbeiter Thadden um Aufklärung, »warum in den letzten sechs Jahren seit der Geburt des ersten Kindes [von Rodde] keine weiteren Kinder geboren wurden. Sollten gesundheitliche Gründe maßgebend sein, so ist die Vorlage eines ärztlichen Attestes, das eine hinreichende Auskunft über die Art der Krankheit gibt, erforderlich.«[64]

Während die ehrenamtlichen SS-Führer über das gesamte Auswärtige Amt verteilt waren, wurden hauptamtliche Mitarbeiter von der SS speziell in Auslandsmissionen eingesetzt. Als Polizeiattachés und Polizeiverbindungsführer bezeichnet, sollten sie als verlängerter Arm des Reichssicherheitshauptamts (RSHA) dienen. Während die RSHA-Beamten im ersten Kriegsjahr noch relativ unabhängig agieren konnten, gelang es Ribbentrop ab Anfang 1941, die SS- und Polizeivertreter den Missionschefs zu unterstellen. Von 1942 an wurden sie als Polizeiattachés beziehungsweise Polizeiverbindungsführer in die institutionelle Hierarchie des Auswärtigen Dienstes eingegliedert. Sie dienten der sicherheitspolizeilichen Überwachung der Besatzungsgebiete, als Verbindung zur nationalen Polizei in besetzten und nicht besetzten Ländern und als regionale Zentrale für die Auslandsspionage des SD. Auf diese Weise wirkten sie wie eine Miniaturausgabe des RSHA im Ausland.[65]

Diplomatisch getarnte SD-Agenten wurden vor allem in die Länder entsandt, die, wie die Schweiz, Schweden und die Türkei, keinen offiziellen Polizeiabgesandten duldeten. Nach einer Aufstellung vom Oktober 1943 waren 74 Angehörige des RSHA als Polizeiattachés, Polizeiverbindungsführer, SD-Beauftragte oder deren Mitarbeiter in den Missionen

tätig. Zum Teil handelte es sich um breit aufgefächerte Dienststellen. Polizeiattaché SS-Sturmbannführer Paul Winzer von der deutschen Botschaft Madrid hatte allein in der Hauptstadt zehn Mitarbeiter unter sich;
zehn weitere arbeiteten in den Konsulaten in Badajoz, Barcelona, Bilbao,
San Sebastian, Tanger, Teneriffa und Valencia.

Mit den Polizeiattachés war es Himmler und Heydrich gelungen,
eigene Vertreter für sicherheitspolizeiliche Aufgaben und Auslandsspionage fest bei den Missionen zu etablieren. Später sollten diese Positionen
zu ausländischen Zentralinstanzen für »Waffen-SS, Volkstumsfragen,
Sicherheitspolizei, SD und politische Fragen und ordnungspolizeiliche
Fragen« ausgebaut werden und somit alle wesentlichen Tätigkeitsbereiche der SS repräsentieren.[66] Weitergehende Vorstellungen der SS von
einer »autonomen SS-Außenpolitik« blieben jedoch Utopie.[67] Die Kooperation des Auswärtigen Amtes war damit erkauft worden, dass die
Polizeiattachés in die Struktur des AA eingebunden und den Missionschefs unterstellt wurden. Auf diese Weise schaffte es Ribbentrop, eine
unkontrollierte Expansion der SS im Ausland zu verhindern. Noch im
April 1944 beschwerte sich Ernst Kaltenbrunner über die geringe Zahl
der SD-Agenten und Polizeiattachés in den Missionen.[68] Ribbentrops
Strategie einer Reduktion durch Integration schien aufgegangen zu sein.

Neben den Mitgliedern der SS taten auch Angehörige des zweiten paramilitärischen Verbandes der NSDAP, der SA, im Auswärtigen Amt
Dienst. Sie wurden in gewisser Weise als Gegengewicht zu den schwarz
uniformierten Kameraden verstanden. Eine gezielte Personalpolitik
sorgte dafür, dass nicht nur Beamte, die nebenamtlich bei der SA Führer-
ränge erworben hatten, sondern vor allem auch SA-Generale aus dem
hauptamtlichen SA-Dienst wichtige Funktionen im Auswärtigen Amt
erhielten. Diese Politik lässt sich exemplarisch an der Ernennung einer
Reihe von SA-Generalen zu Missionschefs in den südosteuropäischen
Staaten festmachen. 1941 übernahmen fünf SA-Gruppenführer die Gesandtschaften in Pressburg/Bratislava (Slowakei), Budapest (Ungarn),
Sofia (Bulgarien), Agram/Zagreb (Kroatien) und Bukarest (Rumänien).
Nur einer von ihnen, Manfred von Killinger, hatte bereits seit 1939 erste
Erfahrungen als Gesandter in Pressburg gesammelt, bevor er im Rah-
men des Revirements nach Bukarest versetzt wurde.

Das Verhältnis der SA-Diplomaten zu den traditionellen Beamten
war gespannt, die Kritik mitunter beißend. Hassell hielt Killinger für

einen »brutalen, ungebildeten, oberflächlichen Feldwebel«, und er hatte wohl recht damit.[69] So vollständig wie Hassell mochten sich andere hochrangige Diplomaten nicht von den Kollegen distanzieren. Hanns Ludin wurde als der Fähigste unter den neuen SA-Ernennungen bezeichnet, Siegfried Kasches Privatleben galt als vorbildlich, Dietrich Jagow als tapferer Offizier von ausgezeichnetem Charakter.[70] In welchem Maß die Stellenbesetzungen dazu beitragen sollten, den SS-Einfluss in Südosteuropa einzudämmen, bleibt unsicher. Ribbentrop jedenfalls strebte eine prinzipiell gleichgewichtige Hereinnahme von SA- und SS-Leuten an. Zwar wurden zuerst Posten an SA-Angehörige vergeben. Dass zunächst keine höheren SS-Führer übernommen wurden, hing aber nicht mit einer Obstruktionshaltung des Auswärtigen Amtes zusammen, sondern vor allem mit der Zurückhaltung Himmlers, der kaum entsprechende Personalvorschläge machte.

Allerdings wurden die SA-Gesandten von der SS als Bedrohung und bewusste Provokation verstanden, zumal auf Politikfeldern, die die SS für sich reklamierte. Bereits während des Revirements beklagte sich der Chef des SS-Hauptamtes, SS-Gruppenführer Gottlob Berger, bei Himmler darüber, dass die SA-Gesandten »die Arbeit in den deutschen Volksgruppen ernsthaft gefährden« würden. Hinter dem »Kampf gegen die SS« stecke, so Berger, der SA-Brigadeführer und Gesandte Luther, der im Auswärtigen Amt eine stärkere Stellung einnehme als selbst die Staatssekretäre.[71] Auch der Persönliche Referent Himmlers, Rudolf Brandt, war der Auffassung, dass Unterstaatssekretär Luther bewusst eine gegen die SS gerichtete Politik verfolge. Gerade im Licht der Personalpolitik Ribbentrops darf Luthers Abneigung gegen die SS freilich nicht mit einer grundsätzlichen und konsequent umgesetzten Personalpolitik des Amts generell verwechselt werden. Und schließlich darf auch nicht übersehen werden, dass Luther auf anderem Gebiet willig und eng mit der SS, ihren Dienststellen und Repräsentanten kooperierte: bei der Verfolgung und Ermordung der europäischen Juden.

Das Auswärtige Amt im Krieg

Von Anfang an war der Krieg, der am 1. September 1939 mit dem deutschen Angriff auf Polen begann, ein rassenideologisch bestimmter Eroberungs- und Vernichtungsfeldzug. Überall, wo deutsche Truppen Gebiete besetzten, wurden militärische Besatzungs- und Verwaltungsstrukturen errichtet; die Besetzung durch die Wehrmacht schuf zugleich die Voraussetzung für die politische Kontrolle der beherrschten Territorien, für ihre wirtschaftliche Ausplünderung und für die Verfolgung und Ermordung der dort lebenden Juden. Krieg, Besatzung und Holocaust waren untrennbar miteinander verbunden, eine gewaltige Vernichtungsmaschinerie forderte Millionen von Opfern.

Das Auswärtige Amt stand bei der rapiden Erosion zivilisatorischer Standards und bei der Entwicklung hin zu einem mörderischen Eroberungs- und Vernichtungskrieg nicht abseits. Über das Massensterben von über drei Millionen sowjetischen Kriegsgefangenen, über die Methoden der Kriegführung und über den verbrecherischen Charakter der deutschen Besatzungspolitik insbesondere im Osten war man in der Wilhelmstraße sowohl durch eigene Beobachtungen als auch durch einen intensiven Informationsaustausch und eine enge Kooperation mit der obersten Polizei- und SS-Führung außerordentlich gut informiert. Eigene Abteilungen im Auswärtigen Amt beschäftigten sich mit der Organisation moderner Sklavenarbeit und mit Kunstraub. Die deutschen Diplomaten ermöglichten der Führung des Dritten Reiches bis zum Ende des Krieges die Umsetzung eines menschenverachtenden Programms. Sie waren Besatzungsgehilfen, Mitwisser und – immer wieder – Mittäter. Darüber können einzelne Fälle von Resistenz und Kritik am deutschen Vorgehen nicht hinwegtäuschen.

An der »Endlösung der Judenfrage«, der systematischen Vernichtung der europäischen Juden, wirkte das Auswärtige Amt mit. Immer weniger ging es dabei um Sprachregelungen, mit denen man den durch die Judenpolitik des Dritten Reiches verursachten Ansehensverlust Deutschlands zu begrenzen suchte, und immer mehr um Planung, Vorbereitung und Durchführung von Maßnahmen gegen die jüdische Bevölkerung Europas. An der von Hermann Göring am 12. November 1938, drei Tage nach den reichsweiten Pogromen, einberufenen Sitzung, auf der er ankündigte, mit den Juden im Reich »tabula rasa« zu machen, nahmen AA-Unterstaatssekretär Ernst Woermann und »Judenreferent« Emil Schumburg teil; auf der Wannsee-Konferenz zur »Endlösung der Judenfrage« am 20. Januar 1942 war das Auswärtige Amt durch Unterstaatssekretär Luther vertreten – die deutschen Diplomaten waren nicht nur zu jedem Zeitpunkt über die Judenpolitik im Bilde, sie waren aktiv an ihr beteiligt.

Besatzungsherrschaft und »Endlösung« waren eng miteinander verbunden: Während des Zweiten Weltkriegs waren Vertreter des Auswärtigen Dienstes im gesamten besetzten Gebiet, in den verbündeten Staaten und in den Operationsgebieten des Heeres eingesetzt, wo sie die Besatzungsbehörden über die außenpolitische Lage informierten und zugleich ihrer Dienststelle ständig Bericht erstatteten. Dabei beschränkte sich ihre Rolle mitnichten auf die von Stichwortgebern, es ging nicht um bloße Kommunikation zwischen Peripherie und Zentrale. Auch wenn sie Kriegsverlauf und Besatzungspolitik nicht allzu oft maßgeblich mitbestimmen konnten, bemühten sie sich stets, ihren Handlungsspielraum an den jeweiligen Einsatzorten maximal zu nutzen. Das Spektrum der Verhaltensweisen reichte von dilatorischer Behandlung bis zu vorauseilendem Gehorsam, von Versuchen, mäßigend auf die brutale Besatzungspolitik einzuwirken, bis zu Initiativen, in deren Folge sich die Lebensbedingungen für die Bevölkerung in den besetzten Ländern noch weiter verschlechterten. In der Regel taten sie alles, um den Erwartungen der Reichsregierung zu entsprechen. Widerständiges Verhalten blieb die Ausnahme.

In permanenter Auseinandersetzung mit konkurrierenden Institutionen versuchte das Amt zwischen 1939 und 1945 immer wieder, sich bei der Bestimmung der Spielregeln und der Verteilung der Beute einen der vorderen Plätze zu sichern. Die Neugestaltung einer europäischen Großraumwirtschaft unter deutscher Ägide, die Instrumentalisierung der deutschen Minderheiten und die Beeinflussung der sogenannten Volkstumspolitik – der Verschiebung großer Menschenmassen nach Kriterien der NS-Ideologie – in den besetzten Gebieten und verbündeten Staaten, die Auslandspropaganda sowie der Einsatz ausländischer Arbeitskräfte waren Aufgabenfelder, denen sich deutsche Diplomaten mit Eifer widmeten. Dabei liefen ihnen in der Praxis bisweilen Görings Vierjahresplanbehörde, Rosenbergs Ostministerium, das Goebbels'sche Propagandaministerium, Himmlers Dienststelle des Reichskommissars für die Festigung deutschen Volkstums oder das SS-Hauptamt Volksdeutsche Mittelstelle den Rang ab. Aber auch auf dem traditionellen diplomatischen Parkett besaßen die deutschen Diplomaten keineswegs volle Bewegungsfreiheit oder gar ein Monopol. In einem Krieg, der von deutscher Seite ohne Kriegserklärung begonnen worden war und in dem das Völkerrecht von Anfang an als zu vernachlässigende Größe betrachtet wurde, konnten Zeitgenossen sich zu Recht die Frage stellen, welche Rolle eigentlich den Diplomaten zugedacht sein sollte. So begannen einige Vertreter des Auswärtigen Amtes, in den besetzten Ländern sich auf Feldern zu engagieren, die mit Diplomatie nichts oder nur wenig zu tun hatten, und konnten dort ihren Einfluss durchaus geltend machen.

Ab September 1939 kamen neue Territorien und mit ihnen Millionen von Juden unter deutsche Herrschaft. Von den elf Millionen in den Osten zu deportierenden europäischen Juden, die im Wannsee-Protokoll von 1942 erwähnt werden, entfielen nur etwa 131 800 auf das »Altreich«, der Rest waren deutsche Juden, die ins Ausland geflüchtet und von der deutschen Besatzung eingeholt worden waren, oder nicht deutsche Juden.[1] Und da die überwiegende Mehrzahl der europäischen Juden im Osten lebte, lag dort auch der Schwerpunkt der zwangsweise erfolgten Ghettobildung und etwas später der Schwerpunkt des Systems der Konzentrations-, Arbeits- und Vernichtungslager. Für die in diesem Zusammenhang geplanten massiven Deportationen benötigte man die Mitarbeit diverser Reichsbehörden und eben auch die Kooperation des erfahrenen und allgegenwärtigen Auswärtigen Amts. Zwar war der gesamte Staatsdienst für die antijüdischen Maßnahmen unentbehrlich. Doch war letztlich das Auswärtige Amt das einzige Ministerium, das befugt war, jenseits der Reichsgrenzen bei der Umsetzung dieser Politik direkt mitzuwirken. Sukzessive verwandelte das Auswärtige Amt seine traditionelle diplomatische Tätigkeit in ein neuartiges Instrument der Besatzungs- und Judenpolitik. Und so wie die »Endlösung« selbst sukzessive entwickelt wurde, erfolgte auch die Mitwirkung des Auswärtigen Amts schrittweise: Je mehr Territorien in den Machtbereich des Dritten Reichs gerieten, je radikaler die Judenpolitik wurde, desto stärker war auch das Auswärtige Amt mit der Planung und Politik der »Endlösung« befasst.

Indem die »Endlösung« zu einer Angelegenheit auch der auswärtigen Politik wurde, entstanden neue Themenfelder, die der überkommenen Außenpolitik und Diplomatie fremd waren. Nach 1945 wurde die Tatsache, dass das Auswärtige Amt Berichte über die Mordaktionen der Einsatzgruppen erhalten hatte, damit begründet, »dass sie auch Mitteilungen enthielten, die außenpolitische Bedeutung gewinnen konnten«. Eberhard von Thadden, »Judenreferent« des Auswärtigen Amtes, erklärte während des Eichmann-Prozesses 1961: »Ein Teil meiner Aufgabe in der Abteilung II (Inland I) waren die außenpolitischen Aspekte der Deportation von Juden aus besetzten Territorien oder verbündeten Staaten.«[2] In Wirklichkeit wurden die Einsatzgruppenberichte zu einem wichtigen Bestandteil der alltäglichen Aktivitäten des Auswärtigen Amtes und definierten den Charakter des Ministeriums neu. Der Gegensatz zu den traditionellen Aufgaben der Diplomatie, der Behandlung der Belange deutscher Staatsbürger im Ausland oder ausländischer Staatsbürger im Reich, konnte nicht größer sein.

Dieser Kontrast führte zu einer gespaltenen Handlungsweise, ja einer schizophrenen Haltung der Beamten des Auswärtigen Amts. Zum einen hatte man alte Normen, Strukturen und Regeln wie auch herkömmliche Funktionen aufrechtzuerhalten, zum anderen aber brach man völlig mit diesen Normen, entwickelte neue Strukturen und präzedenzlose Aufgaben. Auch dort, wo sich die traditionellen Strukturen scheinbar nicht änderten, waren die neuen Ziele revolutionär – Plünderung, Raub, Verfolgung, Deportation und Massenmord. Am Ende erschien das Irrationale und Unfassbare auch dank der Vermittlung des Auswärtigen Amtes als rational, rechtmäßig und folgerichtig. Dabei ging es nicht nur um die Wahrung der Fassade des Dritten Reiches als normaler Staat in den internationalen Beziehungen; die Bemühungen des Auswärtigen Amts richteten sich gleichermaßen nach innen, um die jenseits der Grenzen verübten Verbrechen vor der deutschen Bevölkerung zu verschleiern. Es war just die Illusion der Kontinuität und Professionalität, die das Wirken des Auswärtigen Amts bei der Umsetzung der verbrecherischen Politik für das Regime so nützlich machte.[3] Die Bürokratie als Deckmantel einer aus den Fugen geratenen Moralität: Indem das Amt bürokratische Vorgaben schuf, die als legitim angesehen wurden, trug es dazu bei, moralische Bedenken angesichts unerhörter Verbrechen zu neutralisieren.[4]

Auswanderung, Ausbürgerung, Abschiebung: Die »Lösung der Judenfrage« 1939–1941

Am 7. November 1938 schoss der in Paris lebende Herschel Grynszpan auf den Legationssekretär Ernst vom Rath, der zwei Tage später starb. Grynszpans Familie gehörte zu den polnischen Juden, die Ende Oktober 1938 an die polnische Grenze deportiert worden waren. Am 9. November organisierte das Regime in der sogenannten »Reichskristallnacht« ein Pogrom. Das Ausland, besonders die amerikanische Presse, reagierte mit empörtem Protest. Botschafter Dieckhoff berichtete aus Washington von einem »Sturm, der augenblicklich über die Vereinigten Staaten« hinwegfege: »Der Aufschrei« komme »aus allen Lagern und Schichten ... einschließlich dem Lager der Deutschamerikaner«. Selbst die »anständigen nationalen Kreise, die durchaus antikommunistisch und zum großen Teil antisemitisch eingestellt« seien, begännen »sich von uns abzuwenden«. In »dieser allgemeinen Hassstimmung hat auch der Gedanke eines Boykotts gegen deutsche Waren wieder neuen Auftrieb erhalten«.[5] Anders als 1933 leitete das Auswärtige Amt allerdings keine Gegenmaßnahmen ein. Eine Verschlechterung der auswärtigen Beziehungen oder gar eine Intervention der Westmächte, die sich in der Sudetenkrise erkennbar um die Erhaltung des Friedens bemüht hatten, beunruhigten Hitler längst nicht mehr.

Das einzige große demokratische Land, das nicht einmal symbolisch gegen das Pogrom protestierte, war Frankreich. Als der französische Außenminister Georges Bonnet einen Monat nach dem Pogrom in Berlin eintraf, setzte er seinem Amtskollegen Ribbentrop auseinander, »wie sehr man in Frankreich an einer Lösung des Judenproblems interessiert sei«. Da Frankreich keine Juden aus Deutschland mehr aufnehmen wollte, stellte Bonnet die Frage, ob »nicht irgendwelche Maßnahmen« getroffen werden könnten, »damit sie nicht mehr nach Frankreich kämen«.

Verstanden werden konnte diese Aussage als Mahnung zur Mäßigung der antijüdischen Maßnahmen, aber auch als Bitte, weitere Flüchtlinge mit Zwangsmitteln vom Überschreiten der Grenze abzuhalten. Bonnets Hinweis, dass auch Frankreich 10 000 Juden »irgendwohin loswerden«[6] wolle, machte jedenfalls klar, dass Frankreich an einer »Lösung der Judenfrage« in Deutschland auf dem Wege der Auswanderung kein Interesse hatte.

Bereits vor dem Pogrom waren auf internationaler Ebene Verhandlungen über die Emigration deutscher Juden geführt worden. An der Konferenz von Evian im Juli 1938, auf der Lösungsvorschläge für die nach Zuflucht suchenden deutschen Juden erörtert wurden, nahmen neben Repräsentanten von Staaten, die Juden aufnehmen sollten, auch Vertreter des AA teil.[7] Längst allerdings hatten sich die Zeichen verdichtet, dass Hitler zur radikalsten aller »Lösungen« entschlossen war. Die Ergebnisse von Evian – die mangelnde Bereitschaft der Teilnehmerstaaten, Juden einwandern zu lassen – deuteten die Entscheidungsträger in Deutschland so: Zum einen verhalte sich die internationale Gemeinschaft eher gleichgültig gegenüber dem Schicksal der verfolgten deutschen Juden, zum anderen könne die »Lösung der Judenfrage« nicht mehr über individuelle Auswanderung erzielt werden.

Drei Tage nach dem Pogrom, am 12. November, lud Göring zu einer Konferenz in das Luftfahrtministerium. Mehr als 100 Teilnehmer kamen, darunter viele Minister und hohe Beamte, um über antijüdische Maßnahmen zu beraten. Er habe, so Göring, von Hitler den Auftrag erhalten, dass »die Judenfrage jetzt einheitlich zusammengefasst werden soll und so oder so zur Erledigung zu bringen ist«.[8] Das AA war durch Unterstaatssekretär Ernst Woermann und »Judenreferent« Emil Schumburg vertreten. Woermann war der erste Teilnehmer, der sich nach Görings Tirade zu Wort meldete. Zu den von Göring angesprochenen Juden mit ausländischer Staatsangehörigkeit gab er zu Protokoll: »Ich würde bitten, dass das AA im Einzelfalle beteiligt wird.« Auf Görings Versuch auszuweichen hakte Woermann nach: »Ich möchte jedenfalls den Anspruch des AA auf Beteiligung anmelden.« Hartnäckig diskutierte er die Frage der Versicherung der ausländischen Juden und war am Ende erleichtert: »Also die Zusage der generellen Beteiligung des AA ist damit gegeben?«

Woermann berichtete seinem Minister noch am selben Tag über den Verlauf der Sitzung: »Habe Frage der Behandlung ausländischer Juden angemeldet und Beteiligung AA an allen Maßahmen generell und im Einzelfall sichergestellt. Ausgangspunkt dabei, dass Rücksicht auf Ausland nur zu nehmen ist, wenn vorwiegendes Reichsinteresse dazu zwingt.« Außerdem berichtete er über die geplanten Maßnahmen gegen die deutschen Juden: »Arisierung der Wirtschaft soll beschleunigt durchgeführt werden«, die »Frage der Zwangsarbeit des jüdischen Proletariats« wie auch die »Frage der Beschränkung der Freizügigkeit der Juden (Ghettos) sowie eine Reihe von Einzelmaßnahmen wie Verbot des Besuchs von Kurorten, Bädern ... Theatern, Konzerten, Kinos usw. durch Juden« sollten sofort geprüft werden. Einigkeit habe bestanden über das »Auferlegen einer einmaligen Kontribution von einer Milliarde Reichsmark an die deutschen Juden«. Was für das AA am relevantesten war: Die jüdische Auswanderung solle auf jede Weise gefördert werden. Wichtigster Punkt war für Woermann die erhaltene »Zusage der Berücksichtigung vertraglicher Verpflichtungen«.[9]

Am Ende der Konferenz entließ Göring die Teilnehmer mit dem Hinweis: »Wenn das Deutsche Reich in irgendeiner absehbaren Zeit in außenpolitischen Konflikt kommt, so ist es selbstverständlich, dass auch wir in Deutschland in allererster Linie daran denken werden, eine große Abrechnung an den Juden zu vollziehen.«[10] In ähnlichen Worten wiederholte Hitler diese Drohung wenige Wochen später in seiner Reichstagsrede zum Tag der Machtübernahme am 30. Januar 1939: »Wenn es dem internationalen Finanzjudentum in und außerhalb Europas gelingen sollte, die Völker noch einmal in einen Weltkrieg zu stürzen, dann wird das Ergebnis nicht die Bolschewisierung der Erde und damit der Sieg des Judentums sein, sondern die Vernichtung der jüdischen Rasse in Europa.«[11] Den Diplomaten des Auswärtigen Amts war zu diesem Zeitpunkt die drohende weitere Eskalation der nationalsozialistischen Judenpolitik längst klar geworden. Die Juden müssten Deutschland verlassen, äußerte Staatssekretär Ernst von Weizsäcker 1938 gegenüber dem Schweizer Gesandten in Paris, »sonst gingen sie eben über kurz oder lang ihrer vollständigen Vernichtung entgegen«.[12]

Wie bereits angedeutet, beschränkten sich die Erörterungen im AA nicht auf die deutschen Juden und ihre Auswanderung. In einem Schreiben an alle diplomatischen und konsularischen Vertretungen im Ausland vom 25. Januar 1939 referierte Schumburg über die »Judenfrage als Faktor der Außenpolitik im Jahre 1938«. Die Ausgangsposition, so hieß es dort, war, dass »der Jude« eine »Krankheit des Volkskörpers« ist. »Das letzte Ziel … ist die Auswanderung aller im Reichsgebiet lebenden Juden.« Doch die Aufgabe der deutschen Außenpolitik sei nicht nur, die jüdische Wanderung in der Welt zu »lenken«, sondern eine globale »antisemitische Welle zu fördern«. So würde »eine in der Zukunft liegende internationale Lösung der Judenfrage« möglich gemacht. Auf dem Hintergrund dieser Empfehlung kann der Satz, »auch für Deutschland wird die Judenfrage nicht ihre Erledigung gefunden haben, wenn der letzte Jude deutschen Boden verlassen hat«, nur als Aufforderung des AA verstanden werden, eine »Gesamtlösung« in Form eines »Judenreservats« oder durch physische Vernichtung anzustreben. Spätestens bei Eingang dieses Dokuments in allen deutschen diplomatischen Vertretungen, kurz vor Hitlers Rede am 30. Januar 1939, musste den Diplomaten klar sein, welche »Gesamtlösung« das Amt anstrebte.[13]

Das Auswärtige Amt war also bereits vor dem Krieg in die deutsche Judenpolitik involviert. Es ging dabei nicht nur um Propaganda gegen die zum Teil heftigen Reaktionen des Auslands auf die Nachrichten über Judenverfolgungen in Deutschland. Von dem Moment an, zu dem sich deutsche Juden (ab 1935 »Juden in Deutschland«) unter dem Druck der Judenpolitik für eine Auswanderung entschieden, gerieten sie von selbst in den Zuständigkeitsbereich des Auswärtigen Amtes. Auch nach dem 1. September 1939 blieb die erzwungene Auswanderung der deutschen Juden aus Sicht des Regimes die beste anzustrebende Lösung. Bis zum 23. Oktober 1941, als Juden die Auswanderung verboten wurde, war das Auswärtige Amt Teil des bürokratischen Apparates, über den die Emigration abwickelt wurde. Und nach der erfolgreichen Auswanderung war das Auswärtige Amt mit seinen Vertretern und Missionen im Ausland diejenige Behörde, die – hauptsächlich aus wirtschaftlichen Gründen – mit den emigrierten Juden weiter in Kontakt stand. Das Amt beschäftigte sich in diesem Zusammenhang einerseits mit den bürgerlichen Rechten deutscher Juden im Ausland und arbeitete andererseits daran mit, sie dieser Rechte zu berauben und sie zu enteignen.

Das Regime wollte die »Ausscheidung« der Juden aus dem »deutschen Volkskörper«, dabei aber möglichst viel jüdisches Vermögen für das Deutsche Reich rauben und das deutsche Ansehen im Ausland nicht beschädigen. Die Rolle, die das Auswärtige Amt in diesem Zusammenhang spielte, ließ diesen Widerspruch offen zutage treten. »Viele Juden suchen ihre Auswanderung ohne Rücksicht auf die Kosten durchzuführen«, beschwerte sich kurz nach Kriegsbeginn die Reichsstelle für das Auswanderungswesen beim Auswärtigen Amt, das für die Verbindungen zu den ausländischen Diplomaten zuständig war. »Sie scheuen nicht vor unmittelbarer oder mittelbarer Bestechung von Vertretern fremder Staaten oder deren Gehilfen zurück.« Als hätten die um ihr Überleben kämpfenden, verzweifelt nach einem Zufluchtsort suchenden Juden eine Alternative gehabt. Das Auswärtige Amt wurde über die »Schmiergelder«, die Juden für Visa zahlten, und über die Kontaktpersonen informiert und gebeten, sich sowohl um die finanziellen Implikationen als auch um das »Interesse des deutschen Ansehens« zu kümmern.[14]

Die widersprüchliche NS-Auswanderungspolitik erzeugte eine Unzahl von bürokratischen Verordnungen, die den Exodus für die Juden zu einem kaum zu bewältigenden Projekt werden ließen. Zu den zahlreichen Dokumenten, die man beschaffen und vorlegen musste, zählten neben der Einreiseerlaubnis des Ziellandes auch eine Ausreisegenehmigung sowie Unbedenklichkeitsbescheinigungen der Gestapo, der Finanzbehörden, aber auch des Auswärtigen Amtes. Die Anträge wurden durch örtliche Auswandererberatungsstellen geprüft, an die Reichsstelle für Auswanderungswesen weitergeleitet und von dort an die Zentralstelle für jüdische Auswanderung gegeben – zur Übermittlung an das Auswärtige Amt.[15] Anträge wurden dem Auswärtigen Amt »im Interesse der Förderung der jüdischen Auswanderung« auch durch das Reichssicherheitshauptamt (RSHA) zugeleitet, das Gesuche über die Reichsvereinigung der Juden in Deutschland und der Israelitischen Kultusgemeinde erhielt.[16] Für die Ausstellung entsprechender Bescheinigungen wurden die Anträge vom Auswärtigen Amt gelegentlich auch an den Reichsführer-SS zur Stellungnahme geschickt.[17] Schon zu diesem Zeitpunkt also, 1939/40, arbeiteten Auswärtiges Amt und SS beziehungsweise Reichssicherheitshauptamt in der »Judenfrage« zusammen.

Obwohl Juden auch nach dem 1. September 1939 noch auswandern durften, ging die Zahl der auswandernden Juden stark zurück, weil der Krieg die Einwanderung in Feindstaaten nicht mehr zuließ. Weil die SS auf eine Fortsetzung der Auswanderung nach Palästina drängte, kam es in Verhandlungen zwischen Großbritannien (das ab Mai 1939 die Einwanderung von Juden nahezu hermetisch unterband), Italien, dem Auswärtigen Amt und der Gestapo im Oktober 1939 zu einer Vereinbarung, dass deutsche Juden, die Zertifikate zur Einreise nach Palästina besaßen, über Triest nach Palästina reisen durften. Dieser Weg wurde mit dem Eintritt Italiens in den Krieg im Mai 1940 blockiert. Offen blieben für die aus britischer Sicht illegale Einwanderung bis Juni 1941 Schleichwege über Osteuropa und die Sowjetunion. Gemeinsam mit Adolf Eichmann vom RSHA sorgte Franz Rademacher vom Auswärtigen Amt durch Zentralisierung und Vereinfachung der Prozeduren dafür, dass diese Routen maximal ausgenutzt wurden.[18]

Immer wieder jedoch erhob das Auswärtige Amt Einwände gegen die Auswanderung von Juden, insbesondere von jüdischen Intellektuellen. Auch wenn die »jüdische Auswanderung weiterhin zu fördern« sei, so das AA, müsse doch »jeder Fall der Auswanderung eines jüdischen Intellektuellen« besonders geprüft werden.[19] Einsprüche gegen die Auswanderung jüdischer Lehrer äußerte schon im Herbst 1939 die Auslandsorganisation der NSDAP mit dem Hinweis auf »politische und kulturelle« Folgen.[20] Die Überlegung, die dahintersteckte, verriet Judenreferent Rademacher in einem Schreiben vom September 1940, in dem er seine Bedenken gegen die Auswanderung der 50-jährigen Lehrerin Lotte Barschack in die USA begründete:»Grundsätzlich habe ich Bedenken, Juden, die ausgebildete Lehrkräfte sind, auswandern zu lassen. Ich befürchte, dass diese Juden dann in die südamerikanischen Staaten weiterwandern, um dort den bisher kümmerlichen Versuchen der Juden, eigene, so genannte ›deutsche Schulen‹ zu gründen, den fehlenden Rückhalt zu geben.« Rademacher befürchtete, dass »die Ausländer, die Wert auf eine deutsche Ausbildung ihrer Kinder legen, diese Kinder in die jüdischen, und nicht mehr wie bisher in die deutschen Schulen« schicken.[21] Es ging ihm also um den Wettbewerb zwischen Juden und Nichtjuden beziehungsweise um die Deutungshoheit über die deutsche Kultur im Ausland.

Auch wenn deutschen Juden die Ausreise gelungen war, hielt das Auswärtige Amt über seine Vertretungen weiterhin seinen Zuständigkeitsanspruch aufrecht. Die Missionen meldeten das Eintreffen von Juden nach Berlin und befassten sich mit den als problematisch geltenden Angelegenheiten. In ihren Berichten bestätigten die Beamten gern, dass sich die Probleme mit Juden im Ausland fortsetzten. So berichtete das deutsche Konsulat in Mukden im Süden der Mandschurei von Beschwerden deutscher (d.h. »arischer«) Reisender über jüdische Emigranten, die

sich im selben Zug befunden hätten. Die Emigranten hätten sich »durch
ihr lautes und aufdringliches Betragen allgemein unbeliebt« gemacht; da
sie »bei den meisten Japanern und Mandschuren als Deutsche schlechthin gelten, können dem Deutschtum in seiner Gesamtheit hieraus Nachteile entstehen«. Das Konsulat schlug deshalb vor, »künftig das für Juden
bestimmte rote ›J‹ auch auf dem äußeren Deckel des Reisepasses anzu-
bringen«. Acht Monate später, am 7. Juli 1941, setzte Himmler diesen
Vorschlag in eine gesetzliche Bestimmung um.[22]

Überall griffen die Vertretungen des Auswärtigen Amtes in das Leben
der Einwanderer ein und machten es ihnen auch außerhalb Europas so
schwer wie möglich. Dabei gab es keine einheitlichen Richtlinien. Vielmehr lassen sich bereits in diesem Stadium diverse individuelle Handlungsweisen beobachten, die mit den inneren Widersprüchen und Ab-
surditäten der Judenpolitik auf jeweils eigene Art umzugehen suchten.
Im Anschluss an einen Bericht der deutschen Gesandtschaft in Kabul
über die Ankunft von deutschen Juden – darunter Ärzte, Juristen, ein
Lederhändler und ein Konservenspezialist – beschwerten sich die Abteilungen W II c und D III beim RSHA sowie beim Reichsinnenministerium: »Das Auswärtige Amt kann die Begründung einer Niederlassung
von Juden deutscher Staatsangehörigkeit nicht gutheißen«, da dies »die
Stellung der zahlenmäßig noch nicht starken deutschen Kolonie in Afghanistan ... erschwert.« Es wurden Vorschläge unterbreitet, die auf eine
Blockade der Anstellung von Juden hinausliefen, und die deutsche Gesandtschaft in Kabul wurde gebeten, »die Juden auf ihr Verhalten hin zu
beobachten«.[23] Als dieselbe Gesandtschaft auf Wunsch – oder Druck –
einer Gruppe von bereits nach Afghanistan ausgewanderten Juden um
die notwendigen Bescheinigungen aus Berlin zur Ausreise von Verwandten bat, lehnte Eichmann das Gesuch mit Hinweis auf die diplomatischen Berichte aus Kabul ab.[24]

Dieselbe negative Haltung gegen eine Auswanderung von Juden aus
Deutschland brachte das deutsche Konsulat in Manila zum Ausdruck.
Unter dem Betreff »Deutschtum auf den Philippinen« berichtete der
Konsul nicht nur über die steigende Zahl der sich beim Konsulat mel-
denden deutschen Juden, die »schon jetzt höher ist als die der Deutschen« – entsprechende »Deutschtumslisten« fügte er bei –, sondern er
beschwerte sich auch über die Zahl der nicht gemeldeten Juden und bezeichnete einen weiteren Zuzug als »höchst unerwünscht«.[25] Aus einer

anderen Ecke der Welt, aus Chile, kamen Beschwerden des deutschen Botschafters Schoen über den »Skandal der jüdischen Einwanderung nach Chile«; leider gebe es »gewisse Rechtsanwälte«, die »der jüdischen Einwanderung den größten Teil ihres neuerworbenen Reichtums verdanken«.[26]

Nicht immer zogen die SS- und Polizeidienststellen des Reiches das Auswärtige Amt zu den Beratungen und Entscheidungen über das Vorgehen gegen die Juden heran – sehr zum Missfallen der Diplomaten. Dies zeigte sich schon in den ersten Kriegsmonaten, als es in Alternative zur bisherigen Politik der erzwungenen Auswanderung, deren Wege jetzt immer häufiger abgeschnitten wurden, zur Schaffung eines »Judenreservats« bei Nisko in der Gegend von Lublin kam. Als die ersten Transporte in dieses »Reservat« Österreich und das Protektorat verließen und im Reich darüber Gerüchte zu kursieren begannen, wandte sich Schumburg an die Gestapo, um nähere Informationen zu erhalten. Erst jetzt wurde ihm mitgeteilt, dass ein Gebiet östlich von Krakau für die Umsiedlung von etwa 1,5 Millionen Juden vorgesehen sei. Ebenfalls überrascht wurde das Auswärtige Amt, als im Februar 1940 Juden aus Stettin und Schneidemühl deportiert wurden. In der Anfangsphase des Krieges, als die »Lösung der europäischen Judenfrage« noch keine klaren Konturen hatte, wurde das Referat Deutschland über Pläne und Aktionen zwar informiert, war aber noch nicht gestaltend oder ausführend daran beteiligt.

Insgesamt verstärkte sich mit Beginn des Krieges die Suche nach Alternativen zur Auswanderung von Juden. Das implizierte als Lösung zwangsläufig entweder ein »Judenreservat« oder die physische Vernichtung. Auch im Auswärtigen Amt, wo antisemitische Stereotypen und Einstellungen stark ausgeprägt waren und man mit der Auswanderungspolitik auf Dauer nicht zufrieden sein konnte, begann man nach Alternativen zu suchen. Unterdessen ging der Raub jüdischen Vermögens weiter. In allen Fällen, in die ausländische oder ins Ausland emigrierte Juden involviert waren, beriet sich das RSHA mit dem AA, ob Bedenken gegen die Übertragung des Besitzes auf das Reich bestünden und wie im Fall von außenpolitischen Einwänden wenigstens ein Teil des Vermögens »doch den deutschen Volksgenossen zugute kommen« könnte.[27] Zudem wurde das Auswärtige Amt bei »Grundstücksentjudungen« und »Arisierungsverfahren« hinzugezogen, um jüdische Besitzer im Ausland ausfindig zu machen und auf diese Weise den Raub juristisch zu legitimieren.[28] So wandte sich zum Beispiel die Zentrale an das deutsche Konsulat in Ciudad Trujillo (Dominikanische Republik) wegen des Arisierungsverfahrens gegen »den emigrierten Juden Dr. Hermann Lamm«, um festzustellen, ob er »noch die deutsche Staatsangehörigkeit besitzt oder inzwischen eine andere Staatsangehörigkeit erworben hat«.[29]

Aber nicht nur Juden, die Besitz überführen oder Vermögenstransaktionen vornehmen wollten, mussten sich an das Auswärtige Amt wenden. Auch Themen wie die »Versorgungsbezüge der ehemaligen jüdischen Beamten« wurden zur Angelegenheit des Amtes.[30] Obwohl Heydrich in einem Schreiben vom Dezember 1940 die »Einstellung der Zahlung von Renten u. dgl. an im Ausland lebende Juden« angeordnet hatte, wurden von der Staatsbürokratie, darunter auch dem Auswärtigen Amt, noch 1941 sämtliche Versorgungsbezüge bearbeitet.[31] Nebenbei sammelten die Auslandsvertretungen auf diese Weise Informationen über die Organisationen von »Auslandsjuden« und deren Aktivitäten.[32] Aber auch andere Anfragen erreichten das Amt: Der Emigrant Werner Schleyer, der nach den USA auswandern wollte, bat aus der Schweiz um die nötigen Leumundszeugnisse; über das Deutsche Rote Kreuz traf in der Wilhelmstraße die Bitte von Beate Blumberg ein, ihren Sohn in Italien ausfindig zu machen.[33]

Die in juristischer Hinsicht folgenreichste Konsequenz der Auswanderung, nämlich die Ausbürgerung, wurde ebenfalls unter Mitarbeit des Auswärtigen Amtes in die Wege geleitet; erst die 11. Verordnung zum Reichsbürgergesetz vom November 1941 verfügte die automatische Ausbürgerung. Die im Oktober 1941 eingeführte Politik der Deportation der deutschen Juden in den Osten erforderte diese automatische Ausbürgerung vor allem, um juristische Komplikationen finanzieller Art zu vermeiden. Die neue Regelung richtete sich aber auch gegen die bereits in den Westen geflüchteten Juden. In den von Deutschland besetzten Gebieten Westeuropas hielten sich im Mai und Juni 1940 viele aus Deutschland ausgewanderte beziehungsweise geflohene Juden auf, die jetzt erneut in den Fokus der Judenpolitik des Dritten Reichs gerieten. Die Frage ihrer Staatsangehörigkeit stellte sich als ein Problem dar, mit dem sich insbesondere auch das Auswärtige Amt auseinanderzusetzen hatte.

Wie bei anderen antijüdischen Maßnahmen war auch in diesem Fall Otto Abetz, der deutsche Botschafter in Paris, die treibende Kraft des Ausbürgerungsprozesses. Im Oktober 1940 wandte er sich an das Auswärtige Amt, um ein »Kollektivausbürgerungsverfahren« für deutsche Juden im besetzten Frankreich einzuleiten.[34] Unterstützt wurde er bei seiner Initiative einer kollektiven Ausbürgerung von der Auslandsorganisation der NSDAP, die mit dem Leiter der Konsularabteilung in Paris, Generalkonsul Franz Quiring, vereinbarte, Pässe deutscher Juden nicht mehr zu verlängern oder neu auszustellen.[35] Unterstaatssekretär Luther hatte »grundsätzlich« nichts gegen dieses Verfahren einzuwenden, bat jedoch um entsprechende Listen zur Weiterleitung an die »innerdeutschen Stellen«. Auch der Innenminister zeigte »keine Bedenken« hinsichtlich »des Vorschlags des Auswärtigen Amtes«. Prompt schickte Quiring am 1. November die erste Liste mit Namen von »reichsdeutschen Juden«, die von der AO in Paris unter »erheblichen Schwierigkeiten« zusammengestellt worden war, an das Auswärtige Amt. Eine Woche später erhielt das Amt eine weitere Liste mit Namen von 1182 »Volljuden«.[36]

Auch in Belgien war das Auswärtige Amt mit den Verfahren zur Ausbürgerung deutscher Juden befasst. Werner von Bargen, Vertreter des AA in Brüssel, beschäftigte sich noch intensiver als Otto Abetz mit der »Frage der Rechtsgrundlage für die Ausbürgerung«. Diese »Rechtsgrundlage« – das heißt der Schein eines rechtmäßigen Handelns – schien Bargen umso nötiger, als es tatsächlich keinen rechtlichen Grund für die Ausbürgerungen gab und die deutschen Juden sogar dem »Meldepflichtgesetz« folgten.[37] Auch nach der Verordnung vom November 1941, die die automatische Ausbürgerung von Juden regelte, waren die Auslandsvertretungen mit rechtlichen Fragen befasst. Wiederholt wurde das Amt von der Gestapo aufgefordert, Informationen über den bürgerlichen, das heißt zivilrechtlichen Status von im Ausland lebenden deutschen Juden zu liefern. Dabei ging es fast ausschließlich um Enteignungen; nach der Staatsangehörigkeit der deutsch-jüdischen Fanny Goldschmidt, die in die Schweiz ausgewandert war, erkundigte sich die Gestapo nur, um ihr Konto übernehmen zu können.[38]

Von der Deportation Stettiner Juden hatte Staatssekretär Weizsäcker im Februar 1940 durch »ausländische Radio-Nachrichten« erfahren; er beauftragte das Deutschlandreferat, beim RSHA anzufragen, ob »es sich um den Beginn einer allgemeinen Maßnahme handelt oder welche Bewandtnis es damit hat«. Es handele sich um eine »Einzelmaßnahme«, so die Antwort des RSHA, mit der Raum für »baltendeutsche Rückwanderer« geschaffen werden solle.[39] Aufgrund der beim Auswärtigen Amt eingehenden Proteste besprach der besorgte Judenreferent Schumburg die Angelegenheit »erneut mit Reichskriminaldirektor Müller« und wies darauf hin, »dass es im politischen Interesse wünschenswert sei, wenn Evakuierungsmaßnahmen rechtzeitig und sorgfältig vorbereitet und in geräuschloser und vorsichtiger Form durchgeführt würden, um die Aufmerksamkeit des böswilligen Auslands nicht zu erregen«.[40]

Als dann im März 1940 Berichte über die Deportation von 158 Juden aus Schneidemühl das Auswärtige Amt erreichten, antwortete Eichmann auf eine Anfrage Schumburgs: »Wegen Wohnungsmangels in Schneidemühl (hervorgerufen durch die überaus starke Inanspruchnahme der Stadt von Seiten der Wehrmacht) sah sich die dortige Stapo genötigt, die Juden aus Schneidemühl herauszuziehen. Sie wurden (u.zw. 158 Personen) nach Posen ... gebracht. Die Juden sollen in etwa 8 bis 10 Tagen wieder in den Reg. Bezirk Schneidemühl zurückkommen, werden aber nicht mehr in der Stadt selbst, sondern in den Gemeinden in der Umgebung neue Wohnungen zugewiesen erhalten.«[41] Aufgrund von Gerüchten über weitere geplante Deportationen schlug Schumburg eine Besprechung zwischen dem Auswärtigen Amt und Heydrich vor, doch durch Görings generelles Verbot weiterer Deportationen in das Generalgouvernement erübrigte sich eine Abstimmung der Maßnahmen.

Im Oktober 1940, ein Vierteljahr nach dem deutschen Sieg über Frankreich, wurden Juden aus Baden und der Saarpfalz ins unbesetzte Frankreich deportiert. Auch diese auf lokalen Initiativen von Gauleitern beruhenden Maßnahmen waren mit dem Auswärtigen Amt nicht koordiniert worden. Dementsprechend fiel die Reaktion aus: keine prinzipielle Kritik an der Maßnahme selbst, aber doch der dezidierte Hinweis, unter Berücksichtigung außenpolitischer Erwägungen die Maßnahmen in Zukunft mit dem AA zu koordinieren und es am Entscheidungsprozess teilhaben zu lassen. Luther erhielt ein Schreiben Heydrichs, dass der Führer »die Abschiebung der Juden aus Baden über das Elsass und der Juden aus der Pfalz über Lothringen« angeordnet habe. Insgesamt seien 6504 Juden »im Einvernehmen mit den örtlichen Dienststellen der Wehrmacht, ohne vorherige Kenntnisgabe an die französischen Behörden, in den unbesetzten Teil Frankreichs« gefahren worden. »Die Abschiebung der Juden ist in allen Orten Badens und der Pfalz reibungslos und ohne Zwischenfälle abgewickelt worden.«[42]

Die Juden wurden in französischen Konzentrationslagern interniert, von wo sie später weiter nach Madagaskar deportiert werden sollten. Ein anonymer Bericht über die grausamen Szenen, die sich bei den Deportationen abspielten, ging Friedrich Gaus in der Rechtsabteilung zu, der ihn an Luther weiterleitete. »Die Altersheime in Mannheim, Karlsruhe, Ludwigshafen usw. wurden evakuiert«, bezeugte der anonyme Schreiber. »Frauen und Männer, die nicht zu gehen imstande waren, wurden befehlsgemäß auf Tragbahren zu den Eisenbahnzügen transportiert. Der älteste Deportierte war ein 97jähriger Mann aus Karlsruhe. Die Frist, die den Verschickten zur Vorbereitung gewährt wurde, schwankte örtlich zwischen einer Viertelstunde und zwei Stunden. Eine Anzahl von Frauen und Männern benutzten diese Frist, um sich der Verschickung durch Freitod zu entziehen ... Nach bisher vorliegenden Meldungen sind die aus 12 plombierten Eisenbahnzügen bestehenden Transporte nach mehrtägiger Fahrt in südfranzösischen Konzentrationslagern am Fuß der Pyrenäen eingetroffen. Da es dort an Lebensmitteln und an geeigneter Unterbringungs-Möglichkeit für die hauptsächlich aus alten Männern und Frauen bestehenden Verschickten fehlt, ist soweit hier bekannt, von der französischen Regierung die Weiterleitung der Deportierten nach Madagaskar unmittelbar nach Öffnung der Seewege in Aussicht genommen.«[43] Luther kritzelte neben »Madagaskar« ein »sehr interessant«.[44]

Das Auswärtige Amt war in diesem Fall zwar nicht an der Entscheidung beteiligt, aber doch bestens unterrichtet. Zum einen wurde das Amt von der Waffenstillstandskommission, der deutschen Militärverwaltung in Bordeaux und durch die ausländische Presse mit Informationen versorgt. Zum anderen erreichten das Amt Anträge deutscher Juden, deren Verwandte abtransportiert worden waren. Sie wollten entweder ihren Verwandten nach Frankreich folgen oder versuchen, ihnen Lebensmittel, Kleidung oder Geld zukommen zu lassen – Lilli Zatzkis zum Beispiel, die zu ihren Eltern gelangen wollte. Eichmann hob in seiner Antwort an das Auswärtige Amt hervor, dass »im Hinblick auf die kommende Endlösung der europäischen Judenfrage die Auswanderung von Juden in das unbesetzte Frankreich verhindert werden muss«.[45]

Nach Kriegsbeginn erwiesen sich die Maßnahmen, die bisher zur »Lösung der Judenfrage« ergriffen worden waren, als nicht ausreichend, um auch gegen die jüdische Bevölkerung außerhalb der Reichsgrenzen vorzugehen. Bei der Entwicklung neuer Pläne spielte das Auswärtige Amt wiederum eine aktive Rolle. Während man sich einerseits weiterhin mit den Aspekten der »Judenfrage« befasste, die außenpolitische Konsequenzen hatten, widmete man sich andererseits neuen, präzedenzlosen Aufgaben, wie der Planung und Vorbereitung antijüdischer Maßnahmen. Nicht selten wurden deutsche Diplomaten dabei zu den eigentlichen Initiatoren. Dennoch ist eine pauschale Beurteilung dieser Beteiligung an der »Lösung der Judenfrage« unmöglich. Was das Ausmaß der Mitwirkung und den persönlichen Einsatz der Diplomaten bei der Durchführung der Maßnahmen anging, gab es große Unterschiede. Überzeugten Antisemiten, die sich enthusiastisch an der Judenverfolgung beteiligten, und Diplomaten, die aus Eigeninitiative handelten, standen Mitläufer gegenüber – und einige wenige, die gegen die Verbrechen opponierten.

Zwar war es dem SD und der Gestapo gelungen, vor dem Krieg etwa 250 000 Juden zur Auswanderung aus dem Reichsgebiet zu zwingen, doch bis Juni 1940 schnellte die Zahl der Juden in den deutscher Hoheitsgewalt unterstehenden Gebieten nach Schätzung Heydrichs auf etwa 3,25 Millionen Menschen hoch. Angesichts solcher Menschenmassen war eine Politik der Auswanderung nicht mehr effektiv anwendbar. Stattdessen strebte man nun nach einer »territorialen Endlösung«, das heißt nach einer »Abschiebung« der Juden an einen durch das Reich zu bestimmenden Ort.[46] Da die Kriegsereignisse die Auswanderung der jüdischen Bevölkerung praktisch zum Erliegen gebracht hätten, so der Judenreferent des AA Franz Rademacher nach dem Krieg, habe man eine neue Initiative entwickeln müssen.[47] Diese Initiative sollte systematischer sein als bisherige Einzelmaßnahmen und eine »Gesamtlösung« bringen. Mit dem Übergang von der Auswanderung zur »territorialen Endlösung« wandelte sich auch die Rolle des Auswärtigen Amts – von einer Behörde, die sich in der Hauptsache mit den Konsequenzen der Judenpolitik anderer Behörden beschäftigte, zu einer Institution, die Initiativen ergriff und eine leitende Rolle in der Judenpolitik zu spielen begann.

Rademacher war sich darüber im Klaren, dass die Bemühungen um eine »Lösung der Judenfrage« den traditionellen Aufgabenbereich des Auswärtigen Amtes weit überschritten: »Durch den Krieg selbst und die dadurch heraufbeschworene endgültige Auseinandersetzung mit den westlichen Imperien«, schrieb er, »ist die außenpolitische Bedeutung der jeweils zu entscheidenden Einzelfrage in Judensachen zurückgetreten. Dafür steht m. E. die Frage nach dem deutschen Kriegsziel in der Judenfrage zur Entscheidung. Es muss die Frage geklärt werden, wohin mit den Juden? ... Der jetzige Krieg hat eben ein doppeltes Gesicht: ein imperialistisches – die Sicherung des für Deutschland als Weltmacht politisch, militärisch und wirtschaftlich notwendigen Raumes –, ein überstaatliches – Befreiung der Welt aus den Fesseln des Judentums und der Freimaurerei.«[48] In aller Deutlichkeit wurde dem Auswärtigen Amt hier eine neue Rolle zugewiesen, die über jedes traditionelle Verständnis von Diplomatie weit hinausging.

Die Idee, eine »Gesamtlösung« durch die Aussiedlung beziehungsweise Abschiebung der europäischen Juden in die französische Kolonie Madagaskar herbeizuführen, war zwar bereits seit 1938 diskutiert worden, doch erst durch Rademachers Initiative während der Vorbereitung des Friedensvertrags mit Frankreich im Sommer 1940 wurde daraus ein konkreter Vorschlag.[49] Dabei war man sich sowohl im Auswärtigen Amt als auch im Reichssicherheitshauptamt der Tatsache bewusst, dass hier die institutionellen Grenzen zwischen beiden Behörden überschritten wurden. Ribbentrop warnte vor einem allzu großen Übergriff auf den Zuständigkeitsbereich des RSHA und ordnete an, den Plan »in engem Einvernehmen mit den Dienststellen des Reichsführers-SS« zu entwickeln. Der Chef des Reichssicherheitshauptamts, Reinhard Heydrich, bemühte sich seinerseits, den Kompetenzübergriff des Auswärtigen Amtes zu begrenzen. Da das RSHA für die praktische Durchführung der Judenpolitik zuständig war – in Luthers Worten diejenige Stelle, »die erfahrungsgemäß und technisch allein in der Lage ist, eine Judenevakuation im Großen durchzuführen« –, übernahm es Theodor Dannecker vom RSHA, den »ins einzelne gehenden Plan für die technische Durchführung und Ansiedlung der europäischen Juden« zu entwickeln.[50]

Aufgrund der positiven Reaktionen zum Madagaskar-Plan veranlasste Rademacher die Erhebung von Informationen und statistischen Daten über die jüdische Bevölkerung in Europa. Als Basis der demographischen Erfassung diente das 1937 erschienene Buch von Friedrich Zander »Die Verbreitung der Juden in der Welt«. Die Vertreter des Auswärtigen Amtes in den europäischen Staaten wurden angewiesen, Zanders Angaben zu verifizieren. Vor allem aus logistischen Gründen, aber auch wegen des Kriegsverlaufs, erwies sich der Madagaskar-Plan indes schon bald als undurchführbar. Ende 1940 wurde er de facto aufgegeben, endgültig zu den Akten legte man ihn jedoch erst Anfang 1942.[51] Im Schriftverkehr des Amtes hieß es am 10. Februar 1942, der Führer habe »entschieden, dass die Juden nicht nach Madagaskar, sondern nach dem Osten abgeschoben werden sollen. Madagaskar brauche mithin nicht mehr für die Endlösung vorgesehen werden«.[52] Der Madagaskar-Plan, auch wenn er nicht zur Ausführung gelangte, offenbart klar die tragende Rolle des Auswärtigen Amtes in der Judenpolitik der Kriegsjahre.

Das »Unternehmen Barbarossa« und die »Endlösung der Judenfrage«

An der Entscheidung über die »Endlösung« war die Spitze des Auswärtigen Amtes direkt beteiligt. Das Schicksal der deutschen Juden wurde am 17. September 1941 besiegelt: An diesem Tag fand ein Treffen Hitlers mit Ribbentrop statt. Dem Treffen unmittelbar voraus ging Hitlers Anordnung, die soeben durch den Judenstern gekennzeichneten deutschen Juden in den Osten zu deportieren. Was im Zusammenhang mit dem Madagaskar-Plan bereits erkennbar gewesen war, setzte sich nach dem deutschen Überfall auf die Sowjetunion im Juni 1941 fort: Das Auswärtige Amt ergriff die Initiative zur Lösung der »Judenfrage« auf europäischer Ebene.

Am 26. November 1941 erörterte Iwan Popov, der Außenminister des mit dem Deutschen Reich verbündeten Bulgarien, mit seinem Amtskollegen Ribbentrop die Schwierigkeiten bei der Einführung der in Deutschland geltenden antijüdischen Gesetze. Die Wurzel des Problems liege bei der »Sonderbehandlung« der ausländischen Juden, meinte Popov und schlug deshalb vor, das Problem »zwischen den europäischen Ländern gemeinsam« zu regeln. Diese Idee einer transnationalen Lösung griff Ribbentrop sogleich auf.[53] Auch beim Referat III der Abteilung Deutschland, zuständig für die »Judenfrage« und die Rassenpolitik, fiel Popovs Anregung auf fruchtbaren Boden. Der Krieg biete tatsächlich die Gelegenheit für eine »Behandlung der Juden europäischer Staatsangehörigkeit« oder, wie es in einer von Rademacher verfassten und von Luther drei Tage vor dem ursprünglich geplanten Datum der Wannsee-Konferenz unterzeichneten Vortragsnotiz für Weizsäcker heißt: »Die Gelegenheit dieses Krieges muss benutzt werden, in Europa die Judenfrage endgültig zu bereinigen. Die zweckmäßigste Lösung hierfür wäre, alle europäischen Staaten dazu zu bringen, die deutschen Judengesetze bei sich einzuführen und zuzustimmen, dass die Juden unabhängig von ihrer Staatsangehörigkeit den Maßnahmen des Aufenthaltslandes unterworfen werden, während das Vermögen der Juden für die Endlösung zur Verfügung gestellt werden sollte.«[54] Referat D III schlug vor, als Erstes »eine Vereinbarung zwischen den im Antikomintern-Pakt zusammengeschlossenen europäischen Mächten darüber herbeizuführen, dass die Juden mit Staatsangehörigkeit dieser Länder in die Judenmaßnahmen des Aufenthaltslandes einbezogen werden könnten«.[55]

Eine Stellungnahme der Rechtsabteilung des Auswärtigen Amtes, die von Conrad Roediger erarbeitet und von dem Leiter der Abteilung Albrecht unterzeichnet wurde, riet indes von einer solchen Lösung ab, weil sie in der Staatspraxis ungewöhnlich sei. »Die Übernahme einer solchen Verpflichtung würde wohl in der Regel als ein Eingriff in die staatliche Souveränität angesehen werden.«[56] Der Massenmord an der jüdischen Bevölkerung war zu diesem Zeitpunkt bereits in vollem Gange, und das Auswärtige Amt war darüber im Bilde. Insgesamt elf »Tätigkeits- und Lageberichte der Sicherheitspolizei und des SD in der UdSSR«, die im Reichssicherheitshauptamt bis April 1942 verfasst und an Parteistellen, an die Wehrmacht und an einzelne Ministerien verteilt wurden, konnten nach dem Krieg in den Akten des Auswärtigen Amtes gefunden werden. Ende Oktober 1941 forderte Heydrich Gestapo-Chef Müller auf, die ersten fünf Tätigkeits- und Lageberichte an Ribbentrop zu schicken. Unabhängig davon, ob die Absicht bestand, die Beamten der Wilhelmstraße mit den Massenmorden auf dem Gebiet der Sowjetunion vertraut zu machen, oder ob eine bürokratische Koordinierung der »Endlösung« erreicht werden sollte: Die Praxis des systematischen Judenmords war für das Auswärtige Amt von Beginn an kein Geheimnis.

Die RSHA-Berichte enthielten Informationen über die Mordaktionen der Einsatzgruppen sowie über das Verhalten der Bevölkerung und die Wirtschaftslage. Die Ermordungen wurden sachlich und detailliert geschildert. Meist wurden sie auch gerechtfertigt, ganz im Sinne der vom

Reichspropagandaministerium verbreiteten Sprachregelung, es handele sich um Vergeltungsmaßnahmen. So wurde zum Beispiel berichtet, die Einsatzgruppe C widme sich in der Ukraine hauptsächlich der »Liquidierung der für den Blutterror verantwortlichen Juden und Bolschewisten«. Als »Vergeltung für die unmenschlichen Greueltaten wurden siebentausend Juden erfasst und erschossen«.[57] Bei der »Durchführung von Säuberungsaktionen wurden in Kodyma 97 Juden erschossen und 1756 Geiseln festgesetzt. In Kischinew wurden 551 Juden, davon 151 wegen Beteiligung an Sabotageakten, liquidiert.«[58]

Die Berichte wurden im Auswärtigen Amt nicht nur registriert, sondern auch als Grundlage für das eigene Amtshandeln genutzt. Die ersten fünf Berichte erreichten zunächst Referat D III, wo sie von Fritz Gebhardt von Hahn zusammengefasst wurden. Unter der Überschrift »Verhalten der Juden« erörterte Hahn die angeblichen Gründe der Massaker: »Mit zunehmender Dauer des Ostfeldzuges betätigten sich die Juden als Saboteure, Plünderer, Spione, Terroristen und Heckenschützen, trieben kommunistische Agitation, leisteten passiven Widerstand und unterstützten sowjetische Vernichtungsbataillone und Fallschirmkommandos.« Hahn referierte auch über die Konsequenzen: »Dieses Verhalten der Juden veranlasste ein verschärftes Durchgreifen des SD. Es sind von einzelnen Sonderkommandos in der Berichtszeit durchschnittlich 70 bis 80 Tausend – in Radomychl allein über elftausend – Juden liquidiert worden. Ein genauer Überblick über die in allen drei Reichskommissariaten liquidierten Juden lässt sich aus den Berichten nicht gewinnen.«[59] Auch wenn sich Hahn bei den Zahlen irrte, konnte über das Schicksal der Juden kein Missverständnis aufkommen.

Einen sechsten Bericht fasste Unterstaatssekretär Luther zusammen. Im Reichskommissariat Ostland, das 1941 im Baltikum und Teilen Weißrusslands gebildet worden war, seien außer Ärzten und Ratsmitgliedern alle Juden liquidiert worden, schrieb er. Nach Abschluss der Aktionen seien nur noch Frauen und Kinder am Leben gewesen. Die Zusammenfassungen Hahns und Luthers wurden Weizsäcker und Woermann vorgelegt, die mit ihren Initialen jeweils das Titelblatt abzeichneten. Die Akten wurden an sämtliche Abteilungsleiter weitergegeben und waren von Ende Dezember 1941 bis Ende Januar 1942 im Umlauf. Die Originalberichte wurden mindestens von fünf Beamten des Auswärtigen Amts gelesen, die Zusammenfassungen von sechzehn. Auch wenn manche Berichte als »geheime Reichssache« eingestuft waren, dürfte ihr Inhalt in der Wilhelmstraße schon bald ein offenes Geheimnis gewesen sein.[60] Die Berichte über die Monate November bis Dezember 1941 wurden dem Auswärtigen Amt am 16. Januar 1942 – also einige Tage vor der Wannsee-Konferenz – in hundert Exemplaren zugeschickt. In einem Bericht hieß es, die »Judenfrage ist im Ostland als gelöst anzusehen«.[61]

Die aus dem Reichssicherheitshauptamt stammenden Berichte über die Tätigkeit der Einsatzgruppen belegen indes nicht nur, dass das Auswärtige Amt über das Morden informiert war. Ihre Aufnahme in der Wilhelmstraße signalisiert auch das Einverständnis des Amtes mit der »Endlösung«. Das RSHA war zu ihrer reibungslosen Durchführung auf die Rückendeckung sämtlicher Reichsbehörden angewiesen, und eben auch auf die des Auswärtigen Amtes. Die Beamten nahmen die Informationen sachlich auf und bewiesen dadurch, dass sie Verständnis hatten. Sie schrieben Zusammenfassungen und zeichneten diese ab. Den Diplomaten konnte die Systematik der Vernichtungsaktionen ebenso wenig entgehen wie der Umstand, dass es sich bei den wechselnden Rechtfertigungserklärungen um reine Tarnmanöver handelte.

Nachdem die Schwelle zum Massenmord einmal überschritten war, gab es kein Zurück mehr. Eine Wende wäre nur dann möglich gewesen, wenn es zu einer massiven Intervention des Auslands, zum Aufstand im Inland oder zu unüberwindbaren technischen Schwierigkeiten gekommen wäre. Dies alles war ab Dezember 1941 so gut wie ausgeschlossen. Auf der Wannsee-Konferenz am 20. Januar 1942 wurde nicht mehr das Rational der »Endlösung« diskutiert, sondern nur noch ihre geordnete Implementierung und die Abstimmung der Behörden untereinander. Das Auswärtige Amt war auf der Wannsee-Konferenz durch Martin Luther vertreten. Heydrich hatte den enthusiastischen Unterstaatssekretär persönlich eingeladen: »Im Interesse der Erreichung einer gleichen Auffassung bei den in Betracht kommenden Zentralinstanzen« bitte er zu einer »Besprechung mit anschließendem Frühstück«.[62] Der ursprünglich vom Auswärtigen Amt vorgeschlagene Madagaskar-Plan fand auf der Wannsee-Konferenz am 20. Januar 1942 keinerlei Erwähnung. Stattdessen wurde bekannt gegeben, dass »anstelle der Auswanderung … nunmehr als weitere Lösungsmöglichkeit nach entsprechender vorheriger Genehmigung durch den Führer die Evakuierung der Juden nach dem Osten getreten« ist.[63]

Die euphemistische Sprache des Protokolls konnte nicht darüber hinwegtäuschen, dass es hier um Vernichtung ging: Ein Großteil der Juden, die zum »Arbeitseinsatz« im Osten kämen, würden »durch natürliche Verminderung ausfallen«, der »Restbestand wird, da es sich bei diesem zweifellos um den widerstandsfähigsten Teil handelt, entsprechend behandelt werden müssen, da dieser, eine natürliche Auslese darstellend, bei Freilassung als Keimzelle eines neuen jüdischen Aufbaues anzusprechen ist«. Auch die Aufgabe des Auswärtige Amts wurde klar definiert: »Bezüglich der Behandlung der Endlösung in den von uns besetzten Gebieten wurde vorgeschlagen, dass die in Betracht kommenden Sachbearbeiter des Auswärtigen Amtes sich mit dem zuständigen Referenten der Sicherheitspolizei und des SD besprechen.« Martin Luther gab seine Expertise ab, der zufolge »in einigen Ländern, so in den nordischen Staaten, Schwierigkeiten auftauchen werden, und es sich daher empfiehlt, diese Länder vorerst noch zurückzustellen. In Anbetracht der hier in Frage kommenden geringen Judenzahlen bildet diese Zurückstellung ohnedies keine wesentliche Einschränkung. Dafür sieht das Auswärtige Amt für den Südosten und Westen Europas keine großen Schwierigkeiten.«[64]

Von Berlin aus dirigierte das Auswärtige Amt seine Beteiligung am Vernichtungsapparat und sorgte dafür, dass seine Initiativen – Gesandtschaft für Gesandtschaft – aufgegriffen und in die Praxis überführt wurden. Um einerseits mit der SS kooperieren zu können, andererseits in der Lage zu sein, einen Dialog mit dem neutralen Ausland zu führen, entwickelten die Diplomaten viel taktisches Geschick und einen entsprechenden sprachlichen Code.[65] Acht Monate nach der Wannsee-Konferenz zeigte sich Luther bezüglich der Kooperation mit dem RSHA zufrieden und konnte Ribbentrop berichten, dass »Gruppenführer Heydrich seine Zusage, alle das Ausland betreffenden Fragen mit dem Auswärtigen Amt abzustimmen, loyal gehalten hat, wie überhaupt die für Judensachen zuständige Dienststelle des Reichssicherheitshauptamtes von Anfang an alle Maßnahmen in reibungsloser Zusammenarbeit mit dem Auswärtigen Amt durchgeführt hat. Das Reichssicherheitshauptamt ist auf diesem Sektor in nahezu übervorsichtiger Form vorgegangen.«[66] Deutsche Diplomaten erwiesen sich bei der »Endlösung« als willige Helfer des Reichssicherheitshauptamtes, das Referat D III wurde »wie ein Arbeitsstab zur Bearbeitung der diplomatischen Vorarbeiten eingeschaltet, um dadurch die Gesamtlösung herbeiführen zu können«.[67]

Die von der Wannsee-Konferenz festgelegte Rollenverteilung zwischen den Behörden beruhte auf einer schon seit Langem bestehenden Einbindung des gesamten Staatsapparates in die Judenpolitik. Das Auswärtige Amt besaß einen funktionierenden Apparat, der in der Lage war, die für die Durchführung der »Endlösung« benötigten Informationen über die Lage der Juden in den betroffenen Staaten zu beschaffen. Da von Land zu Land große Unterschiede bestanden, fiel die Beteiligung des Amtes an der »Endlösung« unterschiedlich aus. Die wichtigste Frage lautete: Handelt es sich um einen Verbündeten, einen Vasallenstaat oder besetzte Gebiete. Zwar gab es in besetzten Gebieten keine Auslandsvertreter im traditionellen Sinne, doch waren dort Diplomaten als Berater den Militärbefehlshabern zugeteilt, um außenpolitische Fragen zu bearbeiten. In den »heim ins Reich« geholten Gebieten wie West-Polen, in den dem Generalgouvernement zugeordneten Teilen Polens, in den als »germanische Gebiete« eingestuften und als Schutzstaaten behandelten Niederlanden und Luxemburg, in den »romanischen« Gebieten Belgien und Frankreich, in Dänemark und Norwegen, in den im Jahr 1941 hinzugekommenen Gebieten Südosteuropas: Überall nahm das Auswärtige Amt unterschiedliche Aufgaben im Zusammenhang mit der »Endlösung« wahr.

Unter den Diplomaten, die sich um die Einführung von antijüdischen Maßnahmen mit Nachdruck bemühten, nahm der deutsche Botschafter in Paris, Otto Abetz, einen besonderen Platz ein; auf seine Rolle bei der Ausbürgerung der deutschen Juden wurde bereits hingewiesen. Abetz, Maler und Zeichenlehrer, mit einer Französin verheiratet, war seit 1934 Frankreichreferent bei der Dienststelle Ribbentrop, ein Jahr später trat er in die SS ein. 1937 wurde er von einem Kollegen beschuldigt, er bevorzuge »freimaurerische, jüdische und marxistische Franzosen«, worauf Abetz zeitweilig vom Dienst suspendiert wurde. 1938 durfte er zurück in seine Dienststelle, wurde von Ribbentrop ins Auswärtige Amt übernommen und trat in die Partei ein. Ende 1938 wurde er zum SS-Hauptsturmführer, 1939 zum Sturmbannführer befördert.[68]

Im Juni 1940 wurde Abetz als Vertreter des Auswärtigen Amts beim Militärbefehlshaber in Frankreich an die deutsche Botschaft in Paris berufen und nach Eintreten des Waffenstillstands zum Bevollmächtigten eingesetzt. Kurz darauf erhielt er den Rang eines Botschafters, mit 37 Jahren der jüngste deutsche Botschafter. Ribbentrop direkt unterstellt, war Abetz für alle politischen Fragen im freien sowie im besetzten Gebiet Frankreichs verantwortlich. Sein Stellvertreter war der Kaufmann Rudolf Schleier, der seit Mitte der zwanziger Jahre in Frankreich aktiv war und als Vizepräsident der Deutsch-Französischen Gesellschaft ebenfalls auf dem Gebiet der deutsch-französischen Verständigung tätig gewesen war.[69] »Judenexperte« der Botschaft wurde der einstige Referatsleiter beim Propagandaministerium Carltheo Zeitschel. Seit 1923 NSDAP-Mitglied und 1939 in die SS eingetreten, war Zeitschel 1935 von Goebbels als Referatsleiter für den Fernen Osten und die Kolonialfrage in die Auslandsabteilung des Propagandaministeriums berufen worden. 1937 wurde er zum Legationsrat ernannt und in die Kolonialabteilung des AA versetzt.[70]

Kurz nach seiner Ernennung zum Botschafter in Frankreich wandte sich Abetz an Werner Best, Vertreter des RSHA bei der Militärverwaltung, und schlug vor, Maßnahmen gegen die jüdische Bevölkerung zu ergreifen. »Der Botschafter Abetz«, so berichtete Best im August 1940, habe »angeregt, die Militärverwaltung in Frankreich möge a. anordnen, dass ... keine Juden mehr in das besetzte Gebiet herein gelangen werden, b. die Entfernung aller Juden aus dem besetzten Gebiet vorbereiten, c. prüfen, ob das jüdische Eigentum im besetzten Gebiet enteignet werden kann«.[71] Nach seiner Besprechung mit Best bat Abetz um die Zustimmung des Auswärtigen Amtes zur Aufnahme von »antisemitischen Sofortmaßnahmen«. Zur Vorbereitung der Vertreibung der jüdischen Bevölkerung schlug er eine »Meldepflicht« vor; bis zu ihrer Enteignung sollten jüdische Geschäfte gekennzeichnet sowie Treuhänder in die Geschäfte von geflüchteten Juden eingesetzt werden. Da sich Abetz offensichtlich der Tatsache bewusst war, dass für die geplanten Maßnahmen jegliche Grundlage fehlte, schob er Sicherheitsgründe vor.[72] Mit Außenpolitik hatte das alles wenig zu tun, aber das kümmerte Abetz nicht.

Umso überraschter waren Rademacher und Luther. Ungewöhnlich waren sowohl der Inhalt der Initiative als auch der Vorgang selbst – eine Initiative aus einer Auslandsvertretung, koordiniert mit dem Reichssicherheitshauptamt, noch bevor die Wilhelmstraße verständigt war. Unvorbereitet war auch die Deutschlandabteilung: »Die Zweckmäßigkeit von Maßnahmen gegen Juden im besetzten Gebiet ist von hier aus nicht zu beurteilen«, schrieb Luther ausweichend. Verunsichert durch Abetz' Schritt wandte er sich direkt an den Reichsführer-SS mit der Bitte um

»Stellungnahme zu der Anfrage des Botschafters Abetz in Paris über antisemitische Maßnahmen«.[73] Auch die Antwort Heydrichs an Luther deutet darauf hin, dass erst der Vertreter des Amtes mit seinen Vorschlägen das Reichssicherheitshauptamt zum Handeln veranlasste. Er habe »gegen die Durchführung der von Herrn Botschafter Abetz im besetzten Frankreich geplanten Maßnahmen gegen Juden ... keine Bedenken«. Gleichzeitig bemühte er sich um die Einhaltung des Dienstwegs: »Eine weitgehende Einschaltung des im besetzten Frankreich befindlichen Kommandos der Sicherheitspolizei, das gerade auf dem Judengebiet über sacherfahrene Kräfte verfügt«, sei unerlässlich, die Maßnahmen müssten außerdem »in engster Fühlung« mit der französischen Polizei durchgeführt werden.[74] Unmittelbar anschließend wurde Theodor Dannecker als Judenberater zum Befehlshaber der Sicherheitspolizei und des SD nach Paris beordert.

Die von Otto Abetz initiierten Maßnahmen wurden eingeführt, noch bevor das Amt auf die Anfrage seines Botschafters geantwortet hatte, und umfassten alle Juden mit Ausnahme der amerikanischen Staatsbürger.[75] Abgesehen davon, dass Abetz' Initiative jeglicher außenpolitische Bezug fehlte, macht der Fall auch deutlich, wie unklar im Anfangsstadium der »Gesamtlösung« die Kompetenzgrenzen zwischen dem Auswärtigen Amt und dem Reichssicherheitshauptamt waren. Abetz' Enthusiasmus und seine Eigeninitiative fanden trotz der Grenzüberschreitung die volle Anerkennung des Judenberaters Dannecker, der die »wirklich umfassende, kameradschaftliche Unterstützung unserer Arbeit« pries.[76]

Propaganda und Mitwisserschaft

Von 1933 an gehörte es zu den Aufgaben der deutschen Auslandsvertretungen, eine Plattform für die Verbreitung von Propaganda jenseits der Staatsgrenzen zu schaffen. Von 1939 an war auch die rassistische Judenpolitik in den besetzten Gebieten zu rechtfertigen. Einerseits wurden überall im Ausland Berichte verfasst sowie schriftliches und Bildmaterial zum Thema »Juden« gesammelt, andererseits wurden Informationen, Argumente, Vorwände und Ausflüchte verbreitet, um das Ausland zu beruhigen beziehungsweise zu überzeugen. Die Tätigkeit intensivierte sich in den Kriegsjahren.

In einem Schreiben des Propagandaministeriums an das Referat Deutschland im Februar 1940 wurde das Auswärtige Amt »gebeten, einen Runderlass zur Materialbeschaffung und regelmäßigen Berichterstattung über die Judenfrage an die auswärtigen Missionen zu bewirken«. Der Entwurf des Erlasses war in zwei Teile gegliedert. Im ersten Teil wurde die erwünschte »Materialbeschaffung« detailliert beschrieben und in Bücher, Flugblätter, Zeitungen und Zeitschriften unterteilt. Der zweite Teil beschrieb die Art der gewünschten »Berichterstattung«. Es wurde gebeten, über jüdische »Kriegshetzer«, »Verjudung« von Regierungen und den Einfluss von Juden in Verwaltung und Finanzwesen, Wirtschaft und Kriegsindustrie sowie über jüdische und antijüdische Boykotte zu berichten. Berichten sollten die Vertreter des Auswärtigen Amtes auch über »jüdische Kriminalität, Korruption, Betrugsaffären, Devisen und andere Schmuggel« sowie über »Juden und Pornographie«. Dabei sollten die lokalen Presseorgane und Rundfunksender besonders beobachtet werden. Auch das Kulturleben und die Wissenschaft, jüdische Organisationen und die Emigranten aus Deutschland sollten unter die Lupe genommen werden. Es wurde gebeten, laufende Berichte zu senden; falls »besonders krasse und auswertbare Fälle bekannt werden, besonders soweit sie in Zusammenhang mit dem Kriege stehen, wäre gesonderte und beschleunigte Mitteilung notwendig«.[77]

Dieser Erlassentwurf gefiel Schumburg nicht: Ein solcher Runderlass sei »zurzeit nicht zweckmäßig«, schrieb er, »da die deutschen Auslandsbehörden bereits über die meisten der genannten Fragen laufend berichten«. Zudem würde der Erlass »bei der derzeitigen Überlastung der Auslandsbehörden die Initiative zweifellos nicht stärken«. Im Übrigen würden die eingehenden Berichte laufend auch an das Propagandaministerium gesandt.[78]

In manchen Fällen begnügten sich die Vertreter in den Missionen nicht mit der Berichterstattung, sondern initiierten ihre eigene Propaganda. So berichtete Hans Thomsen, 1923 in den Auswärtigen Dienst eingetreten und zwischen 1938 und 1941 Geschäftsträger der Deutschen Botschaft in Washington, im September 1941: Das amerikanische Volk, »in seiner überwältigenden Mehrheit den aktiven Kriegseintritt bewusst ablehnend, beginnt sich zu fragen, ob nicht etwa das amerikanische

Judentum … Sonderinteressen vertritt und vor allem den vertriebenen Juden aus Europa dazu verhelfen möchte, ihre kapitalistischen Machtpositionen in Europa zurückzuerobern«. Er jedenfalls sei »weiterhin bemüht, mittels der mir zur Verfügung stehenden Kanäle diese Entwicklung zu fördern«. Thomsen leistete tatsächlich einen entscheidenden Beitrag zu Goebbels' Propaganda, indem er das Büchlein »Germany must Perish« von Theodore N.[ewman] Kaufmann ausschlachtete, das die Unschädlichmachung und Vernichtung des deutschen Volkes durch Sterilisation empfahl. Thomsen hielt es für »zweckmäßig, schlagartig diesem Buch eine größere Verbreitung, insbesondere in New York und Washington, zu geben mit der Tarnungstendenz, die abscheuliche Idee zu propagieren«, oder, was kostengünstiger sei, eine »Sonderausgabe von etwa 150 000 Exemplaren durch das einzige New Yorker Sonntagsblatt« zu verbreiten.[79] Der Verfasser, ein obskurer amerikanischer Jude ohne jegliche Funktion in einer der jüdischen Organisationen, wurde von Goebbels zu »Nathan Kaufmann« umgetauft und zur repräsentativen Stimme des amerikanischen Judentums stilisiert. Kaufmans Buch wurde von Goebbels als Argument für die Deportation der Juden aus Deutschland seit September 1941 äußerst effektiv missbraucht.

Das Auswärtige Amt sparte keine Mühe, wenn es um die Beschaffung von Material über Juden ging. So berichtete das deutsche Konsulat in Lausanne über den Tod des Gelehrten de Vries van Heckelingen, der »eine sehr umfangreiche Fachbibliothek über die gesamte Judenfrage mit einer großen Kartei [besaß], für die sich u. a. auch das Reichsinstitut für die Geschichte des neuen Deutschlands in München … interessieren soll«. Judenreferent Rademacher schaltete sich sofort ein. Doch bevor die Bibliothek besichtigt und der Preis verhandelt werden konnte, verkaufte die Witwe die Bibliothek nach Italien.[80]

Mit dem Fortschreiten der »Endlösung« bestand die Aufgabe der Propaganda im Ausland zunehmend darin, eine »Erklärung« der deutschen Maßnahmen anzubieten. Im Frühjahr 1943 bat Ribbentrop den Wissenschaftlichen Hilfsarbeiter der Rundfunkpolitischen Abteilung, Adolf Mahr, Material für diesen Zweck zu sammeln. Kooperiert wurde auch mit dem »Institut zur Aufklärung der Judenfrage« Alfred Rosenbergs und seinem »Welt-Dienst«, mit der »Antijüdischen Weltliga« und dem »Reichsinstitut für die Geschichte des neuen Deutschlands«.[81] Zu den wichtigsten Voraussetzungen für eine effektive Bekämpfung der im Ausland zirkulierenden Gerüchte zählten jedoch die detaillierten Informationen »aus der jüdischen und nicht jüdischen Presse des feindlichen und neutralen Auslands«, die das Amt über das Reichssicherheitshauptamt erhielt und an die Missionen »mit dem Anheimstellen der geeignet erscheinenden Verwertung in der vorgeschlagenen Weise« weiterleitete.[82] Das Netz des Auswärtigen Amtes diente mithin der Sammlung, Verarbeitung und Verbreitung von Informationen und der auf diesen Informationen basierenden Propaganda sowie der Anstiftung von antijüdischen Kampagnen.

Von Rosenbergs »Welt-Dienst« erhielt das Amt 1944 auch Auszüge aus der in New York erscheinenden jiddischen Zeitschrift *Forwerts*, die Ende 1943, Anfang 1944 ausführliche Berichte über Massentötungen veröffentlichte, so über die Tötung von »3000 bis 4000 Juden aus dem Ghetto von Wlodow im Konzentrationslager von Sobibor« oder über die Liquidierung der »Ghettos in Piaski und in Konskawola«. Durch Auszüge aus *Forwerts* erfuhr das Amt auch vom Aufstand im Warschauer Ghetto und der Vernichtung in Treblinka (»In die Gaskammern brachte man die Juden nackt hinein. Die geraubten Kleider wurden durch die Nazis nach Deutschland geschickt«).[83] Solche Nachrichten veranlassten eine zunehmende Aktivität des Auswärtigen Amtes, um die »Öffentlichkeit« über die »Notwendigkeit der deutschen Haltung in der Judenfrage« aufzuklären.[84] Ein Nebenprodukt dieser Aufklärung war, dass auch die Diplomaten eine noch genauere Kenntnis der »Endlösung« erhielten.

Ab Sommer 1943 wurde an der Errichtung einer eigenen antijüdischen Propagandastelle im Auswärtigen Amt gearbeitet. Es entstand zunächst der »Juden-Ausschuss des Auswärtigen Amtes«, an dem die Presseabteilung und die Kulturpolitische Abteilung sowie Inland I und II, der Beauftragte für das Informationswesen und das England-Komitee beteiligt waren. Auf Interesse stieß der »Judenausschuss« auch beim Amt Rosenberg, das Ende 1943 einen europäischen Kongress antijüdischer Funktionäre plante, der wegen des Kriegsverlaufs allerdings nicht stattfinden konnte. Der »Juden-Ausschuss des Auswärtigen Amtes« kam jedoch nur langsam voran, sodass am 19. November 1943 ein »Ausschuss zur Aktivierung der antijüdischen Information« einberufen wurde. Kurz darauf beauftragte Ribbentrop Wagner mit dem Aufbau einer Propagandastelle. Am 5. Januar 1944 wurde die »Informationsstelle X« gegründet, die, zweimal umbenannt, am Ende als »Informationsstelle XIV (Anti-

jüdische Auslandsaktion)« fungierte. Das RSHA stellte SS-Hauptsturmführer Heinz Ballensiefen und als seinen Vertreter SS-Untersturmführer
Georg Heuchert zur Verfügung, und auch Rosenberg entsandte zwei
Mitarbeiter. Als Leiter hatte Wagner eine »dynamische-aktive Persönlichkeit mit Auslandserfahrung und propagandistischem Verständnis«
gesucht: Rudolf Schleier, vorher an der deutschen Botschaft Paris tätig,
entsprach diesem Anforderungsprofil.[85]

Nach dem Krieg berief sich Schleier zur Erklärung seiner Nominierung auf ein Gespräch mit Staatssekretär Steengracht. Hitler habe »im
Hinblick auf die Präsidentenwahlen 1944 in USA angeordnet«, so Steengracht laut Aussage Schleier, »dass zur Störung dieser Wahl und zwecks
Vermeidung einer Wiederwahl des Präsidenten Roosevelt die antijüdische Propaganda nach dem Ausland wesentlich verstärkt werden sollte … Bei der bekannten empfindlichen Einstellung Ribbentrops hinsichtlich Kompetenzzuständigkeit habe dieser sofort verstanden, dass
die Gefahr bestünde, dass sich irgendwelche dieser Stellen mit Auslandspropaganda befassen würden, die Ribbentrop als das Privileg des Auswärtigen Amtes betrachtete. Er gab deshalb seine Zustimmung und
Anweisung zur Gründung einer neuen Informationsstelle mit der Unter-
bezeichnung ›Antijüdische Auslandsaktion‹.«[86]

Informationsstelle XIV wie auch die anderen Informationsstellen des
Auswärtigen Amtes hätten »keinerlei exekutive Gewalt« gehabt, betonte
Schleier. »Mitglieder dieser Stellen waren Vertreter aller Abteilungen des
Auswärtigen Amtes, mit Ausnahme des Protokolls … Dazu kamen Ver-
treter anderer Reichsministerien und sonstiger Dienststellen.«[87] Aber bei
»Inf. XIV« ging es um mehr als um den Austausch von Informationen,
hier sollten Kompetenzen zentral zusammengeführt werden, wie auch
Thadden in einer seiner Nachkriegserklärungen bezeugte: »Die von Rib-
bentrop eingerichtete Informationsstelle XIV (Antijüdische Auslandsaktion) habe die antijüdische Propaganda im Ausland zentral leiten sollen.«[88]

Texte aus dem Ausland wurden gesammelt und zum weiteren Gebrauch im Auswärtigen Amt übersetzt. Die Artikel von Adolf Hezinger
und Heinz Ballensiefen behandelten Themen wie »Die Juden und der
Krieg«, »Der jüdische Weltstaat« oder »Das parasitäre Dasein« und wurden über das Mitteilungsblatt *Tagesspiegel* täglich an alle Abteilungen
und Referate des Auswärtigen Amtes verteilt sowie »nachrichtlich« an
das »Propagandaministerium, die Dienststelle Rosenberg, den SD, und

das »Institut zur Erforschung der Judenfrage«. Vielfach bediente man sich der Methode der selbstreferenziellen Autorisation: Artikel deutscher Verfasser wurden anonym in der ausländischen Presse veröffentlicht, um anschließend in der deutschen Presse als im Ausland herrschende Meinung wieder zitiert zu werden.[89]

Adolf Mahr stellte eine Liste mit dreißig antijüdischen Themen auf, die er Ribbentrop und Schleier vorlegte und aus denen der Schluss gezogen werden sollte, dass Deutschland und seine Verbündeten sich vor der »entfesselten Drohung des Untermenschentums« schützen müssten. Schleier plante auch die Herausgabe eines »Diplomatischen Jahrbuchs zur jüdischen Weltpolitik«, das die Welt von einer jüdischen Verschwörung überzeugen sollte. Der deutsche Auslandsfunk sendete antisemitische Programme, in denen, unter Anpassung an die jeweilige Region, die Schuld der Juden am Krieg, die jüdischen Weltherrschaftspläne und Verbindungen zum Bolschewismus nachgewiesen und die lokalen antisemitischen Bewegungen zu weiteren Aktivitäten aufgefordert werden sollten.[90]

Eines der Ziele von »Inf. XIV« war die Gründung eines »Jüdischen und Antijüdischen Archivs des Auswärtigen Amtes«. Nach den Planungen sollten ein Personalarchiv, das »alle Unterlagen über jüdische und antijüdische Persönlichkeiten« vereinte, ein Sacharchiv, in dem »alle die Judenfrage betreffenden Vorgänge« erfasst wurden, sowie zusätzlich ein Bildarchiv aufgebaut werden.[91]

Anfang 1944 schlug Wagner eine Tagung vor, an der die »Judenreferenten« der Auslandsmissionen und »Arisierungsberater« der SS wie Theodor Dannecker, Dieter Wisliceny und Alois Brunner teilnehmen sollten. Inland II schlug vor, die »Notwendigkeit einer verstärkten Arbeit, insbesondere auf dem Gebiet der Auslandsinformation hinsichtlich der Judenfrage« zu erörtern.[92] Wagner betonte, dass Hitler selbst die Ausdehnung der antijüdischen Auslandspropaganda angeordnet habe, und besprach die Sache mit Himmler und Ribbentrop. Himmler begrüßte die Initiative, ordnete jedoch an, die Tagung außerhalb Berlins stattfinden zu lassen, »damit in einem Unglücksfall nicht alle Spezialisten auf einem Sektor gleichzeitig verloren gehen«.[93] Die Tagung wurde von der Kulturpolitischen Abteilung unter Franz Alfred Six und dem Referat Inland II durchgeführt und sollte in Krummhübel im Riesengebirge stattfinden.[94] Zwei Tage nach der Besetzung Ungarns berichtete Thadden, das RSHA sei »durch die besonderen Ereignisse im Südosten nicht in der Lage, die Arisierungsberater zu der in Krummhübel vorgesehenen Tagung abzuordnen«.[95]

Leiter der Arbeitstagung am 3. und 4. April 1944 war Rudolf Schleier. Aus der »Inf. XIV« kamen zudem Leithe-Jasper, Mahr, Heuchert und Hezinger. Weitere Teilnehmer waren der Beauftragte für das Informationswesen Kutscher, Thadden von »Inl. II«, Six, Richter und Walz aus der Kulturpolitischen Abteilung sowie Friederike Haußmann aus der Nachrichten- und Presseabteilung.[96] Aus den Missionen erschienen Vertreter aus Dänemark, Frankreich, Italien, Kroatien, Schweden, der Türkei und der Schweiz, aus Rumänien, der Slowakei, Spanien, Portugal und Bulgarien. Trotz der Absage waren aus dem Reichssicherheitshauptamt der Polizeiattaché von Sofia, Obersturmbannführer Karl Hoffmann, anwesend sowie der vom RSHA abgeordnete SS-Hauptsturmführer Heinz Ballensiefen, der als Gast an der Tagung teilnahm. Weitere Gäste waren Hans Hagemeyer aus dem Amt Rosenberg und Klaus Schickert, Leiter des Instituts zur Erforschung der Judenfrage.

Der Verlauf der Tagung und die Inhalte der Referate wurden nur teilweise in das im Auswärtigen Amt erstellte Protokoll aufgenommen. Redigiert wurde das Protokoll durch Thadden, der am Ende der Zusammenfassung seines Referats hinzufügte: »Da die von dem Referenten vorgetragenen Einzelheiten über den Stand der Exekutiv-Maßnahmen gegen das Judentum in den einzelnen Ländern geheim zu halten sind, ist von der Aufnahme ins Protokoll abgesehen worden.«[97] Die Geheimhaltung wurde auch von Schleier in seinem Begleitbrief an die Missionen erwähnt: »Die Ausführungen von LR v. Thadden und SS-Hauptsturmführer Ballensiefen vom Reichssicherheitshauptamt sind ihres geheimen Charakters wegen in das Protokoll nicht aufgenommen worden.«[98]

Nach dem zensierten Protokoll sprach Schleier über das »völkischrassische Prinzip« und die Anordnung des Führers, »in verstärktem Maße den Kampf gegen das Judentum und für die Aufklärung über dessen Rolle im gegenwärtigen Krieg aufzunehmen«. Die konkreten Projekte, die Schleier erwähnte, umfassten eine »Wanderausstellung«, einen »antijüdischen Abreißkalender« und die »Einrichtung eines großen Archivs über alle Probleme der Judenfrage«.

Franz Alfred Six sprach über »die politische Struktur des Weltjudentums«. Er stellte fest, dass der »eigentliche Kraftquell des Judentums in

Europa und Amerika das Ostjudentum« sei. Demzufolge werde »die physische Beseitigung des Ostjudentums dem Judentum die biologischen Reserven« entziehen. Eberhard von Thadden sprach »über die judenpolitische Lage in Europa und über den Stand der antijüdischen Exekutiv-Maßnahmen« und berichtete über die »Gegenmaßnahmen des Weltjudentums gegen die antijüdischen Maßnahmen«. Zudem bat er die Vertreter der Missionen um »Unterdrückung jeder ... Propaganda, die geeignet ist, die deutschen Exekutiv-Maßnahmen zu hemmen«. Ballensiefen berichtete über die »Erfahrungen bei der Durchführung der antijüdischen Maßnahmen in Ungarn«; Mahr behandelte »die antijüdische Auslandsaktion im Rundfunk«; Friederike Haußmann sprach über Aktionen in der Presse; Walz über die »antijüdische Aktivinformation«; Kutscher »über die Propagandathesen im Rahmen der antijüdischen Auslandsaktion«; Hagemayer schließlich über den geplanten »internationalen antijüdischen Kongress«. Danach berichteten die Vertreter der Missionen »über die judenpolitische Lage in ihren Ländern«.

An zwei Stellen sickerte trotz Zensur ins Protokoll durch, was eigentlich geheim gehalten werden sollte: die von Six erwähnte »physische Beseitigung des Ostjudentums« sowie der Hinweis auf »Exekutiv-Maßnahmen« bei Thadden. In einer Nachkriegsvernehmung erklärte er, dass er damit »die Durchsetzung der antijüdischen Gesetzgebung bezw. Überführung der Juden in Arbeitslager« gemeint habe. Dass »das Zahlenmaterial« geheim gehalten werden sollte, so Thadden, habe »der ausdrücklichen Bitte von Eichmann« entsprochen.[99]

Die Themen, mit denen sich die Tagung in Krummhübel beschäftigte, standen bereits seit Beginn des Krieges auf der Tagesordnung des Auswärtige Amtes. Neu war lediglich die Institutionalisierung und Zentralisierung durch die Errichtung von »Inf. XIV«. Außerdem hatten sich inzwischen Motive und Ziele der AA-Aktivität verändert. Neu war aber auch die Stoßrichtung: Während in den Anfangsjahren ähnliches Material im Vorfeld und zur Vorbereitung antijüdischer Maßnahmen verwendet worden war, wurde es nun – meist hinterher – zur Rechtfertigung der »Endlösung« benutzt, über deren Vernichtungscharakter die Diplomaten gut Bescheid wussten.

Auf verlorenem Posten: Das Amt in der Sowjetunion

Mit den Vorbereitungen zum Überfall auf die Sowjetunion im Frühjahr 1941 eröffneten sich den nationalsozialistischen Großraumplanern neue Perspektiven in altbekannten Räumen. Die sprichwörtlichen »Weiten des Ostens« hatten schon lange deutsche Expansionsträume beflügelt; die Forderung nach »Lebensraum im Osten«, die Hitler bereits Mitte der zwanziger Jahre in »Mein Kampf« formuliert hatte, war alles andere als eine leere Phrase. Diese rassenideologischen Eroberungsphantasien waren eng mit der Frage der »Endlösung der Judenfrage« verknüpft. Zugleich wurde »mit der Vorbereitung des Ostkrieges ... der bis dahin noch relativ abgekapselte SS-Bereich, in dem zwecks Durchsetzung des ›Führerwillens‹ alle traditionellen ethischen Vorbehalte von Anbeginn aufgehoben waren, in seinen Funktionen wesentlich erweitert und – für die Führungskräfte in Heer, Verwaltung und Diplomatie mehr oder minder klar erkennbar – in den Mittelpunkt des jetzt auf kontinental-europäischen ›Großraum‹ abzielenden nationalsozialistischen Herrschaftssystems gerückt«.[100]

Bereits im Vorfeld des »Unternehmens Barbarossa« wurden die Weichen der Eroberungs- und Besatzungspolitik gestellt. Wehrmacht und Sicherheitspolizei hatten den Raum zu erobern und jede Form von Widerstand im Keim zu ersticken. Unter dem Deckmantel der Partisanenbekämpfung wurde in den ersten Wochen der Besatzung im militärischen Hinterland der Holocaust von den Einsatzgruppen in Gang gesetzt. Im März 1941 wurden mit dem »Gerichtsbarkeitserlass« und dem »Kommissarbefehl« Straftaten deutscher Soldaten außer Verfolgung gesetzt und die Politoffiziere der Roten Armee zum Abschuss freigegeben. Die militärische Verwaltung der eroberten Gebiete stellte in den Planungen lediglich eine kurze Übergangslösung dar, sie sollte nach dem Beispiel des Generalgouvernements alsbald durch Zivilverwaltungen in Reichskommissariaten ersetzt werden. Von den vier ursprünglich vorgesehenen Reichskommissariaten Ostland (zunächst als Reichskommissariat Baltikum bezeichnet), Ukraine, Kaukasus und Russland (auch Reichskommissariat Moskovien genannt) wurden allerdings im Verlauf des Krieges nur die ersten beiden tatsächlich eingerichtet.

Von Beginn an bemühte sich das Auswärtige Amt, bei der anstehenden Neuordnung im Osten mit von der Partie zu sein. Zu diesem Zweck wurde Anfang 1941 ein Russlandkomitee in der Wilhelmstraße ins Leben gerufen, in dem Planspiele für die Einbindung der zu erobernden Gebiete in die nationalsozialistische Herrschaftsordnung angestellt wurden. Doch erwies sich dies als weitgehend aussichtsloses Unterfangen. Unter allen Institutionen, die sich für das »Unternehmen Barbarossa« rüsteten, war das Auswärtige Amt die schwächste. Sogar die gerade erst im Entstehen begriffene Dienststelle Rosenberg – das spätere Ministerium für die besetzten Ostgebiete (kurz: Ostministerium) –, der die Organisation der Zivilverwaltung in den eroberten Räumen der Sowjetunion oblag, war einflussreicher als das Russlandkomitee, das seine Denkschriften im Frühjahr und Sommer 1941 eher für die Schublade verfasste. Die Vertreter des Auswärtigen Amtes, die zu den Reichskommissariaten Ostland und Ukraine entsandt wurden – Adolf Windecker und Reinhold von Saucken –, hatten dort nur beratende Funktion und sollten sich explizit »jeglicher eigenen Einflussnahme auf die Gestaltung der Reichskommissariate« enthalten.[101] Ebenfalls wenig in Erscheinung trat Georg Wilhelm Großkopf, der ständige Verbindungsmann des Auswärtigen Amtes zum Ostministerium, der Ende 1942 verstarb.

Ein Ausweg aus seiner Rolle als Zaungast bei der Eroberung der Sowjetunion bot sich Ribbentrop in der Person des Rosenberg-Intimus und Russlandexperten im Auswärtigen Amt Otto Bräutigam (1895–1992). Bräutigam gehörte dem Auswärtigen Dienst seit 1920 an, war immer wieder mit Wirtschaftsfragen befasst gewesen und an verschiedenen Dienstposten in Osteuropa und der Sowjetunion eingesetzt. Zu Kriegsbeginn arbeitete Bräutigam bei der Haupttreuhandstelle Ost im besetzten Polen, deren Tätigkeit er in seinen Memoiren nicht unzutreffend als »eine der radikalsten Räubereien der Weltgeschichte und ein[en] Hohn auf das Völkerrecht« charakterisierte. Seine eigene »dornenvolle Aufgabe« als Verbindungsmann der Haupttreuhandstelle Ost zum Auswärtigen Amt habe darin bestanden, »das Eigentum von Personen und Firmen neutraler Staaten zu schützen«.[102] Die Entwicklung seiner eigenen Karriere behielt Legationsrat Bräutigam dabei sehr wohl im Auge; am 2. November 1939 bat er um Berücksichtigung seiner Person bei etwaigen Beförderungsvorschlägen, da »es für meine hiesige Tätigkeit von besonderer Bedeutung wäre und damit auch im Interesse des AA läge, wenn ich eine höhere Amtsbezeichnung als die gegenwärtige erhielte. Es sind auch aus anderen Ministerien (RFM, RWM, Reichsführer-SS) hö-

here Beamte hierher delegiert, von denen einige im Range eines Oberre-
gierungsrates, die meisten aber in dem eines Ministerialrats stehen.«[103]

Ein von Bräutigam in seinen Memoiren konstruiertes Parteiausschluss-
verfahren im Jahr 1940 ist in den Akten nicht überliefert, sehr wohl aber
die Angelegenheit, die zu diesem Schritt geführt haben soll. Im Januar
1940 zeigte eine Bekannte Bräutigam und seiner Frau bei einer Abendge-
sellschaft ein Foto, auf dem die Erhängung von Juden auf einem polnischen Marktplatz festgehalten war; Frau Bräutigam äußerte Sorge angesichts der Kinder, die sich offenbar unter den Schaulustigen befanden,
während Herr Bräutigam klarstellte, der »Bromberger Blutsonntag«, den
die Bekannte als Rechtfertigung bemühte, sei nicht von Juden, sondern
von Polen zu verantworten.[104] Es kam zu einem Disziplinarverfahren, in
dessen Verlauf Bräutigam am 22. Januar 1940 klarstellte:»Eine so unsin-
nige Bemerkung, wie ›Juden hätten niemals gemordet‹, ist natürlich
nicht gefallen. Aus welchem Grunde Frau Schmolz die ungeheure Blut-
schuld der polnischen Mörder auf ein paar schmutzige Lodscher Juden
abwälzen will, ist mir unbegreiflich.«[105] Diese Ausführungen dürften
Bräutigam letztlich den Ausschluss aus der NSDAP erspart haben. Im
Juli 1940 erfolgte seine Beförderung zum Generalkonsul im sowjetischen
Batum am Schwarzen Meer.

Bei seiner Rückkehr nach Berlin wurde Bräutigam im März 1941 Mitglied im Russlandkomitee des Auswärtigen Amtes und, auf Anfrage seines alten Kameraden Alfred Rosenberg beim Reichsaußenminister, am
21. Mai 1941 zum Vertreter des Auswärtigen Amtes in der politischen
Abteilung des Ostministeriums bestellt.[106] Als Stellvertreter des Abteilungsleiters Georg Leibbrandt war Bräutigam von Anfang an stark in die
Besatzungsplanung der Behörde eingebunden, was äußerlich auch dadurch zum Ausdruck kam, dass er »für vorläufig unbestimmte Zeit der
Dienststelle Osten zur Verfügung gestellt« wurde.[107] Seiner neuen Aufgabe widmete er sich mit Eifer: »Ich arbeite, vom Auswärtigen Amt beurlaubt, in der Dienststelle Rosenberg. Wir bereiten große Ereignisse vor«,
notierte er am 11. Juni 1941 in seinem Tagebuch.[108] Ende September 1941
bat Rosenberg dann darum, ihm Bräutigam »ganz zu überlassen«.[109]
Dennoch pflegte Bräutigam weiterhin engste Verbindungen zur Wilhelmstraße, zumal er die meiste Zeit des Krieges, unterbrochen nur von
regelmäßigen Dienstreisen in die besetzten Gebiete, in der nahe gelegenen Berliner Zentrale des Ostministeriums verbrachte.

Obwohl das Auswärtige Amt und das Ostministerium in Konkurrenz zueinander standen, verfolgten beide Institutionen ähnliche Interessen. Allerdings blieben beiden nur wenige Gestaltungsmöglichkeiten. Die Wehrmacht sollte die militärische Eroberung, Görings Vierjahresplanbehörde die Ausbeutung der besetzten Gebiete vorantreiben, Himmlers SS- und Polizeiapparat die polizeiliche Gegnerbekämpfung sowie die Durchsetzung der nationalsozialistischen Weltanschauung gewährleisten. Von Anfang an war ein rücksichtsloses Vorgehen gegen die einheimische Bevölkerung und die Kriegsgefangenen der Roten Armee einkalkuliert. Sowohl im Ostministerium als auch im Auswärtigen Amt hielt man ein solches Vorgehen für kurzsichtig. Zwar war man auch dort mit den Zielen von Reichs- und Wehrmachtführung weitgehend einverstanden, doch verfolgte man als längerfristig angelegte Strategie eine Politik, die die Integration der vom Kommunismus enttäuschten Volksgruppen der Sowjetunion in die nationalsozialistischen Großraumplanungen und ihre politische Instrumentalisierung vorsah. Anders, so die Einschätzung der Diplomaten und Russlandexperten, würden sich die Bewohner des Riesenreiches auf Dauer kaum unter Kontrolle halten lassen.

Ganz in diesem Sinne verfasste Bräutigam am 17. Juni 1941 – fünf Tage vor dem Überfall auf die Sowjetunion – ein Memorandum. Er reagierte damit auf die als »Grüne Mappe« bekannt gewordene streng geheime Sammlung von Direktiven für den Wirtschaftsstab Ost, in der es unter anderem hieß: »Nach den vom Führer gegebenen Befehlen sind alle Maßnahmen zu treffen, die notwendig sind, um die sofortige und höchstmögliche Ausnutzung der besetzten Gebiete zugunsten Deutschlands herbeizuführen. Dagegen sind alle Maßnahmen zu unterlassen oder zurückzustellen, die dieses Ziel gefährden könnten.«[110] Bräutigam konterte mit einem Vorschlag, der den Erhalt der landwirtschaftlichen Grundstrukturen vorsah und die Bedürfnisse der unterschiedlichen ethnischen Gruppierungen in den eroberten Gebieten berücksichtigte: »Der Krieg gegen die Sowjetunion ist ein politischer Feldzug, kein wirtschaftlicher Raubzug. Das eroberte Gebiet darf also als Ganzes nicht als ein Ausbeutungsobjekt betrachtet werden, selbst wenn auch die deutsche Ernährungs- und Kriegswirtschaft größere Gebiete beanspruchen muss.«[111]

Rosenberg zog zwar das Papier zurück, weil er eine offene Auseinandersetzung mit Göring, der die »Grüne Mappe« in Auftrag gegeben hatte, scheute, erläuterte aber kurz darauf nochmals die Haltung des Ostministeriums: »Es ist ein Unterschied, ob ich 40 Millionen Menschen nach einigen Jahren zur freiwilligen Mitarbeit gewonnen habe oder hinter jeden Bauern einen Soldaten stellen muss.«[112] An dem generellen Einverständnis mit Hitlers Expansionsplänen ließ auch Bräutigam keinen Zweifel, als er gleich zu Beginn seines Memorandums ausführte: »Der Feldzug gegen die Sowjetunion ist ein Unternehmen von größter politischer Tragweite. Es bezweckt, die Gefahr für immer zu bannen, die Deutschland von einem mächtigen, wirtschaftlich voll entwickelten und organisierten Staat östlich seiner Grenzen droht.«[113] Es war nicht das Fernziel, an dem Ostministerium und Auswärtiges Amt am Vorabend des Angriffs auf die Sowjetunion Anstoß nahmen. Lediglich in der Wahl der Mittel, wie dieses Ziel zu erreichen war, verfolgten sie eine andere Linie als die anderen, einflussreicheren Reichsbehörden. Dass hierbei nicht humanitäre Erwägungen ausschlaggebend waren, belegen Rosenbergs in der »Braunen Mappe« im Juli/August 1941 formulierte Richtlinien für die Zivilverwaltung in den besetzten Ostgebieten, die er kurzerhand zum rechtsfreien Raum erklärte: »Die Bestimmungen der Haager Landkriegsordnung, die sich mit der Verwaltung eines durch eine fremde Kriegsmacht besetzten Landes befassen, gelten nicht, da die UDSSR aufgelöst ist und das Reich infolgedessen die Verpflichtung hat, im Interesse der Landesbewohner alle Regierungs- und sonstigen Hoheitsbefugnisse auszuüben.«[114] In der dritten Auflage der »Grünen Mappe« vom September 1942 fanden weitere Vorstellungen Rosenbergs unter anderem in Form der »Richtlinien zur Behandlung der Judenfrage« ihren Niederschlag.

An der Behandlung der nichtjüdischen Bevölkerung in den besetzten Gebieten übte Bräutigam in einer geheimen Aufzeichnung vom 25. Oktober 1942 massive Kritik: »Mit dem den Ostvölkern eigenen Instinkt hat auch der primitive Mann bald herausgefühlt, dass für Deutschland die Parole ›Befreiung vom Bolschewismus‹ nur ein Vorwand war, um die slawischen Ostvölker nach seinen Methoden zu versklaven.« Neben der gescheiterten Agrarordnung und der nur punktuellen Heranziehung der Bevölkerung zur Bandenbekämpfung und zum Fronteinsatz nannte er die Behandlung der in deutsche Gefangenschaft geratenen Rotarmisten als Beispiel einer falschen Besatzungspolitik: »Es ist bei Freund und Feind kein Geheimnis mehr, dass Hunderttausende von ihnen in unseren Lagern buchstäblich verhungert und erfroren sind.« Der mittlerweile gesteigerte Arbeitskräftebedarf im Reich habe zu einer Umkehr dieser Politik geführt, die ebenfalls bedenklich sei, denn »wir erleben nun das groteske Bild, dass nach dem gewaltigen Hungersterben der Kriegsgefangenen Hals über Kopf Millionen von Arbeitskräften aus den besetzten Ostgebieten angeworben werden mussten, um die in Deutschland entstandenen Lücken auszufüllen … In der üblichen grenzenlosen Missachtung des slawischen Menschen wurden bei der ›Werbung‹ Methoden angewandt, die wohl nur in den schwärzesten Zeiten des Sklavenhandels ihr Vorbild haben. Es setzte eine regelrechte Menschenjagd ein. Ohne Rücksicht auf Gesundheitszustand und Lebensalter wurden die Menschen nach Deutschland verfrachtet, wo sich alsbald herausstellte, dass weit über 100 000 wegen schwerer Krankheiten und sonstiger Arbeitsunfähigkeit zurückgeschickt werden mussten.«[115]

Diese kritische Haltung war innerhalb des Auswärtigen Amtes, das aufgrund seiner untergeordneten Stellung innerhalb des Besatzungsapparates keinen nennenswerten Einfluss auf die Verschleppung sogenannter »Ostarbeiter« aus den Territorien der ehemaligen Sowjetunion hatte, weit verbreitet. Bereits im Sommer 1942 forderte eine in der Wilhelmstraße entworfene Denkschrift, gegenüber ausländischen Arbeitern in Deutschland die »Konzeption der europäischen Neuordnung« gegen den »Bolschewismus mit seinen kulturzersetzenden Einflüssen« stärker zu betonen.[116] Als im März 1943 das Propagandaministerium neue »Richtlinien für die Behandlung der im Reich tätigen ausländischen Arbeitskräfte« vorschlug, nach denen die katastrophalen Lebensbedingungen der »Ostarbeiter« im Reich verbessert werden sollten, um auf diese Weise die Bevölkerung der ehemaligen Sowjetunion in den »Kampf des Reiches gegen die vernichtenden Kräfte des Bolschewismus« einzubinden, fand es die Unterstützung des Auswärtigen Amtes. Aufgrund von Einwendungen der Vertreter des Reichsführers-SS, des Generalbevollmächtigten für den Arbeitseinsatz und des Rassenpolitischen Amtes traten die Richtlinien vorerst jedoch nicht in Kraft.[117] Die Bestimmungen mündeten schließlich im »Merkblatt über die allgemeinen Grundsätze für die Behandlung der im Reich tätigen ausländischen Arbeitskräfte« vom 15. Mai 1943, das nicht zur Veröffentlichung freigegeben wurde; nach Angaben des Chefs der Gruppe Inland I, SA-Brigadeführer Ernst Frenzel, waren sie unter maßgeblicher Beteiligung des Auswärtigen Amtes entstanden.[118]

Im Sommer 1943 machte sich Gesandtschaftsrat Starke vom Pressereferat, zuständig für die UdSSR und Polen, ein Bild von den furchtbaren Zuständen, die in den Lagern der »Ostarbeiter« auf Reichsgebiet herrschten, und verfasste darüber einen flammenden Bericht mit Beweisanlagen, der in dem Warnruf gipfelte: »Entweder zufriedene russische Arbeiter oder plündernde und mordende Partisanenbanden!« Botschaftsrat Gustav Hilger, der den Bericht zur Einsichtnahme erhalten hatte, zeigte sich »tief erschüttert« und versicherte, dass die Ausführungen »auch bei anderen hiesigen Stellen Interesse gefunden« hätten, um dann aber resigniert festzustellen: »Von mir kann ich Ihnen nichts Tröstliches berichten. Alle meine Bemühungen in der Ihnen bekannten Richtung haben keinerlei Erfolg gezeitigt und ich habe sogar den Eindruck, dass ich im Augenblick weiter vom Ziel entfernt bin als Wochen zuvor.«[119]

Für die völkerrechtswidrigen Maßnahmen gegen gefangene Rotarmisten gab es zu Beginn im Auswärtigen Amt aber auch durchaus Sympathien. So vermerkte Wilhelm Großkopf im Vorfeld des Angriffs im Zusammenhang mit dem »Kommissarbefehl«: »Eine Ausschaltung dieser sowjet-aktiven Elemente, die in allen Dienstgraden vertreten sind ... könnte dazu beitragen, die Gefangenen innerlich vom Sowjetismus loszulösen und ein brauchbares, materiell bedürfnisloses, geistig lenksames Arbeitsinstrument aus ihnen zu machen.«[120] Diese Haltung wurde jedoch schnell revidiert, als es im August 1942 hieß, das Bild, »das man sich von den Aufgaben und vom Typ der Kommissare ursprünglich gemacht habe«, bedürfe der Korrektur. Man könne Kommissare »nicht als Zivilisten in Uniform betrachten, sondern, da sie eine militärische Ausbildung erhalten, eher als ›Offiziere z. b. V., mit der Truppenführung betraut‹«. Im Übrigen sei zu befürchten, »dass die Meinung, Kommissare würden, wenn sie in Gefangenschaft geraten, erschossen, zu entsprechenden gegen gefangene deutsche Offiziere angewandte Vergeltungsmaßnahmen« führe.[121] Den Ausführungen lag ein Bericht des Vertreters des Auswärtigen Amtes beim Armeeoberkommando 16 bei; ähnliche Überlegungen wurden mit Fortdauer der Winterkrise auch innerhalb des Ostheeres angestellt.[122]

Kurz vor Weihnachten 1941 regte Ribbentrop im Einklang mit dem Oberkommando der Wehrmacht an, versuchsweise einen Vorschlag des Internationalen Komitees des Roten Kreuzes aufzugreifen, nach dem die deutschen Kriegsgefangenen in der Sowjetunion und die russischen

Kriegsgefangenen in Deutschland mit Kleidung, Verpflegung und Impfstoffen versorgt und Personalien ausgetauscht werden sollten.[123] Hitler winkte ab, nach Angaben des Gesandten Walter Hewel, Vertreter des Auswärtigen Amtes im Führerhauptquartier, weil er nicht wollte, »dass bei der Truppe an der Ostfront die falsche Meinung entstehe, sie würde im Falle der Gefangenschaft von den Russen vertragsgemäß behandelt. Auch könnte die russische Regierung aus dem Vergleich der Namen russischer Kriegsgefangener feststellen, dass nicht alle in deutsche Hände gefallenen russischen Soldaten am Leben seien.«[124]

Nicht alle Beamten des Auswärtigen Amtes teilten die Auffassung, dass man, sei es mit Blick auf die Vorteile der Kollaboration, sei es unter Berücksichtigung des Schicksals gefangener Wehrmachtsoldaten, eine Mäßigung in der Besatzungspolitik anstreben sollte. Bei den Mordaktionen im Osten taten sich insbesondere zwei Männer hervor, die während des Krieges sowohl in der Wilhelmstraße als auch bei den Einsatzgruppen der Sicherheitspolizei und des Sicherheitsdienstes tätig waren. Während SS-Brigadeführer Walter Stahlecker im Frühjahr 1941 nur ein kurzes Gastspiel in der Informationsabteilung des Auswärtigen Amtes gegeben hatte und von dort zur Einsatzgruppe A stieß, wechselte SS-Oberführer Franz Alfred Six nach seiner Verwendung beim Vorkommando Moskau der Einsatzgruppe B zu Beginn des Krieges gegen die Sowjetunion – die ihm »wegen besonderer Verdienste« die Beförderung zum SS-Oberführer einbrachte – in die Kulturpolitische Abteilung des Auswärtigen Amtes, blieb dem Amt VII (Weltanschauliche Forschung und Auswertung) des RSHA indes offenbar auch weiterhin treu verbunden.

Viele Fragen, mit denen sich die Bürokratie der Wilhelmstraße oft über Monate beschäftigte, waren Lichtjahre von der Besatzungsrealität entfernt. Im April 1942 bat Rosenbergs Ministerium für die besetzten Ostgebiete das Auswärtige Amt um Kooperation bei einem Ausstellungsprojekt unter dem Motto »Der Kampf im Osten«. Das Amt teilte schroff mit, dass »der Zeitpunkt für die Veranstaltung einer solchen Ausstellung noch nicht gekommen sei« und bat, von weiteren Anfragen in dieser Richtung bis auf Weiteres Abstand zu nehmen. Um so überraschter war man, als Rosenberg Anfang September mitteilte, nicht nur die geplante Ausstellung, sondern auch eine Reihe von Großveranstaltungen zum Thema auszurichten. Das Ganze sollte bereits im Oktober in München stattfinden. Es entwickelte sich daraus jedoch ein regelrechter Disput zwischen Ribbentrop und Rosenberg, der schließlich von Hitler persönlich zugunsten des Außenministers entschieden wurde. Tatsächlich konnte weder Ribbentrop noch Hitler an öffentlichen Vorträgen zu Themen wie »Europa und seine Lebensräume«, »Ukraine und Kaukasien« oder »Moskowien und Ostland« zu einem Zeitpunkt gelegen sein, an dem der deutsche Vormarsch ins Stocken geraten war und Teile der vorgestellten Gebiete sich gar nicht unter deutscher Herrschaft befanden.[125] Insgesamt zeugt der verbissene Ernst, mit dem man diese Angelegenheit behandelte, vor allem von der Frustration zweier Institutionen, die sich ihrer Ohnmacht in den entscheidenden, die Besatzung im Osten betreffenden Fragen schmerzlich bewusst waren.[126]

Die Vertreter des Auswärtigen Amtes bei der Wehrmacht

In allen deutschen Besatzungs- und Operationsgebieten, von Afrika bis Norwegen, vom Atlantik bis zum Kaukasus, waren Abgesandte der Wilhelmstraße dem jeweiligen Armeeoberkommando (AOK) zugeteilt. Ihre genaue Zahl ist schwer zu bestimmen. Zum einen war die Dauer der Einsätze an die Dauer der Militärverwaltung geknüpft, zum anderen wechselten Ämterbezeichnungen häufig; auch konnte ein Vertreter des Amtes nacheinander bei mehreren Dienststellen einer oder verschiedener Militärverwaltungen eingesetzt sein. Im Juli 1942 waren 15 Vertreter des Auswärtigen Amtes verschiedenen Armee- und Panzerarmee-Oberkommandos zugeordnet.[127] Ihre Zahl lag aber mit Sicherheit deutlich höher. Beispielsweise waren schon bei Kriegsbeginn im September 1939 AA-Vertreter vorübergehend an den Standorten Posen, Krakau und Lodz eingesetzt. Zudem waren Vertreter des Auswärtigen Amtes auch den Korps- und Heeresgruppenkommandos zugeteilt.[128]

Gemäß Absprache zwischen dem Reichsaußenminister und dem Chef des Oberkommandos der Wehrmacht (OKW) wurden die Vertreter des Auswärtigen Amtes, ausgestattet mit einem Gehilfen, einer Schreibkraft und einem Pkw mit Fahrer, vom Auswärtigen Amt beurlaubt und als Offiziere einberufen. Die Dienstaufsicht erfolgte durch das Auswärtige Amt, das auch die Dienstanweisungen erteilte. Aufgabe der Diplomaten in Wehrmachtuniform war es, für die Auslandspropaganda geeignetes

Material zu erfassen, ausländische Berichterstatter zu betreuen, das Armeeoberkommando bei der aktiven Feindpropaganda zu beraten und über die aktuelle außenpolitische Lage zu unterrichten. Die Aufgabe, über die Situation in ihrem Einsatzgebiet in regelmäßigen Abständen nach Berlin zu berichten, ist in der Dienstanweisung vom April 1940 nicht aufgeführt, war aber aus Sicht des Auswärtigen Amtes ihre wohl wichtigste Funktion.[129]

Tatsächlich gehören einige dieser Berichte, insbesondere aus der Sowjetunion, zu den kritischsten Stimmen, die während des Zweiten Weltkrieges von offizieller Seite gegen die deutsche Besatzungspolitik laut wurden. Die Vertreter des Auswärtigen Amtes waren mit den oft katastrophalen Auswirkungen der Unterdrückungsmaßnahmen direkt konfrontiert. Den meisten von ihnen war klar, dass sich die für einen Sieg notwendige Unterstützung der einheimischen Bevölkerung mit Gewalt allein nicht gewinnen lassen würde.

So berichtete der Gesandte Werner Otto von Hentig im Sommer 1942 von den Kriegsverbrechen der 6. Armee unter Generalfeldmarschall Erich von Manstein auf der Krim. Ausufernde Vergeltungsmaßnahmen, der Einsatz von gefangenen Rotarmisten zum Minenräumen, die Ermordung der Juden und andere Völkerrechtsverletzungen seien dazu angetan, ein »Massenschlachten« in Gang zu setzen, »bei dem derjenige am besten wegkommt, der die wenigsten Gewissensbisse hat«. Hentig drängte auf eine Mäßigung der Hasspropaganda, appellierte an die Einhaltung des Völkerrechts und forderte ein Ende der willkürlichen Erschießungen sowie die ärztliche Betreuung der sowjetischen Kriegsgefangenen.[130]

Bereits im Oktober 1941 hatte Hentig dazu aufgerufen, in den sowjetischen Kriegsgefangenen mehr zu sehen als die von der NS-Propaganda dämonisierten Untermenschen: »Zehn Tage unrasiert und nicht gewaschen, nach den beschwerendsten seelischen Eindrücken, sehen die meisten Menschen nicht vorteilhaft aus. Wird ein solcher Gefangener, dessen wildstruppiges Gesicht und tief niedergeschlagene Mi[e]ne ihn abstoßend erscheinen ließen, freundlich behandelt, kann er die nötigen Maßnahmen zur Weckung seines Selbst- und Menschbewusstseins treffen, sich ausschlafen, waschen, rasieren, seine Kleider notdürftig in Ordnung bringen, so wird er auf einmal ein ganz anderer Mensch, bei dem wir unmittelbar gewinnende und liebenswürdige Eigenschaften feststellen können.«[131] Das waren ungewohnte Töne im rassenideologischen

Vernichtungskrieg. Im Frühjahr 1942 kritisierte Hentig die Erschießung von 1200 angeblichen Partisanen in Eupatoria auf der Krim, bei denen es sich in Wirklichkeit um Eisenbahner gehandelt habe, »die für die Armee aufopfernd tätig gewesen« seien.[132] Seinen nach dem Fall von Sewastopol verfassten Bericht »Die Zukunft der Krim«, in dem er die unzureichenden Maßnahmen zur Sicherung der Ernährung der Bevölkerung anprangerte, schloss Hentig mit dem dringenden Appell, »sich möglichst bald über die Form, in der die Krim zu behandeln ist, schlüssig zu werden und eine diesbezügliche Erklärung abzugeben«.[133]

Hentig war nicht der einzige Vertreter des Auswärtigen Amtes, der seinen Unmut bekundete. Im August 1941 mahnte Legationsrat Anton Bossi-Fedrigotti, der am 2. Juni 1941 zum AOK 1 abgestellt worden war, dass die seit Wochen praktizierte Ermordung der politischen Kommissare der Roten Armee durch die Wehrmacht zur Folge haben könnte, dass gefangen genommene deutsche Offiziere bald dasselbe Schicksal erwarte.[134] Anfang 1942 beklagte er die schlechte Behandlung der sowjetischen Kriegsgefangenen, »da nun Flugblätter und Passierscheine nicht mehr auf den Rotarmisten wirken, weil er nicht von den Deutschen nach Hause gelassen wird und im Kgf. [Kriegsgefangenen-]Lager verhungert«.[135] Sein Kollege beim AOK 17, Legationsrat Karl Georg Pfleiderer, glaubte im Sommer 1942 erste Anzeichen für eine Entschärfung der Situation zu konstatieren: »Seit wir die Gefangenen besser behandeln, schenken die Rotarmisten unserem Wort auch wieder erhöhten Glauben. So wird es dem Gegner doch erleichtert, seine Niedergeschlagenheit und seinen politischen Widerspruch gegen die roten Machthaber auf die wirksamste, ihm mögliche Weise auszudrücken und überzulaufen.«[136]

Vor allem die Behandlung der Zivilbevölkerung wurde von den Vertretern des Auswärtigen Amtes bei der Wehrmacht immer wieder ausgiebig erörtert. Der in der Ukraine beim Panzerarmee-Oberkommando 1 eingesetzte Legationssekretär Friedrich Lehmann betonte, für die Zukunft der deutschen Besatzungspolitik sei die Frage der Versorgung der Bevölkerung entscheidend.[137] Ende des Jahres lobte er in einem Brief an Unterstaatssekretär Luther in Berlin Generaloberst von Kleist und die verantwortlichen Offiziere der 1. Panzerarmee dafür, dass sie im Kaukasus eine besonnene Besatzungspolitik betrieben und auf »die politischen Überlegungen, Bedenken und Vorbehalte zuständiger Reichsstellen wenig Rücksicht« nähmen. Auch der Vertreter des AA beim Ostministerium Otto Bräutigam stelle sich dem nicht entgegen, sondern sehe vielmehr seine Aufgabe darin, bei seiner vorgesetzten Dienststelle Verständnis für die Maßnahmen des Militärs zu wecken.[138] Beim AOK 18 in Estland bemängelte Legationssekretär Ungern-Sternberg, die Revision der sowjetischen Zwangskollektivierung gehe zu schleppend voran; die ungeklärten Besitzverhältnisse führten im Lande »zu einer Unzufriedenheit, die unter Berücksichtigung der allgemeinen Lage nicht gerechtfertigt« sei.[139]

Regierungsrat Heinrich von zur Mühlen, mit der 4. Panzerarmee auf dem Vormarsch in Richtung Kaukasus, berichtete im Juli 1942 besorgt: »Unsere Landser haben durch die häufig fraglos sehr notwendigen Requisitionen zur Ernährung der Truppe etwas eigenartige Begriffe von fremdem Eigentum erhalten und requirieren ohne und gegen Befehl, leider häufig sogar unter den Augen der Vorgesetzten, munter auch da, wo es gar nicht notwendig ist … Es ist mancherorts soweit gekommen, dass die Bauern nicht mehr ihre Feldarbeit tun, wenn deutsche Soldaten im Ort liegen, weil sie ihr Hab und Gut bewachen müssen. Dass bei diesem ›Organisieren‹ immer wieder auch von unseren Landsern Gewalt angewendet wird, kann man sich ja denken.« Wenn dieses Verhalten der Truppe nicht bald abgestellt werde, sei mit bewaffnetem Widerstand zu rechnen. »Der Kaukasier« sei nämlich »in den Fragen persönlichen Eigentums sehr empfindlich« und mache »bei der Anwendung rechtswidriger Angriffe auf sein Eigentum schnell von seiner Waffe Gebrauch.«[140]

Legationsrat Conrad von Schubert bei der 6. Armee schlug in dieselbe Kerbe, als er beim Vormarsch auf Stalingrad bemerkte: »Unnötige Härten von Seiten der Truppe, wie Wegnahme der letzten Milchkuh, Abschlachten des Federviehs usw., sollten daher nach Möglichkeit unterbleiben, wenn man ein Interesse daran hat, die Landbevölkerung zu erhalten und zur gutwilligen Bearbeitung des Landes heranzuziehen.«[141] Legationsrat Pfleiderer führte im Oktober 1942 aus: »Der ukrainische Bauer will Land. Er erwartet es von uns. In der Hoffnung auf Land hat er den Deutschen herbeigewünscht und als Befreier begrüßt. Geht die Hoffnung des ukrainischen Bauern auf Land nicht in Erfüllung, dann macht sich bei ihm eine nachhaltige Enttäuschung breit und sein Verhältnis zu Deutschland wird vergiftet.«[142]

Die Kritikpunkte der Vertreter des Auswärtigen Amtes bei der Wehrmacht fasst ein Bericht von Oberleutnant Schütt beim AOK 9 zusammen, der auf Ende 1942 zu datieren ist: »Die anderthalb Jahre Russland-krieg haben gezeigt, dass die politischen Maßnahmen wie z. B. die negativen Propagandaparolen über die Vernichtung des Bolschewismus, die anfängliche Erschießung der Kommissare und Politruks, die zögernde Behandlung und bürokratische Handhabung der Agrarordnung u. a. bisher zu keinem durchschlagenden Erfolg geführt haben.« Eine Lösung dieses Dilemmas werde an der Front bereits praktiziert, so Schütt, indem »die Russen noch viel weitgehender zum Kampf gegen Banden und auch gegen die Rote Armee selbst, ebenso wie zur Selbstverwaltung im besetzten Gebiet« herangezogen würden.[143]

Die sich in der zweiten Jahreshälfte 1942 häufenden kritischen Berichte der Vertreter des Auswärtigen Amtes bei der Wehrmacht deckten sich mit dem, was zeitgleich in der Berliner Zentrale diskutiert wurde. Das dort Anfang 1941 eingerichtete Russlandkomitee konnte keinen maßgeblichen Einfluss auf die Politik in der Sowjetunion ausüben, verfolgte aber dennoch seine eigenen Planspiele. Dazu gehörte seit dem Frühjahr 1942 die Idee, separatistische russische Kräfte in die deutsche Kriegführung einzubeziehen. Staatssekretär Weizsäcker befürwortete im November 1942 prinzipiell einen »Russlandvorschlag« von Karl Megerle, dem Propagandabeauftragten Ribbentrops, der vorsah, durch den Aufbau örtlicher Selbstverwaltungen allmählich eine Art Gegenregierung zu Stalin zu etablieren. Das aber setzte eine bessere Behandlung der Bevölkerung und ein Mindestmaß an Mitbestimmung voraus. Nach Weizsäcker waren »die Probleme der Hilfe für unsere Armee im Hinterlande, der Partisanenbekämpfung, der wirtschaftlichen Ausbeutung usw. so dringlich, dass kleine Organisationen schon aus eigenem [Antrieb] entstanden oder von örtlichen deutschen Stellen geschaffen worden« seien. Voraussetzung der weiteren Verfolgung dieser Linie sei allerdings, dass der Führer jeden Gedanken eines Separatfriedens mit Stalin aufgebe.[144]

Inwieweit bei den Vorschlägen der Vertreter des Auswärtigen Amtes für eine Revision der deutschen Besatzungspolitik auch humanitäre Gründe eine Rolle spielten, ist schwer zu beurteilen. Für »Bedenkenträgerei« war in der nüchternen Sprache der Berichterstattung kein Platz, und dass die angeführten Argumente ausnahmslos pragmatischer Natur waren, kann nicht überraschen. Auch wenn sie selber oft die Weltanschauung des Dritten Reiches teilten, waren die Beamten doch imstande, zu abstrahieren, die militärpolitische Lage nüchtern zu betrachten und pragmatische Schlüsse zu ziehen, die in der Konsequenz eine bessere Behandlung der einheimischen Bevölkerung und die Einbindung lokaler Verbände in den Kampf mit dem Gegner nahelegten. Daraus auf eine Widerstandshaltung zu schließen, wäre allerdings verfehlt. Mit ihrer zuweilen scharfen Kritik an den herrschenden Zuständen kamen die AA-Vertreter lediglich ihrem Auftrag nach, genau zu berichten.

In diesem Sinne sind auch zahlreiche affirmative Bemerkungen zur Besatzungspolitik, allen voran zu den antijüdischen Maßnahmen, nicht immer unbedingt als Zustimmung zu verstehen. Stellungnahmen wie »die Arisierung der Judengeschäfte [in Nancy] ist in vollem Gange. Bei den Juden herrscht großes Geschrei darüber« sind keine Seltenheit in den überlieferten Unterlagen.[145] Generalkonsul Schattenfroh, 1940 beim AOK 4 eingesetzt, berichtete, die Juden des Warschauer Ghettos hätten 5 Millionen Złoty für eine Ausgeherlaubnis zu bestimmten Tageszeiten geboten. Daraus könne man schließen, »wie kapitalkräftig« die jüdische Gemeinde in Warschau »immer noch ist«.[146] Auffällig ist allerdings, dass von allen Vertretern des Auswärtigen Amtes bei Wehrmachtstäben in der Sowjetunion nur Hentig die Ermordung Hunderttausender Juden im Einsatzgebiet kritisierte, als er im Sommer 1942 von der »Aufdeckung von meist wohl jüdischen Massengräbern« auf der Krim berichtete. Seine Kollegen standen der Judenvernichtung, wenn sie sich überhaupt dazu äußerten, gleichgültig gegenüber oder stimmten ihr zu.[147]

Zuweilen zielten die Vorstöße der Diplomaten in Wehrmachtuniform indes auch in eine ganz andere Richtung. Und sorgten damit selbst in der Wilhelmstraße für Irritation. So hatte Legationsrat Pfleiderer im Zusammenhang mit dem Projekt einer russischen Gegenregierung im März 1942 empfohlen, »russische politische Kampfverbände nach dem Vorbild der nationalsozialistischen Bewegung« zu bilden, die »in Deutschland beziehungsweise den besetzten Gebieten aufzustellen und in einem je nach Lage zu bestimmenden Zusammenwirken mit deutschen Truppen anzusetzen« seien. Mit dieser Idee zog er sich den Zorn Luthers zu, der aufgebracht erwiderte, es sei »unter keinen Umständen zulässig, dass sich die Vertreter des Amtes bei der Wehrmacht mit derartig weitgehenden Problemen, deren Behandlung dem Herrn RAM und letzten Endes dem Führer obliegt, in dieser Form befassen«.[148] Ähnlich dürfte Luther auf den Vorstoß Bossi-Fedrigottis reagiert haben, der im Januar desselben Jahres die Aufstellung von Kampfverbänden aus gefangenen Rotarmisten vorgeschlagen und angeboten hatte, »als VAA zum bedeutendsten dieser Verbände zu treten und mit einem kleinen Propagandastab (Dolmetscher) die (außenpolitische) propagandistische Steuerung dieser Verbände hinsichtlich der Aktivpropaganda in den Feind zu übernehmen«.[149] Offensichtlich schossen die Vertreter des Auswärtigen Amtes mit ihren Neuerungsvorschlägen gelegentlich weit übers Ziel hinaus.

In der Praxis hatten ihre kritischen Einwände keinerlei Auswirkungen, obwohl vereinzelt auch manche Armeeoberbefehlshaber ähnlicher Ansicht waren. Als Berichterstatter ohne Weisungsbefugnis und ohne logistische Unterstützung blieben ihre Mahnungen ungehört, die Besatzungspolitik wurde nach Vorgaben der politischen und militärischen Führung im Zusammenspiel der örtlichen Militär-, Polizei- und SS-Instanzen bestimmt. Für die Wilhelmstraße war das Instrument der Vertreter des Auswärtigen Amtes bei der Wehrmacht dennoch so wichtig, dass Luther, als das OKW im Sommer 1942 Zweifel an dessen Nützlichkeit äußerte, in einer Vortragsnotiz für Ribbentrop anregte, Hitler bei passender Gelegenheit darauf hinzuweisen, dass »fast alle VAAs während ihrer Tätigkeit auf eigenen Wunsch einen längeren Fronteinsatz mitgemacht« hätten und vier von ihnen mit dem Eisernen Kreuz zweiter Klasse ausgezeichnet worden seien.[150] Nichtsdestoweniger wurden sämtliche VAAs im Frühjahr 1943 zurückgezogen.[151]

Insgesamt war die Wilhelmstraße durch die Berichte der Vertreter des Auswärtigen Amtes bei der Wehrmacht von Beginn des Krieges an außerordentlich gut über die Auswirkungen der brutalen deutschen Besatzungspolitik vor allem in Ost- und Südosteuropa unterrichtet. Nennenswerte Folgen hatte dies nicht: Die Berichte wurden ordnungsgemäß abgeheftet und verstaubten fortan in der Ablage.

»Sonderkommando Künsberg«

Das Sonderkommando Künsberg war die wohl ungewöhnlichste Unternehmung des Auswärtigen Amtes im Zweiten Weltkrieg. Mit Kriegsbeginn wurde der Legationssekretär (ab August 1943 Gesandtschaftssrat) Eberhard Freiherr von Künsberg von seinem unmittelbaren Vorgesetzten, dem Chef des Protokolls, Alexander Freiherr von Dörnberg, nach

Warschau entsandt, um in der polnischen Hauptstadt die Gebäude der diplomatischen Vertretungen feindlicher und neutraler Staaten zu sichern und das gesamte von der geflohenen polnischen Regierung hinterlassene Aktenmaterial zu sichten und ins Reich abzutransportieren. Gewissermaßen »nebenbei« beschlagnahmte Künsberg dabei auch historische Waffen des dortigen Heeresmuseums und übergab sie dem Leiter des Deutschen Jagdmuseums in München.[152] Aus der in Warschau tätigen Kerntruppe entstand im weiteren Verlauf des Krieges das Sonderkommando Künsberg, das sich schon bald zu einer Räuberbande entwickelte, die in zahlreichen Städten, kaum waren sie von deutschen Truppen besetzt, regelrechte Beutezüge durchführte und in ganz Europa Kunstobjekte, seltene Bibliotheksbestände, kartographisches Material und bisweilen auch Devisen und Edelmetalle in ihren Besitz brachte.

Um die Plünderungen zu verschleiern, wurde in den Dokumenten zumeist das im NS-Jargon übliche Vokabular verwendet: Objekte der Begierde seien »sichergestellt«, »gerettet«, »geborgen«, »vor der Zerstörung bewahrt«, »kriegsmäßig gesichert«, Gebäude »in Gewahrsam genommen« worden, Plünderungsorte wurden »Fundorte« genannt.[153] Zu den ersten Beutestücken, die offenbar ganz auf die Bedürfnisse des passionierten Reiters und ehemaligen Vertreters für Spirituosen Ribbentrop zugeschnitten waren, zählten Lippizaner aus Athen und Belgrad sowie mehrere Lkw-Ladungen Sekt und Cognac aus Frankreich.[154] Auch die Tatsache, dass sich der Reichsaußenminister bereits seit den frühen zwanziger Jahren in Berlin als Sammler von Kunstgegenständen betätigte, dürfte nicht ohne Einfluss auf die Sammeltätigkeit des Sonderkommandos geblieben sein. Der offizielle Auftrag, die Sicherstellung außenpolitisch relevanter Beuteakten, sollte dagegen in erster Linie das Material für Dokumentensammlungen liefern, mit denen man die angebliche Kriegsschuld feindlicher Staaten belegen wollte.[155] Vermutlich hatte der Fehlschlag des ersten Versuches dieser Art, den Ribbentrop mit Unterstützung des Gesandten Andor Hencke 1938 im Archiv des tschechoslowakischen Außenministeriums in Prag unternommen hatte, beim Außenminister den Wunsch geweckt, solche Aufgaben in Zukunft in die Hände einer eigens zu diesem Zweck eingerichteten Expertengruppe zu legen. In Norwegen wurde Künsbergs Auftrag vorübergehend erweitert: Seine Männer sollten nach geflohenen Mitgliedern der norwegischen Regierung fahnden.[156]

Die Formationsgeschichte des Sonderkommandos Künsberg ist ebenso diffus wie sein Auftrag. Es konstituierte sich offiziell vermutlich erst
Anfang 1940 beim Westfeldzug, zunächst als »Geheime Feldpolizei-
Gruppe zur besonderen Verwendung des Auswärtigen Amtes«, geführt
von Künsberg im Rang eines Feldpolizeiinspektors, und bestand damals
aus einem Stab von 38 Sachbearbeitern sowie 75 Fahrern der Waffen-
SS.[157] Im Januar 1941 bestand die Truppe aus 20 Beamten im Offizierrang,
Offizieren und Feldwebeln, dazu 70 Mannschaftsgraden und Unterfüh-
rern, und verfügte über 20 Lkw, 12 Pkw, sowie 10 Kräder mit Beiwagen
und war dem SS-Führungshauptamt direkt unterstellt.[158] Auf Betreiben
des Leiters der polizeilichen Spionageabwehr im Reichssicherheitshauptamt, SS-Brigadeführer Walter Schellenberg, wurde Anfang 1941
verfügt, dass die Angehörigen des Sonderkommandos des Auswärtigen
Amtes in den neu eroberten Gebieten der Sowjetunion im Rahmen der
Sicherheitspolizei eingesetzt werden sollten, deren Uniformen sie auch
trugen – zuvor waren sie, um die Verwirrung perfekt zu machen, ab-
wechselnd in Uniformen der allgemeinen SS, der Geheimen Feldpolizei
und des Auswärtigen Amtes tätig.[159] Ein Dienstverhältnis zum Sicherheitsdienst, das Ribbentrop kategorisch ablehnte, wurde nicht hergestellt.[160] Am 1. August 1941 wurde das Sonderkommando Künsberg organisatorisch der Waffen-SS eingegliedert; von der Wehrmacht wurde es
als Einheit des Feindnachrichtendienstes geführt; seine Einsatzbefehle
zur Sicherstellung von außenpolitisch relevantem Material erhielt es jedoch weiterhin vom Reichsaußenminister, der auch sämtliche Kosten –
bis auf den Wehrsold – aus der Kriegskasse des Auswärtigen Amtes bestritt.[161]

Die Eingliederung in die Waffen-SS brachte das Kommando mit 339
Mann auf Bataillonsstärke, zusätzlich wurde es mit Waffen, Funk, Ver-
sorgungs- und Transportfahrzeugen ausgerüstet.[162] Es bestand 1941 aus
drei Einsatzkommandos. Für Künsberg ging damit ein Traum in Erfüllung, denn mit den erhofften weiträumigen Eroberungen in der Sowjetunion taten sich völlig neue Betätigungsfelder auf, in denen er seine
Einheit »aktionsfähiger« machen wollte.[163] Im Frühjahr 1942 wurde das
Sonderkommando als geschlossene Einheit in die Reihen der Leibstan-
darte Adolf Hitler aufgenommen, am 1. August des Jahres in »Bataillon
der Waffen-SS z. b. V.« umbenannt. Am 29. Juli 1943 wurde es mit Wirkung zum 1. September 1943 aufgelöst. Das wissenschaftliche Personal

des Kommandos, dem die Auswahl der Beute vor Ort und deren Sichtung in Berlin oblag, unterstand während der gesamten Zeit des Bestehens der Einheit nur der Weisung des Reichsaußenministers.[164]

Das Sonderkommando Künsberg drang ab dem Frühjahr 1940 zügig mit den Fronttruppen tief in die besetzten Gebiete ein, in Frankreich rückte es bis an die spanische Grenze vor. Neben den zu beschlagnahmenden diplomatischen Akten richtete sich Künsbergs Augenmerk hier auch auf die Unterlagen politischer Parteien, von Logen und Pressebüros sowie jüdischer Privatpersonen. Ausgestattet mit einem militärischen Auftrag, konnten sich die Kommandoangehörigen jederzeit ungehindert Zugang zu Privatwohnungen verschaffen. Zu dieser Zeit war Künsberg dem deutschen Botschafter in Paris »zur kommissarischen Beschäftigung« zugeteilt.[165] Im Auftrag des Reichsaußenministers war er für die Sicherstellung von jüdischen Kunstsammlungen und Logenbesitz verantwortlich. In Begleitung des Direktors des Berliner Kunstgewerbemuseums durchforstete sein Sonderkommando Schlösser und Herrenhäuser im unbesetzten Frankreich nach ausgelagerten Kulturgütern des Louvre und anderer staatlicher Museen. Dabei geriet Künsberg erstmals mit konkurrierenden Organisationen aneinander: mit dem militärischen Kunstschutz der Wehrmacht und dem Einsatzstab Reichsleiter Rosenberg. Der Streit wurde schließlich zugunsten Rosenbergs entschieden, und Künsberg musste die von seinen Männern beschlagnahmten Objekte widerstrebend herausgeben.[166] Die Militärverwaltung dokumentierte den Kunstraub durch Künsbergs und Rosenbergs Männer in einem umfangreichen Bericht.[167]

Das »Unternehmen Barbarossa« ließ die Raubzüge des Kommandos exponenziell anwachsen. Im Baltikum, in Russland und der Ukraine wurden Berge von Akten, kartographisches Material in Hülle und Fülle und Millionen Bücher aus Spezialbibliotheken erbeutet, darunter zahlreiche historisch einmalige Sammlungen. Kulturgüter im engeren Sinn durfte das Kommando Künsberg laut einer mit dem Oberkommando der Wehrmacht am 15. März 1941 angesichts der Querelen in Frankreich getroffenen Abmachung nicht mehr seiner Trophäensammlung hinzufügen. Trotz des Gedränges in den eroberten Städten arbeiteten die »Hyänen des Schlachtfeldes«, wie Reichsfinanzminister Schwerin von Krosigk die rivalisierenden Unternehmen nannte – die Wehrmachtabteilung Fremde Heere Ost, der Sicherheitsdienst, der Einsatzstab Reichsleiter

Rosenberg, die Archivkommisson des Auswärtigen Amtes (Ako) und das Sonderkommando Künsberg –, weitgehend störungsfrei zusammen.[168]

Nach einem Streit mit Künsberg aufgrund der Konfiszierung der Judaica-Bibliothek in Kiew im November 1941 veranlasste Rosenberg im Februar 1942, dem Störenfried jegliche Tätigkeit auf kulturellem Gebiet im Reichskommissariat Ostland zu verbieten. Nachdem Künsberg die kostbare Sammlung zurückgegeben und für die Zukunft mehr Zurückhaltung gelobt hatte, waren die Spannungen weitgehend bereinigt. Tatsächlich unterstützte das Sonderkommando in der Folge sogar den personell und organisatorisch schlechter ausgerüsteten Einsatzstab.[169] Rosenberg hatte Künsberg eindrucksvoll demonstriert, wer im besetzten Osten das Sagen hatte, und Künsberg war klug genug, diese Rangordnung nicht mehr in Frage zu stellen, zumal sie durch einen Führererlass vom 1. März 1942 eindeutig festgeschrieben wurde.[170]

Nachdem der deutsche Vormarsch Ende 1941 zum Erliegen gekommen war, geriet Künsberg unter Zugzwang, da er die weitere Anwesenheit seines Kommandos im Operationsgebiet rechtfertigen musste. Ein Einsatzbefehl des Kommandoamtes der SS löste das Problem vorübergehend: »Antragsgemäß wird das Sonderkommando bis zur Wiederaufnahme seiner politischen Tätigkeit im Rahmen des Feindnachrichtendienstes auf der Halbinsel Krim für folgende Aufgaben eingesetzt: Bekämpfung der Partisanen, Bewachung der Küste, Ausbildung der Tataren. Die Beendigung dieses Einsatzes ist auf den Zeitpunkt festgesetzt, den der Herr Reichsminister des Auswärtigen für die Wiederaufnahme der politischen Tätigkeit des Sonderkommandos bestimmt.«[171] Zwei Dinge sind an diesem Vorgang bemerkenswert: Zum einen hatte Künsberg zwar im Juni 1941 den Einsatz seines Kommandos im Operationsgebiet durchgesetzt, es sollte sich aber beim Einmarsch in feindliche Städte nicht am Kampf beteiligen, sondern lediglich Sicherungsaufgaben wahrnehmen. Diese Einschränkung war mit dem Einsatzbefehl nun aufgehoben. Zum anderen ist Künsberg, der von Ribbentrop bereits früher als »Sonderbeauftragter des Auswärtigen Amtes für die Degaullistenbekämpfung« in Frankreich vorgesehen war,[172] neben Hermann Neubacher, dem Beauftragten für die einheitliche Führung des Kampfes gegen den Kommunismus auf dem Balkan, der zweite hochrangige Beamte des Auswärtigen Amtes, der im Rahmen deutscher Besatzungspolitik mit der Partisanenbekämpfung betraut wurde. Ob dabei die Ausbildung von

400 Krimtataren zum Kampf gegen die Rote Armee[173] – analog zu Wirsings und Neubachers Konzept der Einbindung antikommunistischer Verbände – Künsbergs Idee oder lediglich ein Befehl der SS war, den er auszuführen hatte, ist ungewiss. Jedenfalls zeichnet sich hier ab, dass man im Auswärtigen Amt angesichts einer angespannten militärischen Ausgangslage offenbar eher als in anderen NS-Institutionen geneigt war, pragmatischen Erwägungen den Vorzug zu gegeben.

Trotz seiner Umtriebigkeit stieß Künsbergs Sammlertätigkeit im Auswärtigen Amt nicht nur auf Zustimmung. Sein unkonventionelles, oftmals übereiltes Vorgehen stand seiner Karriere mehr als einmal im Wege. Sein vergeblicher Versuch, in der ersten Jahreshälfte 1941 durch gegenseitiges Ausspielen von Waffen-SS und Auswärtigem Amt die Aufnahme seines Kommandos in die Waffen-SS zu erreichen, die Anforderung von Mannschaften der Waffen-SS nach Neapel für einen Afrika-Einsatz, für den er keine Order besaß,[174] die Organisation einer Ausstellung »Proben der vom Sonderkommando-AA im Russland-Einsatz sichergestellten Bestände«, auf der er im März 1942 stolz seine Beutestücke einem erlesenen Publikum aus den Reihen des Auswärtigen Amtes präsentierte:[175] All dies und weitere Eigenmächtigkeiten ließen ihn bei Ribbentrop in Ungnade fallen und brachten ihm eine Degradierung ein, ohne dass er je den Kommandeurstitel einbüßte. Himmler nannte ihn einen »G'schaftlhuber« und schlug im Juni 1943 vor, ihn zwecks Erziehung zu einem Fronttruppenteil zu versetzen.[176] Vor allem aber sank sein Stern, weil sein Konzept der »schnellen Beute« nur bei einem stetigen Vormarsch der deutschen Truppen aufgehen konnte. Damit aber war es 1942 vorbei.

Mit der Auflösung des Sonderkommandos wurde es stiller um Künsberg. Nach einem Zwischenstopp bei der Gesandtschaft in Sofia, wo er am 1. Juni 1943 seine Ernennung zum Gesandtschaftsrat erhielt und am 12. August schließlich eine Planstelle als Legationsrat antrat, wurde er am 25. Oktober auf Himmlers Initiative als Kompanie- und anschließend als Abteilungsführer einem Panzerregiment zugeteilt. Im Januar 1944 mit Diphterie und Paratyphus in das Lazarett von Tarnopol eingeliefert, verliert sich nach einem Kuraufenthalt im Juli 1944 seine Spur.[177]

Das Sonderkommando Künsberg betrieb – neben seinem offiziellen Auftrag der Beschaffung von Informationsmaterial für die politische Kriegführung – im deutsch besetzten Europa einen Raub allergrößten

Ausmaßes. Auch wenn dies in der Wilhelmstraße offenbar nicht alle Stellen gleichermaßen goutierten, wurden die organisierten Beutezüge im Auftrag und mit Unterstützung des Amtes ausgeführt und vom Amt finanziert. Ungezählte Bücher und zahllose Kulturobjekte sind auf diese Weise wohl für immer verschollen, zumal Künsberg die Angewohnheit besaß, Teile seiner Beute bisweilen gönnerhaft und unquittiert innerhalb und außerhalb des Amtes zu verteilen.[178]

Nach dem Krieg hätte so mancher Diplomat das Sonderkommando Künsberg und seine spezielle Verwendung gern aus dem Gedächtnis gestrichen. Vor dem Nürnberger Militärtribunal sagte Ribbentrop aus: »Dieser Herr von Künsberg, das ist ein Mann, der mit einigen Mitarbeitern zusammen von mir bereits lange vor dem Russenfeldzug aufgestellt worden war, um schon damals in Frankreich Dokumente, wichtige Dokumente, die etwa sich finden könnten und für uns von Bedeutung sein könnten, zu beschlagnahmen … gleichzeitig darf ich sagen, hatte er den Auftrag, dafür zu sorgen, dass hier keine unnützen Zerstörungen von Kunstwerten und so weiter vor sich gehen sollten. Einen Auftrag, diese Dinge nach Deutschland abzutransportieren oder etwa irgendwelche Dinge zu rauben, hatte er von mir unter gar keinen Umständen. Ich weiß nicht, wie diese Aussage zustande gekommen ist. Jedenfalls stimmt sie unter keinen Umständen so.«[179]

Das Telegramm, das Künsberg dem Reichsaußenminister am 19. Juni 1941 von Kreta geschickt hatte, hätte genügt, um zu zeigen, in welch krassem Widerspruch diese Darstellung zur Besatzungswirklichkeit stand: »Die vom Sonderkommando des Auswärtigen Amtes am 5. Juni [1941] in Herakleion sichergestellten rund hundert Kilogramm Gold und rund hundertfünfundzwanzig Kilogramm Silber in Münzen sowie sechs Kisten Juwelen der griechischen nationalen Verteidigungsspende wurden heute von mir mit Flugzeug nach Athen verladen, wo sie Gesandten Altenburg übergeben werden sollen. Bitte an Dienststelle Athen Weisung zu erteilen, ob ich bei Rückkehr vom Einsatz Kreta diese Bestände mitbringen soll.«[180]

Besatzung – Ausplünderung – Holocaust

Das Verhalten der Vertreter des Auswärtigen Amtes in den verbündeten und besetzten Ländern Europas, das in diesem Kapitel Land für Land beleuchtet werden soll, zeigt eine große Bandbreite an Handlungsweisen. Deutsche Diplomaten verschärften die von der Reichsregierung angeordneten Maßnahmen oder konterkarierten sie. Je nach ihrer Stellung innerhalb der NS-Hierarchie beziehungsweise der Besatzungsbürokratie sowie entsprechend ihrem persönlichen Verhältnis zum Reichsaußenminister agierten sie auf individuelle Weise innerhalb ihres Machtbereichs. Wie sich der Einzelne verhielt, wenn er in seinem Bereich eine Entscheidung zu treffen hatte, war nicht zuletzt aber auch eine Charakterfrage. So stehen auf den folgenden Seiten bürokratische Berichterstatter neben virtuellen Landeskönigen, Karrieristen und Draufgänger neben Opportunisten und Duckmäusern.

Obwohl die meisten Diplomaten über ein Wissen und eine Weitsicht verfügten, die unter humanitären Gesichtspunkten die Niederlegung ihres Amtes nahe gelegt hätten, harrten sie ausnahmslos auf ihren Posten aus, bis sie entweder abgelöst wurden, zur Flucht gezwungen waren oder in Gefangenschaft gerieten. Es war auch diese pervertierte Form der Pflichterfüllung, die den Fortbestand der meisten deutschen Besatzungsverwaltungen bis zum Kriegsende sicherte und der Verfolgung und Ermordung der einheimischen Bevölkerung, darunter Millionen Juden, bis zuletzt Vorschub leistete.

Tschechoslowakei und Polen

Bereits vor Kriegsbeginn, im Zuge der Annexion der Tschechoslowakei, hatte Hitler die Linie für die Zukunft vorgegeben, als er in einer Verordnung vom 22. März 1939 festlegte: »Der Reichsprotektor in Böhmen und Mähren ist alleiniger Repräsentant des Führers und Reichskanzlers und der Reichsregierung im Protektorat. Er untersteht dem Führer und Reichskanzler unmittelbar und erhält Weisungen nur von ihm.« Die auswärtigen Angelegenheiten des Protektorats wurden von der Reichsregierung übernommen.[1]

Erster Vertreter des Auswärtigen Amtes beim Reichsprotektor wurde der bisherige Geschäftsträger der Reichsregierung in Prag Andor Hencke. Er unterrichtete auf Grundlage des vom Auswärtigen Amt bereitgestellten Materials den Reichsprotektor über die für dessen Amtsführung relevanten außenpolitischen Entwicklungen. Zuständig war er des Weiteren für Staatsangehörige des Protektorats im Ausland und für Ausländer, die sich im Protektorat aufhielten. Ein Versuch Ribbentrops, mit Hilfe Henckes im Archiv des tschechoslowakischen Außenministeriums Belege für eine deutschfeindliche Haltung der Regierung der Tschechoslowakei zu liefern und damit die Annexion völkerrechtlich zu rechtfertigen, schlug fehl. Entsprechende Unterlagen waren nicht zu finden. Hencke und seine Nachfolger (Kurt Ziemke, Martin von Janson, Georg Gerstberger, Werner Gerlach und Erich von Luckwald) traten lediglich als Berichterstatter an das Auswärtige Amt und Berater des Reichsprotektors in Erscheinung, auf die Gestaltung der Politik im Protektorat hatten sie keinen nennenswerten Einfluss.[2] Mit Constantin von Neurath, der selber von 1932 bis 1938 das Amt des Außenministers bekleidet hatte, stand ein Mann an der Spitze des Protektorats, der sich kaum von einem Gesandten des Auswärtigen Amtes hätte hineinreden lassen; das Gleiche galt für seine Nachfolger Reinhard Heydrich und Kurt Daluege.

Nach der »Erledigung der Rest-Tschechei« hatte Hitler sein Augenmerk im Sommer 1939 auf Polen gerichtet. Dabei schreckte er nicht vor einer Instrumentalisierung der deutschen Minderheit in Polen zurück, um durch inszenierte Grenzzwischenfälle und Sabotageaktionen eine für einen deutschen Einmarsch günstige Stimmung zu schaffen. Als Wehrmacht und Sicherheitsdienst sich im Sommer 1939 bei der Rekrutierung von Volksdeutschen für solche Unternehmen gegenseitig Konkurrenz machten, warnte die Botschaft Warschau vergeblich vor den fatalen Folgen, die solche Aktivitäten für die gesamte deutsche Minderheit haben könnten. Botschaftsrat John von Wühlisch meldete am 18. August 1938 dem Auswärtigen Amt: »Verhaftungen in Oberschlesien offenbar auf die von verschiedenen Stellen im Reich ausgehende Organisierung von Diversionsgruppen zurückzuführen. Da in Posen, Pommerellen und Mittelpolen ähnliche Gruppen bestehen, droht auch für diese Gebiete Verhaftungswelle. Im Interesse und auf Wunsch der Volksgruppe bitte dringend zu veranlassen, dass jede Weiterarbeit auf diesem Gebiet bis auf weiteres vollständig eingestellt wird«.[3] Als im Rahmen des »Bromberger Blutsonntags« – einem Pogrom als Folge vermeintlicher deutscher Angriffe auf polnische Truppen am 3. September 1939, dessen Ursache bis heute nicht endgültig geklärt ist – polnische Soldaten und Zivilisten in Bromberg und Umgebung Tausende Angehörige der deutschen Minderheit ermordeten, sah die Botschaft ihre schlimmsten Befürchtungen bestätigt.[4]

Informationen über die polnischen Übergriffe erreichten die Wilhelmstraße auf direktem Wege. Konsul Wenger von der Zweigstelle Bromberg des deutschen Generalkonsulats in Thorn, der selber von der polnischen Polizei auf dem »Todesmarsch von Lowitsch« ins Landesinnere verschleppt worden war, kehrte am 13. September 1939 völlig entkräftet nach Berlin zurück und erstattete anschließend dem Büro des Staatssekretärs ausführlichen Bericht.[5] Am selben Tag wurde im Auswärtigen Amt eine rechtliche Expertise zur Anwendung von Repressalien in Auftrag gegeben, nachdem das Wehrmachtamt Ausland/Abwehr aus Bromberg berichtet hatte, der dort zur Untersuchung der Vorfälle eingesetzte Kriegsgerichtsrat empfehle »wegen polnischer Greueltaten in Bromberg und den rückwärtigen Gebieten Geiselerschießungen«. Dabei sei jedoch, nicht zuletzt im Hinblick auf die Reaktionen im Ausland, auf die Einhaltung völkerrechtlicher Grundsätze zu achten.[6]

In Wirklichkeit gingen in Polen bereits im September 1939 Wehrmacht- und Polizeieinheiten ohne jegliche Rücksicht auf internationale Konventionen gegen die polnische Zivilbevölkerung vor. Nach Erkenntnissen polnischer Behörden kamen zur Zeit der deutschen Militärverwaltung in Polen (1. September bis 25. Oktober 1939) im Zuge von 760 Exekutionen und anderen gewaltsamen Übergriffen 20100 Zivilisten

ums Leben. Während sich die Wehrmachtführung nach Ende der Kampfhandlungen bemühte, die marodierende Truppe zur Raison zu bringen,
folgten die Morde der Einsatzgruppen der Sicherheitspolizei und des
Sicherheitsdienstes sowie des aus Angehörigen der deutschen Minderheit gebildeten »Volksdeutschen Selbstschutzes« einem festgelegten eli-
minatorischen Programm.[7] Dabei stützte man sich unter anderem auf
Proskriptionslisten angeblich deutschfeindlicher Polen, die die deutschen Generalkonsulate in Kattowitz, Posen und Thorn, das Konsulat in
Lodz sowie die Botschaft in Warschau im Sommer 1939 im Auftrag der
Geheimen Staatspolizei zusammengestellt hatten.[8]

Die Überlegungen von Staatssekretär Ernst von Weizsäcker, den Westmächten für einen Friedensschluss die Fortexistenz eines polnischen
Rumpfstaates anzubieten, wurden von Ribbentrop nicht weiter verfolgt,
als er am 27. September nach Moskau flog.[9] Polen wurde vielmehr am
17. Oktober 1939 in eine deutsche und eine sowjetische Einflusssphäre
aufgeteilt. Am 25. Oktober erfolgte die Annexion der westlichen Landes-
teile, die als »eingegliederte Gebiete« kurzerhand teils dem bereits bestehenden Reichsgau Oberschlesien einverleibt, teils zu den neuen Reichs-
gauen Danzig-Westpreußen und Wartheland zusammengefasst wurden.
Das nunmehr zwischen dem Deutschen Reich und der Sowjetunion gelegene Zentralpolen wurde zum »Generalgouvernement für die besetzten polnischen Gebiete« deklariert. Sein völkerrechtlicher Status blieb
bewusst offen, sodass die verbrecherischen Maßnahmen, die zu einem
Merkmal der Besatzungspolitik bis Kriegsende werden sollten, in einem
faktisch rechtsfreien und von der restlichen Welt abgeschlossenen Raum
ungestört durchgesetzt werden konnten.[10]

In der nationalkonservativen Opposition im Umfeld des Auswärtigen Amtes wusste man nicht nur von den polnischen, sondern auch von
den deutschen Gewalttaten. Ulrich von Hassell berichtete Carl Friedrich
Goerdeler im Münchner Hotel Continental am 10. Oktober 1939 »von
jungen Kerlen, die im Arbeitsdienst Zeuge geworden wären, wie man
Dörfer (wegen Franctireurs) [Partisanen] umstellt und angezündet hätte, während die Bevölkerung markerschütternd schreiend darin herum-
geirrt sei. Auch die polnischen Greuel in Bromberg und so weiter sind
Wahrheit, aber können wir uns davon freisprechen?«[11] Der Gegenstand
der Besprechung der Staatssekretäre der obersten Reichsbehörden am
23. Oktober im Reichsministerium des Innern war so brisant, dass er

selbst in vertraulichen Aktennotizen nur andeutungsweise wiedergegeben werden konnte: »Staatssekretär Stuckart gab bei der Sitzung gewisse vertrauliche Grundsätze für die Verwaltung der [polnischen] Gebiete bekannt, die sich insbesondere auf die Behandlung der Bevölkerung bezogen«, hielt Ernst von Weizsäcker fest. Mit zunehmender Härte der Verfolgungs-, Vertreibungs- und Vernichtungsmaßnahmen erreichten das Auswärtige Amt vermehrt besorgte Anfragen des Auslands.[12] Der Rechtfertigungsdruck nahm derart zu, dass in der Wilhelmstraße ein eigenes Referat eingerichtet wurde, um Handlungen in Polen zu dokumentieren, die den Ruf Deutschlands schädigen konnten.

Offenbar wichen die Vorstellungen hochrangiger Beamter in der Zentrale des Auswärtigen Amtes zum damaligen Zeitpunkt von den radikalen Planspielen Hitlers, Himmlers und Heydrichs ab. Es sollte sich allerdings schnell erweisen, wer bei diesem stillen Kräftemessen am längeren Hebel saß. Im Februar 1940 ließ Hitler eine offizielle Publikation des Auswärtigen Amtes, in der die Zahl der von den Polen im September 1939 ermordeten Angehörigen der deutschen Minderheit – annähernd korrekt – mit 5 400 angegeben wurde, zurückziehen, einstampfen und umgehend die Zahl auf mehr als das Zehnfache erhöhen. »In einer neuen demnächst erscheinenden Dokumentensammlung des Auswärtigen Amtes wird authentisch festgestellt, dass es sich insgesamt um 58 000 vermisste und ermordete Volksdeutsche handelt«, kommentierte der Reichsinnenminister den unerhörten Vorgang in einem Telegramm an die Oberpräsidenten in den annektierten Gebieten.[13] Damit waren die deutschen Opferzahlen mit einem Schlag in die Dimensionen der Menschenverluste unter der polnischen und jüdischen Bevölkerung in Polen bis Jahresende 1939 katapultiert worden.[14]

Rückblickend äußerte sich Generalgouverneur Hans Frank im Mai 1940 verbittert. »Stimmen aus dem Propagandaministerium, aus dem Auswärtigen Amt, aus dem Innenministerium, ja sogar von der Wehrmacht« hätten darauf gedrängt, »dass wir mit diesen Greueln aufhören müssten usw.«[15] Doch die Kritik an den deutschen Maßnahmen in Polen verstummte nach wenigen Wochen. Die offiziellen Einflussmöglichkeiten des Beauftragten des Auswärtigen Amtes beim Generalgouverneur Wühlisch waren begrenzt und beschränkten sich auf Eingaben bei den Dienstbesprechungen. Am Sitz des Generalgouverneurs war er kaum mehr als ein ungebetener Gast, auch wenn er bisweilen Verständnis für das Vorgehen der deutschen Stellen gegen die polnischen Juden äußerte. So unterrichtete er das Auswärtige Amt Ende Oktober 1940 über Franks Verordnung vom 15. des Monats, die den Warschauer Juden das Verlassen des Ghettos bei Todesstrafe untersagte, und bezeichnete sie aufgrund der angeblich drohenden Fleckfieberepidemie als »notwendig«.[16] Zur selben Zeit fragte er wiederholt in Berlin an, ob dort außenpolitische Bedenken wegen der bevorstehenden Enteignung der polnischen Juden bestünden – worauf die Abteilung Recht grünes Licht für die »Entjudung des Grundbesitzes im Generalgouvernement« erteilte.[17]

Dennoch war Wühlisch zumindest das Los der christlichen Polen offenbar nicht gleichgültig. Ende 1939 war es ihm gelungen, eine Gruppe polnischer Geistlicher vor dem Tod zu bewahren und die gegen sie verhängten Todesurteile in lebenslange Haftstrafen umwandeln zu lassen. Auch für die am 6. November 1939 im Rahmen der »Sonderaktion Krakau« verhafteten Professoren hatte er sich stark gemacht. Gemeinsam mit Rudolf von Scheliha gelang es ihm, das Ausland über deutsche Verbrechen an Polen und Juden im besetzten Polen zu unterrichten. Scheliha war ebenfalls an der deutschen Botschaft in Warschau tätig gewesen, hatte zu Kriegsbeginn eine Versetzung nach Krakau abgelehnt und avancierte stattdessen zum Leiter des Referats Polen in der neu errichteten Informationsabteilung des Auswärtigen Amtes.[18] Dort hatte er direkten Zugriff auf die Tätigkeitsberichte der in den Ostgebieten und im Generalgouvernement eingesetzten Einheiten der Ordnungspolizei.

Sowohl im Protektorat als auch im Generalgouvernement blieben die Einflussmöglichkeiten des Auswärtigen Amtes weit hinter den Erwartungen zurück. Versuche, den eigenen Einfluss geltend zu machen, scheiterten. Gegenüber anderen Reichsbehörden war das Amt in der schwächeren Position. Spätestens im Frühjahr 1940 hatte man in der Wilhelmstraße begriffen, dass sich Hitler bei der Durchsetzung seines volkstumspolitischen Programms im besetzten Ost- und Südosteuropa nicht durch außenpolitische Bedenken beeinflussen lassen würde, und blickte daher umso hoffnungsvoller auf die unmittelbar bevorstehenden Expansionen des Dritten Reiches nach West- und Nordeuropa, wo sich für die Diplomaten neue Betätigungsfelder eröffnen sollten.

Frankreich

In Frankreich war das Auswärtige Amt vom Beginn der Besetzung an mit im Spiel. Am 15. Juni, dem Tag des Einmarsches der deutschen Truppen in Paris, traf Otto Abetz in der französischen Hauptstadt ein. Unter seiner Leitung sollte die deutsche Botschaft in Paris – die bis zum 20. November 1940 die Bezeichnung »Dienststelle des Bevollmächtigten des Auswärtigen Amtes beim Militärbefehlshaber in Frankreich« trug[19] – zu einer Behörde werden, die »der Militärverwaltung auf politischer Ebene sehr schnell ihren Vorrang streitig machte und deren Bedeutung für die deutsche Besatzungspolitik im besetzten Westeuropa wohl einzigartig war«.[20]

Neben seinen Bemühungen um eine engere Zusammenarbeit mit der französischen Regierung im unbesetzten Teil des Landes und der Organisation des Einsatzes von französischen Zwangsarbeitern für die deutsche Wirtschaft wurde vor allem die Anregung und Durchführung antisemitischer Maßnahmen zu einem entscheidenden Betätigungsfeld von Abetz, der am 15. August 1940 zum Botschafter ernannt wurde. So wenig diese Aktivitäten mit traditioneller Außenpolitik und Diplomatie zu tun hatten, so wenig war die Vertretung des Auswärtigen Amtes in Frankreich eine diplomatische Repräsentation im herkömmliche Sinne, wie es die Vertretungen etwa beim Reichsprotektor in Böhmen und Mähren oder beim Generalgouverneur für die besetzten polnischen Gebiete waren. Entscheidend für die herausragende Stellung des SS-Obersturmbannführers Abetz war sein unkonventioneller Werdegang. Als Seiteneinsteiger bei der Dienststelle Ribbentrop gelandet, hatte er in den ausgehenden dreißiger Jahren in Paris in direkter Konkurrenz zur Botschaft gestanden und sich dort durch seine »paradiplomatischen Agenden« unbeliebt gemacht.[21]

Mit einem dezidierten Karrieredenken ging auch Abetz' Bereitschaft einher, die an ihn gerichteten Erwartungen in vorauseilendem Gehorsam zu erfüllen. Ribbentrop, der selber oft mit Widerständen aus den Reihen konservativer Diplomaten zu kämpfen hatte, wusste, dass er sich auf Abetz verlassen konnte. Seine frankophile Haltung, die Abetz gern als Grund für seine Entsendung nach Paris angab, dürfte dagegen kaum von ausschlaggebender Bedeutung gewesen sein. In Wirklichkeit war es nicht Freundschaft zu den Franzosen, die Abetz trieb, sondern die Aussicht, durch geschicktes Lavieren zwischen den unterschiedlichen Interessengruppen des französischen Lagers dieses zu kontrollieren und zugleich seine Position als Mittelsmann zur Reichsregierung zu stärken.[22]

Abetz' Stellung in Paris wies aber noch eine weitere Besonderheit auf: Obgleich eine Art Statthalter Ribbentrops im besetzten Frankreich, war er in Wirklichkeit Botschafter bei der französischen Satellitenregierung mit Sitz in Vichy – freilich ohne Akkreditierung, da der Kriegszustand mit Frankreich formal die gesamte Besatzungszeit andauerte. Da es nur wenigen Vertretern der französischen Regierung gestattet war, Paris zu betreten, unterhielt die deutsche Botschaft eine Dienststelle in Vichy, zu der Abetz regelmäßige Dienstreisen unternahm. Daneben traten noch weitere konsularische Vertretungen in verschiedenen Städten Südfrankreichs und Nordafrikas.[23]

Abetz nutzte seine starke Ausgangsposition, um die französische Presselandschaft zu kontrollieren und eigene Presseerzeugnisse herauszugeben, und zog sich damit schnell den Unmut der Wehrmachtpropaganda und des Propagandaministeriums zu. Am 3. August 1940 klärte der Reichsaußenminister in einem Schreiben an den Chef des Oberkommandos der Wehrmacht die Verhältnisse: Abetz sei von Hitler die »politische Leitung von Presse, Rundfunk und Propaganda im besetzten und Einflussnahme auf erfassbare Instrumente der öffentlichen Meinungsbildung im unbesetzten Gebiet« übertragen worden.[24] Während Abetz auf diesem Feld also einen vollen Erfolg verbuchen konnte, endete eine andere Mission, der er sich in der zweiten Jahreshälfte 1940 intensiv gewidmet hatte, mit einem Fehlschlag: Seine Bemühungen, den stellvertretenden Ministerpräsidenten der Vichy-Regierung Pierre Laval für eine Kollaboration zu gewinnen, endeten am 13. November mit dessen Entlassung durch Marschall Pétain.[25]

Seit 1940 mit »Judenfragen« beschäftigt, wirkte die deutsche Botschaft in Paris von Ende 1941 an aktiv an der Deportation von Juden aus Frankreich in Richtung Osten mit. Im Dezember 1941 bat General Otto von Stülpnagel, Militärbefehlshaber in Frankreich, um Erlaubnis, 1000 Juden und 500 Kommunisten als Vergeltungsmaßnahme für Angriffe auf deutsche Soldaten in den Osten zu deportieren.[26] In Übereinstimmung mit den zwischenzeitlich getroffenen Richtlinien der Wannsee-Konferenz wandte sich Eichmann im März 1942 an Rademacher und bat um die Zustimmung des Amtes, »1000 Juden die [während der]…

in Paris durchgeführten Sühnemaßnahmen … festgenommen wurden, in das Konzentrationslager Auschwitz (Oberschlesien) abzuschieben«. Eichmann spezifizierte, dass es sich »durchweg um Juden französischer Staatsangehörigkeit beziehungsweise staatenlose Juden« handele.[27] Auf Nachfrage der Zentrale antwortete der Gesandte Rudolf Schleier aus Paris, dass die Botschaft keine Bedenken habe.[28] Zwei Tage später erhöhte Eichmann die Zahl der »staatspolizeilich in Erscheinung getretenen Juden« um 5 000 und beantragte erneut die Zustimmung des Auswärtigen Amtes zur Abschiebung.[29] Schleier erhob keinen Einspruch.[30] Nach dem Krieg erklärte er, dass es um »völkerrechtliche Bedenken beziehungsweise außenpolitische Bedenken« gegangen sei.[31] Die Zustimmung des Auswärtigen Amtes zur Deportation der 6 000 Juden nach Auschwitz wurde Eichmann in einem Schreiben Rademachers mitgeteilt, das die Paraphen Luthers, Weizsäckers und Woermanns trug.[32] Weizsäcker hatte Rademachers Entwurf in einer Hinsicht geändert: Wo es hieß, das Amt erhebe »keine Bedenken« gegen die geplante Aktion, war Weizsäcker nur zu der Formulierung bereit, dass vonseiten des AA »kein Einspruch« erhoben werde.[33]

Im Juni 1942 wurde Rademacher von Eichmann um die Zustimmung des Auswärtigen Amtes zur Deportation von je 40 000 Juden aus Frankreich und den Niederlanden sowie 10 000 Juden aus Belgien gebeten. Botschafter Abetz befürwortete die Deportation, betonte jedoch, dass es aus psychologischen Gründen besser wäre, erst ausländische beziehungsweise staatenlose Juden aus Frankreich zu deportieren; dies stimmte mit den Bedingungen überein, unter denen Pierre Laval, jetzt Ministerpräsident der Vichy-Regierung, den Deportationen zustimmte. Folglich befanden sich in den ersten Transporten keine französischen Juden unter den Deportierten.[34]

Über die Deportationen berichtete Rudolf Schleier nach Berlin: »Inzwischen hat Anfang Juli 1942 Reichssicherheitsamt angeordnet, dass zum Zwecke Endlösung Judenfrage mit Abtransport von Juden aus den von Deutschland besetzten Gebieten zum Zwecke Arbeitseinsatzes in grösseren [sic] Umfang begonnen werden sollte … Als erste Etappe sollte Abtransport staatenloser Juden erfolgen … ab 17. Juli 1942 [können] wöchentlich je tausend Juden abfahren. Transportmaterial steht weiterhin zunächst bis Ende September, voraussichtlich jedoch sogar bis 15. November 1942 zur Verfügung. Im Rahmen dieser Maßnahmen sind in der Zeit vom 17. Juli bis zum 4. September 1942 22 931 staatenlose Juden nach Osten abgeschoben, was mit den früher evakuierten 5 138 eine Gesamtzahl [der] aus Frankreich abtransportierten Juden von 28 069 ergibt.«[35]

Dass das Auswärtige Amt bei den Deportationen eine so entscheidende Rolle übernahm, war wiederum auf den ambitionierten Otto Abetz zurückzuführen. Nachdem er gegenüber dem Reichssicherheitshauptamt schon 1940 die Initiative ergriffen hatte, gelang es ihm auch, das Amt in Berlin zum Handeln zu veranlassen.[36] Ob Abetz aus Überzeugung an der »Endlösung der Judenfrage« mitwirkte, ob er sich besonders zu profilieren versuchte oder ob es sich bei ihm letztlich »nur« um einen Opportunisten handelte, ist schwer zu beurteilen.[37] Insgesamt verschaffte ihm die Kombination von Ehrgeiz, persönlichen Motiven und guten Kenntnissen der lokalen Verhältnisse einen Vorsprung vor anderen Dienststellen und Behörden, den er zu nutzen verstand – so wie auch andere Vertreter des Auswärtigen Amtes in anderen europäischen Ländern ihre Chance ergriffen, bei der Judenverfolgung eine wichtige Rolle zu spielen.

Während Abetz mit seiner antisemitischen Politik ganz auf Hitlers Linie lag, standen seine Bemühungen um eine Einbindung des »Erzfeindes« Frankreich im Widerspruch zu den Vorstellungen des Führers. Als Ende August und Anfang September 1941 eine Welle von Attentaten das Land erschütterte, forderte die Reichsregierung von den Besatzungsbehörden ein scharfes Durchgreifen. Sowohl die Militärverwaltung als auch die Botschaft sprachen sich indes für einen milderen Kurs aus, da durch eine Eskalation die französische Regierung desavouiert und die grundsätzlich loyale Haltung des Großteils der französischen Bevölkerung aufs Spiel gesetzt würde. Da man im Führerhauptquartier und im Oberkommando der Wehrmacht die Anschläge französischer Kommunisten nicht als eine isolierte Bewegung, sondern als Teil einer Massenerhebung im besetzten Europa ansah, beharrte man jedoch darauf, in Frankreich dieselben Mittel anzuwenden wie bei der Partisanenbekämpfung in Serbien und der Sowjetunion. Am 22. und 24. Oktober 1941 wurden daraufhin 98 französische Geiseln hingerichtet. Dies wiederum setzte eine Gewaltspirale in Gang, die alsbald in Massenerschießungen mündete und Militärbefehlshaber Stülpnagel – der sich für die Deportationen von Juden und Kommunisten in den Osten als alleinige Vergeltungsmaßnahme ausgesprochen hatte – dazu veranlasste, im Januar 1942 seinen Rücktritt einzureichen.[38]

Auch die deutsche Botschaft in Paris vertrat ein anderes Vorgehen in Reaktion auf die französische Widerstandsbewegung als die Reichsregierung und schlug vor, die Gegenmaßnahmen auf »unliebsame« Bevölkerungsgruppen zu lenken. Am 30. Oktober hatte Nuntiaturrat Monsignore Carlo Colli Staatssekretär Weizsäcker im Namen des Papstes gebeten, etwas für die von Erschießung bedrohten Geiseln in Frankreich zu unternehmen. Er erhielt die beschwichtigende Antwort, dass »eine Erschießung von Geiseln zur Zeit nicht bevorstehe«.[39] Abetz, mit dem auf Anordnung Hitlers alle die Geiselerschießungen flankierenden »notwendigen Veröffentlichungen und propagandistischen Maßnahmen« abgestimmt werden sollten, vertrat die Auffassung, dass man die Verantwortung für die Attentate auf Juden, Sowjet- und Secret-Service-Agenten abschieben müsse, da das Bekanntwerden von Massenhinrichtungen französischer Staatsangehöriger eine unüberwindliche Schranke zwischen französischer Bevölkerung und deutschen Besatzern errichten würde.[40] Am 3. März 1942 drängte Abetz' Stellvertreter Rudolf Schleier auf eine Intervention des Auswärtigen Amtes bei militärischen Instanzen gegen die angekündigte Erschießung von 20 französischen Geiseln, um einen guten Monat später resigniert von verschärften Sühnemaßnahmen in Frankreich aufgrund weiterer Attentate zu berichten. Zugleich unterstützten Abetz und seine Entourage jedoch vorbehaltlos die Deportation von Juden und Kommunisten als »Vergeltungsmaßnahme«.[41]

Auch bei der Organisation des Arbeitseinsatzes französischer Kriegsgefangener und Zivilisten im Reich suchte Abetz seinen Einfluss geltend zu machen. Erste Maßnahmen zur Rekrutierung von fremdländischen Arbeitskräften für die deutsche Wirtschaft waren unmittelbar mit Kriegsbeginn im besetzten Polen eingeleitet worden. Polnische Soldaten und Zivilisten wurden zu Hunderttausenden ins Reich verfrachtet und dort zunächst überwiegend in der Landwirtschaft eingesetzt. Der Zwangscharakter dieser Maßnahmen – flankiert von den diskriminierenden »Polenerlassen«, die die Grundlage für die brutale Ausbeutung und unmenschliche Behandlung der fremden Arbeitskräfte legten – wurde bald offenbar.[42] Mit der Ausweitung des Krieges ging auch eine Erweiterung der Rekrutierungspraxis in den besetzten Ländern einher. Ende des Jahres 1940 waren bereits knapp 1,2 Millionen französische Kriegsgefangene

für die deutsche Wirtschaft tätig, an deren Entlassung in die Heimat
umso weniger gedacht war, als sie auf dem deutschen Arbeitsmarkt – vor
allem im Bauwesen und in der Landwirtschaft – als billige Arbeitsskla-
ven bald unverzichtbar waren. Im Herbst 1940 begann man zusätzlich
mit der Anwerbung französischer Zivilarbeiter auf freiwilliger Basis, mit
eher mäßigem Erfolg.[43]

Solange der »Reichseinsatz« französischer Arbeitskräfte sich auf
Kriegsgefangene oder Freiwillige beschränkte, war die dem Auswärtigen
Amt unterstehende Wirtschaftsdelegation der deutschen Waffenstillstandskommission zuständig – allerdings mit stetig abnehmendem Einfluss. Als mit dem Rückschlag der Wehrmacht vor Moskau klar wurde,
dass mit dem »Endsieg« in absehbarer Zeit nicht zu rechnen war und die
deutsche Kriegswirtschaft sich vielmehr auf einen längeren Abnutzungs-
krieg einzustellen hatte, ging man ab dem Frühjahr 1942 auch im besetzten Westen zur Zwangsrekrutierung von Arbeitskräften über.

Verantwortlich hierfür war ab dem 21. März 1942 der Gauleiter und
Reichsstatthalter von Thüringen Fritz Sauckel als »Generalbevollmächtigter für den Arbeitseinsatz«.[44] Am 7. Mai 1943 bat Sauckel Staatssekretär Steengracht um die Unterstützung des Auswärtigen Amtes bei der
Erfassung ausländischer Arbeitskräfte in den besetzten Gebieten, die
ihm dieser drei Wochen später auch zusagte: »Das Auswärtige Amt ist
gerne bereit, Sie bei Ihren Bemühungen um möglichst umfangreiche
Erfassung der ausländischen Arbeitskräfte zu unterstützen. Meine Mitarbeiter im AA und die hier anfallenden Unterlagen stehen Ihnen zu
diesem Zwecke bereitwilligst zur Verfügung.«[45]

Die Verhandlungen zwischen Sauckel beziehungsweise dessen Vertreter Julius Ritter und der französischen Regierung fanden an der deutschen Botschaft in Paris unter dem Vorsitz von Abetz statt, wobei die
Verhandlungsführung aufgrund seines Weisungsrechtes gegenüber zivilen und militärischen Behörden beim Generalbevollmächtigten lag. Die
konkrete Umsetzung der Zwangsmaßnahmen oblag der Militärverwaltung. Abetz und die Militärverwaltung standen den sich im Laufe der
Zeit ständig verschärfenden Maßnahmen Sauckels skeptisch bis abwei-
send gegenüber. Wie die aus dem Reich angeordnete rigorose Repressal-
politik führte auch die Deportation von Zivilarbeitern aus Frankreich in
das Deutsche Reich und ihre dortige schlechte Behandlung zu einem
Verlust des Rückhaltes der französischen Regierung in der Bevölkerung

und somit zu einer Destabilisierung der Besatzungsmacht. Junge Franzosen entzogen sich massenhaft dem Arbeitszwang durch Flucht und verstärkten nach und nach die Reihen der französischen Widerstandsbewegung.[46]

Seinen Standpunkt hatte Abetz bereits im Februar 1942 deutlich gemacht, als die Reichsregierung auf den Vorschlag der Vichy-Regierung, das Statut der französischen Kriegsgefangenen in das von Pflichtarbeitern umwandeln zu lassen und somit deren Lage zu verbessern, nur zögernd reagierte: »Die Bereitschaft zu einer über die formaljuristischen Verpflichtungen einer besiegten Nation hinausgehenden freiwilligen Unterstützung der Kriegsführung des Siegers, wie Deutschland sie heute seitens Frankreich genießt, ist eine Erscheinung ohne geschichtliches Vorbild und nur den in das französische Volk geworfenen politischen Gedanken der Zusammenarbeit zu verdanken. Wir laufen Gefahr, dieses für unsere Kriegsführung sehr vorteilhaften Zustandes verlustig zu gehen, wenn die französische Regierung, das französische Volk und der französische Kriegsgefangene den Glauben an eine Verbesserung ihrer Lage durch ihre Kollaborationsbereitschaft verlieren und die klassische Haltung eine besiegten Volkes, d.h. die der Sabotage und passiven Resistenz einnehmen.«[47] Tatsächlich traten zu diesem Zeitpunkt bereits erste Schwierigkeiten auf, weil unter Berufung auf Paragraph 31 der Genfer Konvention französische Offiziere und Unteroffiziere die Arbeit verweigerten und der Einsatz von Kriegsgefangenen in deutschen Rüstungsbetrieben infrage stand.[48]

Die Zwangserhebung französischer Arbeitskräfte wurde mit der »ersten Sauckelaktion« im April 1942 akut, als der Generalbevollmächtigte die Dienstverpflichtung von 350 000 Franzosen forderte, eine Maßnahme, die Militärbefehlshaber Karl Heinrich von Stülpnagel, der am 17. Februar 1942 die Nachfolge seines Cousins Otto von Stülpnagel angetreten hatte, als »Rechtswidrigkeit« bezeichnete. Auch Abetz appellierte an die Vernunft der Reichsbehörden: »Der französische Arbeitseinsatz für die Kriegswirtschaft ist von größter Bedeutung. Die Gesamtzahl der im Dienste unserer Kriegswirtschaft arbeitenden Franzosen lässt sich auf 3 Millionen beziffern. Sie haben bislang zur vollen Zufriedenheit der deutschen Stellen und Auftraggeber gearbeitet. Es liegt jedoch auf der Hand, dass bei der immer schwieriger werdenden Ernährungslage dieser Arbeitseinsatz leistungsmäßig zurückgehen muss, wenn er nicht mehr von dem politischen Gedanken der Kollaboration belebt wird.« Unter dem Eindruck der vorgetragenen massiven Bedenken forderte Sauckel das Auswärtige Amt auf, die Bereitstellung der erforderlichen Zahl von Arbeitern durch Verhandlungen mit der französischen Regierung sicherzustellen; er unterbreitete Hitler sogar den von Abetz favorisierten Vorschlag der Umwandlung von französischen Kriegsgefangenen in Zivilarbeiter, stieß damit aber in Berlin auf Ablehnung.[49] Hinsichtlich der bei der Beschaffung von Arbeitskräften anzuwendenden Methoden führte Sauckel damals aus: »Jüdische Methoden der Menschenfängerei, wie sie aus dem kapitalistischen Zeitalter gerade in demokratischen Staaten üblich gewesen sind, sind des nationalsozialistischen Großdeutschen Reiches unwürdig.«[50]

Die eher moderate Haltung des deutschen Botschafters in Paris wurde in der Wilhelmstraße allerdings nicht uneingeschränkt geteilt. Kurz vor Sauckels erster Reise als Generalbevollmächtigter nach Paris im Mai 1942 signalisierte ihm sein früherer Adjutant, der ehemalige Gaustudentenführer Thüringen Walter Kieser, nunmehr Legationsrat und Leiter der mit Arbeiterfragen betrauten Abteilung D X, das Auswärtige Amt würde sich auch einem härteren Kurs der Reichsregierung nicht entgegenstellen.[51] Rückblickend wunderte sich Kieser über Sauckels Einlenken und äußerte im vertraulichen Gespräch mit Gesandtschaftsrat Ernst Achenbach, er »hätte schon nach dem ersten Besuch des Gauleiters den bestimmten Eindruck gehabt, als ob er in Paris weich gemacht worden sei«. Achenbach gab zu, »dass bisher einfach jeder Besucher für die deutsch-französische Zusammenarbeit gewonnen worden sei, wie sie die Botschaft verstehe«. Nach Sauckels zweitem Parisbesuch vermerkte Kieser befriedigt, der Reichsbevollmächtigte sei »allen Versuchen [Lavals], ihn zum Fürsprecher der französischen Wünsche beim Führer zu machen, meisterhaft ausgewichen«.[52]

Da man von deutscher Seite der Vichy-Regierung Zugeständnisse machen musste, um sie zur Zusammenarbeit in der Arbeiterfrage zu bewegen, wurde im Sommer 1942 die Idee eines Austausches von französischen Kriegsgefangenen gegen zivile Facharbeiter (relève) im Verhältnis eins zu drei (50 000 zu 150 000) in die Tat umgesetzt.[53] Die Aktion zeitigte jedoch nur mäßigen Erfolg, da die Rückführung der Kriegsgefangenen nur schleppend vor sich ging, nur kollektive, aber keine individuelle Auslösungen möglich waren und die Zugeständnisse der Reichsregierung somit weit hinter den französischen Erwartungen zurückblieben. Auf Druck des Generalbevollmächtigten setzte Regierungschef Laval am 4. September 1942 die aufgeschobenen Zwangsmaßnahmen in Form des Gesetzes für den Zwangsarbeitsdienst um. Davon, dass diese Maßnahme nicht von den Besatzungsbehörden angeordnet wurde, erhoffte sich Abetz den gewünschten Erfolg, und er bedrängte Laval, die Einhaltung der geforderten Arbeiterkontingente in jedem Falle sicherzustellen. Als die deutschen Erwartungen nicht erfüllt wurden, gingen die Besatzungsbehörden härter gegen Arbeitsverweigerer vor und führten auch eigenständig Zwangsrekrutierungen durch. Gegen Jahresende wurde die von Sauckel zuletzt geforderte Zahl von 250 000 Arbeitskräften annähernd erreicht. Erkauft war dieser Erfolg allerdings – wie man in der deutschen Botschaft und beim Militärbefehlshaber befürchtet hatte – mit einem starken Zuwachs der französischen Widerstandbewegung.

Ein Ende dieser Entwicklung war nicht in Sicht: Vor dem Hintergrund des sich abzeichnenden Scheiterns der deutschen Truppen vor Stalingrad und der hohen Verluste an der Ostfront verkündete Sauckel im Januar die Richtlinie für das Jahr 1943: »Wo die Freiwilligkeit versagt (nach den Erfahrungen versagt sie überall), tritt die Dienstverpflichtung an ihre Stelle ... Wir werden die letzten Schlacken unserer Humanitätsduselei ablegen.«[54] Im Frühjahr 1943 forderte er die Stellung von 250 000 (»zweite Sauckelaktion«) und Mitte des Jahres von weiteren 220 000 Arbeitskräften (»dritte Sauckelaktion«) aus Frankreich.[55] Selbst Görings Adlatus, Staatssekretär Paul Körner, erklärte anlässlich eines Parisbesuches gegenüber dem Gesandten Schleier, er halte »die zurzeit angewendeten Methoden zur Erfassung von Arbeitskräften für das Reich nicht für richtig« und habe die Absicht, »sowohl dem Reichsmarschall als auch dem GBA [Generalbevollmächtigter für den Arbeitseinsatz] seine Auffassung mitzuteilen und eine Überprüfung der jetzigen Erfassungsmethoden und ihre Ersetzung durch zweckmäßigere Methoden zu veranlassen.«[56]

Gleichwohl wurde kurz darauf im Rahmen der »vierten Sauckelaktion« die Deportation von weiteren 500 000 Franzosen bis Jahresende ins Auge gefasst. Im Januar 1944 stellte Sauckel die völlig unrealistische Forderung von 1 Million Arbeitskräften, im Februar wurde zu diesem Zweck das französische Gesetz für den Zwangsarbeitsdienst verschärft und der Arbeitszwang auf Männer im Alter von 16 bis 60 Jahren und Frauen im

Alter von 18 bis 45 Jahren ausgedehnt.[57] Abetz' Protest bei Ribbentrop
brachte ihm eine Abfuhr ein: Am 2. Februar stellte der Reichsaußenminister unmissverständlich klar,»dass nur auf der Basis der Zwangsver-
pflichtungen überhaupt die vom Führer befohlene Million Arbeiter aus
Frankreich nach Deutschland verbracht werden können … Sie werden von mir ausdrücklich beauftragt, im Benehmen mit dem Höheren
SS- und Polizeiführer in Frankreich dafür zu sorgen, damit [sic] die
Verbringung dieser Million französischer Arbeiter zu den entsprechenden Terminen pünktlich erfolgen kann und damit [sic] die französische
Polizei gegebenenfalls rigorose Maßnahmen anwendet, um dies durchzuführen … Das [sic] den Arbeitsverweigerern das Leben zur Hölle gemacht wird, halte ich für richtig, und ich bitte sie [sic], mit allen Mitteln
darauf hinzuarbeiten, dass diese Verweigererbanden rücksichtslos zerschlagen werden.«[58] Sauckel hielt im Frühjahr 1944 rückblickend auf
den»Erfolg« seiner»Anwerbung« fest:»Von den 5 Millionen ausländischen Arbeitern, die nach Deutschland gekommen sind, sind keine
200 000 freiwillig gekommen.«[59]

Es bleibt festzuhalten, dass Abetz mit seinen Versuchen, Geiselerschießungen und Deportationen von Arbeitskräften in Frankreich einzudämmen, scheiterte, da er weder die Zustimmung der Reichsregierung noch
den Rückhalt des Auswärtigen Amtes besaß. Zugleich tritt – trotz der
gänzlich unterschiedlichen Ausgangslage der deutschen Besatzung in
Frankreich und Polen – eine Parallele im Verhalten der Vertreter des
Auswärtigen Amtes deutlich zu Tage: Ihre Versuche, bisweilen mäßigend auf die nationalsozialistische Besatzungspolitik einzuwirken, beschränkten sich auf die nichtjüdische Bevölkerung. Die Enteignung der
Juden und ihre Konzentration in Ghettos nahm Wühlisch im Generalgouvernement ebenso kommentarlos hin, wie Abetz selber aktiv die Be-
raubung und Deportation der französischen Juden vorantrieb. Dass
Abetz sich im Juli 1941 gegen die Abschiebung des vom Sicherheitsdienst
verhafteten Bischofs von Luxemburg Joseph Philippe in das unbesetzte
Frankreich aussprach, da dieser»sicher seine dortigen Amtskollegen
verhetzen und Greuelpropaganda über Luxemburg treiben würde«, zeigt
wiederum, dass auch er sich in erster Linie von machtpolitischen Überlegungen leiten ließ.[60]

Niederlande und Belgien

Anders als in Luxemburg, das dem Reich angegliedert und zu einem Reichskommissariat gemacht worden war, walteten in Belgien und den Niederlanden deutsche Diplomaten ihres Amtes. Dabei erwies sich der Vertreter des Auswärtigen Amtes in Den Haag Otto Bene bei der Einleitung antisemitischer Maßnahmen aktiver als sein Kollege Werner von Bargen in Brüssel. Doch bald rollten sowohl aus Holland als auch aus Belgien die Deportationszüge in Richtung Osten.

In den Niederlanden, wo die einheimische Verwaltung allein auf lokaler Ebene aufrechterhalten wurde, war die deutsche Herrschaft schrankenlos. Das Land unterstand dem absoluten Diktat des 1940 eingesetzten Reichskommissars Arthur Seyß-Inquart. Diese Situation – nicht allein sein persönliches Engagement – erklärt die Rolle, die Otto Bene spielte. SS-Brigadeführer Bene (1884–1973), vor seinem Eintritt in den Auswärtigen Dienst zwischen 1934 und 1937 Landesgruppenleiter der AO in Großbritannien und Irland, war Seyß-Inquart am 24. Mai 1940 in Berlin vorgestellt worden. Der als Reichskommissar für die Niederlande vorgesehene Seyß-Inquart war zu diesem Zeitpunkt noch Reichsminister ohne Geschäftsbereich und amtierender Stellvertreter des Generalgouverneurs Hans Frank in Polen. Nur einen Tag nach dem Vorstellungsgespräch bat er um Benes sofortige Entsendung von Mailand – wo Bene als Generalkonsul tätig war – nach Den Haag, wo er am 28. Mai sein Amt bei der Dienststelle des Reichskommissars antreten sollte. Hitler zog den »alten Kämpfer« Bene dem eigentlich für den Posten vorgesehenen bisherigen Generalkonsul in Amsterdam Felix Benzler vor, weil er Komplikationen – wie in den ersten Tagen der Besatzung in Norwegen – befürchtete, die aus dem Übereifer deutscher Diplomaten vor Ort resultieren konnten.[61]

Am 3. Juni 1940 wurde mit einem Erlass des Reichskommissars für die besetzten niederländischen Gebiete der organisatorische Aufbau der Dienststellen des Reichskommissariats geregelt. Bene wurde als Vertreter des Auswärtigen Amtes den vier Generalkommissaren – zuständig für Verwaltung und Justiz, Sicherheitswesen, Finanz und Wirtschaft sowie zur besonderen Verwendung – gleichgestellt, war für »alle das außenpolitische Gebiet berührende Fragen zuständig« und unterstand dem Reichskommissar unmittelbar. Das Auswärtige Amt trat zwar für

eine eher behutsame Politik gegenüber den Niederlanden ein, schloss
aber auch eine härtere Gangart für die Zukunft nicht aus, wie ein Vermerk Luthers für Ribbentrop vom 25. Mai 1940 belegt: »Es ist nunmehr die Frage zu entscheiden, ob die Besprechungen mit [dem Führer
der holländischen Faschisten Anton Adriaan] Mussert von Seiten des
Herrn Reichsaußenministers zu führen wären, oder aber ob der ganze
Fragenkomplex dem Reichsminister Seyß-Inquart abgegeben werden
soll, wobei zu bemerken ist, dass Reichsminister Seyß-Inquart nach
einer Angabe vom Führer den Befehl hat, zu geeigneter Zeit nach Möglichkeit eine nationalsozialistisch orientierte Regierung in Holland bilden zu lassen.«[62] Am 29. Januar 1941 schrieb Bene dem Auswärtigen
Amt, »die Besatzung wird so lange dauern müssen, bis die Gewähr dafür gegeben ist, dass Deutschland sich auf ein nationalsozialistisches
Niederland verlassen kann. Es wird also Politik auf Jahre gemacht werden müssen.«[63]

Wie in Frankreich kam es allerdings auch in den Niederlanden mit
zunehmendem Widerstand der Bevölkerung zu Geiselerschießungen,
die die Vertreter des Auswärtigen Amtes beunruhigten. Ein von Gesandtschaftsrat Felix Wilhelm Wickel im Stab des Reichskommissars
eingerichtetes Referat für Sonderfragen sammelte mit Hilfe von V-Leu-
ten Informationen über die Stimmung im Lande. Am 11. Mai 1942 erstattete Wickel AA-Unterstaatssekretär Luther in einem persönlichen Brief
Bericht: »Maßnahmen, wie die standrechtliche Erschießung von über
100 Personen, worunter viele Offiziere, Festnahme von weit über 1000
Geiseln von Rang und Stand, verschärfte Judenverfolgung, Errichtung
der Arbeitsfront, Abtransport von 30 000, in den Augen der Holländer
jedenfalls, Zwangsarbeitern, sind Ursache der Augenblicksstimmung.«[64]
Dem Abtransport von Arbeitskräften ins Reich stand Bene in Den Haag
allerdings deutlich aufgeschlossener gegenüber als sein Kollege Abetz in
Paris, als er im Juli 1942 berichtete: »Die Beschaffung von Arbeitskräften
für das Reich konnte fast ohne Schwierigkeiten durchgeführt werden.
Von den 30 000 Arbeitskräften, die durch die Sauckel-Aktion angefordert waren, sind ca. 23 000 bereits überführt worden. Die Anlieferung
geht schneller als die Abnahme im Reich. Die Bereitwilligkeit zur Ar-
beitsaufnahme im Reich wird durch die besseren Arbeits- und Ernäh-
rungsbedingungen und durch den Wunsch, der zwangsweisen Überführung zu entgehen, erklärt.«[65]

Über antijüdische Maßnahmen in den Niederlanden war das Auswärtige Amt nicht nur informiert, es intervenierte auch überall dort, wo die Durchführung der Maßnahmen außenpolitische Interessen berührte. Das Morden sollte fortgesetzt werden – aber möglichst ohne schädliche außenpolitische Wirkung. Im Februar und Juni 1941, noch vor dem deutschen Überfall auf die Sowjetunion, wurden 600 holländische Juden als »Repressalien-Maßnahme gegen Juden als Urheber der Unruhen« in Lager innerhalb des Reiches deportiert.[66] Verwandte von Häftlingen, die in Lagern ermordet wurden, erhielten Sterbeurkunden, und innerhalb weniger Tage erreichte die Nachricht vom Tod von über 400 Häftlingen die jüdische Gemeinde in Amsterdam. Da es sich bei den Opfern ausnahmslos um junge Männer handelte, die am selben Tage gestorben waren, wandte sich die Gemeinde an Schweden als Schutzmacht der Niederlande. Der schwedische Gesandte bat das Auswärtige Amt, ihm einen Besuch bei den noch lebenden Häftlingen zu ermöglichen. Seine Bitte wurde zwar abgeschlagen, doch Luther zeigte sich besorgt.

Es war nicht der Tod der jungen Männer, der Luther beunruhigte, sondern die Folgen einer falschen Strategie und Bürokratie des Mordens. In einem Schreiben an Heinrich Müller im Reichssicherheitshauptamt legte Luther die außenpolitischen Komplikationen dar, die sich aus dieser Affäre ergeben könnten. Da Schweden in »einigen Staaten des feindlichen Auslands als Schutzmacht Deutschlands« auftrat, war ihm »die Behandlung der Angelegenheit ... schwierig und unliebsam«. Man könne Schweden nicht kurzerhand zurückweisen, »ohne befürchten zu müssen, dass Schweden in der Vertretung der deutschen Interessen im feindlichen Ausland es seinerseits an nötigem Nachdruck fehlen lassen würde«. Luther machte konstruktive Vorschläge für die Zukunft. Die Opfer sollten in Zukunft nicht ins Reich transportiert werden, wo Schweden seine Funktion als Schutzmacht ausüben könnte, sondern im besetzten Gebiet bleiben. Zudem »sollte dafür Sorge getragen werden, dass bei der Mitteilung der Todesfälle möglichst nicht der Eindruck entsteht, die Todesfälle ereigneten sich jeweils an bestimmten Tagen«.[67] Die Vorschläge des Auswärtigen Amtes wurden vom RSHA akzeptiert: Himmler habe »sich damit einverstanden erklärt ... dass die Umsiedlung in holländische Läger schnellstens vorgenommen wird«.[68]

Neben Luther befasste sich auch Erich Albrecht, Leiter der AA-Rechtsabteilung, mit der Problematik. Einerseits, schrieb er, verweigere

die Polizei den Schweden einen Lagerbesuch, andererseits schicke sie
»den Angehörigen dieser Juden in den Niederlanden laufend Sterbeurkunden … aus denen man feststellen konnte, wie im Laufe der Monate
allmählich alle diese Juden starben«. Für die Zukunft schlug Albrecht
vor, »zu prüfen, ob es notwendig ist, dass die Polizei auf diese Weise auch
weiter den interessierten Kreisen Material liefert, aus denen sie das Ergebnis der getroffenen Maßnahmen authentisch feststellen können …
Falls es unvermeidlich ist, die niederländischen Juden außerhalb der
Niederlande unterzubringen, wäre es zweckmäßig, wenn die Polizei
über den Unterbringungsort sowie über die etwaigen Sterbefälle keine
Mitteilungen nach außen gelangen« ließe.[69] Im selben Schreiben lehnte
Albrecht den Vorschlag Benes ab, die holländischen Juden durch den
Reichskommissar auszubürgern, um Schweden als Schutzmacht auszuschalten. Ein solcher Schritt, so befürchtete Albrecht, würde wahrscheinlich im Ausland nicht anerkannt werden.[70] Die Argumentation Albrechts, seit 1928 im Auswärtigen Amt, und seit 1929 der Abteilung Recht
angehörig, unterschied sich kaum von der des Neu-Diplomaten Luther.
Dass die Morde in den Konzentrationslagern dem Auswärtigen Amt bekannt waren, geht aus der Korrespondenz klar hervor.

Bene war nicht nur über den Verlauf der Judenpolitik informiert,
er entwickelte auch, wie sein Ausbürgerungsvorschlag beweist, eigene
Initiativen. Seine Stelle beim Reichskommissar ermöglichte es ihm,
dem Auswärtigen Amt genaue Angaben über die Lage der holländischen Juden und über die Deportationen zu liefern und auf mögliche
Störungen im Vorfeld hinzuweisen. Gelegentlich zitierte Bene aus Ge-
heimberichten der Sicherheitsstellen an den Reichskommissar oder
fügte sie seinen Berichten hinzu.[71] Im Februar 1943 berichtete Bene über
die etwa 100 in den Niederlanden verbliebenen ausländischen Juden
und nannte deren Staatsangehörigkeiten. Auf Verlangen Hahns schickte er genaue Daten dieser Juden, einschließlich ihrer Adressen, an das
Auswärtige Amt.[72] Am 20. Juli 1944 erklärte Bene, dass die »Judenfrage«
für die Niederlande als gelöst bezeichnet werden könne. Von den etwa
140 000 »ansässigen Juden« seien 113 000 abgeschoben, der Rest befinde
sich in Lagern in den Niederlanden, sei zum »Mischling« oder »Arier«
erklärt worden, lebe in »Mischehen« oder in Verstecken. Die im Versteck lebenden Menschen würden jedoch täglich »ausgehoben und in
Lager verbracht«. Von den ausländischen Juden seien nur noch elf ar-

gentinische Juden nicht interniert. Bene empfahl, diese abzuschieben, »obwohl sie an sich keine Schwierigkeit bereiten und sich zurückhaltend benehmen«.[73]

Im Oktober 1944 bemühte sich Schweden um den Austausch von 2 000 bis 3 000 Juden aus dem Lager Westerbork, die ein Visum nach Palästina besaßen – »angesichts der wachsenden Gefahr, welche die überlebenden niederländischen Juden bedroht«.[74] In einer Vortragsnotiz erläuterte Horst Wagner in der Zentrale, dass Schweden schon im Juli 1943 um eine Ausreisegenehmigung nach Palästina für 500 jüdische Kinder aus den Niederlanden gebeten habe. Wagner verwies darauf, dass der Antrag Schwedens eigentlich überholt sei, da »die Lager in Holland, insbesondere Westerbork, inzwischen aufgelöst« und die Juden entweder nach dem Osten abtransportiert worden seien – »ihr gegenwärtiger Aufenthaltsort« sei »nicht feststellbar« – oder sich in Theresienstadt befänden, von wo die Ausreise verboten sei. Wagner schlug die altvertraute Taktik vor, »die schwedische Verbalnote unbeantwortet zu lassen«.[75] Nach einer Besprechung mit Unterstaatssekretär Hencke, der die Ansicht vertrat, »statt gar keiner Antwort eine ablehnende Antwort« zu erteilen, wiederholte Wagner seine ursprüngliche Empfehlung, da »eine Ablehnung in irgendeiner Form begründet werden [muss], was bei der Materie außerordentlich schwierig sein würde«.[76]

Mit Wirkung vom 1. Juni 1940 war General Alexander von Falkenhausen zum Militärbefehlshaber in Belgien und Nordfrankreich ernannt worden. Innerhalb der Militärverwaltung im besetzten Belgien, die bis zum Ende der Besatzungszeit Bestand haben sollte, nahm ein Stab unter SS-Brigade-, später Gruppenführer Regierungspräsident Eggert Reeder die zivilen Besatzungsfunktionen wahr. Auch in Belgien kam es ab Herbst 1940 zu offenen Streiks als Protest gegen unliebsame Maßnahmen der Besatzungsmacht, deren Politik gegenüber der Bevölkerung sich mit den im Herbst 1942 einsetzenden Geiselerschießungen weiter brutalisierte. Der Vertreter des Auswärtigen Amtes in Brüssel, Botschaftsrat Werner von Bargen, ein alter Wilhelmstraßen-Mann, hatte den sich verschlechternden Verhältnissen im Land, über die er dem Auswärtigen Amt berichtete, nichts entgegenzusetzen. Er war von Beginn der Besatzung an weitgehend erfolglos dafür eingetreten, die Belgier für eine freiwillige Mitarbeit an der »Neuordnung« Europas zu gewinnen.[77]

Nach dem Krieg von US-Experten danach befragt, was er denn seinerzeit unter »The New Order in Europe« verstanden habe, gab sich von Bargen ahnungslos: »Auf diese Frage kannten die Beamten des Auswärtigen Amtes keine Antwort. Es handelte sich um ein politisches Schlagwort, das in der Bevölkerung von Deutschlands Nachbarstaaten zunächst beträchtliche Anziehungskraft besaß. Was es jedoch konkret bedeutete, waren wir nicht in der Lage auszuführen, wenn man uns privat danach fragte.«[78] In Wirklichkeit hatte von Bargen jahrelange Lobbyarbeit bei den verschiedenen faschistischen Bewegungen in Belgien geleistet, um die Kollaborationswilligen unter ihnen auszumachen und zu instrumentalisieren. Am 29. Mai 1941 schrieb er an Staatssekretär Weizsäcker: »Für uns ist vor allem die Gewinnung Belgiens für die Neuordnung Europas mit ihren politisch-propagandistischen Auswirkungen von Bedeutung.«[79] Knapp zwei Jahre später berichtete er an dieselbe Adresse von den geschwundenen Aussichten, den Führer der belgisch-wallonischen Rexisten und Offizier der Waffen-SS Léon Dégrelle für die Zwecke des Auswärtigen Amtes zu vereinnahmen: Wenn es Dégrelle mit seinen an der Ostfront eingesetzten Legionären gelänge, »als Germane anerkannt zu werden, so bekommt das Flamenproblem … ein ganz anderes Gesicht und verliert wesentlich an Bedeutung, während uns die Wallonei … näher rückt. Ganz Belgien würde damit zum politischen Betätigungsfeld der SS werden, die schon jetzt ihren Einfluss auszudehnen mehr und mehr bestrebt ist. Als alleinige Ansatzpunkte für die Zusammenarbeit mit dem Reich würden alsdann auf flämischer Seite nur noch die Deutsch-Flämische Arbeitsgemeinschaft und die flämische SS und auf wallonischer Seite der Rexismus in Frage kommen.«[80] Das waren – von der abstrusen Terminologie abgesehen – offenbar alles andere als nebulöse Vorstellungen von einer »Neuordnung Europas« nach rassischen und machtpolitischen Gesichtspunkten.

Was die antijüdischen Maßnahmen in Belgien anbelangt, so waren im Gegensatz zu Otto Abetz oder Otto Bene die Berichte Werner von Bargens eher die eines Beobachters. Bargen lieferte seine Einschätzungen und Analysen, bezog sich dabei meistens auf die Haltung der Militärverwaltung und blieb in seinen Formulierungen oft unklar. Den Vorschlag, aus taktischen Erwägungen erst fremde Juden zu deportieren, begründete Bargen damit, dass »das Verständnis für Judenfrage hier noch nicht sehr verbreitet« sei. »Militärverwaltung glaubt jedoch, Bedenken zurückstellen zu können, wenn Verschickung belgischer Juden vermieden wird. Es werden daher zunächst polnische, tschechische, russische und sonstige Juden ausgewählt … womit das Soll theoretisch erreicht werden können [sic].«[81] In der Tat hatte Bargens Ratschlag kaum eine hemmende Wirkung, da nur 6,6 Prozent der Juden in Belgien zur Zeit der deutschen Invasion belgische Staatsbürger waren.[82] Was Bargen über die »Verschickungen« wusste, kann einem anderen Bericht aus dem November 1942 entnommen werden. Dort hieß es, dass »zunächst … ein Arbeitseinsatzbefehl« für die von den »Abschiebungen Betroffenen« ausgestellt werde. »Da jedoch im Laufe der Zeit durch Gerüchte über Abschlachten der Juden usw. dem Arbeitseinsatzbefehl nicht mehr Folge geleistet wurde, wurden die Juden durch Razzien und Einzelaktionen erfasst.«[83]

Von Berlin aus forderte Luther Bargen zum »energischen Zugreifen« auf und bat, »im Benehmen mit dem Militärbefehlshaber die Möglichkeiten zu erwägen, die getroffenen Maßnahmen nunmehr auf alle Juden in Belgien auszudehnen und diese bis zur möglichen Durchführung der Transporte in Sammellagern zusammenzufassen … Eine durchgreifende Säuberung Belgiens von Juden muss früher oder später auf alle Fälle erfolgen«, schrieb Luther weiter und empfahl mit Blick auf die Unruhe in der Bevölkerung, die »unvermeidlichen Maßnahmen in einem Zug aufeinanderfolgend durchzuführen«.[84] Nicht das Reichssicherheitshauptamt, sondern das Auswärtige Amt in Berlin versuchte, seine Leute vor Ort zum Handeln zu animieren. Luther, der kein einziges außenpolitisches Argument gebrauchte, versuchte nichts anderes, als die Wilhelmstraße zur treibenden Kraft bei der »Lösung der Judenfrage« in Belgien zu machen, obwohl das Auswärtige Amt über keinen Apparat zur Umsetzung der Maßnahmen verfügte.[85]

Dänemark und Norwegen

Immer wieder zeigte sich, dass dem Auswärtigen Amt bei der Durchführung der Judenpolitik beziehungsweise der »Endlösung« eine im Sinne des Nationalsozialismus unaufgeklärte Bevölkerung im Wege stand. Die skandinavischen Länder waren ein Musterbeispiel dafür. Auch hatten sich die eifrigen Diplomaten häufig mit weniger eifrigen auseinanderzusetzen, was ebenfalls Sand ins Getriebe streute. Und auch dafür gab es im Norden Beispiele.

In Dänemark, das aufgrund seines »autonomen« Status eine Sonderstellung unter den besetzten Ländern einnahm, gewann das Auswärtige Amt in der Person des Gesandten Cecil von Renthe-Fink von Beginn der deutschen Besetzung an entscheidenden Einfluss. Am 9. April 1940 legte Renthe-Fink (1865–1964), der seit 1920 dem Auswärtigen Dienst angehörte, der dänischen Regierung in einem Memorandum die Haltung Berlins dar: Die Kriegsschuld liege bei England, die militärische Besetzung des Landes bewahre Dänemark davor, selber zum Kriegsschauplatz zu werden. Die dänische Regierung unter Vorsitz von König Christian X. hatte beschlossen, sich neutral zu verhalten und eine deutsche Besatzung zu dulden, sie nahm daher das Memorandum unter Protest entgegen.[86]

Die Beziehungen Dänemarks zum Reich blieben zumindest der Form nach diplomatischer Natur. Auf personeller und politischer Ebene änderte sich durch die Besatzung zunächst wenig im deutsch-dänischen Verhältnis: Der Gesandte wurde zwar zum Reichsbevollmächtigten im besetzten Dänemark, doch waren es beiderseits dieselben Beamten und Institutionen, die zur Beratung von Handels- und anderen Fragen zusammenkamen. Entscheidend für die Rolle des Auswärtigen Amtes in Dänemark war, dass alle Fäden der bilateralen Beziehungen beim Reichsbevollmächtigten Renthe-Fink zusammenliefen, dem es gelang, seine Position durch inoffizielle Absprachen mit den Befehlshabern der in Dänemark stationierten deutschen Truppen noch zu stärken.[87] Sein Mitarbeiterstab wuchs bis Anfang 1942 auf knapp 100 an, darunter eine 25 Mann starke »Sondergruppe der Sicherheitspolizei« unter SS-Oberführer Paul Kantstein, dem auf Weisung Ribbentrops die Überwachung dänischer Einrichtungen zum Schutz der Sicherheit der Besatzungskräfte oblag.[88] Für außenpolitische Fragen war der aus Prag abberufene Legationsrat Andor Hencke zuständig, sein Nachfolger wurde Anfang 1942 der Gesandte Paul Barandon. Ministerialrat Walther Ebner vom Reichsministerium für Ernährung und Landwirtschaft kümmerte sich um »Wirtschaftsfragen aller Art«, Presseattaché Gustav Meissner in der Kultur- und Informationsabteilung war für die Propaganda zuständig. Legislativ oder exekutiv tätig werden konnte der Reichsbevollmächtigte allerdings nicht, im Gegensatz etwa zum Reichsprotektor in Böhmen und Mähren.

Die Fassade eines gewissen Mitbestimmungsrechtes währte allerdings nur so lange, wie sich die dänische Regierung des Landes kooperationsbereit zeigte – etwa durch die Entsendung eines »Frikorps Danmark« an die Ostfront oder die wirtschaftliche Beteiligung an der »Aufbauarbeit im Osten« im Herbst 1941.[89] Danach verschlechterten sich die deutsch-dänischen Beziehungen stetig, bis sie Ende 1942 ihren Tiefpunkt erreichten. Hitler ließ daraufhin kurzerhand sowohl den Reichsbevollmächtigten als auch den Befehlshaber der deutschen Truppen in Dänemark abberufen. Als neuer Reichsbevollmächtigter in Dänemark wurde SS-Obergruppenführer Werner Best eingesetzt. Best, der zuvor in der deutschen Militärverwaltung im besetzten Frankreich tätig gewesen war, hatte maßgeblichen Anteil am Aufbau der nun deutlich strafferen Organisation der Besatzungsverwaltung, die mit einer auf Drängen Ribbentrops neu gebildeten dänischen Regierung zusammenarbeitete. De facto ändert sich an den Zuständen im Land indes wenig: Der Reichsbevollmächtigte blieb dem Reichsaußenminister unterstellt, in seiner Behörde arbeiteten dieselben Beamten in denselben Ressorts, lediglich Presseattaché Barandon wurde im März 1943 von Jürgen Schröder abgelöst.

Freilich war Best als ehemaliger Leiter der Rechtsabteilung des RSHA und zweiter Mann nach Heydrich aus einem anderen Holz geschnitzt als der alte Berufsdiplomat Renthe-Fink. Er gehörte zu jenen »hochqualifizierten Nationalsozialisten«, die »die deutschen Gesandten und Botschafter alten Stils« ablösen sollten.[90] Dennoch war der Unterschied zwischen den beiden so grundverschiedenen Reichsbevollmächtigten in der Wirkung nicht so groß, wie man auf den ersten Blick vermuten würde. Auch Renthe-Finks Weltanschauung trug antisemitische Züge, während sich Best in seiner Politik gegenüber dem besetzten Land durchaus auch von außenpolitischen Überlegungen leiten ließ. Doch die besonderen politischen Verhältnisse zusammen mit der Zivilcourage der Dänen führten dazu, dass ausgerechnet unter den Augen Bests, der nach dem Urteil seines Biografen Ulrich Herbert als »Prototyp des nationalsozialistischen ›Schreibtischtäters‹« gelten kann, fast alle dänischen Juden vor der Verschickung in die Vernichtungslager gerettet wurden.[91]

Wegen des autonomen Status Dänemarks stellte die Behandlung der dänischen Juden durch das Reich einen Eingriff in die innere Politik des Landes dar. Das hinderte Rademacher und den Skandinavienreferenten im Auswärtigen Amt, Werner von Grundherr (1888–1962), einen altge-

dienten, schon 1918 in den Auswärtigen Dienst eingetretenen Diplomaten, nicht, auch hier alsbald Initiativen in der »Judenfrage« anzuregen.[92]
Aber nicht allein der Status Dänemarks, sondern auch die Haltung der
Bevölkerung erschwerte aus der Sicht der deutschen Diplomaten die
»Lösung der Judenfrage« im Sinne des Nationalsozialismus. In einem
Bericht nach Berlin schrieb Renthe-Fink Anfang 1942, dass es »schwer
vorstellbar ist, wie rückständig weite Kreise in Dänemark im Hinblick
auf die Judenfrage heute noch sind ... Von den dänischen Nationalsozialisten abgesehen, sind es nur wenige Politiker, denen es einleuchtet,
dass in dem kommenden neuen Europa die Judenfrage für alle Partner
und somit auch für Dänemark nach gewissen allgemeinen Richtlinien,
also einheitlich gelöst werden muss.« Eine Erklärung für den Unwillen
der Dänen hatte er auch parat: »Weit mehr Dänen, als man ahnt, haben
Judenblut in ihren Adern.« Zudem hätten sich die dänischen Juden »viel
klüger als in Deutschland benommen und es verstanden, sich geschickt
einzufühlen und zu tarnen«. Insgesamt hatte die Judenpolitik für Renthe-Fink allerdings nicht die oberste Priorität. Ausgerechnet am Tag der
Wannsee-Konferenz konnte er daher vorschlagen: »Solange es vom
Standpunkt unserer Kriegsführung vordringlich ist, dass die ruhige Entwicklung in Dänemark nicht gestört wird, wird ein grundsätzliches Aufgreifen der Judenfrage nicht in Betracht kommen.« Man solle sich mit
der »Eliminierung jüdischer Persönlichkeiten« aus der Regierung zu-
friedengeben.[93]

Renthe-Finks Nachfolger Werner Best hatte als Verwaltungsleiter
beim Militärbefehlshaber in Frankreich 1941 praktische Erfahrungen in
einer Besatzungsverwaltung ganz anderen Typs sammeln können und in
Zusammenarbeit mit Botschafter Abetz die Deportation der französischen Juden nach Osten vorangetrieben. In Dänemark versuchte Best
einerseits, außenpolitische Erwägungen bei den deutschen Judenmaßnahmen zu berücksichtigen und die Beziehungen mit dem »Gastland«
korrekt aufrechtzuerhalten, andererseits wollte er die Interessen Deutschlands – und darunter eben auch die »Judenpolitik« – fördern. In den
ersten Monaten nach seinem Dienstantritt folgte Best der zurückhaltenden Politik seines Vorgängers. Auf Anfrage des AA erklärte er, dass »die
Judenfrage auf dänischer Seite in erster Linie als eine Rechts- und Ver-
fassungsfrage angesehen« werde und »die Aufrollung der Judenfrage
deshalb bei allen verfassungsmäßigen Faktoren des dänischen Staates

auf Widerstand stoßen« werde. Wie sein Vorgänger gelangte er zu der Schlussfolgerung, die Judenfrage spiele quantitativ und sachlich in Dänemark eine so geringe Rolle, dass zur Zeit »keine praktische Notwendigkeit für besondere Maßnahmen« zu erkennen sei.[94]

Über Bests Zielvorstellungen kann dennoch kein Zweifel bestehen. So schlug er 1943 vor, die Ausbürgerung der 1351 in Dänemark lebenden deutschen Juden rückgängig zu machen, denn als deutsche Staatsbürger stünden diese Juden im Falle von Maßnahmen nicht unter dänischem Schutz.[95] In Berlin bezeichnete man Bests Vorschlag als spitzfindig. Eberhard von Thadden wies darauf hin, dass »im Interesse einer einheitlichen Behandlung der Judenfrage« ein solches Vorgehen »unerwünscht« sei. Zudem »bedürfte es einer sorgfältigen Prüfung, ob eine teilweise Aufhebung rechtlich überhaupt möglich wäre«.[96] Erst nachdem im August 1943 in Dänemark der Ausnahmezustand ausgerufen worden war, konnte Best vorgehen, wie es von ihm erwartet wurde: Am 8. September 1943 schrieb er nach Berlin, dass »auf Grund der neuen Situation … eine Lösung der Judenfrage und der Freimaurerfrage ins Auge gefasst« werden müsse.[97] Mit dieser konkreten Forderung nach Vorbereitung der Deportationen kam Best einer Anordnung Hitlers zuvor, wahrscheinlich um sowohl seinen Stand in der NS- und SS-Hierarchie als auch seinen Status in Dänemark zu stabilisieren. Da er die dänische Reaktion fürchtete, empfahl Best eine »schlagartige« Festnahme der »etwa 6 000 Juden (einschließlich der Frauen und Kinder)«.[98]

Am 28. September 1943 erhielt Best aus Berlin die Nachricht, der Reichsaußenminister habe angeordnet, »dass der Abtransport der Juden aus Dänemark nunmehr erfolgen soll«. Um die Transporte zu legitimieren, schob das Auswärtige Amt zum weiteren Mal die Schuld den Juden zu: Die letzten Eisenbahnzerstörungen seien Anlass für diese Aktion.[99] Auch Best bediente sich dieser Taktik und informierte Berlin, »dass die Juden die Sabotage in Dänemark moralisch und materiell unterstützt hatten«.[100] Doch die Tarnung war nicht aufrechtzuerhalten. Das Auswärtige Amt bat Best um weitere Informationen, worauf er eingestand, dass diese Begründung der Judendeportation »um des Zweckes Willen« gegeben worden sei, ohne dass konkrete Unterlagen vorgelegen hätten.[101] Die Schizophrenie des Auswärtigen Amtes wird an diesem Beispiel nur allzu deutlich: Einerseits erfüllten die an der Judenverfolgung beteiligten Diplomaten ihre »neue« Pflicht, indem sie Vorwände für die Verbrechen erfanden, an denen sie mitwirkten. Andererseits verlangte das traditionelle System des Amtes eine genaue Berichterstattung, die diese Vorwände als Täuschungsmanöver offenlegte.

Aber auch an der Rettung der dänischen Juden haben Angehörige der deutschen Vertretung in Kopenhagen mitgewirkt. Am 11. September 1943 erzählte Best dem Schifffahrtsspezialisten bei der Vertretung, Georg F. Duckwitz, von den bevorstehenden Deportationen. Duckwitz leitete diese Information an die Führung der dänischen Sozialdemokraten weiter, zu der er Kontakte hatte. Hans Hedtoft, Vorsitzender der Sozialdemokratischen Partei und nach dem Krieg dänischer Ministerpräsident, informierte die jüdische Gemeinde. Die Nachricht über die bevorstehenden Deportationen veranlasste Schweden, an das deutsche Auswärtige Amt heranzutreten mit dem Vorschlag,»die Juden in Schweden aufzunehmen und sie dort zu internieren«.[102] Zugleich wurden fast alle Juden von dänischen Familien versteckt und anschließend durch eine Rettungsaktion mit Fischerbooten nach Schweden gebracht.[103]

Best beklagte zwar, dass die »100 km lange Küstenstrecke« den Erfolg der Rettungsaktion begünstigt habe, fügte jedoch sogleich hinzu: »Da das sachliche Ziel der Judenaktion in Dänemark die Entjudung des Landes und nicht eine möglichst erfolgreiche Kopfjagd war, muss festgestellt werden, dass die Judenaktion ihr Ziel erreicht hat. Dänemark ist entjudet.« Im Auswärtigen Amt sah man das anders. Die »Judenaktion in Dänemark« habe zu einem Misserfolg geführt, schrieb Thadden an Ribbentrop. Noch bei seiner Vernehmung 1961 in Jerusalem hatte Adolf Eichmann kein Verständnis für das »Versagen« Bests in Dänemark.[104]

Trotz der Rettung wurden 477 dänische Juden erfasst und ins KZ Theresienstadt deportiert. Unter den Deportierten befanden sich die Eheleute Hartwig, deren Schwiegersohn Ernst Johansson, so Eberhard von Thadden, »eine gewisse Stellung im gesellschaftlichen Leben Stockholms« genoss. Es sei daher wünschenswert, »wenn die Anfrage der schwedischen Gesandtschaft nach dem Verbleib der deportierten Juden in diesem Falle beantwortet werden könnte«. RSHA und AA leiteten daraufhin an den in Schweden lebenden Johansson eine Postkarte seiner Schwiegereltern aus Theresienstadt weiter.[105] In einem anderen Fall verlangte die dänische Gesandtschaft in Berlin Auskunft über die deportierte Familie Metz. Die Antwort des RSHA wurde über das Auswärtige Amt weitergeleitet: »Der Jude Metz ist im Ghetto Theresienstadt am 13.3.1944 an Lungenödem verstorben. Seine Ehefrau und Sohn befinden sich noch dort.«[106]

Nach einer Besprechung mit Best erklärte Eichmann sein Einverständnis damit, dass die dänischen Juden in Theresienstadt bleiben könnten und nicht weiter nach Osten deportiert würden. »Im Interesse einer Beruhigung des Landes«, hatte Best auch gefordert, »Mischlinge und in Mischehe lebende Juden« freizulassen. Das Reichssicherheitshauptamt lehnte eine »Prüfung der Frage« zunächst mit der Begründung ab, »dass man statt 6000 Juden nur einige Hundert erfasst habe und es daher völlig indiskutabel sei, von diesen wenigen auch nur einen freizulassen, selbst wenn seine Festnahme zu Unrecht erfolgt wäre«. »Um dem Gesichtspunkt des Gesandten Best Rechnung zu tragen«, hielt das Referat Inland II A es jedoch »für ratsam, wenigstens in einigen besonders markanten Fällen eine Freigabe zu befürworten«.[107]

Best unterstützte auch einen Antrag des dänischen Roten Kreuzes und des dänischen Außenministeriums, die einen Besuch bei den »aus Dänemark deportierten Juden und Kommunisten« verlangten. Er begründete sein Eintreten für eine positive Entscheidung dieser Anträge damit, dass die Besuche beruhigend in Dänemark wirken würden.[108] Auf Anfrage Thaddens antwortete Eichmann, dass die Besuche in Theresienstadt voraussichtlich erst im Frühjahr 1944 stattfinden könnten.[109] Die Übergabe von Listen der deportierten Juden lehnte das Reichssicherheitshauptamt jedoch »auf das entschiedenste ab«. Um die Entscheidungen des RSHA glaubhaft zu machen, könnte »den Dänen gegenüber unter Umständen gesagt werden – was im übrigen leider auch zutreffend ist –, dass der größte Teil der Akten, darunter auch die Listen, durch feindliche Fliegerangriffe vernichtet sei und zur Zeit aus Mangel an Arbeitskräften nicht die Möglichkeit bestehe, Listen sofort wieder zu rekonstruieren«. Auch für die Verschiebung der Besuche in Theresienstadt fand Thadden passende Worte: Das Reichssicherheitshauptamt arbeite aus »optischen Gründen« an der »Verschönerung der Landschaft durch Grünwerden der Bäume«.[110] Der Besuch in Theresienstadt fand schließlich am 23. Juni 1944 statt. Dabei fungierte das Auswärtige Amt nicht nur als Vermittler, sondern Eberhard von Thadden begleitete die ausländischen Gäste persönlich.

Die Schuld an dem »Versagen« in Dänemark wies das Auswärtige Amt dem Reichssicherheitshauptamt zu. Bei einem Gespräch mit Gestapo-Chef Müller betonte Thadden, dass »das Auswärtige Amt nach den Erfahrungen in Dänemark besonderes Interesse daran habe, dass Judenaktionen in anderen Gebieten mit ausreichenden Mitteln und ausreichender Vorbereitung durchgeführt würden, damit schwere Komplikationen im Rahmen des Möglichen vermieden würden. Gruppenführer Müller erwiderte, auch das Reichssicherheitshauptamt habe aus den Erfahrungen von Kopenhagen viel gelernt. Der Zeitpunkt jedoch, zu dem ausreichende Polizeikräfte zur Verfügung stünden, um die in den besetzten Gebieten notwendigen Judenaktionen schlagartig durchzuführen, würde für die Dauer des Krieges wohl nicht mehr kommen. Man könne daher nur mit den zur Verfügung stehenden Mitteln das Beste herausholen.«[111] Mit anderen Worten: Der Mord an der jüdischen Bevölkerung konnte aus der Sicht des Auswärtigen Amtes weitergehen, vorausgesetzt, dass Militär und Reichssicherheitshauptamt die reibungslose Durchführung ermöglichten.

Ganz anders gestaltete sich die Rolle des Auswärtigen Amtes in Norwegen. Hier hielt das Amt nur für eine Woche das Zepter in der Hand. Am 9. April 1940 – zeitgleich mit seinem Kollegen Renthe-Fink in Dänemark – überreichte der Gesandte und Bevollmächtigte des Deutschen Reiches bei der Regierung in Oslo, Curt Bräuer, dem norwegischen Außenminister Halvdan Koht ein Memorandum, das zwar die Erklärung enthielt, man käme »nicht in feindlicher Absicht«. Zugleich aber forderte Berlin, die deutschen Truppen ungehindert in das Land einmarschieren zu lassen.[112]

In dem nun entstehenden Machtvakuum versuchte der Chef der faschistischen Partei Norwegens »Nasjonal Samling«, Vidkun Quisling, ad hoc eine nationale Regierung zu bilden. Am Abend desselben Tages berichtete Bräuer von einer Unterredung mit König Haakon, in der sich dieser nach Rücksprache mit Außenminister Koht geweigert hatte, eine Regierung unter Quisling anzuerkennen.[113] Daraufhin ließ Bräuer Quisling, mit dem er kurze Zeit sympathisiert hatte, fallen.[114] Nachdem der selbsternannte Regierungschef schließlich auf Druck der Reichsregierung abgetreten war, schien die Stunde des deutschen Gesandten gekommen: Gemeinsam mit Unterstaatssekretär Theodor Habicht, der im Auftrag des Auswärtigen Amtes über die Propaganda im Land wachen sollte, bildete Bräuer am 15. April in Zusammenarbeit mit dem Obersten

Gericht Oslo einen »Administrationsrat für die besetzten norwegischen Gebiete«. Von der norwegischen Regierung wurde dieser Rat jedoch nur als Verwaltungsinstanz, nicht als politische Institution anerkannt, da man die Entstehung einer Gegenregierung – genau dies hatte Bräuer im Sinn – befürchtete. Nachdem auch dieser Versuch des AA gescheitert war, setzte Hitler kurzerhand mit Josef Terboven seinen eigenen Mann als Reichskommissar für die besetzten norwegischen Gebiete ein. Bräuer und Habicht wurden am 16. April nach Berlin zurückbeordert.[115]

Nicht nur für den Reichsbevollmächtigten a. D., der kurz zuvor noch davon geträumt hatte, für Außenpolitik, innere Verwaltung und Polizei sowie sämtliche sich aus der Besatzung ergebenden politischen und wirtschaftlichen Angelegenheiten zuständig zu sein, war das ein harter Schlag, sondern auch für das Auswärtige Amt insgesamt.[116] Knapp drei Wochen nach Bräuers Abberufung aus Norwegen erfuhr das Auswärtige Amt von Bräuers Stellvertreter Joachim von Neuhaus, wie es tatsächlich um die Stellung der AA-Vertreter im Land bestellt war: Reichskommissar Terboven habe ihm mitgeteilt, dass die Gesandtschaft in Oslo »in Kürze durch Auflösung geschlossen und sämtliches Personal auf die verschiedenen Abteilungen des Reichskommissars verteilt wird. Vertreter des Auswärtigen Amtes tritt lediglich für seine Person mit einer Schreibkraft zum Stabe des Reichskommissars mit Sitz im Dienstgebäude des Reichskommissars. Nur er soll weiter vom Auswärtigen Amt ressortieren, von dort auch seine Weisungen erhalten und an das Auswärtige Amt berichten, während alle anderen vom Auswärtigen Amt beurlaubt und in Dienststelle Reichskommissars aufgehen sollen. Nach Mitteilung [des] Reichskommissars entspreche diese Regelung Vereinbarung mit Reichsaußenminister.«[117] Die restliche Zeit der Besatzung trat die deutsche Gesandtschaft in Oslo kaum noch in Erscheinung. Es waren Terboven und der ihm zur Verfügung stehende Besatzungsapparat, die fortan die Politik des Reiches in Norwegen bestimmten. Mit seinem Erlass über die Ausübung der Regierungsbefugnisse in Norwegen hatte Hitler am 24. April 1940 die Rahmenbedingungen hierfür geschaffen. Das Auswärtige Amt und seine Vertreter im Lande fanden in diesem Erlass keine Erwähnung.

Serbien und Griechenland

Zur Sicherung der Südostflanke des »Unternehmens Barbarossa« hatte Hitler Ende März 1941 Serbien und Griechenland angreifen lassen. Nachdem die militärischen Eroberungen innerhalb von drei Wochen abgeschlossen waren, wurden in beiden Balkanstaaten Militärverwaltungen eingerichtet, die dem Militärbefehlshaber Südost mit Sitz in Saloniki unterstanden.

An der Spitze der Militärregierung in Serbien stand der Militärbefehlshaber (ab September 1941 der Kommandierende General) in Serbien mit Sitz in Belgrad. Als Bevollmächtigter des Auswärtigen Amtes fungierte Felix Benzler (1891–1977), der laut Führererlass vom 28. April 1941 »für die Behandlung aller in Serbien auftauchenden Fragen außenpolitischen Charakters« zuständig war und in Abstimmung mit den militärischen Stellen »eine dem politischen Interesse des Reiches abträgliche Betätigung serbischer politischer Elemente zu verhindern« hatte.[118] Benzler, seit 1919 im Dienst der Wilhelmstraße, bot sich in Serbien die Chance, seine Fähigkeiten unter Beweis zu stellen, nachdem ihm in den Niederlanden in letzter Minute Otto Bene den Rang als Vertreter des Auswärtigen Amtes abgelaufen hatte. Mit Hermann Neubacher und Edmund Veesenmayer waren allerdings gleich zwei starke Konkurrenten aus dem Auswärtigen Amt in seinem Revier eingesetzt. Diese Konstellation blieb nicht ohne Einfluss auf Benzlers starkes Engagement bei der Judenverfolgung in Serbien.

Die Tätigkeit des Bevollmächtigten in Serbien stand von Anfang an im Zeichen der vom Chef des Verwaltungsstabes beim Militärbefehlshaber, SS-Obersturmführer Harald Turner, mit größter Brutalität geführten Partisanenbekämpfung. Mit der Einsetzung der Marionettenregierung unter Milan Nedi am 28. August wollte Turner nationalistische serbische Verbände stärker in die Bekämpfung des kommunistischen Widerstandes einbinden und zugleich die Voraussetzungen für die Kontrolle des Landes nach dem Vorbild von Bests »Aufsichtsverwaltung« im besetzten Frankreich schaffen. Mit dieser Politik zog er sich jedoch den Unwillen Himmlers zu, der dem serbischen Juniorpartner prinzipiell nicht über den Weg traute und Turner kurzerhand durch den Höheren Polizei- und SS-Führer August Edler von Meyszner ersetzen ließ, dessen Leitspruch nach eigenem Bekenntnis lautete: »Nur ein toter Serbe ist ein guter Serbe«.[119] Mit dieser Maxime erwies sich das Land jedoch als unregierbar: Ende August 1942 erreichte die serbische Partisanenbewegung einen neuen Höhepunkt, Himmlers Konzept der Beherrschung durch die Anwendung roher Gewalt war gescheitert.

Zwar hatte Benzler zur Lösung des Partisanenproblems wenig beizutragen, aber er nutzte das Thema als Vorwand, um in Berlin auf die Durchführung antijüdischer Maßnahmen zu drängen. Anfang September 1941 berichteten er und Veesenmayer dem Auswärtigen Amt: »Nachweislich haben sich bei zahlreichen Sabotage- und Aufruhrakten Juden als Mittäter herausgestellt. Es ist daher dringend geboten, nunmehr beschleunigt für Sicherstellung und Entfernung zum mindestens aller männlichen Juden zu sorgen. Die hierfür in Frage kommende Zahl dürfte etwa 8 000 betragen.«[120] Das Amt ignorierte diese Anfrage zunächst. Luther hatte Benzler im Verdacht, die Gründung eines serbischen Staates zu betreiben, um so den Posten eines Botschafters zu erlangen.[121] Zwei Tage später schickten Benzler und Veesenmayer ein weiteres, schärferes Telegramm nach Berlin: »Rasche und drakonische Erledigung serbischer Judenfrage ist dringendstes und zweckmäßiges Gebot. Erbitte von Herrn RAM entsprechende Weisung, um bei Militärbefehlshaber Serbien mit äußerstem Nachdruck wirken zu können.«[122]

Benzler plädierte auf Anregung des Leiters der Militärverwaltung für die Deportation der serbischen Juden nach Rumänien, ein Vorschlag, der von Woermann und Ribbentrop abgelehnt wurde. Auch Rademacher wies diesen Vorschlag am 9. September 1941 zurück und empfahl, die Juden in Arbeitslagern zu internieren. Darauf antwortete Benzler am 12. September 1941: »Judenlager behindern und gefährden sogar unsere Truppen.« Wenn die Deportation nach Rumänien, in das Generalgouvernement oder nach Russland nicht möglich sei, dann müsse die »Judenaktion vorläufig zurückgestellt werden, was gegen die mir von Herrn RAM erteilten Weisungen« verstoße.[123] Als Luther nach Rücksprache mit Rademacher, der sich seinerseits mit Eichmann ins Benehmen gesetzt hatte, dabei blieb, dass Deportationen nicht infrage kämen, wandte sich der hartnäckige Benzler direkt an Ribbentrop: »Ich darf daran erinnern, dass Sie mir in Fuschl ausdrücklich Ihre Hilfe zugesagt haben, die Juden und außerdem auch Freimaurer und englandhörige Serben, sei es donauabwärts, sei es in Konzentrationslagern in Deutschland oder im Generalgouvernement, unterzubringen.«[124]

Benzler setzte schließlich durch, dass es zu einem Gespräch zwischen Luther und Heydrich kam, in dessen Folge am 16. Oktober 1941 drei Männer nach Belgrad geschickt wurden, um sich seines Problems anzunehmen: Sturmbannführer Suhr, Untersturmführer Stuschka und Franz Rademacher. »Zweck der Dienstreise war«, so Rademacher, »zu prüfen, ob nicht das Problem der 8 000 jüdischen Hetzer, deren Abschiebung von der Gesandtschaft gefordert wurde, an Ort und Stelle erledigt werden könne.«[125] Auf dem Formular, das Rademacher zur Genehmigung seiner Reise ausfüllte, gab er als »Reisezweck« die »Abschiebung von 8 000 Juden« an,[126] auf seiner Reisekostenabrechnung nannte er als Zweck der Reise die »Liquidation von Juden in Belgrad«.[127] Rademacher erfuhr, »dass bereits über 2 000 dieser Juden als Repressalie für Überfälle auf deutsche Soldaten erschossen worden« waren. Weiter heißt es in seinem Bericht: »1. Die männlichen Juden sind bis Ende dieser Woche erschossen, damit ist das in dem Bericht der Gesandtschaft angeschnittene Problem erledigt. 2. Der Rest von etwa 20 000 Juden (Frauen, Kinder und alte Leute) sowie rund 1 500 Zigeuner, von denen die Männer ebenfalls noch erschossen werden, sollte im sogenannten Zigeunerviertel der Stadt Belgrad als Ghetto zusammengefasst werden ... Sobald dann im Rahmen der Gesamtlösung der Judenfrage die technische Möglichkeit besteht, werden die Juden auf Wasserwegen in die Auffanglager im Osten abgeschoben.«[128] Es kann also kein Zweifel bestehen, dass die Konturen der »Endlösung« bereits vor der Wannsee-Konferenz im Auswärtigen Amt bekannt waren.

Rademachers Bericht ging im Amt in Umlauf. Für Staatssekretär Weizsäcker schien es vor allem darauf anzukommen, dass zwar die Deportation der Juden aus Serbien in andere Staaten in die Befugnis des Auswärtigen Amtes fiel, dass das Amt aber nicht für die Behandlung der Juden durch andere Stellen zuständig sei. Die Grenze zwischen der Behandlung außenpolitischer Aspekte der Judenfrage und der aktiven Beteiligung am Mord wurde dabei verwischt – und sie wurde überschritten. In der Korrespondenz zwischen Weizsäcker und Luther tritt das offen zutage. Am Anfang stand das Verlangen eines klassischen Laufbahnbeamten, des Gesandten Felix Benzler, die 8 000 Juden aus Serbien zu entfernen. Ein Jahr später, am 23. Mai 1942, bezeichnete Rademacher die Judenfrage in Serbien als nicht mehr akut.[129]

Wie unterschiedlich die Haltung von Diplomaten zum Thema »Lösung der Judenfrage« sein konnte, wird im Fall Griechenlands besonders evident. Die Spannbreite der Verhaltensmöglichkeiten lässt sich auf eine simple Gegenüberstellung reduzieren. Konsul Fritz Schönberg betrieb im deutsch besetzten Saloniki die Verfolgung und Deportation der Juden mit aller Konsequenz, während sich Günther Altenburg, der Bevollmächtigte des Reiches in Athen von Mai 1941 bis Oktober 1943, unter Berücksichtigung der Ablehnung solcher Maßnahmen durch die griechische Satellitenregierung und bis September 1943 auch durch die italienischen Besatzungsbehörden, erkennbar zurückhielt.[130]

Fritz Schönberg (1878–1968) war sicher kein Karrierist; erst zwei Monate nachdem er im Juni 1939 zum Generalkonsul in Saloniki ernannt worden war, trat er der NSDAP bei. Obwohl das nordöstliche Griechenland unter deutscher Besatzung stand und die oberste Autorität von 1942 bis 1944 bei Max Merten, dem Chef der Wehrmachtverwaltung, lag, war Schönberg doch der stärkste Fürsprecher einer Deportation der griechischen Juden.

Als deutsche Stellen 1942 die Frage der Rassenzugehörigkeit der sephardischen Juden diskutierten, stellten darüber nicht nur die dafür zuständigen Stellen wie das Institut zur Erforschung der Judenfrage in Frankfurt Untersuchungen an, sondern auch Fritz Schönberg meldete sich zu Wort. Er hielt sich für einen Experten, wohl auch wegen seiner Erfahrung als Leiter des Referats Osten und Naher Osten in der Politischen Abteilung in den Jahren bis 1939. Schönbergs »Expertise« lieferte, so sah man es im Amt, den entscheidenden »Beweis« dafür, dass keine nennenswerten Unterschiede zwischen sephardischen und aschkenasischen Juden bestünden. Dies fand Anerkennung in Berlin, und Rademacher bat den Bevollmächtigen in Athen, »dem deutschen Konsulat in Saloniki für den ausgezeichneten Bericht … über die Behandlung von Sepharden zu danken«.[131]

Als im Juli 1942 alle männlichen Juden in Saloniki konzentriert und zur Zwangsarbeit erfasst wurden, schickte Schönberg an Altenburg einen Bericht, in dem er die Hoffnung aussprach, »dass die Judenfrage auch in Griechenland endgültig gelöst wird«. Zugleich sprach er von der »Genugtuung der arischen griechischen Bevölkerung«.[132] Schönberg suchte auch den direkten Kontakt zu Eichmanns Vertreter in Griechenland, Rolf Günther.[133] Er dürfe »nur nach Einvernehmen mit Gesandten Altenburg tätig werden«, teilte Luther Schönberg aus Berlin unter Hinweis auf die Amtshierarchie mit.[134] Trotzdem galt Schönberg in den Augen des eigentlichen Vollstreckers, Dieter Wisliceny, als Ansprechpartner bei der Erfassung der Juden.[135] Am 15. März 1943 schließlich konnte Schönberg zufrieden berichten: »Die Aussiedlung der hiesigen etwa 56 000 Personen zählenden Juden griechischer Staatsangehörigkeit hat heute mit dem Abtransport von 26 000 Personen von Saloniki nach dem Generalgouvernement begonnen.«[136] In Bezug auf die sich in Saloniki aufhaltenden Juden ausländischer Staatsangehörigkeit, die gemäß einer Vereinbarung mit dem Reichssicherheitshauptamt unter die Zuständigkeit des Auswärtigen Amtes und damit auch Schönbergs kamen,[137] zeigte er sich überzeugt davon, dass »die Sicherung des von den deutschen Truppen besetzten nordgriechischen Gebietes nicht erreicht würde, wenn den nichtgriechischen Juden der Aufenthalt weiter erlaubt bleibt«.[138]

Schönberg bemühte sich sogar, Fälle aufzudecken, in denen griechische Juden durch das italienische Konsulat in Saloniki italienische Papiere erhalten hatten – für ihn ein Beleg, dass »blutmässig ... keinerlei Unterschied zwischen den hiesigen griechischen und nichtgriechischen Juden« bestehe.[139] Im April 1943 informierte Schönberg Berlin über seine Befürchtung, dass reiche griechische Juden das italienische Schlupfloch nutzen könnten, um den »Maßnahmen« zu entgehen. In Berlin beurteilte man die von Schönberg vorgetragenen Fälle zwar gelassener,[140] doch in einer Verbindung von ideologischem Fanatismus und bürokratischem Eifer beklagte sich Schönberg weiter in Berlin, dass der italienische Konsul sich nicht nur für griechische und italienische Juden einsetze, sondern in »einem Falle sogar für zwei Jüdinnen britischer Staatsangehörigkeit«.[141]

Ganz anders als Schönberg war der Bevollmächtigte des Reiches in Athen, Günther Altenburg, entschlossen, seine traditionelle diplomatische Aufgabe auch dann noch fortzusetzen, als die Grenzen zwischen den verschiedenen Tätigkeitsfeldern der Diplomaten – alten und neuen – immer mehr verschwammen. Der SS beizutreten, wie es ihm Himmler nahelegte, lehnte Altenburg ab.[142] Im Gegensatz zu seinem Kollegen Schönberg in Saloniki schickte er auch keine ausführlichen Berichte über »Judenangelegenheiten« nach Berlin. In die Hauptaktion gegen die griechischen Juden in Saloniki hätte Altenburg als Schönbergs Vorgesetzter sich indes stärker einschalten können, wenn er daran wirklich interessiert gewesen wäre. Als er Schönbergs Bericht über die Erfassung der jüdischen Männer nach Berlin weiterleitete, bemerkte er lediglich: »Von hier aus nichts hinzufügen.«[143] Er war ein Mitwisser. Doch vermied er es so weit wie möglich, sich zu den Maßnahmen zu äußern. Nur bei einer Gelegenheit nahm er gegen den Vorschlag der Italiener Stellung, spanische Juden in die italienische Zone einzulassen.[144]

Im Gegensatz zu Benzler in Serbien versuchte Altenburg, das deutsche Vorgehen gegen die griechische Bevölkerung wenigstens in Ansätzen abzumildern. Schon Anfang Mai 1941, zu Beginn seiner Amtszeit, kabelte er nach Berlin: »Im Einvernehmen mit Herrn Geißler [Kriminalrat Kurt Geißler, Angehöriger der Einsatzgruppe Griechenland der Sicherheitspolizei und des SD unter Führung von SS-Sturmbannführer Ludwig Hahn] bitte ich umgehend eine Anweisung des Sicherheitsamtes an ihn dahin herbeizuführen, dass künftig Festnahmen prominenter Griechen und Ausländer nur mit Genehmigung [der] Dienststelle erfolgen dürfen und dass, soweit Festnahmen Prominenter bereits erfolgt sind, gegen die von Seiten der Dienststelle Bedenken bestehen, Freilassung zu erfolgen hat.«[145] Innerhalb eines Monates gelang es Altenburg, dass der übereifrige Geißler wegen seiner voreiligen Verhaftungen hochrangiger Beamter und Haussuchungen bei Diplomaten ins Reich zurückbeordert wurde.[146] Dem Auswärtigen Amt lag in Griechenland nicht daran, die sich ruhig verhaltende nichtjüdische Bevölkerung den Widerstandskämpfern in die Arme zu treiben, wie es die SS in Serbien praktizierte. Am 16. November 1941 berichtete Altenburg von einer drohenden Hungersnot und bat um die Einleitung von Gegenmaßnamen.[147] Im März 1943 sah er die Einsetzung einer griechischen Kollaborationsregierung nach dem Vorbild Serbiens als einzigen Weg aus der Gefahr, in der sich die deutschen Besatzungstruppen durch verstärkte Anschläge der Partisanen befanden.[148]

Abhilfe sollte in dieser Situation Hermann Neubacher schaffen, der seit Oktober 1942 als Sonderbeauftragter des Reiches für wirtschaftliche und finanzielle Fragen in Griechenland tätig war und in dieser Eigenschaft durch eine geschickte Lenkung des Kurses der griechischen Währung der Hunger leidenden Bevölkerung zumindest kurzfristig Linderung verschafft hatte.[149] Neubacher war vom »Anschluss« Österreichs bis Ende 1940 Bürgermeister von Wien und anschließend Gesandter in Bukarest und Athen gewesen. Als Botschafter in Kroatien hatte er im Juni 1941 in seinen Berichten gegen Grausamkeiten der »Ustascha« gegenüber Serben, Juden und Roma protestiert und sich im Juli desselben Jahres in einer Denkschrift für die Einbindung der im Kaukasus ansässigen Bevölkerung in die zukünftige Planung der deutschen Herrschaft im Orientraum stark gemacht, war damit allerdings bei Luther auf Ablehnung gestoßen.[150]

Am 24. August 1943 wurde Neubacher per Führererlass zum Sonderbevollmächtigten des Auswärtigen Amtes für den Südosten ernannt,[151] zwei Monate später beauftragte ihn Hitler mit der »einheitliche[n] Führung des Kampfes gegen den Kommunismus im Südosten«, worunter nicht weniger als die Straffung des Okkupationsapparates, die Zusammenfassung aller antikommunistischen Kräfte in den besetzten Ländern Südosteuropas sowie deren Einsatz gegen die kommunistische Widerstandsbewegung zu verstehen war.[152] Damit war ein Vertreter des Auswärtigen Amtes im Balkanraum direkt mit der Partisanenbekämpfung betraut. Allerdings reichten seine Einflussmöglichkeiten nicht so weit wie die des Chefs der Bandenkampfverbände in der Sowjetunion, den besetzten Westgebieten und am afrikanischen Kriegsschauplatz, SS-Obergruppenführer Erich von dem Bach-Zelewski, denn ihm standen keine eigenen Kampfverbände zur Verfügung. Auch hatte er seine Maßnahmen mit dem Gesandten des Auswärtigen Amtes bei der kroatischen Regierung Siegfried Kasche sowie den örtlichen Befehlshabern abzustimmen, denen gegenüber er aber immerhin auf politischem Gebiet weisungsbefugt war. Zudem war er zu »Verhandlungen mit Bandenführern« berechtigt, und die »Handhabung der Sühnemaßnahmen« war mit ihm abzustimmen. Im Gegensatz zu Meyszner, dessen Ablösung er im März 1944 erreichte, bemühte sich Neubacher im Rahmen seiner »neuen Politik« um Unterstützung durch serbische und montenegrinische Verbände.[153] Noch am 8. Oktober 1944 machte er sich für den weiteren Einsatz von Četniks in Serbien stark.[154] Der Widerstandsbewegung wurde aber letztlich auch er nicht Herr. Im selben Monat zogen sich die deutschen Truppen aus Serbien – wie im Monat zuvor aus Griechenland – zurück.

Rückblickend, in amerikanischer Gefangenschaft, resümierte Neubacher verbittert, warum seiner Ansicht nach das Konzept der Einbindung serbischer Kräfte in den »Kampf gegen den Bolschewismus« nicht aufgegangen war: »Hitler hatte einen romantischen anti-serbischen Komplex, resultierend aus der Ermordung des Erzherzogs 1914, und eine pro-kroatische und bulgarische Konzeption der Balkanangelegenheiten. Ribbentrop wusste nichts über den Balkan und hatte keine eigenen Vorstellungen. Er wollte lediglich die Übernahme von Verantwortung und Schuld vermeiden für das, was getan wurde.«[155]

Die Ermordung der jüdischen Männer in Serbien im Rahmen der »Geiselerschießungen« war bereits abgeschlossen, als Neubacher das Amt des Sonderbeauftragten Südost antrat. Im September 1943 hatte er angesichts des bevorstehenden Besuches des serbischen Ministerpräsidenten die Aussetzung einer Geiselerschießung durchgesetzt, deren Vollstreckung er auch später noch erfolgreich verhindern konnte.[156] In seiner Weisung vom 22. Dezember 1943 hatte er die Entscheidung darüber, ob und in welcher Höhe Geiselerschießungen im Rahmen der Partisanenbekämpfung vorzunehmen seien, den örtlichen Befehlshabern überlassen und damit zumindest die Möglichkeit eröffnet, die Gewaltschraube im Balkanraum ein Stück zurückzudrehen.[157] Einzelne Berichte der Dienststelle in Athen weisen zudem darauf hin, dass er sich in der Folge über die Wirkung dieses Erlasses auf dem Laufenden hielt.[158]

Auch wenn man Neubacher von einer Teilverantwortung für die zeitweise mit barbarischen Methoden geführte Partisanenbekämpfung auf dem Balkan zwischen 1942 und 1944[159] nicht freisprechen kann, so gilt es doch zu konstatieren, dass er sich – aus pragmatischen, nicht aus humanitären Beweggründen – bemühte, mäßigend auf die örtlichen Befehlshaber in ihrem Vorgehen gegen die einheimische Bevölkerung einzuwirken. Vermutlich wäre Neubacher sonst auch nicht, nachdem ihn 1951 ein Belgrader Gericht zu 20 Jahren Haft verurteilt hatte, nur eineinhalb Jahre später krankheitshalber entlassen worden.[160] Danach kehrte er nach Österreich zurück. Im Nürnberger Nachfolgeprozess gegen die »Südost-Generale« (»Fall 7«) taucht sein Name nicht auf.[161] In seinen 1956 veröffentlichten Erinnerungen verschwieg Neubacher seine Ermächtigung zum »Kampf gegen den Kommunismus« durch Hitler. Dafür wusste er von einem angeblichen anderen Führerbefehl zu berichten, der »jede Einmischung nichtbeteiligter Dienststellen in militärische Sühnemaßnahmen verbot und ausdrücklich besagte, dass dieses Verbot insbesondere auch für die Dienststellen des Auswärtigen Amtes gelte«.[162] Sein in den Akten nachgewiesener erheblicher Einfluss auf das Geschehen im Balkanraum von September 1943 bis Oktober 1944 widerlegt diese Behauptung.

Ungarn

Seit Herbst 1942 versäumte die Wilhelmstraße keine Gelegenheit, Ungarn und andere Achsenpartner von der Notwendigkeit der antijüdischen Maßnahmen zu überzeugen. Solche Überzeugungskampagnen gehörten zum neuen Selbstverständnis des Amtes. Im Oktober 1942 beauftragte Unterstaatssekretär Luther die Gesandtschaft in Budapest, der ungarischen Regierung zu erklären, dass es sich nicht um »ein deutsches, sondern um ein gesamteuropäisches Interesse« handele, die Juden zu vertreiben, und dass »die großen Anstrengungen, die Deutschland auf diesem Gebiet mache und vor der Welt verantworte, illusorisch [gemacht würden], wenn in einzelnen Gebieten Europas die Juden weiterhin Möglichkeiten der intellektuellen und wirtschaftlichen Einflussnahme in Verbindung mit dem uns bekämpfenden Weltjudentum besäßen«.[163] Diesen Bemühungen war jedoch nur ein Teilerfolg beschieden. Trotz ihrer Bereitschaft, die ungarischen Juden wirtschaftlich auszunutzen, beruflich zu diskriminieren und Juden in annektierten oder eroberten Gebieten zu ermorden, lehnte die Regierung in Budapest immer wieder die deutsche Forderung ab, auch die einheimischen Juden nach Polen deportieren zu lassen.[164]

Nachdem Reichsverweser Miklos von Horthy am 15. März 1944 durch Hitler zur Errichtung einer Kollaborationsregierung gezwungen worden war, wurde der Gesandte Dietrich von Jagow durch Edmund Veesenmayer ersetzt. Chargé d'affaires und Stellvertreter Veesenmayers war der Vortragende Legationsrat Gerhart Feine. Für ausländische Juden war Legationsrat Adolf Hezinger, später Legationsrat Theodor Horst Grell zuständig. Mit Blick auf die Behandlung der ungarischen Juden wurde bestimmt: »Für die [durch] deutsche Kräfte in Ungarn durchzuführenden Aufgaben der SS und Polizei, insbesondere für die polizeilichen Aufgaben auf dem Gebiet der Judenfrage, tritt zu dem Stab des Reichsbevollmächtigten ein höherer SS- und Polizeiführer, der nach politischen Weisungen handelt.«[165] Die Trennung zwischen Auswärtigem Amt und Reichssicherheitshauptamt wurde damit endgültig verwischt. Gerade deswegen fürchtete Ribbentrop, dass die Sicherheitsstellen versuchen würden, sich »in die Aufgaben und Rechte des Reichsbevollmächtigten zu mischen«, und mahnte Veesenmayer, alles zu tun, »dass dies nicht geschehe«. Ribbentrops Argwohn ging so weit, dass er Veesenmayer beauftragte, in Erfahrung zu bringen, ob RSHA-Chef Kaltenbrunner bei seinem Besuch in Budapest sich persönlich mit der Regelung der Judenfrage beschäftigt habe.[166]

Bis zu seiner Ernennung zum Reichsbevollmächtigten in Ungarn 1944 führte SS-Brigadeführer Edmund Veesenmayer keinen offiziellen Titel im Auswärtigen Amt. Unmittelbar nach Kriegsbeginn dienstverpflichtet, war er nur im Rahmen spezieller Einsätze als Sonderbeauftragter des Reichsaußenministers tätig. Doch gerade in dieser Eigenschaft war Veesenmayer der einflussreichste Vertreter des Auswärtigen Amtes, wenn es etwa darum ging, im Vorfeld eines geplanten deutschen Angriffs feindliche Staaten durch subversive Tätigkeiten zu schwächen oder die – in erster Linie gegen Juden gerichtete – Besatzungspolitik in den besetzten Ländern zu verschärfen.

Bereits bei der Vorbereitung des »Anschlusses« Österreichs war Veesenmayer gemeinsam mit seinem Mentor im Auswärtigen Amt, Wilhelm Keppler, tätig geworden.[167] Auch die Gründung der Slowakischen Republik als Vasallenstaat des Dritten Reiches verlief maßgeblich unter Veesenmayers Beteiligung.[168] Kurz vor Ausbruch des Krieges wurde Veesenmayer dann von Ribbentrop »zu Informationszwecken« in die aufgeheizte Atmosphäre des August 1939 nach Danzig geschickt. Als Verbindungsmann zwischen Gauleiter Albert Forster und dem Auswärtigen Amt hatte er den Auftrag, in dem seit Monaten schwelenden Zollbeamtenstreit die polnische Seite durch überzogene Forderungen zu Gegenmaßnahmen zu verleiten, die sich propagandistisch als Kriegsgrund ausschlachten ließen.[169] Tatsächlich scheiterten die Verhandlungen wie geplant am 25. August, allerdings ohne dass Polen sich zu unüberlegten Schritten hinreißen ließ. Nichtsdestoweniger erhielt Veesenmayer für seinen Einsatz das Danzigkreuz II. Klasse.[170]

Nach einem kurzen Zwischenspiel bei der neu gegründeten Propagandaabteilung der Wilhelmstraße lockte Veesenmayer wieder der Außendienst. Anfang 1940 begleitete er SS-Obergruppenführer Manfred von Killinger auf Erkundungsfahrten nach Ost- und Südosteuropa, auf denen er Eindrücke sammelte, die sich für seine spätere Betätigung in diesem Raum als nützlich erweisen sollten. Nach dem jugoslawischen Militärputsch im Frühjahr 1941 war Veesenmayer als Sonderbeauftragter Ribbentrops maßgeblich an der Etablierung des »Unabhängigen Staates Kroatien« unter Führung der Ustascha beteiligt.[171] Als in Serbien unmittelbar nach dem deutschen Angriff auf die Sowjetunion der kommunistische Aufstand losbrach, wurde Veesenmayer als politischer Berater des Bevollmächtigten des Auswärtigen Amtes beim Militärbefehlshaber, Felix Benzler, nach Belgrad entsandt. Die Einsetzung der nationalistischen Kollaborationsregierung in Zagreb ging großenteils auf Veesenmayer zurück. Wie die anderen Vertreter des Auswärtigen Amtes im Balkanraum, in Frankreich, in den Niederlanden und in Belgien war Veesenmayer zugleich ein erklärter Gegner der unterschiedslosen Anwendung von Repressalien, da diese nach seiner Überzeugung nur zu einem Anwachsen der Aufstandsbewegungen führten. Stattdessen setzte er sich für eine Kanalisierung der Gewalt gegen die einheimischen Juden ein, was ihm im Januar 1942 die Ernennung zum SS-Oberführer einbrachte.[172]

Ein gutes Jahr später wurde Veesenmayer wieder in einem Krisenherd eingesetzt, als er im Auftrag Ribbentrops Geheimverhandlungen zwischen Ungarn und der Slowakei nachspürte, die angesichts der sich am Horizont abzeichnenden Niederlage mit dem Gedanken spielten, gemeinsam aus der »Achse« auszuscheren. Während Veesenmayer in Serbien die Judenvernichtung auch deshalb befürwortet hatte, weil mit der Beschränkung der Geiselerschießungen auf Juden einer weiteren Erstarkung der nationalistischen Widerstandsbewegung entgegengewirkt wurde, sollte sein diesbezügliches Engagement in Bratislava und Budapest zugleich ein Lackmustest der Bündnistreue für die dortigen Regierungen sein und diese durch Mittäterschaft wieder stärker an das Reich binden. Wie bei keinem anderen Vertreter des Auswärtigen Amtes verbanden sich in Veesenmayer menschenverachtende Ideologie und eiskalter Pragmatismus.

Diese Kombination beeindruckte auch Hitler und führte daher nach dem Einmarsch der deutschen Truppen in Ungarn am 19. März 1944 zur Ernennung Veesenmayers zum Reichsbevollmächtigten des Auswärtigen Amtes in Budapest. Parallel erfolgte die Angleichung seines SS-Ranges vom Oberführer zum Brigadeführer. Mit der Personalie hatte sich Ribbentrop gegen Himmler und Bormann durchgesetzt, die Veesenmayer ablehnten, und damit die SS in Ungarn auf den zweiten Platz verwiesen. In Verfolgung seiner bisherigen Politik ging Veesenmayer jetzt rücksichtslos gegen die ungarischen Juden und gegen potenzielle Gegner des Deutschen Reiches vor, ließ Arbeitskräfte zwangsverschleppen und forcierte die wirtschaftliche Ausbeutung des Landes. Im März 1944 war der ultimative Charakter der »Endlösung« kein Geheimnis mehr. Dennoch wurde der Vernichtungsapparat auch in Ungarn mit voller Gewalt in Gang gesetzt – und dies im Bewusstsein der bevorstehenden deutschen Niederlage und unter maßgeblicher Beteiligung des Auswärtigen Amtes.

Die antijüdische Aktion in Ungarn sollte schnell und effektiv durchgeführt werden. Ein Einsatzkommando zunächst unter dem Befehl Kaltenbrunners und später Adolf Eichmanns traf am 19. März in Budapest ein, und Veesenmayer wurde angewiesen, seine Berichte über einen Sonderstab des Auswärtigen Amtes in Salzburg unter Botschafter Karl Ritter an den Reichsaußenminister zu leiten.[173] Seine zahlreichen Berichte zeigen, wie sehr Veesenmayer bis ins kleinste Detail einbezogen war und mit welcher Leidenschaft er die Maßnahmen begleitete. Immer wieder unterbreitete er Verbesserungsvorschläge. So berichtete er Anfang April 1944 über die Reaktion der Budapester Bevölkerung auf die Bombenangriffe und über Flugblätter, in denen »für jeden getöteten Ungarn das Leben von 100 Juden gefordert wird«. Veesenmayer fand diese Initiative »praktisch nicht durchführbar, da wir dann mindestens 30 000 bis 40 000 Juden erschießen müssten«, obwohl er prinzipiell die Maßnahme als eine »Propagandamöglichkeit« mit »abschreckender Wirkung« befürwortete. Er selbst habe »keine Bedenken bei dem nächsten Angriff für jeden getöteten Ungarn zehn passende Juden erschießen zu lassen«.[174] Zudem nahm Veesenmayer an der Organisation der Judentransporte teil und bat das Auswärtige Amt Mitte April um »umgehende Weisung«, wohin der Transport mit 5 000 Juden zur Arbeit nach Deutschland geleitet werden solle.[175] Gerade das ungarische Beispiel zeigt in aller Schärfe, wie das Auswärtige Amt und seine Beamten sowohl vor Ort als auch in der Zentrale geradezu schrankenlos als Vollstrecker beziehungsweise Vollstreckungsgehilfen des Judenmords fungierten.

Ende April 1944 wurde Hauptsturmführer Adolf Hezinger als Verbindungsmann zwischen der Gesandtschaft, der SS und den ungarischen Behörden eingesetzt. In seinen Aufgabenbereich fiel auch die Behandlung ausländischer Juden.[176] Hezinger stand in Kontakt mit Eichmann und besuchte die Durchgangslager, in denen er ausländische Juden aufspürte, auch wenn er dort, so seine eigene Aussage, »zusammengeklappt«

war.[177] Am 22. Mai 1944 traf auch Eberhard von Thadden in Budapest ein, um sich über die antijüdischen Maßnahmen, die Behandlung der ausländischen Juden, das jüdische Vermögen und andere Fragen zu informieren, aber auch um über die Ersetzung Hezingers zu entscheiden. Adolf Eichmann bat Thadden »um weitere Unterstützung in der Form, wie sie Hezinger bisher geleistet habe. Nur dadurch könne er bei der an sich erforderlichen Härte der ungarischen Gendarmerie und bei der nicht zu leugnenden Sturheit seiner eigenen Außenkommandos eine Gewähr dafür sehen, dass bei der Behandlung von Ausländern keine zu groben Schnitzer passierten.«[178]

Nach seiner Rückkehr nach Berlin schrieb Thadden zwei Berichte und trug auch bei der »Morgenandacht« im Auswärtigen Amt am 13. Juli 1944, der täglichen Runde der Abteilungsleiter unter Vorsitz des Staatssekretärs, zur Situation der ungarischen Juden vor.[179] In seinem Bericht an den Staatssekretär zur Vorlage beim Reichsaußenminister schrieb er über die Deportationen (»täglich 12–14000 ins Generalgouvernement zur Verladung«), auch über die Tarnungstaktiken, die man »trotz der unmittelbar bevorstehenden Radikallösung« wegen der »Erregung«, die die Maßnahmen unter den Juden auslösten, einsetzte.[180]

Die »Judenarbeit« in der Budapester Gesandtschaft oblag dem Diplomaten Theodor Horst Grell.[181] Grell war 1929 in die Partei eingetreten, 1933 in die SS, 1937 in den Auswärtigen Dienst. 1939 meldete er sich zum Militärdienst und erlitt schwere Verwundungen, die sein Gesicht entstellten. 1941 wurde er in die deutsche Gesandtschaft in Belgrad versetzt und wurde danach Vizekonsul im rumänischen Orsova. Nach einer Zeit in der Deutschlandabteilung der Berliner Zentrale wurde er 1943 nach Marseille entsandt. Seine letzte Tätigkeit vor seiner Entsendung nach Budapest war die Leitung des Referats R XV (Pass- und Sichtvermerke) in der Wilhelmstraße. Anders als Hezinger, der ein Sonderemissär war, war Grell in die Gesandtschaft integriert.[182] Nicht zuletzt war er zuständig für die »Aussortierung« ausländischer Juden vor der Deportation, die laut einer Vereinbarung zwischen SS, SD und dem Auswärtigen Amt »einem Beauftragten der deutschen Gesandtschaft in Budapest an Ort und Stelle« übertragen wurde. Zudem beauftragte Eberhard von Thadden Grell, über die Judenmaßnahmen zu berichten, da der Reichsaußenminister »Wert darauf lege, auf direktem Wege (d.h. nicht über RSHA-Berichte) möglichst noch schneller und besser unterrichtet zu werden«.[183] Die »Judenangelegenheiten« machten, so Grell nach 1945, etwa zwischen 25 und 33 Prozent seiner Tätigkeit aus.[184]

Grell arbeitete bei den Selektionen der ausländischen Juden genau nach Vorschrift. Die »technische Schwierigkeit« bestand für ihn darin, dass »viele der Personen überhaupt keine Papiere besaßen, weil die ungarische Gendarmerie sie ihnen abgenommen hatte«. Die »Belegung der Waggons« während der Deportationen bezeichnete er als »übernormal«.[185] Ihm war klar, dass das Ziel der Deportationen nicht bloß ein Arbeitseinsatz war, sondern die »Entfernung des Judentums aus Ungarn«. Juden waren für ihn »absolute und gefährliche Gegner der deutschen Kriegsziele«.[186] Nach dem Krieg gab er zu, als »Nationalsozialist auch Antisemit gewesen« zu sein, behauptete jedoch während des Gerichtsverfahrens, dass sein Antisemitismus nicht »ein Vernichtungsprogramm« eingeschlossen habe, sondern lediglich die »Reinhaltung des deutschen Volkes«. Er räumte indes ein, dass er, selbst wenn er um das wahre Ziel der Deportationen gewusst hätte, aus seiner »ganzen Auffassung als Beamter und Nationalsozialist ... nicht offen gemeutert hätte«. Er hätte sich aber, so erklärte er bei seiner Vernehmung, vor einer weiteren Tätigkeit in diesem Bereich »gedrückt«.[187]

Während der Vorbereitung der Deportationen aus Budapest im Mai 1944 erwartete man im Auswärtigen Amt eine »heftige Reaktion« des Auslands. Um diese einzudämmen, schlug Paul Karl Schmidt von der Presseabteilung eine Tarnungsstrategie vor, über die Thadden zunächst Veesenmayer unterrichtete, indem er ihn um Stellungnahme bat: »Presse/Abtl. beabsichtigt, beim Minister anzuregen, dass man äußere Anlässe und Begründungen für die Aktion schafft ... z.B. Sprengstofffunde in jüdischen Vereinshäusern und Synagogen, Sabotageorganisationen, Umsturzpläne, Überfälle auf Polizisten«. Der Schlussstein, so zitierte Thadden aus dem Schreiben der Presseabteilung, »unter einer solche Aktion müsste ein besonders krasser Fall sein, an dem man dann die Großrazzia aufhängt«.[188] Veesenmayer lehnte jedoch ein solches Tarnmanöver als undurchführbar ab. Er bat »dringend von jeder propagandistischen Aktion abzusehen«, weil »überall bekannt ist, dass seit Wochen jüdische Vereinshäuser und Synagogen unter scharfer Kontrolle ungarischer Polizei stehen ... und dass Juden in ihrer Bewegungsfreiheit sehr eingeschränkt sind«. Zudem fürchtete Veesenmayer keine »größere

Reaktion« des Auslands, da »seit langem bekannt [ist], dass Ghettoisierung auch in Budapest zu Ende geführt wird«.[189]

Am 6. Juli 1944 teilte die ungarische Regierung mit, dass Horthy die »Juden-Aktionen gestoppt« habe, weil »der Reichsverweser und die ungarische Regierung ... unter einem Trommelfeuer von Telegrammen, Appellen und Drohungen wegen der Judenfrage [stünden]. So habe der König von Schweden wiederholt telegrafiert, desgleichen der Papst ... Ferner die türkische Regierung, die schweizerische Regierung, maßgebliche Männer aus Spanien, nicht zuletzt zahlreiche Persönlichkeiten im eigenen Land selbst.«[190] Veesenmayer kannte auch den Grund für die Entscheidung, nämlich die »Angst, dass Deutschland den Krieg verliert. Daher auch die verzweifelten Bemühungen dieser Kreise, sich ein Alibi, für die Zukunft zu verschaffen.«[191] Und weil die Ungarn die Deportationen hinauszögerten, wiederholte Inland II im Schreiben an Veesenmayer das Argument, »dass der Verbleib der Juden bei Näherrücken der Front im deutsch-ungarischen Operationsgebiet eine unmittelbare Gefahr darstelle«, und fragte zweckorientiert, »ob die SS in der Lage ist, zurzeit in Budapest die erforderlichen Kommandos bereitzustellen«.[192]

Streng vertraulich unterrichtete der ungarische Regierungschef Sztójay Veesenmayer von der Entzifferung von »Geheimtelegrammen« der amerikanischen und englischen Gesandten in Bern, in denen das bevorstehende Schicksal der deportierten ungarischen Juden ewähnt wurde, nämlich dass »bereits 1,5 Millionen Juden vernichtet worden seien und derzeit laufend der größte Teil der abtransportierten Juden das gleiche Schicksal« erleide. Ferner sei in den Telegrammen vorgeschlagen worden, die »Bestimmungsorte, wohin die Juden kommen«, zu bombardieren sowie die »Bahnen, die Ungarn mit diesem Ort verbinden«, zu zerstören.[193] Spätestens von diesem Zeitpunkt an musste den deutschen Diplomaten klar sein, dass auch die Alliierten mittlerweile die Wahrheit kannten.

Mit der Absetzung Horthys durch Hitler und der Bildung einer Regierung der faschistischen Pfeilkreuzler-Bewegung unter ihrem Führer Ferenc Szálasi im Oktober 1944 war laut Veesenmayer, »auch [die] Judenfrage ... in [ein] neues Stadium getreten«.[194] Wegen Mangels an Arbeitskräften mussten, so Veesenmayer, 50 000 der Budapester Juden »im Fußtreck zum Arbeitseinsatz nach Deutschland transportiert« werden.[195] Der Rest der arbeitsfähigen Juden sollte zu »militärischen Befestigungsarbeiten in [der] Umgebung eingesetzt und übrige Juden insgesamt in

Ghetto-ähnlichen Lagern an Stadtperipherie konzentriert werden«.[196] Ribbentrops Botschaft an Veesenmayer lautete:»Insbesondere liegt es sehr in unserem Interesse, wenn die Ungarn jetzt auf das Allerschärfste gegen die Juden vorgehen.«[197] Ende Oktober wurden Tausende von Juden, die Mehrzahl Frauen, unter den schlimmsten Bedingungen in Fußmärschen nach Österreich getrieben; die Todesrate war so hoch, dass selbst Szálasi unruhig wurde.[198] Veesenmayer berichtete nach Berlin, Szálasi habe angeordnet, den »Abtransport von Judenfrauen in Hinblick auf hierbei aufgetretene Unzulänglichkeiten nicht mehr in Fuß-Trecks, sondern ausschließlich bei Gestellung [von] Transportmitteln zuzulassen, was angesichts Unmöglichkeit Waggonbeschaffung praktisch Einstellung Abtransports gleichkommt«.[199]

Wegen des Drucks aus dem Ausland ergaben sich begrenzte Rettungsmöglichkeiten. Als Ungarn sich bereit erklärte, die Auswanderung von 7 800 Juden zu erlauben, waren unter ihnen 7 000 Juden mit Palästina-Zertifikaten, die durch die Vermittlung der Schweizer Gesandtschaft, welche die Interessen Großbritanniens in Ungarn vertrat, ausgestellt worden waren. Moshe Krausz, Mitglied der jüdischen Rettungskommission (*Va'adat Ezra Vehazala*) und Leiter des Palästina-Amtes, gelang es, die individuellen Zertifikate in potenzielle Familienzertifikate umzuwandeln und dadurch die Zahl der zu rettenden Juden erheblich zu vergrößern. Er überredete den Schweizer Vizekonsul Carl Lutz, Schutzpapiere für cirka 40 000 Juden auszustellen.[200] Daraufhin monierte Veesenmayer in Berlin:»Schweizerische Gesandtschaft hat mitgeteilt, dass ihr Einwanderungszertifikate nach Palästina für 8 700 Familien mit insgesamt etwa 40 000 Personen vorlägen … Diese Ziffern differieren von der nach Ziffer 2 d genannten Zahl der erwähnten Aufzeichnung von ungefähr 7 000 Personen sehr wesentlich.«[201]

Trotz dieser Rettungsversuche offenbarte die deutsche »Judenaktion« in Ungarn, mit welcher routinierten Effizienz deutsche Behörden mittlerweile Juden in Europa erfassten und der Vernichtung zuführten. Deutsche Diplomaten, im ungarischen Falle vor allem Veesenmayer, Hezinger und Grell, wirkten vor Ort an den Maßnahmen mit und bemühten sich um einen glatten Ablauf. Die Kooperation mit dem RSHA funktionierte reibungslos. Mindestens 400 000 Juden wurden so im Frühling 1944 von Ungarn nach Auschwitz deportiert; dort wurden etwa 180 000 von ihnen ermordet.[202]

Verbündete und Vasallen

Anders als in den bisher genannten Ländern ging es im Verhältnis Deutschlands zu seinen Verbündeten zumindest theoretisch auch in den Kriegsjahren weiterhin um bilaterale Beziehungen zwischen souveränen Staaten. Gerade deshalb war das Auswärtige Amt für die »Lösung der Judenfrage« in diesen Staaten noch wichtiger als in den meisten vom Reich besetzten Gebieten. Aus *Finnland* berichtete der deutsche Botschafter Wipert von Blücher, für den die Unterstützung durch Finnland wichtiger war als die Judenfrage, wiederholt über die negative Reaktion der Finnen auf die antijüdischen Maßnahmen des Reiches, die das »finnische Volk uns innerlich entfremden«. Als Beispiel der Empfindsamkeit der Finnen in diesem Zusammenhang erwähnte der Botschafter die »starke Reaktion«, die »Gerüchte über die Ausweisung weniger Juden ... hervorriefen, die die Stellung des deutsch-freundlichen Innenministers erschütterte«. Auch die Maßnahmen gegen die dänischen Juden weckten antideutsche Reaktionen. Acht Monate später fasste Blücher zusammen: »Deutsches Vorgehen gegen Juden ist das Thema, in dem wir in Finnland Volksmeinung geschlossen gegen uns haben.«[203] In einem von Hahn entworfenen Schriftsatz wies Unterstaatssekretär Luther die Botschaft in Finnland daraufhin an, keine Gelegenheit ungenutzt zu lassen, die dortige Regierung und einflussreiche Persönlichkeiten immer wieder aufs Neue darauf hinzuweisen, dass auch für Finnland die Abwehr des Bolschewismus eine Lebensfrage sei und sich die rücksichtslose politische Entmachtung des Judentums als unabdingbare Voraussetzung für die Freiheit und Zukunft des Kontinents darstelle.[204]

Ganz anders stellte sich die Entwicklung in *Italien* dar. Der faschistische Staat hatte bereits 1938 seine eigenen Rassengesetze eingeführt. Doch in der Praxis klafften während des Krieges die italienische und die deutsche Judenpolitik weit auseinander. Genau hier lag der Ansatzpunkt für das Auswärtige Amt. Die Italiener, meinte Unterstaatssekretär Luther im Herbst 1942, hätten sich »in der Praxis ... im allgemeinen in dieser Frage wenig verständnisvoll gezeigt, oder auch sehr empfindlich, wenn dabei Interessen italienischer Juden berührt wurden«.[205] Noch eindeutiger äußerte sich Anfang 1943 Ribbentrop selbst: »Während wir das Judentum als eine Krankheit erkannt haben, die einen Volkskörper zu zersetzen droht und die den Neuaufbau Europas zu verhindern sucht, glaubt die italienische Regierung, die Juden individuell behandeln zu können … Die italienische Regierung setzt sich auch im Ausland für Juden ein, die die italienische Staatsangehörigkeit besitzen, und zwar besonders dann, wenn diese Juden wirtschaftlichen Einfluss gewonnen haben.« Die Vertreter des Auswärtigen Amtes wurden beauftragt, die Italiener aufzuklären: »Ich bitte Sie«, wies Ribbentrop im Januar 1943 den deutschen Botschafter in Italien, SS-Gruppenführer Hans Georg von Mackensen, an, »auf die ungeheure Gefahr hinzuweisen, die die Anwesenheit von Juden überall dort, wo sie leben, bedeutet; diese Gefahr ist in politisch wichtigen Gebieten und allen militärischen Interessengebieten besonders groß … Sie können den Italienern dabei einige Beispiele aus unserer Erfahrung anführen und betonen, dass das Judentum in seiner Gesamtheit für uns und unseren Kampf der schlimmste Feind ist.«[206] Dem italienischen Argument, dass italienische Juden für die Interessen Italiens einträten, begegnete die deutsche Botschaft in Rom mit den Worten: »Nach nationalsozialistischer Auffassung können bekanntlich Juden stets nur für das jüdische Interesse, nie aber für das nationale Interesse irgendeines Landes tätig werden … auch wenn sie mitunter aus Tarnungsgründen versuchen, sich einen derartigen Anschein zu geben.«[207]

Nach der alliierten Landung in Sizilien, dem daraus resultierenden Sturz Mussolinis und der Kapitulation der italienischen Streitkräfte im September 1943 wurde Italien deutsches Besatzungsgebiet. In die Frage der neuen Verwaltung Italiens war das Auswärtige Amt mit eingebunden. Vermutlich auf Drängen Ribbentrops wurde ein vorläufiger Regierungsausschuss stellvertretend für den Duce ausgerufen. Ribbentrop war es gleichgültig, wer letztlich an der Spitze einer italienischen Marionettenregierung stand. Italien war formal weiterhin mit Deutschland verbündet, aber nur die Existenz einer italienischen Regierung konnte die Zuständigkeit des Auswärtigen Amtes für Italien weiterhin sicherstellen.

Am 10. September 1943 bestellte Hitler den Gesandten Rudolf Rahn zum Bevollmächtigten des Reiches bei der faschistischen Nationalregierung. Jahrgang 1900, war Rahn 1928 in das Auswärtige Amt eingetreten und hatte Verwendung in der Berliner Zentrale, in Ankara, Lissabon, Paris und Tunis gefunden. Er war der Typus eines zupackenden Diplomaten ganz nach Ribbentrops Geschmack, der unter Abetz in Frankreich Erfahrungen im Umgang mit Kollaborationsregierungen gesammelt hatte; Elan und Durchsetzungsvermögen hatten ihm den Spitznamen »Karl May unter den Diplomaten« eingebracht.[208] Zugleich mit Rahn wurde der Höhere SS- und Polizeiführer in Italien, SS-Obergruppenführer Karl Wolff, als Sonderberater für polizeiliche Angelegenheiten bei der italienischen Regierung eingesetzt. Da in allen außenpolitisch relevanten Fragen das Einverständnis des Reichsbevollmächtigten eingeholt werden musste und Italien nach wie vor als Ausland galt, erschien Rahn zunächst als der mächtigste Vertreter des Reiches in Italien. Dies änderte sich mit dem zweiten »Führerbefehl« vom 10. Oktober 1943, in welchem dem Militärbefehlshaber weitgehende politische Befugnisse zugesprochen wurden. Die Folge waren andauernde Kompetenzstreitigkeiten zwischen der Wehrmacht und dem Auswärtigen Amt.

Dieser Antagonismus wurde insofern entschärft, als Generalfeldmarschall Albert Kesselring im besetzten Gebiet für militärische Angelegenheiten zuständig war, Rahn, der ab November 1943 auch als Botschafter in der »Dienststelle Rahn« in Fasano, einer Residenz unweit Salo am Gardasee, fungierte, für zivile. Um den Schein zu wahren, überließen die Deutschen die Umsetzung der von ihnen angeordneten Maßnahmen der italienischen Regierung, an deren Spitze seit dem 23. September 1943 wieder Mussolini stand. Rahn sorgte dafür, dass die militärischen Belange auf ein Minimum reduziert wurden. Ihm kam insofern eine Sonderstellung innerhalb der deutschen Besatzungsverwaltung zu, als er offen für die Kollaboration mit der in den besetzten Ländern lebenden Bevölkerung und ihre Einbindung in den deutschen Kampf gegen Widerstandsbewegungen eintrat.[209]

Nahezu zeitgleich mit der Besetzung Italiens forderte der Generalbevollmächtigte für den Arbeitseinsatz Fritz Sauckel Arbeiterkontingente. Rahn gelang es jedoch in Absprache mit den militärischen Behörden, die Umsetzung dieser unpopulären Maßnahme und die Einführung eines Dienstverpflichtungsgesetzes der italienischen Regierung zu überlassen, der es wiederum unter Hinweis auf ihre Souveränität und mit Unterstützung Rahns gelang, die überzogene Forderung Sauckels nach 3,3 Millionen Arbeitern drastisch zu reduzieren – was sich freilich nur durchsetzen ließ, weil Rahn den SS- und Polizeiapparat auf seiner Seite wusste. SS und Polizei waren aber auch noch in einem anderen Zusammenhang auf seiner Seite. Ab dem Frühjahr 1944 wurden italienische Partisanenverbände durch Wehrmacht-, SS- und Polizeiverbände unter italienischer Beteiligung mit teils drakonischen Mitteln bekämpft. Da auch die Zivilbevölkerung in vielen Fällen Opfer solcher »Strafaktionen« wurde, erhielten die Partisaneneinheiten noch mehr Zulauf. Weil die italienische Regierung richtigerweise davon ausging, dass es sich bei einem Großteil der Partisanen nicht um überzeugte Antifaschisten handelte, bot sie allen, die bis zum 25. Mai 1944 aus den Bergen zurückkehrten, Straffreiheit an. Rahn unterstützte dieses Programm, das ganz auf seiner Linie lag und die Gewinnung weiterer Arbeitskräfte auf freiwilliger Basis in Aussicht stellte. Den Menschenjagden, die in allen anderen besetzten Gebieten veranstaltet wurden, konnte Rahn sich auch in Zukunft erfolgreich entgegenstellen,[210] zumal SS-Obergruppenführer Wolff sich im November 1944 gegenüber Sauckel gegen »weitere Versuche von Menschenjagd, da er als für die Ruhe im italienischen Raum Verantwortlicher die Folgen von Befehlen dieser Art ausbaden müsse«, verwahrte.[211]

Nach der italienischen Kapitulation 1943 waren nun freilich Juden in den italienischen Gebieten, die jetzt unter deutsche Besatzung kamen, und italienische Juden oder Juden, die bis dahin unter italienischem Schutz gestanden hatten, den nationalsozialistischen Maßnahmen in aller Schärfe ausgesetzt. Mit seiner großen jüdischen Bevölkerung stand Rom im Zentrum der Deportationen. Die Ereignisse konnten dem Papst nicht entgehen, und die deutschen Vertreter in der Stadt befürchteten Konflikte. Am 6. Oktober 1943 informierte der deutsche Konsul Moelhausen Ribbentrop, dass der Polizeiattaché Obersturmbannführer Kappler beauftragt worden sei, »die achttausend in Rom wohnenden Juden festzunehmen und nach Oberitalien zu bringen, wo sie liquidiert werden sollen«. Der Militärkommandant von Rom, General Stahel, habe jedoch erklärt, dass er die Aktion nur zulassen werde, wenn sie im Sinne des Herrn Reichsaußenministers liege. Allerdings war Moelhausen der Ansicht, »dass es ein besseres Geschäft wäre, Juden, wie in Tunis, zu Befestigungsarbeiten heranzuziehen«. Das Auswärtige Amt entschied anders: »Der Herr RAM bittet, Gesandten Rahn und Konsul Moelhausen mitzuteilen, dass auf Grund einer Führerweisung die 8 000 in Rom wohnenden Juden nach Mauthausen (Oberdonau) als Geiseln gebracht werden sollen. Der Herr RAM bittet, Rahn und Moelhausen anzuweisen, sich auf keinen Fall in diese Angelegenheit einzumischen, sie vielmehr der SS zu überlassen.«[212]

Die Aktion begann in der Nacht des 15. Oktober. Von den 1 259 erfassten Juden wurden 1 007 nach Auschwitz deportiert. Etwa 7 000 Juden gelang es, sich zu verstecken. Im Hinblick auf die Haltung des Papstes meldete Ernst von Weizsäcker, seit Juni 1943 Botschafter beim Heiligen Stuhl, dass die Kurie besonders betroffen sei, da sich der Vorgang sozusagen unter den Fenstern des Papstes abgespielt habe. Doch der Papst habe sich, »obwohl dem Vernehmen nach von verschiedenen Seiten bestürmt, zu keiner demonstrativen Äußerung gegen den Abtransport der Juden in Rom hinreißen lassen ... In dieser heiklen Frage hat er alles getan, um das Verhältnis zu der deutschen Regierung und den in Rom befindlichen deutschen Stellen nicht zu belasten.« Und Weizsäcker ergänzte: »Da hier in Rom weitere deutsche Aktionen in der Judenfrage nicht mehr durchzuführen sein dürften, kann also damit gerechnet werden, dass diese für das deutsch-vatikanische Verhältnis unangenehme Frage liquidiert ist.«[213]

Die »unangenehme Frage« stellte sich jedoch in anderen italienischen Städten. Im November und Dezember 1943 wurden zwei Transporte mit insgesamt 1 000 Juden nach Auschwitz gebracht. Da sich auch in diesem Fall viele Juden verstecken konnten, wandte sich Horst Wagner an Gestapo-Chef Müller: Das Auswärtige Amt halte es »für dringend wünschenswert, dass die Durchführung der Maßnahmen gegen die Juden nunmehr laufend von deutschen Beamten überwacht wird. Daher erscheint der Einbau eines Teiles der zur Zeit zum Einsatzkommando Italien gehörenden Kräfte getarnt als Berater in den italienischen Apparat angezeigt und notwendig.«[214] Ähnlich äußerte sich Thadden gegenüber Botschafter Rahn: »Nach früheren Erfahrungen sind Kontrollmaßnahmen durch Berater, die aus Einsatzkommando Reichsführer-SS zu entnehmen wären, erforderlich.«[215] Diplomatie im traditionellen Sinn war dies nicht mehr, sondern Beihilfe zur Ermordung der italienischen Juden. Die Unterschiede zwischen Reichssicherheitshauptamt und Auswärtigem Amt verschwammen. In der Taktik des Vorgehens unterschied man sich, nicht aber im Ziel, und so gingen die Deportationen italienischer Juden bis Dezember 1944 weiter.

Das falangistische *Spanien* unter Franco war im Hinblick auf die Judenpolitik ein Sonderfall. Ideologisch stand Spanien Deutschland und Italien zwar nahe, es verfolgte jedoch eine Politik der Neutralität, der »Nichtkriegführung«, wie man es in Spanien nannte, die dem Land die Chance verschaffen sollte, sich je nach Kriegsverlauf auf die Seite der Sieger zu schlagen. Deutsche Diplomaten hatten insbesondere mit spanischen Juden zu tun, die sich *außerhalb* Spaniens im deutschen Machtbereich aufhielten. Als das Reichssicherheitshauptamt 1942 auf die Einbeziehung aller ausländischen Juden in die Deportationen drängte, forderte das Auswärtige Amt die spanische Regierung ultimativ auf, die Juden mit spanischer Staatsbürgerschaft entweder umgehend zu repatriieren, sie »heimzuschaffen«, wie es im Jargon hieß, oder aber ihrer Deportation zuzustimmen. Eine Ausreise spanischer Juden aus dem deutschen Machtbereich in Drittländer, beispielsweise die Türkei, wie sie die spanische Regierung vorgeschlagen hatte, lehnte das Auswärtige Amt ab. Botschafter Hans Adolf von Moltke machte seinen spanischen Gesprächspartnern unmissverständlich klar, dass »nur eine Zurückziehung [der Juden] nach Spanien oder ihre Unterwerfung unter die allgemein geltenden Bestimmungen« infrage käme.[216] Ebenso sprach sich Judenreferent Thadden strikt dagegen aus, neu eingebürgerte Juden von den deutschen »Judenmaßnahmen« auszuschließen. Das Auswärtige Amt sei, so Thadden, »in jeder Weise bestrebt, gerade auf dem Gebiet der allgemeinen Judenpolitik den Wünschen der zuständigen inneren Stellen, soweit es irgendwie außenpolitisch vertretbar ist, Rechnung zu tragen«.[217] Die spanische Politik war lange bereit, dem deutschen Druck nachzugeben. Erst als man sich in Madrid nicht mehr der Erkenntnis verschließen konnte, dass den spanischen Juden bei einem Verbleib im deutschen Machtgebiet der Tod drohte, begann Spanien verfolgte Juden vor dem deutschen Zugriff zu schützen. Das entsprach nicht nur dem Primat der nationalen Souveränität, der die Zustimmung zur Ermordung spanischer Staatsbürger durch ein anderes Land verbot, sondern hing auch mit diplomatischen Rücksichtnahmen auf Großbritannien und die USA zusammen – zumal ein Sieg der Alliierten ab 1942/43 nicht mehr auszuschließen war.[218]

Viel stärker als bei einem gewichtigen Verbündeten wie Italien konnten deutsche Diplomaten bei den kleineren Verbündeten und den Vasallenstaaten Deutschlands Einfluss auf die »Lösung der Judenfrage« nehmen. Nicht wenige dieser kleineren Staaten hatten freilich ihrerseits die Bereitschaft signalisiert, die »Judenfrage« radikal zu lösen.

Die *Slowakei* war bereits vor dem Krieg, im März 1939, zum Vasallenstaat des Reiches geworden. Bis Dezember 1940 leitete SA-Obergruppenführer Manfred Freiherr von Killinger (1886–1944), NSDAP-Mitglied seit 1927, Angehöriger des AA seit 1935, die Gesandtschaft in Pressburg (Bratislava). SS-Hauptsturmführer Dieter Wisliceny wurde sein »Judenberater«. Im Januar 1941 übernahm SA-Obergruppenführer Hanns Elard Ludin (1905–1948), Parteimitglied seit 1930, SA-Mann seit 1931, die Gesandtschaft in Bratislava. Nachdem bereits eine Vielzahl antijüdischer Gesetze erlassen worden war – schon 1940 hatte das Auswärtige Amt der slowakischen Regierung zwei Exemplare der »Nürnberger Gesetze« überlassen –, trieb das Reichssicherheitshauptamt seit Herbst 1941 die Verfolgung und Deportation der slowakischen Juden voran.[219]

Das Auswärtige Amt fungierte fortan in der Slowakei als Handlanger des Reichssicherheitshauptamts. Im Februar 1942 wies Unterstaatssekretär Luther in Berlin die deutsche Gesandtschaft in Pressburg an, »im Zuge der Maßnahmen zur Endlösung der europäischen Judenfrage ... sofort 20 000 junge kräftige slowakische Juden festzunehmen und nach dem Osten zu verbringen«. Schon bald aber ging es um die Aussiedlung aller slowakischen Juden.[220] Die Slowakei sollte 500 Reichsmark pro Kopf an Deutschland zahlen. »Der erwähnte einmalige Betrag von RM 500,– je Kopf«, so Luther, »dient zur Bestreitung der Kosten, die bei der Unterbringung, Verpflegung, Bekleidung und Umschulung dieser Juden in nächster Zeit entstehen werden.«[221]

Franz Rademacher in Berlin wurde laufend über die Deportationen der slowakischen Juden informiert. Nachdem »in der Zeit vom 25.3. bis 29.4.1942 die ersten 20 000 – in der Mehrzahl arbeitsfähige – Juden aus der Slowakei nach Auschwitz und Lublin abgeschoben« worden waren, setzte im Mai 1942 die Deportation der nächsten 20 000 Juden in das Generalgouvernement ein. Von nun an, so wurde dem Auswärtigen Amt mitgeteilt, sollten monatlich 20 000 bis 25 000 Juden aus der Slowakei deportiert werden.[222] Die Deportationen brachen jedoch Ende Juni 1942 ab. Am 26. Juni 1942 wurden bei einem Treffen des slowakischen Ministerpräsidenten Vojtech Tuka mit Ludin und Wisliceny Zahlen genannt: 52 000 waren deportiert worden, 35 000 zurückgeblieben. Wie sehr gerade das Auswärtige Amt daran interessiert war, die »Endlösung« in der Slowakei zu beschleunigen, zeigt Ludins Bericht nach Berlin: »Die Durchführung der Evakuierung der Juden aus der Slowakei ist im Augenblick auf einem toten Punkt angelangt. Bedingt durch kirchliche Einflüsse und durch die Korruption einzelner Beamten haben etwa 35 000 Juden Sonderlegitimationen erhalten, auf Grund deren sie nicht evakuiert zu werden brauchen. Die Judenaussiedlung ist in weiten Kreisen des slowakischen Volkes unpopulär ... Ministerpräsident Tuka wünscht jedoch die Judenaussiedlung fortzusetzen und bittet um Unterstützung durch scharfen diplomatischen Druck des Reiches.«[223]

Die entscheidende Figur war Staatspräsident Jozef Tiso. Das Referat D III und Staatssekretär Weizsäcker empfahlen dem Gesandten in Bratislava, Tiso die Unzufriedenheit Deutschlands wegen der vielen Ausnahmeregelungen vorzutragen: Die Einstellung der Aussiedlung würde in Deutschland »einen sehr schlechten Eindruck hinterlassen« hieß es in dem Entwurf Weizsäckers an Ludin, und dies umso mehr, als die »bisherige Mitwirkung der Slowakei in der Judenfrage hier sehr gewürdigt worden sei«.[224] Weizsäcker milderte den Entwurf noch ab, bevor das Schreiben nach Pressburg versandt wurde: Die Einstellung der Aussiedlungen würde in Deutschland »überraschen«, lautete die Formulierung nunmehr. Die Weisung, den Druck auf die slowakische Regierung zu erhöhen, hatte damit eine Form gefunden, die Weizsäcker selbst kaum kompromittieren konnte.[225] Doch auch dieser Druck brachte nicht den erhofften Erfolg, zumal in der Zwischenzeit Nachrichten von der Vernichtung der Juden auch die Slowakei erreichten. Auf Veranlassung der slowakischen Bischöfe verlangte Ministerpräsident Tuka eine Inspektion der Konzentrationslager durch eine slowakische Kommission. Tukas Gesuch wurde von Thadden an Eichmann weitergeleitet. Paul Karl Schmidt, der Sprecher des Auswärtigen Amtes, erklärte derweil in Bratislava der Presse, das Problem der Juden sei ein Problem der politischen Hygiene, das überall zu bekämpfen sei, um den Zerfall des nationalen Organismus zu verhindern.[226]

Die ausweichende Haltung der Slowakei veranlasste Ribbentrop, »auf inoffiziellem Wege durch SS-Oberführer Veesenmayer Staatspräsident Tiso unser Interesse auf Bereinigung der Judenfrage in der Slowakei [zu] erkennen zu geben«.[227] Veesenmayer, seit 1938 Gesandter im Auswärtigen Dienst, war schon 1938/39 mehrfach von Ribbentrop zu Sondermissionen nach Pressburg geschickt worden. Während sein Versuch, die Slowakei zur Wiederaufnahme der Deportationen zu bewegen, im Sommer 1943 noch erfolglos blieb, konnte der Oberführer bei einem weiteren

Besuch im Dezember 1943 mit Tiso die Überführung von 16 000 bis 18 000 Juden in Lager bis zum 1. April 1944 vereinbaren.[228]

Nach dem slowakischen Aufstand Ende August 1944 übernahmen die Deutschen die volle Kontrolle über das Land. »Die Bereinigung der Judenfrage in der Slowakei«, so Thadden vier Wochen später, sei nunmehr »mit der neuen Regierung erneut aufzunehmen«. Ludin erklärte Tiso, dass »das Reich vom slowakischen Staat eine radikale Lösung verlange«.[229] Zum weiteren Mal benutzte das Auswärtige Amt die angebliche Beteiligung der Juden am August-Aufstand als Vorwand für die »Radikallösung«. Zwischen 13 000 und 14 000 Juden wurden erfasst und nach Auschwitz, Sachsenhausen und Theresienstadt deportiert, andere wurden in der Slowakei erschossen. Insgesamt wurden ungefähr 70 000 Juden aus der Slowakei deportiert, von denen 65 000 nicht überlebten.[230]

Nach dem deutschen Überfall im April 1941 hatte die Teilung Jugoslawiens einen weiteren Vasallenstaat des Dritten Reiches geschaffen: *Kroatien*. Im Vorfeld des Angriffs auf Jugoslawien hatte man im Auswärtigen Amt nach möglichen Verbündeten in der weitgehend autonomen Drau-Banschaft Kroatien gesucht und zu diesem Zweck SS-Brigadeführer Edmund Veesenmayer als Sonderbeauftragten des Reichsaußenministers nach Zagreb gesandt, wo er am 3. April 1941 im deutschen Generalkonsulat eintraf. Der Anführer der kroatischen Bauernpartei Vladko Maček erwies sich zunächst als Fehlgriff, da er nicht bereit war, sich von der jugoslawischen Regierung in Belgrad loszusagen und einen unabhängigen Staat Kroatien auszurufen. Veesenmayer schwenkte daraufhin, unter Vermittlung der militärischen Abwehr der Wehrmacht, auf das schwächere Lager der Ustascha um, einer Ansammlung radikaler kroatischer Nationalisten, die er – nachdem er sich bei Ribbentrop rückversichert hatte – geschickt durch enttäuschte Anhänger des rechten Flügels der Bauernpartei zu stärken verstand. Den von ihm verfassten Proklamationstext für ein unabhängiges Kroatien hatte Veesenmayer übersetzen und am 10. April verlesen lassen, vier Tage, nachdem deutsche Truppen die jugoslawische Grenze überschritten hatten. Hitler war es offensichtlich egal, dass der Einmarsch vor der Weltöffentlichkeit im Nachhinein schlecht als deutsche Unterstützung der faschistischen Ustascha ausgegeben werden konnte. Am 15. April erkannten die Achsenmächte den unabhängigen Staat Kroatien an, als dessen Regierungschef der mittlerweile aus dem italienischen Exil zurückgekehrte, von Mussolini favorisierte Anführer der Ustascha Ante Pavelić eingesetzt wurde.[231]

Am 19. April wurde der 37-jährige SA-Obergruppenführer Siegfried Kasche zum deutschen Gesandten in Zagreb ernannt, ein »›alter Kämpfer‹ mit leidlich guten Umgangsformen und Kenntnissen«, der in seiner Jugend an Freikorpskämpfen im Baltikum teilgenommen hatte und stellvertretender Gauleiter Ostmark, Reichsredner der NSDAP und »Beauftragter für die NS-Kampfspiele« gewesen war, bevor er in Zagreb seine erste diplomatische Verwendung fand.[232] Als »Deutscher General in Agram« und Vertreter der Wehrmacht bei der kroatischen Regierung amtierte der österreichische General der Infanterie Edmund Glaise von Horstenau.

Der neu erstandene Staat war jedoch für die Ustascha-Regierung nicht umsonst zu haben gewesen. Sowohl das Deutsche Reich als auch Italien machten in den ersten Wochen seiner Konstituierung weitreichende Gebietsansprüche geltend. An Deutschland fielen dabei von Slowenien die Oberkrain und die Untersteiermark, die den Gauen Kärnten und Steiermark angegliedert wurden und zur rücksichtslosen »Eindeutschung« vorgesehen waren. Ursprünglich sollten zwischen 220 000 und 260 000 Slowenen deportiert werden; noch bevor klar war, wohin, wurde die gesamte einheimische Bevölkerung einer demütigenden »rassischen Musterung« unterzogen.[233] Das Auswärtige Amt war in das nun einsetzende und bis zum Frühjahr 1942 andauernde Menschengeschacher von Beginn an eingebunden und prüfte geflissentlich die Abschiebemöglichkeiten nach Kroatien oder in das besetzte Serbien. »Hiesige [kroatische] Regierung erwägt Wunsch von Reichsregierung, aus der Untersteiermark ausgesiedelte Slowenen aufzunehmen, falls sie gleiche Zahl Serben nach Serbien abgeben kann. Erbitte Weisung dazu, welche Haltung ich einnehmen soll«, kabelte Kasche am 13. Mai 1941 nach Berlin.[234] Tags darauf vermerkte der Leiter der Kulturpolitischen Abteilung Fritz von Twardowski: »Umsiedlung Volksdeutscher aus der Gottschee und dem Laibacher Becken in das Reichsgebiet bearbeitet federführend Auswärtiges Amt Kult B spez. im Benehmen mit Reichsführer-SS und Vertretern Volksgruppe.«[235]

Am 27. Mai erbat Kasche »Einwilligung, dass ich hier eine Besprechung einberufe, welche Aussiedlung Slowenen nach Kroatien und Ge-

genaussiedlung Serben aus Kroatien nach Serbien behandelt«.[236] Auf
dieser Besprechung, die am 4. Juni in der deutschen Gesandtschaft in
Zagreb stattfand, wurde dann »Einmütigkeit erzielt ... dass 5000 politisch Belastete und Intellektuelle bis 5.7.41, 25000 slowenische Einwanderer von nach 1914 bis 30.8.41 und etwa 145000 slowenische Grenz-
bauern bis Oktober 1941 [nach Kroatien] umgesiedelt werden sollen«;
alle hierzu erforderlichen Schritte und Abläufe wurden minutiös im Besprechungsprotokoll festgehalten.[237] Zwei Tage später erklärte Hitler dem
frisch gekürten kroatischen Staatschef Pavelić in Anwesenheit Ribbentrops und Görings, »einmal müsse ein solcher Schnitt, eine Flurbereini-
gung, erfolgen, die sicherlich im Augenblick schmerzlich sei, aber bereits
für die Kinder der Umgesiedelten große Vorteile mit sich brächte«.[238]

Erst als im Spätsommer 1941 die Aufnahmekapazitäten in Kroatien
erschöpft waren, die Militärverwaltung in Serbien sich weigerte, weitere
Serben aus Kroatien aufzunehmen, und weitere Zuströme ein Anwachsen
der kommunistischen Widerstandsbewegungen in Serbien und Kroatien
befürchten ließen, wandte man sich im Auswärtigen Amt gegen die Fortführung der Aktion.[239] Die Bilanz der sinnlosen Völkerverschiebung, die
für die Betroffenen Verlust von Hab und Gut und Heimat sowie Terror, Not und Leid mit sich brachte, blieb weit hinter den deutschen
Erwartungen zurück: Von insgesamt 68000 deportierten Slowenen
waren 16800 nach Kroatien und Serbien gebracht, 36000 zur Zwangsarbeit und 16000 zur »Wiedereindeutschung« ins Reich verschleppt
worden.[240]

Die Vertreibung von Serben aus Kroatien war von Übergriffen begleitet, die Teil einer im April 1941 einsetzenden brutalen antiserbischen
Kampagne der Ustascha waren, die sich bis zum Sommer 1941 zu einer
regelrechten Terrorwelle ausweitete.[241] In der deutschen Gesandtschaft
in Zagreb beobachtete zumindest Kasches Vertreter, Gesandtschaftsrat
Heribert Ritter von Troll-Obergfell, die Entwicklung mit Sorge, berichtete über die pogromartigen Ausschreitungen und warnte vor Unruhen
im Lande, die zwangsläufig daraus entstehen müssten.[242] Kasche legte
eine eher gelassene Haltung an den Tag, wie aus einer Stellungnahme
hervorgeht, die er knapp zwei Jahre später zu einem Bericht des Wehr-
machtbefehlshabers Südost über Übergriffe der Kroaten verfasste: »Beurteilung hiesiger Verhältnisse vom Standpunkt der Humanität ist politisch
unzweckmäßig ... Vor allem ist politisch untragbar jegliche gefühlsmä-

ßige Stellungnahme, vor allem eine solche gegen die sogenannten Verbrechen der Ustascha. Diese sind meist übertrieben und gemessen an deutschen Verhältnissen dargestellt.«[243]

Die militärischen und diplomatischen Vertretungen des Reiches in Kroatien registrierten mit fortlaufender Kriegsdauer ein ständiges Anwachsen der Partisanenbewegung. Als auf deutscher Seite erwogen wurde, deren Bekämpfung den italienischen Truppen zu überlassen und die dem deutschen General in Agram unterstellten Truppen aus dem Land abzuziehen, schloss sich Kasche den Protesten Glaises und der Kroaten an, hätte ein solcher Schritt doch de facto eine italienische Besetzung Kroatiens bedeutet. Da Ribbentrop der Beurteilung des Gesandten offenbar nicht traute, entsandte er im Frühjahr 1942 erneut Veesenmayer in das Krisengebiet. Immerhin wurden in der zweiten Jahreshälfte – als sich herausstellte, dass die italienischen Besatzungstruppen die serbischen Četniks im Lande unterstützten – auf Kasches Drängen die deutschen Truppen verstärkt; das von ihnen besetzte Terrain wurde Anfang 1943 zum Operationsgebiet erklärt.

Kasche war zu Beginn seiner Amtszeit ein erklärter Gegner jeglicher Form des Paktierens mit antikommunistischen Kräften innerhalb der Aufständischenbewegungen gewesen. Unter dem Druck der Ereignisse nahm er nun – wie seine Kollegen im besetzten Serbien – Tuchfühlung mit Partisanenverbänden auf, wobei er sowohl bei den kommunistischen Tito-Partisanen als auch bei den antikommunistischen Četniks sein Glück versuchte. Sichtlich entnervt setzte Ribbentrop ihm daraufhin auseinander, »dass es sich für uns nicht darum handeln kann, durch geschicktes Taktieren die Cetniki und die Partisanen gegeneinander auszuspielen, sondern dass es darauf ankommt, die einen wie die anderen zu vernichten«.[244]

Davon konnte jedoch im Jahr 1943 keine Rede mehr sein. Während die alliierten Truppen in Sizilien landeten und der Abfall des italienischen Bündnispartners sich am Horizont abzeichnete, hatte die Bandenbewegung bereits die Umgebung von Zagreb erreicht, sodass Hitler dem deutschen Gesandten nach einer Unterredung in Berlin im August versicherte, er werde ihn notfalls »mit dem Hubschrauber herausholen lassen«, was diesen zu dem nachdenklichen Vermerk veranlasste: »Offensichtlich hat er den Eindruck, dass das Bandenwesen schwerlich in kurzer Zeit beseitigt werden kann.«[245]

Kasche blieb auf seinem Posten. Der »Don Quichotte der deutschen Diplomatie in Zagreb«[246] zeichnete sich während seiner einzigen diplomatischen Verwendung – er war bis zu seiner Verhaftung 1945 durchgängig in Kroatien eingesetzt – durch eine für einen hochrangigen Vertreter des Auswärtigen Amtes geradezu beispiellose Naivität aus. In einem gewaltgeprägten Raum wie dem Balkan bezog sich der einzige kritische Bericht aus seiner Feder über ein Massaker an Einheimischen – nach knapp drei Jahren Einsatz – ausgerechnet auf eine deutsche Einheit: Die 7. SS-Freiwilligen-Gebirgsdivision hatte im Gebiet Split-Sinj ein Blutbad unter der kroatischen Bevölkerung angerichtet und dabei auch die Angehörigen von Soldaten der deutschen und der kroatischen Streitkräfte nicht verschont. Eine daraufhin bei Ribbentrop von der kroatischen Regierung eingereichte Protestnote kostete deren Außenminister das Amt und bescherte dem deutschen Gesandten erneut eine Abfuhr seines Vorgesetzten.[247] Von dem Land, in das er entsandt wurde, hatte er allenfalls ungenaue Vorstellungen. Was andere Diplomaten in der Region schnell erfassten – die Kontraproduktivität von Übergriffen gegen größere Bevölkerungsgruppen und die Notwendigkeit eines pragmatischen Kurses im Rahmen der Partisanenbekämpfung –, drang bei ihm nur mit erheblicher Verzögerung durch.

Die Verfolgung der kroatischen Juden begann unmittelbar nach der Gründung des Ustascha-Staates 1941 mit einer Reihe antijüdischer Gesetze und der Internierung der Juden. Über die Hälfte der Juden wurde durch Truppen der SS-ähnlichen Ustascha in lokalen Konzentrationslagern festgehalten, die Mehrheit kam dort ums Leben.[248] Das Reichssicherheitshauptamt zeigte sich zunächst mit dieser Art der »Lösung« zufrieden. Es war die kroatische Regierung selber, die Kasche mehrfach um die Deportation der Juden bat, eine Bitte, die Kasche sofort an Rademacher weiterleitete. Das Reichssicherheitshauptamt lehnte die Deportation zunächst ab, änderte aber seine Haltung, als es vom Auswärtigen Amt erfuhr, dass Italien die kroatischen Juden vor der Ustascha zu schützen begonnen hatte. Ab Sommer 1942 betrieben der Vertreter des RSHA, Hauptsturmführer Franz Abromeit, und Kasche gemeinsam die Deportation der noch lebenden Juden. Auch in Kroatien erfüllte das Auswärtige Amt nicht nur die traditionelle Aufgabe, zwischen fremden Staaten und deutschen Behörden zu vermitteln, sondern wirkte aktiv an der Deportation der Juden mit.

Bei der Verfolgung der kroatischen Juden erwies sich das alliierte Italien erneut als ein Störfaktor. Tausende von Juden flohen in die italienische Zone Kroatiens und in das durch Ungarn annektierte Gebiet. Das Auswärtige Amt versuchte vergeblich, die Italiener zur Kooperation zu überreden. Doch der Gesandte Kasche pochte trotz des italienischen Widerstands auf Deportation: »Nachdem inzwischen laut telefonischer Mitteilung aus Agram die kroatische Regierung ihre schriftliche Zustimmung zu der vorgeschlagenen Aktion gegeben hat (schriftliche Bestätigung liegt vor)«, so Luther an Ribbentrop, »hält es Gesandter Kasche für richtig, mit der Aussiedlung zu beginnen, und zwar grundsätzlich für das gesamte Staatsgebiet. Man könnte es darauf ankommen lassen, ob sich im Zuge der Aktion Schwierigkeiten ergeben, soweit es sich um die von Italienern besetzte Zone handelt.«[249] Obwohl Mussolini offiziell dem deutschen Druck nachgab, blockten die Italiener. Der Eifer Luthers in Berlin, Kasches Engagement in Zagreb und die Bemühungen von Botschafter Mackensen in Rom reichten nicht aus, um sie zur Kooperation zu bewegen.

In der deutschen Zone gingen die Deportationen jedoch weiter. Die Kroaten waren bereit, 30 Reichsmark für jeden deportierten Juden zu zahlen. Die »Zahlungsweise«, schrieb Kasche, »werde mit Außenminister Lorkovic vereinbart«; am 16. Oktober 1942 informierte Klingenfuß das RSHA über die finanzielle Regelung.[250] Im Juli 1943 wurde Kasche von Wagner gebeten, für die Deportation der in kroatischen Lagern internierten 800 jüdischen Frauen und Kinder zu sorgen.[251] Nach Italiens Kapitulation konnten die Deportationen ab September 1943 auch aus der italienischen Zone anlaufen.

Im April 1944 informierte Kasche Berlin, dass die »Judenfrage« in Kroatien weitgehend bereinigt worden sei. Es handele sich jetzt noch um die Erledigung einzelner Fälle oder um Maßnahmen in den nach und nach gesäuberten Küstengebieten. Seitens der kroatischen Behörden sei den Maßnahmen gegen das Judentum volles Verständnis entgegengebracht worden. Schwierigkeiten bereiteten Einzelfälle, »in denen Juden von außerhalb Kroatiens im Auftrage deutscher Organe zu amtlichen und wirtschaftlichen Erledigungen hier einreisen. Ich habe Weisung gegeben, in solchen Fällen die Juden unsererseits in Haft zu nehmen und in das Reich abzuschieben.«[252] Der Diplomat erwies sich als Vollstrecker.

Auch in *Bulgarien* ergriff das Auswärtige Amt die Initiative zur »Lösung der Judenfrage«. Das hatte sich schon 1941 in den Gesprächen zwischen Ribbentrop und seinem bulgarischen Amtskollegen Popov gezeigt, in deren Folge das Referat III der Abteilung Deutschland für eine europäische Lösung der »Judenfrage« plädierte. Die Initiative zur Deportation der jüdischen Bevölkerung kam hauptsächlich aus dem Referat D III des Auswärtigen Amtes sowie vom deutschen Gesandten in Sofia, SA-Obergruppenführer Adolf Heinz Beckerle (1902–1976). Luther bat Beckerle, mit der bulgarischen Regierung Fühlung zu nehmen, »ob sie bereit ist, eine Absprache in der Judenfrage in vorstehender Form zu treffen. Von dem Abschluss eines zweiseitigen formellen Vertrags soll in jedem Fall abgesehen werden.« Zudem bat Luther, die Kostenfrage der Deportation durch Deutschland zu erwähnen, »ohne indes dabei zunächst eine Zahl zu nennen«.[253]

Beckerle teilte dem Auswärtigen Amt die prinzipielle Bereitschaft Bulgariens mit, und die Wilhelmstraße reichte die Information an das Reichssicherheitshauptamt weiter. Einwände der Rechtsabteilung hielt man im Referat D III für »nicht stichhaltig«, im Gegenteil.[254] »Zweiseitige Vereinbarungen«, wie sie mit der bulgarischen Regierung vereinbart wurden, sollten nach der Vorstellung Luthers »naturgemäß nach und nach mit den verschiedenen europäischen Staaten abgeschlossen werden.«[255]

Die signalisierte Zustimmung der bulgarischen Regierung zur »Umsiedlung« warf im Reichssicherheitshauptamt die Frage auf, ob das Reich »seine Dienste bei den Aussiedlungsaktionen anbieten soll«. Von Rademacher wurde die Frage dem Außenminister »mit der Bitte um Weisung vorgelegt, ob der Gesandte Beckerle in geeigneter vorsichtiger Form die Frage der Aussiedlung der bulgarischen Juden bei dem bulgarischen Außenminister anschneiden kann«.[256] Ribbentrop befahl zwar, »noch abzuwarten«,[257] doch einige Tage danach erhielt Luther die telefonische Anweisung des Reichsaußenministers, »die Evakuierung der Juden aus den verschiedenen Ländern Europas möglichst zu beschleunigen, da feststeht, dass die Juden überall gegen uns hetzen«.[258] Wie stets sorgte das Auswärtige Amt auch hier dafür, die antijüdischen Maßnahmen als Reaktion auf jüdische Provokationen darzustellen.

D III und Gesandter Beckerle setzten sich nicht nur für die Deportation der bulgarischen Juden ein, sie beteiligten sich auch an der Bestellung eines RSHA-»Judenexperten« und schlugen SS-Hauptsturmführer Wisliceny für diese Aufgabe vor.[259] Da Wisliceny in der Slowakei unabkömmlich war, fiel die Wahl auf SS-Hauptsturmführer Theodor Dannecker. Das Reichssicherheitshauptamt bat das Auswärtige Amt um Nachricht, »zu welchem Zeitpunkt die Entsendung des SS-Hauptsturmführers Dannecker nach Sofia gewünscht wird«. Nach der Einsetzung Danneckers bedankte sich Helmut Bergmann, zweiter Mann der Personalabteilung des Auswärtigen Amtes, bei Gestapo-Chef Müller für die »Zustimmung zur Entsendung eines Beraters für Judenfragen nach Sofia«.[260]

Doch die Annahme Rademachers und Luthers, dass Bulgarien zur uneingeschränkten Kooperation bei der Deportation der Juden bereit sei, erwies sich als verfrüht. Nach Stalingrad hieß es in Sofia offiziell, dass »männliche Juden als Arbeitskräfte zum Straßenbau z. Zt. noch nicht entbehrt werden« könnten. Beckerle gab nicht nach und erreichte in einem Gespräch mit dem bulgarischen Ministerpräsident, den »Großteil der bulgarischen Juden zu erfassen und abgesehen von einigen männlichen Juden … die noch einige Zeit hier bleiben müssen, abzutransportieren«.[261] Einige Monate später ergab sich aus einem Gespräch mit dem bulgarischen Innenminister Gabrovski, dass »zunächst die Juden in den neubefreiten Gebieten in Frage kämen«.[262] Insgesamt 14 000 von den 20 000 Juden, die Bulgarien für die Deportation freigab, sollten »mit deutscher Unterstützung« aus den »neubulgarischen Gebieten« nach Osten abgeschoben werden.[263] Es war Beckerle, der auf einem »beschleunigten Abtransport der zunächst freigegebenen Juden« drängte. Fritz-Gebhardt von Hahn vom Referat D III leitete Beckerles Drängen an Eichmann weiter.[264]

Aus Skopje im bulgarisch besetzten Mazedonien berichtete der deutsche Generalkonsul Witte am 18. März 1943 über die »Aussiedlung der Juden aus Mazedonien«. Eine Meldung von Pejo Draganov, Kommandant des Konzentrationslagers in Skopje, dass »7 240 Köpfe« ausgesiedelt worden seien, »etwa 10 % weniger als die amtlichen bulgarischen Judenregister ausweisen«, befriedigte den Generalkonsul nicht; es sei »dringend erforderlich, dass die Nachsuche mit aller Schärfe fortgesetzt werden muss«. Draganovs Bitte, bei der »Ausfertigung der namentlichen Transportlisten der Juden … behilflich« zu sein, habe er »im Interesse einer reibungslosen und schnellen Aktion entsprochen«. Er war jedoch beunruhigt wegen »verschiedener Entlassungen von Juden mit ihren Familien aus dem Konzentrationslager« und über Versuche der Italiener, Kontakt mit den internierten Juden aufzunehmen. Sein Fazit: »Auf politischem wie militärischem Gebiet in Mazedonien [besteht] nach wie vor die Notwendigkeit, auch den letzten Juden aus dieser Gegend zu entfernen, um den Feindmächten ihren zuverlässigen Helfer, den Juden, zu nehmen.«[265]

Ähnlich kommentierte der deutsche Generalkonsul im bulgarisch besetzten Kavala in Thrakien den Abtransport der jüdischen Bevölkerung. Sie habe dieses Schicksal verdient, weil sie an »politisch-niederträchtiger Flüsterpropaganda beteiligt« sei. Seine Einstellung zum Thema war klar: »Bitter war für sie zweifelsfrei nur ... die Trennung von ihren Schmuckstücken, Goldmünzen usw., die sie z.T. in ihren Kleidern versteckt hatten.«[266]

Insgesamt wurden 11 343 Juden aus Thrakien und Mazedonien nach Treblinka abtransportiert. Keiner von ihnen überlebte.[267] Die Juden Alt-Bulgariens hingegen blieben trotz der Bemühungen der Repräsentanten des Auswärtigen Amtes von der Evakuierung verschont. Beckerle sah sich im Juni 1943 gezwungen, Berlin zu versichern, dass »von hier aus in der Judenfrage alles geschieht, um in geeigneter Weise eine restlose Klärung zu erzielen ...und dass wir bei taktisch geschicktem Verhalten das von uns gewünschte Ziel baldigst erreicht haben werden«. Er jedenfalls werde »die Judenfrage ständig im Augenmerk behalten und nach Möglichkeit die Lösung beschleunigen«.[268]

Im Vergleich zu Staaten wie der Slowakei oder Bulgarien waren die Beziehungen zu *Rumänien* für das Auswärtige Amt besonders kompliziert. In der »Judenpolitik« zogen nicht nur beide Staaten nicht am selben Strang, sondern auch zwischen Reichssicherheitshauptamt und Auswärtigem Amt, ja sogar innerhalb des Amtes selbst, gab es erhebliche Unstimmigkeiten. Gesandter in Bukarest war von Anfang 1941 bis zu seinem Selbstmord am 2. September 1944 der SA-Mann Manfred von Killinger, vorher Leiter der Gesandtschaft in Bratislava. Killingers gespanntes Verhältnis zur SS und insbesondere zum »Judenberater« der Botschaft, SS-Hauptsturmführer Gustav Richter, sorgte für konstante Unruhe. Über die rumänische Judenverfolgung war Killinger bestens informiert. Im Herbst 1941 berichtete er nach Berlin über die »Erledigung von ca. 4 000 Juden in Jassy« und über den Einsatz von 60 000 rumänischen Juden zur

Zwangsarbeit; »an der Grenze Rumäniens« seien die Juden »unerhörter Verfolgung ausgesetzt«.[269]

Mit der Judenpolitik Rumäniens war Alfred Rosenberg, der Reichsminister für die besetzten Ostgebiete, höchst unzufrieden. Anfang Februar 1942 beschwerte er sich beim Auswärtigen Amt über die Abschiebung von 10 000 rumänischen Juden über den Bug in das deutsch besetzte Gebiet sowie über die Absicht, weitere 60 000 Juden abschieben zu wollen.[270] Im gleichen Ton schrieb Eichmann zwei Monate später an das Auswärtige Amt: »Wenn auch die Entjudungsbestrebungen ... grundsätzlich gutgeheißen werden, erscheinen sie im gegenwärtigen Zeitpunkt ... unerwünscht.« Eichmanns Unzufriedenheit hatte einen einfachen Grund: Die unkoordinierten rumänischen Aktionen gefährdeten »die bereits in Gang befindliche Evakuierung der deutschen Juden stärkstens«. Deshalb bat Eichmann das Auswärtige Amt, bei der rumänischen Regierung die Einstellung dieser »regellosen« und »illegalen« Judentransporte zu erwirken.[271] Die deutsche Gesandtschaft in Bukarest sei »auf Ersuchen des Reichsministers für die besetzten Ostgebiete bereits Ende März« angewiesen worden, beschwichtigte ihn Rademacher, »bei der rumänischen Regierung wegen der unkontrollierten Abschiebung von 60 000 Juden rumänischer Staatsangehörigkeit über den Bug in die besetzten Ostgebiete vorstellig zu werden«.[272]

Wenige Monate später wurde die Abschiebung der Juden nach deutschem Plan angekündigt. Luther wurde durch das RSHA benachrichtigt, es sei vorgesehen, »etwa ab 10.9.1942 nunmehr auch Juden aus Rumänien in Sonderzügen nach dem Osten abzubefördern«; man gehe davon aus, »dass auch Seitens des Auswärtigen Amtes keine Bedenken gegen diese Maßnahmen bestehen«.[273] Luther bat Killinger, »die Frage des Abtransportes der Juden aus Rumänien grundsätzlich zu klären«.[274] Doch noch bevor sein Schreiben Killinger erreichte, erfuhr Luther, dass »Judenberater« Richter mit rumänischen Beamten hinter dem Rücken des Auswärtigen Amtes selbstständig verhandelt und darüber auch Eichmann informiert hatte, der deswegen davon ausgehen musste, das Auswärtige Amt habe keine Bedenken. Diese Eigenmächtigeit veranlasste Luther zu einer Rüge Killingers: »Bei allem Verständnis für die Notwendigkeit direkter persönlicher Verhandlungen erscheint es doch ratsam, abschließende Vereinbarungen von solcher Tragweite durch den Gesandten unmittelbar zu treffen.«[275] Auch Ribbentrop bekam Wind von der Angelegenheit. Der Außenminister verlangte eine Erklärung von Luther und bestand darauf, in der Zukunft die Zustimmung des Außenministers einzuholen, bevor er in Verhandlungen mit fremden Regierungen eintrete. Er verstehe nicht, rechtfertigte sich Killinger gegenüber Luther, »dass das Auswärtige Amt annehmen kann, dass ich derartig wichtige Fragen ausschließlich von einem SS-Führer (Berater) erledigen lasse«.[276]

Ende September 1942 besuchte Ministerpräsident Antonescu Hitler und versprach bei dieser Gelegenheit Ribbentrop, die Deportationen nun zu gestatten. Zurück in Bukarest, setzte er seine Verzögerungstaktik fort. Luther stellte enttäuscht fest, dass »die Angelegenheit der Aussiedlung der Juden aus Rumänien ... zunächst ins Stocken geraten« sei. Dies falle »im Augenblick insofern nicht so schwer ins Gewicht, als während der Hauptwintermonate ein Abtransport ohnedies nicht erwünscht ist«. Er bat Killinger jedoch, »die Dinge so im Fluss zu halten, dass zu Beginn des Frühjahrs mit einem Fortgang der Maßnahmen gerechnet werden kann«.[277]

Währenddessen wurde SS-Hauptsturmführer Richter ungeduldig und veranlasste Aktionen der deutschen Vertretung in Rumänien. Im September 1942 bat er das deutsche Konsulat in Galatz, »im Benehmen mit den zuständigen Polizeiorganen unter den Juden in Galatz eine überraschende Razzia durchzuführen, um feststellen zu können, wer seiner Zählungspflicht nach dem Gesetz vom 16.12.1941 nicht nachgekommen ist«.[278] Im März 1943 forderte er sämtliche deutschen Konsulate in Rumänien auf, »umgehend einen umfassenden Bericht über die ... jüdische Propaganda« vorzulegen. Zudem bat er um Mitteilungen, »von welchen Juden im dortigen Arbeitsbereich bekannt ist, dass sie heute noch im Besitz von Rundfunkgeräten sind«.[279] Und auch Killinger blieb nicht tatenlos. Anfang Dezember 1942 erfuhr er von Radu Lecca, dem rumänischen Kommissar für Judenangelegenheiten, dass dieser beauftragt worden sei, gegen eine Zahlung von über tausend Dollar pro Kopf die Emigration von 75 000 bis 80 000 Juden nach Palästina und Syrien zu organisieren. Killinger protestierte, das OKW schloss sich dem Protest wegen der Verschwendung kostbaren Schiffsraums an, woraufhin Rumänien das Unternehmen Ende Februar einstellte.[280]

»Ausländische Juden« und »Schutzjuden«

Während das Auswärtige Amt und das Reichssicherheitshauptamt auf dem Gebiet der »Judenmaßnahmen« sowohl im Reich selbst als auch in den besetzten Staaten eng kooperierten und mal die eine, mal die andere Behörde voranging, gab es einen Bereich, in dem das Amt absolute Priorität beanspruchen durfte, weil hier die Kenntnisse und Erfahrungen der traditionellen Diplomatie gefragt waren. Gemeint ist der Umgang mit dem besonderen Status von »ausländischen Juden«, also Staatsangehörigen von neutralen oder verbündeten Staaten, die im erweiterten deutschen Machtbereich lebten. Da bei der Frage der Einbeziehung ausländischer Juden in die antijüdischen Maßnahmen im Reich die Interessen der betreffenden Staaten berührt waren, musste man verhandeln, und im Prinzip akzeptierte das Reichssicherheitshauptamt die Zuständigkeit des Auswärtigen Amtes.

Wie Auswärtiges Amt und Reichssicherheitshauptamt im Ausland kooperierten, erhellt aus einem Schreiben der Abteilung Deutschland (D III) an die Mission in Brüssel. Grundsätzlich sei der Vertreter des SD für die »allgemeinen Judenmaßnahmen« verantwortlich; die Aufgabe des Auswärtigen Amtes sei es, dem RSHA mitzuteilen, »wenn gegen die Anwendung der allgemeinen Judenmaßnahmen auf fremde Staatsangehörige keine Bedenken bestehen«.[281] Die Richtlinie wurde wohl bewusst *ex negativo* formuliert, weil man in der Zentrale voraussetzte, dass im Regelfall *keine* Bedenken bestehen. Es wird aber auch klar, dass das Mandat, über die Zulässigkeit von Maßnahmen gegen ausländische Juden zu entscheiden, beim Auswärtigen Amt lag.

Im August 1942, ein halbes Jahr nach der Wannsee-Konferenz, schrieb Unterstaatssekretär Luther, der Leiter der Abteilung Deutschland, dass es sich anbiete, »gleich die jüdischen Staatsangehörigen der Länder mitzuerfassen, die ebenfalls Judenmaßnahmen ergriffen haben«. Das Reichssicherheitshauptamt habe eine entsprechende Anfrage an das Auswärtige Amt gerichtet. Aus »Gründen der Courtoisie« sei über die deutschen Gesandtschaften in Pressburg, Agram und Bukarest bei den dortigen Regierungen angefragt worden, »ob sie ihre Juden in angemessener Frist aus Deutschland abberufen würden«.[282]

Juden aus formell unabhängigen Staaten wurden anders behandelt als Juden aus Staaten unter deutscher Besatzung. Auch wenn sie in besetzten Gebieten lebten, wurden sie nicht in die allgemeinen »Judenmaßnahmen« einbezogen. Thadden erklärte Eichmann die Kompetenzfrage wie folgt: »Das Auswärtiges Amt ist in jeder Weise bestrebt, gerade auf dem Gebiet der allgemeinen Judenpolitik den Wünschen der zuständigen inneren Stellen, soweit es irgendwie außenpolitisch vertretbar ist, Rechnung zu tragen. Die Setzung der Schlussfrist für die Ausreise der ausländischen Juden … aus dem deutschen Machtbereich liegt jedoch im außenpolitischen Bereich.«[283] Die Entscheidung des Auswärtigen Amtes, ausländische Juden von den allgemeinen Maßnahmen auszunehmen, war insofern paradox, als sie entgegen den biologistischen Prämissen der NS-Rassenlehre eine Unterteilung der Juden nach ihrer Staatsangehörigkeit vornahm. Das RSHA wies wiederholt auf diesen Widerspruch hin und drängte das Auswärtige Amt, hier einen Ausweg zu finden.[284]

Die Debatte über die Behandlung der in Deutschland lebenden ausländischen Juden hatte schon in den Jahren 1937/38 begonnen. Der Erlass Görings vom 26. April 1938, nach dem Juden in Deutschland ihren Besitz registrieren lassen mussten, warf die Frage auf, ob sich dieser Erlass auch auf ausländische Juden bezog und diese entsprechend den deutschen Juden zu behandeln seien. Nicht zuletzt Proteste aus dem Ausland hatten eine Überprüfung nötig gemacht.[285] Die Haltung des Auswärtigen Amtes schwankte. Unter Abwägung innen- und außenpolitischer Argumente gab es im Grunde nur zwei Alternativen: Man konnte die ausländischen Juden entweder in die »Judenmaßnahmen« einbeziehen, was in der Regel zu Protesten der jeweiligen Staaten führte, oder man konnte die Rückkehr in ihre Heimatländer veranlassen (»Heimschaffung«, »Heimkehr«).

In der Praxis wurde freilich vollkommen unsystematisch gehandelt. In vielen Fällen wurde eine Entscheidung vertagt; bis dahin wurden die betroffenen Juden in einem Lager innerhalb des Reiches interniert.[286] In anderen Fällen wurden ausländische Juden von bestimmten Maßnahmen ausgenommen; nachdem einige Staaten jedoch selbst antijüdische Bestimmungen eingeführt hatten oder von Deutschland besetzt worden waren, machte man die Ausnahmebestimmungen für jüdische Angehörige dieser Staaten rückgängig. In wieder anderen Fällen wurden nur Juden, deren Heimatländer besonders sensibel reagierten, von den Maßnahmen ausgenommen. Es war das Reichsinnenministerium, welches das Auswärtige Amt auf die Dringlichkeit einer einheitlichen Regelung hinwies.[287]

Ein anschauliches Beispiel für die uneinheitliche Handlungsweise bietet die Nahrungs- und Kleidungsverteilung an ausländische Juden im Reich. Die Gespräche, die sich über einen Zeitraum von dreieinhalb Jahren erstreckten, von Januar 1940 bis Juli 1943, drehten sich um die Frage, ob Lebensmittel- und Kleiderkarten ausländischer Juden wie die Karten der deutschen Juden mit einem »J« zu versehen seien. Aufgrund eines Erlasses des Reichsministeriums für Ernährung und Landwirtschaft vom 11. März 1940, der sich auf deutsche und staatenlose Juden sowie Juden aus dem Protektorat Böhmen und Mähren und des Generalgouvernements bezog, hatte sich der Oberbürgermeister von Berlin an den Innenminister gewandt, der seinerseits dem Minister für Ernährung und Landwirtschaft und dem Wirtschaftsminister die Frage stellte, ob auch ungarische, italienische und rumänische Juden in die Beschränkungen mit einbezogen werden können.[288] Von dort wurde die Frage wegen der »außenpolitischen Bedeutung« einer solchen »Ausdehnung« an das Auswärtige Amt weitergeleitet.[289]

Franz Rademacher formulierte am 8. Oktober 1940 eine erste Stellungnahme: Nach Auffassung von D III »sollten Juden ausländischer Staatsangehörigkeit auf dem Gebiet der Ernährungs- und Versorgungswirtschaft in Deutschland grundsätzlich ebenso behandelt werden wie Juden deutscher Staatsangehörigkeit«. Für den Fall von Interventionen ausländischer Diplomaten seien allerdings »Erleichterungen« zu erwägen. Mit Blick auf die zu erwartende Reaktion der drei Staaten, um die es ging, befürchtete Rademacher Schwierigkeiten lediglich aus Ungarn, weil »die ungarische Politik auf dem Rassengebiet ... der Politik der Achsenmächte nicht folgt« und weil die Familie Horthy für ihre »Judenfreundlichkeit« bekannt sei. Falls Ungarn »politische oder wirtschaftliche Wünsche vorbringen sollte«, müsse man wegen »der falsch liegenden Judenpolitik« der Ungarn klar Stellung beziehen.[290]

Auch die Rechtsabteilung des Auswärtigen Amtes war in die Überlegungen einbezogen. Man habe immer den Standpunkt vertreten, hieß es in einem Gutachten drei Wochen später, die Entscheidung in Einzelfällen den inneren Stellen zu überlassen nach dem Grundsatz, dass »jüdische Staatsangehörige amerikanischer Länder und westeuropäischer Staaten, von denen politisch unbequeme Proteste und Zeitungshetzen erwartet werden konnten, von den getroffenen Maßnahmen ausgenommen bleiben, während die jüdischen Angehörigen östlicher Staaten, einschließlich Ungarns und Rumäniens, solchen Maßnahmen gleich inländischen Juden unterworfen waren«.[291] Dementsprechend informierte Luther am 14. November 1940 das Ministerium für Ernährung und Landwirtschaft, dass jüdische Staatsangehörige aus Feindstaaten, nordischen Staaten, sowie ungarische, bulgarische und griechische Juden in die Ernährungsbeschränkungen mit einbezogen werden könnten, dagegen aber amerikanische Juden »aus außenpolitischen Gründen auf keinen Fall Einschränkungen auszusetzen« seien. Der Erlass zur Lebensmittelversorgung wurde daraufhin entsprechend geändert.[292]

Besonders Unterstaatssekretär Woermann, Leiter der Politischen Abteilung, und Emil Wiehls, Leiter der Handelspolitischen Abteilung, hatten Wert darauf gelegt, dass »den Amerikanern nicht die Chance gegeben werden soll, sich auf diese Weise zum Wortführer in der Frage des Vorgehens gegen ausländische Juden in Deutschland zu machen ... Für nicht-amerikanische Juden wäre gleichfalls fallweise zu entscheiden, wobei von vornherein gesagt werden kann, dass gegen ungarische Juden und Juden der Balkanländer keine politischen Bedenken bestehen.«[293]

Schwedische Proteste gegen die Einschränkungen von Lebensmittel- und Kleidungszuweisungen für ausländische Juden ließen Luther am 18. März 1941 erneut tätig werden. Er berief sich auf eine Weisung des Reichsaußenministers zur Behandlung von ausländischen Juden im besetzten Frankreich, nach der es ein Fehler sei, »Einsprüche befreundeter Staaten ... abzulehnen, dagegen den Amerikanern gegenüber Schwäche zu zeigen«. Die einzige Ausnahme sollte bei Vermögensfragen gemacht werden.[294] Im Juni 1941 wurde die generelle Gleichbehandlung zur offiziellen Richtlinie des Auswärtigen Amtes. Im Reichsministerium für Ernährung und Landwirtschaft war man offensichtlich erleichtert, da sich die unterschiedliche Behandlung der Juden für die Beamten als sehr arbeitsintensiv erwies. Für die rechtswidrige Situation als solche interessierte sich keiner der an der Diskussion Beteiligten.

Luthers Regelung war weder so einheitlich, wie sie erschien, noch war sie in der Praxis ohne größere Schwierigkeiten durchführbar. In einem Schreiben an das RSHA wiederholte Rademacher die prinzipielle Entscheidung des Amtes, Juden ausländischer Staatsangehörigkeit wie inländische Juden zu behandeln, »mit Ausnahme der vermögensrechtlichen

Angelegenheiten, wo Repressalien zu erwarten sind«. In dem darauf folgenden Satz relativierte er jedoch die Regelung sogleich wieder, indem er das RSHA ersuchte, »vor Ergreifung irgendwelcher Maßnahmen gegen Juden ausländischer Staatsangehörigkeit in jedem Einzelfall vorher das Auswärtige Amt zu unterrichten und dessen Stellungnahme einzuholen«.[295] Das RSHA wies in seiner Antwort darauf hin, dass man dieser Bitte nur bis zu einem gewissen Grad nachkommen könne und sie in Fällen, in denen die Durchführung der Maßnahmen dadurch behindert würden, ignorieren müsse. Rademacher zog daraufhin seine Forderung zurück, billigte die Handlungsweise des RSHA und bat lediglich, Fälle von rumänischen Juden zu besprechen.[296]

Da die Erlasse des Reichswirtschaftsministeriums und des Reichsministeriums für Ernährung und Landwirtschaft unveröffentlicht blieben, war der ungarische Jude Martin Weisz überrascht, als er im September 1941 von der Kartenstelle 14 in der Knesebeckstraße in Berlin mit einem »J« gekennzeichnete Lebensmittel- und Kleidungskarten erhielt. Weisz war dermaßen empört, dass er sich an einen Berliner Stadtrat wandte und darauf bestand, nach seiner Nationalität und nicht nach seiner Rassenzugehörigkeit behandelt zu werden. Er wies darauf hin, dass er als ungarischer Staatsangehöriger nach wie vor seinen Beruf ausübe, Mitglied der Handwerkskammer und Schuhmacherinnung sei und regelmäßig in seine Altersversorgung einzahle. Weisz wandte sich auch an die ungarische Gesandtschaft mit der Bitte um Schutz und an das Auswärtige Amt mit der Bitte, die Sache zu klären. Wie sein Fall entschieden wurde, lässt sich aus den Quellen nicht ersehen.[297]

Mehr als ein Jahr später, am 26. Oktober 1942, wandte sich die argentinische Botschaft in Berlin an das Auswärtige Amt mit der Bitte, den in Wien lebenden argentinischen Jüdinnen Rosa Kulka, Cila, Dora und Erna Schlimper sowie der einjährigen Inge Schlimper (unbeschränkte) Lebens- und Reichskleiderkarten zu erteilen.[298] In der Antwort des Ministeriums für Ernährung und Landwirtschaft wies man auf die Position des Auswärtigen Amtes hin, nach der die »Beschränkung der Lebensmittelversorgung auf alle Juden ohne Unterschied der Staatsangehörigkeit« anzuwenden sei.[299] Gesandtschaftsrat Hans-Ulrich Granow hatte jedoch Bedenken und wies auf die Gefahr hin, dass Fälle wie dieser sich negativ auf die neutrale Politik Argentiniens auswirken und zudem als Propagandamaterial gegen Deutschland verwendet werden könnten. Es sei zu befürchten, pflichtete ihm Otto Reinebeck von der Politischen Abteilung bei, dass vor allem der Druck der Vereinigten Staaten und Großbritanniens auf Argentinien zunehme, die das Land ohnehin zum Kriegseintritt drängten.[300] Thadden nahm sich der Sache an und referierte den beiden Ministerien den Standpunkt Argentiniens, dass es nicht nachvollziehbar sei, einerseits Aufenthaltsgenehmigungen für Juden zu erteilen und ihnen andererseits »die Möglichkeit einer Existenz durch ungenügende Zuteilung« zu entziehen. Er selbst weise dieses Argument entschieden zurück, bitte jedoch, auf die Beziehung mit Argentinien Rücksicht zu nehmen, das heißt zu prüfen, ob »stillschweigend eine Ausnahmebehandlung durch volle Lebensmittel- und Textilienzuteilung gewährt werden könne«. Seiner Bitte wurde entsprochen; das Reichsministerium für Ernährung teilte mit, man werde den argentinischen Jüdinnen in Wien Lebensmittelkarten »ohne den Überdruck Jude« zuteilen.[301]

Am zentralen Schauplatz des Holocaust, in Polen, spielte das Auswärtige Amt schon bald nach Kriegsbeginn keine Rolle mehr. Die Vertreter des Amtes wurden dort ignoriert – außer wenn es um Fragen zu ausländischen Staatsangehörigen ging. Im November 1941 wollte John von Wühlisch, Beauftragter des Auswärtigen Amtes im Generalgouvernement, wissen, wie bei der Behandlung von Juden mit fremder Staatsangehörigkeit grundsätzlich zu verfahren sei.[302] Conrad Roediger aus der Rechtsabteilung verwies »auf das »völkerrechtliche Gewohnheitsrecht fremder Staatsangehöriger und zwar auch solcher jüdischer Abstammung«; danach werde man ausländischen Juden ein »gewisses Mindestmaß an Rechten zugestehen müssen und zwar sowohl hinsichtlich des Schutzes des Eigentums wie hinsichtlich des Schutzes der Person«. Weiter schrieb Roediger: »Soweit diese Rechte deutscherseits außer Acht gelassen würden, ohne dass im Einzelfall hierfür ein besonderer Grund, etwa eine strafbare Handlung, vorliegt, würden wir uns dem Vorwurf einer Völkerrechtsverletzung aussetzen.«[303]

Die Frage, nach welchen Grundsätzen ausländische Juden zu behandeln seien, führte die Diplomaten bis in das Warschauer Ghetto. Entsprechend den Vorgaben aus Berlin gaben sich die Beamten, die sich mit den Ausländern im Warschauer Ghetto befassten, mit der bürokratischen Erfüllung der Vorschriften zufrieden. Wie die Korrespondenz zwischen der Deutschlandabteilung und dem Reichssicherheitshauptamt klar erkennen lässt, waren dem Auswärtigen Amt die »besonderen Verhältnisse« im Ghetto ebenso bekannt wie die weiteren Planungen. Vielleicht hielten es die Beamten gerade deshalb für wichtig, das Ghetto von ausländischen Juden zu »säubern«, bevor die »notwendigen sicherheitspolizeilichen Maßnahmen auf sämtliche Insassen des Ghettos erstreckt werden«. Auf diese Weise entging ein Teil von ihnen der Vernichtung. Gegen die Maßnahmen an sich hatte das Amt jedoch »keine Bedenken«.[304]

Die grundsätzliche Billigung der NS-Politik durch die Diplomaten durchzieht auch die Antwortschreiben auf Anfragen neutraler oder befreundeter Staaten nach einzelnen Juden ihrer Staatsangehörigkeit. Die Beantwortung dieser Anfragen bildete einen beachtlichen Teil der Tätigkeit von Referat D III (später Inl. II A). Meist wurden die Nachfragen an das RSHA weitergeleitet und deren Antwort später durch das Auswärtige Amt den Vertretern der jeweiligen Staaten mitgeteilt. Dies führte zu einem umfangreichen Schriftwechsel über das Schicksal von Einzelpersonen, der angesichts der Totalität der Shoah geradezu grotesk wirkt. Hier zeigte sich aber auch das bürokratische Streben nach korrekter Abwicklung entsprechend dem, was für »rechtmäßig« erklärt worden war. Im Fall der ausländischen Juden war man immer wieder bemüht, den Anschein zu erwecken, sie besäßen noch einen rechtlichen Status. Die Informationen, die das Auswärtige Amt in diesem Zusammenhang vom RSHA erhielt – das darf in diesem Zusammenhang nicht übersehen werden –, verschafften den Diplomaten zusätzliche, zum Teil detaillierte Einblicke in die Praxis der »Endlösung«.

Es kam immer wieder vor, dass aufgrund von Interventionen des Auswärtigen Amtes das Schicksal von Juden gemildert werden konnte. Über die jeweiligen Motive der Diplomaten, die solche Interventionen veranlassten, lässt sich allerdings nur schwer eine Aussage treffen; mit Sicherheit dürften in einigen Fällen humanitäre Gründe ein Rolle gespielt haben. So erbat am 17. April 1942 die argentinische Botschaft vom Auswärtigen Amt Auskunft über den in Polen festgenommen argentinischen Juden Gerschon Willner. Der Beauftragte des Amtes im Generalgouvernement Wühlisch antwortete aus Krakau, dass Willner am 12. November 1941 verhaftet worden sei und ins Konzentrationslager Auschwitz überführt werden sollte, »weil er sich trotz polizeilicher Anordnung aus seiner Wohnung entfernt und auf diese Weise die Enteignungsaktion der Pelzsachen erheblich erschwert« habe. Daraufhin ersuchte Referat D III das Reichssicherheitshauptamt, Willner »aus außenpolitischen Gründen« nicht ins Konzentrationslager zu transportieren, damit er sich nicht »propagandistisch« gegen Deutschland betätigen könne. Die Antwort von Eichmann ließ nicht lange auf sich warten: Willner sei am 12. April 1942 »trotz reichlicher Verabreichung von Stärkemitteln an Herzmuskelschwäche verstorben«.[305]

Ein Jahr später drängte Eichmann den neuen Referatsleiter Inl. II A Thadden, »im Interesse der Endlösung der Judenfrage etwaige Bedenken zurückzustellen«. Als Thadden darauf bestand, dass in der Frage der Rückkehr von ausländischen Juden in ihre Heimatländer das Auswärtige Amt entscheide, schlug Eichmann vor, ausländische Juden in Sammellagern zu internieren, bevor sie »ohne vorherige Rückfrage« in ihre Heimatländer überstellt würden.[306] Für langwierige Verhandlungen mit den jeweiligen Ländern gab es im fortgeschrittenen Stadium der »Endlösung« ab Mitte 1943 keine Zeit mehr. Entsprechend wurde der Ton der Verhandlungen zwischen dem Auswärtigen Amt und den Vertretern befreundeter und neutraler Staaten schärfer und drohender. Die Bereitschaft der Verbündeten, mit Deutschland zu kooperieren, steigerte wiederum die Ungeduld des Reichssicherheitshauptamtes gegenüber dem AA. Insbesondere nach der Kapitulation Italiens im Juli 1943 wurde die Zusammenarbeit zwischen RSHA und Außenamt deutlich gestört. Ausländische Juden, die sich in den früher von Italien besetzten Gebieten Griechenlands aufhielten, wurden daher nicht mehr aufgefordert, in ihre Heimatstaaten zurückzukehren, was zu einem langwierigen Prozess geführt hätte, sondern direkt nach Bergen-Belsen deportiert, wo man ihre »Heimatberechtigung« überprüfen wollte. Ohne Rücksprache mit Kurt-Fritz von Graevenitz, dem Nachfolger Altenburgs in Athen, ließ das Reichssicherheitshauptamt im März 1944 griechische und ausländische Juden festnehmen. Der Protest von Graevenitz blieb folgenlos.[307]

Spuren der Resistenz, Formen des Widerstands

Zu der großen Geschichtserzählung, die ein halbes Jahrhundert das Selbstverständnis der Bundesrepublik Deutschland prägte, gehört die Überlieferung, das Auswärtige Amt habe in den Jahren des Dritten Reiches aus zwei gleichsam voneinander unabhängigen Ämtern bestanden, die sich unaufhörlich bekämpft und um Einfluss gerungen hätten. Das »alte«, das traditionelle Amt habe zunächst gegen die Nazifizierung der Außenpolitik und des diplomatischen Dienstes opponiert, diese Haltung angesichts der außenpolitischen Erfolge Hitlers jedoch aufgeben müssen. Während sich Partei und SS sukzessive aller strategischen und einflussreichen Positionen bemächtigt hätten, sei es den »traditionellen« Diplomaten nur noch in bestimmten Nischen möglich gewesen, an den überkommenen fachlichen und moralischen Standards festzuhalten. Als sich 1938 die Gefahr eines großen Krieges am Horizont abzeichnete, hätten führende Angehörige des Amtes rund um Staatssekretär Ernst von Weizsäcker damit begonnen, Staatsstreichpläne zu entwickeln. Man habe Fühler vor allem in Richtung Großbritannien ausgestreckt, um die britische Regierung zu einer unnachgiebigen Haltung gegenüber Hitler zu bewegen, mit dem Ziel, dadurch den Krieg zu verhindern.

Wenn diese Dichotomie, die Zweiteilung in ein »gutes« und ein »schlechtes« Amt, nicht der komplexen historischen Situation entspricht, muss auch unsere Wahrnehmung des Widerstands einer kritischen Prüfung unterzogen werden. Dies gilt zumal für die Jahre nach 1939, als die Frage, was man in Kauf nehmen und gerade noch eben verantworten konnte, ohne mitschuldig zu werden, immer prekärer wurde. Vielleicht ist ja schon die Frage falsch gestellt. Gab es wirklich keine Alternative zu der mehr oder weniger intensiven Kooperation des Auswärtigen Amts mit dem nationalsozialistischen System, insbesondere beim Thema »Endlösung«? Welche anderen Verhaltensmuster lagen dem widerständigen oder oppositionellen Verhalten zugrunde? Wie und wo konnte es sich überhaupt manifestieren? Und inwiefern haben diese höchst seltenen Akte vereinzelten Widerstands die spätere Selbstwahrnehmung des Auswärtigen Amtes geprägt?

Die zentrale Bedeutung der Informationsabteilung

Der Kreis der Oppositionellen um Ernst von Weizsäcker und Erich Kordt, die im Vorfeld des Angriffs auf Polen erfolglos versucht hatten, einen europäischen Krieg zu verhindern, löste sich bis 1940/41 weitgehend auf. Seine Mitglieder stellten ihre Aktivitäten mehr oder weniger ein (Weizsäcker), wurden aus dem inneren Zirkel verdrängt (Kordt) oder, wie Eduard Brücklmeier, denunziert und entlassen. Weizsäcker bemühte sich zwar weiterhin, die traditionelle Beamtenschaft gegen weitreichende Umstrukturierungen zu verteidigen, seine exponierte Position ließ ihn allerdings zunehmend zum Mittäter werden. Die Grenzen ihres Einflusses deutlich vor Augen, verfiel die »Peergroup« um Weizsäcker zeitweise einer gewissen Resignation.[1] Die militärischen Siege der Jahre 1939 bis 1941 erschwerten in ihren Augen die Legitimation eines weiteren Widerstands gegen die Kriegspolitik. Leider sei Weizsäcker »sehr herunter«, notierte Hassell schon Ende November 1939 in seinem Tagebuch.[2] Das Dilemma der Opposition, so hatte er vier Wochen zuvor konstatiert, bestehe darin, dass man weder auf einen großen Sieg noch auf eine schwere Niederlage Deutschlands hoffen dürfe.[3] Außenpolitische Erwägungen blieben zunächst Dreh- und Angelpunkt der oppositionellen Überlegungen, erst später kamen ethisch-moralische Kategorien hinzu.

Mit Erich Kordt, dem Leiter des Ministerbüros von Ribbentrop, verlor der Weizsäcker-Kreis eines seiner aktivsten Mitglieder. Kordts Versetzung an die Botschaft nach Tokio bedeutete allerdings nicht, dass er vollständig in Ungnade gefallen wäre; zum einen war mit dem Stellenwechsel eine Beförderung zum Gesandten I. Klasse verbunden, zum anderen avancierte Kordt in der SS noch kurz vor seiner Abreise zum Obersturmbannführer.[4] Legationsrat Albrecht von Kessel, bis dahin im Büro Weizsäcker beschäftigt, ging im Januar 1941 als Konsul nach Genf, 1943 folgte er seinem Mentor als Gesandtschaftsrat an die Deutsche Botschaft beim Vatikan. Kessels Freund Gottfried von Nostitz-Drzewiecki war nach einem »Krach mit Ribbentrop«[5] bereits im Mai 1940 an das deutsche Konsulat in Genf versetzt worden. Ebenfalls in der Schweiz, an der Gesandtschaft in Bern, tat seit September 1939 Kordts Bruder Theodor Dienst. Bei den Genannten handelte es sich um überwiegend jüngere Mitglieder des Amtes, die nach dem deutschen Sieg über Frankreich weiter darauf hinwirkten, den Krieg zu beenden. Sie bildeten ein loses Netzwerk, das über persönliche Bekanntschaften in Kontakt miteinander blieb.

Eduard Brücklmeier gehörte gemeinsam mit Kessel und Nostitz zur »Crew«, die 1927 ihre Ausbildung angetreten hatte. 1937 in die NSDAP und die SS eingetreten, gelangte er im August 1938 in das von Erich Kordt geleitete Ministerbüro Ribbentrops. Wenige Tage nach Kriegsausbruch äußerte sich Brücklmeier gegenüber einem Freund, dem Arzt und SS-Hauptsturmführer Fritz Karnitschnig, und einem weiteren Gesprächsteilnehmer negativ über die deutschen Kriegsaussichten. Die beiden entschlossen sich, Brücklmeier zu denunzieren und übergaben der Gestapo am 9. September eine schriftliche Meldung.[6] Das Verhör übernahm Heydrich selber.[7] Brücklmeier gab zu, gesagt zu haben, »dass der Führer nicht daran geglaubt habe, dass England tatsächlich den Polen Beistand leistet«. Auch habe er womöglich zu verstehen gegeben, »dass mein Minister, wenn er ein Ziel sieht, auf dieses losstürmt«. Zuletzt räumte er ein, sich möglicherweise »kritisch über Soldaten geäußert« zu haben.[8]

Den Vorschlag der Gestapo, Brücklmeier für »6 Wochen in eine Erziehungsabteilung des Konzentrationslagers Sachsenhausen einzuweisen und außerdem seinen Ausschluss aus der SS zu erwirken«, lehnte Ribbentrop ab.[9] Mit Wirkung vom 26. Mai 1940 wurde Brücklmeier in den Ruhestand versetzt, im Dezember 1941 entließ ihn die SS aus ihren Reihen.[10] SS-Hauptsturmführer Karnitschnig erhielt wenige Monate nach der Denunziation seines Freundes die Versetzung zum SD.[11] Obwohl er der Gestapo bekannt und seine negative Einschätzung der Kriegsaussichten publik gemacht worden war, hielten Oppositionelle wie Hassell weiterhin Kontakt zu Brücklmeier.[12] Diese Verbindungen sollten nach dem 20. Juli zu Brücklmeiers Verhaftung führen; am 20. Oktober 1944 wurde er in Plötzensee hingerichtet.

Nach dem Sieg über Frankreich wurden, vermutlich auf Initiative Ribbentrops, wichtige Oppositionelle aus dem politischen Zentrum des

Auswärtigen Amtes entfernt.[13] Widerständiges Verhalten kam von da an nur noch von Mitarbeitern, die an der Peripherie standen. An erster Stelle sind hier die Angehörigen der Informationsabteilung zu nennen. Eine Informationsabteilung hatte es während des Ersten Weltkriegs schon gegeben. Zu ihren wichtigsten Aufgaben gehörte es auch jetzt wieder, die deutschen Dienststellen über die Stimmung in den Feindländern zu unterrichten und im Gegenzug zu versuchen, die öffentliche Meinung im feindlichen Ausland im deutschen Sinne zu beeinflussen. Diese vage Definition ihrer politischen Aufgaben ermöglichte es der Informationsabteilung, an Nachrichten zu gelangen und mit in- und ausländischen Gruppen in Verbindung zu treten, zu denen andere keinen Zugang hatten. Folglich gehörte die Dienststelle zu den am schnellsten wachsenden Abteilungen und zählte am 1. September 1942 rund 260 Angehörige.[14]

Unter Kriegsbedingungen wurden zahlreiche Seiteneinsteiger mit journalistischen Erfahrungen rekrutiert. Die Atmosphäre in der Abteilung wurde als eher unkonventionell empfunden.[15] Eugen Gerstenmaier schilderte seine ehemalige Dienststelle nach dem Krieg so: »Sie war bunt gemischt, durchaus unhomogen und von einer südländisch anmutenden Lässigkeit.«[16] Leiter des Referats Inf. XI »Bekämpfung der feindlichen Greuelpropaganda«[17] war Rudolf von Scheliha; zu seinen Mitarbeitern gehörte als Wissenschaftlicher Hilfsarbeiter der Journalist Carl Helfrich, dessen Lebensgefährtin Ilse Stöbe von Ende 1939 bis Herbst 1940 ebenfalls für ihn gearbeitet hatte.

Im Juli 1940 übernahm Adam von Trott zu Solz das neue Referat Inf. X »Ländergruppe: U.S.A., Ferner Osten«. Er war von seinem Korpsbruder Josias von Rantzau, Leiter des Referats Inf. II, und vermutlich auch von Kessel empfohlen worden. Wie Scheliha nutzte auch Trott die Abteilung als Plattform für seine Widerstandsaktivitäten. Und er holte Gleichgesinnte hinzu: seinen Göttinger Kommilitonen Alexander Werth, Hans »Judgie« Richter sowie Erwin Wolf; dessen Sekretärin Lore Wolff war auf Vermittlung von Scheliha eingestellt worden. Gemeinsam mit seinem langjährigen Freund Albrecht von Kessel baute Trott den Kontakt zu Helmuth James von Moltke aus, von dem er im September 1940 zum ersten Mal nach Kreisau eingeladen wurde. Zu dem Bekanntenkreis um Kessel und Trott stieß vermutlich im Februar 1941 auch Hans Bernd von Haeften, der 1942 stellvertretender Leiter der Informationsabteilung wurde.

Nach dem Überfall auf Polen hatte Scheliha in der neu errichteten Informationsabteilung zunächst das Referat Polen übernommen. Seine Aufgabe war die Abwehr von »Greuelpropaganda«, und darunter fiel auch die Vertuschung von Verbrechen im besetzten Polen. Diese Funktion erlaubte es ihm nicht nur, sowohl die ausländische Presse zu sichten, sondern auch, Berichte über NS-Verbrechen etwa beim Reichssicherheitshauptamt zu verifizieren; auch sein Freund und langjähriger Kollege John von Wühlisch, Vertreter des Auswärtigen Amtes im Generalgouvernement, versorgte Scheliha mit Berichten über die Verbrechen der deutschen Besatzung in Polen.[18] Seine Einblicke in die Verbrechen veranlassten ihn, entsprechende Informationen ins Ausland zu lancieren. Auf seinen Reisen in die Schweiz verbreitete er die Predigten Bischof Galens und war im Oktober 1942 höchstwahrscheinlich jener Informant, der Carl J. Burckhardt Nachrichten über den Holocaust übermittelte.[19] Zu Schelihas Freundes- und Bekanntenkreis gehörten neben Trott, Haeften und Hassell auch Friedrich-Werner Graf von der Schulenburg, Nikolas von Halem und Herbert Mumm von Schwarzenstein – allesamt Regimegegner, die in anderen Zusammenhängen verhaftet und hingerichtet wurden.[20]

Am 29. Oktober 1942 wurde Scheliha im Büro des Personalchefs Hans Schroeder von der Gestapo verhaftet. Vorausgegangen war eine Ende August einsetzende Verhaftungswelle innerhalb des weitverzweigten Widerstandsnetzwerks um Arvid Harnack und Harro Schulze-Boysen, das in den Ermittlungen der Gestapo unter dem Sammelnamen »Rote Kapelle« zusammengeführt wurde. Scheliha wurde beschuldigt, gemeinsam mit der ebenfalls verhafteten Ilse Stöbe und in Verbindung mit Rudolf Herrnstadt Spionage zugunsten der Sowjetunion betrieben zu haben.[21] Die Kommunistin Stöbe stammte aus dem Lichtenberger Arbeitermilieu und hatte sowohl über Rudolf Herrnstadt, mit dem sie zeitweise liiert gewesen war, als auch über Helmut Kindler und den Diplomaten Gerhard Kegel Zugang zu verschiedenen oppositionellen Zirkeln.[22] Von 1934 bis zum Kriegsausbruch hatte sie für deutsche und schweizerische Zeitungen in Warschau gearbeitet und dort Rudolf von Scheliha kennengelernt, dem die Betreuung der Auslandskorrespondenten in Warschau oblag.[23] Es ist anzunehmen, dass sie seit den dreißiger Jahren für den sowjetischen Geheimdienst arbeitete.[24]

Die Ermittlungen gegen Scheliha und Stöbe wurden von der Gestapo-Sonderkommission »Rote Kapelle« geführt, ihre Fälle vor dem Reichskriegsgericht jedoch gesondert verhandelt.[25] Im Prozess gegen Scheliha war Stöbe die Hauptbelastungszeugin.[26] Scheliha selbst war in der Gestapo-Haft misshandelt und zu einem »Geständnis« genötigt worden, das er im Prozess zu widerrufen suchte; am 22. Dezember 1942 wurde er in Plötzensee gehenkt. Stöbe starb am gleichen Tag durch das Fallbeil.[27]

Wie Stöbe war vermutlich auch Gerhard Kegel in Warschau von Rudolf Herrnstadt für den sowjetischen Militärgeheimdienst angeworben worden. Kegel hatte seit 1931 der KPD angehört, war aber 1934 in die NSDAP eingetreten. Seit 1935 arbeitete er als Wissenschaftlicher Hilfsarbeiter zunächst in der Deutschen Botschaft in Warschau, seit 1940 in Moskau. Von hier leitete er wichtige handelspolitische Berichte an den sowjetischen Geheimdienst weiter.[28] Nach Beginn des Krieges gegen die Sowjetunion kehrte Kegel nach Deutschland zurück und fand als Legationssekretär Anstellung in der Handelspolitischen Abteilung sowie in der Abteilung Deutschland. Zu dieser Zeit soll er wieder Kontakt zu Ilse Stöbe aufgenommen haben.[29] Im April 1943 wurde Kegel zum Militärdienst einberufen.[30]

Im Zuge der Neustrukturierung der Informationsabteilung wurde Anfang 1941 der Artikeldienst mit etwa 50 meist ausländischen Redakteuren zur Presseabteilung verlegt. Neuer Abteilungsleiter wurde der ehemalige Befehlshaber der Sicherheitspolizei und des SD in Norwegen, Ministerialrat Walter Stahlecker. Über den Stellenwechsel berichtete eine enge Mitarbeiterin Trotts, Marie »Missie« Wassiltschikow: »Der oberste Chef, der Gesandte Altenburg, ein besonders netter und von allen geachteter Mann, ist gerade durch einen besonderen Vogel ganz anderen Gefieders ersetzt worden, einen jungen, aggressiven SS-Brigadeführer namens Stahlecker, der in Schaftstiefeln einherstolziert, eine Reitpeitsche schwingt und einen Schäferhund an der Seite hat. Alle sind über den Wechsel beunruhigt.«[31] Mit Beginn des Feldzugs gegen die Sowjetunion übernahm Stahlecker die Einsatzgruppe A, die eine Blutspur durchs Baltikum zog; er starb am 23. März 1942 bei einem Zusammenstoß mit sowjetischen Partisanen.

Nach dem Weggang Stahleckers erhielt die Informationsabteilung erneut einen Seiteneinsteiger als Chef: Generalkonsul Walther Wüster, der die Dienststelle bis zu deren Integration in die Kulturpolitische Abteilung im April 1943 leitete. Zu seinem Stellvertreter ernannte er Legationsrat Hans Bernd von Haeften.

Die Formierung der Opposition 1943/44

Widerstand im Dritten Reich war, wie Klemens von Klemperer urteilte, nicht zuletzt eine »Generationsfrage«.[32] Auch die führenden Oppositionellen im Auswärtigen Amt zählten eher zur jüngeren Generation und arbeiteten nicht zufällig in einer Abteilung, die während des Krieges stark expandierte, in großer Zahl jüngere Mitarbeiter beschäftigte und auch unkonventionelle Werdegänge zuließ. Hans Bernd von Haeften (Jahrgang 1905), der ohne Parteibuch fast kometenhaft aufstieg, amtierte bis zum April 1944 als stellvertretender Abteilungsleiter. Adam von Trott zu Solz (Jahrgang 1909), nach Kriegsbeginn zunächst als Wissenschaftlichen Hilfsarbeiter eingestellt, bald als Beamter übernommen, leitete den Nachrichtendienst für Indien, den er gemeinsam mit Staatsekretär Keppler aufgebaut hatte. Zum Freundes- und Mitwisserkreis um Haeften und Trott zählte neben Albrecht von Kessel (Jahrgang 1902) der ein wenig ältere Franz Josef Furtwängler; der einstige Auslandssekretär im Vorstand des Allgemeinen Deutschen Gewerkschaftsbundes arbeitete seit 1941 in der Informationsabteilung. Er hatte Trott bei Julius Leber eingeführt, dem ehemaligen SPD-Reichstagsabgeordneten, der zu den Schlüsselfiguren des 20. Juli gehörte.[33]

Nach seinem Jurastudium und dreijähriger Tätigkeit als Geschäftsführer der Stresemann-Stiftung trat Haeften 1933 ins Auswärtige Amt ein. Als junger Attaché an der Deutschen Botschaft in Wien erwarb er sich das Wohlwollen führender österreichischer Nationalsozialisten. Er habe die nationalsozialistische Bewegung in Österreich mit Nachdruck gefördert, bescheinigten ihm 1941/42 Reichsminister Seyß-Inquart, die Gauleiter Jury und Rainer sowie der Propagandabeauftragte Megerle – und befürworteten Haeftens Antrag auf Parteimitgliedschaft wärmstens.[34] Haeften war ein brillanter Beamter, den vor allem seine religiöse Überzeugung frühzeitig in die Opposition führte. Schon während des Kirchenkampfes fühlten er und seine Frau Barbara sich der Bekennenden Kirche zugehörig.[35] Entscheidende Impulse auf seinem Weg in den Widerstand erhielt Haeften durch die Kontakte zu seinem Mitkonfirmanden Dietrich Bonhoeffer, durch seine Beziehungen zu Kessel und Hassell und nicht zuletzt durch seine Rolle im Kreisauer Kreis.[36]

Im Frühjahr 1944 musste sich Haeften einer Kur unterziehen. Seine längere krankheitsbedingte Abwesenheit belastete Trott: »Auch fehlt er uns sehr«, schrieb er seiner Frau Clarita.[37] Seit gut einem Jahr führte Haeften die Geschäfte des Ministerialdirigenten der Kulturpolitischen Abteilung.[38] Noch während der Kur[39] gab er diese Position am 21. April 1944 an den Gesandten I. Klasse Rudolf Schleier ab.[40] Dieser hatte kurzfristig die Botschaft in Paris geführt; nach der Rückkehr von Abetz am 29. November 1943 musste für den ehemaligen Gauamtsleiter eine neue adäquate Position gefunden werden.[41] Schleier, Frontkämpfer, Käsegroßhändler und Altparteigenosse, Jahrgang 1899, passte überhaupt nicht zum Personalprofil der Abteilung; seine Ernennung bedeutete zumindest eine partielle Entmachtung Haeftens.

Adam von Trott zu Solz wurde 1909 als fünftes Kind des preußischen Kultusministers August Trott zu Solz geboren.[42] Als der promovierte Jurist im November 1938 von einer langen Reise nach Nordamerika und in den Fernen Osten nach Deutschland zurückkehrte, lernte er Walther Hewel kennen, der als »Ständiger Beauftragter des Reichsaußenministers beim Führer« an einer zentralen Schaltstelle zwischen Wilhelmstraße und Reichskanzlei saß. Trott bot ihm an, seine persönlichen Verbindungen nach England zu nutzen, um zur Verhinderung eines Krieges zwischen Deutschland und Großbritannien beizutragen. Diese Mission, die Anfang Juni 1939 zu Gesprächen mit dem britischen Außenminister Lord Halifax und Premierminister Chamberlain führte, brachte Trott in engeren Kontakt mit dem Auswärtigen Amt. Trotz persönlicher Beziehungen, die er zu einzelnen Diplomaten wie Albrecht von Kessel oder Gottfried von Nostitz unterhielt, fühlte sich Trott dem Amt weder persönlich noch institutionell besonders verbunden. Dennoch wurde er nach 1945 immer stärker zum Angehörigen der Wilhelmstraße stilisiert, weil seine Rolle als außenpolitischer Emissär des Widerstands – und sein Tod durch den Strang – perfekt ins Bild eines diplomatischen Widerstands passten, den es in dieser Form niemals gegeben hat.

Parallel zu seiner Übernahme ins Auswärtige Amt am 1. Juni 1940[43] beantragte Trott die Aufnahme in die NSDAP. Nicht Karrieregründe, sondern seine oppositionelle Haltung seien für diesen Schritt maßgeblich gewesen, schreibt seine Biographin; Trott sei einer bereits früh gefassten Entscheidung gefolgt, »nämlich dann der Partei beizutreten, wenn dies der Tarnung im Kampf gegen das Regime dienlich sein würde«.[44] Zeitgenössische Zeugnisse, die Trotts Beweggründe aufzeigen, fehlen. Hier zeigt sich wieder einmal die Schwierigkeit, Motive im Kontext des konspirativen Handelns ohne ausreichende Quellenbasis eindeutig benennen zu können. Zunächst arbeitete Trott im Auswärtigen Amt als Wissenschaftlicher Hilfsarbeiter, allerdings in der selten vergebenen hohen Gehaltsgruppe II. Nach positiven Beurteilungen durch Luther, Wüster und Keppler wurde er am 1. Mai 1943 als Legationssekretär in das Beamtenverhältnis übernommen.[45]

Trott war in die Vorbereitung der Invasion Großbritanniens eingebunden; auch als Leiter des Indienreferats richtete sich seine Tätigkeit vorwiegend gegen britische Interessen.[46] Seine Tätigkeit brachte ihn immer wieder in innere Konflikte mit seinen zahlreichen Freunden in Großbritannien und den Vereinigten Staaten, die seine Motive nach dem Krieg besonders kritisch hinterfragten; die Symbiose von Patriotismus und Widerstand irritierte vor allem viele Briten. Trott wird als »furchtlos« und »unvorsichtig« beschrieben, sein Einsatz für Menschenrechte und Menschenwürde wird ebenso hervorgehoben wie seine »Spontaneität«.[47] Wie Haeften scheint auch Trott parallele Leben geführt zu haben; obwohl er mit den daraus sich ergebenden Zwängen souverän zurechtzukommen schien, erkannte er doch die Zwiespältigkeit seines Handelns.

Im Bewusstsein des schmalen Grats, auf dem er lief, setzte Trott seine Kraft für einen Sturz Hitlers und ein Ende der NS-Herrschaft ein. Über sein unbedingtes Engagement für den Widerstand besteht jedenfalls kein Zweifel. Er knüpfte Kontakte zu oppositionellen Militärs und Zivilisten, zu seinem alten Bekannten Hans von Dohnanyi und dessen Vorgesetzten Generalmajor Oster im Amt Ausland/Abwehr, zu Otto John, Jurist bei der Deutschen Lufthansa, zu Dohnanyis Schwager, Klaus Bonhoeffer, sowie zu den Generälen Alexander von Falkenhausen und Georg Thomas. Im August 1940 lernte Trott Generaloberst Beck kennen.[48] Neben dem Gedankenaustausch im Kreisauer Kreis stand im Mittelpunkt seiner Aktivitäten mehr als ein Dutzend Auslandsreisen. Trott fuhr in die Schweiz, in die Niederlande, nach Belgien und Schweden und suchte den westlichen Alliierten, insbesondere den Briten, Informationen und Anregungen des deutschen Widerstands zu übermitteln. Nicht nur für die Kreisauer, sondern auch für den militärischen Widerstand um Stauffenberg wurde Trott zur wichtigsten Kontaktperson zum Ausland. Bereits seinen Zeitgenossen galt er als der »informelle Außenminister« des Widerstands.[49]

Neben Haeften und Trott gehörte noch ein weiterer, zumindest zeitweilig im Auswärtigen Amt beschäftigter Mitarbeiter dem Kreisauer Kreis um Moltke und Yorck an: Eugen Gerstenmaier. Der protestantische Theologe, 1906 geboren, arbeitete seit 1936 im kirchlichen Außenamt unter Bischof Theodor Heckel. Durch eine Kriegdienstverpflichtung zunächst in der Kulturpolitischen Abteilung, dann in der Informationsabteilung beschäftigt, kam er in näheren Kontakt mit Haeften und Trott.[50] Am 3. Juni 1942 nahm Gerstenmaier zum ersten Mal an einem Treffen des Kreisauer Kreises teil. Die Einbeziehung des Theologen hatte besonders Haeften gefördert.[51]

Trotz des oppositionellen Zirkels, der sich in der Informations- beziehungsweise in der Kulturpolitischen Abteilung gebildet hatte, kann vom Widerstand *des* Auswärtigen Amtes nicht gesprochen werden. Zum einen handelte es sich um einen sehr kleinen Kreis. Zum anderen lagen die Gravitationszentren der Opposition außerhalb des Amtes. Wichtige Kristallisationspunkte waren der Kreisauer Kreis Moltkes, an dessen Beratungen sich Trott und Haeften beteiligten, der Kreis um Stauffenberg, dem Trott als außenpolitischer Berater angehörte, und – in geringerem Maße – der Solf-Kreis, der eine Reihe ehemaliger Diplomaten umfasste. In dem Gesprächskreis, der sich bei Hanna Solf, der Witwe des 1936 verstorbenen deutschen Botschafters in Tokio, Wilhelm-Heinrich Solf, gebildet hatte, kamen einzelne Regimegegner zu offener Aussprache zusammen. Zu den Mitgliedern gehörten überwiegend pensionierte Diplomaten wie der Gesandte a.D. Otto Karl Kiep, ehemaliger deutscher Generalkonsul in New York, Legationsrat i.R. Richard Kuenzer, Botschaftsrat i.R. Albrecht Graf von Bernstorff, Legationssekretär i.R. Herbert Mumm von Schwarzenstein und Legationsrat Dr. Hilger van Scherpenberg. Von einem Gestapo-Spitzel denunziert, wurden die meisten Mitglieder des Solf-Kreises verhaftet, Bernstorff, Kiep, Kuenzer und Mumm überlebten den Krieg nicht.[52]

Der 20. Juli 1944

Wie wenig das Auswärtige Amt als »Widerstandszelle« betrachtet werden kann, lässt sich nicht zuletzt daran festmachen, dass Ulrich von Hassell eine aktive Oppositionsrolle erst nach seinem Ausscheiden aus dem Dienst übernahm und Friedrich Werner von der Schulenburg nach seiner Rückkehr aus Moskau in der Wilhelmstraße nur noch eine untergeordnete Rolle spielte.

Hassell, 1881 geboren, hatte seit dem Kaiserreich im diplomatischen Dienst gestanden. Nach der Machtübernahme avancierte der Botschafter in Rom zu einem der wichtigsten Missionschefs im Dritten Reich. 1933 in die NSDAP aufgenommen, trat Hassell seit 1936/37 in größere Distanz zur nationalsozialistischen Außenpolitik, die von seinen Vorstellungen einer traditionellen Revisionspolitik abwich. Im Februar 1938 wurde er von seinem Posten in Rom abberufen. Obwohl Hassell weiterhin diplomatische Sonderaufträge durchführte, gelangte er nicht wieder in eine einflussreiche Position. Vielseitig vernetzt und mit den Spitzen von Staat, Bürokratie und Militär bekannt, nutzte er seine Kontakte fortan für konspirative Tätigkeiten. Am 14. August 1939 traf er in München den ehemaligen Leipziger Oberbürgermeister Carl Goerdeler. Mit dieser Zusammenkunft begann die Geschichte des Widerstandsnetzwerks Goerdeler-Beck-Hassell; von einer Gruppe kann kaum gesprochen werden, zu rudimentär waren die organisatorischen Strukturen und zu unterschiedlich die Meinungen der beteiligten »Honoratioren«.[53] Hassell wuchs die Rolle eines Brückenbauers zu, insbesondere zu der jüngeren Generation um Moltke und Yorck. Nach einem gelungenen Staatsstreich hätte Hassell Außenminister werden sollen.

Anders als Hassell blieb Schulenburg während des Krieges in die Arbeit des Auswärtigen Amtes eingebunden: Er leitete das Russland-Komitee, dessen Einfluss allerdings begrenzt war. Als Botschafter in Moskau hatte der 1875 geborene Berufsdiplomat mit allen Mitteln versucht, den Angriff auf die Sowjetunion am 22. Juni 1941 zu verhindern. In den Reihen der Opposition machte er sich für einen frühen Friedensschluss mit Moskau stark. Zum Goerdeler-Kreis stieß er – so jedenfalls das Ergebnis der Gestapo-Ermittlungen – über Brücklmeier, der Schulenburg aus der gemeinsamen Zeit an der Gesandtschaft in Teheran kannte. Ein Treffen zwischen Goerdeler, Hassell und Schulenburg soll in Brücklmeiers Wohnung stattgefunden haben.[54] Auch Schulenburg war zeitweilig als Außenminister vorgesehen.

Die Zahl der Angehörigen des Auswärtigen Amtes, die direkt in die Vorbereitungen des Attentats involviert waren, blieb gering. Nur Haeften und Trott waren fest in die Struktur und die Aufgaben des Amtes eingebunden. Trott wiederum gehörte als Einziger zu dem engsten Kreis um Stauffenberg. Am Abend des 16. Juli nahm er an einer entscheidenden Besprechung in Stauffenbergs Wohnung in Wannsee teil, und noch am Abend vor dem Anschlag traf er sich mit Stauffenberg.

Eineinhalb Jahre nach dem Umsturzversuch brachte Wilhelm Melchers, ein Kollege von Trott und Haeften, seine Erinnerungen an den 20. Juli zu Papier. Er hatte sich wie die beiden Verschwörer an diesem Tag in der Wilhelmstraße aufgehalten. Obwohl Melchers am Rand der Ereignisse stand und sein Bericht auch dazu diente, seine eigene Stellung zu rechtfertigen, gelingt ihm eine lebendige Schilderung der Stimmung in der Zentrale während der entscheidenden Stunden. Melchers erweckt in seinen Aufzeichnungen den Eindruck, die verschiedenen, in der Regel ganz unabhängig, ja abgeschottet voneinander agierenden Oppositionsgrüppchen im Auswärtigen Amt hätten ein gemeinsames politisches und strategisches Kraftzentrum gehabt, als dessen Mitte der Kreis um Staatssekretär Ernst von Weizsäcker zu gelten habe.

Obwohl Melchers eine Reihe von Kollegen als Mitwisser und Sympathisanten benennt, erscheint das Auswärtige Amt in seinem Bericht aber mitnichten als Hort des Widerstands. Gegenseitige Vergewisserungen, dass ein von Melchers und Haeften gleichermaßen als Freund bezeichneter Kollege »anständig« gewesen sei, offenbaren gerade nicht ein besonderes Zusammengehörigkeitsgefühl oder gar den Grad der Opposition, sondern im Gegenteil den Grad des Misstrauens und der Verunsicherung im Amt. Diese Atmosphäre sollte sich in den folgenden Tagen noch verdichten. Nicht nur Trott und Haeften trieb die Angst vor Verhaftung um. Auch Melchers räumte ein, über den Umsturzversuch nicht einmal mit Kollegen gesprochen zu haben, von denen er glaubte, dass sie seine politischen Ansichten teilten. »Dieses Schweigen kennzeichnete das Schauerlichste der Situation«, schrieb er.[55]

Über die Festnahme von Trott und Haeften verlautete offiziell nichts. Die bedrückende Sprachlosigkeit, die Melchers skizziert, war Ausdruck einer Unsicherheit und eines universalen Argwohns, die selbst die Protagonisten des Regimes in der Wilhelmstraße erfassten. Sogar Abteilungsleiter Six, der in einer kurzen Ansprache vor allem seinen ehemaligen Stellvertreter Haeften verunglimpfte, ging jedem Gespräch über die Ereignisse aus dem Weg. Diese kollektive Reaktion auf den 20. Juli führte zu einer weiteren Vereinzelung der Angehörigen des Auswärtigen Amtes. Im Hintergrund bemühten sich die Spitzen des Amtes um politische Schadensbegrenzung, indem sie die Bedeutung der Inhaftierten herunterzuspielen suchten.

Innerhalb weniger Tage nach dem Attentat waren die wichtigsten Oppositionellen aus den Reihen des AA verhaftet worden. Am 23. Juli nahm die Gestapo Haeften fest, zwei Tage später folgte Trott, am 28. Juli Hassell. Schulenburg wurde nicht sofort festgenommen, sondern von der Gestapo unter Mithilfe des Auswärtigen Amtes überwacht.[56] In den so genannten Kaltenbrunner-Berichten, in denen der Chef des Reichssicherheitshauptamtes dem Chef der Parteikanzlei Bormann über den Fortgang der Gestapo-Ermittlungen berichtete, hieß es am 11. August 1944: »Die Zahl der Mitwisser hat sich um den Legationsrat von Haeften, den Bruder des an dem Anschlag unmittelbar beteiligten Oberleutnants von Haeften, vermehrt. Von Haeften hat anfangs gelogen, um den Legationsrat von Trott nicht zu belasten. Er hat nunmehr ein Geständnis abgelegt, dass er bereits seit der zweiten Januarhälfte 1944 durch seinen Bruder von der Absicht der Änderung des Regimes gewusst hat.«[57]

Das Auswärtige Amt war jeweils unmittelbar nach den Verhaftungen unterrichtet worden. Im Auftrag Wagners und nach Rücksprache mit Ministerialdirektor Schroeder etablierte der Leiter des Referats Inland II B, Legationssekretär Sonnenhol, einen direkten Kontakt einerseits zu Kaltenbrunner, anderseits zu SS-Oberführer Friedrich Panzinger, dem stellvertretenden Gestapo-Chef, der als Leiter der »Sonderkommission 20. Juli 1944« fungierte.[58] Am 11. August 1944 erfuhr Sonnenhol von Panzinger, dass Trott »auf der nächsten Tagung des Volksgerichtshofs … zum Tode verurteilt werden« würde.[59] Hitler hatte entschieden, dass die Verhandlungen gegen die am Umsturzversuch Beteiligten vor dem Volksgerichtshof zu führen seien. Hierbei sollten die Verfahren gegen Militärs und Zivilisten voneinander getrennt werden. Der Hauptprozess gegen verantwortliche Wehrmachtoffiziere, an ihrer Spitze Generalfeldmarschall Erwin von Witzleben, fand am 7. und 8. August 1944 statt. Alle Angeklagten wurden zum Tode verurteilt und unmittelbar nach der Urteilsverkündung in der Hinrichtungsstätte Berlin-Plötzensee ermordet.

Trott und Haeften wurden zusammen mit vier weiteren Angeklagten, zu denen der ehemalige Berliner Polizeipräsident und SA-Obergruppenführer Wolf Heinrich Graf von Helldorf gehörte, am 15. August 1944 vor Gericht gestellt. Vom Präsidenten des Volksgerichtshofs Freisler verhört, tat Haeften seinen berühmt gewordenen Ausspruch: »Nach der Auffassung, die ich von der weltgeschichtlichen Rolle des Führers habe, nämlich dass er ein großer Vollstrecker des Bösen ist…«[60] Haeften und Trott wurden zum Tode verurteilt, Haeften starb noch am selben Tag in Berlin-Plötzensee. Trotts Hinrichtung wurde aufgeschoben, weil die Möglichkeit eruiert werden sollte, seine Auslandskontakte weiter zu nutzen,[61] am 26. August wurde er jedoch ebenfalls in Plötzensee gehenkt.

Im Vorfeld des großen Prozesses, der gegen die »zivilen Spitzen des Putschplanes«[62] gerichtet war, entfaltete das Auswärtige Amt umfangreiche Aktivitäten. Ziel der Wilhelmstraße war es, die Einbeziehung von ehemaligen Angehörigen des Amtes, namentlich Hassell und Schulenburg, zu verhindern. Neben Wagner und der Referatsgruppe Inland II war an diesen Versuchen besonders Legationssekretär Sonnenhol beteiligt, und auch die Personalabteilung war eingeschaltet. Berichte liefen über den Staatssekretär bis zum Reichsaußenminister. SS, Justiz und Auswärtiges Amt kamen gemeinsam zu der Auffassung, dass eine »nachteilige propagandistische Wirkung« im Volk entstehe, wenn »zwei prominente Botschafter gleichzeitig vor dem Volksgerichtshof« erscheinen.[63] Da Schulenburg als weniger belastet galt, wurde sein Verfahren vorerst zurückgestellt. Sonnenhol hoffte sogar, ihm eine schwere Strafe ersparen zu können, der Reichsaußenminister solle in diesem Sinne »höheren Orts« intervenieren.[64] Gegenüber der Gestapo verwies das Auswärtige Amt auf das hohe Alter und die implizit geringere Urteilsfähigkeit Schulenburgs. Ribbentrop schien es zu genügen, dass der Prozess gegen Schulenburg, zumindest in den Augen der Prozessbeobachter des AA, nur eine geringe Schuld sowohl des Angeklagten als auch des Auswärtigen Amtes offenbarte. Schulenburg wurde am 23. Oktober zum Tode verurteilt und am 10. November 1944 in Berlin-Plötzensee hingerichtet.

Erfolglos blieb der Versuch des Auswärtigen Amtes, das Verfahren gegen Hassell von dem Prozess gegen Goerdeler abzutrennen. Das Amt bemühte sich verzweifelt, sich von dem Botschafter a. D. zu distanzieren:

Es liege »nicht im allgemeinen Interesse … dass H[assell], der seit Jahren das Auswärtige Amt gar nicht mehr betreten hat und überhaupt keine Verbindung mit dem Auswärtigen Amt hatte, als Vertreter der Diplomatie bei dem Putschplan in Erscheinung tritt«.[65] Trotzdem wurde Hassell am 7. und 8. September 1944 gemeinsam mit Goerdeler und drei weiteren Angeklagten vor Gericht gestellt. Ohne jede Sympathie für den Angeklagten berichtete Sonnenhol als Prozessbeobachter des Auswärtigen Amtes über die Verhandlung.[66] Freisler fasste wesentliche Punkte der Kritik Hassells am Nationalsozialismus zusammen: »1. Die Besetzung Prags im Frühjahr 1939; 2. die Rechtsstaatsfrage; 3. die Beseitigung der persönlichen Freiheit; 4. die von H[assell] empfundene Scham über die Lösung der Judenfrage; 5. die Kirchenfrage.«[67] Alle fünf Angeklagten wurden am 8. September zum Tode verurteilt, Wirmer, Lejeune-Jung und Hassell noch am selben Tag in Plötzensee hingerichtet.

Außenseiter: Fritz Kolbe und Gerhard Feine

Nicht alle, die im Auswärtigen Amt gegen das Regime gearbeitet hatten, wurden gefasst. Parallel zur Vorbereitung des Attentats auf Hitler und ohne jede Einbindung in eines der Widerstandsnetzwerke, unterstützt nur von wenigen Bekannten, hatte Fritz Kolbe, ein Beamter des mittleren Dienstes, versucht, seinen Beitrag zum Umsturz zu leisten. Soweit eigene Stellungnahmen Rückschlüsse zulassen, waren seine Motive patriotischer und humaner Natur.

Kolbe wurde 1900 als Sohn aus einer Handwerkerfamilie in Berlin geboren. Nach einer Zwischenstation bei der Reichsbahn trat er 1925 in das Auswärtige Amt ein. Als pflichtbewusster Mitarbeiter geschätzt, lehnte er Aufforderungen, in die NSDAP einzutreten, ab und nahm hierfür auch berufliche Nachteile in Kauf. Im Konsulat in Kapstadt fälschte er vermutlich schon 1938/39 Reisepässe für NS-Verfolgte. Zunächst mit untergeordneten Aufgaben betraut, übernahm er zur Jahreswende 1940/41 die Leitung des Vorzimmers von Botschafter z.b.V. Karl Ritter; er war der Verbindungsmann des AA zur Wehrmacht und galt als Ribbentrops wichtigster Berater für die wirtschaftliche Kriegführung. Obwohl parteilos und als Sicherheitsrisiko beargwöhnt, bekleidete Kolbe eine wichtige Vertrauensstellung. Im Verlauf des Jahres 1941 wurde er mit der Vorauswahl der eingehenden Korrespondenz und Telegramme betraut und entschied darüber, welche Nachrichten wichtig genug waren, um Ritter vorgelegt zu werden. Über Kolbes Schreibtisch gingen geheime, höchst sensible Dokumente.

Während Kolbe innerhalb der Behörde kaum über Verbündete verfügte – zu seinen wenigen Vertrauten gehörten der Berufsdiplomat Karl Dumont und die im Kurierreferat tätige Angestellte Gertrud von Heimerdinger –, lernte er durch den Berliner Chirurgen Ferdinand Sauerbruch zahlreiche Persönlichkeiten aus Klerus, Militär und Wehrmacht kennen, die sich im weitesten Sinne mit den Zielen des bürgerlichen Widerstands identifizierten. Kolbes langjähriger Freund Ernst Kocherthaler, ein 1935 aus Deutschland emigrierter Jude, der sich nach seinem Ausscheiden aus dem Konsulatsdienst des AA in Bern niedergelassen hatte, fädelte schließlich am 19. August 1943 die erste Begegnung mit Allen Dulles ein, der zu diesem Zeitpunkt das Berner Büro des amerikanischen Geheimdienstes OSS leitete.[68] Entgegen Warnungen des britischen Militärattachés in Bern, der den burschikos wirkenden Deutschen für einen *agent provocateur* hielt, ließ sich Dulles auf Anhieb von dessen Aufrichtigkeit überzeugen. Während eines zweiten Treffens, das nur wenige Tage später stattfand, sprach man bereits über die technischen Details künftiger Zusammenarbeit. Kurz darauf verpassten die Amerikaner Kolbe den Decknamen »Georg Wood«, unter dem er bis Kriegsende für das OSS tätig sein sollte.

Binnen weniger Monate avancierte Kolbe zu Dulles' wichtigstem Informanten. Bereits im Januar 1944 legte das OSS in Washington Präsident Roosevelt ein erstes vertrauliches Dossier vor, das sich auf die neue Quelle »Wood« beziehungsweise »Kappa« bezog. Die Briten bedauerten alsbald ihre anfängliche Zurückhaltung, denn Kolbes »Ostereier«, wie Dulles die nun regelmäßig eintreffenden Lieferungen nannte, erwiesen sich nicht nur als echt, sondern auch als ausgesprochen schmackhaft. Es fanden sich darin wertvolle Hinweise zur Stimmungslage an der Heimatfront und zu den Beziehungen zwischen dem Reich und seinen Verbündeten. Detailliert wurde über deutsche Besatzungsverbrechen und den Mord an den europäischen Juden berichtet. Auch der eine oder andere Spion im alliierten und neutralen Lager konnte dank der Meldungen Kolbes ausgeschaltet werden.

Skrupel angesichts seiner Agententätigkeit empfand Kolbe offenbar nicht. Eher begriff er es als moralische Pflicht, durch die Weitergabe kriegswichtiger Nachrichten zur inneren Aushöhlung des Regimes beizutragen. Gegenüber Dulles bezeichnete er sich als »deutscher Patriot mit einem menschlichen Gewissen«.[69] Getragen von dem Willen, durch die Übermittlung von politischen, militärischen und strategischen Informationen die Niederringung des NS-Regimes in substanzieller Weise zu beschleunigen, nahm er das Verdikt des Landesverrats bewusst in Kauf. Ausmaß und Stoßrichtung seines Engagements wurden in erheblichem Maße allerdings auch von dem spezifischen Selbstverständnis und den weltanschaulichen Überzeugungen seiner amerikanischen Auftraggeber bestimmt. Dulles und sein engster Mitarbeiter, der aus Deutschland stammende Gero von Schulze-Gaevernitz, arbeiteten nämlich durchaus nicht im Einklang mit Washingtoner Vorgaben, wenn sie gegenüber ihren deutschen Gesprächspartnern immer wieder den Eindruck zu erwecken suchten, der US-Regierung gehe es vorrangig um eine »Unterstützung und Ermutigung« der Widerstandsbewegung.[70]

Diese Diskrepanz zwischen der extensiven Dienstauffassung des US-Sondergesandten in Bern und den tatsächlich vorhandenen Spielräumen amerikanischer Deutschlandpolitik war es auch, die Kolbe in der letzten Kriegsphase zum Verhängnis werden sollte. Nachdem Dulles seinen wichtigsten Agenten Ende 1943 davon hatte abbringen können, seine Kuriertätigkeit einzustellen und sich stattdessen dem Untergrund anzuschließen, überredete er ihn wenige Tage vor der Kapitulation, sich gegenüber dem deutschen Gesandten Otto Köcher, Pg seit 1934, als Verbindungsmann der Amerikaner zu erkennen zu geben. Köchers Weigerung, mit den Amerikanern zu kooperieren, hatte zur Folge, dass er wenige Monate später auf Druck des OSS aus der Schweiz ausgewiesen und in Deutschland in Internierungshaft genommen wurde. Bevor er sich am zweiten Weihnachtstag des Jahres 1945 in seiner Zelle im Lager Ludwigsburg erhängte, verbreitete Köcher unter seinen Mithäftlingen offenbar das Gerücht, Kolbe habe ihn bei den Amerikanern angeschwärzt. Dies sei in erster Linie deshalb geschehen, weil er, Köcher, sich geweigert habe, die bei der Berner Gesandtschaft deponierten Goldreserven des Auswärtigen Amtes an Kolbe auszuliefern.

Kolbe hatte nur losen Kontakt zu anderen Oppositionellen und widerlegt damit gängige Klischees, die behaupten, ein Einzelner habe unmöglich aktiv und erfolgreich Widerstand leisten können. Seine Geschichte zeigt, welche Spielräume unter dem nationalsozialistischen Regime zur Verfügung standen. Er steht damit stellvertretend für die wenigen Mitarbeiter des Auswärtigen Amtes, die ohne Einbindung in oppositionelle Netzwerke die NS-Herrschaft zu unterlaufen oder sich zumindest von ihr zu distanzieren suchten. Zu ihnen gehörte auch Hans Litter, Jahrgang 1913, Wissenschaftlicher Hilfsarbeiter in der Politischen Abteilung, der als Oberleutnant der Reserve von einem Feldkriegsgericht wegen »Wehrkraftzersetzung« zum Tode verurteilt und am 21. Januar 1944 hingerichtet wurde.[71]

Dass es Möglichkeiten alternativen Verhaltens gab, veranschaulicht – aus wieder einer ganz anderen Perspektive – auch der Fall des Diplomaten Gerhart Feine. Geboren 1894, war Feine 1923 in den Auswärtigen Dienst eingetreten, hatte unter anderem als Privatsekretär Stresemanns gearbeitet und war nicht Mitglied der NSDAP.[72] Seit 1938 war er Gesandtschaftsrat in Belgrad, seit 1941 vertrat er dort den Gesandten Benzler in dessen Abwesenheit.[73] Sein Verhalten zu Beginn des Krieges gegen Jugoslawien verhalf ihm zur Beförderung zum Gesandtschaftsrat I. Klasse; auf Anordnung Ribbentrops war Feine als Geschäftsträger in der Gesandtschaft zurückgeblieben, »um den Zeitpunkt des deutschen Angriffs zu verschleiern«, während der Rest des Gesandtschaftspersonals nach Berlin zurückkehrte.[74] Feine, hieß es in der Empfehlung zu seiner Beförderung, sei »nach Abberufung des deutschen Gesandten … zum Schutz der deutschen Bevölkerung und im Interesse sonstiger deutscher Belange aus eigenem Entschluss auf seinen Posten geblieben«, trotz schwerer Bombardierung der Gesandtschaft.[75]

1943 wurde Feine nach Berlin zurückberufen und als Referent im Referat Südost IVb der politischen Abteilung eingesetzt.[76] Noch immer weigerte er sich, der Partei beizutreten, obwohl er dazu von Steengracht aufgefordert wurde.[77] Seit dem 17. März 1944 arbeitete er in der Deutschen Botschaft in Budapest; er war mit Personalangelegenheiten befasst, schlüpfte gelegentlich auch in die Rolle des Presseattachés und vertrat als ältester Diplomat der Botschaft Veesenmayer in dessen Abwesenheit.[78] Als er die »Natur Veesenmayers und seiner Politik« erkannt habe, so Feine in einer Aufzeichnung nach dem Krieg, habe er seine Rückberufung beziehungsweise seine Rekrutierung zur Wehrmacht beantragt; beides sei abgelehnt worden.[79]

Feine blieb bis Ende Dezember 1944 in Budapest. Er nahm täglich an den Morgenbesprechungen teil, die zwischen zehn und zwölf Uhr in der Gesandtschaft stattfanden, und erfuhr auf diese Weise »in großen Zügen, was vorging« – auch von den Maßnahmen gegen die Juden, die in Zusammenarbeit mit der SS durchgeführt wurden.[80] Feine leitete einige Berichte der Sicherheitspolizei und des SD an das Auswärtige Amt in Berlin weiter; am 24. April 1944 schrieb er in einem eigenen Bericht: »Juden: Gesamtzahl durch Einzelaktion bis 22. IV. 7 802, durch Sonderaktion etwa 135 000. Die Sonderaktion im nordost-ungarischen Karpathenraum läuft planmäßig ohne Störungen weiter.«[81] Er zeichnete Notizen ab, die der in der Gesandtschaft unter anderem für »Judenangelegenheiten« zuständige Legationsrat Grell über ihn an Veesenmayer richtete,[82] kritisierte Grell aber dafür, dass er »zu sehr auf Seiten der SS« stehe.[83] Gegenüber Veesenmayer nannte er das Vorgehen gegen die Juden »unmenschlich und außerdem politisch unklug, da es sich gegen Deutschland auswirken müsse«.[84]

Feine hielt mit seiner Kritik auch gegenüber Ausländern nicht zurück. Der Schweizer Vizekonsul Carl Lutz berichtete später: »Zu jener Zeit, im September 1944, bat mich Botschaftsrat Feine um ein vertrauliches Gespräch. Gegen das ehrenwörtliche Versprechen, von unserer Unterredung niemanden – weder meinem Vorgesetzten Jaeger, noch meiner eigenen Frau, noch den Behörden in Bern – Erwähnung zu tun, übergab er mir Abschriften folgender Schriftstücke: Telegramm Veesenmayers vom 3.4.1944 an den Reichsaußenminister; Telegramm Veesenmayers vom 25.7.1944; Abschrift der ›Geheimen Reichssache‹ vom 20.1.1942.«[85] Im ersten Telegramm äußerte sich Veesenmayer zu dem Vorschlag, für jeden getöteten Ungarn hundert Juden hinzurichten. Mit dem zweiten Telegramm reagierte er auf die Mitteilung der Schweizer Gesandtschaft, es lägen Einwanderungszertifikate für Palästina vor; Eichmann hatte ihn dazu wissen lassen, dass »der Reichsführer-SS keinesfalls mit Auswanderung ungarischer Juden nach Palästina einverstanden« sei. Im Gegenteil, es sei mit Eichmann vereinbart worden, »dass, soweit weiteren Judenevakuierungen aus Budapest zugestimmt wird, versucht werden soll, diese möglichst schlagartig und so beschleunigt durchzuführen, dass die für die Auswanderung in Betracht kommenden Juden bereits vor Erledigung der Formalitäten abtransportiert sind«.[86] Am Ende lehnte nicht nur die Schweizer, sondern auch die schwedische Regierung die Durchreise von ungarischen Juden ab. Grell konstatierte, dass »die deutscherseits grundsätzliche genehmigte Zahl von 7 000 Palästinaauswanderern über Konstanza infolge der veränderten Verhältnisse nicht mehr eingehalten werden kann«.[87]

Nachdem die Ausreise der Juden dadurch unmöglich gemacht wurde, versuchten Lutz und Feine, den Verfolgten innerhalb Budapests nach Kräften zu helfen.[88] Die Schweiz mietete Häuser an, in denen Juden, die unter ihrem Schutz standen, beherbergt werden konnten. Feine sorgte dafür, dass die ungarische Polizei die Häuser als Objekte der Schweizer Gesandtschaft respektierte und gegen Pfeilkreuzler schützte.[89] »Die Tatsache, dass unsere Legation mit ihren verschiedenen Zweigstellen nicht vom Mob angegriffen und unbrauchbar gemacht wurde«, schrieb Lutz nach dem Krieg, »ist in der Hauptsache auf Ihre freundliche und ständige Intervention während der Zeit, als die Schweizerische Regierung das neue ungarische Regime noch nicht anerkannt hatte, [zurückzuführen]. Auf diese Weise haben Sie dazu beigetragen, das Leben vieler Tausende[r] von Menschen zu retten, die zu der Zeit unter unserem Schutz standen.«[90] Und in einem weiteren Schreiben nach dem Krieg heißt es: »Ihr größter Verdienst ist aber wohl, dass Sie anlässlich der Abreise der Deutschen Gesandtschaft … der Pfeilkreuzler Partei durch die zuständigen deutschen Organe Weisung erteilten, die ca. 30 Hochhäuser, in denen sich die 50 000 Menschen unter Schweizer Schutz befanden, nicht anzutasten. Diese Weisungen sind mit wenigen Ausnahmen respektiert worden. Damit haben Sie Teil an dem Verdienst, einen Abtransport eines Großteils der jüdischen Bevölkerung nach den Vernichtungslagern – eine Tatsache, die damals weder Ihnen noch mir bekannt war – verhindert und so Tausenden das Leben gerettet zu haben.«[91]

Der Fall Feine belegt, dass es durchaus möglich war, Verfolgten zu helfen, insbesondere wenn es um »ausländische Juden« und »Schutzjuden« ging. Nach dem Krieg betonte Feine, er habe »mit diesen Sachen nichts zu tun haben« wollen, war sich der Widersprüchlichkeit seiner Haltung aber durchaus bewusst. Er habe sich als »ein Gegner des Nationalsozialismus« verstanden und erst »nach ernster Gewissensprüfung und inneren Kämpfen« 1933 beschlossen, »meine Pflicht als Beamter für Deutschland auch unter dem nationalsozialistischen Regime zu tun … Die Grenze meines Gehorsams legte ich dahin fest, dass ich nicht bereit war, etwas zu tun, was gegen mein Gewissen ging. Diesen Vorsatz habe ich gehalten.«[92]

Die geschilderten Fälle zeigen: Individueller Nonkonformismus, oppositionelle Gesinnung, aktiver Widerstand und vorsätzlicher Landesverrat gingen fließend ineinander über.[93] Ebenso können zwischen Mitwisserschaft, Mitläufertum, Tatbeteiligung und Täterschaft kaum klare Grenzen gezogen werden. So viel aber steht fest: Über die längste Zeit seiner Existenz scheint sich das Regime seiner Diplomaten relativ sicher gewesen zu sein. Erst nach dem Attentat vom 20. Juli verstärkte sich die Sorge, verwandtschaftliche Bindungen und elitäres Gruppenverhalten könnten dem Regime gefährlich werden: Seither wurde insbesondere der Druck auf die Mitarbeiter des Auswärtigen Amtes erhöht.

Gut ein Jahr vorher, am 19. Mai 1943, hatte Hitler einen Erlass herausgegeben, der die »Fernhaltung international gebundener Männer« zum Ziel hatte. Demnach mussten alle Männer »von maßgebenden Stellen in Staat, Partei und Wehrmacht« entlassen werden, »1. wenn sie mit Frauen aus den mit uns in Kriegszustand oder politischem Gegensatz befindlichen Ländern verheiratet sind oder 2. wenn sie aus Kreisen stammen, die durch ihre verwandtschaftlichen Beziehungen zu heute oder früher einflussreichen Gesellschafts- und Wirtschaftskreisen des uns feindlich gesinnten Auslandes als international gebunden zu betrachten sind«.[94] Zur letztgenannten Gruppe zählten insbesondere Angehörige des Hochadels. Während Steengracht daraufhin verlangte, im Auswärtigen Amt »wesentlich schärfere Maßstäbe«[95] anzulegen, stand Ribbentrop vor dem Problem, möglicherweise kaum zu ersetzende Beamte und verdiente Nationalsozialisten entlassen zu müssen: Nach einer Liste wären 18 Beamte des höheren Dienstes – von denen immerhin 14 der NSDAP angehörten –, vier Beamte des gehobenen Dienstes und 13 Wissenschaftliche Hilfsarbeiter betroffen gewesen.

Um Ausnahmeregelungen war man im Auswärtigen Amt nicht verlegen. So sollte auf Anregung Steengrachts der Legationssekretär Friedrich Franz Erbgroßherzog von Mecklenburg, obwohl er ein Neffe der Königin von Dänemark war, nicht entlassen werden. Er sei immerhin schon 1931 in die NSDAP und noch vor der Machtergreifung in die SS eingetreten; gegenwärtig diene er auf Anordnung Himmlers bei einer Einheit der Waffen-SS.[96] Steengracht und Ribbentrop scheinen sich die Bälle gegenseitig zugespielt zu haben. Er habe sich, schrieb der Reichsaußenminister an Bormann, »von vornherein für eine schnelle und durchgreifende Verwirklichung der dem Führererlass zugrundeliegenden Absichten eingesetzt«.[97] Eine einheitliche Regelung, die er für nötig erachtete, sei aber von den anderen Reichsressorts nicht umgesetzt worden.

Als sich nach dem gescheiterten Attentat der Druck erhöhte, sollte Ribbentrop weitere Mitarbeiter entlassen. Mitte Dezember 1944 waren von 32 betroffenen Personen bereits zwei Drittel entlassen worden, nur für Botschafter Abetz hatte Ribbentrop offenbar eine Ausnahmegenehmigung erwirkt.[98] Emil Wiehl, der Leiter der Handelspolitischen Abteilung, dessen Frau aus Großbritannien stammte, hatte am 28. September 1944 ebenso den Dienst quittieren müssen wie der ehemalige Botschafter in Santiago, Wilhelm Albrecht Freiherr von Schoen, dessen Frau Amerikanerin war. Auch Generalkonsul Martin Fischer und Gesandtschaftsrat Ernst Achenbach waren hiervon betroffen. Die Angst vor Verrätern ließ flächendeckende Maßnahmen geraten erscheinen. Deutschen Diplomaten auf Auslandsmissionen wurde, von dienstlich begründeten Ausnahmen abgesehen, der Nachzug der Familie nicht mehr gestattet. Bei »etwaigen nicht Rückkehrenden« sollte, so Ribbentrop an Kaltenbrunner, die »Inhaftnahme der in Deutschland befindlichen Familienangehörigen« erfolgen.[99] Praktische Auswirkungen dürfte diese Maßnahme nicht mehr gehabt haben, dafür kam sie zu spät. Ribbentrop schrieb seinen Brief an Kaltenbrunner am 2. März 1945, fünf Tage, bevor die US-Streitkräfte bei Remagen über den Rhein gingen. Wenn auch zunehmend realitätsferner, funktionierte das Auswärtige Amt doch bis zum letzten Tag des NS-Regimes.

Zweiter Teil

Das Amt und die Vergangenheit

Die Auflösung des alten Dienstes

Lange vor der bedingungslosen Kapitulation der deutschen Wehrmacht waren die Alliierten entschlossen, die politischen Spitzen und die Funktionseliten des Dritten Reiches für ihre Verbrechen zur Rechenschaft zu ziehen. Mit ihren seit Monaten, zum Teil seit Jahren vorbereiteten Maßnahmen zur Durchführung des »automatischen Arrests«, zur politischen Säuberung und strafrechtlichen Ahndung ging eine planmäßige Suche nach unbelasteten Deutschen einher, die beim Wiederaufbau des zerstörten Landes helfen konnten. Einer der wenigen im Auswärtigen Dienst, die früh davon wussten, war Fritz Kolbe.

Kurz vor Kriegsende hatte er Allen Dulles eine Namenliste nach Bern gebracht, die ahnen ließ, wie schwer es werden würde, unter den Angehörigen des Amtes politisch zuverlässige und reformfreudige Kräfte zu finden.[1] Kolbes maschinenschriftliche Aufstellung lieferte eine aktuelle Übersicht über die Funktionen und verschiedenen Dienstorte der in Berlin verbliebenen Mitarbeiter der Wilhelmstraße; handschriftlich hatte er jedem Namen eine kurze politische Einschätzung beigegeben. Darin charakterisierte er nicht nur die Haltung des Betreffenden gegenüber dem zu Ende gehenden Regime, sondern suchte auch bereits dessen Eignung für eine eventuelle Wiederverwendung zu bestimmen. Nicht weniger als 133 der 241 aufgeführten Beamten und Angestellten erschienen Kolbe als »ungeeignet«. In der überwiegenden Zahl dieser Fälle empfahl er nicht nur die schnellstmögliche »Entfernung aus dem Dienst«, sondern hielt auch eine unverzügliche Festnahme für angebracht. Von den aufgeführten 104 Bediensteten des höheren Dienstes betraf dies 67; von 28 weiteren meinte Kolbe, sie könnten »nach Ermahnung versuchsweise weiterbeschäftigt« werden. Nur bei einem knappen Zehntel war er sich sicher, dass diese »Antinazis« seien – darunter waren neun Angehörige des höheren Dienstes.

Kolbes Liste war weder vollständig noch abschließend, und doch handelte es sich um das aussagekräftigste Dokument, das den Alliierten unmittelbar nach Kriegsende zur Verfügung stand. Seine Verlässlichkeit und Objektivität übertraf deutlich die Stellungnahmen, die Diplomaten wie Herbert Blankenhorn, Emil von Rintelen und Erich Kordt kurz nach der Kapitulation für die Amerikaner verfassten.[2] Und schon gar nichts hatte Kolbes Analyse mit jenen legendenbildenden Zeugnissen gemein, die im Zuge der Entnazifizierung endemisch werden sollten. Gleichwohl folgten die Amerikaner seinen Einschätzungen nur in Teilen. So gelang es etlichen der 67 höheren Beamten, die Kolbe zur Entlassung vorgeschlagen hatte, die Gunst der Besatzer zu erwerben – darunter so wendige und dubiose Figuren wie Andor Hencke, Fritz Hesse und Hans Schroeder. Nicht weniger als 14 der von Kolbe als »ungeeignet« bezeichneten Diplomaten wurden von 1950 an in den Auswärtigen Dienst der Bundesrepublik übernommen; sieben weitere fanden in anderen Bundesbehörden Unterschlupf.

In dieser Entwicklung spiegelte sich ein zentrales Problem des demokratischen Neuaufbaus: Wie sollte man damit umgehen, dass fast nur Funktionseliten zur Verfügung standen, die zu Mitwissern und Mittätern der Verbrechen des Dritten Reiches geworden waren? Mit diesem Dilemma hatten die westlichen Alliierten ebenso zu kämpfen wie die sowjetische Besatzungsmacht, und das Personal der Wilhelmstraße war dafür in gewisser Weise exemplarisch. Die Zahl unbelasteter Kräfte würde bei Weitem nicht ausreichen, um eine funktionstüchtige neue Verwaltung aufzubauen. Auch lief man mit der dauerhaften Ausgrenzung zu vieler ehemaliger Staatsdiener Gefahr, den Umerziehungsprozess als Ganzes zu gefährden. Die Politik der sozialen und kulturellen Erneuerung, die Amerikaner und Russen in ihrer jeweiligen Zone anstrebten – Briten und Franzosen verfolgten in dieser Hinsicht weitaus weniger ambitionierte Ziele –, war ein langwieriges Programm; bis es erste Früchte trug, musste man sich wohl oder übel der Mitarbeit qualifizierten Personals versichern, dessen Auswahl und Einsatz freilich streng kontrolliert werden sollte. Während Konsens darüber bestand, dass all jene Funktionsträger, die im Verdacht standen, NS-Verbrechen angestiftet oder begangen zu haben, zu internieren und zu bestrafen seien, herrschte weitgehend Unklarheit, wie der Widerspruch zwischen den Forderungen nach Gerechtigkeit und der Praktikabilität des Neuaufbaus aufzulösen sei und beides, Aufarbeitung der Vergangenheit und Gestaltung der Zukunft, unter einen Hut gebracht werden konnte. Ganz konkret stellte sich mit Blick auf die geplante strafrechtliche Abrechnung die Frage, wer als Schuldiger zu belangen sei und wer eine Chance auf Rehabilitierung erhalten sollte.

In dem Maße, in dem die Besatzungsmächte gezwungen waren, sich mit solchen konkreten Fragen auseinanderzusetzen, veränderten sich auch die Antworten und Reaktionen. Rückblickend lassen sich die Jahre zwischen 1945 und 1949 als ein schwieriger Lernprozess beschreiben, der zwar Unterbrechungen und unterschiedliche Intensitäten kannte, am Ende jedoch in eine Richtung lief: weg vom ursprünglichen Ziel einer umfassenden strafrechtlichen Abrechnung, hin zu einer milderen Anwendung der Entnazifizierungsgrundsätze. Die Folge war, dass viele Straftaten ungesühnt und viele Täter, vor allem in untergeordneten Funktionen, verschont blieben, dass Schuld und Mitverantwortung übertüncht und falsche Rechtfertigungen fortgeschrieben wurden. An den Laufbahnen deutscher Diplomaten nach dem Krieg lässt sich diese Entwicklung geradezu beispielhaft nachzeichnen.

Verhaftungen, Internierungen, Repatriierungen

Die Kriegsverbrecherlisten, mit denen die Alliierten 1945 nach Deutschland kamen, erfuhren zu Anfang der Besatzungsherrschaft noch manche Veränderungen – nicht zuletzt aufgrund der Interessen der alliierten Geheimdienste. Die Wahrscheinlichkeit, auf einer dieser Listen zu erscheinen, war für das Gros der Angehörigen des Auswärtigen Amts nicht sehr hoch. Mit Ausnahme von Ribbentrop und einzelnen aktenkundig gewordenen Diplomaten wie Otto Abetz in Paris mussten die meisten viel eher damit rechnen, zur Kategorie derjenigen zu zählen, denen »automatischer Arrest« drohte. Obwohl aus dem von den Amerikanern im Januar 1945 vorgeschlagenen gemeinsamen Vorgehen nichts wurde,[3] bestand unter den Alliierten doch prinzipiell Einigkeit, relativ weit gefasste und klar definierte Personenkreise zu internieren, um zu einem späteren Zeitpunkt über deren Zukunft zu befinden. Dies galt auch mit Blick auf das Auswärtige Amt.

Vereinfacht lassen sich drei Gruppen von Internierten unterscheiden, deren weiteres Schicksal maßgeblich vom Zeitpunkt und den Umständen abhing, unter denen sie von den Alliierten aufgegriffen wurden. Eine Gruppe umfasste diejenigen, die sich bei Kriegsbeginn in einem gegnerischen Land befanden; deren sofortige Internierung verlief in der Regel unspektakulär. Eine zweite Gruppe wurde im Sommer 1944 buchstäblich von der Front überrollt; die dritte und bei weitem größte Gruppe machten alliierte Truppen im besiegten Deutschland dingfest. In beiden Fällen hing die Zukunft der Internierten in erster Linie vom jeweiligen Ort ihrer Verhaftung ab.

Zur ersten Gruppe gehörten 1941 auch die deutschen Diplomaten in Moskau und Washington, aber beispielsweise ebenso die Angehörigen des deutschen Generalkonsulats auf Island nach der britischen Besetzung der Insel im Jahr zuvor. In der Regel wurden diese Diplomaten und ihre Familienangehörigen, den internationalen Geflogenheiten im Kriegsfall entsprechend, nach kurzer Internierung repatriiert; nur in wenigen Fällen dauerte der Gewahrsam länger als ein Jahr. Zurück in Deutschland, fanden sie im Auswärtigen Amt, mitunter auch in anderen Behörden eine Weiterbeschäftigung. Verweigerte Repatriierungen waren selten; eine Ausnahme waren einige Beamte des deutschen Konsulats im seit 1940 sowjetisch besetzten Riga, die nach dem Überfall auf die Sowjetunion 1941 jahrelang in Gefängnissen und Lagern festgehalten wurden.[4]

Hinsichtlich der zweiten Gruppe, der im Ausland vom vorrückenden Kriegsgegner überraschten Diplomaten, änderte sich die Praxis nach der Moskauer Deklaration über die Bestrafung deutscher Kriegsverbrecher vom November 1943. Genau ein Jahr zuvor, nach der Eroberung Algeriens durch die Westmächte, waren Generalkonsul Peter Pfeiffer und Vizekonsul Hans Schwarzmann, wenn auch mit Verzögerung, noch ausgetauscht worden.[5] Im Sommer 1944 aber zeigte sich in Südosteuropa, dass die diplomatischen Titel ihre Schutzfunktion in der Regel verloren hatten: Ganze Belegschaften von Botschaften und Konsulaten verschwanden nun auf Jahre im sich ausdehnenden Machtbereich der Sowjetunion. Der Grund dafür war oft, dass in den deutschen Vertretungen dieser angeblich unabhängigen Staaten SA-Größen das Ruder führten, die Ribbentrop ins Amt gehievt hatte, um einer übermäßigen Einflussnahme durch Himmlers SS und SD zu begegnen. Doch scheinen dem

Vorgehen der Russen kaum konkrete Kenntnisse über einzelne Diplomaten zugrunde gelegen zu haben; interniert wurden alle, derer man habhaft wurde.

Das galt zum Beispiel für SA-Obergruppenführer Heinz-Adolf Beckerle, einen »alten Kämpfer«, der seit Juni 1941 als Gesandter in Sofia fungierte. Beim Herannahen der Roten Armee stellte der vormalige Polizeipräsident von Frankfurt am Main, wie Ribbentrop Beckerles Frau später brieflich erläuterte, seinen Wunsch, »noch einen Umschwung der Dinge herbeizuführen«, über die telegrafische Anweisung seines Dienstherrn, sich »schnellstens zu deutschen Truppen zu begeben und sich jedenfalls nicht unnötig der Gefahr einer Gefangennahme auszusetzen«.[6] Schließlich versuchten Beckerle und seine Kollegen, Bulgarien mit einem Sonderzug zu verlassen, doch die türkischen Grenzer verweigerten die Weiterfahrt; der Zug wurde daraufhin nach Sofia zurückbeordert und Mitte September 1944 vom sowjetischen Militär übernommen. Über schwedische und schweizerische Diplomaten, die nun die deutschen Interessen in Bulgarien vertraten, erfuhr das Auswärtige Amt, die Russen hätten der Diplomatengruppe »die international übliche Vorzugsbehandlung« zugesichert.[7]

Tatsächlich waren Beckerle und seine Gefolgschaft umgehend nach Moskau verschickt worden. Dort verlor sich erst einmal ihre Spur. Anfang der fünfziger Jahre überbrachten zurückkehrende deutsche Zivil- und Kriegsgefangene sowie entlassene italienische Diplomaten die halbwegs fundierte Nachricht, Beckerle und mindestens sechs weitere vormalige Angehörige der Gesandtschaft in Sofia seien im Sondergefängnis Wladimir inhaftiert. Offenbar gehörte Beckerle zu jenen hochrangigen Deutschen, über die sich das Ministerium für Staatssicherheit (MGB) die Kontrolle gesichert und die es damit allen Verfahren entzogen hatte. Erst 1951 wurden einige dieser Personen, unter ihnen Beckerle, auf Anweisung Stalins in schnellen, nicht öffentlichen Prozessen zu langjährigen Haftstrafen verurteilt. Beckerle kam im Herbst 1955 frei, als er – in der Gruppe der Nichtamnestierten – mit den so genannten Spätheimkehrern in die Bundesrepublik abgeschoben wurde.[8]

Ähnlich erging es den Angehörigen der deutschen Gesandtschaft und der Konsulate in Rumänien und in der Mandschurei. Karl Clodius, ehemaliger Sonderbeauftragter für Wirtschaftsfragen in Rumänien im Rang eines Gesandten I. Klasse, wurde zusammen mit seiner Frau im Spätsommer 1944 über Charkow nach Moskau gebracht. Als Dorothee Clodius 1955 aus der Lagerhaft entlassen wurde, war ihr Mann schon lange tot – nach einer Odyssee durch verschiedene Moskauer Gefängnisse war er am 15. Januar 1952 in der Haft gestorben.[9]

Internierungen, Verhaftungen und Verurteilungen, wie die Russen sie praktizierten, lagen völlig außerhalb des diplomatischen Erfahrungsschatzes; schon gar nicht waren sie vergleichbar mit der Praxis von Amerikanern und Briten, die 1944/45 kaum einen namhaften deutschen Diplomaten außerhalb der Reichsgrenzen in Gewahrsam nahmen. In Frankreich war das deutsche diplomatische Personal überdies so rechtzeitig nach Deutschland zurückberufen worden, dass sich das Problem dort nicht stellte. Und wie sich bald zeigen sollte, minimierten westliche Rechtsprechung und Strafnormen das Risiko langer Haftzeiten – nicht zu reden von der Gefahr, am Polarkreis zur Zwangsarbeit herangezogen zu werden.

Mit Blick auf die im Verlauf oder in der Folge der alliierten Besetzung Deutschlands festgesetzten Diplomaten – die dritte Gruppe – ist zwischen den Internierten auf westlicher und sowjetischer Seite zu unterscheiden. Wo man am Ende landete, hing nicht nur von den Standorten der Ausweichquartiere des Auswärtigen Amtes ab, sondern auch von den Front- beziehungsweise Fluchtbewegungen der letzten Kriegswochen. Liebenau und einige andere Orte am Bodensee, Bad Gastein im Salzburger Land, Mühlhausen in Thüringen und ein paar Dörfer im Harz lagen, wie ein späterer amerikanischer Bericht bemerkte, nicht zufällig im Vormarschgebiet der Westalliierten.[10] Darüber hinaus scheint es eine mehr oder minder offizielle Weisung gegeben zu haben, sich nach Möglichkeit in den Westen abzusetzen. Schon im Februar 1945, bei der Evakuierung des Ausweichlagers Krummhübel im Riesengebirge, wurde den Mitarbeitern in Rücksprache mit der noch in Berlin befindlichen Personalabteilung die Entscheidung überlassen, ob sie zurückkehren oder lieber mit offenem Ziel gen Westen reisen wollten. Nur sehr wenige zog es in die Reichshauptstadt.[11] Neben akuter Angst vor der Rache der Russen spielte dabei wohl auch ein eingewurzelter Antibolschewismus eine Rolle. Den meisten, die sich jetzt ihrer Distanz zum Nationalsozialismus oder gar ihrer Widerständigkeit zu vergewissern suchten, dürfte bewusst gewesen sein, dass solche Selbsteinschätzungen wohl am wenigsten von den sowjetischen Behörden akzeptiert werden würden.

Nur wenige Angehörige der Wilhelmstraße blieben im Frühjahr 1945 im Großraum Berlin zurück. Botschafter Walther Hewel, Veteran des Hitler-Putsches von 1923 und seit 1940 Ständiger Beauftragter Ribbentrops beim Führer, verharrte aus freien Stücken im Bunker unter der Reichskanzlei. Andere folgten entsprechenden Befehlen, so eine aus ungefähr 50 Personen bestehende »Sicherungs- und Luftschutztruppe«, die blieb, als die letzten Dienstgruppen des Amtes Berlin Mitte April verließen. Als Dienstältester dieser Truppe fungierte der Ministerialdirigent und stellvertretende Leiter der Personal- und Verwaltungsabteilung, Gesandter I. Klasse Helmut Bergmann. Ebenfalls dazu gehörten der Vortragende Legationsrat Adolf Freiherr Marschall von Bieberstein, der Leiter des Referats höherer Dienst, Konsul Wilhelm Bohn, dem die Hauptverwaltung und die Kurierstelle unterstanden, und Oberregierungsrat Kurt Flügge, der neben seiner Stelle als Hilfsarbeiter in der Personalabteilung auch die des Luftschutzbeauftragten innehatte, sowie Hausinspektor Krogmann.

Allerdings suchte dieses letzte Aufgebot sich der »bolschewistischen Gefangennahme« zu entziehen. Noch vor Beginn der sowjetischen Artillerieoffensive verließ wohl knapp die Hälfte der Männer ihren Posten, und von den Zurückgebliebenen unternahm ein Teil in der Nacht des 1. Mai einen Ausbruchsversuch aus dem Regierungsviertel, der aber nur wenigen glückte. Marschall von Bieberstein fiel dabei in sowjetische Hände und wurde, vom Obersten Gericht der UdSSR zum Tode verurteilt, am 27. September 1946 hingerichtet. Walter Hewels Versuch, sich nach Hitlers Selbstmord abzusetzen, scheiterte ebenfalls; er zog am 2. Mai 1945 den Selbstmord in den Ruinen der Schultheiß-Brauerei einer Festnahme durch die Russen vor. Bergmann, Bohn und Flügge blieben bis zur Ankunft der sowjetischen Truppen im Amtsgebäude und wurden offenbar dort aufgegriffen. Bergmanns Spur verliert sich 1948 im Moskauer Gefängnis Butyrka, wo Bohn bereits im Dezember 1945 starb. Flügge kam im Juli 1949 im Speziallager Buchenwald um.[12]

Unter denen, die in Berlin zurückblieben, befanden sich zwei Männer, die sich von der Politik des NS-Staates distanziert hatten: der Archivar des Amtes, Johannes Ullrich, und Theodor Auer. Der Legationsrat I. Klasse, der zur Politischen Abteilung gehört hatte, war im August 1943, anscheinend wegen seiner kritischen Haltung zur deutschen Politik in Frankreich – er hatte seine Versetzung als Botschaftsrat nach Paris abge-

lehnt – von der Gestapo verhaftet worden. Nach sechs Wochen im Ge-
stapo-Gefängnis Prinz-Albrecht-Straße wurde er der Feindbegünstigung,
des Landesverrats, der Wehrkraftzersetzung und der Heimtücke angeklagt und nach Plötzensee überstellt, wo er 19 Monate verbrachte. Dank
eines guten Anwalts und aufgrund der Unterstützung durch die Personalabteilung des Amtes gelang es ihm, die anstehende Verhandlung vor
dem Volksgerichtshof und die zu erwartende Verurteilung hinauszuzögern. Ohne dass es zu einem Prozess gekommen wäre, erhielt Auer Ende
Januar 1945 in Plötzensee seine Versetzung in den Wartestand. Am 24.
April wurde er nach eigener Aussage von »unzuständigen Unterbeam-
ten« formlos entlassen. Zu geschwächt und ohne Mittel, um Berlin noch
Richtung Westen zu verlassen, wurde Auer am 5. Juni 1945 von der sowjetischen Militärpolizei als deutscher Diplomat festgenommen.[13]

Für Theodor Auer begann damit eine zweite von Willkür geprägte
Haftzeit, die weitere sieben Jahre dauern sollte. Nach mehreren Monaten
in »Kellern und Gefängnissen« des NKWD stand er vor einem sowjetischen Militärtribunal, dessen Vorsitzender keinen Grund für ein Verfahren sah; dennoch wurde der Diplomat als »potentiell gefährlicher Deutscher« im Speziallager Hohenschönhausen, danach im Speziallager auf
dem Gebiet des vormaligen KZ Sachsenhausen festgehalten. Im Zuge
der Auflösung des dortigen Lagers im Januar 1950 wurde er der DDR-
Justiz zur »Überprüfung und Bestrafung« übergeben und in den so genannten Waldheimer Prozessen zu 15 Jahren Zuchthaus verurteilt. Am
19. Juni 1952 kam Auer frei – offenbar nach einer hohen Geldzahlung
seiner Familie an eine der Blockparteien (die Rede war von 50 000 bis
60 000 D-Mark).[14]

Durchaus ähnlich erging es Johannes Ullrich, der seit 1938 das Politische Archiv des Auswärtigen Amtes geleitet hatte. Obwohl er sich einem
Beitritt zur NSDAP verweigert hatte und mit einer Reihe von Veröffentlichungen beim Amt Rosenberg negativ aufgefallen war, wurde er 1939
zum Legationsrat ernannt und verbeamtet; allerdings wurde er nicht tur-
nusgemäß weiter befördert. Seit 1943 hatte Ullrich wichtige Archivalien
des Amtes in den Harz auslagern lassen. Im April 1945 war er in Berlin
geblieben, weil er als Nichtparteimitglied und leidenschaftlicher Archivar seine persönliche Gefahrenlage offenbar als nicht sehr hoch ein-
schätzte. Doch bereits am 28. April wurde er festgenommen und nach
einigen Monaten in NKWD-Haft nach Moskau ausgeflogen, wo er wei-

tere 39 Monate in Internierungshaft verbrachte. Ein sowjetisches Militärtribunal verurteilte ihn im April 1948 schließlich zu zehn Jahren Zwangsarbeit, von denen er – bei völliger Abschottung nach außen – sieben Jahre im Arbeitslager Abes nördlich des Polarkreises verbrachte. Am 17. Februar 1955 entlassen, kam Ullrich erst im August desselben Jahres wieder in Berlin an.[15] Diesen widerständigen, die nationalsozialistische Politik oft zynisch kommentierenden Nicht-Pg traf die sowjetische Internierungspolitik ungerechterweise besonders hart.

Ungeachtet aller Unterschiede in den Positionen und Karrieren können die hier geschilderten Schicksale durchaus als typisch für alle Angehörigen des Amts gelten, die sich zu Kriegsende im sowjetischen Machtbereich befanden. Zwar war auf dem Papier die Internierungspolitik einigermaßen einheitlich geregelt: Sowohl die westlichen Alliierten als auch die Sowjets setzten die Funktionsträger ab einer bestimmten Hierarchieebene automatisch fest, hielten als gefährlich eingeschätzte Personen in speziell eingerichteten oder nach Kriegsende umgewidmeten Lagern, beriefen sich auf Kontrollratsgesetze und Direktiven, führten einige Prozesse durch und übergaben die Jurisdiktion über die meisten der Internierten am Ende den Deutschen. In der Realität jedoch hätten die Unterschiede kaum größer sein können: Für die von den Russen aufgegriffenen Diplomaten dauerte die Internierung oft Jahre, und selbst dort, wo man sich auf gemeinsame alliierte Rechtsgrundlagen berief, fanden Ermittlungen und Verurteilungen meist sehr spät und unter fragwürdigen Rahmenbedingungen statt; auch waren das Strafmaß und die Todesraten in den Speziallagern besonders hoch. Die Gründung der DDR führte zu keiner Verbesserung der Lage; erst 1952, nach internationalen Protesten, wurden viele Verurteilte aus den Waldheimer Prozessen unauffällig entlassen.[16]

Noch schwieriger war es für diejenigen, die in die Sowjetunion überführt wurden; manche verschwanden auf Nimmerwiedersehen, andere wurden jahrelang zurückgehalten. Noch im August 1955, kurz vor Adenauers Moskau-Reise, vermutete das Auswärtige Amt 46 seiner ehemaligen Angehörigen in sowjetischen Gefängnissen oder Lagern, wobei die Hälfte offenbar verschollen war. Weitere sieben Ehemalige befanden sich noch im Oktober 1955 in der »Ostzone« in Haft. Die Listen, die das AA aus den Informationen der Entlassenen erstellte, vermitteln einen Eindruck von den langen Strafen und harten Haftbedingungen – sie zeigen

aber auch, dass sich unter den Inhaftierten eine ganze Anzahl vergleichsweise hoher politischer und militärischer Würdenträger befand.[17]

Im Westen gestalteten sich die Internierungen, Verhöre und Verhaftungen in der Regel undramatischer und blieben weniger folgenreich.
Eine Zeit lang allerdings hing über den Deutschen in amerikanischem
und britischem Gewahrsam das Damoklesschwert einer möglichen Auslieferung an ein Drittland, insbesondere an Polen, Jugoslawien oder an
die Tschechoslowakei. Aber auch Auslieferungen an Frankreich oder
Belgien waren gefürchtet.

In Norditalien hatten die Westmächte mehrere deutsche Diplomaten
festgesetzt. So Hans Schroeder, den Intimus der Familie Heß und Leiter
der Personalabteilung des Amtes, aber auch den Stab der Budapester
Botschaft und außerdem am 15. Mai 1945 in Meran den vormaligen Botschafter in Rom, Rudolf Rahn, mitsamt seiner Dienststelle. Rahn hatte
wiederholt mit der Deportation von Juden zu tun gehabt; in amerikanischen Nachrichtendienstkreisen besaß er eine gewisse Prominenz, da er
und der Höhere SS- und Polizeiführer Karl Wolff unter dem Decknamen
»Sunrise« mit Allen Dulles eine separate Kapitulation der italienischen
Front verhandelt hatten. Entsprechend selbstbewusst gab sich Rahn bei
seinen Verhören, denn nicht nur, dass Dulles den Verschwörern Straffreiheit versprochen hatte, die Amerikaner konnten auch kein Interesse
daran haben, dass Einzelheiten des norditalienischen Sonnenaufgangs
publik wurden. Wie Schroeder, der seine amerikanischen Interviewer
über seine Rolle im Amt geschickt getäuscht hatte, wurde Rahn 1947 aus
der Internierung entlassen.[18]

Einige wenige deutsche Diplomaten, darunter der Repräsentant des
Auswärtigen Amtes in den Niederlanden, SS-Brigadeführer Otto Bene,
und der Reichsbevollmächtigte in Dänemark, SS-Obergruppenführer
Werner Best, wurden an ihren vormaligen Wirkungsstätten festgesetzt.
Während Otto Bene nach dreijähriger Internierung im Februar 1948 entlassen und nicht weiter belangt wurde,[19] entwickelte sich der Fall Best
recht dramatisch.

Am 21. Mai 1945 war Best in seiner Kopenhagener Wohnung verhaftet worden, wo er nach der Kapitulation unter dänischer Bewachung
stand. Da Dänemark vor einer Reihe juristischer und politischer Probleme stand, die erst im folgenden Jahr durch eine entsprechende Gesetzgebung gelöst wurden, dauerte es mehr als ein Jahr, ehe ein Untersu-

chungsverfahren gegen Best und 250 andere Deutsche eingeleitet werden konnte. Von August 1945 an wurde Best mehrmals verhört; er fertigte in dieser Zeit eine Reihe von Aufzeichnungen an, in denen er sowohl über seine Karriere als auch über SS-Kollegen Auskunft gab. Nach einem kurzen Aufenthalt in Paris im März 1946, wo man den Plan eines Verfahrens gegen ihn schon nach zwei Tagen wieder aufgab, wurde Best in das Verhörlager Oberursel überstellt. Dort und dann auch in Nürnberg wurde er in Vorbereitung des Hauptkriegsverbrecherprozesses sowohl von den Vertretern der Anklage als auch der Verteidigung vernommen.

Seit März 1947 im Kopenhagener Hauptgefängnis in Einzelhaft, wurde Best, der wiederholt als selbstmordgefährdet galt, im Sommer über seine Gesamtverantwortung für die deutsche Besatzungspolitik in Dänemark, den so genannten Gegenterror und die »Judenaktionen« verhört. Am 16. Juni 1948 begann schließlich der Prozess gegen ihn und drei weitere Hauptkriegsverbrecher, zwei Monate später verhängte das Kopenhagener Stadtgericht das Todesurteil gegen ihn. Im Mai 1949 wurden daraus in einem Revisionsverfahren fünf Jahre Haft, von denen vier als bereits verbüßt angerechnet werden sollten. Dieses unverhältnismäßig milde Urteil löste eine Welle der öffentlichen Empörung aus. Schließlich wurde der Fall Best an das dänische Höchstgericht übergeben, das im März 1950 eine zwölfjährige Haftstrafe aussprach; eineinhalb Jahre später, im August 1951, wurde Best in die Bundesrepublik abgeschoben.[20]

Helmut Allardt, vormals Gesandtschaftsrat in Ankara, gehörte zu jenen deutschen Diplomaten, die sich bei Kriegsende noch auf ihren Posten im neutralen Ausland befanden. Nach Abbruch der diplomatischen Beziehungen zwischen Deutschland und der Türkei im August 1944 war er auf Wunsch der Alliierten von den Türken interniert worden. Im April 1945 bestieg er ein Schiff, das deutsche Diplomaten und deren Angehörige nach Deutschland bringen sollte. Anfang Mai legte das Schiff in Lissabon an. Dort hatte wenige Wochen zuvor SS-Standartenführer Gustav Adolf von Halem seinen Posten als Gesandter angetreten. Die Ankunft des Diplomatenschiffs aus der Türkei nahm er zum Anlass, eine Trauerfeier für Hitler abzuhalten, dessen Selbstmord mittlerweile amtlich geworden war. Allardts Vorschlag, für die Diplomatenfamilien auf dem Schiff bei der portugiesischen Regierung um Asyl zu bitten, lehnte Halem als »deutscher Gesandter und Nationalsozialist« strikt ab. Stattdessen bestand er auf der Weiterreise der Gruppe, die sich in Deutschland der Erringung des »Endsiegs« zur Verfügung stellen sollte. Auf seinem weiteren Weg wurde das von der schwedischen Regierung gecharterte Schiff mehr und mehr zum »Lumpensammler«. Noch in Lissabon stieg Personal aus den inzwischen geschlossenen deutschen Missionen in Südamerika zu, dann ging es über Liverpool (wo die Briten Militär- und Polizeiattachés herauspickten) und Göteborg nach Kiel. Dort wurden die Diplomaten von den Briten in Gewahrsam genommen. Allardt wurde in das Internierungslager Neumünster überführt und anderthalb Jahre später entlassen – mit der Bescheinigung, »nicht wegen politischer Gründe« interniert gewesen zu sein.[21]

Halem lebte bis Mitte November zunächst weitgehend unbehelligt in Portugal, um sich dann unter dem »Schutz des Alliierten Kontrollrats« in die amerikanische Besatzungszone transferieren zu lassen. Ob er wirklich glaubte, keine Nachteile befürchten zu müssen, oder ob ihn die Alliierten mit halben Wahrheiten geködert hatten, muss offenbleiben; Halem selbst behauptete später, er sei »wortbrüchig eingesperrt« worden. Jedenfalls kam er am 20. November 1945 in das Internierungslager Hohenasperg, wo er zwei Tage nach Weihnachten verhaftet wurde. Obgleich er seine Stelle in Portugal nur sieben Wochen innegehabt hatte, galt er als guter Zeuge und war für weitere Verhöre durch Vertreter des State Department vorgesehen. Im Juli 1947 als Zeuge in Nürnberg, wurde er kurz darauf in das Zivilinternierungslager Dachau überführt, wo er offenbar in der ersten Jahreshälfte 1948 entnazifiziert und dann entlassen wurde.[22]

Die Geschichte des »Lumpensammler-Schiffs« belegt, dass Briten und Amerikaner bestrebt waren, die meisten der ihnen im Ausland in die Hände gefallenen Mitarbeiter des Auswärtigen Amtes rasch nach Deutschland zu bringen. Das galt auch für Erich Kordt, den vormaligen Leiter von Ribbentrops Ministerbüro, seit 1940 SS-Obersturmführer und seit 1941 Gesandter I. Klasse in Tokio, zuletzt in Nanking. Auf der anderen Seite zeigt das Beispiel Kordt auch, dass die Amerikaner unter gewissen Umständen bereit waren, sich bei der Behandlung deutscher Diplomaten von ersten Eindrücken, gefälligen Geschichten und demonstrativer Kooperationsbereitschaft leiten zu lassen. Schon als er sich im September 1945 auf dem Gelände der deutschen Gesandtschaft in Shanghai einem Mitarbeiter der amerikanischen Foreign Economic Administration offenbarte, ließ Kordt seinen guten Willen erkennen. Noch am Ort verfasste er Denkschriften für das State Department, brachte auf 300 Seiten seine Geschichte zu Papier – in der er nicht zuletzt seine Rolle im Widerstandskreis um General Ludwig Beck hervorhob – und stellte eine Liste von NS-Gegnern im Auswärtigen Amt zusammen. Ende 1945 kam Kordt nach Washington, wo er wie ein »Wilder« für »diverse Leute des [State] Departments« arbeitete, um zur Jahreswende nach Nürnberg gebracht zu werden, wo er im Hauptprozess als Zeuge der Anklage gegen Ribbentrop und Neurath auftrat. Im Gegenzug könne er anschließend, so wurde ihm signalisiert, bei der amerikanischen Militärverwaltung oder im State Department beschäftigt werden. Allerdings zog sich seine Entnazifizierung in München bis in den September 1947 hin – offenbar arbeiteten nicht alle amerikanischen Dienststellen in die gleiche Richtung; vor allem über das wirkliche Ausmaß von Kordts Widerstandstätigkeit herrschte Unklarheit.[23]

Im Unterschied zu Amerikanern und auch Briten glaubten die Franzosen die deutschen Diplomaten in Internierungslagern nicht unbedingt am besten aufgehoben. Dafür steht Otto Abetz, der deutsche Botschafter in Paris, der bei Kriegsende im Badischen unter falschem Namen untergetaucht war. Dort griff ihn die französische Militärpolizei im Oktober 1945 auf und brachte ihn über Straßburg nach Paris, wo das Deuxième Tribunal Militaire einen Prozess gegen ihn vorbereitete. Bis es so weit war, fungierte Abetz als Zeuge im Verfahren gegen den Vichy-Journalisten Jean Luchaire und im Nürnberger Hauptprozess. Zwar wurde zwischenzeitlich darüber nachgedacht, auch Abetz in Nürnberg vor Gericht zu stellen, doch dann entschied man sich für seinen Wirkungsort Paris und versuchte, auf der Basis zahlreicher Verhöre eine wasserdichte Anklage zu formulieren. Die eigentliche Verhandlung im Juli 1949 dauerte nicht einmal zwei Wochen und endete, kritisiert von der Résistance und den ihr verbundenen Medien, mit einer Verurteilung zu 20 Jahren Zwangsarbeit. 1954 wurde Abetz begnadigt und in die Bundesrepublik entlassen; er starb vier Jahre später bei einem mysteriösen Autounfall.[24]

Verhöre in der »Mülltonne«

»Ashcan« nannten die Amerikaner ihre Sammelstelle für hochkarätiges NS-Personal. Die »Mülltonne« war Ende April 1945 im belgischen Spa aufgestellt worden und wanderte dem Frontverlauf entsprechend mit; in der zweiten Maihälfte wurde sie nach Mondorf-les-Bains verlegt, einem kleinen Kurort im Luxemburgischen. Dort interniert zu werden, galt als zweifelhafter Ritterschlag, der eigentlich der ersten Garnitur des untergegangenen Reiches vorbehalten bleiben sollte. Doch schon Ende Mai war eine bunte Mischung militärischer und politischer Funktionsträger zusammen, darunter Franz von Papen, zuletzt Botschafter in Ankara, und Ribbentrops Staatssekretär Gustav Steengracht von Moyland.[25] Bald kamen weitere Diplomaten und Leute aus dem Dunstkreis des Auswärtigen Amts hinzu: Ernst Bohle, SS-Obergruppenführer und Leiter der NS-Auslandsorganisation, Hans Borchers, der für das FBI und vermutlich auch für den amerikanischen Geheimdienst interessante vormalige Generalkonsul in New York,[26] und am 16. Juni 1945 schließlich Joachim von Ribbentrop.

Die Festnahme von Hitlers Außenminister war nicht ohne Komik gewesen: Ribbentrop hatte Berlin Ende April verlassen und war nach einem Zwischenstopp im Hauptquartier der Regierung Dönitz untergetaucht. Als die Briten ihn in Hamburg verhafteten, blieben letzte Zweifel an seiner Identität. Doch unter den repatriierten Diplomaten, die gerade mit dem »Lumpensammler-Schiff« aus Lissabon angekommen waren, befanden sich der vormalige Gesandte I. Klasse in Ankara, Albert Jenke, und seine Frau Ingeborg, Ribbentrops Schwester. Von einem britischen Offizier zum inszenierten Mittagessen in ein Nobelhotel ausgeführt, erblickte die Dame dort zu ihrer Verblüffung ihren Bruder, der über diese »Identifizierung« mehr als entsetzt war. Während die Jenkes danach auf das Schiff zurückgebracht wurden, beförderte man Ribbentrop schnellstens in die »Mülltonne«.[27]

Diese bestand aus zwei Hotels, gesichert durch Zäune und Wachen und von außen angeblich nicht einsehbar. Um Selbstmorde zu verhindern, mussten die Internierten Brillen, Gürtel und andere Utensilien abgeben; die Ausstattung von Ashcan hatte man auf ein als spartanisch beschriebenes Minimum reduziert. Die Insassen wirkten einerseits erstaunlich gelassen, konnten sie sich doch stundenlang auf der Hotelterrasse sonnen, und andererseits depressiv ob ihrer unbestimmten Zukunft. Zugleich hatten sie reichlich Gelegenheit zum Austausch und zur Absprache vor und nach den Befragungen; alle Versuche, Neuzugänge von »Stammgästen« zu isolieren, scheiterten offenbar.[28]

Nach einer Visite des amerikanischen Provost Marshall General Record wurden die Inhaftierten von der Lagerleitung mit zusätzlichem Bettzeug, Kleidung und Lektüre versorgt; auch konnten sie Radio hören und verfügten in einem Leseraum über Gesellschaftsspiele. Gemäß der Genfer Konvention erhielten sie die jedem Kriegsgefangenen zustehenden 1600 Kalorien am Tag.[29] Die Funktionsträger des untergegangenen Dritten Reichs hatten es in Ashcan also nicht nur weitaus bequemer als die meisten Deutschen und Europäer in den ersten Nachkriegsmonaten, sie wurden auch besser ernährt.

Unter den Internierten bildeten sich recht schnell drei Gruppen heraus, deren Zusammensetzung die politischen Konfliktlinien der letzten Jahre spiegelte, aber auch die künftigen Legenden antizipierte. Die Gruppe der Wehrmacht- und Marineoffiziere distanzierte sich von der Politik der Nazis und war gern bereit, gegen diese auszusagen. Die zweite Gruppe bestand aus Parteibonzen, die bei den Militärs die Schuld für den verlorenen Krieg abluden. Dazwischen standen die Staatsdiener, zu denen die meisten Internierten aus dem Auswärtigen Amt gehörten; oft von Adel, waren sie in einem separaten Gebäude untergebracht, das den Spitznamen »von-Annex« trug. Im Allgemeinen galt auch diese Gruppe als sehr auskunftswillig.[30]

Die ursprünglichen alliierten Planungen waren davon ausgegangen, einen Großteil des AA-Personals aufgreifen und befragen zu können, wenn auch vielleicht an verschiedenen Orten. Deshalb hatte man einen standardisierten Fragebogen erstellt. Die Auslagerung von Teilen des Amtes in alle Himmelsrichtungen und das allgemeine Chaos in den letzten Wochen des Krieges hatten diese Pläne aber mehr oder weniger zunichtegemacht. Lediglich im thüringischen Ausweichquartier Mühlhausen, wo die US-Armee zur eigenen Überraschung auf 300 bis 400 Amtsangehörige stieß, scheinen Formulare verteilt und auf der Basis dieser Auskünfte einige Festnahmen vorgenommen worden zu sein.[31]

Neben den langen Listen allgemeiner Fragen, mit denen vor allem die Amerikaner die Terra incognita des Dritten Reichs erschließen und Informationen für das geplante Internationale Militärtribunal sammeln wollten, gab es spezielle Bögen für bestimmte Personenkreise. So hatte das State Department eine Reihe von Fragen zusammengestellt, mit denen Angehörige des Auswärtigen Amtes konfrontiert werden sollten. Ihr Fokus lag zum einem auf den beiden letzten Kriegsjahren, zum anderen auf den deutschen Planungen für die Nachkriegszeit. Auch interessierte man sich für die südamerikanischen Aktivitäten und Pläne des AA. Mit anderen Worten: Die konkreten außenpolitischen Interessen der Vereinigten Staaten bestimmten einen Gutteil des Fragenkatalogs. Zugleich legte das State Department Wert darauf, dass das Office of Strategic Services (OSS) und die Armee diese Fragen kannten und dass den deutschen Diplomaten im Gegenzug für ihre Auskünfte keinerlei Zusagen oder Versprechungen gemacht wurden.[32]

Gegenüber Figuren wie Franz von Papen, den die 12. amerikanische Heeresgruppe unter General Bradley bereits am 10. April in einer Jagdhütte im Hochsauerland dingfest gemacht hatte, beschränkte man sich freilich nicht auf schematisierte Verfahren. Noch ehe Briten und Amerikaner ihre Fragen zusammengestellt hatten, fanden sich bereits zwei sowjetische Generäle ein, die Hitlers Steigbügelhalter verhören wollten. Im State Department war man vor allem an Papens politischen Zukunftsplänen und an seinen Intrigen aus den letzten Kriegsmonaten interessiert – betonte aber noch einmal, dass ihm keine Vorzugsbehandlung gewährt werden solle.[33]

Bei den Befragungen in Ashcan pendelten die Verhöre zwischen allgemeinen Gesprächen über die NS-Politik und gezielten Detailfragen. Steengracht von Moyland zum Beispiel sollte über Deutschlands Auslandsverbindungen Auskunft geben sowie über die Persönlichkeit seines vormaligen Chefs, habe doch seine gesamte Karriere »offenbar auf seiner engen Verbindung zu Ribbentrop basiert«. Von Ernst Bohle wollte man wissen, wer die Politik des AA nach der Besetzung des Rheinlands 1935 formuliert und wer die »Fünfte Kolonne« in den USA von Deutschland aus gelenkt habe; deutlich zeichnete sich hinter solchen Fragen das Informationsbedürfnis des State Department ab, dessen Verhöraufträge ähnlich wie die anderer US-Ministerien oftmals aber auch für Verwirrung sorgten.[34]

Das erste Gespräch mit Ribbentrop führten je ein Mitarbeiter des amerikanischen und des britischen Political Advisor gemeinsam; die beiden einigten sich darauf, Ribbentrop einfach reden zu lassen – hatten aber keinen Stenographen dabei. Insgesamt gewann das alliierte Personal den Eindruck, die Internierten redeten wie Wasserfälle, zum Teil hatte man »Schwierigkeiten, sie dazu zu bringen, die Klappe zu halten«. »Scharfe Verhöre«, gab es in Ashcan offenbar nicht, Kreuzverhöre hingegen wohl.[35]

Ende Juni und Anfang Juli 1945 übermittelte Robert Murphy, U.S. Political Advisor for Germany, eine Anzahl von Verhörprotokollen nach Washington. Waren die ersten Berichte noch in der Form von Memoranden gehalten, so setzten sich bald strukturierte Niederschriften durch, in denen die Aussagen der Internierten thematisch geordnet waren. Zu diesem Zeitpunkt hoffte Murphy noch auf die Einrichtung eines »Central Interrogation Center for all Foreign Office Personnel« und bemühte sich dafür um geschultes Verhörpersonal aus dem State Department.[36] Denn unübersehbar war die Gleichförmigkeit vieler der protokollierten Gespräche – und allzu offensichtlich die Strategie der Internierten, jeweils die eigene Unschuld herauszustellen, indem sie vorzugsweise Kollegen belasteten, die entweder tot oder verschollen waren. Ribbentrop fiel durch besonders »verlogene« Aussagen auf, während sich Papen offenbar von der allgemeinen »ekeligen Unterwürfigkeit« unterschied und damit für ein bisschen Abwechslung sorgte.[37]

Ein Recht auf Befragung der in Ashcan Internierten hatten neben den Russen auch die Vertreter der befreiten Länder. Während es den sowjetischen Delegationen – sie konzentrierten sich erster Linie auf hochrangige Militärs – trotz der damals noch viel beschworenen Zusammenarbeit zwischen den Alliierten nicht erlaubt war, unbeaufsichtigt Verhöre zu führen, hatten sich die Belgier ausbedungen, dass »unter keinen Umständen« britisches oder amerikanisches Personal anwesend sein dürfe.

Anfang August 1945 wurde Ashcan aufgelöst. Einige der Internierten, darunter Papen und Ribbentrop, wurden für den IMT-Prozess nach Nürnberg gebracht, andere in das Zivilinternierungslager Oberursel überstellt. Damit verlagerten sich nicht nur die Plätze, an denen das Gros der ehemaligen Diplomaten verhört und über ihre Zukunft entschieden wurde; auch das ohnehin schon unterschiedliche Vorgehen in den Besatzungszonen wurde weiter dezentralisiert. Für jeden Internierten stiegen damit die Chancen, einer genauen Überprüfung, Verhaftung und anschließenden Klageerhebung zu entgehen. In dieser Entwicklung spiegelte sich die Einschätzung der alliierten Militärs und ihrer Nachrichtendienste, selbst in hochrangigen Diplomaten nur Fußvolk zu sehen – und es auf diese Weise auch wichtigen Funktionsträgern zu erlauben, das Radar der politischen Säuberung zu unterfliegen.

Zwar hatten sich die bis zum Schluss in Berlin verbliebenen Mitarbeiter des AA im Chaos der Evakuierung Ende April 1945 über das gesamte Reichsgebiet zerstreut, aber wer konnte, setzte sich in die britische oder amerikanische Besatzungszone ab. Dabei gab es zwei Ziele, die bevorzugt angestrebt wurden: Dönitz' Hauptquartier in Plön und die imaginäre »Alpenfestung«. Mehrere Dutzend namhafte Vertreter des AA bevölkerten seit Frühsommer 1945 diverse Hotels in Bad Gastein. Alexander von Dörnberg, der Chef der Protokollabteilung, aber auch Werner von Tippelskirch, Wilhelm Tannenberg, Ernst von Druffel, Otto Beutler, Werner Raykowski, Ernst Frenzel, Franz von Sonnleithner, Horst Wagner und Heinz Trützschler von Falkenstein gerieten dort in alliierten Gewahrsam, zusammen mit Sekretärinnen, Büroangestellten und Chauffeuren. Ebenfalls im Salzburgischen, nahe Schloss Fuschl, griffen Soldaten der 7. US-Armee Erich Albrecht, den Chef der Rechtsabteilung, zusammen mit etlichen Mitarbeitern auf.

In Konstanz, und damit in französischem Gewahrsam, befanden sich bei Kriegsende die vormalige deutsche Botschafter in Washington und Madrid, Hans Dieckhoff, sowie Adolf Windecker, Oswald von Hoyningen-Huene und Eberhard von Stohrer. Hans von Ritter stand in Bad Mergentheim unter Hausarrest, in Marburg sichteten zwei Archivare und ein vormaliger Angestellter des AA, nun unter alliierter Oberhoheit, die Akten aus der Wilhelmstraße. Heinrich Schafhausen, Wilhelm Noeldecke und Herbert Blankenhorn wurden von der 3. US-Armee in Gewahrsam genommen; möglicherweise gehörten sie zu einer größeren Gruppe, die die Amerikaner ursprünglich in Mühlhausen festgesetzt hatten. Im Kloster Liebenau bei Worms, wohin ein Teil der Rechtsabteilung evakuiert worden war, hielten sich mehr als ein Dutzend Angestellte und einige Beamte des Amtes auf, darunter Ernst Kundt, Alfred Lautz und Franz Schulz. Werner von Bargen und Theodor Stacks befanden sich Anfang August im Verhörlager der 7. US-Armee.[38]

Bei den Verhören ging es zunächst darum, unmittelbare Erkenntnisse über die Inhaftierten und ihren Wissensstand zu erlangen, diese Informationen mit vorhandenen Kenntnissen abzugleichen und eine erste Entscheidung über die weitere Behandlung der Betroffenen zu fällen.

Darüber hinaus mussten viele der Internierten weiterreichende Fragen beantworten, die ihnen von den Spezialisten des State Department und des War Department gestellt wurden. Neben diesen beiden Kommissionen (benannt nach ihren Leitern Dewitt Poole und George N. Shuster) interessierte sich auch der Geheimdienst OSS für die deutschen Diplomaten: vor allem für solche, die Dienstzeiten im Ausland verbracht hatten und möglicherweise über Geheimdienstwissen verfügten. Je intensiver diese Verhöre geführt wurden, desto mehr Vorteile konnten die Angehörigen des Auswärtigen Amts für sich daraus ziehen, konnten sie doch ihre Gesprächspartner durch vielfältigen Kenntnisreichtum beeindrucken und sich als potenzielle Zeugen empfehlen. Damit rückte für die meisten von ihnen die Gefahr, selber als Kriegsverbrecher belangt zu werden, zunehmend in den Hintergrund.

Ein in diesem Sinne interessanter Fall war Herbert Blankenhorn. Der Legationsrat I. Klasse, zuletzt in der Protokollabteilung tätig, war seit 2. April 1945 in amerikanischem Gewahrsam. Knapp drei Wochen später befragte ihn das OSS noch mit dem Ziel, nützliches Wissen für die kämpfende Truppe zu gewinnen. Anschließend brachte man ihn nach Paris, wo ein weiteres, sehr eingehendes Verhör stattfand. Jetzt ging es den Geheimdienstleuten vor allem um die knapp vier Jahre, die Blankenhorn bis August 1939 als Botschaftsattaché in Washington gearbeitet hatte. Das Verhör gab ihm reichlich Gelegenheit, sich ins Licht des Widerstands zu stellen und daraus den Anspruch abzuleiten, unter antikommunistischem Vorzeichen an der Zukunft Deutschlands mitzuarbeiten.

Zu diesem Zeitpunkt war Blankenhorn im State Department freilich schon Chefsache geworden; Außenminister Edward Stettinius erinnerte sich des Mannes als eines aktiven Nazis und aggressiven Propagandisten – und warnte nach dem ersten Verhör davor, einem Hochstapler aufzusitzen. Weniger gutgläubig als viele der in Europa tätigen Angehörigen des OSS, verlangte Stettinius, Blankenhorns Behauptungen eingehend zu prüfen. Der aber beeindruckte seine Gesprächspartner weiterhin nicht nur im Dialog, sondern zusätzlich mit einer Autobiographie, die seine Verbindungen zu den Attentätern des 20. Juli betonte und in scheinbarer Offenheit sogar einräumte, von Regierungsrat Rudolf Kröning im Reichssicherheitshauptamt von Vergasungen erfahren zu haben. Und nicht weniger gut dürfte es von den Amerikanern aufgenommen worden sein, dass ein Mann, der sich für seine Zeit in Bern eines mindestens indirekten Kontakts zu Alan Dulles rühmte, überdies einräumte: »Wir waren alle daran schuld, dass wir uns einer solchen Regierung unterwarfen.«[39]

Blankenhorns Rechnung ging auf. In den folgenden Wochen, in denen Briten und Amerikaner ihn weiterhin verhörten, gelang es ihm, Bestätigungen für seine Kontakte zum Widerstand zu erhalten. Nicht nur wurde offenbar Hans Bernd Gisevius befragt, der erwiesenermaßen mit Dulles in Kontakt gestanden hatte; nach zwei Anläufen meldete sich auch Gero von Schulze-Gaevernitz, der Blankenhorn eine aktive Rolle in der Verschwörung des 20. Juli bestätigte. Damit schien der Beweis für seine politische Zuverlässigkeit erbracht; im September 1945 wurde Blankenhorn in die britische Besatzungszone entlassen.[40]

Weitaus weniger glatt verlief der Weg in die Zukunft für Werner von Grundherr, der am 5. Mai 1945 in Hinterberg bei Salzburg aufgegriffen worden war. Als Leiter des Skandinavienreferats der Politischen Abteilung war auch er mit »Judenangelegenheiten« befasst gewesen, wobei er sich im Nachhinein zugute hielt, jedes Vorgehen gegen Juden in Finnland [sic] verhindert zu haben. Außerdem behauptete er, mit dem »hingerichteten Botschafter von Hassell« in Verbindung gestanden zu haben. Bis März 1946 saß Grundherr in einem der Ludwigsburger Internierungslager, um dann nach Nürnberg überstellt zu werden, wo er als Zeuge im Fall Ribbentrop eingeplant war, aber nicht aufgerufen wurde. Schon nach wenigen Wochen verlegte man ihn in das Zivilinternierungslager Hersbruck, wo er offenbar noch bis März 1947 festgehalten wurde.[41]

Die kontrastierenden Erfahrungen von Blankenhorn und Grundherr beleuchten die Unwägbarkeiten der amerikanischen Internierungs- und Verhörpolitik. Obwohl er als Referatsleiter vor Blankenhorn rangierte, war Grundherr im Gegensatz zu diesem in Washington ein unbeschriebenes Blatt. Wie es scheint, profitierte Blankenhorn nicht nur von seiner vergleichsweise frühen Inhaftierung durch die US-Armee, auch sein Weg über Paris und die kritischen Hinweise von Stettinius verschafften ihm einen Sonderstatus. Er gehörte nicht zu den vielen, die von einem überfüllten Lager in das nächste verschoben und einem zunehmend bürokratisierten Prozess der politischen Durchleuchtung unterworfen wurden, sondern fiel unter die pragmatische Regel, dass, wer nicht mehr gebraucht wurde und den Kategorien des »automatic arrest« nicht entsprach, nach Hause gehen konnte.[42] Werner von Grundherr hingegen glaubte man anfangs zu brauchen – und entließ ihn erst, als alle Routinen abgearbeitet waren.

Nicht unähnlich erging es Werner von Bargen, dem einstigen Vertreter des Auswärtigen Amts beim Militärbefehlshaber in Belgien und zwischenzeitlichen kommissarischen Leiter der deutschen Botschaft in Paris. Der allerdings hatte sich selbst in eine komplizierte Lage gebracht, aus der er sich dann mühevoll herauswinden musste. Seine Festnahme durch das Counter Intelligence Corps (CIC) in München am 11. Mai 1945 hatte er einem Brief an die dortigen amerikanischen Militärbehörden zu verdanken, in dem er recht großspurig sein Wissen und seine Dienste angeboten hatte. Schon der Bericht über seine Verhaftung beschrieb Bargen mit Recht als einen der mit Blick auf Frankreich, Belgien und die Niederlande bestinformierten deutschen Diplomaten. Folglich empfehle es sich, den »überaus kooperativen« Zeugen so lange in Internierung zu halten, bis die auf der »Black List« verzeichneten Personen, zu denen er Auskunft geben könne, aufgegriffen seien. In den folgenden Jahren verbrachte Bargen viel Zeit damit, diesen von ihm selbst erzeugten Eindruck großer Kennerschaft ins Gegenteil zu verkehren.

Bargens Situation wurde dadurch erschwert, dass sein Name im Zentralen Kriegsverbrecherregister (Crowcass) stand, weil ihn die Polen wegen Mordes suchten. Aber das französische Interesse an ihm und Bargens Beteiligung an der Deportation belgischer Juden nach Auschwitz wogen nicht weniger schwer. Als man ihn Anfang September 1945 nach Nürnberg brachte, wo er die ersten Wochen offenbar in Einzelhaft saß, gab er sich indessen sicher, dass sein »langer Arrest mit seinen Abnormalitäten die Folge eines Fehlers oder eines Missverständnisses« darstelle. Überzeugt, keinesfalls strafrechtlich belangt werden zu können, dürfte es für Bargen eine Genugtuung gewesen sein, dass man ihn schließlich in den Zeugenflügel überführte. Im Februar 1946 wurde er aus dem Nürnberger Gefängnis abtransportiert und nach weiteren Stationen in amerikanischen Internierungslagern in die britische Zone entlassen.[43]

Einen gewissen Grad an Nachlässigkeit der amerikanischen Internierungspolitik bezeugt auch der Fall des bei Dönitz in Flensburg aufgegriffenen Andor Hencke, den eine lange Karriere im Amt über die Sowjetunion und Osteuropa nach Madrid geführt hatte, ehe er 1943 im Rang eines Unterstaatssekretärs zum Leiter der Politischen Abteilung berufen wurde. Grund genug für eine Internierung, aber im eigentlichen Sinne verhaftet wurde Hencke erst am 20. August 1945 – nach Lageraufenthalten in Glücksburg und im Ministerial Collecting Point in Hessisch Lichtenau. Im Oktober wurde er auf Veranlassung des U.S. Political Advisor for Germany nach Wiesbaden gebracht, wo er die von Dewitt Poole geführte Kommission bei ihren »Studien über die deutsche auswärtige Politik unter dem Nazi-Regime« sehr »kooperativ« unterstützte. Von Wiesbaden ging es Anfang November nach Oberursel, von dort weiter nach Ziegenhain und im März 1946 ins Zivilinternierungslager Nr. 91 in Darmstadt.

Bereits im Lager Ziegenhain hatte Hencke einen Haftentlassungsantrag gestellt, den der Entnazifizierungsausschuss des Bezirksamtes Berlin-Zehlendorf, wo er gemeldet war, im April 1946 befürwortete. Ebenso positiv war seine Überprüfung im Lager Darmstadt verlaufen, und da Hencke »nicht in Crowcass gelistet« war, durfte er sich so gut wie frei fühlen. Nach einem kurzen Zwischenaufenthalt im Lager Zuffenhausen landete er jedoch in der Kriegsverbrechersektion in Dachau; weitere Überprüfungen hatten nämlich ergeben, dass sein Name, wenn auch mit kleinen Fehlern (Andar statt Andor) sehr wohl gelistet war – und zwar gleich zweimal bei Crowcass und außerdem wegen »Mord und Folter« bei der United Nations War Crimes Commission (UNWCC) in London. Nun musste sich Hencke seinerseits um Verhöre zwecks »Richtigstellung« und »Aufklärung« seines Falles bemühen. Er habe »weder direkt noch indirekt Kriegsverbrechen irgendwelcher Art begangen« oder »in irgend einer Weise an der Planung, Vorbereitung oder Durchführung von kriegerischen Aktionen teilgenommen«. Mit dieser Formulierung, die auf die alliierten Definitionen zielte, versuchte er die Legitimität seiner Internierung zu bestreiten; seine frühere Position als Unterstaatssekretär wollte er jedenfalls nicht als hinreichenden Grund anerkennen.

Im Februar 1947 wurde Andor Hencke für einige Wochen in die Tschechoslowakei überstellt, wo er im Zusammenhang mit dem Verfahren gegen den ehemaligen Ministerpräsidenten Rudolf Beran verhört wurde. Als er im März nach Dachau zurückgebracht wurde, erwartete ihn dort eine Haftverschärfung, die er sich nicht erklären konnte. Mitte Mai erfuhr er dann, dass er nicht mehr in die Kategorie des »automatic arrest« falle und von der UN War Crimes Commission als »cleared« betrachtet werde. Entlassen wurde er allerdings erst im Dezember 1947 in Nürnberg auf Veranlassung des Office of Chief of Counsel for War Crimes (OCCWC). Sein neuer Status als freiwilliger Zeuge bedeute nicht, wie es in dem Vordruck hieß, dass Hencke als unbelastet gelte oder gar freigesprochen sei; man sehe lediglich davon ab, »gegen den Internierten vorzugehen«.[44]

Noch während des Krieges hatten die Alliierten vereinbart, dass »kleinere Kriegsverbrecher« dort vor Gericht gestellt werden sollten, wo sie ihre Verbrechen begangen hatten. Allein die Amerikaner lieferten auf dieser Grundlage bis Ende 1946 fast 4 000 Personen an Drittländer aus, vor allem nach Frankreich und Polen, aber auch nach Jugoslawien, an die Tschechoslowakei und an die Briten. Für die ehemaligen Beamten des AA hielt sich diese Bedrohung in Grenzen, denn sie hatten meist im Hintergrund agiert und waren deshalb selten offenkundige Hauptverantwortliche oder eindeutig zu identifizierende Kriegsverbrecher. Die wenigen Fälle, in denen die Westmächte hätten entscheiden müssen, hatten sich teilweise von selbst erledigt: Werner Best hatten die Dänen in Haft genommen und vor Gericht gestellt, Otto Bene war in den Niederlanden interniert, Heinz-Adolf Beckerle in der Sowjetunion verschwunden. Otto Abetz war von französischen Truppen aufgegriffen und in Paris vor Gericht gestellt worden. Der deutsche Gesandte in Rumänien, Manfred von Killinger, und Dietrich von Jagow, bis März 1944 Gesandter in Ungarn, hatten Selbstmord begangen: Killinger am 2. September 1944, als die Rote Armee Bukarest erreichte, Jagow am 26. April 1945 in einem Hotelzimmer in Meran.[45]

Aus den Reihen des Auswärtigen Amts tatsächlich ausgeliefert wurden zwei Männer, die als SA-Führer und Ribbentrop-Protegés in der nachträglichen Wahrnehmung ihrer Kollegen ohnehin als »Fremdkörper« galten: der deutsche Gesandte in Kroatien, Siegfried Kasche, und sein slowakisches Pendant, Hanns Elard Ludin. Beide waren, wie Beckerle, Jagow und Killinger, in den von Deutschland abhängigen Satellitenstaaten für »Judenangelegenheiten« zuständig gewesen, Kasche hatte zudem die Ustascha und deren antiserbische Aktionen unterstützt. Mit der kroatischen Spitze war er in den letzten Apriltagen 1945 offenbar Richtung Salzburg geflohen und hatte sich dort bemüht, für seine Gruppe Unterkunft zu finden. Bald nach seiner Festnahme durch amerikanische Truppen an Jugoslawien ausgeliefert, wurde Kasche und sechs Mitgliedern des vormaligen Regimes im Frühjahr 1947 in Zagreb der Prozess gemacht. Am 7. Juni zum Tode verurteilt, wurde er zehn Tage später hingerichtet.[46]

Wie Kasche hatte auch Ludin versucht, »seine« slowakische Regierung in der Nähe der »Alpenfestung« unterzubringen, sich dann aber den Amerikanern gestellt, die ihn im Lager Natternberg in Niederbayern internierten. Dort wurde er als Kriegsverbrecher eingestuft und ins Lager Plattling, dann nach Nürnberg-Langwasser und schließlich nach Ludwigsburg verlegt. Im Oktober 1946 wurde Ludin an die Tschechoslowakei ausgeliefert. Zunächst Zeuge im Verfahren gegen Jozef Tiso, eröffnete ein Volksgericht in Bratislava im Herbst 1947 den Prozess gegen ihn; mit auf der Anklagebank saß der ehemalige Höhere SS- und Polizeiführer in der Slowakei Hermann Höfle. Die Deportation der slowakischen Juden spielte in dem Verfahren eine zentrale Rolle. Es endete am 3. November mit zwei verschärften Todesurteilen – Hinrichtung durch den Strang –, die am 9. Dezember 1947 vollstreckt wurden.[47]

Kasche und Ludin 1945/46 auszuliefern, bereitete den Amerikanern offensichtlich keine Probleme: Nicht nur war klar, dass beide für Judendeportationen verantwortlich waren, zu diesem frühen Zeitpunkt gab es auch kaum jemanden, der dagegen hätte protestieren wollen oder können – am wenigsten im Kreis der ehemaligen Diplomaten, die sich von ihren SA-Kollegen vielmehr eifrig distanzierten. Später erklärte sich das Auswärtige Amt hinsichtlich der Versorgungsansprüche von Ludins Familie für unzuständig und entsprach damit einem Selbstbild, in dem »wirkliche Nazis« nicht vorkommen durften.[48]

Die Entlastungsfabrik

Mehr als die Beamten anderer, politisch weniger exponierter Reichsministerien mussten die deutschen Diplomaten in den ersten Monaten nach Kriegsende damit rechnen, dass die vor allem von den Amerikanern vorangetriebene Politik der Entnazifizierung für sie besonders drastische Konsequenzen haben würde. Denn nach den Vorschriften des Alliierten Kontrollrats sollte die gesamte Führungsriege des AA – vom Minister über die Staatssekretäre, Botschafter und Gesandten bis zu den Ministerialdirektoren – automatisch als »Hauptschuldige« vor den Spruchkammern oder Entnazifizierungsausschüssen angeklagt werden. Im Falle eines Schuldspruchs drohten Haftstrafen bis zu zehn Jahren, beim Nachweis eines konkreten Verbrechens waren 15 Jahre Zuchthaus oder auch die Todesstrafe möglich. Hauptschuldige konnten außerdem mit Einziehung ihres privaten Vermögens und mit Entzug ihres aktiven und passiven Wahlrechts bestraft werden, darüber hinaus mit einer zehnjährigen Berufsbeschränkung auf »einfache Arbeit«. Aber auch alle Angehörigen des Dienstes, die mindestes den Rang eines Attachés bekleidet hatten – mithin die Mitarbeiter von Botschaften, Legationen, Generalkonsulaten, Konsulaten und Missionen –, mussten damit rechnen, scharf unter Beobachtung zu stehen, zählten sie doch grundsätzlich zur Gruppe der »Schuldigen«.

Allein schon solche Eingruppierungen waren psychologisch nicht ohne Wirkung: Mehr oder weniger hilflos sah man sich einem Verfahren ausgesetzt, das eine bestimmte berufliche Position mit entsprechender Verantwortlichkeit gleichsetzte und die Beweispflicht vom Ankläger auf den Angeklagten verlagerte. Zwar wurde die Entnazifizierung in der Praxis bekanntlich niemals so umfassend, kohärent und drakonisch durchgesetzt, wie es die Vorschriften befürchten ließen – dennoch ist Lutz Niethammer zuzustimmen, der in der Entnazifizierung eine »grundlegende Demütigung der tragenden deutschen Führungsschichten« erblickt.[49] Das galt gerade auch für die ehemaligen Diplomaten, die das ganze Verfahren als langwierig und herabsetzend empfanden. Für einen Beamten des höheren Dienstes kam es deshalb vor allem darauf an, die skeptischen Mitglieder der Spruchkammern davon zu überzeugen, dass seine Verbindungen zur NSDAP »rein nomineller Natur« gewesen waren, dass er sich bereits lange vor dem militärischen Zusammenbruch vom Regime und dessen Politik distanziert hatte oder gar – das war die denkbar günstigste Variante – selbst als NS-Verfolgter gelten konnte. Wo keiner dieser Entschuldigungsgründe überzeugte, riskierte man die Klassifizierung als fanatischer Nationalsozialist.

Am wenigsten Sorgen mussten sich diejenigen Diplomaten machen, die sich in der französischen oder der britischen Besatzungszone niedergelassen hatten; in beiden Zonen hielten sich die Militärbehörden schon aus ökonomischen Gründen stark zurück. In der Privatwirtschaft tätige Deutsche hatten wenig zu befürchten, und wer überhaupt keiner bezahlten Arbeit nachging oder mit einfachen Tätigkeiten zufrieden war, brauchte oft nicht einmal einen Fragebogen auszufüllen.[50] Das erklärt möglicherweise eines der gravierendsten Versäumnisse der Alliierten im Umfeld des diplomatischen Dienstes: die unterbliebene Inhaftierung von Fritz Gebhardt von Hahn. 1933 in die NSDAP eingetreten und ab 1937 im AA als persönlicher Referent von Ernst Bohle tätig, war Hahn ab 1941 immer wieder mit Fragen der Judenpolitik beschäftigt gewesen und mitverantwortlich für die Deportation und Ermordung der griechischen und makedonischen Juden. Was ihm 1968 eine Verurteilung zu acht Jahren Zuchthaus eintragen sollte, blieb nach dem Krieg zunächst unbemerkt, weil Hahn nach zweijährigem Aufenthalt in einem Militärkrankenhaus 1947 eine Stelle als Steuer- und Rechtsberater bei der Industrie- und Handelskammer in Hannover angetreten hatte, die zum Sprungbrett für eine bis 1963 fortdauernde zweite Karriere wurde.[51]

In der britischen Zone waren für ehemalige Diplomaten sogar Führungspositionen in der Länderverwaltung zu erklimmen. So kam Hans Meyer, Mitglied der NSDAP seit 1936, ehemaliger Mitarbeiter der Politischen Abteilung und seit Anfang 1944 Leiter des Konsulats in Apenrade, nach seiner Rückkehr aus dänischer Internierungshaft beim Proviantamt der britischen Armee in Braunschweig unter, und Herbert Blankenhorn, Pg seit 1938, stieg schon im März 1946, noch vor seiner Entnazifizierung, zum stellvertretenden Generalsekretär des Zonenbeirats der britischen Zone auf.[52]

Mitarbeiter des AA, die wegen ihrer oppositionellen Haltung von ihren Posten verdrängt worden und anschließend zum Teil emigriert waren, hatten keine Probleme damit, ihre Lebensläufe im Zuge der Entnazifizierung durchleuchten zu lassen. Zu dieser Gruppe gehörten Clemens von Brentano, Richard Hertz, Walther Hess, Carl von Holten, Rudolf Holzhausen, Hermann Katzenberger, Wolfgang Krauel, Georg Rosen und Herbert Schaffarczyk.[53] Unter Hinweis auf Benachteiligungen, die ihnen durch das Regime entstanden seien, schlüpften allerdings auch einige politisch weniger unverdächtige Kollegen durchs Netz. So zum Beispiel Karl Du Mont, der sich bis Kriegsende Dumont genannt hatte: Er war wegen seiner ausländischen Ehefrau 1944 aufgrund eines Führererlasses in den vorzeitigen Ruhestand versetzt worden. Nach Kriegsende interpretierte er diese Entlassung als Zeichen seiner Gegnerschaft zum Regime und bekam eine Anstellung im Berliner Büro des

Otto Wolff-Konzerns, ohne ein Entnazifizierungsverfahren durchlaufen zu haben. So blieb nicht nur verborgen, dass er sich 1941 um die Partei-mitgliedschaft beworben hatte, aber als »Opportunist« abgelehnt worden war; auch seine Funktion als Förderndes Mitglied der SS kam nie zur Sprache.[54]

Wer einen »Persilschein« benötigte – das war unter Diplomaten nicht anders als bei anderen entlassenen Staatsdienern – wandte sich in der Regel an Freunde und frühere Kollegen. Besonders begehrt waren Leumundszeugnisse aus dem Ausland und von Personen, die während der NS-Zeit außerhalb Deutschlands gelebt hatten. Auch Kollegen, die als Oppositionelle oder NS-Verfolgte galten oder das eigene Entnazifizierungsverfahren bereits erfolgreich durchlaufen hatten, wurden gern um entlastende Briefe gebeten. Wem es gelungen war, sich frühzeitig wieder im öffentlichen Dienst zu etablieren, musste mit vielen Bittstellern rechnen. Hans von Herwarth, der in der Bayerischen Staatskanzlei untergekommen war, notierte in seinen Erinnerungen: »Da ich unbelastet war, suchten mich viele Menschen auf, um sich einen ›Persilschein‹ ausstellen zu lassen.« Ähnlich erging es Vollrath von Maltzan, mittlerweile Abteilungsleiter im bizonalen Verwaltungsamt, und Theo Kordt, seit 1948 Referent in der Düsseldorfer Staatskanzlei und an der Bonner Universität Lehrbeauftragter für Völkerrecht und Diplomatie. Die Presse kritisierte diese Praxis mit deutlichen Worten: »Sie werfen sich die Bälle zu« oder »Nazibonzen entlasten sich gegenseitig«, lauteten einige der Schlagzeilen.[55]

Eine besondere Rolle bei der Fabrikation von »Persilscheinen« spielte Hans Schroeder, der frühere Personalchef des AA. Schroeder, seit 1933 Parteigenosse und seit 1934 NSDAP-Landesgruppenleiter in Ägypten, genoss bei vielen seiner ehemaligen Kollegen hohes Ansehen, was vermutlich darauf zurückzuführen war, dass er als Personalchef seit 1941 einige vor Entlassung oder Festnahme bewahrt hatte. Nach Kriegsende machte sich Schroeder erneut nützlich, indem er eine Vielzahl von Zeugnissen ausstellte – aus dem Gedächtnis, denn ein Großteil der Personalakten war im November 1943 bei einem Bombentreffer verbrannt. Gegenüber einem Kollegen soll er dies folgendermaßen kommentiert haben: »Weißt Du, eigentlich ist es ja komisch. Früher wollten immer alle von mir bescheinigt haben, dass sie für die Partei waren; heute soll ich allen bestätigen, dass sie immer dagegen waren! Ich habe keinen abgewiesen.«[56] Schroeders Großzügigkeit schloss sogar Franz Rademacher ein: Nachdem er ihn erst bei den Amerikanern denunziert hatte, suchte er ihn später vom Vorwurf der Kriegsverbrechen zu entlasten.[57]

Karrierediplomaten, die in dem Ruf standen, sich gegenüber Kollegen unsolidarisch verhalten zu haben, konnten allerdings nicht darauf rechnen, ein positives Zeugnis zu erhalten. Das zeigt der Fall des früheren Botschaftsrats Sigismund Freiherr von Bibra, der bis Mai 1943 in Bern auf Posten gewesen war und seit 1936 als Nachfolger von Wilhelm Gustloff das Amt des NSDAP-Landesgruppenleiters in der Schweiz bekleidet hatte. Theo Kordt bescheinigte seinem ehemaligen Vorgesetzten zwar, 1942 am Endsieg gezweifelt und versucht zu haben, die britische Bereitschaft zu Friedensgesprächen zu sondieren. Weiter wollte Kordt in seiner Fürsprache aber nicht gehen, war ihm doch bestens bekannt, dass Bibra 1944 die Verhaftung eines Amtskollegen und seiner Frau veranlasst hatte, als diese von einem Ferienaufenthalt in Spanien nicht nach Deutschland zurückgekehrt waren. »Mit ehrlicher Betrübnis muss ich sehen«, schrieb Kordt nun, »dass Ihnen Fehler unterlaufen sind, die bei kritischer Prüfung hätten vermieden werden müssen.« Allerdings schlug er diese »Fehler« Bibras mangelndem Urteilsvermögen und übermäßiger Impulsivität zu – und ließ dessen ausgeprägte Nähe zum NS-Regime unerwähnt.[58]

Der Wert eines »Persilscheins« hing nicht zum wenigsten von der Prominenz seines Verfassers ab, und viele der Fürsprecher zeigten sich ausgesprochen lernfähig, was die Erwähnung von Themen betraf, die bei Alliierten und Spruchkammern auf Wohlwollen stießen. Ähnlich wichtig wie die Nichtmitgliedschaft in der NSDAP war die Mitgliedschaft in einer der beiden christlichen Kirchen, ließ sich beides doch fast schon als Beweis der Dissidenz ausdeuten. Von großem Gewicht waren Hinweise auf oppositionelles Verhalten, jedes noch so kleine Indiz einer möglichen Verfolgung und auffällige Brüche im beruflichen Fortkommen. Die Spruchkammern auf diese Weise hinters Licht zu führen, war schon deshalb einfach, weil deren Mitglieder nicht dazu neigten, von sich aus Dokumente heranzuziehen, um einzelne Aussagen zu überprüfen. Herbert Blankenhorn und Wilhelm Melchers, die beide 1946 ihre Entnazifizierung beantragten, mussten folglich keinen Widerspruch befürchten, als sie ihre eher bescheidene Rolle im Widerstandszirkel um Adam von Trott und Hans Bernd von Haeften anreicherten. Blankenhorn wurde im Januar 1947 in Hamburg in die Gruppe V (»Entlastete«) eingestuft, Melchers musste auf seinen Bescheid aus Bremen bis April 1948 warten.[59] Gustav Adolf Baron Steengracht von Moyland, der in Nürnberg zu einer siebenjährigen Zuchthausstrafe verurteilt worden war, erreichte seine Einstufung in die Gruppe V mit dem Argument, er habe durch ein gefälschtes Telegramm wahrscheinlich Tausende von Juden gerettet. Zwar musste der Fall neu aufgerollt werden, als der Sonderbeauftragte des Düsseldorfer Hauptausschusses auf Steengrachts führende Funktion im Dritten Reich aufmerksam machte; aber auch das folgende Verfahren endete nur mit einer Einstufung als »Anhänger« (was dem »Mitläufer« in der US-Zone entsprach). Kurt Georg Kiesinger erreichte seine Herabstufung von Gruppe IV in Gruppe V, indem ihm ein früherer Kollege eine antinationalsozialistische Haltung bescheinigte.

Besonders erstaunlich verlief die Entnazifizierung Werner von Bargens, der seinen Antrag im September 1947 in Stade eingereicht hatte. Gestützt auf eine imposante Anzahl eidesstattlicher Erklärungen, suchte der ehemalige Gesandte den Nachweis zu führen, dass er die belgische Zivilbevölkerung vor den deutschen Okkupanten zu schützen versucht habe. Während seines Einsatzes an der Pariser Botschaft habe er mit den Verschwörern des 20. Juli in Verbindung gestanden, und schon 1940 habe Hitler persönlich gegen seine geplante Ernennung zum Gesandten in Sofia Einspruch erhoben. Aus Belgien sei er 1943 wegen politischer Differenzen abberufen worden; ein Jahr später sei es Ribbentrop gelungen, ihn aus dem Ministerium »hinauszusäubern«. Von diesen Erzählungen gehörig beeindruckt, stufte der Entnazifizierungsausschuss Bargen als »entlastet« ein; kein Wort war darüber gefallen, dass Bargen an der Deportation der belgischen Juden beteiligt gewesen war.[60]

Unschöne biographische Details in den Fragebögen zu verschweigen oder zu retouchieren, konnte zwar leicht zum Bumerang werden, war aber unter einstigen Diplomaten gängige Praxis. So gestand zum Beispiel Ernst Ostermann von Roth, 1933 als Mitarbeiter der Politischen Abteilung in die SS eingetreten zu sein, verfälschte diese Auskunft aber insofern, als er lediglich eine Mitgliedschaft in der Reiter-SS angab. Seine Ernennung zum SS-Obersturmbannführer 1939 ließ er ebenso unerwähnt wie seinen Parteibeitritt zwei Jahre zuvor. »Meine Taktik der SS gegenüber«, versuchte er in einem beigefügten Lebenslauf zu erklären, habe in »bewusster Absentierung« bestanden – auch, um einen SS-Ehrenrang oder die Waffen-SS zu umgehen. Einen Austritt habe er schon Adam von Trott zuliebe nicht in Betracht gezogen, habe der ihm doch gesagt, dies könne seinen Widerstandskreis in Gefahr bringen.[61] Als Ostermann sich nach dem Krieg beim Flüchtlingsrat der britischen Zone bewarb, ging seine Behauptung glatt durch, seine SS-Mitgliedschaft sei nur »ehrenhalber« gewesen und daher bedeutungslos. Auch dass er ein Nazi-Gegner gewesen sei, nahm man ihm ab; zum Beweis führte Ostermann nicht nur seinen Einsatz als Verbindungsoffizier der Heeresgruppe Mitte-Ost 1943/44 an, sondern auch seine Zugehörigkeit zum jungkonservativen Zirkel um Edgar Jung, den die Gestapo 1934 zerschlagen hatte. Obwohl nichts in Ostermanns Lebenslauf für eine demokratische Gesinnung sprach, galt er seit Februar 1948 als »entlastet«.[62]

Auch von Franz Krapf, der dem Amt 1938 beigetreten war, ließ sich die Spruchkammer täuschen. Krapf hatte von 1940 bis Kriegsende an der Botschaft in Tokio Dienst getan, war aber erst gut zwei Jahre später nach Deutschland zurückgekehrt. Anfang 1948 informierte die US-Militärregierung die Staatsanwaltschaft in München über Krapfs Mitgliedschaft in der NSDAP und der SS sowie seine Zugehörigkeit zum SD. In seinem Meldebogen hatte Krapf die Zugehörigkeit zum Sicherheitsdienst der SS verschwiegen und seine Mitgliedschaft bei der SS heruntergespielt: Er sei nur »repräsentationshalber auf Grund Tätigkeit als Sekretär Deutsch-Japanischer Gesellschaft« Untersturmführer in einem SS-Reitersturm gewesen und habe bereits 1939 schriftlich seinen Austritt erklärt.[63] In einem gewissen Widerspruch dazu stand ein Zeugnis der Parteikanzlei von Anfang 1939, wonach Krapf schon zum zweiten Mal einen »Lehrgang des Reichslagers für Beamte« absolviert hatte, ohne dabei »zu irgendwelchen Zweifeln an seiner politischen Haltung … den geringsten Anlass gegeben« zu haben.[64] Der Öffentliche Kläger neigte bei dieser Faktenlage zu einer Einordnung nach Gruppe I des Bayerischen Entnazifizierungsgesetzes, auch wenn Krapfs Einlassungen und die Entlastungszeugnisse seiner früheren Kollegen und Bekannten aus Japan seiner Meinung nach eher für eine Einordnung in Gruppe III sprachen. Noch milder zeigte sich die zuständige Spruchkammer, die Krapf im Mai 1948 der Gruppe V zuschlug, weil es zahlreiche Beweise für seine NS-feindliche Haltung gebe – darunter ein durch nichts belegtes Disziplinarverfahren, das Ribbentrop nach Krapfs Aussage gegen ihn angestrengt habe. Als die Amerikaner den Öffentlichen Kläger zwei Monate später auf

Krapfs SD-Zugehörigkeit aufmerksam machten, hatte dieser Deutschland bereits Richtung Schweden verlassen. Damit war der Fall erledigt.[65]

Vor allem die jüngere Beamtengeneration profitierte von den Teilamnestien, die die Alliierten alsbald für bestimmte Altersgruppen verfügten, um die Zahl noch offener Entnazifizierungsverfahren zu verringern. Günther Diehl, bei Hitlers Machtübernahme erst 17 Jahre alt, fiel unter ein derartiges, in Niedersachsen verkündetes Amnestiegesetz, wodurch ihm eine genauere Überprüfung seiner Vergangenheit erspart blieb. Zwar hatte er während des Krieges nur die Stelle eines Sachbearbeiters für Rundfunkangelegenheiten an der Zweigstelle der Deutschen Botschaft in Vichy ausgeübt; faktisch war er aber für alle Aufgaben zuständig gewesen, die üblicherweise vom Kulturreferenten erledigt wurden. Dazu gehörte nicht nur der gesamte Bereich der Propaganda, sondern auch die politische Berichterstattung. Mehrfach meldete sich Diehl zum freiwilligen Dienst bei der Waffen-SS, und obwohl ihn das SS-Hauptamt gerne eingezogen hätte, verhinderten dies seine Vorgesetzen in Vichy und Paris. So ließ SS-Standartenführer Gerd Rühle, Chef der Rundfunkpolitischen Abteilung, Ende 1943 die Personalabteilung des AA wissen, Diehl sei ein »sachlich außerordentlich hochqualifizierter Mitarbeiter, ein hervorragender Nationalsozialist, und ein tadelloser Charakter«. Und Franz Alfred Six, SS-Brigadeführer und Leiter der Kulturpolitischen Abteilung, plädierte für Diehls Ernennung zum Attaché, die Ende 1944 erfolgte.[66] Nach Kriegsende arbeitete Diehl in Hamburg als Journalist – mit Billigung der Briten, jedoch, wie er in seinen Erinnerungen vermutete, »unter Zurückstellung einiger Bedenken«.[67] Tatsächlich verfügten die britischen Militärbehörden über einen Bericht aus amerikanischer Quelle, aus dem hervorging, dass sich Diehl in den dreißiger Jahren als Funktionär des NS-Studentenbundes zu einem Experten für »nationale Minderheiten« in Belgien entwickelt hatte und 1944 als Verbindungsoffizier zwischen Auswärtigem Amt und den Divisionen »Flandern« und »Wallonien« der Waffen-SS fungierte.[68]

Theoretisch konnten die zuständigen Besatzungsbehörden in den Ablauf einzelner Entnazifizierungsverfahren eingreifen, praktisch waren sie zu solchen Interventionen schon aufgrund ständig rückläufiger Kapazitäten immer weniger in der Lage. Und längst nicht überall, wo sie es taten, setzten sie sich am Ende durch. Der Fall Wilhelm von Schoen war dafür ein Beispiel. Schoen, bis 1945 deutscher Botschafter in Chile, musste im Juni 1946 seine Posten als CSU-Landrat in Miesbach und als Beisitzer einer örtlichen Spruchkammer aufgeben, weil die amerikanische Militärregierung alle amtierenden Landräte einer politischen Überprüfung unterzogen wissen wollte. Die Spruchkammer Miesbach beabsichtigte daraufhin, den Ex-Diplomaten in die Gruppe der Hauptschuldigen einzureihen. Obwohl Schoen und seine Ehefrau, eine gebürtige Amerikanerin, gute Beziehungen zur Besatzungsmacht unterhielten, dauerte es noch bis Ende 1947, ehe er als »entlastet« entnazifiziert und sein beschlagnahmtes Vermögen freigegeben war.[69]

Auch wer als »entlastet« aus der Entnazifizierung hervorgegangen war und von niemandem als »Nazi« betrachtet wurde, konnte nach den alliierten Regeln weiterhin als verdächtig gelten – etwa wenn er eine herausgehobene Position im Auswärtigen Dienst eingenommen hatte. So erging es Hans Kroll, der auf Intervention der britischen Behörden Ende 1947 in die Gruppe III (»Minderbelastete«) hochgestuft wurde. Praktisch bedeutete dies, dass Kroll keine leitende Stelle übernehmen durfte und sich alle drei Monate bei der Polizei melden musste. Erst im September 1948, nachdem er gegen diesen Spruch Beschwerde eingelegt hatte, bestätigte der Entnazifizierungs-Hauptausschuss Krolls ursprüngliche Einstufung als Entlasteter.[70] Ähnliche Erfahrungen machte Karl Werkmeister, der stellvertretende Leiter des bizonalen Verwaltungsamts für Wirtschaft, der im Sommer 1947 von einer Berufungskammer als »entlastet« entnazifiziert, vom britischen Ortskommandanten aber sofort in die Gruppe III umgestuft worden war. Zur Begründung führte der Offizier an, Werkmeister stehe den Alliierten feindlich gegenüber und wäre ohne Sympathien für das Regime wohl kaum im Auswärtigen Dienst geduldet worden. Daraufhin drängte Ministerpräsident Karl Arnold (CDU) gegenüber dem Chef der Militärregierung in Nordrhein-Westfalen, General Bishop, auf ein erneutes Verfahren – und hatte im zweiten Anlauf Erfolg; im Frühjahr 1948 kehrte Werkmeister in die Gruppe der Entlasteten zurück.[71]

Möglicherweise wäre es für die deutschen Diplomaten vergangenheitspolitisch etwas komplizierter geworden, hätten die Alliierten 1948, als in Nürnberg der Prozess gegen die Wilhelmstraße lief, noch die Gesamtverantwortung für die Entnazifizierung gehabt und nicht weitestgehend bereits an die Deutschen delegiert. Immerhin veranlassten in Nürnberg vorgelegte neue Beweisstücke sowohl alliierte als auch deutsche Behörden, die Wiedereröffnung einiger Verfahren zu beantragen, die durch Einstufungen in Gruppe IV oder V bereits als erledigt galten. Während der Antrag, das Verfahren gegen Emil von Rintelen neu aufzurollen, erfolglos blieb, drohten sich die Dinge im Fall von Erich Kordt nochmals zu verhaken.[72]

Die Münchner Spruchkammer hatte im September 1947 das Begehren des Öffentlichen Klägers abgeschmettert, den früheren Gesandten und SS-Obersturmbannführer in die Gruppe der »Hauptschuldigen« einzuordnen. Ausschlaggebend dafür war ein Konvolut eidesstattlicher Erklärungen von Freunden und Bekannten gewesen, die Kordts Widerstandstätigkeit zu belegen schienen, woraufhin er als »entlastet« eingestuft wurde. Ende Februar 1948 meldete sich beim Bayerischen Staatsministerium für Sonderaufgaben der für die Nachfolgeprozesse zuständige US-Sonderermittler in Nürnberg: Zwar gebe es keine Beweise dafür, dass Kordt das NS-Regime aktiv unterstützt habe, aber Lord Vansittart sei offenbar der Meinung, Kordt sei »keines Vertrauens wert«.[73] Der ehemalige Chefberater im Foreign Office war zehn Jahre zuvor einer der wichtigsten Gesprächspartner der Gebrüder Kordt gewesen, als diese die britische Regierung vor Hitlers Kriegsplänen zu warnen suchten.

Als Vansittart im August 1948 dem Nürnberger Gericht tatsächlich zwei Erklärungen vorlegte, in denen er die Kordts als Opportunisten charakterisierte, schlug der Sonderermittler vor, das Entnazifizierungsverfahren gegen Erich Kordt wiederaufzurollen. In dem Verfahren seien Fehler unterlaufen. So habe die Spruchkammer weder auf Nürnberger Beweisdokumente noch auf Unterlagen des Auswärtigen Amts zurückgegriffen, und auch beim Berlin Document Center habe man nicht nachgefragt. Außerdem fehle der »Nachweis positiver Widerstandshandlungen«. In Anbetracht der vielen Entlastungsdokumente, die Kordt vorweisen konnte, weigerten sich die bayerischen Behörden dennoch, das Verfahren noch einmal zu eröffnen. Nicht nur im Fall von Erich Kordt überstrahlte das Weiß der Persilscheine mittlerweile längst den Beweiswert der authentischen Dokumente – auch das ein Indiz dafür, dass die Entnazifizierung spätestens mit der Übernahme durch die Deutschen ihre Bedrohlichkeit für die alten Eliten verloren hatte.[74]

Die Beispiele zeigen: Je länger es den Diplomaten gelang, ihre Entnazifizierung hinauszuzögern, desto besser waren ihre Chancen, mit einem milden Spruch davon zu kommen. Besonders eindrucksvoll verdeutlicht

Daten zu 237 Angehörigen des höheren Dienstes, zusammengestellt von der Personalabteilung des AA				
Mitläufer (Gr. IV)	Entlastet (Gr. V)	Nicht betroffen	Amnestiert	Nicht entnazifiziert/ keine Beweismittel übergeben
15	108	70	5	39
(6.3%)	(45.4%)	(29.5%)	(2.1%)	(16.5%)
Daten zu 129 Angehörigen des höheren Dienstes, die dem Auswärtigen				
13	74	23	4	15
(10.1%)	(57.4%)	(17.8%)	(3.1%)	(11.6%)

das der Fall Otto Bräutigam. Zunächst im Auswärtigen Amt für den Bereich Osteuropa zuständig, war er 1941 in das von Alfred Rosenberg geleitete neue Reichsministerium für die besetzten Ostgebiete gewechselt. Als hochrangiger Ministerialbeamter arbeitete er an den agrar- und bevölkerungspolitischen Planungen für Weißrussland mit, dachte über die Errichtung von »Wehrdörfern« nach und war in die Vernichtungspolitik gegen die Juden, die sowjetischen Kommissare und andere Bevölkerungsgruppen im Reichskommissariat Ostland eingeweiht. Nach dem Krieg behauptete er, die nationalsozialistische Besatzungspolitik als kontraproduktiv angesehen und so weit wie möglich unterminiert zu haben. Auch gab er an, 1940 wegen »defaitistischer und judenfreundlicher Äußerungen« aus der NSDAP ausgeschlossen worden zu sein. Im August 1949 reihte ihn der Hauptentnazifizierungsausschuss in Bocholt daher in Gruppe V ein, und ein Jahr später stellte das Landgericht Nürnberg-Fürth aus Mangel an Beweisen auch ein Strafverfahren ein, in dem es um Bräutigams Tätigkeit im Ostministerium hätte gehen sollen.[75]

im Auftrag des Bundestags-Untersuchungsausschusses Nr. 47 im November 1951

Mitglied der NSDAP	Mitglied in NS-Organisationen (SS, SA usw.)	NS-Verfolgter
110	59	21
(46.2%)	(24.8%)	(8.8%)

Amt bereits vor 1945 angehörten

89	39	16
(69%)	(30.2)	(12.4%)

Die Entnazifizierung des Auswärtigen Dienstes war das Ergebnis eines gigantischen Entlastungswerks. Darauf verweist auch eine von der Personalabteilung des AA veranlasste statistische Erhebung für den Bundestags-Untersuchungsausschuss, der im November 1951 den Skandal um die »Ehemaligen« aufklären sollte. Die Aufstellung berücksichtigt 237 der damals 397 Mitarbeiter des höheren Dienstes, darunter 129 von schätzungsweise 137 Diplomaten, die bereits im alten Amt beschäftigt gewesen waren.[76] Aus ihr ergibt sich zum einen, dass außerordentlich viele der Wilhelmstraßen-Veteranen Mitglieder der NSDAP oder einer ihrer Organisation gewesen waren. Zum anderen zeigt sich, dass nicht ein einziger der wiederverwendeten Diplomaten, die entsprechend den alliierten Richtlinien als »Hauptschuldige« oder »Schuldige« (Gruppe I und II) anzuklagen waren, letztlich in einer dieser Gruppen landete. Tatsächlich schafften es die Angehörigen des Auswärtigen Dienstes fast doppelt so oft in die Gruppe der »Entlasteten« wie der Durchschnitt der Westdeutschen.[77]

Berufswechsel und Netzwerke

Die Jahre bis zur Gründung der Bundesrepublik waren für Hunderttausende aus ihren Ämtern entlassene Staatsdiener keine einfache Zeit. Das galt auch für viele ehemalige Diplomaten, jedenfalls so weit sie sich bei Kriegsende nicht in einem neutralen Land befanden und die Möglichkeit hatten, dort zu bleiben. Tatsächlich verweigerten sich die Regierungen mancher Staaten den Auslieferungsgesuchen der Alliierten. Einer der in diesem Sinne spektakulärsten Fälle ereignete sich in der Republik Irland: Sowohl der Gesandte Eduard Hempel als auch sein Stellvertreter Henning Thomsen, seit 1933 Mitglied der SS, erhielten dort politisches Asyl, obgleich sie der Mitwirkung an der deutschen Kriegspropaganda beschuldigt wurden.[78] Auch die beiden in Spanien tätigen Parteigenossen Bernd Otto Freiherr von Heyden-Rynsch und Richard Kempe wurden nicht repatriiert.[79] Günther von Hackwitz, seit 1943 in Meran beim Bevollmächtigten des Großdeutschen Reichs bei der faschistischen Nationalregierung tätig, unterstützte die Amerikaner bei der Abwicklung seiner Dienststelle und verdingte sich danach als Rechtsberater und Vermittler für verschiedene Firmen in der Gegend um San Remo. SA-Sturmbannführer Gerhard Richard Gumpert, der dem Auswärtigen Dienst 1939 beigetreten war und gegen Kriegsende als Legationssekretär in der Finanzabteilung der deutschen Botschaft in Italien arbeitete, kehrte ebenfalls nicht nach Deutschland zurück; er stieg später in den Autohandel ein.[80] Der Ostasienspezialist und SS-Untersturmführer Karl Otto Braun flüchtete zunächst nach Argentinien, bevor er die Leitung des Münchner Büros der Krupp AG übernahm. Günther Bock, der seit 1941 verschiedene Posten an der Botschaft in Rom bekleidet hatte, wählte den umgekehrten Weg: Er ließ sich nach seiner Internierungshaft im Oktober 1946 zunächst in Deutschland nieder, ging 1949 aber nach Buenos Aires, wo er für drei Jahre als Sekretär der Deutsch-Argentinischen Handelskammer tätig war.

Daneben gab es noch die Gruppe der österreichischen Ex-Diplomaten, die nach dem »Anschluss« 1938 zum Auswärtigen Amt gestoßen waren; sie entschieden sich nach Kriegsende meist zur Rückkehr in ihre Heimat. Mindestens neun von ihnen kamen im Auswärtigen Dienst der neuen Republik unter. Darunter war auch Wilfried Platzer, der 1944 aus der NSDAP ausgeschlossen worden war; er vertrat Österreich später als

Botschafter in den USA und Großbritannien und stieg zum General-sekretär auf, einem der höchsten Laufbahnposten im Wiener Außenmi-nisterium.[81]

Die große Mehrheit der Ex-Diplomaten suchte sich im zerstörten Deutschland über Wasser zu halten. Wer das Pensionsalter erreicht hatte und über eine gewisse finanzielle Unabhängigkeit verfügte, setzte sich zur Ruhe. Wer über Grundbesitz im Westen verfügte, konnte als Selbst-versorger dorthin zurückkehren. Einigen hoch Belasteten gelang es, ihre beruflichen Fähigkeiten in neuen Bahnen zu nutzen. Werner Raykowski, seit 1940 Ribbentrops persönlicher Pressereferent, wurde Mitarbeiter des Frankfurter Societäts-Verlags, Gustav von Halem lebte nach seiner Ent-lassung aus amerikanischer Haft von Übersetzungsaufträgen und trieb die Wiederbegründung des väterlichen Verlagshauses voran.[82] Professor Dr. med. Werner Gerlach, seit 1937 Mitglied der SS und als deutscher Generalkonsul in Prag an der Durchsetzung antijüdischer Maßnahmen beteiligt, eröffnete 1949 in Kempten ein Privatinstitut für Pathologie.[83]

Wer etwas erlebt hatte, dem blieb auch die Option, sich dem Schrei-ben zu widmen: Richard von Kühlmanns Memoiren erschienen 1948, die von Herbert von Dirksen und Rudolf Rahn 1949, Ernst von Weizsäcker und Paul Otto Schmidt publizierten ihre Werke 1950, die Erinnerungen von Otto Abetz folgten 1951. Erich Kordt schrieb gleich zwei Bücher; sei-ne Studie über die NS-Außenpolitik erschien 1947, zwei Jahre später folg-ten seine Memoiren. Andere kamen als Journalisten unter.

Einigen Ex-Diplomaten boten sich auch Möglichkeiten an den wie-dereröffneten Universitäten. Erich Kordt zum Beispiel habilitierte sich in München für Staats- und Völkerrecht und wurde 1951 als außerplan-mäßiger Professor an die Universität Köln berufen. Sein Bruder Theo erhielt 1947 einen Lehrauftrag an der Rechts- und Staatswissenschaft-lichen Fakultät in Bonn. Weniger glanzvoll war der berufliche Neube-ginn von Kurt Georg Kiesinger, der zwischen 1946 und 1948 als Repetitor in Würzburg arbeitete.[84] Eine Gruppe jüngerer Beamter, darunter Vin-cent Albers, Ernst Munzel, Heinrich Northe und Siegfried von Nostitz, entschloss sich zur Wiederaufnahme ihres Studiums.

Einzelne Beamte, die bis 1945 hochrangige Positionen im Auswärti-gen Amt bekleidet hatten, konnten sich in der Privatwirtschaft etablie-ren. Bemerkenswert ist der Fall Günther Altenburg, von 1941 bis 1943 deutscher Bevollmächtigter in Griechenland. Nach seiner Entlassung aus amerikanischer Internierungshaft arbeitete der Ex-Pg von 1946 an als Anwalt und Geschäftsmann in Heidelberg und begann hier seine Karriere beim Deutschen Industrie- und Handelstag. Ernst Coenen, seit 1937 Mitglied der SS und während des Krieges als Attaché in Brüssel und Paris im Einsatz, war nach seiner Freilassung aus alliierter Haft im September 1946 zunächst als Anwalt in Düsseldorf tätig und heuerte 1949 bei der deutschen Stahltreuhändervereinigung an; von dort gelang ihm der Einstieg beim wiederbegründeten Thyssen-Konzern. Emil von Rintelen, der 1921 in den Auswärtigen Dienst eingetreten war und seit 1943 als Botschafter zur besonderen Verwendung fungierte, kam 1948 zur Düsseldorfer Klöckner-Gruppe – wohl über seinen einstigen Amtskollegen Günter Henle. Rudolf Rahn, der letzte deutsche Botschafter im faschistischen Italien, war in der Bundesrepublik für Coca-Cola tätig.[85]

Ihre juristische Ausbildung erleichterte vielen arbeitslosen Diplomaten die Suche nach einer neuen Betätigung. Eine der erfolgreichsten und längsten – und deshalb auch eine der besonders berüchtigten – Nachkriegskarrieren machte Ernst Achenbach, der als Leiter der Politischen Abteilung der Pariser Botschaft maßgeblich an Judendeportationen beteiligt gewesen war. Da Achenbach mit einer Amerikanerin verheiratet war, hatte er den diplomatischen Dienst 1944 quittieren und sich aufgrund des »Führererlasses über international gebundene Männer« zur Wehrmacht melden müssen. Nach dem Krieg gab er an, seine Entlassung sei aufgrund seiner Opposition gegen Ribbentrop und den Nationalsozialismus erfolgt. Achenbach eröffnete eine Anwaltskanzlei in Essen und kümmerte sich bevorzugt um Entnazifizierungs- und Gerichtsverfahren von Industriellen – eine Tätigkeit, die ihm laut *Zeit* schon bald den Ruf eines »Modeanwalts der Ruhrmetropole« einbrachte.[86]

Im Nürnberger I.G. Farben-Prozess trat Achenbach als Verteidiger von Fritz Gajewski auf, im Wilhelmstraßenprozess verteidigte er Ernst Wilhelm Bohle. Sein Einsatz zugunsten des Chefs der NSDAP-Auslandsorganisation endete jedoch abrupt, als die amerikanische Militärregierung einen Haftbefehl gegen ihn erließ: Achenbach war weder in der britischen Zone entnazifiziert worden, noch hatte er sich an die Bestimmung gehalten, wonach jeder einen Fragebogen ausfüllen musste, der sich länger als vierzehn Tage in der amerikanischen Zone aufhielt. Als die New Yorker Emigrantenzeitung *Aufbau* über Achenbachs Aktivitäten an der Pariser Botschaft berichtete und Robert Kempner ihn dazu

Ende 1947 befragte, floh der Ex-Diplomat nach Essen. Die britischen Behörden hielten die Vorwürfe gegen ihn zunächst für »außerordentlich schwach«. Doch im März 1948 lieferten die Amerikaner aus Nürnberg eine Reihe neu aufgetauchter Beweismittel. Seitdem rechnete man bei der Britischen Kontrollkommission mit einem Auslieferungsantrag der Franzosen. Achenbach tauchte unter, obwohl ihn eine Essener Entnazifizierungskommission fast zur gleichen Zeit als »unbelastet« eingestuft hatte. Als jedoch von französischer Seite nichts kam, hoben die Briten im April 1949 ihre zuvor verhängten Reisebeschränkungen gegen Achenbach wieder auf.[87]

Eine ganze Reihe ehemaliger Mitarbeiter der Wilhelmstraße kam beim Hilfswerk der Evangelischen Kirche in Deutschland unter, das der Theologe und NS-Gegner Eugen Gerstenmaier 1945 in Stuttgart gegründet hatte. Zu ihnen zählten Wolfgang Freiherr von Welck und dessen Stellvertreter Fritz von Twardowski in Hamburg, Wilhelm Melchers in Bremen sowie Georg Federer und Gottfried von Nostitz. Aufgabe der Diplomaten war es vor allem, die Beziehungen des Hilfswerks zu den ausländischen Bruderkirchen zu pflegen.[88]

Eine andere Gruppe von Ex-Diplomaten, zu der Hasso von Etzdorf, Erich Kordt, Gustav Strohm und Peter Pfeiffer zählten, arbeitete an der Seite von Dirk Forster im Deutschen Büro für Friedensfragen ebenfalls in Stuttgart. Forster, früherer Botschaftsrat an der Pariser Botschaft, war 1937 wegen seines Widerspruchs gegen die Remilitarisierung des Rheinlands – vermutlich aufgrund einer Weisung Hitlers – in den einstweiligen Ruhestand versetzt worden. Während des Krieges hatte er sich zuerst als Wirtschaftsberater, danach als kaufmännischer Angestellter der I.G. Farben in Frankreich durchgeschlagen. 1947 wurde er stellvertretender Leiter des Deutschen Büros für Friedensfragen, drei Jahre später übernahm er eine Stelle an der Hochschule für Politik in München.[89] Bei dem Stuttgarter Büro handelte sich um einen »Think tank« für Fragen der Außenpolitik, den die Ministerpräsidenten der amerikanischen Zone 1947 ins Leben gerufen hatten.

Überall, wo neue Verwaltungsstäbe aufzubauen waren, wurden die internationalen Erfahrungen und die Sprachkenntnisse der Diplomaten geschätzt. Wer von ihnen außerdem darauf verweisen konnte, dass er nicht in der Partei gewesen war, hatte gute Chancen. So übte Ernst Eisenlohr, vormals Gesandter in Athen und Prag, zwischen 1946 und 1955 in

Badenweiler das Amt des Bürgermeisters aus. Eugen Klee und Hermann Terdinge schafften es 1947 auf Landratsposten, im Jahr zuvor auch SS-Obersturmführer Georg Vogel. Andere gelangten in höchste Ämter der neu entstehenden Länderverwaltungen – so Wilhelm Haas und Gerhard Feine in Bremen. Der Ostasienexperte Haas war wegen seiner nichtarischen Ehefrau 1937 in den Ruhestand versetzt worden; sein Tokioter Chef Herbert Dirksen setzte sich daraufhin dafür ein, dass Haas 1938 als Berater der I.G. Farben eingestellt wurde, für die er bis 1945 vorwiegend in China tätig war. Bei Kriegsende dort interniert, kehrte Haas 1947 über die Schweiz nach Deutschland zurück und stieg in Bremen unter Bürgermeister Wilhelm Kaisen zum Leiter der Präsidialkanzlei auf. Sein früherer Kollege Feine wurde in Bremen Oberregierungsrat in der Justizverwaltung.[90]

Hans Herwarth von Bittenfeld galt wegen einer jüdischen Großmutter als nichtarisch und war während des Krieges überwiegend an der Ostfront eingesetzt gewesen. Der Chef der Bayerischen Staatskanzlei Anton Pfeiffer, ein Bruder von Herwarths früherem Kollegen Peter Pfeiffer, holte ihn im Spätsommer 1945 in seine Behörde, wo er 1949 den Rang eines Ministerialrats erklomm. Dort traf Herwarth auch Rudolf Holzhausen, der 1937 im Alter von nur 48 Jahren in den Ruhestand geschickt worden war; seit 1945 im Dienst der bayerischen Staatsregierung, wurde er Bayerns Beauftragter beim Alliierten Kontrollrat in Berlin und widmete sich nach seiner Rückberufung in die Staatskanzlei der Gründung des Instituts für Zeitgeschichte in München.[91]

Aber auch Parteigenossen schafften den Sprung in die obersten Etagen der Länderverwaltungen. Einer von ihnen war Friedrich Janz, der noch 1941 der NSDAP beigetreten war; sechs Jahre später war er im badischen Finanzministerium als Beauftragter für die Verwaltung des Vermögens der Deutschen Bank tätig. Sein AA-Kollege Manfred Klaiber, Parteimitglied seit 1933, wechselte nach einem Jahr in der freien Wirtschaft im Mai 1947 in das württemberg-badische Staatsministerium und wurde 1949 unter Theodor Heuss Chef des Bundespräsidialamts. Ribbentrops Schwager Hans Schwarzmann, auch er seit 1933 in der Partei, stieg 1947 in München bei Anton Pfeiffer zum Regierungsrat auf. Gebhard Seelos, seit 1948 Bevollmächtigter Bayerns in der Frankfurter Verwaltung für Wirtschaft, saß im Jahr darauf bereits als Abgeordneter der Bayernpartei im Bundestag.[92]

Walter Zechlin, seit 1925 Pressechef der Reichsregierung und 1932 Gesandter in Mexiko, wo er wegen seiner SPD-Mitgliedschaft rasch wieder gehen musste, war seit 1946 für fast ein Jahrzehnt Pressechef der sozialdemokratischen Landesregierung in Niedersachsen. Die gleiche Funktion in Nordrhein-Westfalen hatte, wenn auch für kürzere Zeit, sein früherer Kollege Hermann Katzenberger inne, der als Nicht-Pg im Oktober 1943 in den vorzeitigen Ruhestand geschickt worden war und 1950 Geschäftsführender Direktor des Bundesrats wurde. Andere AA-Beamte kamen – ungeachtet ihrer früheren Parteimitgliedschaft – im Justizdienst unter, so Herbert Dittmann als Oberlandesgerichtsrat in Hamm, Werner von Bargen als Richter am niedersächsischen Landesverwaltungsgericht und Hans Ulrich Granow als Amtsrichter in Hessen.

Auch die Zonenverwaltungen griffen gern auf die Dienste früherer Diplomaten zurück. Mehrheitlich handelte es sich dabei allerdings um nicht belastete Personen. Vollrath von Maltzan, Spezialist für Wirtschaftsfragen, war 1938 laut eigenen Angaben »aus rassischen Gründen« in den Ruhestand versetzt worden. Maßgeblich dafür war die jüdische Abstammung seiner Mutter, die 1942 gemeinsam mit Maltzans Schwester von der Gestapo kurz inhaftiert worden war. Nach seiner Entlassung aus dem Auswärtigen Amt hatte Maltzan eine Stelle bei der I.G. Farben in Berlin angenommen, wurde jedoch kurz darauf auf kommissarischer Grundlage erneut beim Amt beschäftigt. Seine neue Position, unter anderem als Assistent von Karl Ritter, übte er von Kriegsausbruch bis Mai 1942 aus. Von da an war Maltzan wieder für die I.G. Farben tätig. Nach seinem Ausscheiden im Januar 1946 übernahm er ein kurzes Engagement beim großhessischen Ministerium für Wirtschaft und Verkehr, bevor er im Dezember vom Verwaltungsamt für Wirtschaft in der entstehenden Bizone eingestellt wurde.[93]

Dort arbeitete er an der Seite von Friedrich von Fürstenberg, der die Preisabteilung leitete. Während des Dritten Reichs hatte Fürstenberg, ebenfalls Nicht-Pg, verschiedene Verwaltungspositionen innegehabt. Zwischen 1942 und 1944 war er auch 18 Monate lang für das AA tätig gewesen. Im Jahr 1949 kamen noch Rudolf Holzhausen und Hilger van Scherpenberg hinzu. Letzterer, ein Schwiegersohn des früheren Reichsbankpräsidenten Hjalmar Schacht, war am 1. Juli 1944 wegen seiner Kontakte zum oppositionellen Solf-Zirkel inhaftiert worden und vom Volksgerichtshof zu einer zweijährigen Haftstrafe verurteilt worden.

Besonders ungewöhnlich war der Fall von Gerhard Kegel, dem einzigen Mitarbeiter aus dem höheren Dienst der Wilhelmstraße, der es in der DDR zu erheblichem politischen und diplomatischen Einfluss brachte. NSDAP-Parteimitglied seit 1934, trat der ehemalige Kommunist 1935 als Quereinsteiger in das Auswärtige Amt ein. Dort übernahm er die Stelle eines Wissenschaftlichen Hilfsarbeiters und begann gleichzeitig für den sowjetischen Geheimdienst zu spionieren.[94] Als er Ende 1939 mit einer deutschen Delegation in die Sowjetunion reiste, um über den Abschluss eines Handelsabkommens zu verhandeln, nutzte er die Gelegenheit, um die Russen vor den deutschen Angriffsabsichten zu warnen.[95] Nach dem deutschen Überfall wechselte der gelernte Journalist für zwei Jahre in die Handelspolitische Abteilung des AA und schloss sich dann einer Nachrichtentruppe der Wehrmacht an. Im Januar 1945 geriet er in sowjetische Kriegsgefangenschaft, wurde jedoch bereits im Juni 1945 freigelassen. Bis 1949 war Kegel als Verleger und Herausgeber der *Berliner Zeitung* in Ost-Berlin tätig. Danach wurde er Hauptabteilungsleiter im Ministerium für Auswärtige Angelegenheiten der DDR und machte dort Karriere. Allerdings war der Konkurrenzdruck in der DDR nicht sonderlich groß: Von 504 Beamten des höheren Dienstes aus dem alten Amt, die nach dem Krieg in Deutschland blieben, lebten nur 14 in der DDR.[96]

Schließlich gab es noch eine Gruppe von Diplomaten, die frühzeitig in die Politik einstiegen. Sechs von ihnen – Carl von Campe (DP), Günther Henle (CDU), Kurt Georg Kiesinger (CDU), Gerhart Lütkens (SPD), Karl Georg Pfleiderer (FDP) und Gebhard Seelos (BP) – wurden Abgeordnete im ersten Bundestag. Ihnen folgten später Ernst Achenbach (FDP), Otto von Bismarck (CDU), Ewald Krümmer (FDP), Ernst Meyer (SPD), Georg Ripken (DP, dann CDU) und Hermann Saam (FDP).

Alle äußeren Kriterien sprechen dafür, dass die Nachkriegskarrieren der meisten Ex-Diplomaten relativ problemlos verliefen. Sie entstammten in der Regel einem großbürgerlichen oder aristokratischen Umfeld, hatten eine akademische Ausbildung genossen und verfügten über Auslandserfahrung, Fremdsprachenkenntnisse, Bildung und Umgangsformen. Aber nicht alle fanden schnell zu ihrem gewohnten Lebensstandard zurück. Diejenigen, die aus den Ostgebieten oder aus Berlin geflohen waren, hatten oft ihr gesamtes Vermögen verloren. Herbert von Dirksen beispielsweise, vormals Gutsbesitzer in Schlesien, lebte bis 1950 von Darlehen und Krediten und musste seine wertvolle Porzellansammlung verkaufen.[97] Für viele endete die Durststrecke erst, als Ende der vierziger Jahre nach und nach Pensionsleistungen und finanzielle Zuwendungen für jene Beamten zu fließen begannen, die ihren »Dienstherrn verloren« hatten oder aus dem öffentlichen Dienst »verdrängt« worden waren.

Die Währungsreform vom Juni 1948 bedeutete für diejenigen, die noch keine neue Beschäftigung gefunden hatten, eine weitere Verschärfung ihrer ohnehin angespannten Lage. Vor diesem Hintergrund fassten Fritz von Twardowski, Herbert Richter und Wolfgang Freiherr von Welck im September des Jahres den Entschluss, eine karitative Vereinigung ins Leben zu rufen. Der »Freundeskreis ehemaliger höherer Beamter des Auswärtigen Dienstes«, wie sich die Organisation nannte, funktionierte vor allem über ein Netz von »Vertrauensmännern«, die in allen westlichen Besatzungszonen kontaktiert werden konnten. Die Vertrauensmänner sammelten Spenden bei früheren AA-Mitarbeitern und verteilten sie unter bedürftigen Kollegen. Im Frühjahr 1951 wurden insgesamt 39 343 DM in Form von Darlehen an insgesamt 129 Personen ausgezahlt, darunter auch Familienangehörige von verstorbenen Diplomaten. In vielen Fällen wurde keine Rückzahlung der Gelder verlangt. Gegenüber den Regierungen von Bund und Ländern sowie den in Frankfurt ansässigen Verwaltungen setzte sich der Freundeskreis auch dafür ein, dass die Beamten Pensionen, Übergangsgeld und Familienhilfen erhielten.

Der Freundeskreis verkörperte das Verbundenheitsgefühl, an dem viele frühere Diplomaten auch nach Kriegsende festhielten; Begriffe wie »Familie« und »Kameradschaft« prägten ihre Korrespondenz. Als Mitglied willkommen war jeder, der, so Twardowski, »ein den Traditionen des Beamtentums entsprechendes Verhalten in der Nazizeit« gezeigt habe. »Leute wie Gaus und Ritter werden wir z. B. nicht aufnehmen.«[98] Zwar hatte weder Friedrich Gaus noch Karl Ritter der NSDAP angehört, viele Laufbahnbeamte waren aber dennoch davon überzeugt, dass sich beide nach 1938 als Lakaien von Ribbentrop hatten benutzen lassen – Gaus als Leiter der Rechtsabteilung, Ribbentrops späterer Rechtsberater Ritter als Verbindungsmann zum OKW. Emil Geiger, dem letzten deutschen Konsul und NSDAP-Ortsgruppenleiter in Barcelona, wurde ebenfalls wegen zu großer Regimenähe die Mitgliedschaft verwehrt.[99]

Als 1949 die Gründung der beiden deutschen Staaten bevorstand, hatten die meisten ehemaligen Diplomaten kaum noch etwas von den Alliierten zu befürchten. Auch ihre Berufsaussichten hatten sich deutlich verbessert. In dem Gefühl, einer diskreditierten Gruppe anzugehören, suchte man aber weiterhin den Schulterschluss. So warnte Fritz von Twardowski im November 1948 einen früheren Kollegen, der den Freundeskreis um Unterstützung bei der Arbeitssuche gebeten hatte: »Wir alle, die höhere Ränge haben, müssen zur Zeit sehr darunter leiden, dass eine allgemeine Ängstlichkeit und Animosität gegen das A.A. besteht und von den Besatzungsbehörden eifrig gepflegt wird. Wo also nicht persönliche Beziehungen vorhanden sind ... ist wohl zur Zeit nicht viel zu machen. Den Generälen geht es ebenso. Daher ist es am besten, den Versuch zu machen, sich als Rechtsanwalt, Verwaltungsberater, Wirtschaftsberater, Gutachter oder auf ähnliche Weise durchzuschlagen.«[100]

Ganz ähnlich heißt es sechs Tage später in einem Brief von Hilger von Scherpenberg an Twardowski: »Sie kennen ja die starke und vielfach unberechtigte Animosität, die heute in politischen Kreisen gegen alles und alle herrscht, die früher mit dem AA zusammenhingen.«[101] Noch immer zweifelten die Diplomaten, ob die Besatzungsmächte, ja sogar ob die eigenen Landsleute ihre Reaktivierung jemals akzeptieren würden. Hasso von Etzdorf meinte noch im Mai 1949 gegenüber Gottfried von Nostitz: »Zu einer behördlichen Tätigkeit in Bezug auf das Ausland wird man uns alte Nazis, wozu ich an meiner Seite Dich zu rechnen mir erlauben möchte, einstweilen nicht zulassen.«[102] Das übertriebene Selbstmitleid und das Gefühl, politisch und gesellschaftlich ausgegrenzt zu sein, entsprachen 1948/49 nicht mehr den realen Gegebenheiten. Vielmehr war die Stimmung der Diplomaten Ausdruck eines unter den Funktionseliten der NS-Zeit verbreiteten grundsätzlichen Ressentiments gegen die alliierte Säuberungspolitik, das angesichts der tatsächlichen Entnazifizierungspraxis aber weitgehend unbegründet war.

Noch einmal gegen Osten

Mit ungleich geringerem Aufwand und deutlich weniger Personal, aber mit demselben politischen Nachdruck, mit dem sie die Entnazifizierung und die strafrechtliche Ahndung von NS-Verbrechen vorantrieben, suchten die Amerikaner die im besetzten Deutschland vorhandenen Informationen über die Sowjetunion abzuschöpfen. Dabei konzentrierten sich ihre Geheimdienste nicht nur auf die ehemaligen Mitarbeiter der deutschen Nachrichtenorgane, des Sicherheitsdienstes der SS und der Wehrmacht, sondern auch auf einen kleinen Kreis von Personen, die dem Auswärtigen Amt angehört hatten. Den Gedanken, sich ihrer Expertise zu bedienen, hatte als Erster der amerikanische Diplomat Dewitt Poole formuliert. Als Generalkonsul in Moskau hatte er 1917 die Oktoberrevolution miterlebt und die Politik der Bolschewisten in Osteuropa seitdem genau verfolgt. Während des Krieges war Poole dafür eingetreten, dass sich die USA der Mithilfe der Emigranten versichern müssten, um zu verhindern, dass die Russen bei Kriegsende überall die Kontrolle erlangten.

Im Juli 1945 wurde Poole mit der Leitung einer »Special State Department Mission for the Interrogation of German Personnel« beauftragt. Deren Aufgabe war es, sich um die Erfassung nachrichtendienstlicher Hinweise zu kümmern, die der Armee auf ihrem Vormarsch entgangen waren. Als Pooles Hauptquartier diente ein Gebäude in Wiesbaden mit dem Codenamen »Interstate«. Zweieinhalb Monate lang besuchten Mitglieder der Poole-Kommission diverse Internierungslager in den westlichen Besatzungszonen und befragten etwa 70 Angehörige der Wehrmacht, der Geheimdienste und des Auswärtigen Amts, darunter Constantin von Neurath und Joachim von Ribbentrop sowie die Abteilungsleiter Ritter und Trützschler. Die Fragen richteten sich auf die Organisation der Wilhelmstraße, auf die Entwicklung der deutschen Außenpolitik seit 1933 und auf die Spionage, die deutsche Botschaften vom neutralen Ausland aus gegen die USA betrieben hatten.[103]

Das vorrangige Interesse galt jedoch jenen deutschen Diplomaten, die in der Sowjetunion Dienst getan hatten. Aus diesem Grund vereinbarte Poole mit dem US Military Intelligence Service, den ehemaligen »Moskauern« Herbert von Dirksen, Andor Hencke und Hans Herwarth von Bittenfeld im »Interstate« ein behagliches Quartier zu bieten, auf dass sie dort gründlich vernommen werden könnten.[104] Dirksen war zwischen 1928 und 1933 deutscher Botschafter in Moskau gewesen, Hencke hatte von 1922 bis 1940 verschiedene Funktionen in Moskau und Kiew ausgeübt, Herwarth war in den Jahren 1931 bis 1939 Sekretär an der deutschen Botschaft in Moskau gewesen. Alle drei sprachen fließend Russisch und zählten zu denen, die sich am besten mit den Verhältnissen in der UdSSR auskannten. Poole gab den drei Diplomaten Codenamen – »A« für Dirksen, »B« für Hencke, »C« für Herwarth – und verwickelte sie in lange Diskussionen. In seinen Erinnerungen nannte Herwarth »Interstate« Jahrzehnte später »die historische Forschungsgruppe in Wiesbaden«.[105]

Herwarth hatte bereits vor Kriegsausbruch enge Kontakte zu amerikanischen Spitzendiplomaten wie Loy Henderson, Charles Bohlen, George Kennan und Charles Thayer knüpfen können, die ihr Land eine Zeit lang in Moskau vertreten hatten. Nach Kriegsende sollte dieser Personenkreis maßgeblichen Einfluss auf die amerikanische Außenpolitik erlangen. Die US-Diplomaten konnten nicht nur bestätigen, dass Herwarth dem Nationalsozialismus ferngestanden hatte, sondern sie erklärten auch, er habe 1938 Informationen über das geplante deutsche Vorgehen gegen die Tschechoslowakei an französische und britische Diplomaten weitergeleitet. Von Mai bis August 1939 hatte er zudem die USA mit Details über die deutsch-sowjetischen Beziehungen versorgt. Zuletzt hatte Herwarth über die Vorbereitung des Nichtangriffspaktes und die geheimen Abmachungen über die Aufteilung des Baltikums und Polens berichtet in der Hoffnung, dass Washington diese Informationen zu einer Verhinderung des Krieges nutzen könnte. Auch seine fehlende Parteimitgliedschaft trug dazu bei, dass Herwarth in den Augen der Amerikaner hohe Glaubwürdigkeit besaß.[106]

Beim deutschen Angriff auf Polen hatte Herwarth einem Kavallerie-Regiment angehört, das später auch am Feldzug gegen die Sowjetunion beteiligt war.[107] Während des Einsatzes an der Ostfront führte er Vernehmungen von Kriegsgefangenen durch. Außerdem organisierte er die Rekrutierung von Freiwilligen für den Kampf gegen den Kommunismus und die Rote Armee. Die deutschen Gräueltaten gegenüber Ukrainern und Juden lehnte er ab. Dies veranlasste ihn, 1942 erstmals mit seinem Vetter Claus von Stauffenberg die Möglichkeit eines Putsches gegen Hitler zu erörtern.[108] Im Mai 1945 begab er sich nach Schloss Küps in Oberfranken, dem Sitz der Familie seiner Frau. Charles Thayer, der soeben zum Leiter des OSS ernannt worden war, beschrieb das erste Zusammentreffen mit Herwarth nach dem Krieg später so: »Als Russlandexperte waren [Herwarths] Beobachtungen von der russischen Front und in Russland unschätzbar wertvoll. [Es] gab viele Fragen, die er beantworten konnte, und aus meiner Erfahrung mit ihm aus Vorkriegszeiten war ich sicher, dass diese Antworten nicht nur zuverlässig, sondern auch äußerst fachkundig sein würden.«[109] Thayer brachte Herwarth neun Wochen in Salzburg unter, und dieser nutzte die Zeit, um über seine Erfahrungen zu berichten und sie zu Papier zu bringen. Danach verlegte man ihn nach Wiesbaden zu »Interstate«.

Herbert von Dirksen wurde von James Critchfield aufgespürt, der als Verbindungsoffizier der US-Armee die Kontakte zur gerade entstehenden Organisation des früheren Wehrmachtgenerals Reinhard Gehlen wahrnahm. Die Einrichtung mit dem Codenamen »Rusty« stand anfangs unter der Kontrolle des amerikanischen Militärs. Laut Critchfield war Dirksen einer von mehreren »Russland-Experten, die schnell nach einem sicheren Hafen und drei Mahlzeiten am Tag Ausschau hielten«. Als Dirksen im Sommer 1945 den Kontakt zu Gehlen suchte, leitete Critchfield ihn an die Poole-Kommission weiter.[110] Hencke wurde vermutlich mit Unterstützung des OSS nach Wiesbaden überführt. In »Dustbin« (Schloss Glücksburg) und im Lager »Vereinshaus« in Hessisch Lichtenau, zwei der weniger komfortablen Vernehmungseinrichtungen der Westalliierten, war er zuvor einige Male von den Amerikanern verhört worden.

Schnell wurde deutlich, dass die Zeugen eigene Ziele verfolgten. Alle drei waren darauf bedacht, das Auswärtige Amt und die Wehrmacht vor Anschuldigungen zu schützen und die Grenzen des Deutschen Reichs von 1937 nicht infrage zu stellen. Zudem suchten sie den Konflikt zwischen Amerikanern und Russen zu schüren, indem sie der Moskauer Führung aggressive Absichten unterstellten. Besonders greifbar wurde dies in ihrer Schilderung des deutschen Überfalls auf die Sowjetunion, den sie nicht etwa als Eskalation des deutschen Angriffskrieges, sondern als notwendigen strategischen Schritt zur Selbstverteidigung werteten – eine Interpretation, die auch von anderen befragten Ex-Diplomaten geteilt wurde. So behauptete etwa Paul Otto Schmidt, Hitlers Chefdolmetscher, vor der Poole-Kommission, dass die sowjetische Führung mit der Besetzung der baltischen Staaten, Bessarabiens und der nördlichen Bukowina im Sommer 1940 die Deutschen überrascht habe.[111] Hencke ergänzte seine entsprechenden Ausführungen, die »wider Erwarten schnelle und radikale Befestigung der russischen Macht« in diesen Gebieten sei »von Hitler zum Mindesten mit großem Unbehagen betrachtet worden«.[112]

Hencke schrieb dem Berlin-Besuch des sowjetischen Außenministers Molotow vom November 1940 eine entscheidende Bedeutung für das deutsch-sowjetische Verhältnis zu. Statt Hitlers Vorschlag aufzugreifen, die britischen Hegemonialinteressen am Persischen Golf einzudämmen, habe Molotow die kurz zuvor erfolgten Verlagerungen deutscher Truppen in Finnland und Rumänien kritisiert und betont, dass die Sowjetunion in Osteuropa eigene Interessen verfolge. Hitler, so Henckes Fazit, wurde durch »die erste und einzige Unterhaltung, die er überhaupt mit einem leitenden sowjetischen Staatsmann geführt hat, in seiner Überzeugung gestärkt, dass sich Stalin dem deutschen Machtanspruch in Europa entgegenstellen würde«.[113] Herwarth war der Meinung, dass der Krieg zwischen beiden Staaten allein auf das Konto von Hitler und Ribbentrop gehe, die überhastet gehandelt hätten. Unter den Experten im Amt sei der Krieg gegen Russland jedenfalls allgemein als ein großes Unglück betrachtet worden.[114]

Zwar wurde diese Deutung des deutsch-sowjetischen Krieges auch im Nürnberger Hauptprozess zur Entlastung der Angeklagten vorgebracht, allein, er überzeugte die alliierten Richter weniger als zuvor die amerikanischen Vernehmungsoffiziere. Ausgeblendet wurde dabei nämlich nicht nur, dass Hitlers Plan, die Sowjetunion zu vernichten, seit Langem feststand, unberücksichtigt blieb auch, dass viele Angehörige des Auswärtigen Amtes und der Wehrmacht über die Angriffspläne Bescheid wussten und mit ihnen sympathisierten.

Die Besorgnis, mit der das State Department das sowjetische Vorgehen in Osteuropa beobachtete, beeinflusste spürbar die Haltung gegenüber den Aussagen der deutschen Diplomaten, die gut ins Konzept der Amerikaner passten. Im September 1945 hielt Harry Howard beispielsweise fest, dass Dirksen davor warne, die Politik der Sowjetunion zu unterschätzen, deren nationalistischer und imperialistischer Kurs dem des Zarenreiches ähnele. So sei damit zu rechnen, dass die Sowjetunion eine Ausweitung ihres Machtbereichs auf die Türkei anstrebe.[115] Im Dezember sandte Howard einen Bericht an Loy Henderson, der mittlerweile zum Leiter des Nahost-Referats im State Department aufgestiegen war, in dem er die Einschätzung Dirksens wiedergab, dass die Sowjetunion von jeher daran interessiert sei, ihre Herrschaft über ein Gebiet von der Ostsee bis zu den türkischen Meerengen auszudehnen. Dies sei vermutlich auch der Preis dafür gewesen, dass sie sich seinerzeit den Achsenmächten angeschlossen habe. Im Januar 1946 leitete Henderson den Bericht an Außenminister James Byrnes weiter, der drei Monate später einen ähnlichen Bericht aus der Feder von Hencke auf den Tisch bekam.[116] Im Rückblick räumte Howard ein, die amerikanische Unterstützung für den Iran im Jahr 1946 und für die Türkei im Jahr darauf habe maßgeblich auf der Prämisse beruht, dass es eine Kontinuität in der sowjetischen Außenpolitik gebe. Willig griff er daher alle entsprechenden deutschen Hinweise auf, etwa eine Bemerkung Molotows gegenüber dem deutschen Botschafter Schulenburg am 25. November 1940, Dreh- und Angelpunkt der geostrategischen Interessen Moskaus seien die Regionen südlich von Baku und rund um den Persischen Golf. Der US-Diplomat machte sich diese Aussage ohne Abstriche zu eigen: »Diese Region war das Gravitationszentrum sowjetischer Politik und Interessen.«[117]

Poole zeigte noch weniger Zurückhaltung als seine Kollegen aus dem State Department. Bereits Anfang 1946 war er davon überzeugt, dass man das amerikanische Volk vor den Expansionsgelüsten der Russen warnen müsse. Der westliche Teil Deutschlands solle hingegen zu einem Bollwerk gegen den Kommunismus ausgebaut werden. Eine »Seilschaft von Juden-Bengeln«, die sich im State Department eingenistet habe, arbeite daran, Deutschland in ein Agrarland umzuwandeln. Damit unterstütze man, so Poole, die Zielsetzungen des Kremls.[118] Im Oktober 1946 publizierte er einen Aufsatz in *Foreign Affairs*, in dem er die nationalsozialistische Außenpolitik in eine direkte Linie zu Bismarcks Kurs des innereuropäischen Machtausgleichs rückte. Hitler sei es vor allem um eine friedliche Revision der Versailler Bestimmungen gegangen. Nur seine Ungeduld habe bewirkt, dass es schließlich zu einer kriegerischen Auseinandersetzung gekommen sei; die Deutschen hätten sich derart von der Sowjetunion bedroht gefühlt, dass ihnen die militärische Konfrontation am Ende unvermeidlich erschien. Die aus heutiger Sicht hanebüchenen Ausführungen – für Poole war der deutsch-sowjetische Nichtangriffspakt ein Akt des Appeasement – gingen zum Teil auf Einschätzungen Dirksens zurück, etwa wenn es hieß, Kooperation gebe es nur mit einer geschwächten Sowjetunion.[119] Sogar der amerikanische Außenminister Byrnes reproduzierte die deutsche Interpretation der Ereignisse in seinen 1947 erschienenen Memoiren, in denen er die Auffassung vertrat, Moskau habe den Nichtangriffspakt nur zum Schein geschlossen. Die deutsche Invasion 1941 sei durch den sowjetischen Expansionsdrang ausgelöst worden – Molotows Berlin-Besuch bedeute einen entscheidenden Wendepunkt auf dem Weg in den Krieg. Es war zu einem guten Teil den deutschen Russland-Experten zu verdanken, dass die Gegensätze und Konflikte des entstehenden Kalten Krieges von den Amerikanern auf diese Weise in die Kriegsjahre zurückprojiziert werden konnten.[120]

Ein weiterer wichtiger Themenkomplex in den »Interstate«-Diskussionen mit Dirksen, Hencke und Herwarth betraf die Frage, inwiefern man sich der ukrainischen Nationalbewegung bedienen solle, um die UdSSR von innen zu schwächen. Unklarheit bestand vor allem darüber, wie tief die Unabhängigkeitsbestrebungen bei den Ukrainern selbst verankert und ob sie tragfähig waren. Dirksen, der die kurzlebige Phase ukrainischer Souveränität 1918 vor Ort kennengelernt hatte, hielt den ukrainischen Nationalismus für »unbestreitbar echt«: Eines Tages werde sich die Ukraine von Russland ablösen. Das Scheitern im Jahr 1918 sei eine Folge überzogener territorialer Ansprüche gewesen. Auch die Aktivitäten der Komintern und die Tatsache, dass man die ukrainischen Milizen auf Intervention von Ludendorff nicht mit Waffen versehen habe, hätten zur Niederlage beigetragen. Wären die Bedingungen besser gewesen, hätte sich ein unabhängiger Staat wahrscheinlich halten können – so Dirksen.[121]

Hencke verfasste sorgfältig ausgearbeitete Abhandlungen, in denen er zu zeigen versuchte, dass sich die Ukrainer traditionell stärker am Westen orientiert hätten als die Russen. Detailreich beschrieb er die leninistischen und stalinistischen Verbrechen. Die Hungersnot von 1928 habe der Kreml absichtlich herbeigeführt, »um das ukrainische Volk zu vernichten«. In der Tat hätten »Millionen von Ukrainern im Jahre 1933 die Befreiung des Landes durch deutsche Truppen mit heißem Herzen gewünscht«. Hätte Hitler dieses Ziel später verfolgt, wäre es ihm mit hoher Wahrscheinlichkeit gelungen, die Ukrainer in einen Befreiungskampf gegen die Russen zu treiben.[122]

In den Berichten Hans Herwarths wurden die Dinge dann vollends auf den Kopf gestellt. So behauptete er, die deutschen Verbrechen in der UdSSR seien das Werk Hitlers und des für die Ukraine zuständigen Reichskommissars Erich Koch gewesen. Sowohl die Angehörigen des Auswärtigen Dienstes als auch die Wehrmachtoffiziere hätten gewusst, dass man das Sowjetregime nur mit Hilfe der Bevölkerung besiegen könne, und deshalb die brutalen Misshandlungen sowjetischer Zivilisten und Kriegsgefangener strikt abgelehnt. In der weitverbreiteten Feindschaft gegen Stalin habe das Auswärtige Amt eine einzigartige Chance gesehen, die deutsch-sowjetische Auseinandersetzung in einen Bürgerkrieg umzulenken. Die Wehrmachtführung sei darauf bedacht gewesen, eine »aufgeklärte« Besatzungspolitik zu praktizieren mit dem Ziel, die Repressionen abzuschwächen. Auch über die ukrainische Unabhängigkeitsbewegung war Herwarth voll des Lobes, sie habe »wirkliche Substanz« besessen. Als die deutschen Truppen 1941 Lemberg erreichten, seien sie von der dortigen Bevölkerung mit Jubel begrüßt worden. Erst als Ostgalizien in das Generalgouvernement eingegliedert und die Anführer der Nationalisten verhaftet worden seien, habe sich Ernüchterung breitgemacht. [123] In seinem Artikel in *Foreign Affairs* wiederholte Poole wenig später Herwarths These, die Chance eines Bürgerkriegs in der Ukraine sei wegen Hitler und Koch verpasst worden.[124]

Neben den drei Diplomaten im »Interstate« zählte vor allem der Russland-Experte Gustav Hilger, der zwischen 1923 und 1941 an der Moskauer Botschaft eingesetzt gewesen war, zu den Topquellen der US-Nachrichtendienste. Bereits in der Weimarer Republik war Hilger zu einem der führenden Spezialisten auf dem Gebiet der deutsch-sowjetischen Handelsbeziehungen und der sowjetischen Industrialisierung avanciert. Von 1939 bis 1941 war er als Dolmetscher an allen Spitzenbegegnungen zwischen Deutschen und Russen beteiligt. Nach dem deutschen Überfall im Juni 1941 kehrte er nach Berlin zurück und wurde Ribbentrops Chefberater für die UdSSR.

Als Hilger am 19. Mai 1945 in der Nähe von Salzburg von US-Militäreinheiten festgenommen wurde, sprach sich schnell herum, welcher Fisch ihnen da ins Netz gegangen war. Bereits im Oktober nannten die US-Militärs Hilger eine »lebende Enzyklopädie in Sachen Russland«. Er galt als derjenige Deutsche, der sich am besten mit Stalin, dem sowjetischen System und den strategischen Absichten Moskaus auskannte.

Hilgers Glaubwürdigkeit wurde noch dadurch gesteigert, dass er kein NSDAP-Mitglied gewesen war. Als er im Juli 1945 der Poole-Kommission Rede und Antwort stand, behauptete er, über die »Endlösung« nicht näher informiert gewesen zu sein. Aus der Aktenüberlieferung ergibt sich indessen, dass er nicht nur frühzeitig von den Umsiedlungen Deutschstämmiger in die vom Reich annektierten polnischen Gebiete wusste, sondern auch, dass ihm die Ausarbeitungen des Wannsee-Instituts des Reichssicherheitshauptamtes vorgelegen haben. Auch tragen mehrere Ausfertigungen der Einsatzgruppenberichte Hilgers Paraphe. Nicht zuletzt erteilte er 1943 die Zustimmung des Auswärtigen Amtes zur Deportation der in Bozen internierten italienischen Juden nach Auschwitz.[125]

Die Mitarbeiter des US Military Intelligence Service (MIS) waren von Hilgers Erzählungen fasziniert. Er berichtete über die Entwicklungen im Vorfeld des deutschen Angriffs und betonte, dass die sowjetischen Ansprüche auf Finnland, Bulgarien und die türkischen Meerengen zu einer Abkühlung der deutsch-sowjetischen Beziehungen geführt hätten. Im Gegensatz zu seinen Kollegen an der Moskauer Botschaft vertrat er jedoch die Auffassung, Stalin sei daran interessiert gewesen, ein freundschaftliches Verhältnis zum Deutschen Reich aufrechtzuerhalten. General Peabody, Chef des MIS, kommentierte dies mit den Worten: »Die Motive der früheren deutschen Politik sind heute … von bloßem akademischem Interesse … Die Motive der russischen Politik dagegen haben angesichts des großen Einflusses, den Sowjetrussland im Westen durch seine Siege und den letzten Triumph über Deutschland gewonnen hat, beträchtlich an Bedeutung gewonnen. In diesem Licht verdienen die diversen Punkte, die aus dem von Hilger gezeichneten Gesamtbild entstehen, eingehender geprüft zu werden.«[126]

Zwischen Oktober 1945 und Juni 1946 wurde Hilger in Fort Hunt festgehalten, einer in der Nähe von Washington gelegenen Einrichtung der US-Armee. Während dieser neun Monate verfasste er mehrere Analysen für den MIS und das State Department, in denen er sich mit diversen Fragen der sowjetischen Außen- und Sicherheitspolitik, insbesondere mit der Okkupation der baltischen Staaten und Ostpreußens, beschäftigte. Hilger erstellte Prognosen zur künftigen Truppenstärke der Roten Armee und suchte zu erläutern, warum die Moskauer Führung kein Interesse an kollektiven Sicherheitssystemen habe. Bei den 1940 durchgeführten Annexionen im Baltikum sei Moskau schrittweise vorgegangen, um den »Anschein der Legalität« zu wahren. Die späteren Entwicklungen hätten jedoch gezeigt, dass man von Anfang an das Ziel verfolgte, Estland, Lettland und Litauen in die Sowjetunion einzugliedern. Das Verhältnis zum Westen sei durch ein anhaltend tiefes Misstrauen geprägt, das mit Beginn des Atomzeitalters noch weiter gewachsen sei. Vor diesem Hintergrund neigten die Russen dazu, sich nur auf ihre eigene Stärke zu verlassen.[127]

Zurück in Deutschland, wurde Hilger Mitarbeiter der Organisation Gehlen. Als Leiter der Politischen Abteilung in der von Adolf Heusinger geführten Gruppe Auswertung vernahm er Monat für Monat Hunderte von Deserteuren der Roten Armee.[128] Die Russen verlangten seine Auslieferung, um ihn als Kriegsverbrecher vor Gericht zu stellen, ohne zu ahnen, wo er inzwischen beschäftigt war.[129] Im Juni 1947 nahm der sowjetische Geheimdienst seine Ehefrau Marie im Haus der Familie in Molchow bei Neuruppin fest, etwa 60 Kilometer nordwestlich von Berlin. Während der mehr als vier Monate dauernden Haft mit regelmäßigen Verhören wurde Marie Hilger von General Serow, dem Leiter des sowjetischen Geheimdienstes in Deutschland, eröffnet, ihr Mann und General Köstring seien in Moskau »die Hauptanstifter des Krieges gewesen«. Er wisse, dass ihr Mann »in einer amerikanischen Spionage-Organisation« arbeite und sein Wissen über die Sowjetunion den Amerikanern zur Verfügung stelle. Man sei bereit, einen Strich unter die Vergangenheit zu ziehen, aber was ihr Mann jetzt tue, schade nicht nur der Sowjetunion, sondern sei Verrat am demokratischen Deutschland.[130]

Im Oktober 1947 wurde Marie Hilger freigelassen gegen das Versprechen, in die amerikanische Zone zu reisen und ihren Mann nach Molchow zu locken. Andernfalls, so die Drohung, würden ihre Tochter Elisabeth und die beiden Enkelkinder mit Konsequenzen rechnen müssen. Der amerikanische Militärgeheimdienst und die Organisation Gehlen hatten jedoch bereits Kontakt mit der Tochter aufgenommen und sie instruiert, sich gleich nach der Entlassung ihrer Mutter mit dieser und den beiden Kindern nach Berlin abzusetzen; von dort wurde die ganze Gruppe umgehend nach Frankfurt am Main ausgeflogen. Einige Zeit später erfuhr Gustav Hilger bei der Befragung eines GPU-Agenten, dass die Russen ihn für den »gefährlichsten Deutschen« hielten, der vor Kriegsausbruch in Moskau stationiert gewesen sei.[131]

Das Office for Policy Coordination der CIA, eine für die Durchführung verdeckter Operationen und den Einsatz von Emigranten- beziehungsweise Separatistengruppen zuständige Einheit, brachte Hilger im Oktober 1948 zum zweiten Mal in die USA. Während sich die Mitarbeiter des FBI über die Ausbeute letztlich enttäuscht zeigten, war man im State Department ganz anderer Meinung. George Kennan, der Hilger bereits während der Zwischenkriegszeit in Moskau kennengelernt hatte, hielt ihn für »einen der wenigen herausragenden Kenner der sowjetischen Wirtschaft und der sowjetischen Politik« mit einer »langen praktischen Erfahrung in der Analyse und Beurteilung sowjetischer Operationen«. In der Folgezeit war Hilger unter den Decknamen Stephen H. Holcomb und Arthur T. Latter für die Amerikaner tätig.[132]

Aber Hilger lieferte nicht nur Analysen der deutsch-russischen Beziehungen, sondern kommentierte regelmäßig auch die aktuelle politische Lage. Als es im Juni 1948 zum Bruch zwischen Stalin und Tito kam, versuchte er die Amerikaner dazu zu drängen, die Spaltung innerhalb der kommunistischen Welt mit verstärkter Rundfunkpropaganda zu vertiefen. Als Stalin Ende 1949 Marschall Rokossowski zum neuen polnischen Verteidigungsminister berief, hielt Hilger es für opportun, an den übergelaufenen General Wlassow zu erinnern, der behauptet hatte, Rokossowski werde eines Tages die Seite wechseln – eine Prognose, die niemals eintreten sollte. Als die Sowjetunion und China im Februar 1950 einen Freundschaftspakt schlossen, deutete Hilger dies als Versuch der UdSSR, sich in Asien den Rücken frei zu halten, »falls es in Europa zu entscheidenden Veränderungen kommen sollte«. Als im Juni 1950 Nordkorea in Südkorea einmarschierte, glaubte Hilger zu wissen, dass dieses Abenteuer einer sowjetischen Strategie entspreche, die darauf abziele, überall auf der Welt die Schwäche des Westens herauszufordern. »Wenn wir nicht in drastischer Weise zurückschlagen, werden ähnliche Aktionen folgen« – so möglicherweise im Iran.[133]

Während seines zweiten Washington-Aufenthalts beschäftigte Hilger sich mit der Niederschrift seiner Memoiren und bat mehrmals darum, beschlagnahmte deutsche Akten einsehen zu dürfen; er wolle bestimmte historische Begebenheiten auffrischen, »an denen er seinerzeit selbst in herausgehobener Weise beteiligt« gewesen sei.[134] Vor allem George Kennan setzte sich immer wieder für ihn ein. Mit Kennans Unterstützung erstellte Hilger Monat für Monat schriftliche Analysen und nahm an zahlreichen Gesprächsrunden teil. Dabei wurde immer wieder nicht nur die Möglichkeit eines Krieges zwischen den USA und der Sowjetunion erörtert, sondern auch die Frage, ob und wie die Geheimdienste – etwa zur Förderung der Eskalation regionaler Spannungen – zum Einsatz kommen sollten.[135]

Im Dezember 1948 kam Hilger endgültig zurück nach Deutschland. Gehlen übertrug ihm die Aufgabe, bei der CIA, die jetzt die Kontrolle über Gehlens Organisation führte, zusätzliche Geldmittel locker zu machen. Hilger rühmte die Leistungen des deutschen Geheimdienstchefs und zögerte auch nicht, den Amerikanern die Namen von Mitarbeitern aus Gehlens Auswertungsgruppe zu übermitteln; zu ihnen zählten Ex-Botschafter Dirksen sowie dessen Mitarbeiter Otto Bräutigam. Aber die Hoffnungen der CIA, Hilger würde jetzt regelmäßig aus Deutschland berichten und dabei auch Kenntnisse Dirksens einfließen lassen, stellten sich rasch als trügerisch heraus. Gehlen dachte nämlich gar nicht daran, seine Geheimnisse zu teilen. Selbst als Hilger auf Veranlassung der CIA Heusinger schriftlich aufforderte, die Ergebnisse seiner Auswertungsgruppe systematischer als bisher zugänglich zu machen, führte dies zu keiner nachhaltigen Änderung der Praxis. Stattdessen, so ist zu vermuten, weihte Hilger Gehlen in Informationen ein, die er von den Amerikanern bekam, die seine Aktivitäten mit Besorgnis beobachteten.[136]

Auch Herbert von Dirksen, Hilgers Nachfolger als Leiter der Politischen Abteilung in der Auswertungsgruppe der Organisation Gehlen, veröffentlichte seine Erinnerungen. Dirksen hatte seine Entnazifizierung nur mit Glück überstanden. Dabei kamen ihm nicht nur seine Gedächtnislücken zu Hilfe, sondern auch viele Zeugen: Neben Robert Murphy und Sir William Strang, den politischen Beratern der amerikanischen beziehungsweise der britischen Militärregierung, setzten sich Theodor Heuss, Heinrich Brüning und eine Reihe früherer Kollegen für den ehemaligen Botschafter in London ein. Obwohl der Öffentliche Ankläger in Fürth im April 1947 für eine Einstufung Dirksens in Gruppe II (Schuldige) plädiert hatte, schlug die Spruchkammer Dirksen der Gruppe V (Entlastete) zu. Dagegen legte die Anklage Berufung ein, aber die Berufungskammer für Oberbayern wies die Berufungsklage Ende Mai 1948 zurück. Zwei Monate später trat Dirksen als Nachfolger Hilgers in Gehlens Organisation ein. Er starb 1955 im Alter von 73 Jahren.

Andor Hencke war Ende 1947 aus amerikanischer Haft entlassen worden, nachdem er als Zeuge im Wilhelmstraßenprozess ausgesagt hatte. Seine Freilassung wurde nicht zuletzt dadurch erleichtert, dass er als »Politischer Berater« der Poole-Kommission tätig gewesen war und Poole sich mit einem Dankesschreiben für die geleisteten Dienste erkenntlich gezeigt hatte. Von 1951 an beriet Hencke die Bundesregierung in Osteuropafragen.[137] Die steilste Karriere von allen Russland-Experten aber machte Hans Herwarth von Bittenfeld: vom Chef des Protokolls (1951–1955) über den Posten des Botschafters in London (1955–1961) zum Staatssekretär und Leiter des Bundespräsidialamts (1961–1965) sowie zuletzt zum Botschafter in Rom (1965–1969).

Vor Gericht

Dass die am schwersten belasteten deutschen Diplomaten nach dem Krieg vor Gericht gestellt werden sollten, stand für die Alliierten spätestens Anfang 1945 fest. Fraglich waren lediglich die Form des Verfahrens und der Inhalt der Anklagen. Erst in der Londoner Erklärung vom 8. August 1945 einigten sich die vier Siegermächte auf ein juristisches Vorgehen gegen die höchsten Funktionäre des nationalsozialistischen Regimes. Ein Internationales Militärtribunal (IMT) wurde ins Leben gerufen, das darüber urteilen sollte, ob Verbrechen gegen den Frieden, Kriegsverbrechen und Verbrechen gegen die Menschlichkeit verübt worden waren.

Als am 6. Oktober die Liste der Angeklagten vorlag, überraschte es kaum, dass sich dort auch die Namen der beiden NS-Außenminister Constantin Freiherr von Neurath und Joachim von Ribbentrop fanden. Ribbentrop war zum Inbegriff der auf fortgesetztem Vertragsbruch basierenden, kriegerischen Außenpolitik des Dritten Reichs geworden und galt als der »böse Stern europäischer Diplomatie«.[1] Sein Vorgänger, eher ein typischer Nationalkonservativer als ein fanatischer Nationalsozialist, hatte sich in seiner Rolle als Reichsprotektor in Böhmen und Mähren zum Vollstrecker der NS-Rassen- und Besatzungspolitik gemacht.

Obwohl Briten, Franzosen und Russen das IMT-Statut (»Charter«) mitgestaltet hatten, wurde der im November 1945 in Nürnberg eröffnete Hauptkriegsverbrecherprozess logistisch und inhaltlich von den Amerikanern dominiert. Das Verfahren fand in der amerikanischen Besatzungszone statt, und eine vorwiegend von den Amerikanern propagierte juristische Theorie prägte die Anklageerhebung und den Verlauf der Gerichtsverhandlung. Herzstück der Anklage war die Vorstellung einer kriminellen Verschwörung, die einem deutschen Angriffskrieg den Weg bereitet hatte und zur Beherrschung Europas und letztlich der Welt führen sollte. Die Amerikaner wollten den Nachweis führen, dass ein fundamentaler Verstoß gegen das Kriegsvölkerrecht stattgefunden hatte. Damit sollte der Weg zu einer »rechtsgestützten Weltfriedensordnung« geebnet werden.[2]

Supreme Court Richter Robert Jackson, Chefankläger für die Vereinigten Staaten und Hauptarchitekt des IMT, erläuterte dem amerikanischem Präsidenten Harry Truman sein Konzept folgendermaßen: »Unser Fall gegen die Hauptangeklagten befasst sich mit dem Nazi-Masterplan, nicht mit individuellen Barbareien und Perversionen, die es unabhängig von einem zentralen Plan gab.«[3] Zu Teilnehmern an dieser Verschwörung gegen die »zivilisierte« Welt zählten die Amerikaner nicht nur Inhaber höherer Regierungsposten – Jackson wollte sich nicht damit abfinden, dass rechtliche Verantwortung ausgerechnet dort am geringsten sein sollte, wo die Macht am größten war –, sondern auch die Mitglieder von NS-Organisationen und höhere Wehrmachtränge sollten vor Gericht gestellt werden.

Neurath und Ribbentrop hatten sich in allen vier Anklagepunkten zu verantworten: Verschwörung, Verbrechen gegen den Frieden, Kriegsverbrechen und Verbrechen gegen die Menschlichkeit.[4] Die Nürnberger Ankläger hatten zu beweisen, dass diplomatische Schachzüge, die an sich nicht zwangsläufig kriminell sein mussten, durch ihre Einbettung in die Verschwörung und durch ihr letztes Ziel (Angriffskrieg) gleichwohl zu verbrecherischen Handlungen geworden waren. Auch mussten den Angeklagten verbrecherische Absichten nachgewiesen werden. Dabei reichte es allerdings aus, »zu zeigen, dass es sich bei einem Angeklagten um einen Anführer handelte, einen Organisator, Anstifter oder Komplizen, der entweder bei der Formulierung oder der Umsetzung eines gemeinsamen Planes oder an einer Verschwörung zur Verübung von Verbrechen gegen den Frieden beteiligt gewesen war«.[5]

Den beiden Außenministern wurde vorgeworfen, das Zustandekommen des Krieges mitverursacht zu haben.[6] »Immer wenn Besorgnis im Ausland den Erfolg der Eroberungspläne des Nazi-Regimes bedrohte«, so Jackson in seinem Schlussplädoyer, »war es der doppelzüngige Ribbentrop, dieser Reisende in Betrug«, der durch sein Reden von »begrenzten und friedlichen Absichten« die an sich richtigen Instinkte der europäischen Nachbarn wieder einlullte. Neuraths »Beruhigungsversicherungen« seien noch übler gewesen, weil er sie mit seinem »noch nicht erkennbar befleckten Namen« garantierte. Der britische Hauptankläger Sir Hartley Shawcross konnte sich keinen »scheußlicheren Zynismus« vorstellen als den Neuraths, der auf der so genannten Hoßbach-Besprechung alles über das Schicksal der Tschechoslowakei erfahren hatte, aber den Tschechen trotzdem versicherte, Hitler werde sich an das Münchener Abkommen halten.[7]

Ribbentrops Verteidigungsargumente wirkten kläglich. Weder innerhalb noch außerhalb des Gerichtsaals nahm man ihm ab, dass er nichts von Hitlers Kriegsplänen gewusst habe. Auch sein Verhalten vor Gericht trug nicht zur Verbesserung seiner Lage bei. Krankheit vorschützend, versuchte er, einen Aufschub zu erreichen, aber das Gericht nahm ihm die offensichtliche Farce nicht ab. Sein Anwalt musste die Verteidigung tagelang ohne seinen Mandanten durchführen. Auch unzählige Anträge, Vertreter des britischen Establishments als Zeugen vorzuladen – vom König von England über Churchill bis zu Lady Astor –, hatten keine Aussicht auf Erfolg und verärgerten das Gericht nur. Ebenso scheiterte der Versuch, Molotow als Zeugen einzubringen.[8]

Im Zeugenstand bereitete Ribbentrop dem erfahrenen britischen Ankläger ein leichtes Spiel. Er verstrickte sich laufend in Widersprüche, musste – mit seinen eigenen Akten konfrontiert – regelmäßig zurückrudern und versuchte seine Lügen als seinerzeit notwendige diplomatische Taktik zu verkaufen. Als erdrückend erwiesen sich Exzerpte aus dem Tagebuch von Galeazzo Ciano, dem italienischen Außenminister und Schwiegersohn Mussolinis, der 1944 als angeblicher Verräter hingerichtet worden war. In einer von dem stellvertretenden britischen Ankläger David Maxwell Fyfe vorgelegten Passage von Mitte August 1939 fragte Ciano Ribbentrop: »Was wollen Sie, den Korridor oder Danzig?« und erhielt die Antwort: »Nicht mehr; wir wollen den Krieg.«[9]

Letztlich sagten nur drei Zeugen für Ribbentrop aus: der ehemalige Staatssekretär Steengracht von Moyland, Ribbentrops Sekretärin Margarete Blank und der Dolmetscher Paul Otto Schmidt. Steengracht, der damit rechnen musste, selbst vor Gericht gestellt zu werden, war mindestens ebenso darum bemüht, für sich selbst vorzubauen, wie seinen ehemaligen Chef zu entlasten. Im Kreuzverhör geriet er derart in Bedrängnis, dass die Rolle des Auswärtigen Amtes bei den Deportationen klarer zutage trat, als ihm recht gewesen sein kann. Seine Behauptung, Ribbentrop sei kein »typischer« Nazi gewesen, wurde mit Gelächter quittiert; dafür brachte ihn Oberst Harry J. Phillimore zu der Aussage, Ribbentrop habe »die Befehle Hitlers blindlings befolgt.«[10]

Margarete Blank zeichnete bereits in der Befragung durch den Verteidiger das Bild eines servilen, willigen Handlangers, sodass die Anklage gar nicht mehr nachsetzen musste. Im Falle von Schmidt schließlich brauchte Maxwell Fyfe nicht mehr, als dass der ehemalige Dolmetscher die Aussagen eines Affidavits bestätigte, das er bereits vor dem Verfahren verfasst hatte, dass nämlich die »allgemeinen Ziele der Nazi-Führung« von Beginn an auf »die Beherrschung des europäischen Kontinents« hinausgelaufen seien und Ribbentrop zu eben dieser Führungsriege gehört habe.[11] Ribbentrops Fall lag so eindeutig, dass die Richter zu einem einhelligen Urteil kamen. Das Gericht befand ihn in allen vier Anklagepunkten für schuldig und verurteilte ihn zum Tode durch den Strang. Das Urteil wurde am 16. Oktober 1946 vollstreckt.[12]

Neuraths Verteidigungstaktik war kaum geschickter. Maxwell Fyfe konfrontierte ihn immer wieder mit der Frage, warum er sich einer Regierung verschrieben habe, »die sich des Mordes zur Durchsetzung ihrer politischen Ziele bedient?«[13] Neurath versuchte sich herauszuwinden, indem er sein Verbleiben in beiden Ämtern damit begründete, er habe Schlimmeres verhüten wollen.[14] Allerdings kollidierte diese Apologie mit Neuraths wiederholter Beteuerung, an der brutalen Unterdrückung und Ermordung von tschechischen Oppositionellen, Studenten und Juden während seiner Amtszeit als Reichsprotektor keine Schuld zu tragen, da sie von SS und Gestapo ausgeführt worden seien, die nicht seiner Jurisdiktion unterstanden hätten. Das Gericht konnte kaum übersehen, dass er offenbar Schlimmeres nicht verhüten konnte und trotzdem weiter amtierte. Auch andere Widersprüche, zum Teil hervorgerufen durch die plumpe Fragetechnik seines eigenen Verteidigers, ließen Neurath unglaubwürdig erscheinen. Dass er zudem den Eindruck nicht ausräumen konnte, sich an der Unterdrückungspolitik des Dritten Reiches bereichert zu haben, unterminierte seinen Stand ebenfalls.[15]

Neuraths angebliche Differenzen mit Hitler, auf die er immer wieder pochte und die er als »Opposition« zu stilisieren versuchte, fielen durch seine eigenen Aussagen in sich zusammen. Er war nicht gegen den Krieg an sich gewesen, sondern hatte als Außenminister auf der so genannten Hoßbach-Konferenz lediglich vor dem Eingreifen der Westmächte bei einem deutschen Angriff auf die Tschechoslowakei gewarnt. Genauso

wies er den Vorwurf des Antisemitismus von sich, sprach aber im gleichen Atemzug von einem »übermäßigen Einfluss« der Juden im öffentlichen Leben Deutschlands nach dem Ersten Weltkrieg. Gegen die von
ihm als »falsch« befundene »ganze Rassenpolitik« habe er sich angeblich
»gestemmt«, nur um dann zu parlieren, dass er auch »heute noch« die
»Beseitigung beziehungsweise Einschränkung« der Juden für richtig er-
achte – Hitler hätte lediglich »andere Methoden« anwenden sollen.[16]
Neurath wurde in allen vier Anklagepunkten für schuldig befunden. Er
entging jedoch der Todesstrafe, und seine Verurteilung zu 15 Jahren Haft
bewahrte ihn vor einer möglichen Auslieferung an die Tschechoslowakei, wo Karl Hermann Frank, unter Neurath Staatssekretär in Böhmen
und Mähren, im Mai 1946 gehenkt worden war.[17]

Weder im Gerichtssaal noch privat übernahm Neurath irgendwelche
Verantwortung. Sein Tagebuch, das er in Nürnberg zu führen begann,
dokumentiert vielmehr seine zum Starrsinn gesteigerte Uneinsichtigkeit.
Alle »Scheußlichkeiten«, von denen er größtenteils erst in Nürnberg erfahren haben wollte, legte er der »Verbrecherbande um Himmler« zur
Last.[18] Vor dem Tribunal schob er die Kriegsschuld den Alliierten zu: Der
Versailler Vertrag und die Politik des Völkerbundes hätten den Nationalsozialismus ermöglicht und den Krieg hervorgebracht, Frankreich und
Großbritannien hätten Hitler nach dem Münchener Abkommen nicht
gestoppt.[19] Es passte ins Bild, dass Neurath, der Schuld und Verantwortlichkeit überall entdecken konnte, nur nicht in seinen eigenen Handlungen, das Strafmaß von 15 Jahren überzogen fand. Bevor er ins Spandauer
Gefängnis überführt wurde, dachte er laut darüber nach, »wie viel größer
die Strafe sein sollte für Leute wie Weizsäcker, Woermann und Ritter, die
offene Unterstützer von Hitlers Politik der aktiven Aggression waren«.[20]

Was die Genannten von Neuraths Verurteilung hielten, ist nicht überliefert. Überhaupt verursachte die Tatsache, dass ihre Minister vor einen
internationalen Gerichtshof gestellt wurden, unter den früheren Beamten der Wilhelmstraße kaum nachweisbare Empörung. Ein gutes Dutzend von ihnen, darunter Erich Kordt, der vormalige Chef des Ministerbüros, stellte sich sogar der Anklage als Helfer zur Verfügung.[21] Es
lockten die amerikanischen Rationen und die Aussicht, sich über eine
willige Kooperation mit den Siegern zu rehabilitieren. Zudem war im
Frühjahr 1946 so gut wie keiner der ehemaligen Diplomaten bereit, für
Neurath und Ribbentrop in die Bresche zu springen; zu aufreibend war

der Kampf um das eigene Durchkommen. Auch hielten jene Diplomaten, die schon vor Ribbentrops Ernennung zum Minister in der Wilhelmstraße Dienst taten, ihn für einen dilettantischen Fremdkörper im wahren Auswärtigen Amt. Neurath hingegen galt auch nach seiner Verurteilung noch als einer der Ihren. Deshalb hielt der ehemalige Botschafter in London, Herbert von Dirksen, Neuraths Verurteilung auch für einen »Fehlspruch«.[22]

War es den ehemaligen Diplomaten während des Prozesses gegen die Hauptkriegsverbrecher noch möglich, der eigenen Schuld auszuweichen, war dies zwei Jahre später ausgeschlossen, als die Amerikaner im so genannten Wilhelmstraßenprozess neben nationalsozialistischen Quereinsteigern in den Auswärtigen Dienst auch nationalkonservative Laufbahnbeamte zur Rechenschaft zogen. Diesmal war die Anklage nicht mehr allein auf eine »Hitler-Bande« ausgerichtet, sondern erfasste die Rolle des Auswärtigen Amts und der traditionellen Eliten an sich. Dies war nicht nur in strafrechtlicher Hinsicht bedrohlich. Der Wilhelmstraßenprozess hatte das Potenzial, individuelle und kollektive Chancen auf einen Neuanfang zu untergraben und die Mittäterschaft einer Reihe von angeblich honorigen Diplomaten an Krieg und Massenmord zu offenbaren. Entsprechend fanden sich jetzt nur noch wenige ehemalige Spitzenbeamte bereit, der amerikanischen Anklagebehörde zu assistieren. Vielmehr bildete sich unter den alten Beamten der Wilhelmstraße eine fast geschlossene Phalanx gegen die amerikanischen Strafverfolgungsbemühungen.

Diplomaten im Visier

Schon Ende 1945 waren Jackson und die führenden Köpfe im War Department und in der Militärregierung zu dem Schluss gekommen, dass ein weiterer internationaler Gerichtshof den amerikanischen Interessen zuwiderlaufe. Die Herausforderung bestand darin, sich der Erwartung eines zweiten multinationalen Vorgehens diskret zu entziehen, ohne die noch laufenden Verhandlungen des IMT zu gefährden. Einen ersten Schritt taten die Amerikaner im Januar 1946, als Jackson angewiesen wurde, einen Stellvertreter und eventuellen Nachfolger zu benennen, der weitere Kriegsverbrecherprozesse vorbereiten sollte, wenn Jackson nach Abschluss des IMT auf seinen Posten am Supreme Court in Washington zurückkehrte. Jackson wählte im März 1946 Telford Taylor, der vom War Department und dem amerikanischen Militärbefehlshaber General Lucius D. Clay umgehend auf den intern schon festgelegten Kurs der USA verpflichtet wurde.[23] Für Taylors Prozessvorbereitungen wurde das Office of the Chief Counsel for War Crimes (OCCWC) eingerichtet und direkt General Clay unterstellt. Die neuen Verfahren sollten ihre Rechtsgrundlage im Kontrollratsgesetz Nr. 10 von Dezember 1945 finden, das eng an die Londoner »Charter« des IMT angelehnt war und den vier Besatzungsmächten einen einheitlichen rechtlichen Rahmen bot, um in ihren jeweiligen Zonen Kriegsverbrechen, Verbrechen gegen den Frieden und gegen die Menschlichkeit sowie Mitgliedschaften in verbrecherischen Organisationen zu ahnden.

Ursprünglich schwebten Taylor bis zu 36 Verfahren gegen 266 Angeklagte vor, wobei jeweils sechs Fälle zeitgleich verhandelt werden sollten.[24] Aber schon im März 1947, als die ersten drei Verfahren bereits liefen und in zwei weiteren die Anklageschriften eingereicht worden waren, stellte er ein neues, auf 18 Prozesse reduziertes Programm vor, das zwei Monate später auf 16 schrumpfte.[25] Im Spätsommer 1947 war dann schließlich klar, dass insgesamt nur zwölf Nachfolgeprozesse gegen 185 Angeklagte umgesetzt werden konnten.

Die Reduzierung des Programms wurde im Nachhinein oftmals pauschal den Auswirkungen des beginnenden Kalten Krieges zugeschrieben. In seinem Abschlussbericht von 1949 nannte Taylor indes »Zeit, Mitarbeiter und Geld« das eigentliche Problem.[26] Taylor hatte nicht nur allgemein mit Personalengpässen zu kämpfen, die das Gelingen des gesamten Unternehmens gefährdeten, sondern auch die Rekrutierung von Richtern war ein fortwährendes Problem.[27] Da die monatelange Abwesenheit von Justice Jackson während des IMT-Verfahrens die Arbeit des Supreme Court in Washington behindert hatte, kündigte dessen Vorsitzender, Harlan F. Stone, an, keine Kollegen mehr zur Verfügung zu stellen. Sein Nachfolger, Fred Vinson, weitete dieses Verbot auf alle Bundesrichter aus. Der Spielraum der Nachfolgeprozesse war aus Taylors Sicht durch den Richtermangel stark eingeschränkt.[28]

Ein zweites Hindernis war die Schwierigkeit, qualifizierte Anwälte für die Anklagebehörde zu gewinnen. Noch vor seiner Berufung war Taylor klar, dass »die gegenwärtige Belegschaft absolut kein Interesse daran hat, sich an weiteren Verfahren zu beteiligen«. Die Nürnberger Anwälte wollten so schnell wie möglich nach Hause, manche warteten nicht einmal das Ende des IMT ab. Taylor konnte so gut wie keine Mitarbeiter vom Hauptverfahren abziehen und zur Vorbereitung der Nachfolgeprozesse einsetzen. Zu den wenigen, die zur Jahreswende 1945/46 bereit waren, für weitere Verfahren in Deutschland zu bleiben, gehörten Drexel Sprecher und Robert M. W. Kempner.[29] Die meisten Mitarbeiter Taylors mussten jedoch neu rekrutiert werden.[30]

Trotz der Notwendigkeit, das ursprüngliche Mammutprogramm einzuschränken, stand ein Verfahren gegen führende deutsche Diplomaten nie zur Disposition. Als Clay im September 1947 aus den noch verbliebenen möglichen Fällen die wichtigsten auswählen musste, folgte er Taylors Empfehlung und nannte die Anklage gegen das Auswärtige Amt vorrangig, um den Komplex Regierung und Politik adäquat zu repräsentieren.[31] Die anderen Fälle, die zu diesem Zeitpunkt noch anstanden, betrafen die Führungsriege der Hermann-Göring-Werke, führende Banker, hochrangige Regierungsvertreter aus dem Bereich Partei, Presse und Propaganda sowie zwei Verfahren gegen Generale und Admirale wegen Kriegsverbrechen und Misshandlung von Kriegsgefangenen. Der amerikanische Armeeminister Kenneth Royall zeigte an den ersten beiden Fällen kein Interesse und konnte insgesamt nur sechs Richter nach Nürnberg entsenden, sodass am Ende lediglich zwei Verfahren möglich wurden, die als Fälle 11 (Ministries Case) und 12 (High Command Case) bezeichnet wurden.[32] Das Richterkollegium für den Fall 11 bestand aus drei pensionierten Juristen der bundesstaatlichen Supreme Courts, dem Vorsitzenden Richter William C. Christianson aus Minnesota, Robert T. Maguire aus Oregon und Leon W. Powers aus Iowa.[33]

Fall 11 wurde aus Fragmenten der nicht realisierten Verfahren mit Ausnahme des Verfahrens gegen die Wehrmacht zusammengeschustert. Von den 21 Angeklagten waren acht Vertreter des Auswärtigen Amts. Neben den ehemaligen Diplomaten fanden sich vier Reichsminister und zwei Staatssekretäre auf der Anklagebank, weiterhin der Vorstandssprecher der Dresdner Bank, der Vizepräsident der Reichsbank, drei enge Mitarbeiter Hermann Görings und zwei leitende Figuren der SS. Für diese gemischte Gruppe von Angeklagten ließ sich kein anderer gemeinsamer Nenner finden, als dass die meisten von ihnen »Ministeriale« waren, was den englischen Namen des Verfahrens erklärt. Da der Fokus aber schon allein durch die amtliche Bezeichnung des Verfahrens (»United States vs. Ernst von Weizsäcker et al.«) auf dem ehemaligen Staatssekretär im Auswärtigen Amt lag, dessen Dienstanschrift die Berliner Wilhelmstraße 76 gewesen war, und da Taylor in seiner Eröffnungsrede die Angeklagten durch einen imaginären Spaziergang entlang den Ministerien in der mittlerweile zerbombten Wilhelmstraße zusammenzubinden suchte, bürgerte sich auf Deutsch der Name Wilhelmstraßenprozess ein.[34]

Die Anklage gegen die Vertreter des Auswärtigen Amts wurde von Robert M.W. Kempner verfasst. Der am 17. Oktober 1899 in Freiburg im Breisgau geborene Deutsche stammte aus einem liberal-fortschrittlichen, durch Naturwissenschaften und Medizin geprägten Elternhaus. Nach seinem Jurastudium in Berlin und einem kurzen Intermezzo als Publizist trat er 1928 ins Preußische Innenministerium ein und wurde Justitiar der Preußischen Polizei. 1933 wegen seiner jüdischen Herkunft von den Nationalsozialisten entlassen und kurzzeitig von der Gestapo inhaftiert, blieb dem überzeugten Demokraten 1935 nur die Flucht aus Deutschland. Über Italien und Frankreich gelangte Kempner 1939 ins amerikanische Exil und ließ sich in Philadelphia nieder. Durch das Department of Justice wurde Kempner noch während des Krieges in Kriegsverbrecherfragen einbezogen, arbeitete aber gleichzeitig auch für das OSS. Im Sommer 1945 kam er als einer der engsten Mitarbeiter von Robert Jackson nach Nürnberg und führte im IMT die Anklage gegen den vormaligen Reichsinnenminister Frick, der 1938 die Ausbürgerung Kempners unterschrieben hatte. Im Februar 1947 übernahm er die Political Ministries Division und damit die Verantwortung für den anstehenden Wilhelmstraßenprozess.

Bei seinen Vorbereitungen stützte Kempner sich auf die Akten des Auswärtigen Amts sowie auf Verhöre und die Mitarbeit von ehemaligen Amtsangehörigen. Das Archiv des Amts, vor allem aber kurrente Registraturen sowie Ribbentrops *Secretissima* waren im April 1945 britischen und amerikanischen Truppen in die Hände gefallen. In einer geheimen Aktion wurden diese Akten im Schloss von Marburg zusammengetragen, anschließend nach Berlin verlegt und während der Blockade im Herbst 1948 nach Großbritannien ausgeflogen.[35] Schon diese Umzüge machten eine systematische Sichtung der Akten für die Belange der Nürnberger Prozesse schwierig. Hinzu kam, dass die Priorität bei der Auswertung auf geheimdienstlichen Fragestellungen lag, insbesondere im Hinblick auf Aktivitäten von Nazi-Agenten im Ausland, vor allem in den USA und in Südamerika.[36] Seit November 1946 arbeitete überdies eine Gruppe britischer und amerikanischer Historiker im Aktendepot, um eine Edition der Akten nach akademischen Standards zusammenzustellen.

Aufgrund so vieler Begehrlichkeiten kam die Auswertung der Akten für den Fall 11 nur schleppend voran; überdies waren die Nürnberger Mitarbeiter im Aktenlager nicht sehr beliebt, weil sie die Ressourcen weiter belasteten und angeblich nur auf Sensationen aus waren.[37] Die nicht spannungsfreie Zusammenarbeit im Aktendepot erklärt, warum etliche Schlüsseldokumente erst in der Vorbereitung des Wilhelmstraßenprozesses auftauchten. Das bekannteste Beispiel ist das Protokoll der Wannsee-Konferenz, das erst Anfang 1947 entdeckt wurde.[38] Von da ab stellte Kempner die weiteren Recherchen und Verhöre auf »Judensachen« ab, wie er die Vernichtungspolitik in Anlehnung an den NS-Sprachgebrauch wiederholt nannte.[39]

Neben der Auswertung der Akten konzentrierte sich Kempner bei der Prozessvorbereitung auf intensive Verhöre. Durch den »automatic arrest« waren die höheren Beamten des Auswärtigen Amts bereits weitgehend festgesetzt worden. Wenn sich aus einem Verhör Querverbindungen zu anderen Beamten ergaben, konnte Kempner diese nach Nürnberg bringen lassen und nachhaken. Kempner verhörte mindestens 218 Zeugen persönlich.[40] Auf diese Weise trug er eine Fülle von Informationen zusammen. Der Abgleich von Akten und Verhören förderte Lügen, Vertuschungen und Anbiederungen zutage. Im Juli 1947 beispielsweise verhörte Kempner Emil Schumburg, der im Januar 1939 als Mitarbeiter des Referats Deutschland zu einem langen Memorandum über die »Judenfrage als Faktor in der Außenpolitik im Jahr 1938« beigetragen hatte. Schumburg schlug unter anderem vor, die deutschen Juden völlig mittellos abzuschieben, um in den Gastländern angesichts einer Heerschar potenzieller Almosenempfänger Antisemitismus zu schüren.[41] Gegenüber Kempner schwor er, dass in seinem Referat keine »Judenpolitik« gemacht worden sei, vielmehr seien die Mitarbeiter »gewissermaßen die Advokaten des ausländischen Judentums« gewesen. Das Verhör gipfelte in dem Satz: »Ich hatte die Juden gern gehabt.« Mit seinem Bericht konfrontiert, bestritt Schumburg, diesen verfasst zu haben, bis Kempner ihm seine Unterschrift vorhielt.[42]

Durch solche Vorfälle nistete sich bei Kempner ein tiefes Misstrauen gegenüber den ehemaligen Diplomaten ein; nichts Unmenschliches blieb ihm fremd. Dennoch war er auf die Mitarbeit einiger dieser Diplomaten angewiesen, um das Ministerium von innen her zu erfassen. Kempner hatte jedoch Probleme, ehemalige Amtsangehörige zur Zusammenarbeit zu bewegen, was seine »Dokumentenstrategie« vielleicht verstärkte.[43] Die zwei prominentesten Mitarbeiter, die Kempner gewinnen konnte – Friedrich Gaus und Hans Schroeder –, brachten ihm mindestens so viel Schaden wie Nutzen.

Gaus, der von 1923 bis 1943 die Rechtsabteilung leitete, fungierte seit 1939 als Ministerialdirektor mit der Amtsbezeichnung Unterstaatssekretär. Nach 1943 hatte er keine spezifische Funktion mehr, führte aber den Titel Botschafter zur besonderen Verwendung und galt als Ribbentrops Intimus. Im Amt war er für seine Formulierungskünste berüchtigt. Der frühere Personalchef Hans Schroeder bestätigte im Verhör, dass Gaus wegen seiner Nähe zu Ribbentrop »verhasst« gewesen sei, berichtet aber auch von diversen Versuchen Gaus', seinem Chef zu widersprechen. Herbert Blankenhorn nannte Gaus in einem Bericht für den amerikanischen Geheimdienst OSS einen Opportunisten, der »zu den am wenigsten geschätzten Personen im Auswärtigen Amt« gehört habe. Sein Einfluss auf Ribbentrop habe sich als »extrem schädlich« erwiesen.[44] Auf der Personalliste, die Fritz Kolbe dem OSS im Frühjahr 1945 übergeben hatte, stand Gaus in der Kategorie »Ungeeignet. Sofortige Entfernung aus dem Dienst erwünscht«. Gaus selbst rechnete damit, bei Kriegsende in der einen oder anderen Form zur Verantwortung gezogen zu werden. Seine Sekretärin war zum Schluss angeblich »tagelang mit dem Herausreißen bezw. Ausradieren von Dedikationen in den Büchern ihres Chefs beschäftigt«.[45]

Im August 1945 wurde Gaus von den Briten in Niedersachsen verhaftet, ausgiebig verhört und als möglicher Zeuge nach Nürnberg gebracht. Hier wurde alsbald deutlich, dass er für tumbe Entlastungsstrategien wie die des Angeklagten Ribbentrop nicht zu haben war und im Zeugenstand eher der Anklage als der Verteidigung nutzte. Dadurch scheint er Kempner aufgefallen zu sein, der ihn im März 1947 aus dem Internierungslager Ludwigsburg holen ließ. Nach dem ersten, durchaus scharfen Verhör durch Kempner am 6. März 1947 erklärte sich Gaus zur Mitarbeit bereit. Kempner verlockte ihn zu einer Gefälligkeitsapologie unter dem

Titel »Warum ich nicht der böse Geist von Ribbentrop war«, vertraute ihm aber nicht auf der Stelle. Erst Gaus' Schilderung seiner privaten Situation brachte ihm den Diplomaten offenbar näher: Dreizehn Jahre lang habe er Angst gehabt, so Gaus, »dass sie meiner Frau etwas wegen ihrer jüdischen Abstammung tun«.[46]

Kempner setzte Gaus in den Verhören Ernst von Weizsäckers ein und ließ den einen direkt gegen den anderen auftreten.[47] Er bediente sich dieses Zeugen nicht nur bei der Entzifferung von Paraphen, sondern auch bei der Ausarbeitung von Expertisen zu einzelnen Aspekten der NS-Außenpolitik. Nicht wenige dieser Ausarbeitungen dienten dazu, »die alliierten Prozesse in Deutschland dem Verständnis des Publikums näher zu bringen«.[48] Am 17. März 1947 erschien eine dieser Stellungnahmen als Faksimile in der Münchner *Neuen Zeitung*, einem von der amerikanischen Besatzungsbehörde herausgegebenem Blatt. Sie rückte Gaus schlagartig ins Rampenlicht, denn Gaus forderte darin alle Beamten auf, »nach den langen Jahren des Schweigens, unseres Mangels an Mut zum Widerspruch und unserer Unwahrhaftigkeit endlich die Wahrheit [zu] sagen«. Gaus hatte die Erklärung auf Empfehlung Kempners an General Taylor gerichtet, Kempner gab sie an die *Neue Zeitung* weiter. Dort erschien sie mit dem redaktionellen Zusatz, dass Gaus »die Kollektivschuld der deutschen Beamten an den nationalsozialistischen Verbrechen« bestätige, obwohl dieser brisante Begriff in der Erklärung selbst gar nicht auftauchte.[49]

Hartnäckig hält sich die Auffassung, Gaus habe sich mit dieser opportunistischen Erklärung freigekauft, da er gleich im Anschluss aus der Einzelhaft ins Zeugenhaus verlegt wurde.[50] Zum einen entsprach diese Verlegung aber der »standard procedure«, von der etliche aussagebereite Angehörige des Amtes profitierten, zum anderen blieb Gaus noch mindestens bis Mai 1947 auf der Liste möglicher Angeklagter. Erst im Zuge der Straffung der Verfahren im Sommer 1947 wurde sein Name gestrichen.[51] Derartige Unterstellungen waren schon vor Prozessbeginn darauf ausgerichtet, den Zeugen Gaus zu beschädigen, eine Strategie, die Weizsäckers Anwälte im Prozess mit Verve fortsetzten. Sie bauten auch die These auf, dass Kempner Gaus' Kooperationsbereitschaft mit der Drohung erpresst habe, ihn an die Russen auszuliefern. Das Gericht verwarf diese Argumentation zwar, der Schaden war jedoch angerichtet.[52]

Hans Schroeder, der Kempners zweites Einfallstor in die Interna des Amtes werden sollte, war bei Kriegsende in Tirol aufgegriffen worden. In einer ersten Stellungnahme setzte er auf die Unwissenheit der Alliierten und gab an, nur mit Verwaltungsaufgaben betraut gewesen zu sein, »nie mit politischen«. Im Internierungslager Darmstadt »erinnerte« er sich dann, seit 1941 »bei der Oppositionsgruppe Luther« gewesen zu sein, wobei er hoffen musste, dass die Alliierten (noch) nicht überblickten, wie wenig der Versuch Martin Luthers, Ribbentrop 1943 zu stürzen, mit ideologischen Differenzen zu tun hatte.[53] Am 12. Juni 1947 kam Schroeder erstmals zum Verhör nach Nürnberg. Zu Weizsäckers Paraphen auf Dokumenten zur Judendeportation befragt, meinte Schroeder, dass er selbst so etwas nicht mitgezeichnet hätte, dass überhaupt ein Beamter »immer ein Loch findet, wo man durchschlüpfen kann«. Darüber hinaus versorgte er Kempner mit intimen Kenntnissen, etwa, dass Woermann dem Alkohol zuneige.[54] Dann wieder versuchte Schroeder, dem Ankläger Sand in die Augen zu streuen. Die Abteilung Inland II nannte er ein »Durchgangsreferat«, vergleichbar einer Poststelle, jedenfalls sei »die Durchschlagskraft« von Inland II »gering« gewesen. Horst Wagner war nach dieser Lesart ein »ängstlicher Mann«, der seiner Arbeit nicht Herr wurde, Eberhard von Thadden hingegen »ein Ehrenmann vom Scheitel bis zur Sohle«; Emil Geiger, Gustav Adolf Sonnenhol und Rudolf Bobrik bezeichnete Schroeder als »Hilfsarbeiter ohne jeglichen Einfluss«.[55] Alle »Judenangelegenheiten« schob Schroeder auf Franz Rademacher und gab dessen Aufenthaltsort in Hamburg preis.[56]

Im Gegenzug für seine Gesprächigkeit und für ein wichtiges Affidavit über die Nutzung von Farbstiften in den Akten des AA erhielt Schroeder Unterstützung für eine Reise zu seinem Spruchkammerverfahren am 25. Juni 1947 in Darmstadt, aus dem er entgegen seiner eigenen Erwartung als Entlasteter (Kategorie V) hervorging.[57] Eine Nürnberger Anklage gegen ihn wurde Anfang Juli 1947 ausgeschlossen, Schroeder aus der Haft ins Zeugenhaus überstellt, wo er sich freier bewegen und mit anderen Beamten des Amtes Kontakt aufnehmen konnte.[58] Wie einige seiner früheren Arbeitskollegen später berichteten, nutzte er seinen Kontakt zu Kempner, um »böswillige verzerrte Dinge ins rechte Licht zu rücken«. So konnte er angeblich »dem amerikanischen Ankläger manchen Angehörigen des Amtes von der Anklageliste ab[ringen]«.[59] Schließlich verwendete Kempner sich für Schroeder beim Bürgermeister von Stuttgart, um ihm eine Zuzugsgenehmigung für die Stadt zu verschaffen, in der sich gerade das Büro für Friedensfragen formierte – Schroeder hatte sich erfolgreich herausgewunden.[60] Nachdem er alles Notwendige durch Kempner erreicht hatte, wechselte Schroeder flink die Fronten und stellte sich der Verteidigung zur Verfügung. Für Weizsäcker steuerte er ein Affidavit bei, das die wachsende Marginalisierung des Staatssekretärs durch Martin Luther belegen sollte.[61] Ansonsten machte er sich nützlich, indem er die nach Nürnberg zitierten Beamten unter seine Fittiche nahm. Den »Schlotternden« im Zeugenhaus habe er »Zement ins Rückgrat gegossen und sie mit Verhaltensmaßregeln für die Vernehmung instruiert«.[62]

Der Hauptangeklagte im Wilhelmstraßenprozess war Ernst von Weizsäcker, der ehemalige Staatssekretär (1938–1943) und Botschafter beim Vatikan (1943–1945). Mit Weizsäcker schien stellvertretend der Inbegriff des treuen Staatsdieners vor Gericht zu stehen; nicht ein Mann, den die Machtübernahme 1933 nach oben geschwemmt hatte, sondern ein Vertreter der alten Elite. Bei Kriegsende befanden sich Weizsäcker und seine Frau im Vatikan. Als der Alliierte Kontrollrat alle deutschen Diplomaten zurückrief, verweigerte sich Weizsäcker dieser Anordnung, sollten ihm und seiner Frau nicht eine Reihe von Privilegien zugesichert werden.[63] Seine Forderungen gingen zeitweise so weit, dass der amerikanische Gesandte sich weigerte, diese überhaupt ans State Department weiterzuleiten.[64] Das Tauziehen dauerte bis August 1946. In der Zwischenzeit trat Weizsäcker im IMT als Zeuge gegen Admiral Raeder auf, nachdem ihm die ungehinderte Rückkehr in den Vatikan zugesagt worden war.[65]

Weizsäcker und seine Frau durften schließlich in einem Wagen des Vatikans nach Lindau ausreisen, ohne dass ihm die Amerikaner jedoch Immunität zugesichert hatten. Robert Murphy, politischer Berater der Militärregierung in Frankfurt, hatte unmissverständlich klargemacht, dass Weizsäcker keine Ausnahmen von geltenden Bestimmungen zu erwarten habe.[66] Weizsäcker selbst gab gegenüber Kempner an, die Vatikanstadt freiwillig verlassen zu haben.[67] Im Familienkreis hielt man offenbar über Weizsäckers Tod hinaus daran fest, dass eine Immunitätserklärung von den Amerikanern mündlich und von den Franzosen schriftlich durch General Koenig gewährt worden sei.[68]

Wann genau Kempner und Taylor beschlossen, Weizsäcker in den Mittelpunkt des Verfahrens zu stellen, lässt sich nicht mehr eindeutig rekonstruieren. Das erste Verhör zwischen Kempner und Weizsäcker im März 1947 verlief ungünstig und hinterließ bei Kempner den Eindruck, Weizsäcker erinnere sich immer erst bei Vorlage von Dokumenten.[69] Im gleichen Monat setzte Kempner Weizsäcker auf die Liste möglicher Angeklagter im Diplomatenprozess, entließ ihn allerdings am 1. April noch einmal nach Lindau, nachdem dieser versprochen hatte, »sich jederzeit zu stellen und für alles einzutreten«.[70] Im Berliner Aktendepot konzentrierte sich in diesem Monat die Suche nach weiterem Material auf Weizsäcker.[71] Ende Mai erschien ein Leitartikel im New Yorker *Aufbau*, der auf Weizsäckers Mitzeichnung der Deportationen aus Frankreich zielte und ihn als »Mitschuldigen« bezeichnete.[72] Am 5. Juli stellte die Anklagebehörde dann ein Auslieferungsgesuch an die Franzosen. Bevor diese allerdings zu einer Entscheidung kamen, beschloss Weizsäcker am 18. Juli 1947, sich freiwillig zu stellen.[73] Am 25. Juli wurde er in Nürnberg verhaftet.

Beinahe wäre der Wilhelmstraßenprozess nicht nach Weizsäcker, sondern nach Gustav Adolf Steengracht von Moyland benannt worden, dem Staatssekretär und, von 1943 bis 1945, zweiten Mann im Amt. Noch im Mai 1947 nannte Telford Taylor Steengracht und Ernst Wilhelm Bohle, den Chef der NS-Auslandsorganisation, als »Hauptangeklagte« im Verfahren gegen das Auswärtige Amt. Weitere Angeklagte sollten sich aus einem Pool von 15 ehemaligen Diplomaten rekrutieren, deren Zusammenstellung keine eindeutige Interpretation der ursprünglichen Stoßrichtung des Prozesses zulässt. Dazu gehörten Erich Albrecht, Felix Benzler, Fritz Berber, Rudolf O. Bobrik, Friedrich Gaus, Andor Hencke, Rudolf Rahn, Karl Ritter, Rudolf Schleier, Franz von Sonnleithner, Franz Alfred Six, Eberhard von Thadden, Horst Wagner, Ernst von Weizsäcker und Ernst Woermann.[74] Im August 1947 lag eine neue Liste vor, diesmal mit 16 Namen. Verschwunden waren Benzler, Berber, Gaus, Rahn, Sonnleithner und Six (der im Einsatzgruppenprozess einen Monat später angeklagt und im April 1948 zu 20 Jahren Haft verurteilt wurde). Stattdessen fanden sich Otto von Erdmannsdorff, Wilhelm Keppler, Paul Karl Schmidt, Franz Rademacher und Edmund Veesenmayer auf der Liste. Waren auf der ersten Liste nur Thadden und sein unmittelbarer Vorgesetzter Wagner direkt mit »Judenangelegenheiten« befasst, so kamen jetzt der berüchtigte »Judenreferent« Rademacher und Edmund Veesenmeyer hinzu, der Reichsbevollmächtigte in Ungarn während der dortigen Judendeportationen. Weizsäcker stand nun an erster Stelle. Kempner hatte offensichtlich die Absicht, den Judenmord zu einem zentralen Aspekt des Verfahrens zu machen. Gegenüber dem Büro des politischen Beraters Robert Murphy gab Kempner Anfang August 1947 an, dass die Anklage sich »eher mit Kriegsverbrechen und Verbrechen gegen die Menschlichkeit als mit Außenpolitik und der Planung eines Angriffskrieges« befassen wolle.[75]

In diesem Punkt scheint Kempner seine Möglichkeiten aber überschätzt zu haben. Denn zur gleichen Zeit erfuhr einer der Verteidiger Weizsäckers in Nürnberg, dass ihm die Anklageschrift »einer aus Ernst [von Weizsäcker] und den ihm gleichgestellten Personen aus allen Stellen bestehenden Gruppe« zugehen werde. »Von unseren [Diplomaten] wären dann nur 6 Personen dabei, und zwar mit dem Titel oder Unter-Titel behafteten«, womit Staatssekretäre und Unterstaatssekretäre gemeint waren. »Alle unteren von uns würden damit entfallen.«[76] Damit war klar, dass in dem Prozess auf der von Jackson und Taylor geforderten Gleichsetzung von Verantwortlichkeit und Dienstgrad beharrt werden würde.

Durch diese hierarchische Strukturierung des Verfahrens fielen die beiden »Judenreferenten« Rademacher und Thadden sowie Wagner als Angeklagte aus. Bis auf die Verbrechen, an denen Veesenmayer beteiligt war, war damit die letzte Möglichkeit vertan, die Verfolgung und Ermordung der europäischen Juden als Verbrechen sui generis vor das Nürnberger Gericht zu bringen. Stephen Wise, der Präsident des World Jewish Congress (WJC), versuchte bei Armeeminister Royall darauf hinzuwirken, doch noch Personen einzubeziehen, die »für den jüngsten Holocaust« verantwortlich waren. Konkret schlug er die Teilnehmer der Wannsee-Konferenz vor, sofern sie sich in amerikanischer Hand befänden.[77] Die New Yorker Emigrantenzeitung *Der Aufbau* hatte am 14. November das Wannsee-Protokoll samt Teilnehmerliste veröffentlicht, die Konferenz galt als Schlüsselmoment im Entscheidungsprozess zum Judenmord.[78] Im War Department reichte man die Angelegenheit an Taylor weiter, der darauf verwies, dass der Gerichtssaal nur Platz für 21 Angeklagte habe. Wie Taylor richtig erkannte, war das Problem aber keine Frage der Stühle im Saal, sondern eine politische Entscheidung, die in Washington getroffen werden musste. Schließlich entschied Armeeminister Royall gegen weitere Angeklagte.[79]

Es blieb bei jenen acht Personen aus dem Auswärtigen Amt, die Anfang November 1947 die Anklageschrift erhalten hatten: als Hauptangeklagter Ernst von Weizsäcker, von 1938 bis 1943 Staatssekretär und damit zweiter Mann nach Ribbentrop; Weizsäckers Nachfolger im Amt, Gustav Adolf Steengracht von Moyland; Ernst Wilhelm Bohle als Chef der NS-Auslandsorganisationen im Rang eines Staatssekretärs; sowie der Staatssekretär zur besonderen Verwendung Wilhelm Keppler, der eigentlich für eines der Industrieverfahren vorgesehen gewesen war. Auf der zweiten Ebene folgten Ernst Woermann, Ministerialdirektor mit der Amtsbezeichnung Unterstaatssekretär und Leiter der Politschen Abteilung von 1938 bis 1943; Karl Ritter, von 1939 bis 1944 Verbindungsmann zwischen dem Amt und dem OKW im Range eines Botschafters (z.b.V.); Edmund Veesenmayer, Sonderbeauftragter in Jugoslawien und der Slowakei von 1941 bis 1943, anschließend Reichsbevollmächtigter in Ungarn; und Otto von Erdmannsdorff, Gesandter in Ungarn von 1937 bis 1941 und Stellvertretender Leiter der Politischen Abteilung von 1941 bis 1945.

Die Zusammenstellung wurde von manchen interessierten Zeitgenossen wahrgenommen als unzulässige Vermischung von »echten« Wilhelmstraßen-Männern (Weizsäcker, Woermann, Ritter, Erdmannsdorff) mit nationalsozialistischen Parvenüs (Steengracht, Bohle, Keppler, Veesenmayer). Zu einer solchen Unterscheidung zwischen »anständigen« Beamten und »Nazi-Bonzen« waren aber weder Taylor noch Kempner bereit. Für sie war das Auswärtige Amt zentraler Bestandteil des nationalsozialistischen Machtapparats. Sie hatten die Angeklagten anhand ihrer Dienststellungen identifiziert und mit der Riege der acht den Weizsäcker-Prozess exakt nach dem Muster des Nürnberger Hauptverfahrens zugeschnitten.[80]

Prozessverlauf und gespaltenes Urteil

Die Anklage erfolgte erstmals am 4. November 1947, eine überarbeitete Fassung der Anklageschrift wurde am 18. November vorgelegt, das Verfahren am 20. November mit der Schuldbefragung (»arraignment«) der Angeklagten eröffnet.[81] Die Anklage ging davon aus, dass weite Teile der »alten« Funktionseliten durch ihre willige Mitarbeit den Krieg und die nationalsozialistischen Gewaltverbrechen überhaupt erst ermöglicht hatten:»Ohne ihre Verwaltung und deren Umsetzung und ohne die Direktiven und Anweisungen, die sie entwarfen, hätte kein Hitler und kein Göring Angriffskriege planen und führen können; kein Himmler hätte 6 000 000 Juden und andere Opfer der nationalsozialistischen Aggression und Ideologie auslöschen können.« Es sei die Entscheidung der führenden Köpfe in den Ministerien und Kanzleien gewesen, die Pläne der NS-Führung zu tragen oder zu durchkreuzen, denn ohne Kontrolle von Parlament und Öffentlichkeit hätten die »grauen Eminenzen der Wilhelmstraße« mehr Einfluss gehabt als je zuvor. Den langjährigen Angehörigen des Amtes (mit Ausnahme von Bohle und Steengracht) hielt die Anklage vor, ihr diplomatisches Handwerk zugunsten der »Nazi-Aggression« so pervertiert und korrumpiert zu haben, »dass deutsche Diplomaten in den kommenden Jahrzehnten unter einer Last des Argwohns und des Misstrauens arbeiten werden«.[82]

Kempners Handschrift ist in der Anklageschrift nicht zu übersehen. Bereits in einem Artikel von 1942 hatte er die deutsche Beamtenschaft als bestechliche, unverbesserliche Kaste (»professional graftocracy«) bezeichnet, die nach dem Krieg nicht wieder verwendet werden könne. Diese Bürokratie habe sich einer Modernisierung stets verschlossen und sei zudem intrinsisch mit dem Militär verzahnt gewesen. Krieg sei die unabwendbare Folge einer solchen Mésalliance gewesen. »Daher ist die zivile Verwaltung nicht weniger für die europäischen Kriege der letzten fünfzig Jahre verantwortlich als die militärische Clique.«[83]

Gegen die Diplomaten standen acht Anklagepunkte zur Verhandlung: I: Verbrechen des Angriffskrieges oder Verbrechen gegen den Frieden; II: Gemeinsamer Plan und Verschwörung zur Begehung von Verbrechen gegen den Frieden; III: Kriegsverbrechen (Ermordung und Misshandlung von Zivilisten und Kriegsgefangenen); IV: Verbrechen gegen die Menschlichkeit 1933–1938; V: Verbrechen gegen die Menschlichkeit 1938–1945; VI: Plünderung; VII: Sklavenarbeit; VIII: Mitgliedschaft in verbrecherischen Organisationen. Unter den Diplomaten waren Weizsäcker und Woermann die Einzigen, die in allen Punkten angeklagt wurden. Aber die Anklage musste den Angeklagten ihre individuelle Rolle und konkrete Handlungen bei den ihnen zur Last gelegten Verbrechen nachweisen. Taylor machte General Clay im Vorfeld die besondere Schwierigkeit eines Verfahrens gegen hohe Staatsbeamte klar: »Sehr wenige unter ihnen haben jemals einen Mord oder ein anderes Verbrechen begangen. Ihre Verantwortung für die Verbrechen, deren sie angeklagt sind, muss durch ausführliche Dokumentation und Zeugenaussagen bewiesen werden, die zeigen, dass sie verantwortlich waren für die Taten Untergebener, dass sie von diesen Taten wussten und dass sie solche Taten befürworteten, planten oder dazu ermutigten.«[84]

Die eigentliche Gerichtsverhandlung dauerte vom 6. Januar bis 18. November 1948 und verlief in einem wesentlich anderen Klima als das IMT-Verfahren zwei Jahre zuvor. Die Wogen des Kalten Krieges schlugen mehr als einmal bis an die Mauern des Gerichtsgebäudes. Im Februar 1948 übernahmen die Kommunisten in einem Coup die Regierung in Prag. Einen Monat später verließ der sowjetische Vertreter den Alliierten Kontrollrat und kippte damit die letzte Fiktion einer alliierten Kooperation in Deutschland. Als Antwort auf die Währungsreform in den Westzonen schnitten die Sowjets in der Nacht vom 23. auf den 24. Juni 1948 West-Berlin von der Außenwelt ab. Die Westalliierten antworteten mit der Luftbrücke. Die Ressourcen der amerikanischen Militärregierung – und besonders die Aufmerksamkeit General Clays – richteten sich jetzt auf die Konfrontation mit den Russen. In Nürnberg war im Frühjahr 1948 der Druck deutlich zu spüren, die ausstehenden Verfahren rasch zu Ende zu bringen. Anklage und Verteidigung wurden zur Eile angetrieben, das Gericht tagte abends und am Wochenende, Zeugen wurden parallel zum eigentlichen Verfahren in Kommissionssitzungen gehört.[85] Aber weil die Verteidigung bewusst auf Zeit spielte, zog sich der Prozess hin, das Urteil kam gerade noch rechtzeitig – einen Monat vor der Verabschiedung des Grundgesetzes. Allein das Signal der Eile war eindeutig: »Nürnberg« war unzeitgemäß geworden.

Bereits bei Verhandlungsbeginn war klar, dass weder der Prozess gegen das OKW (Fall 12) noch der Wilhelmstraßenprozess (Fall 11) das Nürnberger Projekt mit einem Paukenschlag zu Ende bringen würden. Im Verlauf der vorangegangenen zehn Verfahren waren die Urteile sukzessive milder geworden. Eine Ausnahme bildete der Einsatzgruppenprozess (Fall 9), der zu einer Reihe von Todesurteilen geführt hatte. Des Weiteren zeichnete sich ab, dass die Anklagebehörde sich mit der Rechtsfigur der »Verschwörung« nicht würde durchsetzen können; keiner der Nachfolgeprozesse hatte eine erneute Verurteilung in diesem Punkt hervorgebracht. Jacksons wichtigste Innovation blieb auf der Strecke, weil es die Anklage aus Sicht der Richter nicht schaffte, individuelle Verantwortung dingfest zu machen; der Anklagepunkt II (»Gemeinsamer Plan und Verschwörung«) zerrann Kempner und seinen Mitarbeitern zwischen den Fingern. Nachdem Punkt II gegen Bohle und Erdmannsdorff bereits vor der Urteilsverkündung fallen gelassen worden war, sprach das Gericht die anderen Beschuldigten in diesem Punkt aus Mangel an triftigen Beweisen frei.

Auch Punkt IV – »Menschlichkeitsverbrechen vor 1938« – ließ sich nicht umsetzen. Dahinter stand der Versuch, die Verfolgung deutscher Staatsbürger aus rassischen, politischen und religiösen Gründen innerhalb des Reiches nach 1933 vor Gericht zu bringen. Kempner schwebten besonders die Fälle des Pazifisten Carl von Ossietzky und des Zentrumspolitikers Erich Klausener vor, der Anklagepunkt hätte aber auch das Novemberpogrom von 1938 erfassen können.[86] Das IMT hatte Menschlichkeitsverbrechen allein in Verbindung mit Verschwörung und Verbrechen gegen den Frieden in Betracht gezogen, sich de facto also auf die Zeit ab September 1939 beschränkt. Kontrollratsgesetz Nr. 10 hätte die weiterreichende Auslegung zugelassen, solche Verbrechen auch jenseits des Krieges zu ahnden. Allerdings erklärte sich bereits das amerikanische Gericht im Prozess gegen Friedrich Flick für Menschlichkeitsverbrechen vor dem Krieg nicht zuständig, eine Auslegung, der auch das Gericht im Fall 11 folgte. Auf Antrag der Verteidiger überstimmten Christianson und Powers ihren Kollegen Maguire im März 1948 und ließen Anklagepunkt IV fallen.[87]

Zum Angriffskrieg (Punkt I) behauptete die Anklage, dass die deutsche Außenpolitik im Einklang mit Hitlers Masterplan gestanden habe und Weizsäcker und andere willige Werkzeuge gewesen seien, die sich, obwohl sie die Angriffspläne genau gekannt hätten, zu Handlangern des Regimes machten.[88] Bei der Beweisaufnahme stützte die Anklagebehörde sich nicht nur auf erdrückendes Aktenmaterial, sondern präsentierte auch einige dramatische Zeugen. Das Tribunal reiste eigens nach Wien, um den ehemaligen Bundespräsidenten Wilhelm Miklas zum deutschen Einmarsch in Österreich zu befragen.[89] Einen starken Eindruck hinterließ Milada Radlova, die Tochter des tschechoslowakischen Präsidenten Emil Hácha. Sie hatte ihren Vater am 14. März 1939 auf dessen Reise nach Berlin begleitet, wo er von Weizsäcker und Meissner in Empfang genommen wurde. In der Nacht wurde er gezwungen, eine Erklärung zu unterzeichnen, dass er das Schicksal seines Landes »vertrauensvoll« in die Hände Hitlers lege.[90] Zu diesem Zeitpunkt war die Wehrmacht bereits in Mährisch-Ostrau einmarschiert. Sollte Hácha die Erklärung nicht unterschreiben, werde Prag in Schutt und Asche gelegt. Nach dem Treffen, berichtete Radlova, sei ihr Vater ein gebrochener Mann gewesen.[91]

Das Gericht nahm zum Angriffskrieg eine Maximalposition ein. Aus den Akten ergebe sich »ein Bild abgrundtiefer Hinterlist«. Es bestehe kein Zweifel, dass »das von Hitler beherrschte Deutschland kein einziges Versprechen abgegeben [habe], welches es einzuhalten dachte«. Die apologetische These von der deutschen »Notwehr« entbehre jeder Grundlage. Alle von Berlin angezettelten Kriege seien Verbrechen gegen den Frieden gewesen.[92] Obwohl die Richter sich die Position der Anklage zu eigen machten, die nationalsozialistischen Beutezüge seien nun einmal nicht von selbst losgegangen, sondern von ebenjenen hohen Beamten mitorganisiert worden, die hier auf der Anklagebank saßen, differenzierten sie beim Nachweis individueller Schuld derart, dass nur drei Verurteilungen zustande kamen: Woermann für den Angriff auf Polen, Keppler für den »Anschluss« Österreichs und den Einmarsch in Prag, Weizsäcker für die Einverleibung der »Rest-Tschechei«.

Im Hinblick auf Verbrechen gegen die Menschlichkeit nach 1938 (Punkt V) ging die Anklage von der These aus, dass das Auswärtige Amt die Deportationen von Juden widerspruchslos unterstützt habe. Den Angeklagten musste nachgewiesen werden, dass ihnen das weitere Schicksal der deportierten Juden bekannt war und dass sie die amtliche Kompetenz besessen hatten, in das Geschehen einzugreifen. Dies ließ sich am überzeugendsten im Fall Veesenmayer erhärten. Der ehemalige Reichsbevollmächtige in Ungarn musste sich in fünf Anklagepunkten verantworten und wurde schließlich für Verbrechen gegen die Menschlichkeit (Punkt V), Sklavenarbeit (Punkt VII) und Mitgliedschaft in verbrecherischen Organisationen (Punkt VIII) verurteilt.[93] Mit Veesenmayers Berichten an die Zentrale in Berlin konnte die Anklage belegen, dass er die Deportationen aus Ungarn vorangetrieben hatte, dass er über die Tötungen in Auschwitz im Bilde war und dass er in Ungarn mit Rückendeckung des Amtes nach Gutdünken schalten und walten konnte. Veesenmayer räumte freimütig ein, überzeugter Nationalsozialist gewesen zu sein, stritt jedoch jedwede persönliche Verantwortung ab; stattdessen versuchte er ungarische Politiker zu belasten und verwies immer wieder auf Kompetenzstreitigkeiten mit der SS, auf die er die ihm zur Last gelegten Verbrechen abzuladen suchte.

Diese Entlastungsstrategie hatte sich schon vor dem Prozess angedeutet, sodass die Anklage sowohl den vormaligen Reichsverweser von Ungarn, Miklos Horthy, als auch Otto Winkelmann, Veesenmayers Gegenspieler bei der SS, in den Zeugenstand rief. Horthy – eine hochgradig ambivalente Figur im Zusammenhang mit der Verfolgung und Ermordung der ungarischen Juden – berichtete von andauerndem Druck, den Veesenmayer und Winkelmann auf ihn ausgeübt hätten. Winkelmann wiederum, der als SS-Obergruppenführer und Höherer SS- und Polizeiführer in Ungarn selbst vor ein Gericht gehört hätte, kehrte hervor, dass Veesenmayer nie versucht habe, Deportationen zu stoppen.[94] Die Richter Christianson und Maguire kamen zum Schluss, dass Veesenmayer sich »bewusst« an der Deportation der ungarischen Juden beteiligt hatte, »das ihnen bevorstehende Schicksal gekannt und an leitender Stelle freiwillig und mit Eifer an der Durchführung der Abschiebemaßnahmen teilgenommen hat«.

Richter Powers schloss sich diesem Mehrheitsurteil allerdings nicht an. Er kam zu Schlussfolgerungen, deren exkulpatorische Qualitäten denen der Verteidigung in nichts nachstanden. Powers sah in Veesenmayer nicht den »geistige[n] Urheber« von Deportationen und konnte auch »keine besonders antisemitische Haltung« beim ihm entdecken. Der Mann sei zudem nicht in einer Position gewesen, auf die ungarische Regierung Druck auszuüben. Vielmehr müsse man sein Amt in Ungarn als das eines »Briefträger[s]« verstehen, »der Nachrichten zustellt«.[95] Powers wurde von seinen beiden Kollegen überstimmt. Mit einem Strafmaß von 20 Jahren erhielt Veesenmayer eine der höchsten Strafen des Prozesses – und die längste Haftzeit von allen Diplomaten.

Weit schwieriger gestaltete sich die Verurteilung der Angeklagten Weizsäcker und Woermann wegen Verbrechen gegen die Menschlichkeit. Als Beweismittel konnte Kempner unter anderem Einsatzgruppenberichte vorlegen, die von beiden Angeklagten abgezeichnet worden waren. Der in diesem Zusammenhang viel zitierte Tätigkeits- und Lagebericht Nr. 6 der Einsatzgruppen der Sicherheitspolizei und des SD in der UdSSR ließ es an Eindeutigkeit nicht fehlen: »Die Lösung der Judenfrage wurde insbesondere im Raum ostwärts des Dnjepr … energisch in Angriff genommen. Die von den Kommandos neu besetzten Räume wurden judenfrei gemacht. Dabei wurden 4 891 Juden liquidiert.«⁹⁶ In derselben Woche, in der Weizsäcker und Woermann einen weiteren dieser Einsatzgruppenberichte (Nr. 11) zur Kenntnis nahmen, zeichneten sie den Schnellbrief Franz Rademachers vom 20. März 1942 ab, in dem gegen die Deportation von 6 000 französischen und sogenannten staatenlosen Juden aus Frankreich nach Auschwitz »kein Einspruch« erhoben wurde. Mit diesem Brief hatte Kempner Weizsäcker schon im allerersten Verhör konfrontiert. Weizsäcker hatte das Schreiben selbst noch redigiert und die Formulierung »keine Bedenken« in »kein Einspruch« umgewandelt.⁹⁷ Von den 6 078 Juden, die aufgrund des Schnellbriefes verschleppt worden waren, haben nur 180 das Kriegsende erlebt.⁹⁸ In seiner Zelle notierte Weizsäcker zu diesem Beweisdokument, dass ein Veto des Amtes ohnehin keinen Einfluss auf die Entscheidung zur Deportation gehabt hätte, und warf die selbstgerecht-trotzige Frage auf, warum diese Juden nicht zu Beginn der deutschen Besatzung einfach in den unbesetzten Teil Frankreichs geflohen seien.⁹⁹

Die vorgelegten Beweismittel resümierend, gingen die Richter davon aus, dass den Angeklagten Weizsäcker und Woermann klar gewesen sein muss, dass diese Deportationen in den Tod führten. Selbst Weizsäckers Sohn Carl Friedrich hatte ausgesagt, dass man von der Tötung von Juden »selbstverständlich wusste«. Die Richter billigten Weizsäcker lediglich zu, über die Mord*technik* in Auschwitz möglicherweise nicht im Bilde gewesen zu sein.¹⁰⁰ »Als die SS anfragte, ob das Auswärtige Amt irgendwelche Bedenken habe«, hieß es im Urteil, »war es die Pflicht des Angeklagten, auf diese Bedenken hinzuweisen. Das ist die Funktion einer politischen Abteilung und eines Staatssekretärs im Auswärtigen Amt. Diese Pflicht wird nicht dadurch erfüllt, dass man nichts sagt und nichts tut.«¹⁰¹ Unter dem Strich schlossen sich die Richter der Ansicht Kempners an, der in seinem Schlussplädoyer Weizsäckers Opposition als »nichtresistenten Widerstand« (»unresisting resistance«) abgetan hatte.¹⁰² Diese Übereinstimmung mit der Anklagebehörde schlug sich allerdings nicht im Strafmaß nieder. Kempner hatte im Schlussplädoyer auf die Todesstrafe gezielt. Zwar fiel der Begriff selbst nicht, Kempner stellte aber Analogien zwischen den Angeklagten von 1948 und denen des Nürnberger Hauptverfahrens her, die gehenkt worden waren.¹⁰³

Wegen Verbrechen nach Punkten I und V wurden Weizsäcker und Woermann zu jeweils sieben Jahren Haft verurteilt. Das Gericht betrachtete gerade Weizsäcker als jemanden, der nicht nur aufgrund seiner hohen Stellung, sondern auch wegen seiner Parallelkontakte zu Widerstandskreisen vollauf über die NS-Politik informiert gewesen sei. Er sei nicht unwissend hineingeraten, sondern habe diese Politik unterstützt, indem er »in vielen Fällen als ein williger und ernsthafter Mitarbeiter aufgetreten war oder zumindest eine zustimmende Haltung zur Schau getragen« hatte. Die von ihm erteilten Weisungen, die von ihm geführten Besprechungen und die von ihm abgezeichneten Dokumente seien »mehr als ausreichend zu seiner Verurteilung«. Dass er Vorgänge abgezeichnet hatte, gegen die er innere Skrupel hegte, kein gutes Verhältnis zu Ribbentrop hatte und über oppositionelle Aktivitäten informiert war, bezweifelten die Richter nicht. Allerdings nahmen sie den von der Verteidigung inszenierten Widerstandsgeist dem Angeklagten nicht ab. Wieso war ihm seine Opposition nicht bereits in den vielen Vernehmungen vor Prozessbeginn in den Sinn gekommen? Weizsäckers Beteuerung, »dass man Lippendienst geleistet, jedoch insgeheim Sabotage betrieben, dass man ›Ja‹ gesagt und ›Nein‹ gemeint habe«, ließ die Richter unbeeindruckt. Auch Weizsäckers Unwillen, sich im Kreuzverhör eindeutig zu äußern, und seine ständigen Erinnerungslücken selbst bei »wichtigen Vorkommnissen … die sich auch beim besten Willen nicht als gewöhnliche Amtsgeschäfte ansehen lassen«, ließen die Richter an der Aufrichtigkeit des Angeklagten zweifeln. In der komplexen ethischen Frage, die die Verteidigung ihnen vorgelegt hatte, stellten sie fest, dass die Intention, Schlimmeres verhüten zu wollen, eine strafbare Handlung nicht rechtfertige. »Man darf die Begehung eines Mordes nicht gutheißen oder dabei mitwirken, weil man hofft, man könne auf diese Weise die Gesellschaft am Ende von dem Hauptmörder befreien.«[104]

Die Urteilsbegründung für Weizsäcker wurde wiederum nur von den Richtern Christianson und Maguire getragen. Auch bei diesem Angeklagten folgte Richter Powers in seinem abweichenden Urteil der Verteidigungslinie und sah in dem ehemaligen Staatssekretär eine Person ohne Entscheidungs- und Gestaltungsmacht, die aber im Kampf um »Gesittung und Frieden eine heldenhafte Rolle« gespielt habe. Die Aussage Carl Friedrich von Weizsäckers verwarf er, weil sie keine exakte Zeitangabe enthielt, wann Weizsäcker vom Judenmord wusste. Zur Frage der Deportationen, die Weizsäcker mitgezeichnet hatte, meinte Powers, dass

»die Unterlassung einer Moralpredigt … kein Verbrechen« sei. Er plädierte auf Freispruch.[105] Außerdem nahm er Anstoß am Status von Wagner und Thadden als Zeugen und beklagte, »dass die Männer, die ihrer eigenen Aussage nach tatsächlich Kriegsverbrechen begangen zu haben scheinen, in diesen Verfahren nicht auf der Anklagebank sitzen, sondern als Belastungszeugen für die Anklagebehörde aufgetreten sind«.[106]

Angesichts der Aufmerksamkeit, die der Angeklagte Nummer eins, Weizsäcker, auf sich zog, war es für die übrigen Angeklagten das Sicherste, den Kopf einzuziehen. Dies gelang am besten Otto von Erdmannsdorff, dessen Anklage auf so schwachen Füßen stand, dass drei Punkte gegen ihn fallen gelassen werden mussten und nur Menschlichkeitsverbrechen (Punkt V) übrig blieben. Erdmannsdorff selbst hielt es angesichts dieser Lage nicht einmal mehr für nötig, als Zeuge in eigener Sache auszusagen, und wurde schließlich freigesprochen. Das Gericht sah es als erwiesen an, dass er zwar über den Judenmord informiert gewesen war, aber zu wenig Einfluss gehabt hatte, um sich im Sinne des Gerichts schuldig zu machen.

Der einzige Angeklagte, der sich in einem der Anklagepunkte für schuldig bekannte, war Ernst Wilhelm Bohle. Sein Eingeständnis war bei näherem Hinsehen nicht mehr als eine Bestätigung dessen, was ohnehin offen zutage lag, nämlich seine Mitgliedschaft in der SS und im Führerkorps der Partei. Angesichts der Tatsache, dass die Anklage die meisten Punkte gegen ihn aus Mangel an Beweisen hatte fallen lassen und nur Punkt VIII (Mitgliedschaft in verbrecherischen Organisationen) übrig blieb, zu dem er sich ja bekannt hatte, fiel die Strafe mit fünf Jahren Gefängnis relativ hoch aus.[107]

Wilhelm Keppler, Pg seit 1927, einer der »alten Kämpfer«, der auf eine lange Bekanntschaft mit Hitler und Himmler zurückblicken konnte, hatte sich in seiner Position als Staatssekretär zur besonderen Verwendung im AA eher als Vertreter der SS und nicht als Diplomat begriffen. Das Gericht verurteilte ihn für seine Rolle beim »Anschluss« Österreichs und dem Angriff auf die Tschechoslowakei (Punkt I). Seine Verurteilung wegen Menschlichkeitsverbrechen und Plünderungen (Punkte V, VI) machte deutlich, dass er ursprünglich für einen Wirtschaftsprozess vorgesehen gewesen war. Aufgrund seiner Mitgliedschaft in der SS, zuletzt im Rang eines Obergruppenführers, wurde Keppler schließlich auch für Organisationsverbrechen (Punkt VIII) schuldig gesprochen.[108]

Weizsäckers Nachfolger im Amt des Staatssekretärs, Gustav Adolf Steengracht von Moyland, kam mit sieben Jahren davon. Steengracht wurde für Verbrechen gegen die Menschlichkeit (Punkt V) schuldig gesprochen. Ihm wurde seine Beteiligung an antijüdischer Propaganda des Auswärtigen Amts zur Last gelegt, was die Richter als Ausdruck seiner wahren Gesinnung ansahen. Hinzu kam seine Beteiligung an den Judendeportationen aus Ungarn und Rumänien, wobei er sich besonders durch die aktive Verhinderung von Rettungsmaßnahmen für rumänische Kinder hervorgetan hatte.[109] Gemeinsam mit Karl Ritter wurde Steengracht zudem für Kriegsverbrechen (Punkt III) verurteilt. Das Gericht sah es als erwiesen an, dass beide ihren Anteil daran hatten, die Ermordung von 50 britischen Offizieren, die aus dem Kriegsgefangenenlager Sagan in Schlesien geflohen waren, gegenüber der Schutzmacht Schweiz durch Lügen zu vertuschen. Ritter musste sich auch für Lynchjustiz an alliierten Fliegern verantworten und wurde zu vier Jahren Gefängnis verurteilt. Allen Angeklagten wurde ihre Haftzeit seit dem Zeitpunkt ihrer Internierung angerechnet; in Ritters Fall, der bereits im Mai 1945 verhaftet worden war, bedeutete dies, dass er einen Monat nach der Urteilsverkündung ein freier Mann war.[110]

Robert Kempner zeigte sich überrascht, dass »die feinen Herren aus dem Auswärtigen Amt mit den blutgesprenkelten weißen Westen« so milde Strafen erhielten.[111] April 1949 war nicht mehr Oktober 1946. Damit nicht genug: Das Gericht kündigte an, die Urteile noch einmal auf Rechts- und Tatsachenirrtümer zu überprüfen. Der Schritt brachte Weizsäcker, Woermann und Steengracht im Dezember 1949 eine Verkürzung des Strafmaßes von sieben auf fünf Jahre ein. Gegen die Stimme von Richter Christianson wurde die Verurteilung Weizsäckers und Woermanns in Punkt I (Angriffskrieg) aufgehoben, Steengracht konnte sich bei dieser Gelegenheit der Verurteilung für Kriegsverbrechen entledigen.[112]

Aus alliierter Sicht war der Prozess schon rein statistisch kein Erfolg. Die kritischen Worte der Mehrheitsrichter in ihren Urteilsbegründungen schlugen sich weder in den Verurteilungen noch im Strafmaß nieder. Die acht Beschuldigten aus dem ehemaligen Auswärtigen Amt waren in insgesamt 48 Punkten angeklagt, aber nur in 15 Punkten verurteilt worden. In den Anklagepunkten, die am ehesten mit dem diplomatischen Handwerk zu tun hatten – Punkt I: Angriffskrieg, Punkt II: Verschwörung –, kamen nur drei Verurteilungen in Punkt I zustande, von denen zwei nachträglich aufgehoben wurden. Den Anklagepunkt der Verschwörung schloss das Gericht zu Prozessbeginn vollständig aus. Die meisten Verurteilungen erfolgten wegen Menschlichkeits- und Kriegsverbrechen. Die Doppelambition des Nürnberger Projekts, nicht nur individuelle Schuld zu richten, sondern durch Verurteilungen von Verschwörung und Angriffskrieg auch eine bleibende Ächtung des Angriffskriegs im Völkerrecht zu verankern, war damit gescheitert. Gemeinsam kamen die Verurteilten auf Gefängnisstrafen von 60 Jahren, von denen 30 allein auf Veesenmayer und Keppler entfielen. Tatsächlich verbüßt wurden jedoch nur gut 34 Jahre, von denen wiederum 25 Jahre zum Zeitpunkt der Urteilsverkündung als abgegolten angerechnet wurden (einschließlich der 20 Monate Internierung für den freigesprochenen Erdmannsdorff).

Arbeit am Mythos

Im Frühjahr 1947 hatte die alliierte Säuberungspolitik ihren Höhepunkt bereits überschritten. Auch war durch das ein Jahr zuvor von OMGUS eingeführte Spruchkammersystem für die ehemaligen Beamten des gehobenen und höheren Dienstes insofern eine spürbare Erleichterung eingetreten, als es von nun an möglich war, Personen aus dem Freundeskreis oder dem früheren beruflichen Umfeld als Fürsprecher zu aktivieren. Gleichwohl gab es auch zu diesem Zeitpunkt gerade unter den ehemals leitenden Beamten noch viele, deren berufliches Fortkommen durch die politischen Überprüfungen nachhaltig ins Stocken geraten war. Zu diesen gehörte der Berufsdiplomat und ehemalige Vortragende Legationsrat Wilhelm Melchers. Dessen Karriere als führender Nahost-Experte des alten Amtes hatte im September 1937 mit seiner Entsendung an das Konsulat von Haifa begonnen und sich kurz nach Kriegsbeginn mit der Übernahme der Leitung des Orientreferats fortgesetzt. Diese Stellung hatte er noch inne, als ihn die Amerikaner 1945 aus dem öffentlichen Dienst entfernten. Nach mehrmonatiger erzwungener Untätigkeit gelang es ihm im September 1946, beim Evangelischen Hilfswerk in seiner Heimatstadt Bremen unterzukommen.

Ermöglicht worden war dies vor allem durch eine längere Aufzeichnung zum 20. Juli 1944, die er wenige Monate nach Kriegsende für sein Entnazifizierungsverfahren angefertigt hatte.[113] Darin schilderte er aus der Perspektive des eingeweihten Mitverschwörers ein längeres Gespräch, das angeblich zwei Tage vor dem missglückten Attentat mit Adam von Trott zu Solz stattgefunden hatte – der wenige Wochen später hingerichtet wurde. Das im Stil eines Vermächtnisses abgefasste Papier kann als frühes Schlüsseldokument zur amtsinternen Mythenbildung gelten. Melchers erweckte darin zum einen den Eindruck, als ob die verschiedenen, überwiegend unabhängig voneinander agierenden Oppositionsgruppen im Auswärtigen Amt seinerzeit ein gemeinsames politisches und strategisches Kraftzentrum gehabt hätten. Zum anderen wertete er den Kreis um Weizsäcker, den Hassell in seinen Tagebüchern als eher »schwach und beeindruckbar« eingestuft hatte, zu einer Keimzelle des Staatsstreichs vom 20. Juli auf.[114] Randfiguren der Verschwörung, nicht zuletzt der Verfasser selbst, rückten infolge dieser Operation in den Mittelpunkt des Geschehens. Typisch für die Instrumentalisierung des 20. Juli zum Zwecke individueller und kollektiver Selbstentlastung war vor allem ein angeblicher Dialog über die Haltung der alten Fachbeamtenschaft gegenüber Ribbentrops »Nazifizierungsversuchen«. Auf die Frage, ob das Personal nach dem Coup übernommen werden könne, habe Trott in knapper, aber unmissverständlicher Weise entgegnet, der Kern des Amts mit den eigentlich wichtigen Arbeitsgebieten sei »gesund«.[115]

Melchers' Bericht diente als Entréebillet zu einem kleinen Zirkel ehemaliger AA-Beamter, die sich selbst als Träger einer amtsinternen Opposition verstanden, deren tatsächliche Beziehungen zum Widerstand allerdings oft nicht weniger marginal gewesen waren als die des Verfassers. Melchers' Reputation unter den Mitgliedern des sogenannten Freundeskreises wurde denn auch weniger durch persönliche Glaubwürdigkeit oder durch die faktische Evidenz seiner Erzählung beeinflusst. Vielmehr waren es, neben einprägsamen Bildern und Narrativen, vor allem die subtil verpackten politischen Botschaften, die seinen »Entnazifizierungs-Geschichten« ein besonderes Maß an Überzeugungskraft verliehen. Da die nationalsozialistische Judenverfolgung bei vielen Angehörigen des bürgerlich-aristokratischen Widerstands eher zwiespältige Gefühle hervorgerufen hatte, nahmen sie jetzt auch keinen Anstoß daran, dass Melchers während des Krieges Leiter des Orientreferats und damit einer der Hauptverantwortlichen für die antijüdische Propaganda im arabischen Raum gewesen war.[116] Im Gegensatz dazu hielt ihn die amerikanische Besatzungsbehörde wegen dieser Tätigkeit für zu belastet, um ihn in den öffentlichen Dienst zurückkehren zu lassen. Auch machte Melchers' längere krankheitsbedingte Abwesenheit aus Deutschland eine engere Verbindung zum 20. Juli in den Augen der Amerikaner eher unwahrscheinlich.[117]

Als Mitte März 1947 Gaus' Erklärung in der *Neuen Zeitung* erschien, löste dies bei Melchers unverzüglich das starke Bedürfnis aus, sich zu Verfasser und Inhalt zu äußern. Ein erster Brief ging wenige Tage später an Weizsäcker ab, erreichte diesen jedoch nicht mehr, da er sich schon auf dem Weg nach Nürnberg befand. Als weitere Ansprechpartner kamen die Kordts infrage. Theo Kordt und dessen Bruder Erich hatten geholfen, Informationen über Melchers' angebliche Hilfstätigkeit für deutsche Emigranten in Palästina beim Counter Intelligence Corps (CIC) der US-Armee in die richtigen Kanäle zu leiten, und ihn dadurch vorm »Schippen« bewahrt.[117] Zudem stand Erich Kordt seit einiger Zeit in engem Briefkontakt mit Weizsäcker, um dessen Erinnerungslücken bei der Niederschrift seiner Memoiren zu füllen und sich mit Blick auf die bevorstehende Vernehmung in Nürnberg abzusprechen. Der zehn Jahre ältere Theo Kordt war Melchers schon seit 1939 näher bekannt, als er nach seiner Abberufung aus dem Nahen Osten kurzzeitig bei der Berner Gesandtschaft eingesetzt gewesen war.

Dem älteren der beiden Brüder setzte Melchers Mitte April auseinander, was er schon Weizsäcker unterbreitet hatte. Stein des Anstoßes war vor allem Gaus' Formulierung, die deutsche Beamtenschaft habe »12 Jahre lang nur Ergebenheit und Folgsamkeit zur Schau« getragen. Da beabsichtige einer, der diese Ergebenheit selbst mit größtem Eifer exerziert habe, »ganz unauffällig eine gemeinsame Plattform für sich und seine Kollegen zu konstruieren«. Indem Gaus jetzt »Haltet den Dieb!« rufe, versuche er, »den Leumund der ganzen einstigen Kollegenschaft des Auswärtigen Amtes herabzuwürdigen, um dadurch das eigene Niveau zu heben«. Was aber die Motive der Amerikaner betreffe, Gaus' Appell groß herauszubringen, so könne man diesen nur zustimmen, alles zu tun, was der Förderung der historischen Wahrheit diene: »Das Verhalten der gutgesinnten Beamtenschaft des Auswärtigen Amtes« – deren Leitfigur Weizsäcker sei – könne so am besten gerechtfertigt werden.[119]

Wie er sich diese historische Aufklärungsarbeit konkret vorstellte, demonstrierte Melchers an einem kurz zuvor in der Presse aufgetauchten Dokument aus Beständen des Auswärtigen Amtes. Dieses sei von dem ehemaligen Judenreferenten Franz Rademacher unterzeichnet worden und trage Weizsäckers Paraphe. Er frage sich deshalb, ob es nicht wohl an der Zeit sei, »den Versuch zu machen, die ganze Abteilung Deutschland des Herrn Luther und Kameraden, die ja überhaupt nichts mit dem alten AA zu tun hatten, irgendwie etwas mehr in das Rampenlicht zu schieben«. Soweit er wisse, sitze Rademacher zurzeit auf einem leitenden Posten in Hamburg. Er plane, dies dem CIC zu melden, sofern dieses Luthers früheren Mitarbeiter nicht schon längst abgeholt habe. Da eine Figur wie Rademacher wahrscheinlich sogar dazu fähig sei, Dokumente zu fälschen, müsse man Gaus' Erklärung als Gelegenheit begreifen, um der Wahrheit zum Sieg zu verhelfen: »Wir müssen alles aufbieten, um diejenigen herauszufinden, die Aufschluss über das Wirken von Luther, Gaus und anderen Halunken geben können. Erst dann kann sich das Bild des wahren Auswärtigen Amtes und von Weizsäckers richtig abheben.« Es sei nur zu hoffen, dass »die Stunde zur Verteidigung unserer alten Firma nicht verschlafen« werde.[120]

Als knapp zwei Monate später ein öffentlicher Aufruf an ehemalige AA-Bedienstete erging, ihre Wohnadressen im Nürnberger Justizpalast bekannt zu geben, sah Melchers den Zeitpunkt zum Handeln gekommen. Tief besorgt erkundigte er sich erneut bei Kordt, ob an den aus Hamburg stammenden Gerüchten etwas dran sei, dass sich ein Teil der ehemaligen Kollegen ihrer Aufklärungspflicht entziehen wolle. Es sei ein »verheerendes Sammelsurium«, das in Nürnberg »unter unserer alten Firma segeln« solle, und deshalb müsse man jetzt Farbe bekennen: »Ein Schweigen müsste uns duckmäuserisch ausgelegt werden. Wie sehr wird uns unser Schweigen zur Nazizeit zum Vorwurf gemacht!« Um der um sich greifenden Passivität entgegenzuwirken, war Melchers bereits selbst aktiv geworden und hatte sich auch den Amerikanern als »voluntary witness« angeboten. Kordt ließ er den Entwurf eines Briefes an Gaus zukommen, verbunden mit dem Hinweis, das Schreiben sei natürlich vor allem für »andere Leute« gedacht.[121] Darin warf er Gaus vor, dieser habe gegenüber Außenstehenden den falschen Eindruck erweckt, als ob die früheren Kollegen »verstockte Sünder« seien, die durch einen flammenden Aufruf zu »Beichte und Buße« veranlasst werden müssten. Dabei werde übersehen, dass es innerhalb des alten Amtes eine klare Trennungslinie gegeben habe und dass »diesseits dieser Linie unausgesetzt darum gerungen wurde, jene Machenschaften drüben abzugrenzen und aufzufangen, zu durchkreuzen und zu sabotieren oder doch wenigstens in ihren Wirkungen abzuschwächen«. Er selbst habe von Dezember 1939 bis zum Zusammenbruch ununterbrochen in der Politischen Abteilung gearbeitet. Deshalb glaube er guten Gewissens sagen zu können: »Es wurde ganz wacker Widerstand geleistet.«[122]

Weizsäcker, der nach dem Eindruck seines britischen Vernehmers seit seinem selbst gewählten vatikanischen Asyl mit einer Art »Heiligenschein« herumlief,[123] rechnete offenbar bis zu den ersten Verhören durch Kempner im März 1947 weder mit einer Anklageerhebung noch mit der Möglichkeit, als Hauptangeklagter eines Strafprozesses zu figurieren. Im Juni erkundigte er sich bei Otto Kranzbühler, ob dieser eventuell zur Übernahme eines Mandats bereit sei. Der viel beschäftigte Strafverteidiger, wie Weizsäcker ehemaliger Marineangehöriger, hatte sich im Hauptprozess einen Namen gemacht, als er den Hitler-Nachfolger Admiral Dönitz engagiert gegen den Vorwurf der Kriegsverbrechen verteidigte. Zwar wisse er noch nicht, ob er zu den Beschuldigten zählen werde, so Weizsäcker an Kranzbühler, sollte dies aber der Fall sein, gerate das Gericht ihm gegenüber »in eine völlig falsche Front«. Grundsätzlich sei sein Fall »juristisch einfach«, jedoch mit größerem Aktenstudium verbunden. Vorsorglich sei deshalb bereits der »sehr intelligente jüngere Anwalt, der mir persönlich nahe steht und in der hies[igen] Gegend wohnt«, von ihm in der Angelegenheit kontaktiert worden.[124]

Als Kranzbühler signalisierte, er werde wegen seiner Verpflichtungen in anderen Nachfolgeprozessen den Fall Weizsäcker leider nicht übernehmen können, war das die Chance für Hellmut Becker, den besagten jüngeren Anwalt aus der Gegend. Becker war seit vielen Jahren mit Weizsäckers ältestem Sohn Carl Friedrich befreundet und auch sonst über gemeinsame Bekannte und Freunde dem Weizsäcker-Clan auf das Engste verbunden. Selbst aus einem linksliberalen Akademikerhaus stammend – sein 1933 verstorbener Vater Carl Heinrich Becker war als preußischer Kultusminister den im Vormarsch begriffenen völkischen Hochschulgruppen entschieden entgegengetreten –, hatte sich der Salem-Schüler in den dreißiger Jahren schrittweise mit den neuen Verhältnissen arrangiert und war im Mai 1937 schließlich der NSDAP beigetreten – ein Sachverhalt, den er nach Kriegsende offenbar selbst engsten Familienangehörigen verschwieg.[125] Nach Abschluss seines Jurastudiums und dem zweiten juristischen Staatsexamen nahm Becker erst am Jugoslawien-, dann am Russlandfeldzug teil, wo er als Unteroffizier einer Gebirgsjäger-Division schwer verwundet wurde.[126] Durch die Kriegsverletzungen dauerhaft behindert, ließ er sich nach dem Krieg gemeinsam mit seiner französischstämmigen Frau in Kressbronn am Bodensee nieder, wo er eine Anwaltskanzlei eröffnete. In dieser Zeit konnte er in Verfahren vor französischen Militärgerichten erste Erfahrungen sammeln, bevor er ab August 1947 für Weizsäcker im Fall 11 aktiv wurde. Unterstützt wurde er von Weizsäckers jüngerem Sohn Richard, der dafür sein Jurastudium in Göttingen unterbrach.

Juristische und organisatorische Schützenhilfe leisteten des Weiteren der Jurist und »Common Law«-Experte Karl Arndt und der Ex-Diplomat Sigismund von Braun. Zu Letzterem hatte Weizsäcker seit der gemeinsamen Zeit an der deutschen Botschaft beim Vatikan eine enge, fast freundschaftliche Beziehung aufgebaut. Zudem hatte sich Braun nach seiner Rückkehr aus Rom zeitweise als Bearbeiter der IMT-Aktenedition betätigt, was ihn zweifellos qualifizierte. Auf Betreiben der Weizsäcker-Familie wurde gegen Jahresende zudem der amerikanische Anwalt Warren E. Magee ins Boot geholt.[127] Auf Magee war man möglicherweise auch deshalb aufmerksam geworden, weil er bereits eine Reihe von amerikanischen Staatsbürgern verteidigt hatte, die als ehemalige Mitarbeiter der AA-Auslandspropaganda nach dem Krieg in den USA wegen Landesverrats vor Gericht gestellt worden waren.[128]

Im näheren und weiteren Umfeld des Becker-Teams tummelten sich zudem eine Reihe von Familienangehörigen, Weizsäcker-Vertrauten und früheren Berufskollegen, von denen jeder auf eigene Weise dazu beitragen wollte, dem Angeklagten irdische Gerechtigkeit widerfahren zu lassen. Neben Richard Weizsäckers Ehefrau Marianne, Bruder Viktor und dem ältesten Weizsäcker-Sohn Carl-Friedrich war auch dessen Frau Gundalena von Weizsäcker-Wille, eine aus der Schweiz stammende Historikerin und Journalistin, in die Arbeit der Verteidigung einbezogen. Zu »Gundis« vorrangigen Aufgaben zählte es, den Kontakt zu ihrem zaudernden Doktorvater Carl J. Burckhardt nicht abreißen zu lassen, dessen Aussage man dringend zu benötigen glaubte.[129] Für finanzielle Absicherung sorgten die Schweizer Familien Schwarzenbach und Wille, als »graue Eminenz« im Hintergrund wirkte Weizsäckers langjähriger Freund Robert Boehringer.[130] Der Wahlschweizer, Berater der Pharma-industrie und Verwalter des Stefan-George-Nachlasses, den Weizsäcker Anfang der zwanziger Jahre während seiner Zeit beim Völkerbund ken-nengelernt hatte, war während des gesamten Verfahrens einer der wich-tigsten Ansprechpartner für die Anwälte – etwa indem er dabei half, Kontakte zu Schweizer Honoratioren herzustellen, oder hochkarätige Entlastungszeugen auf gut dotierten Firmenposten unterbrachte.[131]

Da außer dem meist in Rom weilenden Braun keiner aus dem Vertei-digerteam mit der Institution »Wilhelmstraße« und deren Geschichte nach 1933 näher vertraut war, wurden Becker und seine Mitstreiter zu-dem durch eine Gruppe von Ex-Diplomaten eingerahmt, die sämtlich aus dem *inner circle* des alten Amtes stammten: Neben Schroeder, Mel-chers und den Kordt-Brüdern gehörten dazu Gottfried von Nostitz, Has-so von Etzdorf und Albrecht von Kessel, die ihrem früheren Chef den Rücken zu stärken suchten. Letzterer hatte Weizsäcker während der ge-meinsamen Zeit an der Vatikan-Botschaft bereits als künftigen Außen-minister einer neuen deutschen Regierung gesehen – eine Auffassung, an der er auch nach dem Krieg festhalten sollte.

An der Meinungsfront, die aus Sicht der Verteidigung besondere Beachtung verlangte, kämpften mit Hans-Georg von Studnitz, Marion Gräfin Dönhoff, Margret Boveri, Thilo Bode und Ursula von Kardorff Personen, die über weitreichende nationale und internationale Kontakte und gute Einblicke in die Personalverhältnisse der westlichen Besatzungs-behörden verfügten. Vor allem brachten sie Stallgeruch mit: Studnitz hatte vor 1945 in der von Paul Karl Schmidt geleiteten Presseabteilung des AA gearbeitet, Bode war ehemaliger Kapitänleutnant der deutschen Kriegsmarine, Dönhoff und Kardorff entstammten einer Dynastie preu-ßischer Diplomaten.[132] Eine wichtige Rolle war auch Albert Oeri zuge-dacht, dem Chefredakteur der *Basler Nachrichten* und Großneffen Jacob Burckhardts; er hatte Gundalenas Karriere als Auslandskorrespondentin im braunen Berlin entscheidend gefördert und sah sich nun gegenüber Weizsäcker in der Pflicht. Obgleich Becker die juristische Dimension des Falls Weizsäcker nicht für die entscheidende hielt und er zudem laut eigenem Bekunden dem Völkerrecht mit einer Mischung aus »Misstrau-en« und Desinteresse gegenüberstand, glaubte er dennoch auf den Rat ausgewiesener Experten nicht verzichten zu können.[133] Neben Erich

Kaufmann, einem nationalkonservativen Staats- und Völkerrechtler, der 1935 – aufgrund einer Intervention seines ehemaligen Schülers Carl Schmitt – zwangsemeritiert worden war und 1939 in die Niederlande emigrierte, lieferten vor allem Ernst Rudolf Huber und Wilhelm Grewe wichtige Argumentationshilfen, um den von der Verteidigung postulierten Rechtfertigungs- beziehungsweise Schuldausschließungsgrund des »übergesetzlichen Notstands« und die angeblich vorhandene »tragische Pflichtenkollision« juristisch zu untermauern.[134] Beckers Verbindung zu Huber ging auf die Vorkriegszeit zurück: Der Verfasser des »staatsrechtlichen Hauptwerks des Nationalsozialismus« (Michael Stolleis) und führende Vertreter der »Kieler Schule« war vor 1945 zeitweise Beckers Chef und »Beinahe-Doktorvater« gewesen; nach 1945 unterstützte ihn Becker bei der Entnazifizierung.[135]

Abgesehen davon, dass es den deutschen Anwälten anfangs recht schwer fiel, sich auf die strafprozessualen Besonderheiten des angloamerikanischen Parteienprinzips einzustellen, bedeutete auch die spezielle Strategie der Anklagebehörde, die juristische Verantwortlichkeit des Angeklagten anhand eines großen Fundus von Originalakten zu belegen, eine nicht geringe Herausforderung. Die Entwicklung einer gemeinsamen Abwehrlinie konnte erst nach Einreichung der Anklageschrift am 1. bzw. 15. November 1947 in Angriff genommen werden. So waren die ersten Wochen und Monate nach Weizsäckers Verhaftung vor allem dadurch geprägt, dass man sich – größtenteils auf quasikonspirativen Wegen und durch vorsichtiges Taktieren – ein Bild davon zu machen suchte, ob tatsächlich mit einer Anklage zu rechnen war und welche Vorwürfe dabei vermutlich erhoben würden. Während Becker im Oktober noch davon ausging, das Verfahren gegen »Ernst's Verein« könne sich infolge der drängenden Geldprobleme, mit denen das OCCWC kämpfte, in Kürze von selbst erledigt haben, wurde er zwei Wochen später auf den Boden der Tatsachen geholt. »Nürnberg« komme einem immer »gespenstischer« vor, schrieb er an Gundalena: Das Ganze erinnere ihn »an die Nazis in den letzten zwei Kriegsjahren«, als diese, das baldige Ende vor Augen, sich zu immer »größeren Unsinnigkeiten« verstiegen hätten.[136]

Solange noch nicht völlige Klarheit herrschte, ob Weizsäckers Name tatsächlich auf der Anklageliste stand, kam es aus Sicht der Verteidigung vorrangig darauf an, die Ex-Diplomaten auf Linie zu bringen. Als im Spätsommer das Gerücht auftauchte, neben dem abtrünnigen Gaus hätten sich auch der Nahost-Experte Werner Otto von Hentig und Herbert von Dirksen als Zeugen der Anklage zur Verfügung gestellt, löste dies vorübergehend Alarmstimmung aus. Während Hentig im Oktober klarstellte, er habe – nicht zuletzt aufgrund seines bekanntermaßen angespannten Verhältnisses zu Weizsäcker – vor, »aus dem ganzen Prozess herauszubleiben«, vollzog Dirksen drei Monate später eine Wendung um 180 Grad und machte Becker das Angebot, nach seiner Vernehmung durch die Amerikaner zugunsten von Weizsäcker auszusagen.[137] Anlass war ein Rundschreiben, das Becker zwei Wochen vor Weihnachten an alle erreichbaren »Ehemaligen« geschickt hatte. Darin wurden Weizsäckers ehemalige Kollegen nicht nur mit den wichtigsten der etwa 70 Punkte umfassenden Anklageschrift bekannt gemacht, sondern auch aufgerufen, den Angeklagten durch Abgabe einer eidesstattlichen Erklärung von den erhobenen Vorwürfen zu entlasten.[138]

Angesichts der Vehemenz, mit der sich Wilhelm Melchers seit Sommer in der Angelegenheit seines früheren Chefs engagierte, war es kaum überraschend, dass er zu den Ersten gehörte, die sich auf den Aufruf meldeten. Bereits Ende August, kurz nach der Vernehmung durch Kempner, hatte der »Arabist« einen Ersten Versuch unternommen, Kontakt zu Becker herzustellen. Der hatte zunächst reserviert reagiert, zumal Melchers seine Eignung als Entlastungszeuge mit der Bemerkung zu unterstreichen suchte, er habe im alten Amt viel mit »Judenfragen« zu tun gehabt.[139] Anfang Januar 1948, als er erneut in Kressbronn anklopfte, stellte er sich nicht mehr nur als Experte für auswärtige Judenpolitik vor, sondern empfahl sich darüber hinaus als Vertrauter des früheren stellvertretenden Personalchefs Helmut Bergmann. Dieser befinde sich leider in »russischen Händen«, habe ihn aber seinerzeit in vieles eingeweiht; von daher wisse er, dass Bergmann Weizsäckers Verbündeter in geheimen Personalfragen gewesen sei. Beide hätten das Ziel verfolgt, durch »Verteilung zuverlässiger Leute überall hin möglichst viel Unheil zu verhüten, den Rest deutschen Ansehens im Ausland zu retten und die Ereignisse im Sinne eines Gegenwirkens zu überwachen und entsprechende Informationen zu beschaffen«.[140]

Zu denen, die Melchers in seinem Brief an Becker als »ganz typische Widerstandsleute« identifizierte – als Exponenten einer an Bergmanns Vorgesetztem Schroeder vorbei betriebenen »zielbewusste[n] Personalpolitik von Weizsäckers« –, gehörten neben den Brüdern Kordt die Vortragenden Legationsräte Hans Bernd von Haeften, Hasso von Etzdorf und Gottfried von Nostitz.« Wäre Becker mit den Personalverhältnissen des alten Amtes besser vertraut gewesen, hätte er zweifellos bemerkt, dass Schroeder und Bergmann keinesfalls so weit auseinanderlagen, wie hier behauptet wurde; zudem wäre ihm aufgefallen, dass von einer zielgerichteten Verteilung strategisch wichtiger Posten schon bald nach Kriegsbeginn nicht mehr die Rede sein konnte, da sowohl die wachsende Entfremdung untereinander als auch die Versetzung einzelner Vertrauter dazu führten, dass der Kreis um Weizsäcker mehr und mehr zerfiel.

Zwar kam Melchers mit seinem Vorschlag, die beiden Kordts über Weizsäckers Geheimkontakte zu Vertretern des Foreign Office zu befragen, einige Wochen zu spät (Becker hatte bereits Ende November Kontakt zu Erich Kordt aufgenommen).[141] Andere seiner Anregungen jedoch wurden dankbar aufgegriffen. Vor allem Melchers' Aperçu, die Diplomaten des Dritten Reiches hätten sich in einer Zwangslage befunden, die an jene von Talleyrand unter Napoleon erinnere, fand Beckers begeisterten Zuspruch – kam darin doch zum Ausdruck, dass wirksamer Widerstand gegen das NS-Regime nur aus einer verantwortlichen Position heraus möglich gewesen war, in der die Beteiligung an Verbrecherischem quasi zum Alltagsgeschäft gehörte.[142] Da jede Widerständigkeit einen hohen Aufwand an Tarnung erforderte, habe Mitarbeit nicht etwa Übereinstimmung mit den Zielen der nationalsozialistischen Außenpolitik, sondern Camouflage zum Zwecke einer langfristigen Beseitigung des Systems bedeutet. Das klassische Rechtfertigungsargument des Staatsbeamten, aus Loyalität auf dem Posten geblieben zu sein, verwandelte sich auf diese Weise in eine politisch-moralische Pflicht zum Ausharren und Mitmachen.

Derart hochfliegende Analogien evozierten ein Gefühl historischer Bedeutsamkeit inmitten des täglichen Spruchkammer-Einerlei und dienten dazu, die Rolle der Diplomaten im Dritten Reich aus ihrem historischen Kontext zu lösen und ihre »inneren Kämpfe« zu einem überzeitlichen Konflikt zu stilisieren. So wurde ein Moralkodex konstituiert, der über den eklatanten Verlust an verbindlichen Wertvorstellungen und Orientierungsmaßstäben hinweghelfen sollte. In diesen frühen Selbstverständigungsdiskursen wurden Deutungsmuster entwickelt, anhand derer die verschiedenen Stufen des Sich-Arrangierens mit dem Nationalsozialismus nachträglich als vernunftbetontes Verhalten rationalisiert werden konnten. Damit verbunden war ein hierarchisch abgestuftes System von Distinktionen, mit dessen Hilfe man sich Klarheit über akzeptable und nicht mehr akzeptable Verhaltensweisen verschaffen konnte – und damit indirekt auch über die Frage, wer künftig als reaktivierbar gelten konnte und wer nicht.

Während das Verbleiben im Amt grundsätzlich mit Prinzipienfestigkeit und Mut gleichgesetzt wurde, rangierte der aktive Rückzug aus dem Auswärtigen Dienst am unteren Ende der Skala des moralisch Vertretbaren. Ironischerweise blieb es dem jüdischen Überlebenden Erich Kaufmann überlassen, diesen Standpunkt stellvertretend für das Kollektiv von Ehemaligen auf den Punkt zu bringen:»Ein Sichzurückziehen in die Passivität des zuschauenden privaten Daseins – des, wie man gesagt hat: ›gemütlichen Kettenrasselns im großen Kreis der inneren Emigration‹, war jedenfalls nicht die einzig mögliche Haltung pflichtbewusster Deutscher. Und so hoch auch ein aus Motiven der persönlichen Moral vorgesehenes Ausscheiden aus Ämtern zu bewerten ist, weil man glaubte, vorauszusehen, dass auf Mäßigung oder Wandlung des Nationalsozialismus nicht zu hoffen sei, so lief doch solches Verhalten auf eine Befriedigung privaten Moralempfindens und auf eine Art Katastrophenpolitik heraus, die nicht jedermanns Sache ist. Und gerade verantwortungsvolle Männer konnten und durften es als ihre Pflicht ansehen, sich in den Fluss des Geschehens einzuschalten, um den Dingen eine Wendung zu geben, die nicht nur Unheil verhindern, als auch zum Guten dienen konnte. In einer solchen Aktivität lag auch eine Art Heroismus, die Verständnis und Anerkennung fordert.«[143] Teils spiegelten sich in derartigen Zuschreibungen ältere Einstellungen wider, die bereits kurz nach Hitlers Machtübernahme einer Fraktionierung und Entsolidarisierung innerhalb des Dienstes Vorschub geleistet hatten. Teils äußerte sich darin aber wohl auch das gemeinsame Aufbegehren gegen die Hartnäckigkeit einer Anklagebehörde, die nicht müde wurde, den Fall des 1933 zurückgetretenen Washingtoner Botschafters Friedrich von Prittwitz und Gaffron zur alleingültigen Norm zu erheben.

Nürnberger Netzwerke

Durch den Kollaborationsvorwurf nachhaltig herausgefordert, nahm eine Vielzahl ehemaliger Wilhelmstraßen-Mitarbeiter das Verfahren gegen Angehörige ihrer früheren Behörde zum Anlass, den Geschichtsauffassungen der Anklagebehörde mit konkurrierenden Deutungen entgegenzutreten. »Nürnberg« bildete in der Übergangsphase zwischen Zusammenbruch und Neuanfang eine Art Versuchsgelände, auf dem die entscheidenden Weichenstellungen für die »gereinigte Erinnerung« vorgenommen wurden.[144] Die Suche nach einer konsensfähigen und vorzeigbaren Vergangenheit war kein autochthoner Prozess, sondern gestaltete sich in Form wechselseitiger Beeinflussung zwischen Staatsanwaltschaft, Verteidigern, Mitangeklagten und Zeugen auf der einen Seite sowie veröffentlichter Meinung und privaten Prozessbeobachtern auf der anderen. Obwohl die recht rigiden Bedingungen des Haftortes Nürnberg regelmäßig von den Anwälten und den Familienangehörigen der Angeklagten moniert wurden, erwiesen sich die praktischen Hemmnisse beim wechselseitigen Informationsaustausch im Fall der Diplomaten langfristig als eher vorteilhaft für die Konstruktion einer kanonisierten Vergangenheitsdeutung. Diejenigen unter den Nürnberger Verteidigern, die bei der Ausgestaltung und Verbreitung von Sprachregelungen eine tonangebende Rolle spielten – neben Becker anfangs auch der ehemalige Gesandtschaftsrat Ernst Achenbach, der sein Mandat 1948 wegen einer drohenden Anklageerhebung niederlegen musste[145] –, konnten über kurz oder lang die meisten ihrer Kollegen davon überzeugen, dass es im Sinne aller Beteiligten war, Streitpunkte und Gegensätze bis auf Weiteres zu begraben und sich stattdessen auf die Abstimmung einer einheitlichen Argumentationslinie zu konzentrieren.

Die rhetorischen Eckpfeiler der amtsinternen Abwehrstrategie, die in Nürnberg so weit ausdifferenziert wurde, dass während der folgenden Jahrzehnte nur noch unwesentliche Verfeinerungen und Ergänzungen vorgenommen werden mussten, lassen sich in wenigen Stichworten zusammenfassen. Wie andere führende Vertreter der NS-Eliten, die nach der Kapitulation in die Mühlen der alliierten Justiz geraten waren, propagierten auch die Diplomaten das Selbstbild des unpolitischen Staatsdieners, der dem Regime von Anfang an mit innerer Distanz und Ablehnung gegenübergestanden habe. Besonders greifbar wurde diese Sicht auf die eigene Geschichte in der Vorstellung, das Reichsaußenministe-rium habe in Wirklichkeit aus zwei voneinander unabhängigen Ämtern bestanden, die sich unaufhörlich bekämpften und beschatteten.

Konfrontiert mit den personalpolitischen Eingriffen nach der Macht-übernahme und der Einberufung von SS-Gruppenführer Josias zu Wal-deck und Pyrmont in die Personalabteilung, habe das alte Amt gegen die fortschreitende »Nazifizierung« und Entprofessionalisierung zunächst opponiert, diese Haltung aber aufgrund der außenpolitischen Erfolge Hitlers gegen Ende der dreißiger Jahre mehr und mehr zugunsten kurz-fristiger taktischer Manöver aufgeben müssen. Nachdem sich verschiedene Parteiorganisationen – allen voran die Dienststelle Ribbentrop bezie-hungsweise das spätere Büro Reichsaußenminister, die Auslandsorgani-sation und das Außenpolitische Amt der NSDAP sowie Himmlers SS – sukzessive aller strategisch wichtigen Positionen bemächtigt hätten, sei es nur noch innerhalb gewisser Nischen und Schutzzonen möglich gewe-sen, althergebrachte fachliche Standards einzuhalten und verfolgte Kolle-gen vor dem Zugriff der Exekutive abzuschirmen. Nachdem man sich in den Anfangsjahren vor allem darauf konzentriert habe, die Auswüchse der radikalen Außenpolitik zu hemmen und abzumildern, habe mit der Ablösung Neuraths durch Ribbentrop und der kurz darauf folgenden kri-senhaften Zuspitzung der außenpolitischen Situation unter den höheren Beamten alter Prägung ein allmählicher Umdenkungsprozess eingesetzt.

In dem Maße, in dem die zunächst nur am Horizont erkennbare Ge-fahr eines »großen Krieges« in greifbare Nähe gerückt sei, hätten sich mehrere führende Amtsangehörige – unter ihnen auch der 1938 zum Staatssekretär berufene Weizsäcker – erstmals näher mit dem Gedanken eines Staatsstreichs befasst. Gleichzeitig habe man die Fühler in Rich-tung Großbritannien ausgestreckt, um die Engländer zu einem unnach-giebigeren Auftreten gegenüber Hitlers Expansionsgelüsten anzuhalten. Diese Linie, die teilweise bis an den Rand des Landesverrats gegangen sei,[146] habe man auch nach Kriegsausbruch unter nochmals erschwerten Bedingungen und trotz der als verheerend empfundenen »Casablanca-Formel« von der bedingungslosen Kapitulation aufrechterhalten.[147]

In die Verbrechen des Dritten Reiches sei das »alte« Amt nur insofern verwickelt gewesen, als es in Anbetracht zu erwartender negativer Reak-tionen aus dem Ausland des Öfteren um eine Einschätzung gebeten wor-den sei. Nach und nach an den Rand des politischen Entscheidungszentrums gedrängt, hätten sich die Berufsdiplomaten im Wesentlichen darauf beschränkt, auf die unerwünschten außenpolitischen Rückwirkungen des scharfen innenpolitischen Vorgehens gegen Juden und andere Minderheiten aufmerksam zu machen. Gleichzeitig aber habe sich innerhalb der Behörde eine neue Abteilung etablieren können, die die nationalsozialistische Rassendoktrin in enger Abstimmung mit dem Reichssicherheitshauptamt praktisch umgesetzt habe. Die von Martin Luther geleitete Abteilung Deutschland beziehungsweise deren Nachfolgerin Referat Inland II unter dem Ribbentrop-Günstling Horst Wagner seien aber Fremdkörper innerhalb der Behörde geblieben, was nicht zuletzt mit deren konspirativer Arbeitsweise zu tun gehabt habe.[148]

Dass sich in den schriftlichen Hinterlassenschaften der Abteilung Luther dennoch hätten Spuren finden lassen, die auf die Einbeziehung und Beteiligung anderer Abteilungen hindeuteten, hänge vor allem mit dem usurpatorischen Selbstverständnis Luthers zusammen. Um sich der Gefolgschaft der altgedienten Beamtenschaft zu versichern, habe er dafür gesorgt, diese mit Verfolgungsmaßnahmen in Verbindung zu bringen, indem er sie gezwungen habe, »judenfeindliche Dokumente und Vorlagen abzuzeichnen«.[149] Damit seien die Berufsdiplomaten vor die Wahl gestellt worden, entweder eine Paraphierung solcher Dokumente abzulehnen und dadurch dem amtsinternen Widerstand einen schweren Schlag zu versetzen oder aber die antijüdischen Maßnahmen, die ohnehin bereits beschlossene Sache gewesen seien, zum Schutz der eigenen Person und anderer gefährdeter Kollegen scheinbar zu befürworten. Trotz aller Vorsichtsmaßnahmen habe aber letztlich nicht verhindert werden können, dass die amtsinterne Oppositionsbewegung nach der Niederschlagung des Aufstands vom 20. Juli 1944 unter allen Reichsbehörden den höchsten Blutzoll habe entrichten müssen.[150]

Dies war, cum grano salis, die AA-eigene Version einer verkürzten Erzählung vom Nationalsozialismus, in dem mehr oder weniger alle Deutschen Opfer eines von Hitler verursachten Krieges geworden waren.[151]

Während des Flick-Prozesses, der im Dezember 1947 mit einem äußerst milden Richterspruch geendet hatte, war der ehemalige Flottenrichter Kranzbühler der Anklagevertretung mit dem Vorwurf entgegengetreten, es gehe ihr gar nicht um die Bestrafung von Verbrechern, Ziel der Nachfolgeprozesse sei vielmehr, die bürgerlichen Eliten Deutschlands dauerhaft zu demontieren. An diese Argumentationslinie suchte einige Monate später auch Weizsäckers Anwaltsteam anzuknüpfen. So widersprachen Becker und Magee in ihrem »Opening Statement« vehement Taylors Einschätzung, die Angeklagten stünden »zuoberst auf der diplomatischen Tafel der Unehre«. Seit die Nürnberger Verfahren ihren internationalen Charakter verloren hätten, seien nicht mehr – wie noch im IMT – Kriegsverbrecher, sondern nacheinander die führenden Schichten des deutschen Volkes vor Gericht gestellt worden. Die Anklage habe das »grelle Licht der angeblichen Hauptschuld an den Kriegsverbrechen zunächst auf die Ärzte, dann die Industriellen, dann die Generäle« gerichtet. Zum Finale würden nun die Diplomaten auf die Bühne geholt und der Planung und Teilnahme an Angriffskriegen und sogenannten Kriegsverbrechen bezichtigt. Während in gewöhnlichen Strafverfahren die grundlegende Frage sei: »Wer hat persönlich das Verbrechen angestiftet oder wer hat es persönlich ausgeführt und unmittelbar bei der Ausführung mitgewirkt?«, laute die Frage jetzt offenbar: »Wer wusste von einem Verbrechen und hat ihm nicht widersprochen?« Diese Dehnung des Begriffs der Beteiligung habe es der Staatsanwaltschaft ermöglicht, »praktisch jedermann« in Deutschland anzuklagen. Außerdem scheine sich der Angriff nicht gegen die persönliche Schuld der einzelnen Angeklagten zu richten; der Anklage gehe es vielmehr darum, die Schuld ganzer Schichten, zum Beispiel »*der* deutschen Industrie, *der* deutschen Generäle, *des* deutschen Beamtentums, *der* deutschen Diplomatie« festzustellen.[152]

Mit seiner Salve gegen »Nürnberg«, abgefeuert zu Beginn der Berlin-Blockade, lag das deutsch-amerikanische Juristengespann nicht ganz falsch. Das OCCWC zielte in der Tat in Anknüpfung an Franz Neumanns Vier-Säulen-Modell auch auf eine symbolische Abrechnung mit ausgewählten Repräsentanten der deutschen Funktionseliten, deren Mitverantwortung für die Hitler'sche Wiederaufrüstungs- und Kriegspolitik als erwiesen galt. Gleichwohl schossen Becker und Magee mit ihrem Vorwurf, die Strafjustiz werde damit zu einem Instrument des »social engineering« degradiert, mit dem eine ganze gesellschaftliche Schicht – Wirtschafts- und Bildungsbürgertum, Militärs und Beamte – auf einen Schlag ausgeschaltet werden solle, weit über das Ziel hinaus. Während in der sowjetisch besetzten Zone zu dieser Zeit tatsächlich eine »Revolution von oben« durchgeführt wurde, für die man sich aus taktischen Gründen immer wieder auch vergangenheitspolitischer Instrumente bediente, gingen die Amerikaner die Sache weniger ideologisch als vielmehr pragmatisch an – und im Übrigen weniger blutig. Aber solche fundamentalen Unterschiede wollte die Verteidigung nicht sehen, ja, sie wurden nicht einmal mehr untereinander thematisiert.[153] Es war diese disproportionale Wahrnehmung von tatsächlichem und vermeintlichem Unrecht, die dem alsbald auf breiter Front einsetzenden Kampf gegen das »System von Nürnberg« den ihm eigenen Überschuss an Energie und Emphase verleihen sollte.

Im Gegensatz zu den Angeklagten in den Industrieprozessen, die sich bei der Koordinierung ihrer Verteidigungsstrategie auf eine hocheffiziente, finanziell wie personell bestens ausgestattete Infrastruktur stützen konnten, waren die Diplomaten auf das persönliche Engagement ihrer Anwälte und die ehrenamtliche Unterstützung durch Freunde, Berufskollegen und Sympathisanten angewiesen. Erste wichtige Schritte zur »Mobilisierung der Abwehr« waren bereits im September 1947 von Genf aus erfolgt. Der Theologe Adolf Keller, ein führender Schweizer Ökumeniker mit ehemals losen Verbindungen zum Goerdeler-Kreis, der seit Weizsäckers Festnahme in ständigem Briefkontakt mit dessen Schwiegertochter Gundalena stand, ließ mitteilen, er habe bereits eine Reihe hochrangiger Persönlichkeiten auf den Fall des Staatssekretärs angesprochen. Außer Bundesrat von Steiger seien auch die deutschen Bischöfe Wurm und Dibelius verständigt worden. Ein Besuch in Rom habe ergeben, dass sich der Vatikan »auf eigene Weise einsetzen« werde. Außerdem sei ein Artikel, den er vor Kurzem für die *Neue Zürcher Zeitung* verfasst habe, an Clay, Botschafter Myron Taylor, einen befreundeten Referenten im State Department sowie an den prominenten Journalisten Walter Lippman gegangen. Auch Kempner habe eine Kopie erhalten, verbunden mit einem längeren Anschreiben, in dem ihm empfohlen werde, den Fall Weizsäcker »nicht nur von der kriminal[istischen] Seite« zu beurteilen, sondern ihn auch als einen typischen Ausdruck der »Tragik des Beamtentums« zu sehen. Geplant sei darüber hinaus ein Artikel über »Psychologie und Ethos des Widerstandes« in der amerikanischen Presse. Wichtig sei jetzt, sich vermehrt um »entlastendes Material von jüdischer Seite« zu bemühen. Außerdem sollten Ankläger und Publikum mit Aussagen angesehener Persönlichkeiten des öffentlichen Lebens bombardiert werden, denn so ließen sich am effektivsten »etwaige Schuldelemente entkräften, die ja auch bei tausend von andern Staatsbeamten« gefunden werden könnten.[154]

Dieser Vorschlag Kellers erschien den Weizsäcker-Verteidigern besonders vielversprechend, zumal es ihnen trotz der vom Gericht eingeräumten Sondergenehmigung, Akten aus dem Berlin Document Center (BDC) einsehen zu dürfen, in der Kürze der Zeit nicht möglich war, den Informationsvorsprung des OCCWC-Teams einzuholen. Zahlreiche Vertreter aus Politik, Diplomatie, Wissenschaft, Publizistik und Klerus – darunter auch Ausländer und Deutsche, die seinerzeit von den Nationalsozialisten ausgebürgert worden waren – wurden gebeten, beglaubigte Zeugenaussagen abzugeben, sogenannte »Affidavits« (nicht wenige stellten sich der Verteidigung ungefordert zur Verfügung, um ihre Lesart der Geschichte vor Gericht zu vertreten). Der Wert von Affidavits wurde durch drei Kriterien bestimmt. Erstens durch die spezifische Qualität der Zeitzeugenschaft; aus diesem Umstand sowie aus der Tatsache, dass die Zeugen ihre Darstellung der Geschehnisse hinterher zu Papier gebracht hatten, leitete die Verteidigung einen erhöhten Wahrheitsgehalt gegenüber dem zeitgenössischen Verwaltungsschriftgut ab.[155] Zweitens zeichneten sich fast alle Texte durch eine starke Tendenz zum Anekdotischen, Episodenhaften und Bildlichen aus, was implizit die Existenz eines gemeinsamen Erfahrungshorizontes voraussetzte. Drittens handelte es sich größtenteils um personalisierte Erzählungen, wohingegen der zeithistorische Kontext in der Regel ausgeklammert blieb. Aufgrund dieser Eigenschaften erzeugten sie in ihrer Gesamtheit ein starkes Gefühl von Übereinstimmung und Zusammengehörigkeit, das es in dieser Form – so darf man wohl vermuten – in der Realität nur höchst selten gegeben hatte. Ebenso wie die zu dieser Zeit vielfach kursierenden Spruchkammerzeugnisse oder die ab Anfang der fünfziger Jahre vermehrt erscheinende Memoirenliteratur wirkten auch die Affidavits als ein Medium kollektiver Selbstverständigung, das es seinen Verfassern erlaubte, sich rückblickend in die imaginierte Gemeinschaft des alten Amtes einzureihen.

Nicht alle Leumundserklärungen waren so leicht zu beschaffen wie die von Ernst Eisenlohr, einem Patenonkel von Hellmut Becker und Schwager Hentigs. Abgesehen davon, dass der frühere Gesandte sich auch hinter den Kulissen nützlich machte und Kempner, der dem Nicht-Pg offenbar Vertrauen entgegenbrachte, die eine oder andere wichtige Information entlockte, steuerte er zwei eidesstattliche Erklärungen bei, in denen er seine bereits im Juni 1947 gemachte Aussage bekräftigte,

Weizsäcker habe durch sein mutiges und standhaftes Verhalten ein richtungweisendes Vorbild geliefert, das beim Wiederaufbau des Auswärtigen Dienstes als Maßstab gelten könne.[156] Becker riet zwar von einer Einvernahme vor Gericht ab, da Eisenlohrs Name in zu vielen belastenden Dokumenten auftauche, bedankte sich aber im Namen Weizsäckers überschwänglich für die formvollendeten Zeugnisse. Sie hätten ihm viel Arbeit erspart, denn die »Mehrzahl Deiner Kollegen wissen es leider entweder besser oder verbummeln, was man ihnen geschrieben hat, und es gibt dann ein häufiges Hin- und Hersenden der Affidavits«.[157]

Entlastende Stellungnahmen aus der Feder ehemals verfolgter Kollegen waren besonders begehrt, boten sie doch eine Möglichkeit, sich vom Odium der Regimenähe reinzuwaschen. Am gesuchtesten aber waren Leumundserklärungen emigrierter deutscher Juden oder mit jüdischen Ehepartnern verheirateter Nichtjuden. Die Herstellung entsprechender Kontakte erwies sich in der Praxis jedoch oftmals als schwierig. Es fehlte an einer Übersicht, welche der früheren Kollegen jüdischer Herkunft den NS-Terror überhaupt überlebt hatten. Zu denjenigen, denen die Flucht ins Ausland geglückt war, waren bei Kriegsende oft alle Kontakte abgerissen. Zu den wenigen Ausnahmen gehörten Ministerialdirektor Richard Meyer von Achenbach (ehemals Richard Meyer) sowie Vollrath von Maltzan. Während der »Volljude« Meyer von Achenbach 1939 nach Schweden emigriert war, hatte Maltzan – ein Vetter des »roten Barons« Ago von Maltzan, der nach den Nürnberger Rassegesetzen als »Mischling 1. Grades« galt – mit Ribbentrops Billigung noch bis Mai 1942 auf kommissarischer Grundlage bei dem ebenfalls in Nürnberg angeklagten ehemaligen Botschafter zur besonderen Verwendung Karl Ritter arbeiten können, bevor ihn die I. G. Farben in ihrer Zentralverwaltung als Referent für Exportfragen unterbrachte, wo er bis Kriegsende blieb.[158] Versuche, aufgrund seiner Stellung bedrohte Verwandte zu retten, gelangen ihm nur bedingt: die Mutter verstarb offenbar kurz vor der Deportation nach Theresienstadt, die Schwester überlebte den Krieg in einem Konzentrationslager.[159]

Es war Werner von Bargen, vormals Gesandter in Brüssel, der die Anwälte wenige Tage vor Prozessbeginn darauf aufmerksam machte, dass eine Erklärung dieser beiden hochrangigen Beamten von Nutzen sein könnte. Becker solle doch einmal prüfen, ob sich Meyer, der nach seinem Ausscheiden »noch mancherlei Wohltaten vom AA (unter Herrn v.

W[eizsäcker]s. Verantwortung)« empfangen habe, nicht als »Zeuge in der Judenfrage verwenden« lasse; gleiches gelte für Maltzan.[160] Meyer war zunächst unerreichbar, Maltzan besetzte als Abteilungsleiter für Außenhandelsfragen bei der Verwaltung für Wirtschaft des Vereinigten Wirtschaftsgebietes einen der wichtigsten Posten, die der im Aufbau befindliche deutsche öffentliche Dienst zum damaligen Zeitpunkt zu vergeben hatte. Gut vernetzt, waren ihm die Aktivitäten, die seine ehemaligen Kollegen zugunsten Weizsäckers entwickelten, nicht verborgen geblieben, sodass er rasch reagieren konnte, als Anfang 1948 der erwartete Brief aus Kressbronn eintraf. Knapp, aber bestimmt ließ Maltzan Becker wissen, er sehe keine Möglichkeit, seinem früheren Chef zu helfen, da er bekanntlich wegen »Abstammungsschwierigkeiten« vom politischen Geschehen ausgeschaltet gewesen sei. Kessel, den Becker sogleich von dieser unerfreulichen Reaktion in Kenntnis setzte, führte die Absage darauf zurück, dass Maltzan Weizsäckers Verbleiben im Amt seinerzeit »für falsch« gehalten habe. Obwohl die beiden verabredeten, den einflussreichen Wirtschaftsexperten in einem persönlichen Gespräch umzustimmen, blieb es bei dessen distanzierter Haltung.[161]

Konzilianter, wenn auch nicht gerade überschwänglich, reagierte Carl von Holten, bis 1937 Generalkonsul in Kattowitz. Von Stockholm aus, wo er sich nach seiner Entlassung aus dem AA dauerhaft niedergelassen hatte, bekundete der ehemalige Legationssekretär, Weizsäcker habe ihn und andere »nichtarische« Beamte seinerzeit zum Verbleib im Amt aufgefordert. Ferner meinte er den Einfluss des ehemaligen Leiters der Politischen Abteilung darin zu erkennen, dass bei Begrüßungsempfängen der deutschen Kolonie in Schweden auch jüdische Professoren eingeladen wurden.[162]

Ebenso wie bei dem von den Amerikanern eingeführten Spruchkammersystem entwickelte sich auch im Umfeld der Nürnberger Nachfolgeprozesse ein florierendes Persilscheinwesen. Hochrangige Militärs und ehemalige Angehörige der Verwaltungsstäbe in den deutsch besetzten Gebieten, die entweder bereits verurteilt waren oder sich vor dem drohenden Zugriff der alliierten Strafjustiz abzusichern suchten, stellten Weizsäcker für seinen Prozess bereitwillig ihre Niederschriften zur Verfügung, erwarteten jedoch im Gegenzug, dass auch er mit entsprechenden Leumundserklärungen aushalf. Albert Kesselring, der seit seinem Todesurteil und nachfolgender Verlegung in das britische Kriegsverbrechergefängnis Werl um eine Wiederaufnahme seines Verfahrens bemüht war, bescheinigte beispielsweise, Weizsäcker habe sich während seiner Zeit am Vatikan als Verfechter einer konsequenten Friedenspolitik betätigt.[163] Weizsäcker revanchierte sich für diese Gefälligkeit, indem er die Legende in die Welt setzte, der Generalfeldmarschall habe ihn in seiner Funktion als deutscher Oberbefehlshaber auf dem norditalienischen Kriegsschauplatz dabei unterstützt, die berühmte Benediktinerabtei Monte Cassino vor der Zerstörung durch die Alliierten zu retten.[164] Tatsächlich waren aufgrund von Kesselrings Eingreifen viele Kunstschätze verschont geblieben. Für die Umsetzung des Haltebefehls bei Monte Cassino, der zur völligen Vernichtung des Baudenkmals führte, war ihm allerdings noch im Juli 1944 von Hitler die höchste militärische Auszeichnung verliehen worden.

Fast noch wichtiger als das Kesselring-Affidavit waren zwei Zeugnisse zu Weizsäckers Handlungsspielräumen bei den Deportationen aus Frankreich, ausgestellt von Generalleutnant a.D. Hans Speidel, ehemals Chef des Kommandostabes der deutschen Militärverwaltung in Frankreich, und Walter Bargatzky, von 1940 bis 1944 Referent für völkerrechtliche Fragen beziehungsweise Leiter der Abteilung Justiz beim Militärbefehlshaber Frankreich. Beide traten als Mittelsmänner zu den sich formierenden westdeutschen Rechtsschutz-Netzwerken auf. Speidel verfügte außerdem über exzellente Verbindungen zu führenden Politikern diesseits und jenseits des Atlantiks. Sie gehörten zu jenem Kreis nationalkonservativer Politiker und Ministerialer, die ungeachtet ihrer eigenen NS-Belastungen bald eine strategisch wichtige Rolle in der Vergangenheitspolitik der Bundesrepublik einnehmen sollten.

Die Grenzen zwischen konservativen Nationalisten, NS-Parteigängern und ideologisch überzeugten Tätern verschwammen. Dies zeigt auch das Beispiel Werner Best, der ebenfalls »Dienstleistungszeugnisse« mit Weizsäcker austauschte. Best kam bei der Abwehr der alliierten Schuldvorwürfe gegen das Auswärtige Amt insofern eine Schlüsselrolle zu, als er durch seine Zeugenaussage im Fall 11, die im April 1948 stattfand, eine Version von der Rolle des AA in Dänemark lancierte, die nicht nur ihn selbst in bestem Licht dastehen ließ, sondern mit Ausnahme von Ribbentrop und Luther auch alle anderen Beamten »in umfassender Weise« entlastete.[165] So behauptete Best, auch um sich im Hinblick auf das zeitgleich gegen ihn laufende Verfahren in Kopenhagen zu wappnen, er sei vorab von einem Mitarbeiter des Büros Ribbentrop über die für Oktober 1943 angesetzte »Judenaktion« in Dänemark informiert worden und habe daraufhin in seiner Funktion als Reichsbevollmächtigter dafür gesorgt, dass die dänischen Juden rechtzeitig gewarnt wurden. Nach dieser Lesart, die später in mehreren Verfahren aufgegriffen wurde,[166] wirkte das Ministerium im besetzten Dänemark unter Bests Führung nicht nur bremsend, sondern sabotierte die »Judenpolitik« sogar vorsätzlich. Die Gemeinsamkeiten zwischen Best und Weizsäcker erschöpfen sich jedoch nicht in der Selbststilisierung als heimliche Judenretter. Beide verstanden sich auch als Protagonisten einer Führungsschicht, die angesichts der gegen sie erhobenen Vorwürfe aufgefordert sei, ihre Sicht »aktenkundig zu machen«.[167] So erklärt sich, dass Best nach seiner Freilassung aus dänischer Haft zwar keine Karriere im diplomatischen Dienst der Bundesrepublik mehr gelang, er aber trotz der gegen ihn anhängigen Strafverfahren jahrzehntelang auf die Solidarität der »Ehemaligen« zählen konnte.

Das Vermächtnis der »Ehemaligen«

Nachdem es nicht gelungen war, den unerwünschten Strafprozess zu verhindern, entwickelten die meisten Ex-Diplomaten im Laufe der Zeit eine pragmatische Haltung. »Nürnberg« ermöglichte es ihnen, in Zeiten allgemeiner Unübersichtlichkeit alte Verbindungen wieder aufzunehmen oder neue zu knüpfen, die das Überleben und den beruflichen Wiedereinstieg erleichtern konnten. Die Ambitionen des Weizsäcker-Kreises waren deutlich weiter gespannt. Es ging, wie der mit Erich Kordt befreundete amerikanische Nachrichtenoffizier Edward Ashley Bayne bereits Anfang 1946 in einem programmatischen Artikel in *Human Events* festgestellt hatte, keineswegs nur darum, eine bestimmte Lesart der Geschichte zurückzuweisen, sondern es sollten auch anschlussfähige Traditionen und Leitbilder aufgezeigt werden, die die Jahre der NS-Diktatur unbeschadet überdauert hatten. »Ned« Bayne, der sich in seinem Beitrag offenbar vor allem auf Kordts Ausarbeitungen für die Poole-Kommission stützten konnte, hatte zu einem Zeitpunkt, als eine Anklageerhebung noch gar nicht absehbar war, den Fall des früheren AA-Staatssekretärs als »test case« für ein neu aufzubauendes Europa beschrieben. In Anbetracht des heraufziehenden weltpolitischen Konflikts werde sich an der Behandlung Weizsäckers entscheiden, »ob mutiger Widerstand gegen eine totalitäre und repressive Regierung auch größten Widrigkeiten zum Trotz geleistet werden oder ob man den persönlichen Konflikt und die Auseinandersetzung durch Rücktritt und Kapitulation angesichts persönlicher Gefahr und Risiko vermeiden sollte«.[168]

Mit dieser moralisierenden Deutung, die bereits ein charakteristisches Merkmal der späteren westdeutschen Widerstandsforschung vorwegnahm, sollte im In- und Ausland Verständnis für die Position Weizsäckers und der deutschen Diplomatie insgesamt geweckt werden. Die Abwehr gegen »Nürnberg« besaß für die Angehörigen des *inner circle* aber auch eine geistig-kulturelle Komponente; mit der Herstellung einer in sich schlüssigen Verteidigungsstrategie verbanden sie nichts weniger als den Wunsch nach einer grundsätzlichen Neubewertung ihrer Verdienste und Leistungen und nach Anerkennung eines bleibenden, über die Gegenwart hinausweisenden Vermächtnisses. Besonders deutlich wurde dies in der Kontroverse, die sich anlässlich zweier Affidavits entzündete, die Lord Vansittart im August 1948 zum Weizsäcker-Verfahren beisteuerte.

Der ehemalige Unterstaatssekretär im Foreign Office, den man 1937 wegen seiner Frontstellung gegen Chamberlains Appeasement-Kurs auf den unbedeutenden Posten eines Chief Diplomatic Advisor abgeschoben hatte, reagierte auf eine Zeugenaussage Theo Kordts, in der dieser der vom Gericht eingesetzten Kommission I am 14. und 15. Juli 1948 in jeweils mehrstündigen Sitzungen seine Version von deutsch-englischen Geheimgesprächen am Vorabend des Zweiten Weltkriegs unterbreitet hatte.[169] In diesen Beratungen, in die von deutscher Seite Oberstleutnant Hans Oster, Hans Bernd Gisevius sowie – in beschränktem Umfang – auch Ernst von Weizsäcker eingeweiht waren, sollte bei Vertretern des britischen Establishments die Möglichkeit eines gemeinsamen Vorgehens gegen Hitler und Ribbentrop sondiert werden – angeblich mit dem Ziel, den Diktator durch einen Militärputsch zu beseitigen. Wie Kordt den amerikanischen Richtern erklärte, seien er und sein Bruder Erich während der Krisen 1938/39 mehrere Male mit Vansittart zusammengetroffen, um ihm Botschaften zu übermitteln, die Weizsäcker an Außenminister Lord Halifax habe richten wollen. Am 7. September 1938 habe er eine längere vertrauliche Unterredung mit Halifax geführt und dabei betont, dass er Weizsäcker als seinen »einzigen entscheidenden Vorgesetzten innerhalb des Auswärtigen Dienstes« betrachte und dieser ihn zur Aufnahme der Gespräche autorisiert habe. Wenige Monate vor dem deutschen Überfall auf Polen habe sein Bruder dann erneut Vansittart aufgesucht, um ihn – wiederum im Auftrag Weizsäckers – davon zu überzeugen, dass nur ein rasch abgeschlossener sowjetisch-britischer Pakt den Ausbruch eines Krieges noch verhindern könne. Jener habe Erich Kordt daraufhin mit den Worten »Beruhigen Sie sich« zu Gelassenheit aufgefordert und versichert, ein Bündnis mit der Sowjetunion stehe unmittelbar bevor.[170]

Seit dem Erfolg seiner von der BBC ausgestrahlten, Anfang 1941 unter dem Titel »Black Record. Germans Past and Present« erschienenen antideutschen Pamphlete galt Vansittart als einer der schärfsten Gegner Deutschlands. Von Kordts Aussagen in Nürnberg war er verständlicherweise nicht sehr erbaut. Weizsäcker und seine Unterstützer schienen das Verfahren dazu nutzen zu wollen, die Legende einer entschlossenen Widerstandsbewegung im Auswärtigen Amt zu konstruieren, deren Warnungen in London niemand ernst genommen habe. Nicht weniger erbost war Vansittart darüber, dass sich Halifax von den beiden Kordts offenbar hatte einspannen lassen, indem er ihnen einige Wochen vor Beginn der Hauptverhandlung schriftlich bestätigte, insbesondere Erich habe mit seinen Aktionen »handfeste Beweise seiner Opposition zur kriminellen Politik Hitlers« gegeben.[171]

Im Gegensatz zu Halifax, der den Kordt-Brüdern ihre Rolle als verhinderte Putschisten abnahm, war Vansittart der Auffassung, weder Weizsäcker noch die Kordts seien wirklich an einer Friedenssicherung oder gar einer Beseitigung Hitlers interessiert gewesen. Während Weizsäcker die Politik Ribbentrops stets getreulich umgesetzt habe, hätten die Kordt-Brüder aus britischer Sicht schon deshalb keine ernst zu nehmenden Ansprechpartner dargestellt, weil sie keine Tatkraft hätten erkennen lassen und im Übrigen beide bis zum Schluss Angehörige eines NS-Außenministeriums geblieben seien. In seinem ersten Affidavit erklärte der prominente Oberhaus-Abgeordnete dementsprechend: »Ich hatte niemals den Eindruck, dass sie wirklich vorhatten, Aktionen gegen das Regime zu unternehmen, oder dass sie in Verbindung standen mit Personen oder Gruppen, die dies tun würden. Tatsächlich war ich mir ziemlich sicher, dass keine derartige Aktion jemals stattfinden würde, und schenkte denen, die solche Möglichkeiten andeuteten, wenig Aufmerksamkeit.«[172] Ein zweites Affidavit, ausgestellt am 31. August 1948, bekräftigte diese Auffassung und verknüpfte sie mit dem Warnruf, die historische Wahrheit dürfe »nicht verschleiert werden durch nachträgliches Geschwätz aus einer Zeit, in der die meisten Deutschen darauf bedacht sind, ihre Nazi-Vorgeschichte zu leugnen«.[173]

Da Vansittarts Kontakte nach Whitehall zu diesem Zeitpunkt schon so gut wie abgerissen waren, konnte er nicht wissen, dass man dort den Versuch des Weizsäcker-Kreises, die deutsch-englischen Vorkriegskontakte in diesem besonderen Licht erscheinen zu lassen, mit wachsender Skepsis betrachtete. Als Theo Kordt zur Jahreswende 1947/48 ein weiteres Mal an Halifax sowie an die Spitzendiplomaten Ivone Kirkpatrick und Richard Austen Butler herangetreten war, um sie zu einer Erklärung zu bewegen, dass Weizsäcker aktiv auf eine Friedensbewahrung hingearbeitet habe, hatte er auf Anraten von Becker herauszustellen versucht, dass mit dem Wilhelmstraßenprozess die »einzige Schicht discreditiert« werde, mit der in Zukunft »noch vernünftige Außenpolitik« in Deutschland betrieben werden könne.[174] Halifax' schmallippige Antwort lautete, er kenne die gegen Weizsäcker erhobenen Vorwürfe nicht, zweifle aber nicht daran, dass dieser »prinzipiell ohne Sympathie« für den Nationalsozialismus gewesen sei.[175] Sein ehemaliger Sprecher Butler wählte am selben Tag eine fast identische Formulierung, während Kirkpatrick ausweichend reagierte.[176] Kordt mutmaßte sogleich, die Antworten seien mit dem Foreign Office abgestimmt – was zutraf –, wollte darin aber trotzdem eine Bestätigung des eigenen Standpunktes sehen. »Wenn das FO die Tatbestände als solche in Abrede stellen wollte«, beruhigte er sich selbst und den Anwalt, »so hätte es sich doch wohl veranlasst gesehen, sie zu bestreiten, und sei es auch nur in einem Nebensatz.«[177]

Die schriftlichen Antworten von Halifax, Butler, Kirkpatrick und Hendersons ehemaligem Botschaftssekretär Christopher Steel – Letzterer war mittlerweile zum Chef der Politischen Abteilung beim British Element des Alliierten Kontrollrats aufgestiegen – wurden von der Verteidigung in das Verfahren eingebracht, von den Richtern jedoch nicht als vollwertige Affidavits akzeptiert. Dies sowie die Turbulenzen, die durch Vansittarts Stellungnahmen verursacht worden waren, veranlassten die Anwälte Ende September 1948 dazu, Magee nach England zu entsenden.

Offizieller Zweck der Reise war die Umwandlung der Briefe in formelle Affidavits, in Wirklichkeit ging es jedoch hauptsächlich darum, an Winston Churchill heranzukommen und diesen dazu zu bewegen, öffentlich für Weizsäcker Partei zu ergreifen. Der Oppositionsführer hatte das alliierte Bestrafungsprogramm zwar ursprünglich mitgetragen, sich inzwischen jedoch zu einem seiner prononciertesten Kritiker entwickelt. Becker verfolgte seit einiger Zeit die »fantastische Idee«, Churchill persönlich in Nürnberg auftreten zu lassen, um dort mit einer »dramatischen« Geste einige der Kardinalfehler zu beenden, die die alliierte Besatzungspolitik seit Kriegsende angerichtet habe.[178] Es war bekannt, dass sich Churchill während des Sommers mehrere Wochen in Aix-en-Provence aufhalten würde, und Becker instruierte Magee, er solle versuchen, über den früheren IMT-Chefankläger David Maxwell Fyfe einen Besuchstermin in Südfrankreich zu bekommen.

Der Zeitpunkt, zu dem Magee seine Mission antrat, war allerdings alles andere als günstig gewählt. Einen Monat zuvor hatte die britische Regierung bekannt gegeben, dass der geplante Prozess gegen die vier Wehrmachtgenerale Manstein, Rundstedt, Brauchitsch und Strauß wie geplant stattfinden sollte. Dies löste eine gewaltige öffentliche Gegenkampagne für deren sofortige Freilassung aus, die bei Magees Ankunft in London kurz vor ihrem Höhepunkt stand. Maxwell Fyfe ließ sich verleugnen, Halifax war nicht in der Stadt, und Philip Conwell-Evans – ein alter Bekannter der Kordts – lehnte es strikt ab, über die Kordts auch nur zu sprechen. Auch im Foreign Office holte sich Magee eine Abfuhr. Immerhin versprachen Kirkpatrick und Steel, Affidavits zu liefern.[179]

Einen Monat später fand im britischen Unterhaus eine große Debatte über die Kriegsverbrecherprozesse statt. Im Mittelpunkt standen die geplanten Verfahren gegen die Generäle, derentwegen die Labour-Regierung mittlerweile auch aus den eigenen Reihen scharf attackiert wurde. Am 26. Oktober ergriff Churchill das Wort, um zu einer Generalattacke gegen das Bestrafungsprogramm auszuholen. Er nannte den beabsichtigten Prozess gegen die Generäle einen »Akt administrativer und politischer Dummheit und von juristischer Unangemessenheit, humanitären und soldatischen Empfindungen gleichermaßen zuwider«.[180] Auch auf den Fall Weizsäcker ging er kurz ein. Verschiedene Personen hätten ihn deswegen angesprochen und ihn um ein Affidavit gebeten. Dies habe er ablehnen müssen, weil er niemals mit Weizsäcker in Kontakt gestanden habe. Trotzdem könne er sagen, dass sich jener als Außenbeamter unter Ribbentrop in einer Position befunden habe, wie sie Sir Alexander Cadogan damals und Sir Orme Sargent heutzutage ausfüllen würden: »Jetzt, dreieinhalb Jahre später, wird er vor Gericht gestellt.« Er sei weder über diesen noch über andere Fälle näher informiert, er erwähne den ehemaligen Staatssekretär nur, um zu illustrieren, dass es sich bei den zurzeit in Deutschland geführten Prozessen um einen »tödlichen Irrtum« handele. Angesichts der Gefahr einer »Rebarbarisierung« und »Versklavung« Europas durch kommunistische Kräfte sei es an der Zeit, den »germanischen Stämmen« die Hand zu reichen, um diese in den Kreis des Christentums und in die europäische Familie zurückzuführen.[181]

Gemessen an den hohen Erwartungen, die sich von deutscher Seite an ein Machtwort des britischen Oppositionsführers geknüpft hatten, und verglichen mit dem leidenschaftlichen Appell, der den deutschen Wehrmachtgenerälen galt, war dies eine eher lahme Erklärung, die wie die Meinungsäußerung eines unbeteiligten Privatmannes klang.[182] Weil Churchill davon überzeugt war, dass in der unvermeidlichen Entscheidungsschlacht gegen den Bolschewismus die Wehrmachtgenerale noch dringend gebraucht würden, sprang er für sie in die Bresche. Weizsäcker und die alte Garde der Wilhelmstraße hielt er mit Blick auf die von ihm antizipierte neue Weltordnung für verzichtbar. Erst in seinem Buch »The Second World War«, das einige Monate nach Weizsäckers Überstellung nach Landsberg erschien, widmete er dem früheren Staatssekretär einige Worte der Sympathie. Er sei ein »höchst kompetenter Beamter« gewesen, einer von denen, die es in vielen Ländern gegeben habe. »Obwohl er als Kriegsverbrecher klassifiziert wurde, gab er seinen Vorgesetzten unbedingt gute Ratschläge; wir müssen uns glücklich schätzen, dass sie nicht beachtet wurden.«[183] Auch war Churchill offenbar damit einverstanden, dass Becker die Unterhaus-Rede in seinem Schlussplädoyer zitierte, um für Weizsäcker einen Freispruch zu fordern.[184]

Die Mehrheit der deutschen Ex-Diplomaten holte viel weiter aus. In Anlehnung an zeitgenössische politisch-theologische Diskurse, die eine Stärkung des Individuums angesichts kollektivistischer Bedrohungen forderten, vertraten sie die Auffassung, dass ihr gemeinsamer Erfahrungshintergrund einen wichtigen Aktivposten für die Zukunft darstelle. Indem sie sich den Herausforderungen der Diktatur gewachsen gezeigt hätten, seien sie im Ganzen gestärkt daraus hervorgegangen. Ganz im Sinne der christlichen Überlieferung verklärten sie die NS-Zeit zu einer Phase der Bewährung, die mit einer Mischung aus Heroismus und Opfersinn bestanden worden sei. Der deutsche Beamte habe nach 1933 nicht etwa versagt – wie es Carl Schmitt in der Nürnberger Untersuchungshaft postuliert hatte –, sondern seine persönliche Autonomie und Integrität trotz äußeren Drucks erfolgreich behaupten können.[185] Dank seines verantwortungsethischen Beharrungsvermögens, das darauf ausgerichtet gewesen sei, sich seine Handlungsfähigkeit auch in Zeiten totalitärer Unterdrückung zu bewahren, habe der deutsche Beamte maßgeblich dazu beigetragen, das »abendländische Erbe« in seinen Grundfesten zu erhalten.

Dieses Erbe sah man nun durch »Nürnberg« bedroht. In Unkenntnis der Hintergründe und in Verkennung der realen Machtverhältnisse waren die Ex-Diplomaten der Meinung, die Fortsetzung des Bestrafungsprogramms gehe auf den Einfluss deutschfeindlicher Politiker wie Henry Morgenthau jr. oder Robert Vansittart zurück.[186] Beiden wurde zudem unterstellt, sie benutzten ihren »Deutschenhass« lediglich als Vehikel, um die Ausdehnung der kommunistischen Vorherrschaft in Mitteleuropa voranzutreiben. Vansittart galt im Weizsäcker-Kreis als »Vorbote des Bolschewismus in Europa« – wenn auch wider Willen.[187] Indem man die eigene Position mit der Absage an jede Form des Totalitarismus gleichsetzte und die andere Seite als »Fünfte Kolonne« des Sowjetimperialismus etikettierte, passte man sich geschickt den manichäischen Deutungsmustern der sich etablierenden »Cold War Culture« an.[188]

Im Mai 1948 sollte ein Zufall dazu beitragen, dass die Verteidigung im Fall 11 weiter Oberwasser erhielt. Das Becker-Team war bei Literaturrecherchen in der Hausbibliothek des Nürnberger Justizpalastes auf Vernehmungsprotokolle gestoßen, aus denen nach Auffassung der Anwälte hervorging, dass Kempner den Häftling Gaus mit der Drohung unter Druck gesetzt hatte, er würde ihn im Fall seiner Nichtkooperation an die Sowjets überstellen.[189] Zwar lehnten es die Richter ab, dem daraufhin erhobenen Verteidigerantrag stattzugeben, alle Affidavits von Gaus zu streichen. Aber für das Selbstverständnis der »Ehemaligen« war der Vorfall umso gewichtiger, erklärte sich hieraus doch, warum Gaus seinerzeit als Einziger aus der »Front der anständigen Menschen« ausgebrochen war.[190] Das Weizsäcker-Team glaubte nunmehr auch öffentlich zum Gegenangriff übergehen zu können.

Nicht ungeschickt griff man zu diesem Zweck auf eine Person zurück, die wie kaum eine andere das propagierte Konzept des »Widerstands durch cooperatio« verkörperte. Der württembergische Landesbischof und EKD-Vorsitzende Theophil Wurm, vor 1945 einer der Wortführer der Bekennenden Kirche, gehörte zu jener Gruppe von nationalprotestantischen Kirchenfunktionären, die wegen ihrer nicht öffentlichen Proteste gegen die »Euthanasie« sowie – deutlich verhaltener – gegen die Ausgrenzung der Juden einige Zeit in KZ-Haft hatten verbringen müssen. Dieses Los sowie sein landsmannschaftlicher Hintergrund prädestinierten Wurm in gewisser Weise, die Führungsrolle in einer Phalanx von Kritikern zu übernehmen, von denen nun einer nach dem anderen in das Rampenlicht der Öffentlichkeit trat.

In ihrer Offensive gegen die Nürnberger Nachfolgeprozesse bediente sich diese Gruppe einer Doppelstrategie. Nach einer ersten ad personam-Attacke, die Wurm Anfang Mai gegen Kempner ritt, folgte gut zwei Wochen später eine von allen evangelischen Kirchenführern der amerikanischen Zone unterzeichnete Eingabe an Clay. Dieses zweigleisige Vorgehen, das man teilweise bis in die Formulierungen hinein mit den Verteidigern abstimmte, wurde bis zur Urteilsverkündung und darüber hinaus beibehalten. Das Ganze lief darauf hinaus, das Washingtoner Establishment, überwiegend Angehörige der protestantischen Oberschicht, durch eine fein ziselierte, legalistische Kritik zu beeindrucken und das grobe Geschütz nur gegen Kempner aufzufahren, den man für alle tatsächlichen und behaupteten Rechtsverletzungen verantwortlich machte. Wurm hatte die Angriffe gegen Kempner damit begründet, dass Zurückhaltung gegenüber dem Chefankläger nur dazu führe, eine »nationalistische und antisemitische Flüsterpropaganda« zu fördern.[191] Die gemeinsame Frontstellung gegen »Dr. Sixtus Beckmesser«, »Kempner-Freisler«, den »Talmi-Amerikaner« oder »Fritzchen Miefsnick« – wie es mitunter in dumpfestem *Stürmer*-Jargon hieß – wurde von den meisten Ex-Diplomaten unreflektiert geteilt.

Es waren jedoch Weizsäckers Anwälte, die die fatale Entscheidung trafen, die Person Kempners in den Mittelpunkt ihrer Öffentlichkeitsarbeit zum Fall 11 zu rücken. Alsbald gingen sie zu einer Methode der offenen und verdeckten Diffamierung über, die im ersten Schritt auf eine Demontage und Isolierung des Emigranten, im zweiten auf dessen endgültigen Rückzug aus Deutschland zielte. Neben der Kolportierung von

Gerüchten, die Kempner in Misskredit bringen sollten, orchestrierte man eine Reihe von Pressebeiträgen, in denen immer wieder unverhohlen auch mit antisemitischen Stereotypen operiert wurde. Insbesondere Becker war zudem von der Idee besessen, Kempner versuche über seine Verbindungen zu dem »sozialistischen Juden« Valentin Gitermann und den »marxistischen« Schweizer Presseorganen Entlastungszeugen unter Druck zu setzen.[192] Im September ließ Becker den Ankläger warnen, mit seinen Kontakten zu Schweizer Marxisten verderbe er es sich mit jenen Kreisen, auf deren Unterstützung er dringend angewiesen sei. Damit verbaue er sich selbst »jedes künftige Leben in Deutschland«.[193] Die einzige Konsequenz, die Kempner aus dieser indirekten Drohung zog, war offenbar, dass er es einige Wochen ablehnte, mit Weizsäckers Verteidiger zu sprechen. Außerdem beschuldigte er die Anwälte, eine »antisemitische Pressekampagne« gegen ihn entfacht, zumindest aber nicht gestoppt zu haben – eine Vorstellung, die Beckers amerikanischer Kollege als ausgesprochen »lächerlich« verwarf.[194]

Schon wenige Wochen nach Ende des Wilhelmstraßenprozesses sollte es zum nächsten größeren Eklat kommen. Die Freie Universität Berlin, die Ende 1948 im Zuge der Blockade im Westteil der Stadt gegründet worden war, fragte im Frühjahr bei Kempner an, ob er bereit wäre, im kommenden Semester über seine Tätigkeit in Nürnberg zu dozieren.[195] Als dies bekannt wurde, zog der Nationalökonom Edgar Salin, der seit Ende der zwanziger Jahre in Basel lehrte und ebenfalls für einen Gastaufenthalt in Berlin vorgesehen war, seine ursprüngliche Zusage mit der Begründung zurück, er wolle nicht gemeinsam mit jemandem lehren, der durch sein Vorgehen gegen einen »untadeligen Charakter« wie Weizsäcker dazu beigetragen habe, »die sittliche Haltung der gesamten deutschen Emigration für die nicht-emigrierten Deutschen mehr als fragwürdig« erscheinen zu lassen.[196] Von dem spektakulären Schritt des renommierten deutsch-jüdischen Wissenschaftlers, der als Mitglied des Stefan George-Kreises galt, erfuhr die Universitätsleitung allerdings über die Zeitung: Ende Mai erschien sein Brief an die FU in der deutschen Tagespresse. Salin verdächtigte daraufhin Kempner, den Brief abgefangen und an die Presse weitergegeben zu haben. Der wies alle Vorwürfe zurück. Angesichts seines Engagements für einen »Kriegsverbrecher ... der nach eingehender Verhandlung durch das Tribunal u. a. der Deportierung von 6 000 Juden nach Auschwitz für mitschuldig erklärt« worden sei, dürfe Salin sich nicht wundern, wenn der »Freundeskreis der Kriegsverbrecher« ihn zur Verbreitung seiner »nationalistischen und antisemitischen Propaganda« missbrauche. Salins Eintreten für Weizsäcker sei umso wirksamer, als »Sie selbst ein jüdischer Frühemigrant, also wohl objektiv« seien.[197]

Die Vermutung, der »Freundeskreis der Kriegsverbrecher« – gemeint waren Weizsäckers Familienangehörige und Anwälte – habe dafür gesorgt, den Brief an die Öffentlichkeit zu lancieren, war nicht ganz von der Hand zu weisen, denn tatsächlich hatte Salin, der nicht nur mit Robert Boehringer und seiner ehemaligen Doktorandin Marion Gräfin Dönhoff gut befreundet war, sondern auch zur Weizsäcker-Familie enge Verbindungen besaß, sowohl Weizsäckers Bruder Viktor als auch dem ältesten Sohn Carl-Friedrich von seinen Boykottplänen erzählt. Da beide sich zu diesem Zeitpunkt ebenfalls auf Gastprofessuren an der FU Berlin vorbereiteten, baten sie die Verteidiger um Rat. Obwohl der Rektor der FU, Edwin Redslob, den Schaden zu begrenzen suchte, indem er versicherte, die Einladung an Kempner sei nicht »von entscheidender Stelle«, sondern von einem »amerikanischen Freund« erfolgt, entschieden die Weizsäckers kurze Zeit später in Absprache mit Becker, die Universität ebenfalls bis auf Weiteres zu meiden.[198]

Dass gegen Kempner mit derart harten Bandagen gekämpft wurde, hatte vor allem damit zu tun, dass man dessen Absicht, sich dauerhaft in Deutschland niederzulassen, unter allen Umständen vereiteln wollte. So hatte Becker mit Besorgnis registriert, dass sich der ehemalige Chefankläger Anfang 1949 darum bemühte, einen Posten als Rechtsberater bei Civil Affairs zu erhalten, einer Einrichtung der amerikanischen Zivilregierung, die unter anderem zur Reformierung des Beamtenwesens eingesetzt worden war.[199] Insbesondere die Aussicht, dass Kempner auf diesem Posten »viel verwertbares Material in die Hände« bekommen würde, beunruhigte Becker nachhaltig.[200] Im September 1949 kehrte Kempner in die Vereinigten Staaten zurück, nachdem der Deutsche Städtetag in einer Resolution gegen seine vorgesehene Beschäftigung protestiert hatte.

Bemerkenswert an der Debatte war nicht nur die Mischung aus christlicher Barmherzigkeitsrhetorik und praktischer Härte, bemerkenswert war auch, dass öffentliche Angriffe auf Angehörige der US-Behörden, die zudem noch rassisch oder politisch Verfolgte des NS-Regimes gewesen waren, in der entstehenden Bundesrepublik keinem Tabu mehr zu unterliegen schienen. Auch unter den früheren Diplomaten und deren medialen Unterstützern erhob sich – mit Ausnahme der Publizistin Margret Boveri[201] – keine Stimme gegen das Kesseltreiben. Lediglich Ernst Heinitz, der Weizsäcker ebenfalls unterstützt hatte, artikulierte privat einige Bedenken. In einem längeren Schriftwechsel mit Konsul a.D. und Ex-Pg Gerhard Wolf[202] gab der deutsch-jüdische Remigrant und Strafrechtler seiner Sorge Ausdruck, dass die Angriffe gegen »Nürnberg« keinesfalls nur einzelne fragwürdige Urteile beträfen, sondern immer deutlicher das Bestreben erkennen ließen, »den Satz ›Nicht der Mörder, sondern der Ermordete ist schuldig‹, mutatis mutandis anzuwenden«. Mit Skepsis verfolge er, dass »die Frage Weizsäcker ganz unnötig zu einer Frage Kempner« werde. Salins Brief und die darin enthaltene Formulierung von der »sittlichen Haltung« der gesamten deutschen Emigration habe ihn geradezu entsetzt: »Dass ein Jude sich heute dazu hergibt, angesichts von 6 Millionen ermordeten Juden, Werturteile über die Emigranten zu fällen, statt über diejenigen, die dieselben zur Emigration gezwungen haben, ist tief bedauerlich. Offenbar soll das (ungeschickte) Verhalten eines Emigranten allen anderen zugerechnet werden. Nicht für die Ermordeten, sondern nur für die Mörder gilt die These, dass es keine Kollektivschuld gibt.« Es gehe nicht darum, ob man Kempner sympathisch oder unsympathisch finde, entscheidend sei, dass dessen Name nicht unter Papieren stehe, die Tausende von Juden der Vernichtung preisgaben. Das Argument, im Interesse des Kampfes gegen den Antisemitismus Kempner zu bekämpfen, sei durchaus fragwürdig: »Indem man aus dem Fall Weizsäcker den Fall Kempner macht, stellt man sich in eine Reihe mit den Nazis, die überall wieder das Haupt erheben; die sich im Grunde nicht für den Fall von Weizsäcker interessieren, sondern nach Kräften die Nürnberger Urteile diskreditieren, um zu dem Schluss zu kommen, das größte Unrecht, das die Geschichte kenne (so las ich heute in der Zeitung), sei das am deutschen Volk begangene.« [203]

Erst nachdem Kempner Deutschland verlassen hatte, kam es innerhalb des Nürnberger Verteidigerteams zu einem Dissens über die Kampagne. Richard von Weizsäcker vertrat den Standpunkt, die aggressive Form der Auseinandersetzung schade den Interessen seines Vaters, dessen Schicksal von einem Machtwort McCloys abhänge. Ein besonderer Dorn im Auge war ihm dabei die *Zeit*, die sich dem Kampf für die Landsberger stets mit Verve gewidmet hatte. Als Ende 1949 darüber entschieden werden musste, ob das Wochenblatt als möglicher Publikationsort für einen Vorabdruck der Weizsäcker-Memoiren infrage kam, sprach er sich deshalb gegenüber Becker dafür aus, vorläufig sowohl um das »Thema Kempner« als auch um die *Zeit* einen großen Bogen machen. Die Personalisierung der Debatte berge allmählich das Risiko eines Bumerangeffekts: »Ich finde, dass die Zeiten schon lange vorbei sind, in denen Angriffe auf Kempner genützt haben. Im internen deutschen Kreis schaden Geschichten über Kempner sicher nichts. Darüber hinaus hat sich zu sehr das Gefühl verbreitet (so einig wir uns mit allen, auch seinen jüdischen Anklagekollegen darin über die Schätzbarkeit seiner Person sind), dass Kempner nur als Symbol für das angegriffen wurde, was eigentlich gemeint sei. Gemeint sei aber, was die Leute in Nauheim, Taylor u[nd] die anderen selber auch finden. Kurz, es wird sobald nicht zu einer gemeinsamen Schimpferei mit den Amerikanern über Kempner kommen, sondern viele Amerikaner (auch solche, die für unsere Entscheidung in Ffm. wichtig sein können) werden sich mit jedem Geschimpfe über Kempner selbst beschimpft fühlen. Und diese Amis denken, wenn sie den Namen ›Zeit‹ hören, daran, dass die ›Zeit‹ wirklich der Bannerträger des Kampfes gegen Kempner usw. war. Nicht die vernünftigen, aber die sind bekanntlich in der starken Minderzahl auf der ganzen Welt. Ich weiß, dass diese Leute uns sowieso nicht mögen, aber man sollte sie nicht in entscheidenden Zeiten nochmals darauf hinweisen. Zum Thema Kempner muss ich noch sagen, dass es mich überhaupt jedes Mal nervös macht, wenn ich den Namen Kempner in der Öffentlichkeit höre. Was Du dazu an Tüngel [Chefredakteur der *Zeit*] neulich geschrieben hast, finde ich natürlich völlig richtig. So weit ich davon erfahren sollte und es von mir abhängen sollte, bin ich absolut entschlossen, die Veröffentlichung jedes Wortes des Romans [Weizsäckers Erinnerungen] überhaupt zu verhindern, wenn es in Verbindung auch nur loser Art mit Bemerkungen über Kempner geschehen soll, solange über meinen Vater noch keine positive Entscheidung gefallen ist. Im übrigen ist es eben doch nicht nur der Name Kempner, mit dem die ›Zeit‹ ›befleckt‹ ist in den Augen vieler.«[204]

Die Kempner-Salin-Kontroverse war Ausdruck eines allgemeinen Paradigmenwechsels in der Behandlung der sogenannten Kriegsverbrecherfrage, und Clays Nachfolger John McCloy hatte dem nicht viel entge-

genzusetzen. Im Dezember 1949, wenige Monate nach seiner Amtsein-
führung als amerikanischer Hochkommissar, ordnete er an, bestimmte
Häftlinge aufgrund guter Führung vorzeitig aus Landsberg zu entlassen.
Für jeden Monat, in dem ein Gefangener sich kooperativ zeigte, wurde
die Strafzeit um fünf Tage verkürzt. Die neue Rechnung brachte Ernst
Wilhelm Bohle die sofortige Freilassung ein, aber auch Steengracht von
Moyland und Woermann kamen dank der Anrechnung von »time off«
für gutes Verhalten schon Anfang Februar 1950 auf freien Fuß.[205]

Da er seine Haftzeit erst im Juli 1947 angetreten hatte, konnte Weizsäcker nicht von der »good conduct«-Regelung profitieren und somit nicht
mit einer Entlassung vor September 1951 rechnen. Das State Department
wahrte in dieser Frage McCloys Entscheidungsfreiheit, indem es auf Anfrage betonte, Weizsäcker sei aufgrund seiner Zustimmung zur Deportierung von Juden aus Frankreich verurteilt worden und werde, »gutes
Verhalten« vorausgesetzt, frühestens am 28. September 1951 aus der Haft
entlassen – es sei denn, dass »der Hohe Kommissar, nach Prüfung der
Gnadengesuche, die Strafe weiter reduziere«.[206] Weizsäcker profitierte
dann jedoch von einer allgemeinen Ausweitung der »good conduct«-
Regelung im Spätsommer 1950: Alle Gefangenen unter McCloys Aufsicht erhielten eine Verdoppelung der straffreien Tage.[207] Nach dieser
Strafmilderung konnte Weizsäcker mit einer Entlassung noch im Dezember desselben Jahres rechnen. Selbst das war seinen Befürwortern
noch zu lang. Am 23. September richtete Bundespräsident Heuss ein erneutes Entlassungsgesuch an McCloy: »Da ich persönlich von Rachege-
fühlen mich ziemlich frei weiß, gönne ich denen, die kürzlich zu ihren
Familien zurückkehren durften, durchaus die Wendung ihres Schicksals.
Aber die Überlegung, der Dr. Dietrich etwa ist ›frei‹ und der Weizsäcker
›sitzt‹ noch (zumal seine Inhaftierung später erfolgte), hat für jeden, der
die Zeitgeschichte miterlebt hat und die Persönlichkeiten glaubt beurteilen zu können, etwas Paradoxes.«[208] Neben Heuss machten sich auch der
baden-württembergische Ministerpräsident Reinhold Maier (FDP) sowie der Bundestagsabgeordnete Karl Graf von Spreti (CSU), ein späterer
Angehöriger des Auswärtigen Diensts, für Weizsäcker stark.

McCloy reagierte zunächst zurückhaltend. Im Oktober 1950 begann
er jedoch, sich persönlich mit Einzelfällen zu befassen, und da fiel auf,
dass das Gnadengesuch für Ernst von Weizsäcker – zuletzt übermittelt
am 24. Juni 1950 – untergegangen war. Noch im Juni hatte McCloy auf

Anfragen geantwortet, dass sich der Fall »in der Prüfung« befinde.[209] Offensichtlich wollte er den Ergebnissen der im Juli eingesetzten Überprüfungskommision nicht vorgreifen, die aber, weil Weizsäckers Haftentlassung wegen guter Führung für den 2. Dezember 1950 ohnehin bevorstand, seinen Fall gar nicht behandelte. Eine getrennt geführte Überprüfung zu Fall 11 durch die Juristen von HICOG kam zu dem Ergebnis, dass Weizsäcker ohne Weiteres zu entlassen sei.[210]

Nach so viel verlorener Zeit handelte McCloy nun blitzschnell und ordnete am 13. Oktober die Freilassung Weizsäckers an, die am nächsten Tag erfolgte. Dass der Staatssekretär sieben Wochen früher entlassen wurde, wirkte fast wie eine Entschuldigung. Eine offizielle Erklärung von HICOG erwähnte die vielen Briefe, die McCloy erreicht hätten, und verwies auf die üblichen entlastenden Argumente. Weizsäcker habe versucht, den großen Krieg zu vereiteln, die Besatzung in Norwegen zu mildern und noch dazu mehrere Hundert Juden im Vatikan gerettet.[211] Auch Weizsäckers Beteiligung an der Deportation der französischen Juden wurde in der Presseerklärung explizit erwähnt, aber diese Episode erschien im Lichte der Gesamtbewertung von Weizsäckers diplomatischer Laufbahn eher wie eine Entgleisung.

Im August 1951, nur ein knappes Jahr nach seiner vorzeitigen Freilassung, verstarb Ernst von Weizsäcker im Kreise seiner Familie an den Folgen eines Schlaganfalls. Sein letzter Wunsch, eine Beisetzung in aller Stille an der Seite seines 1939 gefallenen Sohnes Heinrich, sollte sich jedoch nicht erfüllen. An der Trauerfeier im Stuttgarter Schloss Solitude nahmen außer engsten Angehörigen und Freunden wie dem Ehepaar Boehringer auch einige frühere Kollegen aus der Wilhelmstraße, darunter der ebenfalls in Nürnberg verurteilte Ernst Woermann und Ex-Botschafter Rudolf Rahn, sowie eine Abordnung des neu gegründeten Auswärtigen Amts teil. Vor allem die Anwesenheit der Bonner Delegation rief den geharnischten Protest des Bundes der Verfolgten des Naziregimes (BVN) hervor. Mit »Befremden« habe man zur Kenntnis genommen, hieß es in einem Brief an Adenauer, dass das AA durch »mehrere Herren, vielleicht sogar auf Bundeskosten« auf der Beerdigung vertreten gewesen sei. Offenbar habe niemand Adenauer darüber informiert, dass der verstorbene Staatssekretär »vor allem wegen Mitwirkung bei nationalsozialistischen Verbrechen gegen die Menschlichkeit, insbesondere bei der Überbringung von 6 000 rassisch und politisch missliebigen Personen aus Frankreich in das Vernichtungslager Auschwitz verurteilt und wegen dieses Anklagepunktes niemals begnadigt worden ist«.[212]

Die Allianzen und Koalitionen, die sich 1947/48 bei der Vorbereitung von Weizsäckers Verteidigung herausgebildet hatten, blieben auch nach seinem Tod jederzeit aktivierbar. Im Sommer 1954 wandte sich Weizsäckers Witwe hilfesuchend an Hellmut Becker und den in West-Berlin lebenden Erich Kraske; der frühere AA-Beamte und Verfasser eines Handbuchs für den diplomatischen Dienst war 1936 in den einstweiligen Ruhestand versetzt worden und leitete seit 1948 das Max-Planck-Institut für ausländisches öffentliches Recht und Völkerrecht.[213] Eine Berliner Spruchkammer hatte der Familie Weizsäcker kurz zuvor mitgeteilt, auf der Grundlage des Entnazifizierungs-Abschlussgesetzes vom 14. Juni 1951 ein Sühneverfahren durchführen zu wollen. Da Weizsäcker in Nürnberg rechtskräftig verurteilt worden war – seine vorzeitige Freilassung hatte das Urteil nicht aufgehoben –, drohte der endgültige Verlust des beschlagnahmten Wohnhauses in Berlin-Zehlendorf. Für die Verteidigung kam es darauf an, die Berliner Spruchkammer davon zu überzeugen, dass der Entlastungsbescheid einer Tübinger Spruchkammer, den Weizsäcker wenige Monate nach seiner Freilassung aus Landsberg für sich erwirkt hatte, seine völlige Rehabilitierung bedeutete. Tatsächlich erreichten Becker, Kraske und die als Zeugin benannte Margret Boveri, dass der Berliner Spruchkammervorsitzende die in Tübingen vorgebrachten Entlastungsdokumente akzeptierte. Das Verfahren wurde im Juni 1954 eingestellt und die Sperrung des Hauses aufgehoben.[214] Mit der Freigabe des ehemaligen Wohnhauses schien auch der letzte Makel beseitigt, der seit dem Nürnberger Richterspruch auf dem Familiennamen lastete.

John McCloy und die Verurteilten aus dem Amt

Nach Ablauf des Wilhelmstraßenprozesses war klar, dass die bisherige alliierte Politik gegenüber Kriegsverbrechern keine Fortsetzung finden würde. Obwohl die französischen Gerichtsverfahren noch lange nicht abgeschlossen waren und der britische Prozess gegen Generalfeldmarschall Erich von Manstein erst am 19. Dezember 1949 beendet war, zeichnete sich längst eine immer größere Milde bei der Behandlung der Verurteilten ab. In London und Washington meldeten sich Stimmen, die nicht nur Verfahrensmängel, sondern die eifrige Entnazifizierung der zurückliegenden Jahre generell beklagten. Seit 1948 lief im amerikanischen Kongress eine Reihe von Untersuchungen: Simpson Commission, Baldwin-Komitee, Hoey-Komitee. Letzteres sollte eigentlich alle von US-Militärtribunalen verhängten Todesstrafen überprüfen, doch Senator Clyde Hoey gedachte vorübergehend auch den Ablauf der Nürnberger Nachfolgeprozesse unter die Lupe zu nehmen.[215] Um die Republikaner zu beruhigen, beschloss die Truman-Administration, dem Beispiel Großbritanniens zu folgen, wo ein Review Board dafür sorgen sollte, dass alle durch britische Gerichte Verurteilten vergleichbare Strafen für vergleichbare Taten erhielten.

Am 17. November 1949 wurde John McCloy vom State Department angewiesen, »eine Prüfung der Urteile in den Kriegsverbrecherfällen zu unternehmen, um eventuelle gravierende Unterschiede zwischen den Urteilen zu beseitigen ... um sicherzustellen, dass die Strafe der Straftat angemessen ist, und um einheitliche Normen für Amnestie, Begnadigung, Milde, Strafaussetzung oder Freilassung zu etablieren«.[216] McCloy schlug vor, eine Kommission zu etablieren, die einerseits die Prüfung der Einzelfälle vornehmen, andererseits die Flut der Gnadengesuche kanalisieren sollte. Was dem Hochkommissar vorschwebte, war nicht nur eine strafrechtlich einwandfreie, möglichst objektive Behandlung, sondern auch eine Entpolitisierung der Debatte.[217] Die Größe der amerikanischen Justiz sollte durch Milde bewiesen werden, aber die Urteile der Militärgerichte mussten dabei über jeden Zweifel erhaben bleiben.

Trotz anfänglicher Sorgen von Außenminister Dean Acheson, eine solche Kommission könnte Zweifel an den Methoden und Urteilen der Nürnberger Prozesse aufkommen lasen, genoss McCloy die volle Unterstützung des State Department.[218] Und der Widerstand war heftig: Telford Taylor, der sich gerade als Rechtsanwalt in New York etabliert hatte, donnerte gegen einen »Rückzug aus Nürnberg«. McCloy beharrte jedoch auf einer systematischen Prüfung der Einzelfälle durch angesehene Persönlichkeiten, die nicht in Verbindung zur US-Besatzung stehen durften. Erst im März standen die Ausschussmitglieder fest; den Vorsitz in dem dreiköpfigen Gremium übernahm David W. Peck vom New Yorker Berufungsgericht. Im Juli 1950 nahm die Gruppe ihre Arbeit auf –

mit Dienstsitz München, in demonstrativer Ferne vom HICOG-Hauptquartier in Frankfurt.

Fünf Wochen beschäftigten sich die Ausschussmitglieder mit den vollständigen Texten der Urteile und den dazugehörigen Stapeln Gnadengesuche. Danach hörten sie die Argumente der Verteidiger – ohne Anwesenheit der Ankläger. Selbst geringe Unstimmigkeiten in den Urteilen genügten, um eine Strafmilderung zu rechtfertigen.[219] Das Ausschussmitglied Frederick Moran suchte die Häftlinge in Landsberg auf und sprach mit ihnen und ihren Ärzten, um ihren Gesundheitszustand zu überprüfen und sie nach ihren Zukunftsplänen zu befragen.

Am 28. August 1950 war der »Peck-Bericht« fertig. In weniger als zwei Monaten hatte der Ausschuss die Ergebnisse aller zwölf Nürnberger Nachfolgeprozesse ausgewertet und – in vertraulichen Empfehlungen – radikal nach unten korrigiert. Wie direkt die Ausschussmitglieder den Thesen der Nürnberger Ankläger widersprachen, zeigt das Beispiel Edmund Veesenmayer, indem sich der Peck-Bericht vollkommen die »Briefträger-Theorie« zu eigen machte: »Wir müssen darauf Rücksicht nehmen, dass er Botschafter war und nur Botschafter ... Es ist klar, dass seine Aufgabe im Wesentlichen darin bestand, die Ansichten der Hitler-Regierung an die ungarische Regierung weiterzuleiten, und Berichte [nach Berlin] zu erstatten.« Ein einziger Punkt, so der Peck-Ausschuss, rechtfertige ein Urteil gegen Veesenmayer: seine Mitgliedschaft in einer kriminellen Vereinigung. »Bloße« Mitgliedschaft in der SS dürfe aber höchstens zu einer fünfjährigen Strafe führen. Die ursprüngliche Empfehlung des Ausschusses lautete daher »Zeit verbüßt«; erst in letzter Minute wurde diese Empfehlung in »10 Jahre Haft« umgewandelt.[220] McCloy zögerte, die Empfehlungen des Peck-Berichts ohne Weiteres zu übernehmen. Stattdessen wurden die Justizbeamten von HICOG aufgefordert, Stellungnahmen zu den Empfehlungen vorzubereiten. Im Fall Veesenmayer widersprachen die HICOG-Juristen entschieden: »Auch wenn die allgemeine Politik auf höherer Ebene formuliert wurde, benutzte er sein ganzes Können und alle vorhandene Mittel, um sie in die Tat umzusetzen.« Es sei daher höchstens eine Revision von 20 auf 15 Jahre vertretbar.[221]

Mit seiner Entscheidung für eine vorzeitige Freilassung Weizsäckers am 13. Oktober 1950 hatte McCloy zum ersten Mal eine Ausnahmeregelung für einen verurteilten Kriegsverbrecher gutgeheißen. Zwar waren zwei Häftlinge aus medizinischen Gründen bereits im Spätherbst 1949 entlassen worden; dabei waren aber keine Rechtsfragen berührt worden.[222] In allen anderen Fällen – wie etwa der Entlassung aufgrund guter Führung – erfolgten die Freilassungen mehr oder weniger automatisch, ohne dass McCloy eine Entscheidung fällen musste. Er hatte weder gedrängt noch sich drängen lassen. Dass es am Ende gerade Weizsäcker war, der als Erster den Gnadenerweis des Hohen Kommissars erhielt, war aber von hoher symbolischer Bedeutung.

Dennoch führte der Schritt zu keiner spürbaren Entspannung in der Diskussion über die Kriegsverbrecherfrage zwischen Deutschen und Alliierten. Carlo Schmid (SPD), der es explizit abgelehnt hatte, sich für den inhaftierten Weizsäcker zu engagieren, befürwortete nun die unterschiedslose Freilassung aller alliierten Häftlinge. Adenauer, der zum Leidwesen der Nürnberger Anwälte stets eine auffällige Zurückhaltung geübt hatte, gab sich hinter den Kulissen redlich Mühe, Amerikaner, Briten und Franzosen über die schwierige deutsche Stimmungslage ins Bild zu setzen und eine möglichst geräuschlose Abwicklung des Problems zu erreichen.

Am 31. Januar 1951 schließlich wurden McCloys »Landsberger Entscheidungen« veröffentlicht. Sie betrafen alle Verurteilten, die sich noch in amerikanischer Haft befanden. Todesurteile für fünf Generäle wurden bestätigt, was für neuerliche Empörung in Deutschland sorgte.[223] Die Tatsache, dass McCloy im Wesentlichen den Empfehlungen des Peck-Ausschusses folgte, schützte den Hohen Kommissar andererseits nicht vor bitterer Kritik aus den USA, allen voran Telford Taylor. 78 der 89 Fälle, die im Januar 1951 zur Entscheidung standen, so rechnete Taylor vor, erhielten Strafermäßigungen. In 31 Fällen wurde das Urteil auf »Zeit verbüßt« herabgesetzt.[224] Wie sich die Entscheidungen konkret auswirkten, lässt sich wiederum gut am Beispiel Veesenmayer demonstrieren. McCloy war der Empfehlung des Peck-Berichts gefolgt, die Strafe auf zehn Jahre zu halbieren. Eingerechnet die Zeit für »gute Führung« sollte Veesenmayer bereits am 29. Januar 1952 freikommen. Aber selbst so lange musste er nicht mehr warten: Im Zuge einer Weihnachtsamnestie wurde er am 15. Dezember 1951 entlassen.[225] Für den verurteilten Kriegsverbrecher, der damit hatte rechnen müssen, erst 1965 freizukommen, zahlten sich die politischen Annäherungen zwischen Deutschen und Amerikanern jedenfalls aus.

In den Vereinigten Staaten zeigten sich manche Beobachter geradezu schockiert über die Strafermäßigungen. Die *New York Times* sprach von einem misslungenen Kompromiss »zwischen Justiz und Zweckdienlichkeit«.[226] Doch welchen Zweck sollte McCloy mit seiner Milde verfolgt haben? Der Abgeordnete Jacob Javits sprach in einer Rede vor dem Repräsentantenhaus die Vermutung aus, McCloy habe sich Forderungen der ehemaligen deutschen Generäle gebeugt, damit diese in die große Wiederaufrüstung gegen die Sowjetunion eingespannt werden könnten. Ein solcher Opportunismus werde aber nur den Zynismus unter den Westdeutschen fördern und die moralische Führung der USA infrage stellen.[227]

McCloy reagierte scharf. Er wies jeden Zusammenhang zwischen Wiederaufrüstung und Gnadenerweis zurück; schließlich habe er den Peck-Bericht erhalten, bevor der Gedanke an einen deutschen Verteidigungsbeitrag aktuell geworden sei.[228] Diese Behauptung war zwar unzutreffend. Aber die Strafmilderungen und vorzeitigen Freilassungen waren tatsächlich nicht als Vorleistung auf eine deutsche Wiederbewaffnung konzipiert. Sie sollten eine Geste amerikanischer »Fairness und guten Willens« sein, wie selbst McCloys schärfster Kritiker, Telford Taylor, zugab. Die zeitliche Koinzidenz allerdings war auffallend, und dies hatte McCloy selbst zu verantworten. Am 9. Oktober 1950, vier Tage vor der Begnadigung Weizsäckers, wurde die »Himmeroder Denkschrift« verfasst, in der eine hochkarätige Gruppe aus ehemaligen Generälen und Admiralen die Eckdaten für künftige deutsche Streitkräfte bestimmte. Als eine psychologisch wichtige Voraussetzung für den westdeutschen Verteidigungsbeitrag wurden Erleichterungen in der Kriegsverbrecherfrage bezeichnet.[229] Auch wenn McCloys Entscheidungen in keinem Zusammenhang mit der deutschen Wiederbewaffnung standen, konnte er nicht verhindern, dass diese Auslegung in weiten Kreisen sowohl der deutschen als auch der amerikanischen Öffentlichkeit überwog. Für die Ex-Diplomaten aus dem alten Amt wurde der Rechtfertigungsdruck damit erheblich geringer.

Tradition und Neuanfang

Im April 1953, wenige Wochen nach seinem Wechsel vom Bundeswirt-schaftsministerium in das Auswärtige Amt, hielt der spätere AA-Staats-sekretär Rolf Lahr seine Eindrücke zu dem im Bau befindlichen Sitz des künftigen bundesdeutschen Außenamts fest: »Schon sieht man zwischen Rhein und Koblenzer Straße einen für unser Bundesdorf überdimensio-nierten Koloss emporwachsen, der die friedliche Rheinfront um ihr be-scheidenes Gleichgewicht bringt und mehr nach dem Neubau einer Ver-sicherungsgesellschaft als einem Bruder des Quai d' Orsay, des Foreign Office und des Palazzo Chigi aussieht.«[1] Die Errichtung und Inbetrieb-nahme des neuen Dienstgebäudes für die Diplomaten, dem der Berli-ner Architekt Hans Freese die Form eines lang gestreckten, kompakten Hochhauses in moderner Stahlbeton-Skelettbauweise verpasst hatte, markierte nicht nur einen Bruch mit der bis dahin eher kleinteiligen, wenig repräsentativ wirkenden Ästhetik der Bonner Regierungsarchi-tektur.[2] Auch für die Institution und deren Mitarbeiter bedeutete der Umzug Anfang 1955 einen wichtigen Einschnitt, ging damit doch eine längere Phase der Unstetigkeit zu Ende, die durch häufige Umzüge, mehrere, teilweise weit voneinander entfernt liegende Dienstorte und provisorische Unterkünfte geprägt gewesen war. Zeitweise hatten die Be-amten in den Räumen des Zoologischen Forschungsinstituts, dem so genannten »Museum Koenig«, arbeiten müssen, in dem 1948 zwischen ausgestopften Giraffen der Festakt zur Eröffnung des Parlamentarischen Rates begangen worden war.

Nicht zufällig fiel die Inbetriebnahme des neuen Quartiers mit einem für die junge Bundesrepublik bedeutsamen Ereignis zusammen: Am 5. Mai 1955 entließen die alliierten Hohen Kommissare, die bis dahin die Aufsicht über die völkerrechtlichen Beziehungen der Bundesrepublik ausgeübt hatten, den westdeutschen Teilstaat in die begrenzte Souveränität. Nicht zuletzt der Koreakrieg hatte entscheidend dazu beigetragen, dass sich das Provisorium Bundesrepublik binnen weniger Jahre zu einem der wichtigsten Verbündeten der westlichen Besatzungsmächte wandelte.

Die Alliierten formieren sich

Zunächst hatte nichts auf eine derartige Entwicklung hingedeutet, im Gegenteil. Nach der Kapitulation des Deutsches Reichs am 8. Mai 1945 gab es weder eine deutsche Regierung, noch war daran zu denken, dass die Deutschen wieder eine eigenständige Außenpolitik würden betreiben können. Mit der Errichtung des Alliierten Kontrollrats in Berlin übernahmen die Vier Mächte sämtliche Hoheitsrechte auf dem Territorium des ehemaligen Deutschen Reichs. In seiner Proklamation Nr. 2 vom 20. September 1945 erklärte der Kontrollrat seine Alleinzuständigkeit für die auswärtigen Beziehungen. Er diente deshalb auch als Akkreditierungsstelle für fremde Vertretungen auf deutschem Boden – vor allem für die Militärmissionen kleinerer alliierter Staaten und die Konsulate europäischer Länder wie Schweden, Italien und Spanien. Deutsche Interessen im Ausland und die Angelegenheiten deutscher Emigranten wurden ebenfalls vom Kontrollrat provisorisch geregelt.

Nachdem der vom State Department verfolgte Plan, »Interim Offices for German Affairs« zu gründen, nach dem Scheitern der Moskauer Außenministerkonferenz im Frühjahr 1947 ad acta gelegt worden war,[3] flammte die Forderung nach Wiederaufnahme eigenständiger deutscher Auslandsbeziehungen etwa ein Jahr später wieder auf. Noch vor dem Zusammentreten des Parlamentarischen Rats verlangten die Ministerpräsidenten der westlichen Zonen, dass die künftige Bundesregierung Vollmachten erhalten müsse, um wenigstens auswärtige Handelsbeziehungen unterhalten zu können.[4] Auch den Briten erschien die Förderung des deutschen Außenhandels erstrebenswert. Unabhängige Köpfe in der britischen Besatzungszone gingen noch einen Schritt weiter. Man solle sich endlich über einen konsularischen und diplomatischen Dienst Gedanken machen, schrieb der politische Berater Christopher »Kit« Steel. Es sei nötig, erfahrene Diplomaten des alten Amtes, die ohnehin

»größtenteils feindlich gegenüber Hitler« eingestellt gewesen seien, mit der Auswahl und Vorbereitung eines auswärtigen Dienstes zu beauftragen, solange die Alliierten noch in der Lage seien, diesen Prozess zu beeinflussen.[5] Unter den leitenden Beamten Londons waren solche Vorschläge allerdings heftig umstritten. Vor allem die Labour-Regierung setzte ihre Hoffnung darauf, die deutsche Diplomatie durch Rekrutierung anderer sozialer Gruppen von Grund auf zu erneuern.

Obwohl die Amerikaner ähnliche Überlegungen hinsichtlich einer grundlegenden Beamtenreform in Deutschland anstellten, handelten sie pragmatisch. So nahmen sie Anfang März 1947 keinerlei Anstoß an der Errichtung einer halbamtlichen Beratungsstelle, dem »Deutschen Büro für Friedensfragen« in Stuttgart, in dem zahlreiche ehemalige Wilhelmstraßen-Mitarbeiter beschäftigt wurden.[6] Auch die Franzosen tolerierten die Arbeit des »Friedensbüros« – solange die Stelle in Stuttgart nicht als Vorläufer eines neuen deutschen Außenministeriums auftrat.[7] Was die Franzosen im Herbst 1948 jedoch entschieden ablehnten, waren Bemühungen zum Aufbau eines deutschen konsularischen Dienstes. Ebenfalls abgelehnt wurde von ihnen Kit Steels Vorschlag, ein trizonales deutsch-alliiertes Planungskomitee für ein künftiges Außenamt ins Leben zu rufen.[8]

Die restriktive französische Haltung fand ihren Niederschlag in den Bestimmungen des Besatzungsstatuts, das am 8. April 1949 durch die drei Westmächte beschlossen wurde. Es überließ der neuen Regierung so gut wie keine Kompetenzen in Bezug auf auswärtige Angelegenheiten. Selbst der Außenhandel gehörte zu den »reservierten« Rechten der Besatzungsmächte; General Clay hatte sich nicht durchsetzen können, seine Formulierungen waren im Entwurf des Besatzungsstatuts gestrichen worden.[9] Als die Bundesrepublik Deutschland am 24. Mai 1949 aus der Taufe gehoben wurde, war sie weder souverän noch in irgendeiner Weise berechtigt, eigenständig internationale Verpflichtungen einzugehen.

Im Sommer verlegten die Westmächte die Akkreditierung fremder Militärmissionen von Berlin, dem Sitz der Kontrollkommission, auf den Petersberg bei Bonn, wo die Alliierte Hohe Kommission (AHK) residierte. Nachdem die Missionsleiter dort in kleinen Gruppen ihre Ernennungsurkunden entgegengenommen hatten, durften sie mit der Bundesregierung Kontakt aufnehmen; dabei handelte es sich wohlgemerkt um inoffizielle Kontakte, bei denen weder Flaggen noch sonstige Hoheitszeichen gezeigt wurden. Etwa ein Dutzend vorwiegend europäische Staaten unterhielt auf diese Weise amtliche Beziehungen zur Hohen Kommission; wie Herbert Blankenhorn, Leiter der Verbindungsstelle zur AHK, in seinem Tagebuch notierte, hätten einige Nachbarländer einen direkteren Draht zu den deutschen Stellen bevorzugt.[10]

Die Konstruktion war ein Beleg für die schwache völkerrechtliche Position der Bonner Regierung. Ein vergleichender Blick auf die sowjetische Besatzungszone macht dies noch deutlicher. Am 7. Oktober 1949 kam von dort die Ankündigung, dass die Deutsche Demokratische Republik ein eigenständiges Außenministerium erhalten werde. Nicht Bonn, sondern »Pankow« ernannte den ersten deutschen Außenminister der Nachkriegszeit: Georg Dertinger von der Ost-CDU. Auch wenn der Spielraum für die ostdeutsche Diplomatie begrenzt war, geriet die Adenauer-Regierung damit auf außenpolitischem Gebiet ins Hintertreffen.[11]

Aus Sicht der Alliierten entwickelte sich die politische Kultur der frühen Bundesrepublik teilweise so unerfreulich, dass sie keinen Anlass für Konzessionen auf außenpolitischem Gebiet sahen. Alle im Bundestag vertretenen Parteien wetterten in mitunter schrillen Tönen gegen die Demontage deutscher Industrieanlagen. Der »Ausschuss für das Besatzungsstatut und auswärtige Angelegenheiten« forderte den beschleunigten Ausbau eines eigenen Ressorts, das sich mit außenpolitischen Fragen beschäftigen sollte. Zwar räumte der Ausschussvorsitzende Carlo Schmid (SPD) ein, dass die Außenpolitik zu den Vorrechten der Westalliierten gehöre; doch es sei an der Bonner Regierung, selber über die Struktur der einzelnen Ministerien zu entscheiden.[12] Adenauer sah dies ähnlich, wollte sich aber nicht von einem Bundestagsausschuss hineinreden lassen. Er berief sich stattdessen auf die Vorschläge des Organisationsausschusses der Ministerpräsidenten – die so genannten »Schlangenbader Empfehlungen« vom 30. Juli 1949 –, die die Einrichtung von zwei Staatssekretärsstellen im Bundeskanzleramt vorsahen: eine für Inneres und eine für Äußeres.[13] Sogar einen Wunschkandidaten für den Posten des Staatssekretärs für Äußeres hatte Adenauer schon im Sinn: Hermann Josef Abs, Präsident der Wiederaufbau-Bank; er beherrsche Fremdsprachen und sei »niemals mit dem ehemaligen deutschen Auswärtigen Dienst« verbunden gewesen.[14]

Mit dieser Personalie vergaloppierte sich der Bundeskanzler schwer. Abs als außenpolitischer Entscheidungsträger der Bundesregierung sei eine unerträgliche Vorstellung, ließ die französische Hohe Kommission dem Kanzler mitteilen; seine Verwicklung in Währungsmanipulationen während der Besatzungszeit sei noch in guter Erinnerung.[15] Außerdem sei es nach französischer Vorstellung verfrüht, über einen Staatssekretär für Äußeres überhaupt nachzudenken. Vorerst brauche man lediglich ein »technisches Organ« innerhalb des Bundeskanzleramts, das den Einsatz etwaiger westdeutscher Handelsvertreter koordiniere. Im Übrigen seien nicht nur Personalentscheidungen von den Alliierten eingehend zu prüfen, die AHK müsse auch das Recht behalten, Organisation und Arbeitsweise des Staatssekretariats mitzubestimmen.[16]

In London und Washington war man großzügiger: Die Hohe Kommission müsse echte Zugeständnisse anbieten, um die Autorität des Bundeskanzlers zu stärken. »Falls wir nicht schnell handeln, werden wir mit viel schwierigeren und gefährlicheren Persönlichkeiten [als Adenauer] konfrontiert«, schrieb Acheson an Schuman. Zwar könne man sich auf den Standpunkt stellen, dass die deutsche Seite zunächst überzeugende Beweise für einen gesellschaftlichen Gesinnungswandel zeigen müsse, aber was spräche dagegen, »den ersten Schritt zu machen und den Deutschen einen politischen Kredit einzuräumen, den sie noch nicht völlig verdient haben?«[17] Präzise Vorschläge machte der britische Außenminister Ernest Bevin. Auf ihrem Treffen in Paris am 10./11. November 1949 verständigten sich die drei Außenminister auf ein Programm zur Eingliederung der Bundesrepublik in das westliche Staatensystem. Das Ende der Demontagen in Westdeutschland, eine möglichst schnelle Aufnahme der Bundesrepublik in internationale Organisationen und die Zulassung deutscher Konsulate (nicht nur Handelsvertretungen) im Ausland gehörten zu den wichtigsten Zugeständnissen der Westmächte. Formell beschlossen wurde dieses Programm durch die drei Hohen Kommissare und den Bundeskanzler am 22. November 1949 auf dem Petersberg.[18]

Was die Westmächte nach wie vor nicht duldeten, war ein eigenständiges Außenministerium in Bonn. Auch die Frage eines Staatssekretariats verlor an Aktualität. Stattdessen wurde innerhalb des Kanzleramts ein »Organisationsbüro für die konsularisch-wirtschaftlichen Vertretungen im Ausland« eingerichtet. In einem Grundsatzgespräch mit Wilhelm

Haas, dem Leiter des Organisationsbüros, stellten die alliierten Vertreter am 23. Januar 1950 fest, dass die ersten Konsulate in Paris, London und New York eröffnet werden sollten. Die Errichtung weiterer Konsulate oder Handelsvertretungen sollte von Fall zu Fall mit der Hohen Kommission ausgehandelt werden. Auch die Befugnisse der neuen Vertretungen waren eingeschränkt: Bis auf Weiteres durften die Konsuln zwar Pässe an deutsche Staatsbürger ausgeben, die Visaerteilung für Reisen nach Westdeutschland blieb jedoch dem alliierten Combined Travel Board vorbehalten.[19]

Die Alliierten bestanden darauf, dass alle Personalien für die Auslandsvertretungen mit ihnen abgestimmt werden mussten. In der Praxis erfolgte dies in Form vertraulicher, zwangloser Gespräche zwischen den Vertretern des Organisationsbüros und der jeweiligen Besatzungsmacht, bei denen die politische Eignung der Kandidaten besprochen wurde.[20] Es folgte eine formelle Anfrage des Bundeskanzleramts beim Sekretariat der Hohen Kommission einschließlich der Übersendung eines Lebenslaufs. Die Entscheidung, ob der in Aussicht genommene Bewerber für das jeweilige Land tragbar war, traf allerdings jede Regierung selbstständig. Dabei mussten sich kleinere Staaten mangels eigener Überprüfungsmöglichkeiten darauf verlassen, dass die alliierten Untersuchungen gründlich verlaufen waren. Als dem luxemburgischen Außenminister zu Ohren kam, Josef Jansen, der soeben eingetroffene deutsche Generalkonsul, habe seine Mitgliedschaft in der NSDAP verschwiegen, wandte er sich an das Foreign Office, das Jansen entlastete.[21]

Während die Alliierten bei der Überprüfung potenzieller Auslandsvertreter strenge Maßstäbe anlegten, übten sie bei der Besetzung interner Stellen nur wenig Kontrolle aus. Die von französischer Seite geäußerte Forderung, bei sämtlichen Personalentscheidungen einbezogen zu werden, fand keine Unterstützung der britischen und amerikanischen Kommissare. Erstens sei es fraglich, so der außenpolitische Berater des amerikanischen Hohen Kommissars, Bernard Gufler, im November 1949, ob die Kommission nach dem Besatzungsstatut überhaupt berechtigt sei, Einwände gegen die Besetzung untergeordneter Regierungsstellen zu erheben. Zweitens sei es aus taktischer Sicht unklug, sich Feinde zu schaffen, indem man ehrgeizigen Beamten Steine in den Weg lege. Zu ähnlichen Ergebnissen gelangte auch Kit Steel.[22]

In Bernard Gufler fanden die Fachkräfte aus dem alten Auswärtigen

Amt einen ihrer wichtigsten Unterstützer. Schon im Mai 1949 hatte er das Urteil gegen Weizsäcker kritisiert, und bei dieser Linie blieb er auch in seinen Berichten über den Aufbau des künftigen Außenamtes, das ab Juni 1950 »Dienststelle für Auswärtige Angelegenheiten« hieß. Gufler notierte sich nicht nur den jeweiligen Entnazifizierungsgrad der einzelnen Beamten – fast alle waren »nicht betroffen«, »entlastet« oder »Mitläufer« –, sondern war darüber hinaus auch bemüht, deren oft fadenscheinigen Geschichten über angebliche Widerstandsaktivitäten in Washington zu größtmöglicher Verbreitung zu verhelfen.[23]

Bei der Frage, wo deutsche Konsulate entstehen sollten, genossen die Organization for European Economic Cooperation (OEEC) und Commonwealth-Staaten sowohl auf deutscher als auch auf alliierter Seite höchste Priorität. Schwieriger gestaltete sich die Frage des Umgangs mit den Neutralen wie Schweden und der Schweiz. Die Sorge, dass deutsche Konsuln versuchen könnten, die Beschlagnahme deutschen Auslandsvermögens zu verhindern, war nicht von der Hand zu weisen; auch ökonomische Rivalitäten dürften eine Rolle gespielt haben.[24] Besonders heikel war der Fall Spanien, wo die Franzosen eine bereits getroffene Personalentscheidung um mehr als ein Jahr blockierten, um unangenehme Rückwirkungen auf die innenpolitische Lage in Frankreich zu verhindern.[25] In vielen Ländern traten die Besatzungsmächte als wohlwollende Advokaten der Belange der jungen Bundesrepublik auf – gerade auch in Regionen, in denen die DDR Fuß zu fassen suchte. Sie hielten sich aber zurück, wenn Drittländer zögerten, eine westdeutsche Vertretung zuzulassen.[26] Erst die wachsenden Spannungen im Ost-West-Verhältnis nach Ausbruch des Koreakrieges im Juni 1950 schufen die Voraussetzung für eine aktive Unterstützung der Adenauer-Regierung auf der internationalen Bühne.

Im Besatzungsstatut war eine Frist von 12 bis 18 Monaten vorgesehen, nach der eine erste Überprüfung stattfinden sollte. Bereits im Frühsommer 1950 riefen die drei Westmächte eine »internationale Studiengruppe« ins Leben, um die Revision vorzubereiten.[27] Die Briten plädierten zu diesem Zeitpunkt dafür, entweder völlig auf die Kontrolle der deutschen auswärtigen Beziehungen zu verzichten oder sich auf ein Vetorecht für Regierungsabkommen zu beschränken. Die Amerikaner sprachen sich dafür aus, die Aufsicht über die deutschen Außenbeziehungen mit dem Ostblock aufrechtzuerhalten. Nur die Franzosen wollten am Status quo festhalten; in Paris war man der Meinung, es reiche aus, die Praxis etwas zu lockern.[28] Im State Department hielt man es jedoch für dringend geboten, den völkerrechtlichen Status des westdeutschen Staates zu festigen: »Wir müssen Konzepte entwickeln, die es der Bundesrepublik erlauben, in ihren Außenbeziehungen als die Regierung aufzutreten, die als einzige das Recht besitzt, für das deutsche Volk zu sprechen.«[29] Die Amerikaner waren nunmehr bereit, den Kriegszustand mit Deutschland aufzuheben und die Bonner Regierung als die alleinige Rechtsnachfolgerin des Deutschen Reichs anzuerkennen. Allerdings blieben alle drei Mächte entschlossen, ihre souveräne Macht in Westdeutschland aufrechtzuerhalten.[30]

Im September 1950 einigten sich Acheson, Bevin und Schuman auf eine »kleine« Revision des Besatzungsstatuts. Als Vorbedingung verlangten sie, dass die Bundesregierung die Schulden des Deutschen Reichs anerkannte, die völkerrechtlichen Verträge übernahm und einen Beitrag zur westlichen Verteidigungsbereitschaft leistete.[31] Im Gegenzug proklamierten die Westmächte am 19. September 1950, dass sie der Bundesrepublik neues völkerrechtliches Gewicht verleihen wollten: »Da die Vereinigung Deutschlands noch in der Schwebe ist, betrachten die drei Regierungen die Regierung der Bundesrepublik als die einzige deutsche Regierung, die frei und legitim konstituiert wurde und daher berechtigt ist, für Deutschland als Vertreterin des deutschen Volks in internationalen Angelegenheiten zu sprechen.« Fast nebenbei erwähnte das Kommuniqué ein institutionelles Novum: Sobald die Revision in Kraft trete, stehe es der Bundesregierung frei, »ein Außenministerium zu errichten und diplomatische Beziehungen zu ausländischen Staaten aufzunehmen, wo immer dies angebracht erscheint«.[32]

Auf dieser Grundlage sollte das neue Auswärtige Amt dann gegründet werden – allerdings erst sechs Monate später. Der Kanzler war nämlich zunächst nicht in der Lage, die alliierten Bedingungen zu erfüllen, da die im Bundestag vertretenen Parteien gegen eine Anerkennung der Vorkriegsschulden Front machten.[33] Erst ein am 6. März 1951 erfolgter Notenaustausch mit den Westalliierten beinhaltete eine annehmbare Regelung der Schuldenfrage. Zu diesem Zeitpunkt war die Revision des Besatzungsstatuts in Teilen zwar bereits überholt, denn im Dezember 1950 hatte die NATO der westdeutschen Regierung die Aufnahme direkter Verhandlungen über einen Militärbeitrag angeboten. Aber für die deutsche Außenpolitik blieben die Festlegungen von New York – Mc-Cloy selbst bezeichnete die Zugeständnisse als minimal[34] – nicht ohne Folgen. Zwar durfte die Bundesregierung direkte diplomatische Beziehungen mit einem abgestimmten Kreis von Staaten aufnehmen. Jede Erweiterung dieses Kreises bedurfte jedoch weiterhin alliierter Zustimmung – die beispielsweise auf der Iberischen Halbinsel oder in Lateinamerika gelegentlich verweigert wurde.[35] Eine unabhängige deutsche Ostpolitik war völlig ausgeschlossen. Auch durfte die Bundesrepublik keine Botschafter nach London, Paris und Washington entsenden, sondern nur Diplomaten im Rang eines »Chargé d'Affaires«.[36] Adressat für die Belange der Bundesregierung blieb nach wie vor die Alliierte Hohe Kommission.

Personeller und institutioneller Wiederaufbau

Während die meisten Ministerien kurz nach der Regierungsbildung entstanden – sie wurden von der in Frankfurt am Main ansässigen Zweizonenverwaltung übernommen beziehungsweise aus den bizonalen Zentral- und Hauptämtern gebildet –, erhielt das Außenministerium, das sich als Organisationsbüro für die konsularisch-wirtschaftlichen Vertretungen im Ausland unter dem Dach des neu geschaffenen Bundeskanzleramtes formiert hatte, den Status einer eigenständigen Bundesbehörde mit fast eineinhalbjähriger Verzögerung. Aufgrund der weitreichenden Veto- und Eingriffsrechte, die das am 21. September 1949 in Kraft getretene Besatzungsstatut den Siegermächten einräumte, war der außenpolitische Gestaltungsraum der Adenauer-Regierung in den Anfangsjahren denkbar eng. Umso notwendiger erschien es dem Kanzler und seinen Beratern, der alliierten »Nebenregierung« mit ihrem nahezu uneingeschränkten Kontrollanspruch einen fachlich versierten und effizienten Verwaltungsapparat entgegenzusetzen.[37]

Um eine reibungslose Kommunikation zu gewährleisten, war auf Anregung der britischen Militärregierung bereits im Frühjahr 1949 eine Verbindungsstelle zwischen der Alliierten Hohen Kommission und der künftigen Bundesregierung eingerichtet worden. Mit deren Leitung beauftragt war Herbert Blankenhorn.[38] Zwar gehörte der 44-jährige ehemalige Referatsleiter zu jenem Kreis von AA-Beamten, die bei Amerikanern und Briten zunächst erhebliches Misstrauen erregt hatten. Sprachkundige Beamte, die neben dem nötigen Fachwissen auch über ein gewisses Maß an Weltläufigkeit verfügten, waren im Nachkriegsdeutschland jedoch eine ausgesprochene Seltenheit. Gemeinsam mit seinen Mitarbeitern Herbert Dittmann und Alexander Hopmann – auch sie ehemalige Pgs – übernahm Blankenhorn die schwierige Aufgabe, die Beziehungen zu den alliierten Kontrollorganen nicht nur zu koordinieren, sondern diesen auch Schritt für Schritt Zugeständnisse im Hinblick auf eine Lockerung des Besatzungsstatuts abzuringen.

Ein wichtiger Etappenerfolg auf dem Weg zur Souveränität gelang bereits wenige Wochen nach Inkrafttreten des Besatzungsstatuts. Die Alliierten hatten sich dort das Recht vorbehalten, der Bundesrepublik für einzelne Bereiche außenpolitische Befugnisse zu erteilen, und am 9./10. November 1949 kamen die Außenminister der drei Westmächte in Paris überein, der Einrichtung konsularischer und wirtschaftlicher Vertretungen im Ausland zuzustimmen. Die Gründung eines Außenamtes sowie die Übertragung diplomatischer Aufgaben wurden nicht zuletzt aufgrund französischen Einspruchs zwar noch ausdrücklich abgelehnt; in den Blick genommen wurden aber der bundesdeutsche Beitritt zu OEEC, Europarat und Ruhrabkommen sowie die Aufnahme von Verhandlungen über einen Demontagestopp. Noch im selben Monat fanden mehrere Arbeitssitzungen auf dem Petersberg statt, in denen Blankenhorn mit den stellvertretenden Hohen Kommissaren die Details besprach.

Im Petersberger Abkommen vom 22. November einigte man sich schließlich auf die vage Formel, nach der die Bundesregierung »schrittweise die Wiederaufnahme von konsularischen und Handelsbeziehungen mit den Ländern in Angriff nehmen wird, mit denen derartige Beziehungen als vorteilhaft erscheinen«.[39] Die Unverbindlichkeit der Formulierung entsprach dem Übergangscharakter der deutsch-alliierten Beziehungen seit dem Ende der Berlin-Blockade. Zugleich manifestierte sich darin aber auch ein Vertrauensbeweis gegenüber der zweiten deutschen Demokratie. Durch ihren Verzicht auf eindeutige Vorgaben signalisierten die Besatzungsmächte, allen französischen Vorbehalten zum Trotz, dass sie die politische Klasse der Bundesrepublik für fähig hielten, die Grundlagen für den Aufbau eines demokratischen, weltoffenen Außenamts zu schaffen.

Noch ehe das Petersberger Abkommen unter Dach und Fach war, unterbreitete Blankenhorn dem Kanzler seine Vorschläge für die personelle Besetzung des künftigen Organisationsbüros. Die politisch heikle Frage der Ernennung eines Staatssekretärs für Auswärtige Angelegenheiten klammerten sie erst einmal aus. Nachdem Hermann Josef Abs vor allem wegen der Franzosen nicht durchsetzbar war, hätte Adenauer gern Blankenhorn selbst auf diesem Posten gesehen, aber der schied wegen seiner Parteimitgliedschaft aus. Der von Blankenhorn favorisierte CSU-Politiker Anton Pfeiffer wiederum scheiterte am Widerstand der CDU-Fraktion.

Als Leiter des Organisationsbüros schlug Blankenhorn dem Kanzler Wilhelm Haas vor. Der ehemalige Legationssekretär und gegenwärtige Chef der Bremer Präsidialkanzlei, mit dem Blankenhorn gut bekannt war, empfahl sich für diesen Posten schon deshalb, weil er vom Organisationsausschuss der Ministerpräsidentenkonferenz, der im Sommer 1949 im hessischen Schlangenbad über die Ausgestaltung der Bundesverwaltung beraten hatte, damit beauftragt worden war, Empfehlungen für den Aufbau eines Außenamts auszuarbeiten. Außerdem gehörte Haas zu einer Gruppe von Ex-Diplomaten unter Leitung des bayerischen Staatsministers Pfeiffer, die auf Weisung Adenauers einen abschließenden Plan für ein »Bundesamt für Auswärtige Angelegenheiten« ausgearbeitet und dem Kanzler Anfang Oktober unterbreitet hatte. Zuletzt konnte Blankenhorn darauf hinweisen, dass Haas 1937 wegen seiner Ehe mit einer Jüdin vorzeitig aus dem Auswärtigen Amt ausgeschieden war.[40] Aber nichts von alledem vermochte Adenauers ausgeprägtes Misstrauen gegenüber den »Ehemaligen« zu zerstreuen. Im Gegenteil, der Kanzler hielt Blankenhorn vor, Kollegen seiner alten Behörde über Gebühr zu bevorzugen, wo er doch wisse, dass er, Adenauer, ein »neues Amt aufbauen möchte, das mit den alten Leuten möglichst wenig zu tun« habe. Blankenhorn, mit dem Eigensinn seines neuen Chefs inzwischen zur Genüge vertraut, lud Haas daraufhin zum Vorstellungsgespräch ein, das ausgesucht freundlich verlief. Aber erst nachdem Haas gegangen war, gelang es Blankenhorn, dem Kanzler eine Entscheidung abzuringen. Auf der Rückreise nach Bremen wurde Haas per Bahnhofslautsprecher in das Museum Koenig beordert, wo er mit seiner neuen Aufgabe als Leiter des Organisationsbüros beauftragt wurde.[41] Am 25. November nahm er seine Tätigkeit auf.

In der Personalie Haas spiegeln sich auf exemplarische Weise die widerstreitenden Interessen, Sachzwänge und Spannungen, die den Aufbau des Außenamts begleiteten. Weil die Gründung des Ministeriums nicht nur mit erheblicher zeitlicher Verzögerung, sondern – wie Blankenhorn des öfteren hervorhob – gleichsam aus dem »Nichts« erfolgte,[42] standen die Beteiligten bei den zu treffenden Personalentscheidungen in fast allen Fällen unter enormem Druck. Zwar pochte Adenauer immer wieder darauf, dass er keine restaurierte »Wilhelmstraße« wünsche, aber um eine Ablehnung im Einzelfall sachlich begründen zu können, fehlte es ihm an Hintergrundinformationen. Seine Abneigung gegen die Ex-Diplomaten beruhte eher auf diffusen Ressentiments als auf belegbaren Tatsachen, und so fiel es einem »Ehemaligen« wie Blankenhorn nicht schwer, den Kanzler von Fall zu Fall zu beruhigen.

Adenauers demonstrative Vorbehalte trugen paradoxerweise dazu bei, dass seine wenigen Vertrauten aus dem Umfeld des AA ein besonderes Gefühl der Fürsorge für ihre früheren Kollegen entwickelten.[43] So gelang es Blankenhorn nicht nur, die ihm nahestehenden Mitarbeiter des 1950 aufgelösten Deutschen Büros für Friedensfragen fast komplett in das Bundeskanzleramt zu übernehmen, sondern neben Dittmann auch die meisten anderen Mitglieder seiner ehemaligen »Crew« mit Stellen zu versorgen.[44] Obwohl Blankenhorn unter den AA-Beamten der ersten Stunde zweifellos derjenige war, der die Sensibilitäten sowohl der Alliierten als auch des Kanzlers am besten einzuschätzen wusste, stellte er die Frage nach der politischen Belastung früherer Wilhelmstraßen-Diplomaten zurück und entschied vor allem unter dem Gesichtspunkt ihrer fachlichen Qualifikation. Dies zeigte sich besonders bei der Besetzung der Vorläufereinrichtungen und der von Blankenhorn gebildeten Arbeitsgruppen, in denen mit Ausnahme des SPD-nahen Haas überwiegend frühere Pgs tätig waren.[45] Adenauer ließ es geschehen und übte Anfang der fünfziger Jahre Nachsicht: Die Reaktivierung der Ex-Diplomaten sei wohl weniger unter dem Gesichtspunkt der gemeinsamen Verstrickung erfolgt als vielmehr aus übergreifender Solidarität mit den notleidenden Kollegen.[46] Damit zielte er jedoch am Kern des Problems vorbei, denn gerade bei der Personalauswahl waren unterschwellige Schuldabwehr und selbstbewusst vorgetragener Gemeinschaftssinn kaum voneinander zu trennen.

Zu dem Zeitpunkt, als mit der gezielten Rekrutierung von Mitarbei-

tern für das neue Amt begonnen wurde, hatte Adenauer allen personal-
und beamtenpolitischen Reformen, die Amerikaner und Briten seit 1947
anzustoßen versuchten, bereits eine klare Absage erteilt. Deutlich wurde
dies vor allem bei der Demontage von Adenauers innerparteilichem Ri-
valen Hermann Pünder, dem Oberdirektor des Frankfurter Verwaltungsrates, der sich vorwerfen lassen musste, zu stark im Fahrwasser der
Alliierten und des von der SPD dominierten zentralen Personalamtes zu
schwimmen. Um die befürchtete Abwanderung fachlich qualifizierter
Beamter in die freie Wirtschaft zu verhindern, legte Adenauer in seiner
Regierungserklärung das Bekenntnis ab, »grundsätzlich und entschlossen auf dem Boden des Berufsbeamtentums« zu stehen.[47]

Zu einer der ersten Maßnahmen des neu gebildeten Kabinetts gehörte
der Entwurf für ein »Gesetz zur vorläufigen Regelung der Rechtsverhältnisse der im Dienst des Bundes stehenden Personen«. Sinn und Zweck
dieser Vorlage war, so schnell wie möglich eine »entnazifizierte« Fassung
des Beamtengesetzes von 1937 durch den Bundestag zu bringen, um Artikel 131 des Grundgesetzes zu entsprechen und das Militärgesetz Nr. 15
nicht anwenden zu müssen. Aufgrund des Drucks aus der Beamtenschaft
war im Grundgesetz ein eigener Artikel aufgenommen worden, der es
dem Gesetzgeber auferlegte, die Versorgungsansprüche ehemaliger
Staatsdiener und Wehrmachtsoldaten per Gesetz zu regeln. Zu den An-
spruchsberechtigten gehörten nicht nur Beamte und Angestellte des öffentlichen Dienstes, deren Behörden nach dem 8. Mai 1945 aufgehört
hatten zu existieren oder die sich aus den früheren Ostgebieten und dem
Territorium der SBZ/DDR in den Westen geflüchtet hatten. Als »verdrängt« wurden auch jene betrachtet, die im Zuge der Entnazifizierungs-
welle ihre Posten hatten räumen müssen – also jene rund 100 000 Personen, die von den Alliierten als politisch belastet eingestuft worden waren.
Als das Berufsbeamtengesetz im April 1951 bei zwei Enthaltungen vom
Bundestag angenommen wurde, war zwischen den beiden Gruppen allerdings kaum noch zu unterscheiden. Im Gegenteil: Durch einen Trick des
Gesetzgebers wurde erreicht, dass die Wiedereinstellungsgesuche Belasteter von den Ländern und Kommunen bevorzugt behandelt werden konnten, was Ländern und Kommunen fiskalische Erleichterung verschaffte,
da sie die Versorgungsleistungen der Betroffenen zu zahlen hatten.

Die deutlich erkennbare Absicht der Bundesregierung, die alliierten
Reformvorschläge nicht in das neue Beamtenrecht zu übernehmen, hatte

in vielfacher Hinsicht Signalwirkung. Zum einen gab es zum damaligen Zeitpunkt noch eine größere Gruppe ehemaliger Beamter aus den früheren Behörden des Deutschen Reichs und Preußens, die durch die scharfen Überprüfungspraktiken der Zweizonenverwaltung davon abgeschreckt worden waren, sich für den Bundesdienst zu bewerben. Viele dieser sogenannten verdrängten Beamten durften sich nun Hoffnungen machen, wieder unterzukommen. Auch unter den »Ehemaligen« des AA wagten sich jetzt viele erstmals hervor. So schrieb Herbert Nöhring, der als ehemaliger Generalkonsul von Saloniki an Judendeportationen mitgewirkt hatte, im November 1949 seinem »Crew«-Kameraden Blankenhorn, die ständigen Angriffe gegen AA-Angehörige seien empörend. Er selbst habe wegen der Personalpolitik in der Bizone den Frankfurter Verwaltungsrat seinerzeit »deeply disgusted« verlassen. Es sei höchste Zeit, dass das Beamtengesetz zu Artikel 131 GG endlich verabschiedet werde, damit die »ewigen Diffamierungen alter Beamter« ein Ende hätten.[48]

Während in den Ministerien und Behörden, die 1949 von Frankfurt nach Bonn überführt wurden, die Spitzenpositionen bereits besetzt waren, musste die Führungsetage des AA komplett neu aufgebaut werden. Insofern lag es nahe, dass gerade diejenigen unter den höheren Beamten, die noch auf eine Anerkennung ihrer Beamtenrechte hoffen konnten, den Wiederaufbau des Außenamts als große Chance begriffen. So führte der »verspätete« Neuanfang paradoxerweise dazu, dass ausgerechnet das AA zu Beginn der fünfziger Jahre einen hohen Anteil von »Ehemaligen« im höheren Dienst beschäftigte.[49] Dabei hätte man wegen der engen Kontakte zu den Alliierten und des damit verbundenen Risikos einer nochmaligen Überprüfung eigentlich darauf bedacht sein müssen, nicht zu vielen ehemaligen Pgs Unterschlupf zu bieten. Allerdings stieg aufgrund von Adenauers Indifferenz in dieser Frage der Anteil ehemaliger Pgs unter den Abteilungsleitern aller Bundesministerien ab 1950 kontinuierlich an, und im August 1951 konnte erstmals auch ein Staatssekretärsposten von einem vormaligen NSDAP-Mitglied besetzt werden.

Im April 1950 hielten sich Blankenhorn und der als Ausbildungsleiter vorgesehene Peter Pfeiffer für einige Tage als Gäste der Labour-Regierung in London auf, um die Methoden des Foreign Office bei der Rekrutierung und Ausbildung von Konsulatspersonal zu studieren. Kurz zuvor hatten die Briten zu erkennen gegeben, dass das Besatzungsstatut möglicherweise schon im September geändert werden könne und dass damit der Weg frei werde für deutsche diplomatische Vertretungen. Aber die Informationsreise verfolgte auch den Zweck, der wachsenden Kritik am autokratischen Führungsstil Adenauers zu begegnen; sowohl in Kreisen der SPD-Opposition als auch bei den Amerikanern wurden entsprechende Defizite beim Aufbau des diplomatischen Dienstes befürchtet.

Vor diesem Hintergrund war Blankenhorn darum bemüht, gut Wetter zu machen. Es bestehe eine große Kluft zwischen der geringen Zahl offener Stellen und dem anschwellenden Interesse der »deutschen Jugend«, betonte er gegenüber United Press. »Obschon wir im Augenblick nur ungefähr 200 Personen einstellen können, sind über 25 000 Bewerbungen bei uns eingegangen.« Man habe sich vorgenommen, ganz von vorne anzufangen: »Wir möchten kein ehemaliges Mitglied der Partei in unserem Konsulatsdienst einstellen. Selbst wenn eine Person nur nominelles Mitglied der Partei gewesen war, könnte dies im Ausland zu Reibungen führen. Da praktisch der gesamte ehemalige Konsulatsdienst in die Partei eintreten musste, müssen wir neue Männer finden und ausbilden. Dies hat uns jedoch eine einmalige Gelegenheit gegeben … mit der alten vor-hitlerschen Tradition zu brechen. Wir interessieren uns nicht im Geringsten für die Klasse, den Reichtum oder den Einfluss des Kandidaten. Jeder muss eine Chance haben. In unserem Dienst wird kein Raum für Cliquenwirtschaft sein. Das gehört der Vergangenheit an. Ich selbst bin armer Werkstudent gewesen, und wir sind entschlossen, dass unsere Auslandsvertreter Vertreter des ganzen deutschen Volkes sein müssen. Wir interessieren uns nicht für ihre politische Überzeugung, solange sie Demokraten und für den Westen sind.«[50] Blankenhorns Gelöbnis zu mehr Chancengleichheit und Pluralismus war mehr als ein Lippenbekenntnis; seine Dienststelle unternahm zu dieser Zeit in der Tat erhebliche Anstrengungen, um eine neue Generation von Diplomaten auszubilden. Die Ausführungen zur Parteimitgliedschaft hingegen können nur als Augenwischerei beschrieben werden, denn der unaufhaltsame Rückstrom von »Ehemaligen« hatte zu diesem Zeitpunkt bereits unumkehrbare Tatsachen geschaffen.

Der institutionelle und personelle Wiederaufbau des Auswärtigen Dienstes vollzog sich in drei Schüben. Während der ersten Phase, die mit der Berufung von Haas einsetzte, wurden die organisatorischen Grundstrukturen festgelegt, die entscheidenden Posten für die künftige Zentralverwaltung vergeben und die Auswahlkriterien für den In- und Auslandsdienst mit Bundeskanzleramt und Alliierter Hoher Kommission abgestimmt. Gleich zu Beginn schränkte Haas unfreiwillig seinen Einfluss auf die weitere personalpolitische Entwicklung ein, indem er den ihm aus Bremen gut bekannten ehemaligen Vortragenden Legationsrat Wilhelm Melchers als Leiter des Referats »I Pers. A« (Personalien des höheren Dienstes) vorschlug.[51] Dank seiner seit 1939 bestehenden, fast ununterbrochenen Tätigkeit in der Zentrale besaß Melchers Insiderkenntnisse, über die Haas, der das Amt zwei Jahre zuvor verlassen hatte und danach als Wirtschaftsberater der I.G. Farben in China tätig gewesen war, nicht verfügen konnte.

Am 19. Dezember, gut einen Monat nach seiner Ernennung, stellte Haas im Bundeskanzleramt sein Konzept in Grundzügen vor. Bei dieser Gelegenheit sprach sich Adenauer dafür aus, den konsularisch-wirtschaftlichen Vertretungen ungeachtet der noch bestehenden Beschränkungen auch politische Funktionen zu übertragen. In der Frage der Rekrutierung von »Ehemaligen« kam man überein, dass es unvermeidlich sei, beim Wiederaufbau auch auf bewährte Kräfte des früheren AA zurückzugreifen, so weit diese politisch einwandfrei waren. Gleichzeitig mahnte der Kanzler, bei der Besetzung von Auslandsposten äußerste Vorsicht walten zu lassen. Für den südamerikanischen Raum schlug er vorzugsweise die Entsendung katholischer Bewerber vor. Auf Zustimmung stieß Haas' Vorschlag, den Auswärtigen Dienst auch vermehrt »weiblichen Bewerbern zu öffnen«.[52] Der verstärkte Einsatz von Frauen sollte nach den Vorstellungen von Haas insbesondere in den Wirtschaftsabteilungen der Auslandsvertretungen, in den Passstellen der Konsularabteilungen, im Sozialreferat und in der Protokollabteilung erfolgen.

Etwa vier Wochen später unterrichteten Blankenhorn und Haas die Vertreter des Politischen Ausschusses der Alliierten Hohen Kommission über die deutschen Planungen; bereits einige Tage zuvor war auf dem Petersberg eine Liste mit Städten eingereicht worden, in denen deutsche Konsulate eröffnet werden sollten. Der Ausschuss unter Vorsitz von Con O'Neill, der wenig später auch Blankenhorns und Pfeiffers London-Reise einfädeln sollte, stimmte den deutschen Vorschlägen im Wesentlichen zu. Es gab nur zwei Einschränkungen: Zum einen waren die Auslandsvertretungen nicht zur Ausübung diplomatischer Aufgaben befugt und besaßen keine Zuständigkeit für beschlagnahmte deutsche Vermögenswerte. Zum anderen gaben die Deutschen die »formale Garantie« ab, keine Konsulatsbeamten oder Handelsvertreter ins Ausland zu schicken, die »mit der Nazibewegung in Verbindung gestanden« hatten; man werde den Hohen Kommissaren eine Bewerberliste vorlegen. Nachdem sie die AHK in dieser Weise beruhigt hatten, machten Blankenhorn und Haas vorsichtig darauf aufmerksam, dass nach ihrem Eindruck nicht genügend Personal zur Verfügung stehe, das den geforderten strengen Richtlinien entspreche. Man werde Ausnahmen zulassen müssen, um eine ausreichende Besetzung zu gewährleisten. Solche Ausnahmen sollten »nach vorheriger Fühlungnahme mit Vertretern der Hohen Kommission« im Einzelfall genehmigt werden. Am Ende kam man überein, problematische Fälle einem besonderen Kontrollverfahren zu unterziehen; die für die Durchführung benötigten Unterlagen würde das Berlin Document Center zur Verfügung stellen.[53]

Am 22. Februar 1950 gab Haas in Anwesenheit des Kanzlers vor dem Bundestagsausschuss für das Besatzungsstatut und Auswärtige Angelegenheiten die Marschroute für den Aufbau der Konsulate und der künftigen Zentrale bekannt. Die Vertretungen in London, Paris und New York sollten bereits im April eröffnet werden – eine Zeitplanung, die sich als zu optimistisch erwies, zumal es kurz darauf zum ersten Zusammenstoß zwischen Adenauer und Haas kam. Auslöser war offenbar ein Schreiben, in dem der Kanzler seinen Mitarbeiter Mitte März in autoritativer Form aufgefordert hatte, alle Personalvorschläge mit dem kommissarischen Staatssekretär zu besprechen, bevor sie ihm vorgelegt würden.[54] Zwar hatte auch Blankenhorns Stellvertreter Dittmann Ende 1949 eine ähnliche Weisung in Bezug auf die Verbindungsstelle erhalten.[55] Aber Haas als ehemals Betroffener der Nürnberger Rassengesetze empfand die Vorstellung, mit dem kommissarischen Staatssekretär Hans Globke, dem früheren Ministerialrat im Reichsinnenministerium und Mitverfasser des amtlichen Kommentars zum »Blutschutzgesetz«, über Personalien verhandeln zu müssen, als ausgesprochene Zumutung.[56] Adenauers mangelnde Sensibilität führte zu einem Bruch, der in den 15 Monaten bis zu Haas' Absetzung vom Posten des Personalchefs nicht mehr gekittet werden konnte.

Es trug nicht eben zur Entspannung des Verhältnisses bei, dass Ende April in mehreren Zeitungen Auszüge von Personallisten auftauchten, die Haas auf Weisung Adenauers zusammengestellt und Globke übergeben hatte.[57] Globke hatte Pünder gebeten, sich zu der Auswahl zu äußern; der beschwerte sich nicht nur über das »ungeheuerliche Übergewicht« an Pgs, sondern setzte offenbar auch einige Fraktionskollegen von der Misere in Kenntnis.[58] Der in diesem Zusammenhang von der *Frankfurter Neuen Presse* erhobene Vorwurf, die Listen seien dem Bundeskanzler mit Verzögerung vorgelegt worden, um eine möglichst geräuschlose Installierung von 194 »Ehemaligen« in den neu zu eröffnenden Konsulaten zu erreichen, führte dazu, dass Haas seine Personalpolitik am 20. April erstmals im Rahmen einer Pressekonferenz verteidigen musste.[59] Er bekräftigte den mit Kanzler und AHK besprochenen Grundsatz, vorläufig nur Beamte ohne Parteiverbindungen ins Ausland zu entsenden, und betonte, auch innerhalb der Zentrale würden strengere Maßstäbe angelegt als »an alle anderen Bundesdienststellen«, dies gelte insbesondere für das Personalreferat.[60]

In einer zweiten Phase, deren Beginn auf Juni 1950 anzusetzen ist, wurden die Arbeitsstrukturen zum ersten Mal in umfassender Weise reorganisiert. Nach einem von Haas ausgearbeiteten Plan gingen Organisationsbüro und Verbindungsstelle in einer neu errichteten Dienststelle für Auswärtige Angelegenheiten (DfAA) auf. Beide Bereiche, die den Kern der Abteilungen I (Personal und Verwaltung) und II (Politische Abteilung) des künftigen AA bilden sollten, wurden durch eine Konsularabteilung unter der Leitung Theo Kordts ergänzt, der zuletzt als völkerrechtlicher Berater des nordrhein-westfälischen Ministerpräsidenten Karl Arnold tätig gewesen war. Hinzu kamen eine von Peter Pfeiffer geführte, in Speyer angesiedelte Dienststelle für die Nachwuchsausbildung sowie die ebenfalls neu gegründete Arbeitseinheit Protokoll, die von dem »Ehemaligen« Hans Herwarth von Bittenfeld übernommen wurde, einem engen Mitarbeiter Anton Pfeiffers.

Nachdem sich Adenauer längere Zeit geziert hatte, ein eigenes Staatssekretariat für Auswärtiges zu schaffen, berief er am 25. August zur allgemeinen Überraschung Walter Hallstein. Der Juraprofessor und frühere Rektor der Frankfurter Universität konnte den Posten anfangs kaum ausfüllen, da er wenig später auch mit der Verhandlungsführung für den Schumann- beziehungsweise den Pleven-Plan beauftragt wurde, was mit zahlreichen Aufenthalten in Paris verbunden war. Auf den ersten Blick bot keiner der Genannten Angriffspunkte: Kordt, Herwarth und Peter Pfeiffer hatten sich während des Wilhelmstraßenprozesses als Mitglieder des Weizsäcker-Kreises zu erkennen gegeben; über die Karriere des Nicht-Pgs Hallstein, der es 1941 immerhin zum Direktor beim Institut für Rechtsvergleichung der Universität Frankfurt a.M. gebracht hatte, war so gut wie nichts bekannt.[61]

Kurz nach Gründung der Dienststelle für Auswärtige Angelegenheiten wurden die ersten westdeutschen Konsulate eröffnet. Am 16. Juni nahm als erste die Auslandsvertretung in London ihren Betrieb auf, zwölf Tage später folgte das Generalkonsulat in New York und am 7. Juli das in Paris. Es war bezeichnend für die zunehmenden Unstimmigkeiten zwischen dem Kanzler und Staatsrat Haas, dass es diesem nicht gelang, seinen eigenen Kandidaten für den Posten in London durchzusetzen. Anstelle des von ihm favorisierten Kurt Sieveking (CDU), Chef der Hamburger Staatskanzlei und ebenso wie Haas ehemaliges Mitglied im Organisationsausschuss der Ministerpräsidentenkonferenz, wurde auf Adenauers Weisung der CDU-Politiker Hans Schlange-Schöningen als erster deutscher Vertreter in die britische Hauptstadt entsandt. Der ehemalige Großagrarier und DNVP-Abgeordnete, der 1929 aus Protest gegen Hugenbergs Politik aus der Partei ausgetreten war, hatte nach Adenauers Vorstellung ursprünglich nach New York gehen sollen. Dieser Plan musste jedoch aufgegeben werden, als Ende März ein Flugblatt auftauchte, das Auszüge aus Reden enthielt, die Schlange-Schöningen 1924 auf einer Wahlkampfreise in seiner Heimat Pommern gehalten und in denen er sich mit wüsten Beschimpfungen gegen die »jüdische Großpresse« und das »internationale jüdische Weltbörsentum« hervorgetan hatte. Auch wenn der Kanzler der Sache nicht zu viel Bedeutung beimessen wollte – Schlange-Schöningen sei wie viele andere damals in eine »nationale Psychose« verfallen –, kam doch seine Entsendung in die USA danach nicht mehr in Frage. Adenauer war davon überzeugt, dass ein ehemaliger DNVP-Kollege das Flugblatt zusammengestellt und an den außenpolitischen Redakteur der *Neuen Zeitung* Harry C. Saarbach weitergeleitet hatte; »Kräfte des Organisationsausschusses« um Staatsrat Haas hätten anschließend Saarbach zu einem Brief an das Bundeskanzleramt inspiriert, um Schlange-Schöningen loszuwerden.[62] Für Adenauers ohnehin angespanntes Verhältnis zum Organisationsbüro stellte die Affäre eine weitere erhebliche Belastung dar.

Auf der Suche nach einem geeigneten Ersatzkandidaten geriet erneut Adenauers engster Mitarbeiter Blankenhorn in die engere Wahl, der jedoch als ehemaliger Mitarbeiter seines Onkels Hans Heinrich Dieckhoff, des umstrittensten aller deutschen Botschafter in Washington, denkbar ungeeignet war. Schließlich stieß der Kanzler auf Heinz Krekeler, einen Hinterbänkler aus der nordrhein-westfälischen FDP. Dessen Entsendung war ein typischer Fall von Ämterpatronage, empfand es der Kanzler doch offenbar als ausreichend, dass der Industrielle und ehemalige I.G. Farben-Manager ihm versicherte, recht passables Englisch zu sprechen und »mit den Juden« auszukommen.[63]

Die interessanteste und schillerndste Persönlichkeit unter den Generalkonsuln der ersten Stunde war zweifellos Wilhelm Hausenstein, der Anfang Juli in Paris die Geschäfte aufnahm. Der Kunst- und Kulturhistoriker, Publizist und Baudelaire-Übersetzer war Adenauer sowohl von Bundespräsident Heuss, einem ehemaligen Kommilitonen Hausensteins, als auch von einer engen Bekannten, der in Rhöndorf lebenden Schriftstellerin Maria Schlüter-Hermkes, als ausgewiesener Frankreich-Experte empfohlen worden. Zunächst wussten allerdings weder der Kanzler noch die Verbindungsstelle mit dem Namen sonderlich viel anzufangen. Als Adenauer seinen Mitarbeiter Dittmann Mitte März um Informationen bat, blieb diesem erst einmal nur der Griff nach Kürschners Deutschem Literaturkalender (in der Ausgabe von 1949). Aussagekräftiger war der Lebenslauf, den Hausenstein, der kurz zuvor zum Präsidenten der Bayerischen Akademie der Künste ernannt worden war, offenbar aus Anlass seines möglichen beruflichen Wechsels verfasst hatte. Der 67-jährige, aus einem protestantischen Elternhaus stammende Gelehrte verfügte demnach über eine gediegene Ausbildung in Philologie, Philosophie, Geschichte und Kunstgeschichte und war mit einer Arbeit über die Geschichte Regensburgs promoviert worden; vielfältige kulturelle Interessen hatten ihn von der Rolle eines Vorlesers exilierter königlicher Häupter in die Redaktionsstube der *Frankfurter Zeitung* geführt, für die er bis zu deren Einstellung 1943 schrieb. Seine politische Überzeugung charakterisierte er als »konservativ im Sinne des christlichen Humanismus, mit sozialem Akzent«. Seit Mitte der dreißiger Jahre war er wegen seiner Ehe mit einer belgischen Jüdin zunehmend in berufliche und private Schwierigkeiten geraten. Nach der Emigration der einzigen Tochter war das Ehepaar 1940 gemeinsam zum Katholizismus übergetreten.[64]

Nicht nur Hausensteins konsequente Haltung im Dritten Reich, seine Verbindungen zu Schriftstellern und Dichtern der sogenannten inneren

Emigration und seine genaue Kenntnis der französischen Kultur machten ihn in Adenauers Augen zu einem interessanten Kandidaten. Mindestens ebenso wichtig dürften für ihn Hausensteins mehrfache Konversionen gewesen sein: die Hinwendung des ehemaligen SPD-Mitglieds zum Konservatismus, der Übertritt zum Katholizismus und nicht zuletzt die Wandlung vom Wortführer der modernen Kunst zu deren Gegner.[65] Hausensteins Thesen, in denen er Verständnis für die herrschende Abneigung gegen das »verwüstend Moderne« äußerte und die Suche des Publikums nach einer »heilen Welt« begrüßte, entsprachen dem wieder erstarkenden, entpolitisierten Kunstbegriff der bürgerlichen Mitte, dem zufolge Deutschland auch in den Jahren zwischen 1933 und 1945 das »Land Goethes, Bachs und Kants« geblieben war.[66] Vor diesem Hintergrund befürwortete der künftige deutsche Vertreter in Paris eine Wiederannäherung zwischen Deutschen und Franzosen im Zeichen der »Kunst« – zu verstehen als eine Rückbesinnung auf gemeinsame abendländische Wurzeln und für zeitlos gehaltene Werte.[67]

Adenauers Entscheidung für Hausenstein, die offenbar binnen weniger Wochen getroffen wurde, war ein eminent politischer Schritt, der entsprechende Gegenreaktionen auslöste. Noch im April wandte sich der Stuttgarter Maler Willi Baumeister, der »heimliche Schutzherr der deutsch-französischen Kulturbeziehungen«[68] und einer der wichtigsten deutschen Vertreter des Modernismus, in einem offenen Brief an den Bundespräsidenten, um gegen die geplante Ernennung zu protestieren. Die Bundesregierung sei im Begriff, den »Bock zum Gärtner zu machen«, wenn sie einen »Hauptgegner der modernen Kunst« zum Generalkonsul in Frankreich bestelle. Damit würden alle »Erfolge moderner Künstler auf dem Gebiet der Pflege alter und neuer Freundschaften über die Grenzen … beiseite geschoben oder als unerwünscht betrachtet«.[69] Heuss, der Hausensteins Nominierung maßgeblich mit angestoßen hatte, reagierte ungewöhnlich scharf und ausführlich. Er habe keinerlei Verständnis für diese Kritik, ja es wundere ihn, dass in Künstlerkreisen Anstoß genommen werde, wenn ein *homme de lettres* mit dem »Vertrauen des Staates« bedacht werde; es sei ziemlich engstirnig, eine staatspolitische Entscheidung aus der »Perspektive einer umgrenzten Kunstanschauung« zu beurteilen.[70]

Noch bevor Adenauer Anfang Mai dem französischen Hohen Kommissar André François-Poncet den Besetzungsvorschlag unterbreiten konnte, nahm sich die *Neue Zeitung* der schwelenden Kontroverse an. Das amerikanisch geprägte Blatt, dem Baumeister eine Kopie seines Protestschreibens zugeleitet hatte, machte sich unbekümmert den romantischen Topos des höfisch-aristokratischen Dichterdiplomaten zu eigen und begrüßte ohne Abstriche den Vorschlag der Bundesregierung zur Ernennung dieses »geistvollen, bedeutenden und tief innerlich veranlagten Mannes«. Zwar seien die idyllischen Zeiten, in denen Dichter- und Künstlerdiplomaten vom Schlage eines Rabelais, Montaigne oder Humboldt die zwischenstaatlichen Beziehungen gefördert hätten, längst vorbei. Die Bundesregierung demonstriere mit diesem Schritt jedoch, dass sie die »menschliche Verbesserung der Beziehungen für wichtiger halte als alle Handelsabkommen zusammen«. Mit seiner Initiative habe Baumeister der Kunst und den Künstlern einen »Bärendienst« erwiesen, gebe es doch keinerlei Anhaltspunkte für die Behauptung, Hausenstein werde als Generalkonsul eine von ihm vertretene Kunstauffassung zum Maßstab seines Handelns machen.[71]

Emphatisch reagierte auch der Schriftsteller Ludwig Emanuel Reindl, der in der *Süddeutschen Zeitung* Adenauers unkonventionelle Entscheidung, keinen Fachmann, sondern einen »Erforscher der Menschenseele« nach Paris zu entsenden, als einen bedeutenden Schritt zu wachsender Verständigung zwischen Deutschen und Franzosen begrüßte.[72] Aus Frankreich übermittelte der ehemalige FZ-Kollege Fritz Sänger, inzwischen Geschäftsträger der Deutschen Presse-Agentur (dpa), Hausenstein Ende April die beruhigende Nachricht, er könne mit einer freundlichen Aufnahme durch die französische Presse rechnen.[73] Bei der Verbindungsstelle betrachtete man Hausensteins Wirken am Quai d' Orsay allerdings von Anfang an mit Skepsis. Vor allem Blankenhorn machte kein Hehl daraus, dass er den viel gelobten *homme de lettres* für eine Fehlbesetzung hielt; der Berufsdiplomat »Teddy« Kessel, der auf Adenauers Wunsch dem unerfahrenen Hausenstein beigeordnet worden war, versorgte Blankenhorn offenbar mit genaueren Details.[74]

Seiteneinsteiger gerieten zu diesem Zeitpunkt verstärkt ins Visier einer Gruppe von Ex-Diplomaten um den früheren Gesandtschaftsrat Eugen Budde, die versuchte, durch gezielte vergangenheitspolitische Attacken gegen ehemalige AA-Kollegen ihre Wiedereinstellung zu erzwingen.[75] Ende August publizierte der *Spiegel* einen Leserbrief des nicht wiederverwendeten Konsuls F. K. von Siebold, der sich darüber mokierte, dass sich das Modell des Dichterdiplomaten à la Hausenstein plötzlich so großer Beliebtheit bei den Deutschen erfreue. In Frankreich sei man da kritischer. Leute wie Lamartine und Chateaubriand seien in erster Linie »berühmte Staatsmänner« und erst in zweiter Hinsicht »hervorragende Dichter« gewesen.[76] Diese Invektive rief einen anderen Frankreichkenner auf den Plan: Friedrich Sieburg. Wegen seiner Nähe zu Botschafter Otto Abetz von den Franzosen bei Kriegsende mit Berufsverbot belegt, war er 1949 Mitherausgeber der *Gegenwart* geworden, wo er offenbar auch seinen früheren FZ-Kollegen Hausenstein wiedertraf. In seiner Replik auf Siebold stellte der ehemalige Botschaftsrat klar, dass die Vorstellung einer »Verbindung von Literatur und Politik« den Franzosen durchaus nicht fremd sei; mit irgendwelchen Ressentiments gegen Außenseiter werde Hausenstein gewiss nicht zu kämpfen haben.[77]

Noch ehe die Bundesregierung ein Drittel der vorgesehenen 24 Konsulate besetzt hatte – im Jahr 1950 folgten noch Ernennungen für Istanbul (Kurt Schahin von Kamphoevener), Den Haag (Karl Du Mont), Rom (Clemens von Brentano), Athen (Werner von Grundherr) und Brüssel (Anton Pfeiffer) –, nahmen die Alliierten einige entscheidende Modifikationen und Kursänderungen vor. Zum einen beschlossen die Amerikaner am 27. August 1950, eine flächendeckende politische Überprüfung aller Bewerber für den Auswärtigen Dienst durchzuführen.[78] Dieses Massen-Screening, das sich bis März 1951 hinziehen sollte, umfasste etwa 2600 Personen, die anhand von Geheimdienstunterlagen, BDC-Materialien und einbehaltenen Personalakten des alten Amtes durchleuchtet wurden. Hintergrund dieser Maßnahme war offenbar, sich im Hinblick auf eine weitere Lockerung des Besatzungsstatuts eine Rückversicherung zu verschaffen, um notfalls Einspruch gegen unliebsame Kandidaten erheben zu können.

Am 23. September 1950 lud François-Poncet den Kanzler auf den Petersberg ein, um ihm mitzuteilen, dass sich die Besatzungsmächte in New York auf eine Erweiterung der außenpolitischen Hoheitsrechte für die Bundesrepublik geeinigt hätten. Vorgesehen seien nicht nur die Wiedererrichtung eines Außenamtes und die Gründung diplomatischer Vertretungen, sondern auch die Aufnahme in internationale Organisationen und Gremien. Einen Monat später wurde Gerhard Weiz vom Referat »Friedensvertrag, Besatzungsangelegenheiten« von den Amerikanern über die Details unterrichtet. Ausgeklammert blieb der künftige Umgang mit ehemaligen Pgs. Weil es den zuständigen Personalreferenten bei der Dienststelle für Auswärtige Angelegenheiten zunehmend schwerfiel, geeignete Kandidaten ausfindig zu machen, die nicht Besitzer eines Parteibuchs gewesen waren, hatte Haas sich Mitte September mit Bernard Gufler getroffen, um ihm sein Leid zu klagen. Gufler riet dringend davon ab, die Einstellungspraktiken zu formalisieren, zumal eine schriftliche Weisung der Hohen Kommission zu dieser Frage nicht erfolgt sei. Sein Vorschlag, jeden Fall individuell – »nach seinen Eigenheiten« – zu beurteilen, wurde von Haas dankbar aufgegriffen und fortan allen schwierigen Personalentscheidungen als Maxime zugrunde gelegt.[79]

Am 6. März 1951 trat die »kleine Revision« des Besatzungsstatuts in Kraft; acht Tage später verfügte Adenauer die Ausgliederung der DfAA aus dem Bundeskanzleramt und ihre Umwandlung in ein Ministerium unter dem Namen Auswärtiges Amt. Am 12. März stimmte der Vorstand der CDU/CSU-Bundestagsfraktion Adenauers Vorschlag zu, ihn selbst zum Außenminister zu ernennen. Ungeachtet der Kritik aus den Reihen von SPD und FDP sollte sich das Koalitionskabinett dieser Entscheidung kurz darauf anschließen.

Der alte Organisationsplan blieb in seinen Grundzügen erhalten: Die ehemalige Abteilung I firmierte weiterhin unter der Bezeichnung »Personal und Verwaltung«, die von Blankenhorn geleitete Abteilung II hieß von jetzt an »Politische Abteilung«, während die Abteilung III unter Theo Kordt in »Länderabteilung« umbenannt wurde. Neu hinzu kamen die Rechtsabteilung, zu deren Leiter Adenauer den Frankfurter Völkerrechtler Hermann Mosler berief, sowie die Kulturabteilung unter dem Katholiken Rudolf Salat, vormals Geschäftsführer von Pax Humana. Weiterhin nur auf dem Papier existierte die Abteilung IV, die handelspolitische Abteilung. Nach Auflösung der Frankfurter Zentralverwaltungen war deren Vorgängerin, die von Vollrath von Maltzan geleitete Hauptabteilung V, im Januar 1950 in das Bundeswirtschaftsministerium überführt worden; erst Anfang 1953 wechselte Maltzan mit einer größeren Gruppe von Mitarbeitern in das neue Auswärtige Amt über.

Auch die Zentrale Rechtsschutzstelle (ZRS), seit Dezember 1949 beim Bonner Justizministerium angesiedelt, ging erst 1953 an das AA über. Der Hauptgrund dieser Verzögerung waren Abstimmungsschwierigkeiten zwischen den Ministerien. So hatte sich das AA den Unmut der Ministerien für Justiz und Vertriebene zugezogen, als es im Mai und Juni

1951 mit zwei Kabinettsvorlagen hervortrat, in denen gefordert wurde, Kriegsgefangenenfragen sollten künftig allein vom Außenamt bearbeitet werden, denn diese Fragen seien von großer Bedeutung für die Gestaltung der deutschen Außenpolitik. Darüber hinaus beanspruchte das AA auch die Verantwortung für die Betreuung der deutschen Kriegs-, Straf- und Untersuchungsgefangenen im Ausland, die bis dahin dem Vertriebenenministerium oblag.[80]

Das Justizministerium hatte die Überführung der ZRS an das AA zunächst befürwortet; Minister Dehler selbst hatte sie kurz nach der »kleinen Revision« unter Hinweis auf die Zuständigkeiten des AA nach dem Ersten Weltkrieg angeboten.[81] Bald kam es jedoch über einer Personalie zu ersten Unstimmigkeiten zwischen den beiden Behörden. Während das AA erstaunlicherweise kein Problem damit hatte, ZRS-Leiter Hans Gawlik weiterzubeschäftigen – einen ehemaligen Breslauer Gaurichter, NS-Staatsanwalt und Pg, der in den Nürnberger Prozessen den SD und einige Einsatzgruppenführer verteidigt hatte –, stellte es sich bei Margarete Bitter, Referatsleiterin für Kriegsgefangenenfragen, quer. Das hatte für den Justizminister zur Folge, dass er Bitter, die vorübergehend aus der Bayerischen Staatskanzlei abgestellt worden war, keine adäquate Planstelle bieten konnte. Er setzte auf die Vermittlung von Hans Ehard, Bitters Dienstherrn in München, der bei Staatssekretär Hallstein intervenierte und auf Bitters besondere Qualifikationen hinwies. Diese waren in der Tat nicht zu leugnen: In den dreißiger Jahren hatte sie in Ägypten eine Anwaltskanzlei betrieben und als Vertrauensanwältin für das AA und große deutsche Konzerne gearbeitet.[82] Nach ihrer Rückkehr nach Deutschland im Mai 1939 trat sie in den Auswärtigen Dienst ein und wurde Wissenschaftliche Hilfsarbeiterin an der Pariser Botschaft. Anders als Gawlik war sie nicht Parteimitglied gewesen, verfügte aber im Gegensatz zu diesem über exzellente Sprachkenntnisse. Zudem hatte die Oberregierungsrätin nach Kriegsende als Leiterin des Kriegsgefangenenausschusses beim Stuttgarter Länderrat einschlägige Erfahrungen sammeln können. Doch Hallstein erklärte gegenüber Ehard lapidar, Bitter habe sich für die Arbeit im Ausland als »wenig geeignet« erwiesen.[83] »Johnny« Herwarth, der Bitter seinerzeit an die Bayerische Staatskanzlei geholt hatte, war zu keiner Intervention für seine frühere Kollegin und Mitarbeiterin bereit. Zusätzlich belastet wurden die Verhandlungen zwischen Justizministerium und AA dadurch, dass Dehler – möglicherweise als Reaktion auf die Querelen im Fall Bitter – ankündigte, die Zuständigkeit für die alliierten Häftlinge in Landsberg, Werl und Wittlich doch nicht an das AA abtreten zu wollen.

Erst im Dezember 1952 konnte der Kanzler die Pattsituation mit einem Machtwort beenden.[84] Da er der Auffassung war, der Rechtsschutz für sämtliche Gefangenen müsse nach einheitlichen Gesichtspunkten bearbeitet werden, wies er Dehler an, den gesamten Komplex dem AA zu übertragen. Das Amt verpflichtete sich im Gegenzug, alle 17 Mitarbeiter einschließlich Margarete Bitter zu übernehmen, die kurz darauf an das Generalkonsulat in New York entsandt wurde. Gawlik behielt seine Position, zunächst allerdings nur auf Grundlage eines Dienstvertrags. Sein Stellvertreter wurde Karl Theodor Redenz. Der überzeugte Nationalsozialist hatte nicht nur beim Eintritt in das von Eugen Gerstenmaier geleitete Evangelische Hilfswerk seine Vergangenheit verschwiegen: NS-Studentenbund und SA seit 1930, NSDAP seit März 1933, ehrenamtlicher Mitarbeiter des SD seit 1935, SS-Oberscharführer seit 1937, Inhaber des SA-Ehrendolchs und Träger des bronzenen NSDAP-Dienstabzeichens, hauptamtlicher Mitarbeiter der Reichsdozentenführung der NSDAP zwischen 1937 und 1945. Auch bei der Übernahme der ZRS durch das AA machte Redenz falsche Angaben in seinem Personalbogen.[85] Als seine Gedächtnislücken einige Monate später durch eine BDC-Routineanfrage bekannt wurden, sprach das Amt die Kündigung aus. Redenz war jedoch eng mit dem rheinland-pfälzischen Kirchenpräsidenten Hans Stempel befreundet, und aufgrund der Intervention von Honoratioren aus Kirche und Wissenschaft wurde die Kündigung zurückgenommen.

Mit dem 1951 gebildeten Organisationsschema knüpfte das Amt im Prinzip dort an, wo es im Jahre 1936 unter Neurath aufgehört hatte. Unter dessen Ägide war das nach dem Ersten Weltkrieg eingeführte Schüler'sche Regionalsystem, das auf eine stärkere Verankerung wirtschafts- und handelspolitischer Belange sowie eine gesellschaftliche Öffnung des Auswärtigen Dienstes zielte, zugunsten des alten wilhelminischen Realsystems wieder abgeschafft worden.[86] Mit der 1951 vollzogenen Rückkehr zu den ursprünglichen Strukturen und dem von Schüler ebenfalls bekämpften Generalistenprinzip war allerdings keine vollständige Restaurierung verbunden. Zwar sollte das Juristenmonopol noch für zwei Jahrzehnte im Wesentlichen ungebrochen bleiben, und auch der Adel konnte zunächst als eine nach innen wie außen wahrnehmbare Größe seine vormalige

Sonderstellung behaupten.[87] Aber gerade die Aufbaujahre des neuen diplomatischen Dienstes waren durch hohe soziale Mobilität und eine Vielfalt an Karriereverläufen gekennzeichnet. Während auf der Ebene der Seniorbeamten weiterhin der Typus des preußisch-protestantischen Karrierediplomaten dominierte – wie in anderen neu gegründeten Bundesministerien befanden sich darunter überdurchschnittlich viele Vertriebene aus den ehemaligen Ostgebieten –, wurde das äußere Erscheinungsbild des AA bis Mitte der fünfziger Jahre durch eine Reihe von Außenseitern und Quereinsteigern geprägt, die auf Entscheidung Adenauers, zum Teil auch auf ausdrücklichen Wunsch des CDU-Fraktionsvorsitzenden Heinrich von Brentano, auf strategisch wichtige Posten gelangt waren. Neben Hallstein, Schlange-Schöningen und Hausenstein zählten Wilhelm Grewe, Karl Carstens und Georg Ferdinand Duckwitz zu den prominentesten Vertretern der ersten Generation von Quereinsteigern nach dem Krieg.

Debatten und Prioritäten

Im Mai 1951 meldete sich Ernst von Weizsäcker bei seinem früheren Weggefährten Erich Kordt. »Sie werden vernommen haben«, schrieb der inzwischen wieder bei der Familie in Lindau lebende Ex-Staatssekretär, »dass Dr. Kempner in Bonn über Nürnberg vor Studenten gesprochen hat, dass wieder neue Hetzflugblätter gegen die Freunde im neuen A.A. unter Poststempel Frankfurt a.M. verbreitet wurden, dass der ›Monat‹ im neuesten Blatt ... die Freunde aufs Korn nimmt. Wenn das Alles *nur* gegen mich ginge, müsste ich es ertragen; so aber frage ich mich, ob den Leuten nicht das Handwerk zu legen wäre? Vielleicht geht es mit Ironie. Ich nenne das ›Gespräch in Auerbachs Keller‹.«[88] Wie Weizsäcker waren auch andere »Ehemalige« davon überzeugt, dass hinter den öffentlichen Attacken, die sich bereits Monate vor Gründung des Ministeriums in einer bis dahin nicht gekannten Massivität gegen die Diplomaten entluden, niemand anderes als der frühere US-Anklagevertreter stecken könne. Robert Kempner hatte sich zum großen Verdruss des Weizsäcker-Freundeskreises im Frühjahr 1951 mit einer eigenen Anwaltskanzlei in Frankfurt am Main niedergelassen. In ihrer Fixierung auf den allseits verhassten Kempner übersahen die AA-Beamten, dass die Kritik am Personalaufbau der neuen Behörde nie ganz verstummt war. Zudem blendeten sie aus, dass die Kritiker mittlerweile weniger im Kreis der Besatzungsmächte als vielmehr unter den eigenen Landsleuten zu finden waren. Und schon gar nicht wollten sie wahrhaben, dass vor allem innerhalb der CDU/CSU-Bundestagsfraktion zunehmend Anstoß an der Vergabe diplomatischer Spitzenposten genommen wurde.

Zu dem stetig wachsenden Kreis von Unzufriedenen gehörte der aus Münster stammende Zentrums-Mann Bernhard Reismann. Bereits im April 1950 hatte seine Behauptung, im werdenden Auswärtigen Dienst habe sich unter Adenauers Verantwortung eine »katholikenfeindliche Verwaltung« etabliert, das Bundeskanzleramt veranlasst, sowohl die konfessionelle Zusammensetzung als auch die auffällig hohe Quote alter Herren aus dem Umfeld des Kösener S.C., einer schlagenden Verbindung altpreußischer Couleur, einer genaueren Überprüfung zu unterziehen.[89] Im September versuchte ein vom Ausschuss für das Besatzungsstatut und Auswärtige Angelegenheiten eingesetzter Unterausschuss »Auswärtiger Dienst«, zu dem Reismann hinzugezogen wurde, zu klären, inwieweit der neue höhere Dienst tatsächlich an einem Übergewicht an »Ehemaligen«, Pgs und Protestanten litt. Auf öffentlichen Druck zustande gekommen, hielt sich das Aufklärungsinteresse dieses parlamentarischen Gremiums jedoch in Grenzen, zumal eine Reihe von Ausschussmitgliedern vor 1949 entweder selbst Mitarbeiter des Friedensbüros gewesen war oder aber auf dessen Besetzung maßgeblichen Einfluss genommen hatte.

Eine Sonderstellung im Ausschuss nahm außer Reismann lediglich der SPD-Abgeordnete Gerhart Lütkens ein. Der frühere Konsul im rumänischen Galatz, der im Mai 1937 aufgrund seiner Ehe mit der SPD-Politikerin und Publizistin Charlotte Mendelsohn zwangsweise in den Ruhestand versetzt worden war, gehörte nach Kriegsende zu den wenigen Politikern, die bei der Reorganisation deutscher Außenpolitik eine überparteiliche Lösung anstrebten. Er hielt die partielle Reaktivierung von früheren AA-Beamten nicht nur für unumgänglich, sondern verteidigte sie auch immer wieder gegen innerparteiliche Kritik. Dabei verfolgte Lütkens allerdings einen zunehmend widersprüchlichen Kurs. Während er öffentlich gegen die Ambitionen »diplomatischer Amtsjäger« mit NSDAP-Parteibuch polemisierte, suchte er seine Partei von den

Vorteilen eines – sich auch auf die Personalpolitik erstreckenden – Kompromisses mit der CDU zu überzeugen. Wenn sich die SPD grundsätzlich negativ gegenüber den Ex-Diplomaten verhalte, schaffe sie sich unnötigerweise eine zusätzliche Opposition. Statt auf Kompromiss und Ausgleich zielten Lütkens' publizistische Kommentare jedoch immer mehr auf Polarisierung und eine – mitunter denunziatorisch gefärbte – Personalisierung. Sein 1948 erschienener, vielbeachteter Artikel »Die Bourbonen von Frankfurt« – eine Abrechnung mit Vollrath von Maltzan, der wie Lütkens selbst zur Gruppe der Laufbahnbeamten mit Verfolgungshintergrund gehörte – brachte eine Polemik in die Debatte, die nach Gründung der Bundesrepublik nochmals an Dynamik und Schärfe gewinnen sollte. [90]

Obgleich der Bundestags-Unterausschuss bei der Beurteilung von Einzelfällen im Ganzen eher Zurückhaltung gezeigt hatte, konnten sich die Kritiker des Organisationsbüros bestätigt fühlen. So enthielt der Abschlussbericht die Empfehlung, die übernommenen Beamten, zu denen im Wilhelmstraßenprozess belastende Materialien aufgetaucht waren, durch eine »neutrale Stelle« des Justizministeriums gesondert überprüfen zu lassen. [91] Als die parlamentarische Initiative im Sande zu verlaufen drohte, machte Reismann einige personapolitische Interna öffentlich. [92] Zu diesem Zeitpunkt trieb die Debatte über die Abwicklung der Entnazifizierung und die »131er«-Gesetzgebung ihrem Höhepunkt entgegen, und so geriet jetzt auch die Auseinandersetzung über die Ex-Diplomaten zu einer Variante des Restaurationsvorwurfs. Diese Debatte wurde seit Ende der vierziger Jahre in führenden politischen Zeitschriften wie den *Frankfurter Heften*, der *Wandlung* oder der *Gegenwart* ausgetragen. Zwar lag das Hauptaugenmerk der Restaurationskritiker nicht auf der Kontinuität der Funktionseliten. Aber das Thema war zumindest am Rande immer präsent, etwa wenn Eugen Kogon die »Restauration« als eine »Politik der überlieferten ›Werte‹, Mittel und Denkformen, der scheinbaren Sicherheiten, der Wiederherstellung bekannter Interessen« beschrieb und dies mit der Warnung vor einer allzu großzügigen Reintegration von politisch Kompromittierten in allen Bereichen des öffentlichen Lebens verband. [93] Im Gegensatz zu den christlich-sozialen Intellektuellen und deren Fundamentalkritik am Aufbau des neuen Staates nahmen die Protagonisten der AA-Kontroverse im Ganzen eher eine etatistische Perspektive ein. Im Mittelpunkt ihrer Kritik standen die konfessionelle Asymmetrie im höheren Dienst – eine vermeintliche Weimarer Altlast, deren Beseitigung vor allem Reismann immer wieder forderte – sowie einzelne Personalentscheidungen und die damit verbundene Gefahr außenpolitischer Imageschäden.

Es war absehbar, dass sich die Kritik an der angeblichen »Cliquenwirtschaft im AA« (Reismann) früher oder später auch auf den Führungsstil Adenauers erstrecken würde, der sich im Frühjahr 1951 handstreichartig des Außenamts bemächtigt und dabei den Parteikollegen Brentano erst einmal ausgebootet hatte. Als kurz nach Gründung des Amts innerhalb der Regierungskoalition Bedenken gegen die Adenauer'sche Ämterpatronage laut wurden und der vom Kanzler geschätzte Staatssekretär Otto Lenz auf eine Auswechslung der »alten Kaste« drang, rumorte es bereits kräftig. In der Regel reagierte Adenauer auf Einwände, indem er sie entweder überhörte oder aber Staatsrat Haas für die Fehlentwicklung verantwortlich machte. Als Haas im Sommer 1951 jedoch offen gegen die personalpolitischen Prioritäten des Kanzlers und der Unionsfraktion opponierte, kam es zum endgültigen Bruch. Der Personalchef hatte es abgelehnt, den DP-Fraktionsvorsitzenden Hans Mühlenfeld sowie eine Reihe anderer Parteipolitiker auf Adenauers Wunsch mit Auslandsposten zu versorgen.[94] Auch bei Brentano hatte er sich unbeliebt gemacht, weil er gegen einige Kandidaten des CDU/CSU-Fraktionsvorsitzenden Einwände erhob beziehungsweise Melchers' ablehnendes Votum übernahm. Im Juli wurde Haas seines Postens enthoben; zum kommissarischen Nachfolger wurde Blankenhorns langjähriger Mitarbeiter und »Crew«-Kamerad Dittmann berufen. Dieser verkörperte zwar in geradezu prototypischer Weise den Geist des alten Amtes, aus Adenauers und Globkes Sicht besaß er jedoch den unzweifelhaften Vorteil, zumindest katholisch zu sein. Außerdem berief sich der Ex-Pg darauf, aktiven Widerstand gegen das NS-Regime geleistet und als Jerusalemer Vizekonsul emigrierten Juden geholfen zu haben.[95]

Der Wechsel von Haas zu Dittmann hatte keine, zumindest keine gravierenden Auswirkungen auf die Personalrekrutierung. Dies lag zum einen daran, dass die entscheidenden Positionen sich zu diesem Zeitpunkt ohnehin schon überwiegend in der Hand von »Ehemaligen« befanden. Zum anderen wurde auch weiterhin an der bewährten Linie festgehalten, aus der Masse der Bewerber eine erste Vorauswahl nach dem so genannten Acht-Punkte-Programm zu treffen und ansonsten nach dem üblichen Kooptionsprinzip zu verfahren.[96] Zwar beachtete man weiterhin die alliierte Vorgabe, nach der alle Besetzungsvorschläge für das Ausland zur kursorischen Überprüfung vorgelegt werden mussten, aber es war absehbar, dass diese Regelung alsbald über Bord geworfen werden würde. Diese Gewissheit schlug sich auch in der täglichen Verwaltungspraxis nieder, etwa wenn aussichtsreiche Bewerber, die den einen oder anderen braunen Fleck auf ihrer Weste aufwiesen, mit dem Hinweis auf derartige Beschränkungen in eine Warteschleife gelenkt wurden.

Die Einsicht oder gar der Wunsch, auf eventuell vorhandene Empfindlichkeiten bei den Siegermächten Rücksicht zu nehmen, war weder bei den zuständigen Personalreferenten noch bei den auf Wiederverwendung drängenden »Ehemaligen« sonderlich stark ausgeprägt. Vielmehr bestätigte man sich gegenseitig in der Auffassung, die Forderung nach Zugeständnissen würde im Wesentlichen von einer kleinen Minderheit diktiert, deren Einfluss auf die öffentliche Meinung in diesen Staaten beträchtlich sei. Diese Gruppe – die vor allem mit deutschsprachigen, in der Regel jüdischen Exilanten gleichgesetzt wurde – werde sich mit der Zeit immer weniger in innerdeutsche Angelegenheiten einmischen. Mit diesem Hinweis wurde beispielsweise Eduard Mirow vertröstet, der sich Ende 1949 zur Wiederverwendung gemeldet hatte. Melchers ließ den ihm aus Palästina gut bekannten Kollegen (Pg, AO-Gaustellenleiter, SS-Mitglied, Inland-II-Mitarbeiter) drei Tage vor Weihnachten wissen, es sei zur Zeit nicht tunlich, seinen Personalvorgang zu forcieren, da »Animositäten von Emigranten« den gesamten Personalaufbau in erheblicher Weise stören und behindern könnten; man werde sich melden, sobald eine Beruhigung eingetreten sei.[97] Mirow kam für einige Jahre als Persönlicher Referent des Ministers beim Marshallplan-Ministerium beziehungsweise als deutscher Vertreter bei der OEEC unter, bevor er 1957 in den Auswärtigen Dienst zurückkehren durfte.

Während Dittmanns Berufung zum neuen Personalchef intern keine nachweisbaren Reaktionen hervorrief, schlugen die Wellen außerhalb des Amtes umso höher. Bereits die Rangeleien um den Ministerposten und die Tatsache, dass die erste parlamentarische Enquête weitgehend folgenlos geblieben war, hatten bei einigen Medien Zweifel geweckt, ob sich der Wiederaufbau des Amtes tatsächlich nach demokratischen Spielregeln vollzog. Hinzu kam eine Reihe kleinerer Skandale und Skandälchen, die seit gut zwei Jahren mit schöner Regelmäßigkeit an die Öffentlichkeit drangen. Bereits kurz nach der Neugründung waren in der Bundeshauptstadt obskure Flugblätter unter der Bezeichnung »Inside-Germany-Informations N.Y.« aufgetaucht, die mit Enthüllungsgeschichten über frisch bestallte Spitzendiplomaten aufwarteten. Darin fand sich eine Karikatur, in der vier vor Hitler aufgereihte Beamte den Arm zum »Führergruß« recken und dieselben Herren in einer weiteren Szene einen Bückling vor Adenauer vollführen. Das Ganze war mit holprigen Versen versehen: »Wir bleiben stets die Alten – Auch bei dem neuen Alten – Wir wollen nur die Sessel – Ohne Moral und Fessel«.[98] Ernst von Weizsäcker und andere waren aufgrund der fehlerhaften englischen Diktion überzeugt, die Flugblätter stammten höchstwahrscheinlich von politisch unbedarften Deutschen, die sich von Kempner für seine Zwecke hätten einspannen lassen. Zu dieser Vermutung trug bei, dass Kempner am 22. September 1950 in der *Frankfurter Rundschau* mit einer scharfen Kritik an der »Clique von Möchtegern-Diplomaten« hervortrat.[99]

Anfang September hatte die Zeitung eine fünfteilige Artikelserie über das Personal des neuen Auswärtigen Dienstes eröffnet. Deren Titel »Ihr naht euch wieder…« war nicht nur ein Zitat aus Goethes »Faust«, sondern auch eine Anspielung auf Reismanns Artikel vom Januar, in dem dieser von »schwankenden Gestalten« gesprochen hatte. Eckart Heinze-Mansfeld, der erst 29-jährige, unter dem Namen Michael Mansfeld publizierende Autor, zeigte sich erstaunlich gut informiert.[100] Seine genauen Kenntnisse wie auch die Tatsache, dass der amerikanische Soldatensender American Forces Network (AFN) am Vorabend des ersten Erscheinungstags auf die beginnende FR-Serie aufmerksam machte, unterstützten den Verdacht, Mansfeld sei von Kempner mit Nürnberger Dokumenten gefüttert worden, um jene Diplomaten, die seinerzeit als Entlastungszeugen im Fall 11 aufgetreten waren und jetzt ihr Auskommen im neuen AA fanden, nachträglich »abzuschießen«.[101] In der Tat wurden vor allem Personen angegriffen, die Weizsäcker durch Affidavits oder mündliche Zeugenaussagen vor Strafverfolgung zu bewahren versucht hatten. Auch die Version einer umfassenden Verschwörung gegen das AA, an der außer Kempner auch ehemalige Diplomaten wie Budde und Siebold beteiligt seien, machte innerhalb der Behörde die Runde.[102]

Von einer Zusammenarbeit zwischen Kempner und Budde ging auch Curt Heinburg aus, ein enger Mitarbeiter von Haas. Heinburg war in der

Rundschau wegen seiner langjährigen Tätigkeit als Leiter des Südosteuropareferats der Politischen Abteilung angegriffen worden, wo er auch »Judensachen« mitgezeichnet hatte. Es müsse damit gerechnet werden, so Heinburg, dass sich in der Bundesrepublik eine »israelitische Abwehrorganisation« gebildet habe, an deren Spitze vermutlich Kempner stehe. Diese habe es darauf angelegt, antisemitisch verdächtige Personen – also Pgs und AA-Beamte, die »irgendwie mit der Judenverfolgung der Hitlerzeit in Verbindung gebracht werden« – zu bekämpfen und zu verhindern, dass sie in leitende Positionen gelangten.[103]

Die Verschwörungstheorie, nach der Kempner einen Nachwuchsjournalisten als Werkzeug benutzt habe, um seine persönlichen Rachebedürfnisse zu befriedigen, deutete bei näherer Betrachtung auf ein gehöriges Maß an Realitätsverlust hin. Mansfeld selbst hatte sich bei der Abfassung seiner Artikel verschiedener Informationsquellen, darunter auch Kempners, bedient.[104] Die *Frankfurter Rundschau* war seit ihrer Gründung im August 1945 in ebenso entschiedener wie konsequenter Weise für eine politische Überprüfung der Funktionseliten eingetreten. Zunächst unter einem Herausgebergremium aus Sozialdemokraten, Kommunisten und einem Linkskatholiken, später unter der Ägide des sozialdemokratischen Remigranten Karl Gerold machte sich das Blatt dafür stark, den öffentlichen Dienst der Bundesrepublik von früheren Parteigenossen und sonstigen Kompromittierten frei zu halten, auch wenn man mit dieser Position, die dem bundesdeutschen Integrationskonsens diametral zuwiderlief, potenzielle Leserkreise verschreckte. Nach Abschluss der Serie meldete sich unter der Überschrift »Wanken jetzt die schwankenden Gestalten?« Chefredakteur Gerold zu Wort und machte klar, dass die Redaktion Mansfelds Absicht, die Belastungen einzelner Diplomaten zum Gegenstand einer öffentlichen Debatte zu machen, ungeachtet der damit möglicherweise verbundenen außenpolitischen Implikationen voll und ganz befürworte.[105] Drei Tage vor dem Veröffentlichungstermin hatte man Staatssekretär Hallstein schriftlich vom Wortlaut der Erklärung in Kenntnis gesetzt und ihm gleichzeitig in süffisantem Ton mitgeteilt, man wolle ihm damit die »Mühe eines zweiten Besuches« in der FR-Redaktion ersparen.[106]

Wer aber war der bis dato unbekannte Journalist, der dem Außenminister und seinen Beamten im Herbst 1951 so viel Kopfschmerzen bereitete? Geboren 1922 im westpolnischen Leszno, handelte es sich bei dem ehemaligen Wehrmachtsoldaten und Ritterkreuzträger um einen Vertreter jener »45er«-Intellektuellen, die im Laufe der fünfziger und sechziger Jahre in den westdeutschen Medien den Ton angeben sollten.[107] Ihren schnellen Aufstieg verdankte diese Gruppe vor allem dem Umstand, dass die alliierte Lizenzpolitik in den ersten Nachkriegsjahren vielfach auf junge, unbelastete Neueinsteiger hatte zurückgreifen müssen. Die »45er« fühlten sich als Angehörige einer »betrogenen« Generation, ohne sich ihre eigenen emotionalen Bindungen an das Regime einzugestehen. Mit Beginn der sechziger Jahre vertiefte sich die Kluft zwischen den eher westlich orientierten »45ern« und den – trotz NS-Belastung noch vielfach dominierenden – Publizisten der »Kriegsjugend«-Generation spürbar.

Starke Animositäten gegen das »renazifizierte« ministeriale Establishment korrespondierten bei vielen »45ern« mit einer engen Anlehnung an angelsächsische Demokratievorstellungen. Ein ausgeprägtes Misstrauen gegen die alt-neuen Eliten war es denn wohl auch, das Mansfeld antrieb, die AA-Führungsriege ins Scheinwerferlicht der Öffentlichkeit zu rücken. Er sei davon überzeugt, rechtfertigte er sein Vorgehen ein Jahr später, dass die »Ehemaligen« ungeachtet ihrer äußerlichen Anpassung im Grunde keinen Respekt vor demokratischen Institutionen und Normen hätten: »Die Diplomaten von gestern sind schon wieder da. Die Generale von gestern sind im Kommen. Kraft seiner starken Persönlichkeit wird der Kanzler, der im Vorgestern wurzelt, die Gestrigen in Schach halten. Wenn er geht, wird er uns die gleiche Erbschaft hinterlassen wie Hindenburg.« Allzu große Sorglosigkeit gegenüber den Opportunisten im AA könne leicht ein zweites »1933« heraufbeschwören.[108]

Neben den dauerhaft verstoßenen Ex-Diplomaten auf der einen und den »45ern« auf der anderen Seite gab es in der westdeutschen Nachkriegspublizistik noch eine weitere Gruppe, die sich nicht mit der reibungslosen Reintegration der Ribbentrop-Diplomaten abfinden mochte. Bereits am 29. August, also wenige Tage vor Beginn der FR-Serie, hatte der *Spiegel* zu einem Rundumschlag ausgeholt. Es ging um eine angeblich bestehende Seilschaft von Aufbaubeamten im neuen AA, als deren Mentor der nicht mehr wiederverwendete Erich Kordt anzusehen sei. In der elften Folge der insgesamt 16-teiligen Serie befasste sich das Nachrichtenmagazin mit den dubiosen Machenschaften des Tokioter »Schwalbenklubs«. Dahinter verberge sich ein Zirkel ehemals einflussreicher Botschaftsangehöriger in der japanischen Hauptstadt, die während des Krieges ein undurchsichtiges Doppelspiel getrieben und dann unter Haas' Führung im neuen Amt hätten Fuß fassen können. Es liege jedoch im öffentlichen Interesse, das neue AA – der *Spiegel* interpretierte das Kürzel süffisant als »Amtlich Auserwählte« – von Diplomaten frei zu halten, die nach der Devise handelten »Hier stehe ich, ich kann auch anders«.[109]

Auch der Autor dieses nicht namentlich gekennzeichneten Artikels verfügte offenkundig über Insider-Kenntnisse. In einer Mischung aus Spionagethriller und Milieustudie wurden intime Details aus der Sphäre der hohen Diplomatie ausgebreitet, die teilweise brisante Unterstellungen enthielten. So wusste der *Spiegel*-Autor zu berichten, dass der 1944 hingerichtete Sowjetspion Richard Sorge sich einmal den Oberarm verletzt und etwas geblutet habe – »worauf Kordt ihm den halben Ärmel hochgestreift, den Arm [genommen] und gesagt habe: ›Lassen Sie mich doch mal sehen‹. Darauf Sorge: ›Da wusste ich Bescheid!‹«[110]

Wochenlang tappte man im Dunkeln, wer die Serie im *Spiegel* verfasst hatte. Mitte Oktober erfuhr der in AA-Kreisen gut vernetzte Journalist Robert Strobel von der Frauenreferentin Susanne Simonis, die vom *Spiegel* ebenfalls attackiert worden war, hinter der Serie stecke ein »gewisser Horst Mahnke«, der einmal der SS und dem SD angehört habe.[111] Wäre man im Amt dieser Personalie auf den Grund gegangen, hätte man festgestellt, dass der *Spiegel*-Attacke eine bedrohliche Allianz aus früheren SD-Mitarbeitern und Vertretern der neuen westdeutschen Eliten zugrunde lag. Schließlich handelte es sich bei dem früheren SS-Hauptsturmführer und Marxismus-Referenten Mahnke um den ehemaligen Assistenten des SD-Professors Franz Alfred Six; beide waren 1943 vom Amt VII (»Weltanschauliche Gegnerforschung«) im Reichssicherheitshauptamt in das Ribbentrop-Ministerium gewechselt, wo sie die Leitung der Kulturpolitischen Abteilung übernommen hatten.[112]

Während Six nach seiner Freilassung aus der Landsberger Haft dank tatkräftiger Mithilfe seines Mentors Reinhard Höhn und seines früheren AA-Mitarbeiters Ernst Achenbach als Geschäftsführer beim Darmstädter Leske-Verlag installiert wurde, war es Mahnke gelungen, beim *Spiegel* unterzukommen. Ebenso wie sein früherer SD-Kollege Georg Wolff hatte er davon profitieren können, dass in den Anfangsjahren des *Spiegel* insbesondere das Ressort Außen- und Sicherheitspolitik ein Tummelplatz für hochrangige SD-Leute darstellte, die von Herausgeber Rudolf Augstein systematisch und mit dezidiert parteipolitischer Zielsetzung herangezogen wurden. Die enge Verbindung zu Achenbach, einem besonders profilierten Vertreter des nationalliberalen FDP-Flügels (»Düsseldorfer Linie«), erwies sich dabei in mehrfacher Hinsicht als nützlich. Achenbach war über das alte Wilhelmstraßen-Personal bestens informiert und verfügte zudem über exzellente Verbindungen zu anderen »Ehemaligen«. Zwar hatte er den Sprung in das neue Amt nicht geschafft, diesen höchstwahrscheinlich auch gar nicht angestrebt.[113] Sein Status als Wiedergutmachungsberechtigter – wegen seiner Ehe mit einer Amerikanerin war er 1944 aufgrund eines Führer-Erlasses in den Ruhestand versetzt worden – und die Märtyrerrolle, die er im Wilhelmstraßenprozess gespielt hatte, sicherten ihm in der Koblenzer Straße aber das Privileg einer »persona gratissima«.[114] So konnte er ihm nahestehende Journalisten mit Interna versorgen. Auch wenn sich Achenbachs Agenda nicht in allen Punkten mit der Linie des *Spiegel* deckte, war man sich doch in entscheidenden Punkten einig: Abgesehen von der gemeinsamen Frontstellung gegen Adenauers Kurs der Westintegration und die von ihm betriebene Wiedergutmachungspolitik gegenüber Israel und den internationalen jüdischen Organisationen nahm man besonders an der Interpretation des Widerstands Anstoß. Nicht die Neueingliederung von Belasteten, sondern die zunehmende Instrumentalisierung des Widerstands zu Zwecken einer geschönten Traditionsbildung des neuen AA war es, die den Widerspruch dieses rechtslastigen politisch-publizistischen Netzwerks weckte.[115]

Untersuchungsausschuss Nr. 47

Die Artikelserie der *Frankfurter Rundschau* Anfang September 1951 führte am 24. Oktober zur Einsetzung eines Bundestags-Untersuchungsausschusses. Das Ministerium hatte mit einem recht ungeschickt formulierten Dementi, gegen das sich die FR-Chefredaktion unverzüglich zur Wehr setzte, unwillentlich selbst dafür gesorgt, dass das Interesse an einer Klärung der Vorwürfe anhielt.[116] Auch war auf Adenauers Initiative Ende September eine dienstrechtliche Untersuchung eingeleitet worden, mit deren Durchführung der ehemalige Kölner OLG-Präsident Rudolf Schetter beauftragt wurde. Ausschlaggebend für die Einsetzung des Untersuchungsausschusses dürfte aber die Haltung der SPD-Bundestagsfraktion gewesen sein, die sich seit dem Debakel der ersten parlamentarischen Enquête in Teilen immer weiter von der moderaten Linie ihres außenpolitischen Experten Lütkens entfernt hatte und nun darauf drängte, die insgesamt unbefriedigenden Ergebnisse des ersten Ausschusses zu korrigieren. Das vergangenheitspolitische Dilemma der Sozialdemokratie trat Anfang Oktober offen zutage, als der Parteivorsitzende Kurt Schumacher auf Betreiben Herbert Wehners zwei hochrangige Offiziere der Waffen-SS, die zu den Gründern der »Hilfsgemeinschaft auf Gegenseitigkeit« (HIAG) gehörten, zu einem persönlichen Gespräch empfing. Acht Tage später griff Lütkens den Vorschlag Gerolds auf und brachte mit Unterstützung von Bernhard Reismann und Karl Georg Pfleiderer den Antrag ein, einen siebenköpfigen Untersuchungsausschuss zur Prüfung der personalbedingten Missstände im AA einzuberufen.[117] Dieser sollte zum einen klären, ob und unter wessen Verantwortung Personen eingestellt worden waren, deren Verhalten während der NS-Zeit geeignet sei, »das Vertrauen des In- und Auslands zur demokratischen Entwicklung der Bundesrepublik« zu gefährden. Zum anderen regte die SPD an, zu prüfen, welche Maßnahmen zur Abwehr künftiger Angriffe gegen AA-Beamte getroffen worden seien.[118]

Weil die Untersuchungsziele denkbar vage formuliert waren und auch auf das Schutzbedürfnis der Diplomaten Rücksicht genommen werden sollte, stieß der Antrag nicht nur im AA auf überwiegend positive Resonanz, sondern auch im Parlament, wo er ohne Probleme angenommen wurde.[119] Die FDP übernahm in der Person des linksliberalen Bad Hersfelder Anwalts Max Becker den Vorsitz; die Partei erhoffte sich davon einen Verzicht Adenauers auf das Amt des Bundesaußenministers und eine deutlich stärkere Mitsprache der Legislative im Bereich der Außenpolitik.

Auch innerhalb der Union verbanden sich mit dem Unternehmen höchst unterschiedliche Interessen und Erwartungen. Während der Kanzler selbst ein baldiges Ende der leidigen Personaldebatte anstrebte, waren Teile der CDU/CSU-Fraktion – darunter auch der stellvertretende Ausschussvorsitzende und frühere Bundestagspräsident Erich Köhler – an einer Beseitigung der Cliquenwirtschaft interessiert, die sich ihrer Meinung nach unter Blankenhorns Schutzschirm im neuen Amt ausgebreitet hatte. Im Gegensatz zum ersten Ausschuss ein Jahr zuvor gehörten dem Untersuchungsausschuss Nr. 47 zwar keine »Ehemaligen« mehr an, aber zwei Mitglieder waren der alten und der neuen Behörde auf besondere Weise verbunden.

Zwischen Eugen Gerstenmaier (CDU) und Blankenhorn hatte es immer wieder sporadische Kontakte gegeben, seit man sich 1942 bei Adam von Trott erstmals über die Möglichkeit eines Staatsstreichs ausgetauscht hatte.[120] Aufgrund seiner Beteiligung am 20. Juli hatte Gerstenmaier eine Reihe von AA-Beamten, darunter Gottfried von Nostitz, inzwischen Leiter des Europareferats, mit Leumundserklärungen entlasten können.[121] Die Haltung des als unbequem geltenden Gerstenmaier dürfte nicht unwesentlich dadurch beeinflusst worden sein, dass er bis zum Sommer 1952 als möglicher Nachfolger Adenauers für den Posten des Außenministers gehandelt wurde.

Schwieriger war das Verhältnis zwischen der AA-Spitze und dem Berichterstatter des Ausschusses, Hermann Louis Brill. Der profilierte SPD-Politiker hatte seinen Widerstand gegen das NS-Regime mit langjähriger Zuchthaus- und KZ-Haft bezahlt, bevor er im April 1945 von den Amerikanern in Buchenwald befreit wurde. Als thüringischer Regierungspräsident war er für eine moralische »Selbstreinigung des deutschen Volkes« eingetreten und dadurch schnell mit der sowjetischen Besatzungsmacht in Konflikt geraten.[122] Nach seiner Flucht in den Westen übernahm er den Posten des Chefs der hessischen Staatskanzlei. Brills moralischer Rigorismus in vergangenheitspolitischen Fragen war 1947 ausschlaggebend bei der Gründung des Deutschen Büros für Friedensfragen. Als Mitglied des vierköpfigen Verwaltungsausschusses gewann der promovierte Jurist und Nationalökonom genauere Einblicke in die praktischen Abläufe der Personalrekrutierung und die fragwürdige Rolle, die eine Reihe von »Ehemaligen« in diesem Zusammenhang spielten. Zu den Bewerbern, gegen deren Aufnahme Brill erfolglos Widerspruch eingelegt hatte, gehörte neben dem Publizisten Klaus Mehnert[123] auch Karl Georg Pfleiderer von der FDP. Brill war empört, dass sich Pfleiderer und der ebenfalls auf Wiederanstellung drängende SD-Mann Giselher Wirsing wechselseitig bescheinigt hatten, während der letzten Kriegsphase in Norwegen oppositionelle Aktivitäten entwickelt zu haben.[124] Vor dem Hintergrund dieser Erfahrungen machte sich Brill keinerlei Illusionen über die Möglichkeiten und Grenzen parlamentarischer Aufklärung.

Neben Becker, Köhler, Gerstenmaier und Brill gehörten dem Ausschuss Adolf Arndt (SPD), Fritz Erler (SPD) und Josef-Ernst Fürst Fugger von Glött (CSU) an. Mit Ausnahme der Sitzung vom 18. Dezember 1951, auf der Mansfeld zu seinen Motiven und Informationsquellen befragt wurde, fanden alle Sitzungen unter Ausschluss der Öffentlichkeit statt. Da die Enquête von den meisten Abgeordneten auch als Entgegnung auf den Schetter-Bericht verstanden wurde, konzentrierte man sich im Wesentlichen darauf, die von der *Frankfurter Rundschau* thematisierten und von Schetter ausnahmslos entlasteten Einzelfälle einer erneuten Überprüfung zu unterziehen. Viel Zeit verwendete man auf die Einarbeitung in die Dokumente und Zeugenprotokolle, die durch die Schetter-Untersuchung neu hinzugekommen waren. Aber auch die Sichtung der Personalakten, die Briten und Amerikaner inzwischen nach und nach zurückgegeben hatten, erwies sich als überaus aufwendig. Teils wegen Kriegseinwirkungen und Verlagerungen, teils aufgrund mangelnder Aktenführung befanden sich die meisten Bestände in chaotischem Zustand.[125] Ein großer Teil der Personalakten war bei den schweren Luftangriffen auf Berlin im November 1943 verbrannt. Es sei eine »merkwürdige Fügung des Geschicks« – so der bissige Kommentar des Ausschuss-Vize Köhler –, dass gerade die Akten derjenigen Diplomaten, die bis zum Ende auf ihren Posten geblieben waren und später wiederverwendet wurden, mehr oder weniger vollständig den Flammen zum Opfer gefallen seien.[126] Erhalten geblieben waren hingegen die ans Archiv übergebenen Personalakten von Beamten, die vor dem November 1943 aus der Behörde ausgeschieden waren. Die nach 1945 angelegten Akten, die dem Ausschuss vom Amt zur Verfügung gestellt wurden, bestanden zum Teil aus lose zusammengehefteten, nicht nummerierten Blättern.

Waren die ersten Vernehmungen noch in recht entspannter Atmosphäre verlaufen, verhärteten sich die Fronten mit Beginn des neuen Jahres rapide. Es führte zu wachsender Frustration unter den AA-Angehörigen, dass jeglicher Rückhalt auf politischer Ebene auszubleiben schien; hinzu kam, dass die Zahl der Neubewerbungen drastisch zurückging und Neueinstellungen praktisch nicht mehr möglich waren. Adenauer, den nicht wenige für die aktuelle Krise verantwortlich machten, hüllte sich in Schweigen und weigerte sich, Personalchef Dittmann zu empfangen. Als der Ausschuss seine Arbeit aufnahm, hatten Pessimisten im AA damit gerechnet, dass möglicherweise ein, höchstens zwei der attackierten Kollegen ihren Dienst würden quittieren müssen. Im Frühjahr 1952 verdichteten sich die Gerüchte, dass mindestens fünf hohe Beamte »über die Klinge springen« müssten und Dittmann bereits auf der Suche nach einem neuen Job sei.[127]

Aus Sicht der Ausschussmitglieder galt der Blankenhorn-Intimus spätestens nach seiner zweiten Befragung Anfang April als untragbar.[128] Bei dieser 22. Sitzung stellte sich heraus, dass unter Dittmanns Ägide zwei Monate zuvor Gottfried Hecker aus der Personalabteilung des Ribbentrop-Ministeriums zum Beamten auf Lebenszeit ernannt worden war, obwohl schon der erste Untersuchungsausschuss im September 1950 die Empfehlung ausgesprochen hatte, ihn nicht mehr wiederzuverwenden. In Wirklichkeit trug zwar nicht Dittmann die Verantwortung, sondern sein Vorgänger Haas, der sich bewusst über die Empfehlungen des Parlaments hinweggesetzt hatte, aber dessen Verwicklung in die Angelegenheit kam in den Verhandlungen nicht zur Sprache, was möglicherweise darauf zurückzuführen war, dass Brill Haas als einen »Gentleman« bezeichnete.[129]

Was die Atmosphäre besonders vergiftete, war eine neuerliche Serie der *Frankfurter Rundschau*. Am 8. Februar und erneut am 13. und 29. Februar 1952 wusste die Zeitung Erstaunliches über einen seit Anfang Februar in Nürnberg laufenden Strafprozess zu berichten, der sich gegen den vormaligen »Judenreferenten« Franz Rademacher richtete. Wie die Zeitung erfahren haben wollte, hatte das Auswärtige Amt in Person des Dittmann-Mitarbeiters Rupprecht von Keller nicht nur einen offiziellen Beobachter nach Nürnberg entsandt, sondern offenbar auch versucht, auf den Verlauf der Verhandlung Einfluss zu nehmen. Angeblich, so die *Rundschau*, hatte sich Keller im Auftrag Dittmanns an Rademachers Anwalt Edmund Tipp gewandt, einen alten Bekannten aus Nürnberger Zeiten, und ihn gebeten, auf die Benennung zusätzlicher Zeugen aus dem AA zu verzichten. Um seiner Bitte den nötigen Nachdruck zu verleihen, habe Keller nebenbei darauf aufmerksam gemacht, dass in der Geldakte Rademachers wichtige Beweismittel aufgetaucht seien, die dem Verfahren eine für den Angeklagten ungünstige Wendung geben könnten. »Wenn ich erfahre, dass dieser Schuss aus Bonn kommt, dann lege ich los«, soll Tipp voller Empörung entgegnet haben. »Erst kommen die Herren der Personalabteilung aus der Koblenzerstraße zu mir und bitten mich, den Prozess nicht auszuweiten, und dann schießen sie mir meinen Mandanten von hinten ab.«[130]

Als Dittmann und Keller sowie der zuständige Personalreferent Wolfgang von Welck am 11., 12. und 14. März 1952 vor dem Untersuchungsausschuss zu der peinlichen Angelegenheit befragt wurden, versicherten die drei übereinstimmend, Keller sei tatsächlich im Auftrag Dittmanns und Welcks nach Nürnberg gereist, um zu erkunden, ob sich aus diesem Verfahren eventuelle Belastungen für wiederverwendete Ex-Diplomaten und künftige Bewerber ergeben könnten.[131] Keller selbst räumte ein, mit dem ihm gut bekannten Anwalt Tipp, mit dem er bereits im OKW-Prozess zusammengearbeitet hatte, über dessen Beweisanträge gesprochen zu haben und ihm auch von einer Einbeziehung von Dokumenten abgeraten zu haben, aus denen sich eine vermeintliche Beteiligung Dittmanns und anderer hochrangiger AA-Beamter an der nationalsozialistischen Judenpolitik ergab. Dies und die Tatsache, dass er mit Wissen seiner Vorgesetzten nach Nürnberg gefahren war, ohne die außerordentlich brisante Geldakte Rademachers, die er aus Bonn mitgebracht hatte, an die Staatsanwaltschaft weiterzuleiten, führten den Ausschuss zu der Vermutung, dass an den von der *Frankfurter Rundschau* erhobenen Vorwürfen etwas dran sein müsse.

Das ausgesprochen ungeschickte Verhalten – der Vorsitzende Becker sprach von einer diplomatischen »Tappigkeit ersten Ranges« und einem »Bärendienst« für die Bundesregierung[132] – zeugte von hochgradiger Nervosität. Dafür gab es mehrere Gründe. Zum einen wurden die Ermittlungen gegen Rademacher und andere Verdächtige, darunter die früheren AA-Beamten Otto Bräutigam und Karl Klingenfuß, als unzulässige Fortsetzung der Nürnberger Nachfolgeprozesse und persönlicher Racheakt des bayerischen Justizministers Josef Müller und seines Beraters, des 1933 aus dem AA ausgeschiedenen Friedrich von Prittwitz und Gaffron, wahrgenommen.[133] Persönlich an den Umsturzvorbereitungen der Militäropposition beteiligt, war Müller empört über die Art und Weise, wie sich die Weizsäcker-Unterstützer im Fall 11 zu Oppositionellen stilisierten, und hatte deshalb frühzeitig angekündigt, sämtliche Nürnberger Verfahren gegen frühere Diplomaten nach Bayern ziehen zu wollen.[134] Zum anderen drohten Beweismittel, die im Nürnberger Prozess publik geworden waren, sowohl aktive als auch noch nicht wieder im Dienst stehende Beamte in den Strudel strafrechtlicher Ermittlungen zu ziehen.[135] Als die Nürnberger Kammer Ende Januar den Antrag stellte, eine Reihe von AA-Angehörigen als Zeugen zu vernehmen,[136] fürchtete man in Bonn zu Recht, dass sich aus den Nürnberger Ermittlungen und der parallel laufenden Tätigkeit des Untersuchungsausschusses gefährliche synergetische Wechselwirkungen ergeben könnten.

Obendrein war man durch verschiedene Stimmen in Panik geraten, die behaupteten, der Rademacher-Prozess würde von bestimmten Personen dazu benutzt, gegen das AA zu intrigieren. So hatte Rademachers Verteidiger Ende November die beunruhigende Nachricht überbracht, Mansfeld, der Verfasser der FR-Serie, versuche das laufende Verfahren zu beeinflussen. Er habe Rademacher ausrichten lassen, die *Rundschau* würde sowohl ihn als auch den Mitangeklagten Eberhard von Thadden, den früheren »Judenreferenten« bei Inland II, »glimpflich« behandeln, sofern sich beide dazu bereitfänden, Ex-Staatssekretär Weizsäcker und die Referatsleiter des Alten Amtes anzuschwärzen.[137] Ende Januar, wenige Tage vor Eröffnung der Hauptverhandlung, machte sich Richard Tüngel von der *Zeit* diese krude These zu eigen. Wenig überraschend, bezeichnete er allerdings Kempner als den Urheber der Intrige. Der frühere Chefankläger habe sich als Verteidiger Rademachers ins Gespräch gebracht und diesen mit der Aussicht auf Freispruch gelockt, wenn er die gesamte Schuld auf die Koblenzer Straße abwälze. Für dieses hanebüchene Komplott hielt Tüngel auch gleich die Erklärung parat: Da Kempners ehrgeiziger Wunsch, deutscher Außenminister zu werden, endgültig gescheitert sei, sinne er nunmehr auf Rache.[138]

In der AA-Personalabteilung hielt man solche Szenarien offenbar für glaubwürdig. Als Anfang Februar auch noch ein Brief des deutschen Botschafters in Athen eintraf, in dem er zu seiner bevorstehenden Zeugenvernehmung Stellung nahm, brannten schließlich alle Sicherungen durch. Er habe durchaus Verständnis dafür, dass die Zentrale dem Antrag des Landgerichts stattgegeben habe, ihn als Zeuge in Nürnberg aussagen zu lassen, schrieb Werner von Grundherr, aber er frage sich doch, ob man »in der Wahl des Zeitpunktes für den Prozess ... nicht einen bestimmten Plan« vermuten müsse. Er habe Welck ja schon im Herbst erzählt, dass er über Informationen verfüge, aus denen hervorgehe, dass Kempner hinter der ganzen Angelegenheit stecke. Diese Annahme sei jetzt durch einen *Zeit*-Artikel bestätigt worden, den man ihm zugeleitet habe: »Zweck des Prozesses dürfte viel weniger sein, Rademacher verurteilen zu lassen, als das alte Amt durch einen Aufmarsch von möglichst vielen Zeugen zu belasten und bei dieser Gelegenheit gehörig mit Schmutz zu bewerfen.« Das sozialdemokratische Nürnberger Milieu sei dazu besonders geeignet. Im Übrigen hätten Schweizer und schwedische Zeitungen schon vor Jahren darauf aufmerksam gemacht, dass Kempner in Wirklichkeit für den Kommunismus arbeite. Mit seiner »Grammophon-platte« Mansfeld habe er ja schon einige »wirklich schöne Erfolge« bei der »Störung eines schnellen Aufbaues des neuen deutschen diplomati-schen Dienstes« erzielen können, über die man sich in der Sowjetunion sicher freue. Er, Grundherr, rechne damit, in nächster Zeit auch vom Untersuchungsausschuss als Zeuge vernommen zu werden. Dort werde er endlich Gelegenheit erhalten, sich gegen Mansfelds Attacken zur Wehr zu setzen. Da jedoch alles auf alliierten Belastungsdokumenten fuße, bestehe die Gefahr, dass »radikale Rechtskreise« dadurch Auftrieb erhielten. Alles in allem seien die laufenden Ermittlungen gegen AA-Angehörige nur »test cases«, denen eine »*grundsätzliche* Bedeutung (Le-gislative – Exekutive) für die *ganze* Beamtenschaft« zukomme.[139]

Die drohende Verwicklung des Auswärtigen Amts in den Rade-macher-Prozess hatte auch Einfluss auf die Behandlung eines anderen »Ehe-maligen«, der durch die FR-Serie zum wiederholten Mal ins Visier gera-ten war, des Gesandten z. Wv. Werner von Bargen. Am 19. März – zwei Tage nachdem ein halbstündiger Hörfunkbeitrag Helmut Hammer-schmidts im *Bayerischen Rundfunk* den Aufklärungsdruck nochmals erhöht hatte[140] – wurde er vom Untersuchungsausschuss vernommen. Nachdem Bargen bereits im Weizsäcker- und im belgischen Falkenhau-sen-Prozess als Zeuge der Verteidigung aufgetreten war, hatte er als ein-ziger AA-Beamter auch im Rademacher-Prozess in den Zeugenstand treten müssen und sich dort nach Meinung der Parlamentarier selbst schwer belastet. Dementsprechend eisig war das Klima, als sich Bargen auch in Bonn als Widerstandskämpfer zu präsentieren suchte, der Juden-deportationen aus Belgien habe verhindern wollen. Unter dem Eindruck von Berichten, die Bargen seinerzeit an die Zentrale gesandt und in de-nen er ungerührt vom »Abschlachten« der Juden gesprochen hatte,[141] sah sich der Abgeordnete Köhler zu der Frage veranlasst, ob Bargen ernstlich der Auffassung sei, dass »die Berichte, die Sie gezeichnet haben, Sie be-sonders prädestinieren, heute wieder Auslandsvertreter der Bundesrepu-blik zu werden«. – »Herr Abgeordneter, darauf kann ich nur antworten:

nach dem Ruf, den ich in Brüssel und Paris hinterlassen habe, würde ich allerdings dagegen keine Bedenken sehen.«[142] Mit der Vernehmung Bargens hatte die Ausschussarbeit ihren vorläufigen Höhepunkt erreicht: Die Fälle Dittmann und Bargen wurden als abgeschlossen betrachtet, beide waren nach übereinstimmender Auffassung aller Mitglieder für eine Verwendung im Auswärtigen Amt nicht geeignet. Zu einer Ablehnung gelangte man auch im Fall des erst noch zu vernehmenden Botschafters Grundherr.[143] Dessen Ladung und Vernehmung sollten geheim gehalten werden, um – wie es hieß – eine »schwere Schädigung des Ansehens der Bundesrepublik im Ausland« zu vermeiden.[144]

Die Entscheidung des Untersuchungsausschusses, Grundherrs Zeit als Skandinavienreferent der Wilhelmstraße nicht zum Gegenstand öffentlicher Diskussionen werden zu lassen, war vor allem der Befürchtung geschuldet, die Dokumente könnten sich insbesondere auf das Verhältnis zu Griechenland und den skandinavischen Staaten schädlich auswirken.[145] Mit der griechischen Regierung verhandelte die Bundesrepublik zum damaligen Zeitpunkt gerade über eine Bereinigung des Kriegsverbrecherproblems, während man mit Dänemark und Norwegen nach einer Lösung zur Freigabe beschlagnahmter deutscher Auslandsvermögen suchte. Solche außenpolitischen Sachzwänge, das erkannte man auf der AA-Führungsebene schnell, ließen sich auch als Hebel nutzen, um ein möglichst rasches Ende der parlamentarischen Untersuchung zu erreichen. Wahrscheinlich auf Blankenhorns Rat beschloss der Staatssekretär daher Ende März, erstmals in Sachen Personalpolitik an die Öffentlichkeit zu treten.

Auf einem Presseempfang im Palais Schaumburg warnte Hallstein vor Verallgemeinerungen und Irrtümern, die sich insbesondere aus der Gleichsetzung von »Nazis« und »Pgs« ergäben. Auch vertrat Hallstein die Meinung, erst die aufgeregte deutsche Debatte habe dazu geführt, dass man im Ausland auf das Auswärtige Amt aufmerksam geworden sei. Das Ausland mache sein Urteil über das deutsche Volk generell davon abhängig, wie »in der deutschen Öffentlichkeit das Kriegsverbrecherproblem abgehandelt« werde, nicht von der Frage, ob »Legationsrat X oder Y« der Partei angehört habe.[146] Selbstverständlich verfolge das AA die Arbeit des Untersuchungsausschusses mit dem gebührenden Respekt und werde aus den Ermittlungen – auch den eigenen – die nötigen Konsequenzen ziehen. Denn zumindest in diesem Punkt sei man sich mit den Kritikern einig: Wer sich durch Mitwirkung am NS-Regime belastet habe, sei nicht geeignet, dem öffentlichen Dienst anzugehören.

Am unproblematischsten erschienen aus beamtenrechtlicher Sicht die Fälle Grundherr und Curt Heinburg: Da beide kurz vor der Pensionierung standen, einigte man sich mit dem Untersuchungsausschuss darauf, dass dieser auf eine Stellungnahme verzichtete, sofern sich beide bereit erklärten, den Dienst zu quittieren.[147] Bargen, den die Leitung der Rechtsabteilung trotz der gegen ihn laufenden Ermittlungen mit der heiklen Aufgabe betraut hatte, die Wiedergutmachungsansprüche des SPD-Abgeordneten Lütkens zu prüfen,[148] wehrte sich mit Händen und Füßen gegen seine drohende Entfernung aus dem Dienst. Als er am 29. März stattdessen einen Antrag auf Wiedergutmachung wegen nicht erfolgter Beförderung im Dritten Reich einreichte, war es der Kanzler, der die Notbremse zog, indem er Bargen Anfang April ohne Angabe von Gründen beurlaubte.[149] Hallstein, dem die undankbare Aufgabe zufiel, dem Betroffenen diesen Schritt zu erläutern, versicherte im Beisein von Welck, die Behördenleitung beabsichtige keineswegs, die Empfehlungen des Parlaments ohne Überprüfung umzusetzen. Vielmehr plane man, in Kürze eine eigene Untersuchung in Auftrag zu geben, in der die bekannten Einzelfälle nochmals genauer begutachtet werden sollten.[150]

Gut zwei Wochen später kam es zu einer vertraulichen Unterredung zwischen Bargen und Gerstenmaier, an der außerdem Personalreferent Welck und Gottfried von Nostitz teilnahmen. Zweck des Gespräches war es, Bargen die Aussichtslosigkeit seiner Position vor Augen zu führen und ihn zum freiwilligen Rückzug zu bewegen. Gerstenmaier erklärte, er halte Bargens Verstrickung zwar für einen »Fall echter Tragik«. Trotzdem müsse der Ausschuss, der eine politische Aufgabe wahrnehme, an seinem Votum festhalten. Obwohl den Empfehlungen keine bindende Wirkung zukomme, sei dem AA dringend zu raten, sich von Bargen zu trennen. Bargen selbst legte er nahe, sich nicht an die Rechtslage zu klammern. Sein Dienstherr, der die Verantwortung für die Misere trage, sei verpflichtet, ihm eine neue Arbeitsstelle zu besorgen.[151]

Bargen zeigte sich weiterhin unnachgiebig, was nicht zuletzt damit zusammenhing, dass ihm Weizsäckers Nürnberger Anwalt Hellmut Becker seine Unterstützung signalisiert hatte. Becker, seit Beginn der fünfziger Jahre als juristischer und politischer Berater unter anderem für das von Max Horkheimer und Theodor W. Adorno geleitete Frankfurter Institut für Sozialforschung tätig, war Bargens besonderes Engagement im Fall 11 noch in guter Erinnerung. Er bekräftigte nicht nur Bargens Standpunkt, der Ausschuss habe die überlieferten Dokumente völlig falsch interpretiert, sondern teilte auch dessen Zweifel an den rechtlichen Grundlagen der parlamentarischen Aufklärungsarbeit. »Das Schlimmste an dieser ganzen Untersuchung«, schrieb er dem Diplomaten als Reaktion auf dessen Beurlaubung, sei die Tatsache, »dass nach diesem Rummel nur mehr farblose und törichte Gestalten in den Auswärtigen Dienst eintreten werden. Denn ein lebendiger und selbstständiger Mensch, der auch mal etwas riskiert, kann bei diesem System einen Posten im Auswärtigen Dienst nicht annehmen.«[152]

Da Becker der Meinung war, es sei angesichts seiner Rolle im Weizsäcker-Prozess nicht opportun, sich öffentlich für Bargen zu verwenden, suchte er über seinen Freund Pfleiderer den Publizisten Klaus Mehnert, damals Chefredakteur von *Christ und Welt,* für die Sache zu gewinnen. Während es Pfleiderer gelang, Mehnert davon zu überzeugen, dass die parlamentarische Untersuchung ähnlich einseitig verlaufen sei wie die Nürnberger Prozesse – genau davor hatte der FDP-Mann vor der Einsetzung des Untersuchungsausschusses im Bundestag ausdrücklich gewarnt –, reagierte Mehnert auf die Causa Bargen deutlich verhaltener.[153] Zwar war er sich mit Pfleiderer darin einig, dass die verfassungsmäßige Konstruktion des Ausschusses einmal näher beleuchtet werden müsse; seine Bitte an Hellmut Becker, sich im Rahmen eines Aufsatzes dazu zu äußern, verband er jedoch mit dem ausdrücklichen Hinweis, das Thema besser nicht mit dem Fall Bargen zu verknüpfen. Nach Rücksprache mit der Redaktion war er – wohl auch um einer möglichen Konfrontation mit dem Herausgeber Gerstenmaier aus dem Weg zu gehen – zu der Auffassung gelangt, eine »Polemik um jeden Preis« sei der Sache nicht dienlich.[154]

Als der Untersuchungsausschuss Nr. 47 am 18. Juni 1952 seinen Abschlussbericht vorlegte, hatten sowohl die Ausschussmitglieder als auch der Außenminister ihre jeweiligen Positionen längst abgesteckt. Während der CDU-Politiker Köhler in Bonner Pressekreisen davon sprach, maximal 6 von insgesamt 21 bzw. 22 überprüften Diplomaten müssten als belastet gelten, gab Adenauer die Prognose ab, das AA werde aus der Untersuchung weitgehend untadelig hervorgehen.[155] Der Abschlussbericht, der im Wesentlichen auf eine Ausarbeitung des Berichterstatters

Brill zurückging, enthielt sowohl eine Reihe von allgemeinen Empfehlungen als auch spezielle Voten zu den einzelnen Beamten. Während man bei Bargen, Dittmann und Grundherr an dem Befund festhielt, diese seien für den Auswärtigen Dienst ungeeignet, und bei Heinburg auf eine Stellungnahme verzichtete, sprachen sich die Abgeordneten in den Fällen Haas, Melchers und Werner Schwarz gegen eine Weiterverwendung in der Personalabteilung aus. Als vorläufig nicht im Ausland verwendbar wurden die Beamten Pfeiffer und Schwarzmann eingestuft, während Trützschler von Falkenstein wegen seiner früheren »sprachregelnden Tätigkeit« – er war an der Erstellung so genannter Weißbücher beteiligt gewesen – als generell nicht im Ausland einsetzbar galt. Keine Bedenken bestanden bei Blankenhorn, Etzdorf, Kessel, Kordt, Nostitz, Herwarth von Bittenfeld, Kamphoevener, Keller, Marchtaler und Simonis.[156] Hinweisen auf schwere Belastungen anderer AA-Beamter, die während der laufenden Ermittlungen aufgetaucht waren – zum Beispiel auf den ehemaligen SS-Unterstumbannführer Felix Gaerte, der unter Angabe falscher Personalien im AA wiederbeschäftigt worden war[157] – ging der Bericht nicht nach. Auch hatte man davon Abstand genommen, den Ursachen für die halbherzige Wiedergutmachungspraxis gegenüber Emigranten auf den Grund zu gehen, ein Thema, das den überparteilichen Konsens vermutlich gesprengt hätte, waren es doch vor allem die Alliierten gewesen, die den emigrierten Beschäftigten des öffentlichen Dienstes ein Recht auf Wiedereinstellung hatten zuerkennen wollen.

In der parlamentarischen Aussprache am 22. Oktober 1952 traten die parteipolitischen Meinungsverschiedenheiten, die der Untersuchungsbericht nur notdürftig zudeckt hatte, für jedermann sichtbar zutage. Für die eher abwiegelnd-indifferente Haltung, die Adenauer mittlerweile einnahm, war es bezeichnend, dass er in seiner Stellungnahme jede Auseinandersetzung mit den Fakten vermied und sich stattdessen darauf konzentrierte, die Verfahrensmängel der Enquête ausgiebig zu kritisieren. Dabei stützte er sich maßgeblich auf eine verfassungsrechtliche Expertise seines Rechtsberaters Erich Kaufmann.[158] Auch die inzwischen standardisierte Argumentation der AA-Personalabteilung, die Beurteilung der Einzelfälle sei durch den Rückgriff auf Nürnberger Prozessmaterialien in negativer Weise präjudiziert, machte sich der Kanzler ohne Umstände zu eigen. Nicht weniger aufschlussreich waren allerdings die Punkte, in denen der Kanzler von den Entwürfen abwich, die ihm Welck,

Dittmann und Peter Pfeiffer in Vorbereitung auf die Bundestagsdebatte ausgearbeitet hatten. Während vonseiten des AA versucht worden war, das Problem der »Ehemaligen« dadurch herunterzuspielen, dass man als Vergleichsgröße die Gesamtzahl aller Beamten und Angestellten zugrunde legte, räumte Adenauer ein, etwa 66 Prozent der höheren Beamten vom Referenten aufwärts seien »frühere Pgs«.[159]

Adenauer hielt sich auch nicht an die Empfehlung Pfeiffers, der im Hinblick auf zu erwartende Reaktionen den Rat gegeben hatte, aus Respekt vor der Autorität des Parlaments auf allzu scharfe Kritik zu verzichten. Stattdessen kündigte Adenauer unter Beifallrufen der DP an, künftig auch mit strafrechtlichen Mitteln gegen »Beleidigungen« von AA-Angehörigen vorgehen zu wollen. Im Gegensatz zu seinem Parteikollegen Gerstenmaier, der das Untersuchungsergebnis als Beweis dafür sehen wollte, dass die Pressevorwürfe gegen das AA »eigentlich in ihrem Kern zusammengebrochen« seien, schätzte der CDU-Vorsitzende den Zustand des neuen diplomatischen Dienstes allerdings deutlich realistischer ein. So sagte er in Erwiderung auf den Abgeordneten Erler, der unter Hinweis auf die starke Stellung Blankenhorns und Globkes von einer Art »Nebenregierung« gesprochen hatte, man solle mit der »Naziriecherei« endlich Schluss machen, ergänzte seine Aussage aber um die vielsagende Bemerkung: »Denn verlassen Sie sich darauf: wenn wir damit anfangen, weiß man nicht, wo es aufhört.«[160]

In einer Zeit, in der selbst Staatssekretärsposten der Bundesbehörden sukzessive von ehemaligen Pgs besetzt wurden und sich unter dem Schlagwort vom »überparteilichen Fachbeamtentum« in praktisch allen Verwaltungsbereichen ungehemmt Seilschaften breitmachen konnten, wirkte die leidenschaftlich geführte Auseinandersetzung über die Altlasten des AA fast wie ein Anachronismus. Aber dieser vergangenheitspolitische Widerspruch war in gewisser Weise typisch für die Gefühlslage einer Gesellschaft, die seit dem Ende der Besatzungszeit mehr denn je zwischen dem Bedürfnis nach nationaler Selbstbehauptung und dem nicht minder stark ausgeprägten Wunsch nach internationaler Anerkennung und Absolution lavierte. Sieht man davon ab, dass die Legislative mit dem Untersuchungsausschuss ihren verfassungsrechtlichen Kontrollanspruch hatte bekräftigen können, waren die demokratisierenden Wirkungen eher zwiespältiger Natur: Während die Aufklärungsbemühungen des Parlaments innerhalb der Behörde zumindest vorübergehend einen weiteren Solidarisierungsschub hervorriefen, der mit entsprechenden Abschottungstendenzen einherging, kam der Debatte um die Personalpolitik des AA im politischen Raum vorwiegend Ersatzfunktion zu.

Dass die Ergebnisse des Untersuchungsausschusses Nr. 47 gesellschaftspolitisch keine größere Wirkung entfalteten, hing nicht zuletzt mit den innerparteilichen Spannungen der deutschen Sozialdemokratie zusammen. Und es hatte zu tun mit der gewachsenen Bedeutung des medialen Faktors in der frühen Bundesrepublik. Da keine der im Bundestag vertretenen Parteien bereit war, den Konflikt mit der mächtigen »131er«-Lobby zu riskieren, und man zudem die befürchteten außenpolitischen Folgen der Debatte frühzeitig einzudämmen suchte, unterblieb – allen Bekenntnissen zum Trotz – auch bei dieser Gelegenheit eine Grundsatzaussprache über die Rolle der Beamtenschaft im Nationalsozialismus. Auch im Jahr 1952 war kein Politiker willens und in der Lage, die demokratischen Mindestanforderungen an den neuen diplomatischen Dienst der Bundesrepublik genauer zu definieren.

Die Neuen, die Alten und die »Ehemaligen«

Die Personalentwicklung des Auswärtigen Amts in den Anfangsjahren war von großer Dynamik geprägt, einer Dynamik, die angesichts der gewaltigen Aufgabe, das Netz der Auslandsvertretungen neu aufzubauen, nicht überrascht. In den ersten fünf Jahren nach Amtsgründung wuchs die Gesamtzahl der Mitarbeiter von gut 1 000 Amtsangehörigen im Jahr 1951 auf 4 566 im Jahr 1955, dem Jahr der Aufhebung des Besatzungsstatuts und der Erlangung der – vorerst begrenzten – Souveränität. Im Vergleich dazu hat sich die Mitarbeiterzahl in den mehr als fünfzig Jahren seither nur um rund 2 000 Personen erhöht; im Jahr 2009 zählte das Stammpersonal des Auswärtigen Diensts ungefähr 6 600 Personen.

Auch der höhere Dienst wuchs in der Aufbauzeit stark an, war jedoch stärkeren Schwankungen, auch zeitweiligen Reduzierungen unterworfen. Im Oktober 1951 zählte der höhere Dienst 383 Angehörige, 1955 waren es 945, fünf Jahre später 1 227. Nachdem sich die Anzahl der Mitarbeiter Ende der sechziger Jahre leicht verringert hatte, gehören heute ungefähr 1 500 Personen dem höheren Dienst an.[1] Die Schwankungen gehen darauf zurück, dass man sich immer wieder bemühte, die »Kopflastigkeit« des Auswärtigen Diensts zu reduzieren. Nachdem in den ersten Jahren der höhere Dienst bevorzugt aufgebaut worden war, entstand schon bald ein Missverhältnis zwischen den Laufbahngruppen: Zu viele Mitarbeiter des höheren Diensts übernahmen Aufgaben des gehobenen oder sogar mittleren Diensts.[2]

Die Ansprüche an die Bewerber waren von Anfang an nicht gering. Kandidaten sollten über die fachliche Eignung hinaus, die neben Sprachkenntnissen und Auslandserfahrung auch grundlegende Kenntnisse in Recht, Wirtschaft und Geschichte umfasste, charakterlich geeignet und im Hinblick auf ihre nationalsozialistische Vergangenheit unbelastet sein; gerade bei einer möglichen Verwendung im Ausland galten prinzipiell strenge Maßstäbe. Diese Auswahlkriterien schränkten den Kreis der Kandidaten durchaus ein.[3] Daneben musste die Personalpolitik des Auswärtigen Amts auch innenpolitischen Anforderungen genügen und den Interessen der Parteien und gesellschaftlichen Einflussgruppen Rechnung tragen. Ziel der frühen Personalplanung war es, so der erste Personalchef des Amts, Wilhelm Haas, ein Abbild der demokratischen Gesellschaft der Bundesrepublik zu schaffen, das zur Wiederherstellung des deutschen Ansehens in der Welt beitrug. Gleichzeitig wollte Haas auf die »gesunde« Tradition des alten Auswärtigen Diensts zurückgreifen.[4] Als alter Diplomat, der das Amt 1937 hatte verlassen müssen, verkörperte Haas selbst in den Augen vieler einen Teil dieser »gesunden« Tradition. Doch was meinte »gesunde« Tradition im Zusammenhang mit Personalpolitik genau? Und welche Bedeutung spielte sie im Spannungsfeld von Kontinuität und Neubeginn, das den personellen Neuaufbau des Diensts kennzeichnete?

Personalpolitik

Der Rückgriff auf das Personal der Wilhelmstraße war in den Planungen des neuen Amts von Anfang an vorgesehen. Die Verwendung ehemaliger Mitarbeiter rief jedoch schnell eine breite öffentliche Kritik hervor. Es half dem Amt wenig, dass sowohl Adenauer als auch die Alliierten ihre Zustimmung zur grundsätzlichen Linie der Personalpolitik gegeben hatten. Nach den Plänen von Haas sollte der Anteil von Diplomaten, die bereits in der Wilhelmstraße gedient hatten, im höheren Dienst auf den Auslandsposten 10 Prozent betragen. Für die Bonner Zentrale, bei der weniger strenge Maßstäbe angelegt wurden, war ein Verhältnis 1:1 von neuem und altem Personal vorgesehen; der Anteil alter Diplomaten insgesamt sollte sich auf ein Viertel bis höchstens ein Drittel belaufen.[5]

Von den 137 Angehörigen des höheren Diensts im Jahr 1950 kamen aber 61, also knapp die Hälfte, aus der Wilhelmstraße. Ihr Anteil verringerte sich zwar schnell, lag bereits Anfang 1952 knapp unter einem Drittel und Ende 1954 bei 23 Prozent.[6] Allerdings stand diese prozentuale Verringerung in engem Zusammenhang mit dem generellen Personalzuwachs im Amt. Genauer gesagt: Auch wenn das alte Personal einen immer kleineren Teil des Mitarbeiterbestands ausmachte, kamen doch immer mehr Wilhelmstraßendiplomaten in das neue Amt. Während in der Zentrale die Vorgabe 1:1 von Anfang an eingehalten wurde und der Anteil der alten Diplomaten allmählich zurückging, überstieg ihr Anteil in den Auslandsvertretungen deutlich die angestrebten 10 Prozent und belief sich 1951 und 1952 auf ungefähr ein Viertel bis ein Drittel der Mitarbeiter im Ausland. Für die Zentrale wie für die Auslandsposten galt gleichermaßen: Je höher der Dienstrang, desto höher der Anteil von Diplomaten aus der Wilhelmstraße.[7]

Dass sich besonders viele Wilhelmstraßendiplomaten in hohen Positionen fanden, entsprach der Absicht, auf erfahrene Kräfte beim Wiederaufbau zurückzugreifen. Nichtsdestoweniger stellten die reaktivierten Diplomaten, die in der Mehrheit unter Neurath und Ribbentrop ihre »Pflicht« getan und die nationalsozialistische Außenpolitik exekutiert hatten, eine nicht geringe Belastung für das neue Amt dar. Diplomatie sei ein Handwerk, das erlernt werden müsse und einer gewissen Routine bedürfe, hielt man den Kritikern entgegen, gerade auf leitenden Posten werde Erfahrung benötigt. Wilhelm Haas berief sich später auf eine Weisung Adenauers, wonach in den Auslandsvertretungen mindestens ein Beamter des alten Diensts eingesetzt werden sollte.[8] Da Adenauer bei vielen Gelegenheiten betonte, dass er auf die Erfahrung der Alten angewiesen sei, scheint diese Behauptung nicht aus der Luft gegriffen zu sein. Auch die drei Besatzungsmächte, deren Zustimmung zu Entsendungen ins Ausland eingeholt werden musste, zeigten Verständnis für diese Auffassung. Von ihrem Recht, Einspruch zu erheben, machten sie jedenfalls kein einziges Mal Gebrauch.

Die Adenauer'sche Richtlinie, beim Aufbau der Bundesbehörden auf administrativ erfahrenes Personal der alten preußischen und der Reichsministerien zurückzugreifen, hatte Auswirkungen auf die Personalpolitik aller Bundesministerien. Nur so war der rasche Aufbau einer effektiven Verwaltung möglich. Gleichzeitig wurde damit auch Kontinuität geschaffen, eine Kontinuität, die durch das sogenannte 131er-Gesetz abgesichert wurde, das die Rechtsverhältnisse von Personen, die am 8. Mai 1945 dem öffentlichen Dienst angehört hatten und aus anderen als beamten- oder tarifrechtlichen Gründen entlassen worden waren, regelte. Mit dem Gesetz vom 11. Mai 1951 wurde eine Quotenregelung erlassen, wonach mindestens 20 Prozent der Planstellen in öffentlichen Betrieben und Verwaltungen den »131-ern« vorbehalten waren. Den meisten ehemaligen Angehörigen des öffentlichen Dienstes wurde so die berufliche Wiedereingliederung ermöglicht, auch denen, die als schwerstbelastet galten. Das 131er-Gesetz war eine wichtige Etappe auf dem Weg der Amnestierung und Integration einstiger Parteigänger des Dritten Reichs. Auch wenn die Rehabilitierung der Beschäftigten im öffentlichen Dienst die Bundesrepublik politisch stabilisiert hat, diskreditierte der Rückgriff auf belastetes Personal den Neubeginn doch schwer.

1950 stammten 42,9 Prozent der Abteilungsleiter in den Bundesministerien aus den alten Reichsministerien, in der Bundesverwaltung waren 47,2 Prozent der Abteilungsleiter ehemalige Reichsbeamte. In diesen Zahlen spiegelt sich die hohe Kontinuität zwischen altem und neuem Personal im öffentlichen Dienst. Vergleicht man sie mit den Zahlen im höheren Auswärtigen Dienst, erscheint weniger der Rückgriff auf altes Personal als solcher ungewöhnlich. Vielmehr sticht vor allem die *direkte* Kontinuität ins Auge, das heißt die hohe Zahl derjenigen, die aus dem alten Amt ins neue wechselten. Während etwa im Bundeswirtschaftsministerium in der Zeit von 1949 bis 1963 »nur« 32,4 Prozent der Beamten des höheren Dienstes mit hervorgehobenen Funktionen aus dem früheren Reichswirtschaftsministerium kamen, stammten von den 98 Angehörigen des höheren Auswärtigen Diensts in ähnlich exponierten Positionen zwischen 1949 und 1955 doppelt so viele, nämlich 64,3 Prozent, aus dem alten Amt. Auffällig für den diplomatischen Dienst der frühen Bundesrepublik ist also nicht eine generelle Kontinuität zu den alten Reichsbehörden, sondern die unmittelbare Kontinuität zur Wilhelmstraße.[9]

Was die Frage nach der politischen Vergangenheit der Amtsangehörigen angeht, nach ihrer Stellung im Dritten Reich, ist zunächst festzuhalten, dass Verfolgte und Benachteiligte des Nationalsozialismus genau wie in der westdeutschen Gesellschaft insgesamt keine homogene und klar bestimmbare Gruppe darstellten. In den Statistiken und Angaben zum Anteil der NS-Verfolgten am Personalbestand des Auswärtigen Amts bleibt unklar, nach welchen Kriterien diese Gruppe jeweils definiert wurde; der in der Regel verwendete Oberbegriff der »politisch und rassisch Verfolgten« umfasst jedenfalls sehr unterschiedliche Einzelschicksale. In den Anfangsjahren stellten ehemalige Diplomaten, die auf der Grundlage des Gesetzes zur Wiederherstellung des Berufsbeamtentums von 1933 entlassen worden waren, einen großen Teil der Verfolgten.[10] Vom sogenannten »Arierparagraphen« waren beispielsweise Richard Hertz, Carl von Holten und Georg Rosen betroffen. Hertz und Holten mussten 1937, Rosen 1938 wegen jüdischer Vorfahren das Amt verlassen. Alle drei entschlossen sich zur Emigration: Rosen und Hertz gingen in die USA, Holten nach Schweden. Im Rahmen amtlicher Wiedergutmachung wurden sie nach 1951 wieder eingestellt. Zu den »rassisch Verfolgten« zählten auch Diplomaten, die aufgrund der Herkunft ihrer Ehefrauen diskriminiert wurden, wie Wilhelm Haas und Rudolf Holzhausen. Beide waren nach dem Krieg maßgeblich am Aufbau des neuen Dienstes beteiligt.[11]

Unter den 137 Mitarbeitern des höheren Dienstes im Jahr 1950 galten 29 Personen als Opfer des NS-Regimes. Bis 1954 erhöhte sich ihre Zahl um rund 70 Personen, danach ging sie, wohl altersbedingt, zurück. Im Mai 1962 gehörten noch 67 Personen zu dieser Gruppe, das entsprach einem Anteil von 6,2 Prozent.[12] Angesichts dieser Zahlen kann man schwerlich von einer gezielten oder bevorzugten Einstellung von Verfolgten des Regimes sprechen, die in einer Richtlinie der Bundesregierung vom 21. Dezember 1950 gefordert worden war.[13] Immerhin umfasste die Gruppe der NS-Verfolgten in der Aufbauphase des Amts fast ein Fünftel des Personalbestands im höheren Dienst, etwa jeder Vierte von ihnen kam aus der Wilhelmstraße.[14]

Wesentlich höher als der Anteil der Verfolgten lag der Anteil an NSDAP-Mitgliedern. Viele Angehörige der Wilhelmstraße waren, ob aus Opportunismus, Überzeugung oder unter äußerem Druck, der Partei beigetreten. Aber nicht nur die Pgs aus der Wilhelmstraße drängten ins neue Amt, auch »externe« fanden hier ein Unterkommen. Nach dem Krieg seien mehr NSDAP-Mitglieder im Auswärtigen Amt gewesen als vor 1945, lautete ein beliebtes Bon(n)mot. Von den 137 Mitarbeitern des höheren Dienstes 1950 hatten 42,3 Prozent der NSDAP angehört. Ihr Anteil verringerte sich in der Folgezeit nur langsam. Anfang 1952 betrug er 34,7 Prozent, bis Ende 1954 stieg er sogar noch einmal leicht an. Insgesamt stellten die ehemaligen Pgs in der Aufbauphase rund ein Drittel der Angehörigen des höheren Diensts. Auch hier wieder galt: Je höher der Dienstrang, desto häufiger war das NSDAP-Parteibuch zu finden. Und so wie der Anteil der Wilhelmstraßendiplomaten zwar prozentual, nicht aber in absoluten Zahlen zurückging, so sank auch der Anteil der Pgs nur im Verhältnis zum Gesamtpersonal; tatsächlich stieg ihre Anzahl von ursprünglich 58 Personen auf etwa 325 im Jahr 1954.[15]

In der Zentrale lag der Anteil der NSDAP-Mitglieder 1951/52 mit 40 bis 50 Prozent des Gesamtpersonals im höheren Dienst wesentlich höher als in den Auslandsvertretungen. Dort erreichte ihr Anteil ungefähr 25 Prozent – was ziemlich viel war, wenn man bedenkt, dass Bonn zugesagt hatte, zunächst keine Pgs ins Ausland zu schicken. Haas und Blankenhorn hatten den Alliierten allerdings angekündigt, sich wegen des Mangels an erfahrenem Personal nicht daran halten zu können, und die Hohe Kommission hatte sich einverstanden erklärt. Das Argument, auch auf Pgs zurückgreifen zu müssen, weil diese die nötige Erfahrung mitbrächten, hält der Überprüfung allerdings nicht stand: Im Jahr 1952 stammte knapp die Hälfte der Pgs im Auswärtigen Amt nicht aus der Wilhelmstraße.[16]

Das Bonmot, nach dem Krieg habe es mehr Pgs im Amt gegeben als vorher, ist also nicht ganz abwegig. Freilich muss differenziert werden. Vor dem Zweiten Weltkrieg besaß rund ein Drittel der 92 höheren Beamten der Berliner Zentrale ein Parteibuch. Mit mehr als 40 Prozent Pgs in der Bonner Zentrale Anfang der fünfziger Jahre lag ihr Anteil also deutlich höher. Rechnet man die Auslandsvertretungen hinzu und nimmt alle Mitarbeiter des höheren Dienstes zusammen, schneidet das neue Amt besser ab. Von allen Mitarbeitern des höheren Dienstes gehörten 1937 rund 200 Personen der NSDAP an. Am 1.5.1943 waren von 603 aktiven Angehörigen des höheren Dienstes 522 in der Partei, das entspricht 86,6 Prozent. Immerhin lag Bonn mit etwa 325 Pgs im Jahr 1954 deutlich über dem Vergleichswert von 1937.[17]

Wilhelm Haas hatte als Grundsatz der Personalpolitik des Auswärtigen Amts formuliert: »Wir stellen Pgs ein, aber keine Nazis.«[18] Das hieß in der Praxis, dass eine Parteimitgliedschaft nicht als hinreichender Anhaltspunkt für eine nationalsozialistische Gesinnung angesehen wurde. Wie aber stellte man fest, wer ein »Nazi« war? Der Untersuchungsausschuss Nr. 47 bemühte sich in diesem Punkt um Klarheit, musste aber erstaunt zur Kenntnis nehmen, dass es keine schriftlichen Ausarbeitungen des Einstellungskriteriums »politische Zuverlässigkeit« gab und entsprechende Richtlinien innerhalb der Personalabteilung nur gesprächsweise formuliert wurden. Aus den Zeugenaussagen ließen sich am Ende nur drei Kriterien *ex negativo* herausfiltern: Ausgeschlossen sei die Einstellung von NSDAP-Mitgliedern, die vor 1933 in die Partei eingetreten waren, von Mitgliedern der allgemeinen SS und von »Aktivisten«. Damit waren Parteimitglieder, Sympathisanten und Mitläufer gemeint, die sich besonders profiliert hatten.[19]

Die Personalabteilung setzte sich in Einzelfällen immer wieder über ihre selbst gesetzten Richtlinien hinweg. Ein Beispiel war der spätere Staatssekretär im Amt Georg Ferdinand Duckwitz. Er war zwar bereits 1932 der NSDAP beigetreten, seine Beteiligung an der Rettung der dänischen Juden im Jahr 1943 überzeugte jedoch die Personalverantwortlichen, ihn 1950 wieder in den diplomatischen Dienst aufzunehmen. Auch der Laufbahnbeamte Franz Krapf konnte im neuen Amt Fuß fassen. Krapf war 1933 der allgemeinen SS beigetreten, 1936 NSDAP-Mitglied geworden, 1938 zum Untersturmführer ernannt und gleichzeitig dem Sicherheitsdienst zugeteilt worden. Haas und Melchers waren über die SS- und SD-Zugehörigkeit von Krapf im Bilde, haben sie aber nicht als »gravierend angesehen«. Weil Krapf sich ihrer Meinung nach »niemals als aktiver Nationalsozialist betätigt« hatte, stellte seine SS-Mitgliedschaft kein Hindernis für seine Wiedereinstellung 1951 dar.[20]

Bei der Prüfung des Einzelfalls spielte der persönliche Eindruck eine wichtige Rolle. »Die Prüfung geschieht gewöhnlich auf die Weise, dass wir uns zunächst einmal im Amt umhören«, gab der Beamte Gördes, der die Personalangelegenheiten des mittleren und gehobenen Diensts bearbeitete, vor dem Untersuchungsausschuss zu Protokoll.[21] Auf kritische Nachfragen, wie es möglich sei, dass ein Mitarbeiter ohne Vorlage seines Entnazifizierungsbescheids verbeamtet wurde, verwies Gördes darauf, dass alte Diplomaten in diesem Fall ein positives Zeugnis ausgestellt hätten. Haas erklärte, dass er von der politischen Haltung seines Mitarbeiters Wilhelm Melchers absolut überzeugt sei, unabhängig davon, welche Details über dessen Tätigkeit im Dritten Reich noch bekannt würden: »Ich kenne diese Persönlichkeit zu genau, um mich durch irgendwelchen anderen Einflüsse von meiner festen Überzeugung abbringen zu lassen, dass Herr Melchers fest auf dem Boden unserer heutigen demokratischen Staatsauffassung steht und immer gestanden hat.«[22]

Was für die Übernahme ehemaliger Reichsbeamter in den öffentlichen Dienst der Bundesrepublik galt, galt auch für die Pgs. So weit das vorhandene Zahlenmaterial einen Vergleich erlaubt, schneidet das Auswärtige Amt durchweg nicht schlecht ab.[23] Unter den Abteilungsleitern in den Bundesministerien in der Zeit von 1950 bis 1953 hatten 60 Prozent der NSDAP angehört. Im Wirtschaftsministerium ergibt sich für die Jahre 1949 bis 1955 ein Pg-Anteil von 50,9 Prozent auf der Ebene der Staatssekretäre, Abteilungsleiter und Unterabteilungsleiter. Im selben Zeitraum waren von den Angehörigen des höheren Auswärtigen Diensts in vergleichbarer Position 40,8 Prozent ehemalige NSDAP-Mitglieder. Auch ein direkter Vergleich mit dem Bundesinnenministerium fällt nicht ungünstig für das Amt aus: Im Innenministerium waren 1952 44,6 Prozent der Mitarbeiter des höheren Diensts ehemalige Pgs, ihr Anteil im Auswärtigen Amt lag im selben Jahr 10 Prozent niedriger.

Diesen Zahlen zum Trotz ist kein anderes Ministerium derart in die Kritik geraten wie das Auswärtige Amt. Zum einen standen die Diplomaten als Repräsentanten ihres Landes unter besonderer Beobachtung. Es ging darum, Westdeutschland international salonfähig zu machen. Jeder Schatten, der auf einen der Auslandsvertreter fiel, konnte das Ansehen der Bundesrepublik insgesamt beschädigen, schließlich war die Erinnerung an die nationalsozialistischen Verbrechen noch überall wach. Was den Kritikern an der Personalpolitik des Auswärtigen Amts besonders aufstieß, war im Übrigen weniger die Parteimitgliedschaft der Diplomaten als vielmehr die direkte personelle Kontinuität zwischen altem und neuem Amt. Die gleichen Männer, die nationalsozialistische Außenpolitik vertreten hatten, standen nun für den neuen, demokratischen Staat auf internationaler Bühne. Das stellte die Glaubwürdigkeit der neuen Außenpolitik für viele infrage. Manche sahen gar den berühmten Korpsgeist des Auswärtigen Amts am Werk, der über den Systemwechsel hinweg für inneren Zusammenhalt sorgte und das Amt nach außen abschottete.

So wie es für eine Mitgliedschaft in der NSDAP viele Gründe geben konnte – von Karriereerwägungen und bloßem Opportunismus bis hin zu äußerem Druck –, so bedeutete die Zugehörigkeit zum alten Amt nicht, dass man nach 1945 automatisch an alten Idealen und Orientierungsmustern festhielt. Obwohl die Besatzungsmächte ehemalige NSDAP-Mitglieder zunächst generell für ungeeignet erklärt hatten, griffen sie höchst selten in den Personalaufbau des Auswärtigen Amts ein und nahmen schnell eine pragmatische Haltung ein. Schwerer wog für die Alliierten bald schon die Sorge, dass die russlandfreundliche Politiktradition im Auswärtigen Amt eine Fortsetzung finden könnte, jene Politik, für die Bismarck, Rapallo und der Berliner Vertrag von 1926 als warnende Beispiele galten.[24] Zu der Gruppe von Diplomaten, die mit

Blick auf die Wiedervereinigung für eine Annäherung an die Sowjetunion eintraten und über eine Stellung der Bundesrepublik zwischen den weltpolitischen Blöcken nachdachten, gehörten gerade auch ältere Beamte aus der Wilhelmstraße. Angesichts der Verschärfung des Kalten Krieges war aber die übergroße Mehrheit des Auswärtigen Amtes von der Notwendigkeit der Westbindung schnell überzeugt. Da das Auswärtige Amt tatkräftig an der raschen und dauerhaften Integration der Bundesrepublik in den Westen mitarbeitete, gab es wenig Reibungsverluste mit den Alliierten, denen die alten Diplomaten im Vergleich zu den neuen Mitarbeitern im Amt jetzt teilweise sogar als die zuverlässigeren Partner erschienen.[25] Geriet das Auswärtige Amt später wegen der nationalsozialistischen Vergangenheit seines Personals in die Kritik, reagierten die Verbündeten stets gelassen, auch wenn sie wussten, dass etwa die Angaben über NSDAP- und sonstige Mitgliedschaften in NS-Organisationen im Rahmen ostdeutscher Propagandaaktionen im Prinzip korrekt waren.[26]

Sehr viel empfindlicher als die offiziellen Stellen reagierte die Öffentlichkeit des Auslands, insbesondere die amerikanische, deren Vertrauen in die demokratische Entwicklung der Westdeutschen nicht eben groß war. 1954 scheiterte die Ernennung Peter Pfeiffers zum westdeutschen Beobachter bei den Vereinten Nationen. Pfeiffer kam aus der Wilhelmstraße und war 1940 der NSDAP beigetreten. In den USA regte sich empörte Kritik an der geplanten Berufung, und das Amt musste Pfeiffer zurückziehen, nachdem der Bundespräsident seine Ernennungsurkunde bereits unterzeichnet hatte.[27] Die in der Bundesrepublik gängige Unterscheidung zwischen einem formellen Parteimitglied und einem »echten« Nazi wollte eben nicht allen Amerikanern einleuchten. Während sich das State Department auf den Standpunkt stellte, Pfeiffers diplomatische Erfahrung, seine erfolgreiche Entnazifizierung und die Überprüfung durch den Untersuchungsausschuss Nr. 47 qualifizierten ihn für den Posten, wurde die Ernennung eines ehemaligen NSDAP-Mitglieds zum UN-Beobachter im US-Repräsentantenhaus als eine Beleidigung für Millionen von Kriegsveteranen und Emigranten verstanden.[28]

Die politische Vergangenheit einzelner Diplomaten wurde nicht nur außerhalb des Amts problematisiert. Die »NS-Karte« wurde auch innerhalb der Behörde gegen unliebsame Konkurrenten ausgespielt, wie die Umstände der Berufung von Ernst-Günther Mohr zum Botschafter in

Bern 1958 illustrieren. Die Ernennung wurde vom Auswärtigen Amt gegen heftigen öffentlichen Protest schließlich durchgesetzt. Ausgelöst wurde der Skandal durch eine Pressekampagne in der Schweiz. Ein anonymer Briefschreiber hatte sich an mehrere Zeitungen gewandt und Mohr als Nationalsozialisten verunglimpft. Die Empörung ob der geplanten Entsendung eines »verkappten ehemaligen Nazis« nach Bern war groß.[29] Im Kern ging es um Mohrs angebliche Beteiligung an der Deportation holländischer Juden. Das Auswärtige Amt machte sich die Anschuldigungen nicht zu eigen; man räumte zwar ein, dass ein von Mohr gezeichneter Bericht aus Den Haag vom 17. Februar 1941 vorlag, in dem über Diskriminierungsmaßnahmen berichtet wurde, aber da Mohr im Mai 1941 nach Rio de Janeiro versetzt worden sei und die Judenverfolgung in den Niederlanden erst danach in voller Schärfe eingesetzt habe, sei er nicht verantwortlich zu machen.[30]

Schon bald wurde hinter der Kampagne eine Intrige von Mohrs Vorgänger in Bern, Friedrich Holzapfel, oder ihm nahestehender Personen vermutet.[31] Dieser Ansicht scheint man auch im Auswärtigen Amt gewesen zu sein. In einem Brief an Bundespräsident Heuss vom April 1959 wies Außenminister Brentano auf Mohrs erfolgreiche Tätigkeit in Bern hin und betonte, »dass es dem Vorgänger von Herrn Dr. Mohr in keiner Weise gelungen ist, seine Stellung zu erschüttern«.[32] Holzapfel war auf Betreiben Adenauers als erster bundesdeutscher Vertreter in die Schweiz entsandt worden. Diese Entscheidung war rein machtpolitisch motiviert gewesen, denn Holzapfel drohte als einflussreicher CDU-Politiker ein unliebsamer Konkurrent für Adenauer zu werden. Ob Holzapfel tatsächlich der Urheber der Pressekampagne war, lässt sich nicht mehr klären. Fest steht, dass er mehrere Pressemappen mit schweizerischen Zeitungsartikeln über Mohr zusammenstellen und dem Amt übersenden ließ. Er appellierte an Brentano, Mohr im Interesse der Bundesrepublik nicht nach Bern zu senden, und schlug gleichzeitig vor, dass zur Beruhigung der Situation die Botschafter der Bundesrepublik in Wien und in Bern – also er selbst – die Posten tauschen sollten.[33] So sehr er sich auch wehrte, am Ende stand Holzapfels Versetzung in den einstweiligen Ruhestand.

Welche Rolle eine mögliche politische Belastung aus der Zeit des Nationalsozialismus bei der Beurteilung einer Personalie spielte, hing nicht zuletzt von der Region ab, in der der Betreffende eingesetzt werden sollte. So wurde das ehemalige NSDAP- und SS-Mitglied Henning Thomsen 1956 nicht nach Australien versetzt, weil der dortige Botschafter, Walter Hess, darauf hinwies, dass dies angesichts der sehr misstrauischen öffentlichen Meinung nicht opportun sei. Umgekehrt war bei der Ernennung des Diplomaten Bernd Mumm von Schwarzenstein zum Leiter der Handelsvertretung in Warschau 1963 dessen politisch unbelastete Vergangenheit ein gewichtiges Argument. Auch bei der Versetzung von Hans Arnold an die Botschaft Washington 1957 war neben der fachlichen Qualifikation eine unbelastete Vergangenheit entscheidend.[34]

Schließlich wird von einer Kategorie von Amtsangehörigen berichtet, die aufgrund ihrer Vergangenheit geographisch nur beschränkt einsetzbar waren – »von denen hieß es: nur in arabischen Staaten verwendbar«.[35] Ohne dass sich eine solche Praxis eindeutig belegen ließe, gibt es doch Hinweise darauf: So erhielt der in den öffentlichen Debatten um die Personalpolitik des Auswärtigen Amts schwer in die Kritik geratene und deswegen zeitweilig vom Dienst beurlaubte Werner von Bargen bis zu seiner Pensionierung nur einen einzigen Auslandsposten: Botschafter in Bagdad. In einem internen Papier hieß es, »dass Herr von Bargen angesichts der Gefahr von Angriffen … in erster Linie für ein arabisches Land in Betracht komme«. In einem arabischen Staat würde sich kaum jemand an seiner etwaigen Mitwirkung an nationalsozialistischer Judenpolitik stören.[36]

Doch nicht bei jeder Ernennung scheint die Personalabteilung die Bedeutung der Vergangenheit des Kandidaten genau erwogen zu haben. Erstaunlicherweise kam es ausgerechnet bei der Auswahl des ersten Personals für die Botschaft in Israel zu einigen Pannen. In Bonn hatte man einen Botschafteraustausch schon während der Verhandlungen zum Luxemburger Abkommen von 1952 ins Auge gefasst. Der Vertrag über die finanzielle Entschädigung von überlebenden NS-Opfern bedeutete für die Bundesrepublik einen wichtigen Schritt auf dem Weg in die internationale Staatengemeinschaft, der durch die Formalisierung der Beziehungen zu Israel noch unterstrichen worden wäre. Für Israel kamen jedoch »normale« diplomatische Beziehungen zu diesem Zeitpunkt noch nicht infrage. Während auf israelischer Seite in den folgenden Jahren die Vorbehalte gegen einen Botschafteraustausch allmählich abgebaut wurden, schwand jedoch das Interesse der Westdeutschen. Vor allem aus deutschlandpolitischen Gründen hielt die Bundesregierung diplomatische Beziehungen nicht mehr für opportun. Man fürchtete um den Alleinvertretungsanspruch, sollten die arabischen Staaten in Reaktion auf eine Formalisierung der Beziehungen zu Israel ihrerseits die DDR anerkennen. Diese Gefahr wurde vom Auswärtigen Amt immer wieder beschworen. Die Ansicht der sogenannten »Arabisten«, die eindringlich vor einem solchen Schritt warnten, machten sich auch die Außenminister Brentano und Schröder zu eigen.

Die Lage änderte sich infolge der diplomatischen Krise von 1964/65, als geheime westdeutsche Militärhilfen für Israel bekannt wurden und es zu schweren Spannungen zwischen den arabischen Staaten und der Bundesrepublik kam. Der ägyptische Staatschef Nasser lud Walter Ulbricht zu einem Staatsbesuch ein. In dieser Situation, in der die Hallstein-Doktrin endgültig ad absurdum geführt wurde, entschloss sich Bundeskanzler Erhard gegen den Rat des Außenministeriums und eines Großteils seiner Minister, Israel den Austausch von Botschaftern anzubieten. Am 12. Mai 1965 vereinbarten Erhard und der israelische Ministerpräsident Levi Eschkol die Formalisierung der Beziehungen. Die arabischen Staaten reagierten mit dem Abbruch der offiziellen Beziehungen zur Bundesrepublik; lediglich Libyen, Tunesien und Marokko schlossen sich diesem Schritt nicht an.

Aber wer war für den Posten des Botschafters in Israel geeignet? Nach israelischen Vorstellungen sollte es sich um eine profilierte Persönlichkeit des öffentlichen Lebens handeln. Als mögliche Kandidaten wurden Franz Böhm, der die deutsche Delegation bei den Wiedergutmachungsverhandlungen geleitet hatte, und der SPD-Politiker Carlo Schmid genannt.[37] Das Auswärtige Amt entsandte schließlich den Laufbahnbeamten Rolf Friedemann Pauls nach Tel Aviv und löste damit, wie auch mit der Ernennung von Alexander Török zu Pauls' Stellvertreter, heftigen Protest in Israel aus.[38]

Pauls war 1950 in den diplomatischen Dienst eingetreten und hatte zunächst an der Gesandtschaft in Luxemburg gearbeitet. Von 1952 bis 1956 war er in der Bonner Zentrale persönlicher Referent Walter Hallsteins und anschließend den Botschaften in Washington und Athen zugeteilt. Von 1963 bis 1965 leitete Pauls die Unterabteilung für Handels- und Entwicklungspolitik im Amt.[39] Die Kritik an ihm entzündete sich an der Tatsache, dass Pauls Wehrmachtoffizier gewesen war, an der Ostfront gekämpft hatte – wo er einen Arm verlor – und 1944 mit dem Ritterkreuz ausgezeichnet worden war. Bei Pauls' Ankunft in Israel kam es zu teilweise gewalttätigen Demonstrationen. Nicht nur die Gegner einer Normalisierung der Beziehungen zur Bundesrepublik hatten wenig Verständnis für die Personalentscheidung. »Ich möchte lieber einen Mann, der seinen Arm im Kampf gegen Hitler statt im Kampf für Hitler verloren hat«, gab ein israelischer Diplomat zu Protokoll.[40]

Israelische Beobachter deuteten die Ernennung als Versuch Bonns, Israel die Rehabilitierung der Wehrmacht abzunötigen: »Wenn Israel bereit war, einen deutschen Botschafter zu ›schlucken‹, der in dem Krieg, in dem Hitler Russland zu vernichten gesucht hatte, gekämpft hatte und verletzt worden war, und ihm somit einen ›Koscher-Stempel‹ zu gewähren, wer auf der Welt würde danach noch verweigern können, ehemalige Wehrmachtsoldaten als moralisch geläuterte Menschen anzuerkennen, würdig, in jeder zivilisierten Gesellschaft aufgenommen zu werden?«[41]

In den Akten deutet freilich nichts darauf hin, dass es sich um eine bewusste Entscheidung für einen ehemaligen Offizier handelte. Es ist vielmehr davon auszugehen, dass niemand im Auswärtigen Amt Pauls' Zugehörigkeit zur Wehrmacht für ein Problem hielt. Folglich fehlte es der deutschen Seite an Verständnis für die israelischen Reaktionen. Dies geht deutlich aus einer internen Aufzeichnung hervor, die Pauls im Anschluss an ein Gespräch mit dem Präsidenten des Bundesrechnungshofs, Volkmar Hopf, angefertigt hat. Hopf hatte bei einem Besuch in Israel von den Vorbehalten gegen Pauls erfahren und ihm daraufhin vorgeschlagen, zur Vermeidung weiterer Komplikationen gleich nach Erteilung des Agréments von seinem Posten zurückzutreten. Pauls lehnte dies nachdrücklich ab und betonte, dass damit kein Problem gelöst werde, »da es in Wirklichkeit nicht um ›Wehrmacht‹ und ›Offizier‹ gehe«, sondern um die politische Ausgestaltung der deutsch-israelischen Beziehungen. Schließlich »hätten die Israelis sich selbst in die gegenwärtige Situation gebracht, da sie mit ungeeignetsten Mitteln den unzumutbaren Versuch unternommen hätten, der deutschen Regierung einen deutschen Vertreter in Tel Aviv, der den israelischen Vorstellungen entspreche, aufzunötigen. Es sei falsch, die Israelis auf unsere Kosten aus dieser Lage zu befreien, da sie das nur ermutigen werde, uns in Zukunft erneut Unzumutbares zuzumuten. Nur unser ruhiges, aber festes Durchhalten werde Respekt einflößen und den praktischen Beginn der Beziehungen auf den in unserem Sinne rechten Weg bringen.«[42]

Richtig ist, dass von der Bundesrepublik vor allem eine Normalisierung der Beziehungen zu Israel gewünscht wurde, nicht etwa die Betonung eines Sonderverhältnisses.[43] Insofern lag die Wahl eines Berufsdiplomaten nahe, zumal wohl auch auf die Beziehungen zu den arabischen Staaten, die auf einem Tiefpunkt angelangt waren, Rücksicht genommen werden sollte. Einiges deutet aber auch darauf hin, dass es dem Auswärtigen Amt schlicht an personellen Alternativen fehlte. Außenminister Schröder hatte noch am 6. Juni bei dem Theologen Helmut Thielicke angefragt, der den Posten aber ausschlug. Eine ähnliche Reaktion erwartete er sich von Carl Friedrich von Weizsäcker, den er deshalb wohl gar nicht erst ansprach. Am 10. Juni schlug Schröder dem Bundeskanzler dann Pauls offiziell als ersten Botschafter in Israel vor.[44]

Pauls war aus einem kleinen Set von fünf Diplomaten ausgewählt worden. Keiner von ihnen hatte der Partei angehört.[45] Dem Lebenslauf von Pauls lag eine eidesstattliche Erklärung von Hans Speidel bei, bei dem er 1940/41 Ordonanzoffizier gewesen war. In dieser Erklärung bezeugte Speidel die regimekritische Haltung von Pauls und gab an, dass dieser nur mit Glück einer Verhaftung nach dem 20. Juli 1944 entgangen sei.[46] Pauls galt als begabter Diplomat. Zudem hatte er – wenn auch in untergeordneter Funktion, als persönlicher Referent Hallsteins – an den Wiedergutmachungsverhandlungen teilgenommen, ohne dass seine Person von israelischer Seite beanstandet worden war.

Als sich 1965 der Widerstand in Israel regte, hielten Erhard und Schröder wohl vor allem deshalb an ihrer Entscheidung fest, weil sie andernfalls implizit Vorbehalte gegen die Wehrmacht anerkannt hätten. Man dürfe niemanden diskriminieren, so betonten beide, nur weil er als Soldat seine Pflicht getan habe.[47] Die Bundesregierung konnte dem Druck von israelischer Seite wohl auch deshalb nicht nachgeben, weil sie keinen Präzedenzfall schaffen wollte. Unter dem Strich hat sich diese Haltung bewährt: So umstritten die Ernennung von Pauls auch gewesen sein mag, sein Wirken als erster deutscher Botschafter in Israel wurde nach Ansicht aller Beteiligten ein großer Erfolg.[48]

Noch umstrittener als die Ernennung von Pauls war die Berufung von Alexander Török als sein Stellvertreter. Der ursprünglich aus Ungarn stammende Török hatte sich durch seine Arbeit für die faschistische Marionettenregierung von Férenc Szálasi an der ungarischen Botschaft in Berlin, wo er von 1944 bis Mai 1945 tätig war, in den Augen vieler, auch vieler Deutscher, kompromittiert. Hinzu kamen Vorwürfe über eine angebliche Mitgliedschaft in der ungarischen Pfeilkreuzler-Partei. In Israel reagierte man mit großer Empörung und Verständnislosigkeit auf diese Personalentscheidung.[49] Zur Klärung der Vorwürfe strengte Török ein Disziplinarverfahren gegen sich selbst an und wurde vom Amt vollständig rehabilitiert.[50] Dennoch stellt sich die Frage, warum ein ehemaliger Angehöriger des ungarischen faschistischen Außenministeriums ausgerechnet nach Israel entsandt wurde. Wahrscheinlich spielte Töröks indirekte Beteiligung an den Wiedergutmachungsverhandlungen eine Rolle; als Mitglied der Botschaft in Den Haag war er für die Betreuung der Delegationsmitglieder zuständig gewesen.[51]

Die Personalpolitik des Auswärtigen Amts wurde in der deutschen Öffentlichkeit, insbesondere wenn es um die Vergangenheit einzelner Diplomaten ging, sehr genau verfolgt. 1968 beklagte der Soziologe Ralf Dahrendorf, die bundesdeutschen Diplomaten würden die Beziehungen zum Ausland eher belasten als fördern. Der FDP-Politiker kritisierte, dass der Geist der Wilhelmstraße immer noch großen Einfluss im Auswärtigen Amt habe.[52] Auf ebendiese Tradition zielten die frühen personalpolitischen Grundsatzentscheidungen. In einer internen Stellungnahme hieß es, dass das Ausland – zumindest die Regierungsstellen – gerade den alten Diplomaten Vertrauen entgegenbringe.[53] Mitte der sechziger Jahre fanden Mitglieder der amerikanischen Botschaft in Bonn am neuen Auswärtigen Amt nicht den Wandel auffällig, sondern die Kontinuität: »Ein Vorkriegsbeamter des Auswärtigen Dienstes würde manches wiederfinden, was dem heutigen Auswärtigen Amt vertraut ist.«[54] Mit Blick auf den hohen Anteil von altem Personal und auf einige institutionelle Strukturen lässt sich diese Feststellung zum Teil bestätigen. Allerdings lohnt es, einen genaueren Blick auf die Veränderungen zu werfen, die tiefer reichten, als allgemein erkennbar war.

Da war zunächst die massive Einflussnahme durch die politischen Parteien. Die grundsätzliche Entscheidung Adenauers, beim Aufbau der neuen Bundesbehörden auf altes Personal zurückzugreifen, war durchaus auch partei- und machtpolitisch motiviert. Adenauer lehnte es ab, sich auf das Personal der bizonalen Verwaltung in Frankfurt am Main zu stützen. Dort arbeiteten aufgrund der strengen Einstellungspraxis der Briten und Amerikaner nur wenige Leute mit administrativer Erfahrung. Außerdem hatte Adenauer die Frankfurter Mitarbeiter im Verdacht, sie stünden der SPD nahe. Unter den mehrheitlich eher konservativ ausgerichteten, erfahrenen ehemaligen Reichsbeamten fand er schon eher das Personal, das er suchte.[55] Eine etwaige politische Belastung war für ihn dabei nachrangig.

Im Auswärtigen Amt waren Vertrauensmänner Adenauers in Schlüsselpositionen gelangt, darunter sein engster außenpolitischer Berater, Herbert Blankenhorn, und der erste Staatssekretär im Amt, Walter Hallstein. Der Bundeskanzler scheute sich nicht, personelle Entscheidungen für innenpolitische Zwecke zu instrumentalisieren, indem er einerseits unliebsame Konkurrenten auf Auslandsposten abschob und andererseits Parteifreunde und Koalitionspartner mit diplomatischen Posten belohnte. Ein so verstandener »Primat der Politik« führte rasch zur Konfrontation mit Wilhelm Haas und 1951 schließlich zu dessen Ablösung als Personalchef. Haas' Nachfolger wurde zunächst Herbert Dittmann. Dittmann war 1929 ins Auswärtige Amt eingetreten und hatte dort unter Ribbentrop auch kurze Zeit Personalfragen bearbeitet. Infolge scharfer Kritik an seiner politischen Vergangenheit und seinem Verhalten vor dem Untersuchungsausschuss Nr. 47, wo er nach Auffassung der Parlamentarier falsche Angaben gemacht hatte, war er als Personalchef jedoch auf Dauer nicht tragbar. Er wurde 1952 abgelöst und ein Jahr später als Missionschef an das Generalkonsulat Hongkong versetzt.

Nach ihm leitete für eine Übergangszeit Peter Pfeiffer die Personalabteilung. Pfeiffer war wie Dittmann und Haas ein »Ehemaliger« und ebenfalls im Rahmen des Untersuchungsausschusses in die Kritik geraten. 1953 wurde dann erstmals ein Außenseiter zum langjährigen Personalchef des Amts berufen, der Adenauer-Vertraute Josef Löns, der die Personalabteilung bis 1958 leitete. Nach ihm übernahm für kurze Zeit mit Georg von Broich-Oppert wieder ein Laufbahnbeamter aus der Wilhelmstraße den Posten. Bereits 1959 wurde Broich-Oppert allerdings wieder von einem Außenseiter, dem Juristen Alexander Hopmann, abgelöst. Hopmann, seit 1949 Mitarbeiter in der Verbindungsstelle zur Alliierten Hohen Kommission im Bundeskanzleramt und aus dieser Zeit gut mit Adenauer bekannt, blieb Personalchef bis 1961.[56] In der ersten Dekade des neuen Auswärtigen Amts wurde die Personalabteilung mithin acht Jahre lang von Außenseitern geführt. Im Amt stand man dieser Entwicklung ablehnend gegenüber, war man doch der Meinung, dass diplomatisch unerfahrene Männer den personellen Bedürfnissen des Auswärtigen Diensts nicht gerecht werden konnten und ihr enges Verhältnis zu Adenauer die parteipolitische Einflussnahme noch verstärkte.

Aber nicht nur dem Kanzler war an Einfluss im Auswärtigen Amt gelegen: Alle Parteien strebten nach Mitsprache bei den Stellenbesetzungen. Der SPD blieb diese zunächst versagt. Nach dem Bericht eines Vertreters der Hohen Kommission äußerte sich Willy Brandt ihm gegenüber schon Ende 1949 besorgt über die Personalpolitik des künftigen Amts und die Einbeziehung alter Diplomaten. Dabei habe ihn allerdings weniger der Rückgriff auf »Ehemalige« als solcher beunruhigt als vielmehr die Tatsache, dass die SPD in Personalfragen nicht konsultiert wurde.[57]

Auch die FDP, immerhin seit 1949 in der Bundesregierung Koalitionspartner der Union, klagte über mangelndes Mitspracherecht bei der Personalpolitik im Auswärtigen Dienst. Franz Blücher, FDP-Vorsitzender und Vizekanzler, beanstandete dem Bundeskanzler gegenüber schon 1950, dass bei der Besetzung der Außendienststellen die Wünsche der FDP nicht genügend berücksichtigt würden, und forderte mehr Transparenz bei den Personalentscheidungen.[58] Ähnliche Klagen bekomme er auch von den beiden Unionsparteien zu hören, antwortete Adenauer, und gab damit indirekt zu, dass Partei, Fraktion oder Kabinett nur begrenzten Einfluss auf die Personalentscheidungen des AA hatten.[59]

Im Kreis der Kanzlerberater waren es vor allem Hans Globke, wegen seiner NS-Vergangenheit selbst immer wieder in der Diskussion, und sein Vorgänger als Staatssekretär im Bundeskanzleramt, Otto Lenz, die der Personalpolitik des Auswärtigen Amts kritisch gegenüberstanden. Sie befürchteten eine allmähliche Restauration des alten Amts in Bonn. Aus den Reihen der CSU formulierte besonders Franz Josef Strauß harsche Kritik am Rückgriff auf die alten Diplomaten. Und auch der Bundeskanzler selbst begegnete dem Auswärtigen Amt überaus argwöhnisch. Er misstraute den alten Diplomaten und stand den Netzwerken, die vielen »Ehemaligen« den Wiedereintritt ins Amt ermöglichten, kritisch gegenüber. Nicht nur der Korpsgeist des Auswärtigen Diensts nährte Adenauers Misstrauen, er hatte Teile des Amts auch im Verdacht, Opposition gegen seine Außenpolitik zu betreiben und den Primat der Wiedervereinigung über die Notwendigkeit der Westbindung zu stellen.[60] Um seinen Einfluss auf die Personalpolitik zu stärken und sicherzustellen, dass loyale Diplomaten auf wichtige Posten gelangten, sorgte

Adenauer 1953 für die Einsetzung seines persönlichen Referenten Löns als Personalchef, eine Entscheidung, die im Amt mit wenig Begeisterung aufgenommen und als Versuch verstanden wurde, die Personalpolitik stärker zu kontrollieren.[61]

Kritik und Klagen dürfen nicht darüber hinwegtäuschen, dass die politischen Parteien sehr wohl ihren Einfluss geltend machen konnten. In der Aufbauphase des Amts bis zum Ende von Adenauers Zeit als Außenminister 1955 gehörten – so weit feststellbar – von den 98 Mitarbeitern des höheren Dienstes in Führungspositionen 25 einer politischen Partei an. Von diesen 25 waren 13 in der CDU und zwei in der CSU eingeschrieben, die Zahl der Unionssympathisanten dürfte jedoch weit höher gelegen haben. Fünf Diplomaten waren SPD-Mitglied, jeweils zwei gehörten der FDP und der Deutschen Partei an, einer war Mitglied der Bayernpartei.[62]

Als Adenauer 1955 das Amt des Außenministers an Heinrich von Brentano abgab, nutzte die CDU/CSU-Fraktion die Gelegenheit, in der Personalpolitik stärker mitzureden. Mit dem Einzug eines neuen Ministers erfolgen üblicherweise mehr oder weniger rasch personelle Umstrukturierungen, mit denen der neue Mann seine Stellung im Hause festigt. In diesem Sinne ist auch das Revirement zu verstehen, das Brentano 1958 vornahm. Dass er die Maßnahmen erst drei Jahre nach seinem Amtsantritt durchführte, lag an seiner eher schwachen Stellung als Außenminister und dem immer noch großen Gewicht Adenauers. Auch konnte Brentano seine Vorstellungen nicht ganz durchsetzen. Die eigene Fraktion kritisierte das nicht abgesprochene Revirement heftig. Aus haushaltsrechtlichen Gründen beanstandete man die beabsichtigte Einführung von zwei Unterstaatssekretären und übte auch an einzelnen Personalien Kritik, vor allem an der geplanten Ernennung des »Ehemaligen« Gebhardt von Walther zum Personalchef und der Beförderung Dittmanns zum Unterstaatssekretär. Als Personalchef verlangte die Fraktion anstelle eines alten Diplomaten, der zudem im Verdacht stand, politisch der FDP zuzuneigen, einen mit der Union sympathisierenden Mann. Während Brentano an Dittmann festhielt, konnte er die Ernennung Walthers nicht durchsetzen und berief an seiner Stelle Georg von Broich-Oppert, der zu den Mitbegründern der CDU in Berlin gehört hatte. Nach Josef Löns übernahm also wieder ein CDU-Mitglied den Posten des Personalchefs.[63]

Als Willy Brandt 1966 als erster Sozialdemokrat das bis dahin unionsgeführte Außenministerium übernahm, war sein Verzicht auf weitreichende Personalveränderungen für viele überraschend. In seiner eigenen Partei wurde Brandt dafür stark kritisiert.[64] Anderthalb Jahre später sollte sich diese Zurückhaltung auszahlen, als die CDU heftig in die Schusslinie geriet, weil sie die Besetzung des Belgrader Botschafterpostens mit dem Laufbahnbeamten und SPD-Mitglied Hans Arnold verhinderte. Aufgrund einer Indiskretion war Arnolds geplante Ernennung bekannt geworden, bevor Kiesinger informiert war. Schon aus Prestigegründen bestand Brandt auf der Entsendung eines Sozialdemokraten und ernannte an Arnolds Stelle den SPD-Politiker Peter Blachstein.[65]

Bis heute sind parteipolitisch motivierte Personalentscheidungen nichts Ungewöhnliches für den öffentlichen Dienst insgesamt und für das Auswärtige Amt im Besonderen. Die Ämterpatronage in der Wilhelmstraße reicht zurück bis ins Kaiserreich. Seit 1949 sind Stellenbesetzungen Teil des demokratischen Prozesses, die höheren Posten werden zwischen den politischen Parteien ausgehandelt. Für den öffentlichen Dienst insgesamt hatte die Ämterpatronage der Parteien eine weitgehende Öffnung und Demokratisierung zur Folge, und dies galt auch und besonders für das neue Auswärtige Amt.[66]

Neu war nach 1951 zum Beispiel die große Zahl von Seiteneinsteigern, die – was ihre Aufnahme durch die Laufbahnbeamten angeht – vielfach zutreffender als Außenseiter bezeichnet werden. Als Außenseiter gilt, wer nicht die übliche Diplomatenausbildung durchlaufen hat. Quereinsteiger hatte es im deutschen diplomatischen Dienst zwar schon vor 1945 gegeben. So war in der Weimarer Republik eine kleine Gruppe von Wirtschaftsfachleuten und Politikern ins Auswärtige Amt gekommen, und nach 1933 hatte die NSDAP ihren Einfluss im Auswärtigen Amt durch Außenseiter kontinuierlich ausgebaut. Aber gerade die Anfangszeit des Auswärtigen Amts der Bundesrepublik war von einer in diesem Umfang noch nicht da gewesenen personellen Mobilität gekennzeichnet. Angehörige verschiedener Berufszweige, von Wirtschaftsfachleuten über Industrielle bis hin zu Journalisten, wurden in den diplomatischen Dienst aufgenommen. Vor allem in der Aufbauphase wurden wichtige Posten an nicht in Verbindung zum alten Amt stehende, unbelastete Außenseiter wie Krekeler, Schlange-Schöningen oder Hausenstein vergeben.

Noch für das Jahr 1959 gab Staatssekretär Hilger van Scherpenberg die Zahl der Nicht-Laufbahnbeamten im höheren Dienst mit 36,3 Prozent an; dies entspricht einem guten Drittel des Personalbestands.[67] Zu den Nicht-Laufbahnbeamten gehörten immer häufiger auch Experten, die für verschiedene Sonderaufgaben herangezogen wurden. Die zunehmende Ausdifferenzierung der diplomatischen Tätigkeit und der Mangel an speziellen Fachkenntnissen bei den Berufsdiplomaten erforderten verstärkt den Einsatz von Spezialisten. Am häufigsten fanden sie in der Kultur- und der Wirtschaftsabteilung Verwendung, im Ausland vor allem als Attachés für Militär, Land- und Forstwirtschaft, Soziales, Kulturelles und später verstärkt auch als Presseattachés.[68]

Der erste Personalchef Wilhelm Haas wollte den Auswärtigen Dienst auch für Frauen öffnen. Frauen hatte es zwar schon vor 1945 im Amt gegeben, darunter auch einige wenige »wissenschaftliche Hilfsarbeiterinnen« als Angestellte im höheren Dienst, aber erst nach 1951 wurden die Voraussetzungen für die systematische Eingliederung von Frauen in den höheren Dienst geschaffen.[69] Schließlich war es ein erklärtes Ziel der neuen Personalpolitik, die ganze Gesellschaft abzubilden. Angesichts des gesellschaftlichen Klimas der fünfziger Jahre, in dem noch immer ein patriarchalisches Frauenbild herrschte, überrascht es allerdings nicht, dass die tatsächliche Zahl von Diplomatinnen im höheren Dienst sehr klein blieb. 1950, als sich der diplomatische Dienst im Aufbau befand, waren drei Frauen unter den Mitarbeitern des höheren Diensts, das entspricht einem Anteil von 3,7 Prozent. Frauen im öffentlichen Dienst hatten keinen leichten Stand. Berufstätige Frauen wurden gezielt verdrängt, um Arbeitsplätze für die aus dem Krieg heimkehrenden Männer frei zu machen. Besonders die Diskriminierung verheirateter Frauen im öffentlichen Dienst, die als »Doppelverdienerinnen« als Erste entlassen wurden, widersprach dem Gleichberechtigungsgebot des Grundgesetzes. Nachdem während des Krieges infolge des Personalmangels viele Frauen in den öffentlichen Dienst gekommen waren, fand Anfang der fünfziger Jahre ein regelrechter Verdrängungsprozess statt, ein »gender rollback«.[70]

Die Zahl der erwerbstätigen Frauen im Allgemeinen und im öffentlichen Dienst im Besonderen erhöhte sich im Zuge des Wirtschaftswunders ab Mitte der fünfziger Jahre. In höheren Positionen änderte sich das Bild allerdings nur sehr langsam. Der Anteil der Frauen im höheren

Auswärtigen Dienst lag 1966 noch immer bei nur 7,7 Prozent. Ähnlich gering war der Anteil von Nachwuchsdiplomatinnen unter den ausgebildeten Attachés. Das Auswärtige Amt tat sich schwer mit den Frauen, die sowohl fachlich als auch regional als nicht überall einsetzbar galten. Im konsularischen Zweig erschien eine Verwendung von Frauen vor allem im Passwesen, in der Sozialpolitik und in der sozialen Betreuung der Auslandsdeutschen vorteilhaft. Auch zur Bearbeitung protokollarischer Fragen konnten weibliche Kräfte eingesetzt werden. Als kaum verwendbar dagegen galten Frauen in Ländern, in denen es keine Gleichstellung der Geschlechter gab und Frauen in öffentlichen Ämtern nicht gern gesehen wurden.[71]

Beinahe unmöglich war die Verwendung von verheirateten Frauen im diplomatischen Dienst. Formal hat es im Auswärtigen Amt nach 1951 nie ein Eheverbot für Diplomatinnen gegeben, de facto war die weitere Ausübung ihres Berufes nach der Eheschließung aber stark erschwert, ganz besonders, wenn ein Amtsangehöriger geehelicht wurde.[72] Die Verwendung von Ehepartnern auf einem Auslandsposten galt im Amt lange als unschicklich. Es entsprach gesellschaftlichem Konsens, dass eine Frau mit der Heirat ihren Beruf aufgab. Kaum denkbar hingegen war, dass ein Mann berufliche Einschränkungen hinnahm, um seiner Ehefrau auf verschiedene Auslandsposten zu folgen. Der mitreisende Ehemann der Diplomatin Helene Bourbon, verheiratete Schoettle, der einzigen Frau auf dem ersten Lehrgang in Speyer, stellte eine seltene Ausnahme dar. Wenn Karl-Günther von Hase sich erinnert, dass einige Frauen das Auswärtige Amt als Heiratsinstitut betrachtet hätten, verrät das mehr über das Frauenbild der Zeit als über die tatsächlichen Motive junger Diplomatinnen.[73]

Die Aufstiegschancen für Frauen blieben lange begrenzt. Noch 1984 forderte der Personalrat des Auswärtigen Amts, die Berufschancen für Frauen im Amt zu verbessern und endlich die Diskriminierung von verheirateten Diplomatinnen zu beenden. Dem hielt die Personalabteilung lapidar entgegen, Laufbahn und Beförderung richteten sich ausschließlich nach dem Leistungsprinzip – eine fragwürdige Stellungnahme, vergegenwärtigt man sich, dass bis in die achtziger Jahre Frauen generell sehr viel langsamer befördert wurden als ihre männlichen Kollegen.[74] Im Jahr 2000 betrug der Anteil von Frauen im höheren Dienst 15 Prozent, war also kaum doppelt so hoch wie im Jahr 1966.[75]

Dennoch verweist die Öffnung des Auswärtigen Diensts für Frauen auf eine langfristige und nachhaltige Veränderung im Personalbestand des AA. Kennzeichnend für das Auswärtige Amt vor 1945 – das sich darin allerdings nur wenig von anderen europäischen Außenämtern unterschied – war die soziale Exklusivität seines Personals. Ein deutscher Diplomat in der Zeit des Kaiserreichs war in der Regel adelig und vermögend. In der Weimarer Republik öffnete sich das Amt zwar allmählich für das Großbürgertum, die Vorherrschaft des Adels war damit aber nicht beendet. Erst während des Dritten Reichs wurde vor allem durch die Quereinsteiger die soziale Homogenität des diplomatischen Korps endgültig aufgebrochen. Nach dem Krieg sollte der Auswärtige Dienst dann allen sozialen Schichten offenstehen und der Zugang ausschließlich über das Leistungsprinzip geregelt sein. Tatsächlich wandelte sich die Sozialstruktur des diplomatischen Personals, und man kann mit einigem Recht durchaus von der endgültigen Verbürgerlichung des Amts sprechen. Die Attachés, die von 1950 bis 1962 die Diplomatenausbildung für den höheren Dienst durchliefen, rekrutierten sich in ganz großer Mehrheit, nämlich zu 73 Prozent, aus der oberen Mittelschicht. Auch die Botschafter der Bundesrepublik stammten überwiegend aus dieser sozialen Gruppe. Adelige waren im Auswärtigen Amt zwar nach wie vor prozentual besser vertreten als in anderen Ministerien; von 16 B8-Botschaftern stammten 1969 immer noch drei aus adeligen Familien.[76] Die absoluten Zahlen erlauben es allerdings nicht, von einer Dominanz des Adels im Auswärtigen Amt der Bundesrepublik zu sprechen. Andererseits ist es dem Amt nicht gelungen, dem 1951 von Haas formulierten Anspruch gerecht zu werden und in der Personalzusammensetzung des höheren Diensts die westdeutsche Gesellschaft abzubilden. Dieses Ziel konnte schon deshalb nicht erreicht werden, weil Voraussetzung für den Eintritt in den höheren Dienst ein abgeschlossenes Universitätsstudium war.

Bis 1945 waren Botschafter und Gesandte im Auswärtigen Amt, so weit es sich um Laufbahnbeamte handelte, in der Regel protestantisch. Der Anteil von Katholiken im Auswärtigen Amt der Weimarer Republik lag zwischen 15 und 20 Prozent, während des Dritten Reichs bei 19 Prozent. Die deutliche Unterrepräsentierung von Katholiken reichte bis in die Kaiserzeit. Sie erklärt sich einerseits aus der Zurückhaltung süddeutscher, katholischer Adeliger, in den Dienst des preußisch-deutschen

Staats zu treten, andererseits aus einem geradezu irrationalen Misstrauen gegenüber Katholiken, denen man generell eine ultramontane Gesinnung und eine daraus erwachsende mögliche Illoyalität gegenüber dem Reich unterstellte. Der konfessionellen Diskriminierung von Katholiken sollte im neuen Auswärtigen Amt wie in der Bundesverwaltung allgemein ein Ende bereitet werden. Das Anliegen war selbst in der CDU heftig umstritten; Protestanten fürchteten eine katholikenfreundliche Personalpolitik und eine dadurch entstehende katholische Dominanz im öffentlichen Leben.[77]

Tatsächlich blieb der Anteil von Protestanten im höheren Auswärtigen Dienst stets größer als der der Katholiken, das Verhältnis betrug in der ersten Hälfte der fünfziger Jahre ungefähr 2:1. Auch in diesem Punkt unterschied sich das Auswärtige Amt nicht von anderen Bundesministerien.[78] Und genau wie dort fielen die Zahlen umso günstiger aus, je höher die Dienststellung war. Das war vor allem auf Interventionen von Hans Globke zurückzuführen, der im Auftrag des Kanzlers auf konfessionelle Ausgewogenheit in der Personalpolitik der Bundesbehörden, zumal auf der Ebene der leitenden Beamten achtete. Auch die Zahlen bei den Attachés spiegelten die konfessionellen Verhältnisse in der Bundesrepublik einigermaßen wider: Von den 233 zwischen 1950 und 1960 ausgebildeten Nachwuchsdiplomaten waren 57,5 Prozent Protestanten und 40,8 Prozent Katholiken.[79] Im Amt stieß die »konfessionelle Arithmetik« wiederholt auf scharfe Kritik, weil sie in den Augen vieler Diplomaten eine sachbezogene Personalauswahl behinderte.[80]

Außenseiter und Laufbahnbeamte

Die Personalpolitik des Auswärtigen Amts führte nach seiner Neugründung 1951 immer wieder zu Auseinandersetzungen und Konflikten. Kritiker hielten dem Amt gerade in der Phase des Neuaufbaus ein ums andere Mal vor, sich gegen eine parlamentarische Kontrolle bei den Personalentscheidungen abzuschirmen. Starke Netzwerke ermöglichten vielen »Ehemaligen« den Einzug ins Amt, neuem Personal stand man hingegen ablehnend gegenüber. Ein Mitglied des Bundestags sprach gar von einer Clique im AA, die versuche, »sich mit Händen und Füßen gegen Eindringlinge zu wehren«.[81] In dieser Kritik schwang die Sorge mit, die Demokratisierung des Auswärtigen Diensts verzögere sich. Die Möglichkeiten der alten Diplomaten aus der Wilhelmstraße, den Wandel im Amt aufzuhalten, sollten allerdings nicht überschätzt werden. Genauso wenig sollte ihre Bereitschaft unterschätzt werden, nach der totalen Niederlage des Deutschen Reiches eine neue Außenpolitik mitzutragen.

Die Vorwürfe, das Amt schotte sich ab, waren indes nicht ganz unberechtigt. Der viel beschworene Korpsgeist bewirkte ein starkes Zusammengehörigkeitsgefühl der Diplomaten und verband die Angehörigen des Amts über die Zäsur von 1945 hinweg – und verbindet sie bis heute. Adenauer interpretierte die hohe personelle Kontinuität zwischen altem und neuem Amt als Resultat dieses Zusammenhalts: »Nach meiner Meinung haben da Beziehungen bei der Heranziehung von Kräften mitgespielt, die gar nicht nationalsozialistischer Tendenz waren, sondern die einmal sich ergeben haben daraus, dass die Leute früher zusammengearbeitet haben und dass sie ferner von 1945 bis 1949/50 bittere Not gelitten haben. Diese Menschen haben sich damals gegenseitig unterstützt.« Wenn er Diplomaten untereinander beobachte, habe er stets das Gefühl, »als wenn sie alle miteinander Freimaurer wären … sie hängen alle wie Kletten zusammen.«[82]

Die für den Aufbau des Amts verantwortlichen Diplomaten bekannten sich, zumindest indirekt, zum Prinzip der kollegialen Verbundenheit. So notierte Herbert Blankenhorn in seinem Tagebuch, nach der Angliederung des Deutschen Büros für Friedensfragen an das Bundeskanzleramt werde er dort alte Kollegen so lange unterbringen, bis sie in das neue Auswärtige Amt überwechseln könnten.[83] Und Wilhelm Haas erklärte vor dem Untersuchungsausschuss Nr. 47 auf Kritik an fragwürdigen Einstellungen: »Wir kennen unsere alten Kollegen.«[84]

Kehrseite der Medaille war das distanzierte Verhältnis der Laufbahnbeamten zu den sogenannten Außenseitern, die als Quereinsteiger »von hinten durch die kalte Küche in den Salon geschmuggelt« wurden.[85] Gerade in der Aufbauzeit kamen viele durch die »kalte Küche«. Da es sich häufig um Unbelastete handelte, die weder durch Nähe zum Nationalsozialismus noch durch Verbindungen zum alten Amt kompromittiert waren, wurden sie im Amt dringend benötigt und vorzugsweise mit politisch sensiblen Aufgaben betraut. Nachdem sich das diplomatische

Geschäft einigermaßen normalisiert und die Bundesrepublik ihre Bewährungsprobe auf internationalem Parkett bestanden hatte, lösten Laufbahnbeamte nach und nach die frühen Außenseiter ab. Hausenstein und
Schlange-Schöningen wurden 1955 abberufen, Krekeler, in dessen Fall
bereits 1952 Gerüchte über seine bevorstehende Ablösung kursierten,
konnte sich noch drei Jahre länger halten.[86]

Den frühen Außenseitern warfen die Berufsdiplomaten mehr oder
weniger offen diplomatische Unerfahrenheit und Unkenntnis administrativer Vorgänge vor. Namentlich Krekeler, Hausenstein und Schlange-
Schöningen hielten viele für völlig ungeeignet, auf politischem Gebiet zu
agieren.[87] Nachdem sie ihre Aufgabe erfüllt hatten, international um
Vertrauen für den neuen Staat zu werben, wurden sie unter Hinweis auf
ihre mangelnde Erfahrung im Tagesgeschäft abserviert. Am Beispiel der
Botschaft London wird dies besonders klar.

Bei der Auswahl der ersten Diplomaten für die Vertretung in der
Hauptstadt des Vereinigten Königreichs war das Amt darauf bedacht gewesen, Außenseiter ohne Wilhelmstraßenvergangenheit und politisch
Unbelastete auszusuchen. Nach der erfolgreichen Annäherung zwischen
der Bundesrepublik und Großbritannien kamen dann verstärkt Berufsdiplomaten hinzu. Die aufmerksamen Beobachter des Foreign Office
stellten im Januar 1954 fest, dass die Botschaft dadurch in zwei Parteien
aufgespalten sei: »Als sie [die Vertretung] nach dem Krieg aufgebaut
wurde, setzte man zunächst sehr demokratisch gesinntes Personal nach
dem Typus von Dr. Rosen und Herrn Blomeyer ein, das gute Absichten
verfolgte, jedoch ohne Einfluss war. Die beiden sind inzwischen gegangen. In jüngerer Zeit erschienen dagegen einflussreichere, aber weniger
demokratisch orientierte Figuren, wie Herr Schlitter und Freiherr von
Braun. Die beiden Gruppen sind sich nicht grün.«[88]

Georg Rosen war 1921 ins Amt eingetreten – und insofern ein alter
Wilhelmstraßenmann –, hatte es 1938 aber wegen jüdischer Vorfahren
verlassen müssen. Im gleichen Jahr emigrierte er nach England, später in
die USA. Nach seiner Rückkehr bemühte er sich erfolgreich um Wiedereinstellung in den neuen diplomatischen Dienst. Seine zweite Karriere
im Amt verlief für ihn allerdings sehr unbefriedigend. Die Personalabteilung beurteilte seine Leistungen in London als unzureichend, und
Staatssekretär Hallstein entschied sich nur aus Rücksicht auf Rosens
Schicksal, ihn nicht in den einstweiligen Ruhestand zu versetzen. Seine

Karriere beendete Rosen als Botschafter in Montevideo, auf einem Posten, der politisch wenig bedeutend und vergleichsweise gering dotiert war und den er nur widerwillig angenommen hatte. Dem Amt gegenüber beklagte Rosen, dass er als Opfer des Nationalsozialismus von Kollegen – namentlich Peter Pfeiffer – beurteilt werde, die die NS-Außenpolitik vertreten hätten. Er verglich seine Behandlung im neuen Amt mit dem, was ihm unter Ribbentrop widerfahren war.[89]

Johann-Jürgen Blomeyer war ein Außenseiter. Er hielt sich nicht an den Komment, heiratete eine »Londoner Dame« – und wurde prompt in die Zentrale einbestellt. Trotz hervorragender Beurteilung seiner Arbeit durch Schlange-Schöningen wurde er abgelöst.[90] Neben Blomeyer war auch Max Bachmann als Außenseiter ins Amt gekommen. Er arbeitete am Generalkonsulat London als Finanzreferent. Wie im Fall Rosen war das Amt auch mit seinen Leistungen von Anfang an unzufrieden und plante wiederholt Bachmanns Abberufung. Schlange-Schöningen sah in Bachmann einen unverzichtbaren Kontaktmann zu Emigrantenkreisen in London und versuchte ihn zu halten: »Es mag sein, dass Herr Bachmann nicht in allen Punkten über die Erfahrung und die Verwaltungspraxis eines alten Beamten des Auswärtigen Amts verfügt. Diesen etwaigen Mangel ersetzt er aber vollkommen durch einen lauteren Charakter, eine vorbildlich, völlig ressentimentlose Haltung und große Einsatzbereitschaft im Dienst. Noch wesentlicher scheint mir aber zu sein, dass Bachmann, der Jude ist, in den hiesigen früher deutschen Emigrantenkreisen als eine Art pièce de résistance gilt.«[91] Ende 1953 wurde Bachmann dennoch abberufen; da er zu diesem Zeitpunkt bereits 70 Jahre alt war, schied er damit aus dem Dienst aus.

In einem Gespräch im Foreign Office beschrieb Bachmann die Situation der Außenseiter am Generalkonsulat. Sie würden von den Berufsdiplomaten wahrgenommen als »höchst unbefriedigende Lückenbüßer, die gut genug waren, während einer kurzen und vorübergehenden Periode offene Stellen auszufüllen, die aber bei nächster Gelegenheit hinauszuwerfen seien … Der Kasten-Geist sei unter den Beschäftigten des alten Auswärtigen Amtes der Wilhelmstraße ausnehmend stark und feindlich eingestellt gegenüber den Nicht-Mitgliedern dieser Kaste.«[92] Die britische Hohe Kommission widersprach dieser Einschätzung zwar energisch, fügte aber hinzu, dass man in Bonn generell nicht sehr zufrieden sei mit Schlange-Schöningen und seinen Mitarbeitern: »Blankenhorn erzählte mir, dass Schlanges Berichte mies seien und er einfach keine Ahnung von seinem Job habe.«[93]

Die Diplomaten, die das Foreign Office die weniger demokratische, aber fachlich effektivere Fraktion an der Londoner Botschaft nannte, kamen aus der alten Wilhelmstraße. Oskar Schlitter war 1929 als »Crew«-Kollege Blankenhorns ins Amt gekommen, Sigismund von Braun im Jahr 1936. Vor seinem Wiedereintritt 1953 war Braun bei der Klöckner-Humboldt-Deutz AG in Köln angestellt gewesen. An der Spitze dieses Konzerns stand mit Günther Henle ein alter Wilhelmstraßendiplomat, der das Amt im Dritten Reich wegen jüdischer Vorfahren hatte verlassen müssen. In der Bundesrepublik war Henle zu einem der wichtigsten Repräsentanten der Schwerindustrie aufgestiegen. Braun war nicht der Einzige, der nach dem Krieg von Henle beschäftigt wurde. Emil von Rintelen, der 1942 Ribbentrop regelmäßig über den Abtransport und die »Sonderbehandlung« der rumänischen Juden berichtet hatte, arbeitete als Berater Henles.[94] Und auch Georg Rosen war vor seinem Wiedereintritt ins Auswärtige Amt bei Henle angestellt gewesen.[95] Die alten Diplomatennetzwerke funktionierten also weit über das Amt hinaus und ermöglichten in den unsicheren Zeiten nach der bedingungslosen Kapitulation vielen Diplomaten das »Überwintern« bis zum erhofften Wiedereintritt in den Dienst.

Ähnlich kritisch wie die politisch unbelasteten Außenseiter wurden von den Laufbahnbeamten auch die Spezialisten gesehen. Weil es dem Amt, in dem auch nach dem Zweiten Weltkrieg überwiegend Juristen anheuerten, an ökonomischer Kompetenz fehlte, waren in der Aufbauphase besonders Wirtschaftsexperten begehrt. Politik und Wirtschaft drängten auf die Einbeziehung von Fachleuten. Erstklassiges Personal war jedoch selten. Immer wieder beklagten die Diplomaten die Qualität der Bewerber.[96] Angesichts der im Vergleich zu einer erfolgreichen Karriere in der Wirtschaft geringeren Bezahlung, der durch die Regeln des öffentlichen Diensts limitierten Aufstiegsmöglichkeiten, der schlechten Verbeamtungschancen und der allgemein ablehnenden Haltung des Amts gegenüber Quereinsteigern war eine Laufbahn im Auswärtigen Dienst für Wirtschaftsfachleute meist nicht die erste Wahl.

Die zunächst als Angestellte ins Amt geholten Experten und Außenseiter hatten häufig Schwierigkeiten, in eine Beamtenposition einzurücken, auch wenn ihnen dies bei ihrem Eintritt zugesagt worden war. Aus laufbahn- und beamtenrechtlichen Gründen war das Amt verpflichtet, die in Speyer beziehungsweise Bonn ausgebildeten Nachwuchsdiplomaten ins Beamtenverhältnis zu übernehmen, und musste bei den wenigen freien Stellen für Außenseiter gründlich abwägen. Der Stellenplan des Auswärtigen Amts schrieb ein festgesetztes Verhältnis von Beamten und Angestellten vor, 1963 beispielsweise für den höheren Dienst 70 Prozent Beamten- und 30 Prozent Angestelltenstellen.[97]

Aber nicht nur die Beamtenstellen waren limitiert, sondern auch die Aufstiegsmöglichkeiten. Da es in den verschiedenen Diensträngen nur eine festgesetzte Anzahl von Planstellen gab, mussten die Laufbahnbeamten häufig lange auf eine Beförderung warten. Aus ihrer Sicht blockierten die Außenseiter die ohnehin raren Stellen und behinderten damit die eigenen Aufstiegsmöglichkeiten. Hier lag mit Sicherheit einer der wesentlichen Gründe für die Ablehnung der Seiteneinsteiger. Besonders bitter für einen Berufsdiplomaten war es, wenn die Beförderung eines Außenseiters offensichtlich parteipolitisch motiviert war. Wie tief das Misstrauen saß, zeigte Ende der siebziger Jahre die Initiative einer Gruppe von jüngeren Beamten des höheren Diensts, die gegen eine »Überfremdung« des Amts – und die damit verbundene Minderung eigener Karrierechancen – protestierten.[98]

Vor allem aber wurde in den Seiteneinsteigern eine Gefahr für Einheit und Zusammenhalt des Auswärtigen Diensts gesehen. Der sprichwörtliche Korpsgeist des AA war bis in das 20. Jahrhundert hinein in hohem Maß auf die soziale Exklusivität des Personals zurückzuführen; auch wenn die sozialen Strukturen sich seit den Zeiten Bismarcks radikal verändert hatten, bestand das Zusammengehörigkeitsgefühl insbesondere unter den Angehörigen des höheren Diensts doch ungebrochen fort. Der Korpsgeist zeigte sich auch und gerade dann, wenn öffentliche Kritik auf das Amt niederging. Der spätere Staatssekretär Berndt von Staden hat das am Beispiel der Angriffe der *Frankfurter Rundschau* sehr anschaulich beschrieben. Alle rückten plötzlich zusammen »wie im Kral, wo die Pferde bei Gefahr einen Kreis mit den Köpfen nach innen zu formen pflegen, während die Rinder das gleiche aus naheliegenden Gründen mit nach außen gewandeten Köpfen tun«.[99] Dieser intensive Zusammenhalt war durchaus erwünscht, um den naturgemäß über die ganze Welt zerstreuten Dienst zu integrieren. Seiteneinsteiger, die nicht die Erfahrung gemeinsamer Ausbildung und Sozialisation mit ihren Kollegen teilten, wurden als Fremdkörper empfunden, und viele Berufsdiplomaten weigerten sich, ihnen dieselbe Loyalität mit dem Amt zu attestieren, die sie für sich selbst beanspruchten.

Umgekehrt wurde der »absolute Zugehörigkeitsanspruch der Behörde«, wie ihn Heinrich End erlebte, der in den sechziger Jahren als Außenseiter einige Zeit dem höheren Dienst angehört hatte, von den Seiteneinsteigern häufig nicht akzeptiert.[100] Der Außenseiter Günther Harkort, der am Ende seiner erfolgreichen Karriere 1969 zum Staatssekretär ernannt wurde, hielt in der Rückschau auf seine fast zwanzigjährige Dienstzeit fest, dass er sich nie als Teil einer Diplomatengemeinschaft gefühlt habe. Das liege daran, sagte er in seiner Abschiedsrede, »dass ich eben erst im fortgeschrittenen Alter von 47 Jahren zum Amt gekommen bin. Ich glaube, man muss 20 oder 25 Jahre jünger anfangen, um in den Auswärtigen Dienst total einzutauchen und ihn als den einzigen wirklich lebenswerten Bereich zu empfinden. Mir ist das nicht mehr ganz gelungen.«[101]

Gegenüber den Außenseitern suchten sich die Berufsbeamten vor allem dadurch zu behaupten, dass sie auf deren mangelnde Qualifikation verwiesen. Die professionelle Diplomatie nehme Schaden, wenn man Außenseiter aus politischen Gründen mit Leitungsfunktionen betraue. Die Laufbahnbeamten präsentierten sich als Experten des diplomatischen Parketts, weil ihnen nach 1945 wenig mehr als ihr außenpolitisches Fachwissen als Grundlage einer beruflichen Wiederverwendung geblieben war. Der Rückzug auf solches Expertentum ließ auf eine zwar gewollte, aber durchaus nicht unproblematische Professionalisierung des Berufsverständnisses schließen: »Der Höfling und Weltmann ist ein Spezialist geworden, der Salonlöwe ein Sachverständiger.«[102]

Während sie den Außenseitern mangelnde Professionalität vorhielten, begegneten die Laufbahnbeamten den Spezialisten mit dem Argument, ihnen fehle der Sinn für die politischen Zusammenhänge. Die Berufsdiplomaten verstanden sich als Generalisten, die ihrem Anspruch nach regional wie fachlich überall einsetzbar waren. Durch die Spezialisten drohte ihnen eine Marginalisierung. Die Diplomaten leugneten nicht die Notwendigkeit von Expertenwissen, lehnten aber eine breite Einbeziehung von Spezialisten aus grundsätzlichen Erwägungen ab. Der amerikanische diplomatische Dienst galt ihnen dabei als warnendes Beispiel. »Wollen wir das amerikanische Vorbild nachahmen? Wenn ja, bekommen wir Missionen, die mehrheitlich aus Spezialisten bestehen, von der Kostenfrage ganz zu schweigen.« Das Auswärtige Amt sei aber »eine Behörde sui generis – wenn auch dies Wort nicht gern gehört wird«.[103] Vor diesem Hintergrund ist auch die Auffassung zu verstehen, dass die Diplomatie letztlich eine politische Tätigkeit sei, der nur ein in politischen Fragen erfahrener und die Gesamtheit der auswärtigen Beziehungen überblickender Generalist gerecht werden könne.[104]

Nicht alle Seiteneinsteiger fühlten sich so schlecht behandelt wie Wilhelm Hausenstein, der den Dienst trotz aller Erfolge in Paris voller Verbitterung verließ.[105] Es gibt auch Beispiele für erfolgreiche Außenseiterkarrieren. Rolf Lahr zum Beispiel, Außenseiter und Wirtschaftsexperte, war von 1961 bis 1969 Staatssekretär. Der Völkerrechtler und Begründer der sogenannten Hallsteindoktrin, Wilhelm Grewe, wechselte von der Universität ins Amt, leitete dort die Rechts- und später die Politische Abteilung und vertrat die Bundesrepublik als Botschafter in Washington, bei der NATO und in Tokio. Der Journalist Alexander Böker, von Blankenhorn zunächst ins Kanzleramt geholt und später ins Auswärtige Amt übernommen, galt französischen Kollegen als einer der begabtesten Diplomaten im Amt mit glänzenden Karriereaussichten; später übernahm Böker wichtige Funktionen in der Zentrale und vertrat die Bundesrepublik als Beobachter bei den Vereinten Nationen und beim Vatikan. Aber auch Animositäten zwischen Böker und den alten Wilhelmstraßenleuten blieben den Franzosen nicht verborgen.[106] Die Quereinsteiger revanchierten sich, indem sie sich über den »kleinlichen Zunftgeist« in der Zentrale mokierten und von den »chers collègues vom geheiligten Corps Diplomatique« sprachen.[107]

Der Nachwuchs

Der letzte Attachéjahrgang des alten Auswärtigen Amts war 1938 rekrutiert worden, danach war die systematische Nachwuchsanwerbung völlig zum Erliegen gekommen. Als das Amt 1951 wieder gegründet wurde, stand man in allen Bereichen, nicht nur im höheren Dienst, vor einem Personalproblem. Innerhalb kurzer Zeit musste Personal gewonnen werden, um die deutschen Auslandsmissionen mit diplomatischen beziehungsweise konsularischen Beamten besetzen zu können. Angesichts der schnell wachsenden Zahl deutscher Auslandsvertretungen war die Rekrutierung und Ausbildung junger Auslandsbeamter eine vorrangige Aufgabe. Die ersten Attachélehrgänge, die 1950 durchgeführt worden waren, als es zunächst lediglich um den Nachwuchs für die konsularischen Vertretungen ging, bildeten die Keimzelle der späteren Diplomatenausbildung, die mit dem dritten Attachélehrgang im April 1951 begann.

Nicht nur der außenpolitische Rahmen, in dem die Bundesrepublik ihren neuen Auswärtigen Dienst aufbaute, hatte sich nach dem Zweiten Weltkrieg grundlegend gewandelt. Auch die innenpolitischen und gesellschaftlichen Voraussetzungen im Westen Deutschlands waren andere. Der neue Auswärtige Dienst wurde in einem demokratischen Staat aufgebaut, dessen Regierung die Einbindung der Bundesrepublik in die Gemeinschaft der westlichen Demokratien zum wichtigsten Ziel ihrer Politik erhoben hatte. Wie sollte vor diesem Hintergrund die Ausbildung künftiger Diplomaten aussehen? Wen wollte man für diese Aufgabe überhaupt gewinnen? Welche Anforderungen sollten der Auswahl des diplomatischen Nachwuchses zugrunde liegen? Für Walter Hallstein, den Staatssekretär im neuen Amt, war klar, dass die von jeher an den Nachwuchs des Auswärtigen Diensts gestellten hohen Ansprüche auch in der Bundesrepublik zu gelten hätten.[108] Gleichzeitig sollte die zu Beginn der fünfziger Jahre eingeführte Diplomatenausbildung Ausdruck des demokratischen Neubeginns sein. Die entscheidende Frage lautet also, ob sich die von Hallstein postulierten Ansprüche – und damit die Kriterien der Auswahl – bewährten und ob sich in der Rekrutierung und Ausbildung des diplomatischen Nachwuchses die Prozesse der Demokratisierung der Bundesrepublik widerspiegelten.

Obwohl das Auswärtige Amt in seiner Aufbauphase einen hohen Personalbedarf hatte und es an Bewerbern für den Dienst nicht fehlte, klagte man über den Mangel an geeigneten Kandidaten. Die vergleichsweise niedrigen Anwärterbezüge und relativ lange Ausbildungszeiten – nur die ersten »Notlehrgänge« 1950 und 1951 blieben auf wenige Monate beschränkt – würden vielversprechende Bewerber abhalten, so das Amt. Man brauche, klagte der von Adenauer Ende 1949 mit dem Aufbau der Ausbildung betraute ehemalige Generalkonsul Peter Pfeiffer, 400 bis 600 Bewerbungen, um 20 geeignete Anwärter auszuwählen. Pfeiffer führte das nicht zuletzt auf die Kriegsverluste zurück. Aber auch die biographischen Prägungen und Erfahrungen der meisten Bewerber, die der Kriegsgeneration, also Geburtsjahrgängen um 1925, entstammten, erschwerten Auswahl und Ausbildung. Die Generation der Anwärter, so Pfeiffer 1951, sei »ohne ihre Schuld unfertig. Die physische Widerstandskraft ist geringer. Die geistige Leistungsfähigkeit ist nicht voll entwickelt (unzureichende Schulbildung, langjähriger Kriegsdienst, Gefangenschaft). Die Generation ist seelisch gehemmt und unsicher, im Urteil unfrei (Hitlerjugend, Arbeitsdienst, Wehrdienst, Zusammenbruch 1945, Erschütterung aller Urteilsgrundlagen, schwierige Lebens- und Studienverhältnisse). Die häusliche Erziehung war gesellschaftlich und allgemein menschlich oft unzureichend.«[109]

Die Gesellschaft der frühen Bundesrepublik war eine Gesellschaft im Schatten von Diktatur, Krieg und Völkermord, eine tiefe Verunsicherung prägte die Sozialkultur jener Jahre. Der Soziologe Helmut Schelsky hat die von Pfeiffer beschriebene Generation wenige Jahre später als »skeptische Generation« bezeichnet. Heute ist auch von der »Flakhelfer-Generation« die Rede oder von der Generation der »45er« (Dirk Moses). Sie war alt genug, um den Nationalsozialismus noch unmittelbar erfahren zu haben, und jung genug, um sich nach 1945 politisch neu ausrichten zu können. Ideologieskeptisch orientierten sie sich oftmals stark an den USA oder an der europäischen Idee. Eine Außenpolitik, die enge transatlantische Beziehungen und die Einigung Europas auf ihre Fahnen geschrieben hatte, musste vielen jungen Leuten folglich als geradezu ideal erscheinen. Oder anders gewendet: Gerade die von Pfeiffer beklagte Unreife und Unfertigkeit der jungen Attachés konnte so zu einer wichtigen Bedingung für die allmähliche Demokratisierung des Auswärtigen Diensts werden.

Das wurde früh schon von amerikanischen Diplomaten erkannt, die Rekrutierung und Ausbildung im Auswärtigen Amt aufmerksam verfolgten. Während sie gegenüber dem alten Personal oft skeptisch waren, schätzten sie die Qualität der neu eingetretenen Diplomaten sehr hoch ein. Mit dem Generationenwechsel werde auch eine neue Einstellung im Amt erkennbar: »Die Wilhelmstraßensolidarität scheint sich aufzulösen, da diejenigen, die dort gedient haben, wegsterben oder in Ruhestand treten. Welche Animositäten oder Rivalitäten auch immer zwischen den Vor- und Nachkriegsgenerationen existiert haben, sie verschwinden mit ihnen.«[110] Vom Nachwuchs im Auswärtigen Amt erhofften sich die Amerikaner eine besonders produktive und enge Zusammenarbeit: Die jungen Diplomaten seien frei von verkrusteten Vorstellungen und den Traditionen der Wilhelmstraße und dabei pragmatisch-problemorientiert. Es handele sich – so ein Bericht der US-Botschaft Bonn an das State Department – um »Männer mit Bewusstsein für aktuelle politische Realitäten, bedacht und konzentriert auf das Problem, welches durch die besondere Stellung entsteht, die Deutschland in der Nachkriegsbalance der Mächte einnimmt«.[111]

Die Spannungen zwischen den ehemaligen Wilhelmstraßendiplomaten und dem neuen Personal hatten in erster Linie mit den eingeschränkten Karriereaussichten zu tun, die im Auswärtigen Amt generell schlechter waren als in anderen Ministerien. Hinzu kam, dass in den Aufbaujahren viele Diplomaten aufgenommen wurden, die das normale Einstellungsalter eigentlich schon überschritten hatten. Dadurch entwickelte sich eine für den Nachwuchs ungünstige Alterspyramide.[112] Verstärkt wurde dieser Trend noch durch die »131er«. Die neu ausgebildeten Diplomaten mussten ebenso wie die jungen Seiteneinsteiger oftmals lange auf Beförderungen warten, während die alten Wilhelmstraßendiplomaten bis in die siebziger Jahre hinein wichtige Botschafterposten und Stellungen in der Zentrale innehatten.

Der Ausbildungsleiter Peter Pfeiffer war selbst ein alter Wilhelmstraßenmann. Er war 1925 in den Auswärtigen Dienst eingetreten und hatte auf verschiedenen Auslandsposten gedient, zuletzt, während des Zweiten Weltkriegs, als Generalkonsul in Algier. Dort wurde er von den Amerikanern 1942 interniert; 1944 ausgetauscht, war er dann noch einmal für ein Jahr in der Berliner Zentrale tätig. Seit Dezember 1940 gehörte er der NSDAP an. In seinem Entnazifizierungsverfahren wurde er 1948 als »Entlasteter« eingestuft. Seit Dezember 1949 leitete er das Deutsche Büro für Friedensfragen, das Mitte 1950 im Zuge der Bildung der Dienststelle für Auswärtige Angelegenheiten im Kanzleramt aufgelöst wurde. Die Hauptaufgabe Pfeiffers, dessen Bruder, der CSU-Politiker und bayerische Staatsminister Anton Pfeiffer, 1949/50 den Arbeitsstab zum Aufbau des Staatssekretariats für Auswärtige Angelegenheiten geleitet hatte und der später deutscher Generalkonsul in Brüssel wurde, lag im Aufbau der Ausbildung künftiger Auslandsbeamter. Interimistisch war Pfeiffer 1952/53 für einige Monate auch Leiter der Personalabteilung des Auswärtigen Amts, nachdem Herbert Dittmann im August 1952 im Gefolge des Untersuchungsausschusses Nr. 47 von dieser Position hatte zurücktreten müssen. Während sich sowohl Vertreter ausländischer Regierungen als auch der Untersuchungsausschuss Nr. 47 dagegen aussprachen, Pfeiffer auf einen Auslandsposten zu entsenden und es zu Protesten kam, als 1954 sein Name als möglicher westdeutscher Beobachter bei den Vereinten Nationen genannt wurde, sah man in Bonn, aber auch in Paris kein Problem, ihm die Ausbildung des diplomatischen Nachwuchses der Bundesrepublik zu übertragen.[113]

Die Ausbildungsstätte für den Auswärtigen Dienst errichtete Pfeiffer in einer 1741 erbauten ehemaligen Lehrerakademie in seiner Heimatstadt Speyer. Der erste Attachélehrgang begann am 1. April 1950. Bei seiner Aufbauarbeit ließ man Pfeiffer, den ein enges Verhältnis mit Herbert Blankenhorn verband, weitgehend freie Hand. Zu den Diplomaten der Wilhelmstraße, mit denen Pfeiffer Kontakt hielt, gehörten die Brüder Erich und Theo Kordt, Hans Herwarth von Bittenfeld, Wilhelm Haas, Gustav Strohm, Hasso von Etzdorf, Herbert Dittmann und Wilhelm Melchers. Die Konzeption der Diplomatenausbildung dürfte in den gemeinsamen Erfahrungen und Vorstellungen dieser Gruppe ihren Ursprung gehabt haben. Eine Diplomatenausbildung im engeren Sinn hatte allerdings keiner von ihnen durchlaufen, denn der Auswärtige Dienst der Weimarer Republik kannte keine solche Einrichtung. Ein abgeschlossenes Studium, meist Jura, Verwaltungserfahrung und Praxis im Amt selbst, verbunden mit einer Abschlussprüfung, konstituierten die Ausbildung. Während des Dritten Reichs wurde zwar die Idee eines »Nachwuchshauses« entwickelt, um junge Diplomaten politisch und weltanschaulich auszurichten, konsequent umgesetzt wurde der Plan indes nicht. So blieb die Weimarer Ausbildungsordnung aus dem Jahr 1924 bestehen, auf die auch in der Konzeptionsphase von Speyer gelegentlich noch Bezug genommen wurde.[114]

Breite Zustimmung fand Pfeiffers Grundentscheidung, die Ausbildung nicht nur fernab in der Pfalz durchzuführen, sondern sie auch nach dem Vorbild eines Internats zu betreiben. Die Lehrgangsteilnehmer wohnten in der Schule, die im Volksmund bald nur noch »Diplomatenschule« genannt wurde. Das »Erlebnis Speyer«, von dem die Teilnehmer der ersten Lehrgänge berichteten, verfolgte vor allem einen Zweck: »Es bildet sich rasch die Zusammengehörigkeit, die im Auswärtigen

Dienst notwendig ist.«[115] Dieser Korpsgeist, der während des Dritten Reiches nur schwer aufrechtzuerhalten gewesen war, wurde nach dem Krieg durch die wachsende Zahl von Quereinsteigern zusätzlich beeinträchtigt. Vor allem war die Homogenität des diplomatischen Dienstes gefährdet, weil der Nachwuchs nicht mehr hauptsächlich aus jenen gesellschaftlichen Kreisen stammte, aus denen sich der höhere Auswärtige Dienst bis dahin rekrutiert hatte: Adel und Großbürgertum. Weil es an der sozialen Geschlossenheit fehlte, die das AA bis weit in die dreißiger Jahre hinein kennzeichnete, mussten Mittel und Wege gefunden werden, ein neues, dem Dienst eigenes Zusammengehörigkeitsgefühl zu erzeugen. Hierfür sollte die gemeinsame Ausbildungszeit den Grundstock liefern. Der neue Korpsgeist entstand zunächst vor allem innerhalb der »Crew«, wie man die Teilnehmer eines Lehrgangs nannte. »Machen Sie sich nichts aus dem Spott über den Crewgeist«, gab Staatssekretär Sigismund von Braun noch in den siebziger Jahren den jungen Attachés mit auf den Weg. »In dieser Bindung liegt seine Essenz.«[116]

Das erklärte Ziel, einen möglichst homogenen Dienst zu schaffen und dem Amt die Kontrolle über Personal und Ausbildung zu sichern, führte dazu, dass das Auswärtige Amt ab Mitte der fünfziger Jahre auch die Ausbildung der Angehörigen der anderen Laufbahngruppen des Dienstes übernahm.[117] Ausbildung müsse »weitgehend auch ›Anpassung‹ – im guten Sinne – sein, also nicht Erziehung zum geistigen Konformismus, wohl aber das Wecken von Verständnis für die Ordnung, die Regeln und auch die Tradition dieses Hauses«, hieß es zwei Jahrzehnte nach Neugründung des Amts.[118] Umgesetzt wurden die Ziele der Diplomatenausbildung zunächst in Speyer, dann in Bonn, wohin die Ausbildungsstätte 1955 umzog, und ab 1977 in der eigens errichteten Aus- und Fortbildungsstätte des Auswärtigen Amts in Bonn-Ippendorf. 2006 schließlich wurde die Akademie Auswärtiger Dienst in Berlin-Tegel eröffnet.

Trotz aller Bekenntnisse zur Demokratisierung des Dienstes tat man sich schwer, die hehren Ziele auch umzusetzen. So hieß es im Zusammenhang mit der Frage, wie breit man in der Öffentlichkeit Nachwuchswerbung betreiben solle, selbstverständlich müsse »die Auslese für den Auswärtigen Dienst demokratisch gestaltet sein, d.h. niemand darf wegen seiner Herkunft, Religion oder Rasse von der Aufnahme in den Dienst ausgeschlossen sein. Daraus folgt aber keineswegs, dass für einen zahlenmäßig unbedeutenden Bereich des öffentlichen Dienstes eine Nachwuchswerbung wünschenswert oder gar notwendig ist, die sich an die breite Öffentlichkeit wendet und damit zwangsläufig viele Personen anspricht, die wohl formell, aber nicht auch materiell als Bewerber in Betracht kommen.«[119]

»Materiell« meinte in der Sprache des Amts nicht den Vermögensstand der Bewerber, sondern deren Persönlichkeitsprofil. »Formell« mussten Bewerberinnen und Bewerber ein Hochschulstudium absolviert haben, über eine gute Allgemeinbildung, Kenntnisse im internationalen Recht, in Volkswirtschaft und Neuerer Geschichte sowie über gute Sprachkenntnisse in Englisch und Französisch verfügen und tropentauglich sein. Diese Grundvoraussetzungen haben sich bis heute nicht verändert; 1970 kam noch ein psychologischer Eignungstest hinzu. Generell bemühte man sich, durch die Verbesserung, insbesondere die Standardisierung der Methoden zur schriftlichen Prüfung mehr Raum zu gewinnen für die Beurteilung der Persönlichkeit der Bewerber, ihre »materielle Eignung«. Die Beurteilungsblätter aus den Auswahlverfahren zeigen, dass die Einstellung in erheblichem Maße vom persönlichen Eindruck abhing, den der Bewerber in der Einzelvorstellung machte. Gute Leistungen in den Tests konnten einen eher ungünstigen persönlichen Eindruck kaum ausgleichen; hingegen war ein positiver Gesamteindruck, der auch ein weiches Kriterium wie »Anpassungsfähigkeit« umschloss, in der Lage, eher durchschnittliche Testergebnisse zu relativieren.[120]

Vorgaben für die Einstellung in den öffentlichen Dienst traten hinzu. Das betraf die Richtlinie der Bundesregierung zur bevorzugten Einstellung von Verfolgten des NS-Regimes oder die Regelanfrage beim Berlin Document Center zur Überprüfung der NS-Vergangenheit der Bewerber. Die Anfrage beim BDC wurde vor der endgültigen Übernahme in den Auswärtigen Dienst durchgeführt, nicht schon bei der Aufnahme in die Diplomatenschule.[121] Ob die Richtlinie zur bevorzugten Einstellung von Verfolgten des NS-Regimes bei der Auswahl der Nachwuchsdiplomaten tatsächlich umgesetzt wurde, lässt sich nur schwer feststellen. Von den 76 Amtsangehörigen, die 1961 zur Kategorie der Verfolgten gehörten, waren immerhin 58 Neueinstellungen: allerdings lässt sich nicht ermitteln, wie viele Seiteneinsteiger darunter waren und wie viele die Diplomatenausbildung absolviert hatten. Mit Blick auf die Gesamtzahl der Angehörigen des höheren Diensts von rund 1200 Mitarbeitern Ende 1960 lässt sich indes schwerlich von einer gezielten Einstellung Verfolgter sprechen.[122]

Da die Diplomatenschule organisatorisch dem Amt angegliedert war, ließ sich nicht nur das Auswahlverfahren, sondern auch die inhaltliche Gestaltung der Ausbildung festlegen, ohne dass dem Amt dabei viel hineingeredet wurde. Zwar gab es in der Frühzeit beim Auswärtigen Ausschuss des Bundestags einen Unterausschuss »Diplomatischer Nachwuchs«, der sich über die Diplomatenausbildung in Speyer informieren ließ, die Ausbildungsstätte besuchte und sich auch vornahm, Anregungen zur Gestaltung der Ausbildung zu geben. Tatsächlich aber scheint der Einfluss dieses Gremiums auf die Ausbildung eher gering gewesen zu sein. Auch die Alliierten mischten sich nur wenig in Nachwuchsfragen ein. Bei einem Informationsbesuch in London wurde den Deutschen im Sinne der allgemeinen Reeducation-Politik eine breite Nachwuchsförderung nahegelegt, die verhindere, dass der Auswärtige Dienst zum Hort von Nationalisten werde.[123] Die britische Regierung unterstützte die deutsche Diplomatenausbildung auch konkret, indem das Foreign Office sich bereit erklärte, deutschen Attachés den Besuch von Kursen des British Council zu finanzieren.[124] Die amerikanische Regierung lud junge Diplomaten aus der Bundesrepublik zu Gastaufenthalten in den USA ein.[125]

Die Wirkung dieser Maßnahmen auf die teilnehmenden Jungdiplomaten sollte man nicht unterschätzen. Nicht wenigen unter ihnen bot sich hier erstmals – möglicherweise mit Ausnahme ihres Einsatzes im Krieg – die Gelegenheit für einen längeren Auslandsaufenthalt und Begegnungen mit westlichen Ländern. Gerade Amerikareisen hinterließen bei Deutschen dieser Generation oft tiefe und nachhaltige Eindrücke, zumal die politische Kultur, die sie in den USA kennenlernten, in starkem Gegensatz stand zu den traditionellen Ordnungsvorstellungen, durch die sie selbst geprägt waren.[126] Amerikaerfahrungen trugen wesentlich zum Prozess der Verwestlichung bei, der die westdeutsche Gesellschaft nach 1945 allmählich umformte.

Anders als die individuellen Besuchseinladungen wurde die Ende der fünfziger Jahre geborene Idee, die Nachwuchsdiplomaten der NATO-Staaten gemeinsam in internationalen Zusammenhängen auszubilden, nicht realisiert. Der Wunsch, sich vor dem Hintergrund des Kalten Krieges, der mit der Krise um Berlin einen neuen Höhepunkt erreichte, fester zusammenzuschließen, ging doch nicht so weit, dass die einzelnen Staaten bereit gewesen wären, ihre Diplomatenausbildung aus der Hand zu geben und damit im NATO-Kontext de facto der amerikanischen Dominanz zu unterstellen.[127]

Nach den ersten in Speyer durchgeführten Lehrgängen legte eine Ausbildungs- und Prüfungsordnung die Dauer der Ausbildung auf insgesamt drei Jahre fest, für Volljuristen mit zweitem Staatsexamen konnte sich der Vorbereitungsdienst um zwei Jahre, später um ein Jahr verkürzen. Die theoretische Ausbildung umfasste drei Schwerpunkte: Geschichte und Politik, internationales Recht und Volkswirtschaft. Daneben spielte der Sprachunterricht in Englisch und Französisch eine große Rolle. Die rechtswissenschaftliche Ausbildung beanspruchte den Löwenanteil: Im Lehrplan für den höheren Dienst waren fast genauso viele Stunden Rechtsunterricht vorgesehen wie für Volkswirtschaftslehre und Geschichte/Politik zusammen. Im Bereich Volkswirtschaftslehre ging es insbesondere um Themen der Außenwirtschaftspolitik, der internationalen Finanzpolitik sowie Fragen des multilateralen Handels. Fraglos war man sich der enormen Bedeutung der Wirtschaft in den internationalen Beziehungen und für die Außenpolitik eines Landes bewusst. Ob sich dahinter ein grundlegender Paradigmenwechsel hin zu einer Erweiterung klassischer Außenpolitik verbarg, ist schwer zu beurteilen. Jedenfalls hatten Entwicklungen eingesetzt beziehungsweise an Dynamik gewonnen, in deren Verlauf Wirtschaft und Handel nicht mehr lediglich als Mittel einer machtpolitisch determinierten Außenpolitik, sondern als integrale Bestandteile der Außenpolitik verstanden wurden.

An der Gewichtung der drei Hauptbereiche wurde über Jahrzehnte kaum etwas geändert. Erst in den Reformempfehlungen zu Beginn der siebziger Jahre wurde eine dezidiert »politischere« Ausrichtung der Lehrinhalte verlangt.[128] Hierin spiegelte sich nicht nur die durch »1968« und die sozialliberale Koalition zunehmende Politisierung der Gesellschaft wider, sondern auch die schlichte Tatsache, dass die Traditionen, Maßstäbe und Ziele, die die Bundesrepublik in den gut 20 Jahren seit ihrer Gründung außenpolitisch entwickelt hatte, auch in die Diplomatenausbildung eingehen sollten. Die Geschichte der Außenpolitik des deutschen Nationalstaats zwischen 1871 und 1945 oder die Geschichte des europäischen Staatensystems seit der Frühen Neuzeit konnten nicht länger der Bezugspunkt sein, aus dem leitende Aspekte für Außenpolitik und Diplomatie entwickelt wurden. Eine fortgesetzte Konzentration auf die Diplomatiegeschichte im engeren Sinn wirkte anachronistisch. Das internationale System selbst hatte sich grundlegend verändert. So rückten zu Beginn der siebziger Jahre die internationalen Beziehungen der letzten hundert Jahre ins Zentrum der Geschichtsausbildung. Hinzu kamen Lehreinheiten zur innenpolitischen und sozialgeschichtlichen Entwicklung in dieser Zeit, eine Erweiterung, in der sich auch der Wandel der westdeutschen Geschichtswissenschaft in den sechziger und siebziger Jahren spiegelte, ohne dass freilich die Vorstellung von Geschichte als Sozialwissenschaft je Einzug ins Amt gehalten hätte. Alles in allem machen die Veränderungen deutlich, dass die Ausbildung der Diplomaten nicht im luftleeren Raum stattfand, sondern durch gesellschaftliche und soziokulturelle Entwicklungen beeinflusst und verändert wurde.

Schon in den fünfziger Jahren waren ursprünglich nicht im Lehrplan vorgesehene Themen schnell in die Kurse integriert worden: Internationale Wirtschaftspolitik, Entwicklungspolitik und europäische Integration hatten an Bedeutung gewonnen. Daneben hielt sich über viele Jahre eine Unterrichtseinheit »Der Vertrag von Versailles und seine Folgen«, die erkennen lässt, dass es das alte Denken der Wilhelmstraße war, welches die Lehrpläne der Speyerer Diplomatenschule bestimmte. Und nicht wenige »Ehemalige« gehörten zu den Dozenten in Speyer und Bonn, darunter auch solche wie Erich Kordt, denen es nach 1949 nicht gelungen war, wieder in den Dienst einzutreten. Kordt, von 1938 bis 1941 Büroleiter Ribbentrops, war in den fünfziger Jahren für die Lehreinheit »Die geschichtliche Entwicklung zwischen 1918 und 1945« zuständig.[129] Bei den ersten Attachélehrgängen in Speyer waren mehr als die Hälfte aller Vortragenden Angehörige des alten Auswärtigen Amts, die dem neuen nicht mehr angehörten.[130] Aufmerksamen Beobachtern wie dem Journalisten Michael Mansfeld entging diese Entwicklung nicht.

Zu den Dozenten der ersten Lehrgänge gehörten mit Werner von Bargen und Werner von Grundherr auch zwei NS-belastete Diplomaten, gegen deren Weiterbeschäftigung der Untersuchungsausschuss Nr. 47 sich dezidiert – wenn auch vergeblich – ausgesprochen hatte. Bargen, während des Krieges in Belgien, unterrichtete zu Beginn der fünfziger Jahre zur Länderkunde der Beneluxstaaten, Grundherr, während des Krieges in der Berliner Zentrale für Skandinavien zuständig – und nicht nur an der Organisation des Abtransports dänischer Juden, sondern auch an der Finanzierung des norwegischen Quisling-Regimes beteiligt –, hielt Vorlesungen zu Skandinavien.[131] Darüber hinaus war Grundherr in der Personalabteilung des Auswärtigen Amts bis 1952 zuständig für die Bearbeitung der Bewerbungen für den höheren Dienst. Franz Nüßlein, während des Krieges Oberstaatsanwalt und Generalreferent für Angelegenheiten der deutschen Strafjustiz beim Deutschen Staatsministerium für Böhmen und Mähren, nach 1945 in der Tschechoslowakei zu 20 Jahren Haft verurteilt, unterrichtete nach seiner Abschiebung in die Bundesrepublik an der Diplomatenschule Konsular- und Gesandtschaftsrecht.[132] Herbert Müller-Roschach, seinerzeit in der auch für »Judenfragen« zuständigen Abteilung Deutschland tätig, lehrte zu Themen der europäischen Integration. Nicht zuletzt wegen des Zusatzes in seinem Namen – er hieß eigentlich Müller – geriet er erst Ende der sechziger Jahre in Schwierigkeiten.[133] Als 1969 ein staatsanwaltschaftliches Ermittlungsverfahren gegen ihn eingeleitet wurde, berief man ihn als Botschafter in Portugal ab. Dass die Personalbteilung und die Leitung der Diplomatenausbildung Anfang der fünfziger Jahre von der NS-Vergangenheit Müller-Roschachs nichts wussten, ist unwahrscheinlich.

Es vermag das Bild nur wenig aufzuhellen, dass auch Friedrich von Prittwitz und Gaffron, der 1933 den Auswärtigen Dienst aus Protest quittiert hatte, und eine Reihe weiterer Diplomaten, die in den Jahren des Dritten Reiches die Wilhelmstraße hatten verlassen müssen, als Referenten eingeladen wurden.[134] Denn auch deren Einsatz in der Diplomatenausbildung unterstreicht das Bemühen des Amts, an Traditionen der Weimarer Zeit anzuknüpfen. Zu den Referenten zählten Mitte der fünfziger Jahre allerdings auch entschiedene Gegner des Nationalsozialismus wie der Buchenwald-Häftling Eugen Kogon, einer der einflussreichsten Publizisten der jungen Bundesrepublik und überdies Präsident der Europa Union, der mehrfach über die europäische Bewegung sprach, oder Fabian von Schlabrendorff, der zum engsten Kreis des militärischen Widerstands gehört hatte und Vorträge über die deutsche Opposition gegen Hitler hielt.[135]

Neben aktiven und ehemaligen Angehörigen des Auswärtigen Amts zählten Journalisten, Wirtschaftsvertreter und vor allem Hochschullehrer zu den Dozenten. Das Amts kooperierte über viele Jahre mit Lehrstühlen oder Instituten deutscher Universitäten und konnte so eine Reihe führender Wissenschaftler verpflichten wie den Politologen Theodor Eschenburg, die Historiker Ludwig Dehio, Theodor Schieder, Werner Conze und Hans Herzfeld, die Rechtswissenschaftler Hermann Jahrreiß und Hermann Mosler oder die Ökonomen Fritz Baade und Günter Schmölders. Carlo Schmid, Professor für öffentliches Recht in Tübingen und Vorstandsmitglied der SPD, später Vizepräsident des Bundestages, schlug die Brücke zu den Politikern, die von Anfang an in das Lehrprogramm integriert wurden. Immer wieder wurden Abgeordnete des Bundestags, zumeist Angehörige des Auswärtigen Ausschusses gebeten, die außenpolitischen Positionen ihrer Parteien zu präsentieren und zur Diskussion zu stellen. Neben Carlo Schmid kamen in den fünfziger Jahren und sechziger Jahren regelmäßig Fritz Erler für die SPD, Kurt Georg Kiesinger und Hans Furler für die Union sowie Erich Mende für die FDP. Außenpolitik, das zeigten solche Ergänzungen des Lehrprogramms, war ein genuiner Teil des politischen Prozesses, und die Diplomatenausbildung folgte den allgemeinen Liberalisierungs- und Pluralisierungsprozessen, wenn auch in kleinen Schritten.

Während die theoretische Grundausbildung im Amt wenig umstritten war, stieß der praktische Teil immer wieder auf Kritik. Zunächst sollten die Anwärter jeweils einige Wochen in der Zentrale, auf Auslandsposten oder auch außerhalb des Amts (zum Beispiel im Presse- und Informationsamt der Bundesregierung, im Bundestag oder in wirtschaftlichen und juristischen Forschungsinstituten) mit diplomatischen Tätigkeitsbereichen vertraut gemacht werden. Dahinter stand auch der Wunsch, »durch enge Verbindung mit dem inneren politischen, wirtschaftlichen und sozialen Leben das Misstrauen auszuschalten, das gegenüber dem früheren deutschen Auswärtigen Dienst in Deutschland bestand und noch besteht«.[136] Weil die schnellen Wechsel für die Praxis wenig brachten, wurde in den siebziger Jahren schließlich ein komplettes Praxisjahr in nur einer Abteilung der Bonner Zentrale in den Ausbildungsplan integriert.[137]

Das praktische Defizit junger deutscher Diplomaten lag vor allem auf dem Gebiet der internationalen Organisationen. Sigismund von Braun beklagte sich noch 1970 darüber, dass das Auswärtige Amt keine erfahrenen Beamten für die Tätigkeit in internationalen Organisationen stellen könne. Damals stand der UN-Beitritt der Bundesrepublik bevor, und es war abzusehen, dass die Bundesrepublik schon bald in einer Reihe von

UN-Organisationen vertreten sein würde. Der Staatssekretär sprach sich vor diesem Hintergrund dafür aus, die Vorbereitung auf solche Tätigkeiten in die Diplomatenausbildung einzubeziehen. Die Bundesrepublik werde – nicht zuletzt im Vergleich zu der als geradezu übermächtig wahrgenommenen Konkurrenz der DDR – international »den Kürzeren ziehen«, wenn keine fähigen Beamten zur Verfügung gestellt werden könnten.[138] Es überrascht, dass das Amt zu Beginn der siebziger Jahre offenbar Probleme hatte, den internationalen Anforderungen gerecht zu werden. Bis zum UN-Beitritt der Bundesrepublik 1973 war wohl deshalb kein Handlungsbedarf entstanden, weil die deutschen Beamten bei den wichtigen europäischen Institutionen in der Regel keine Angehörigen des diplomatischen Dienstes waren, sondern internationale Beamte, die direkt der jeweiligen Behörde unterstellt waren.

Der Idealtypus des Diplomaten, der den Ausbildern vorschwebte, war der Generalist. Der Generalist ist ein allgemein und überall verwendbarer Beamter. Zwar wurde in den siebziger Jahren verstärkt ein effizienterer Einsatz des Personals gefordert, doch eine Spezialisierung wurde weiterhin strikt abgelehnt.[139] Auch die Reformkommission, die das Generalistenprinzip zunächst infrage gestellt hatte, bestärkte das Amt schließlich darin, die Vertretung außenpolitischer Interessen als eine einheitliche Gesamtaufgabe zu verstehen und die Ausbildung auf dieses Ziel hin auszurichten. Im Ergebnis führt eine solche Auffassung zur Abschließung des Auswärtigen Diensts. Zwar erkannte das Amt die Notwendigkeit an, angesichts der immer stärkeren Auffächerung und der wachsenden Komplexität der außenpolitischen Aufgaben auch Experten heranzuziehen; dies sei aber nur für eine begrenzte Zeit sinnvoll. Im Übrigen sollten die zentralen Aufgaben auf dem Gebiet der auswärtigen politischen Beziehungen den im Amt ausgebildeten Diplomaten vorbehalten bleiben.[140] Auf dieser gemeinsamen Berufsauffassung basierte das Gruppenbewusstsein, dessen Vermittlung bis heute ein zentrales Ziel der Diplomatenausbildung ist.

Zu einem Zankapfel wurde die in den fünfziger Jahren eingerichtete Position der Sozialattachés. Der Bundesarbeitsminister und die Gewerkschaften hatten durchgesetzt, das Personal für diese Posten zu nominieren. Die Sozialattachés an den größeren Botschaften stellte überwiegend der DGB; nicht wenige hatten zuvor für den DGB oder eine seiner Einzelgewerkschaften gearbeitet und blieben ihren Organisationen auch weiterhin verbunden. Laufbahnbeamte kritisierten, es handele sich um überflüssige Versorgungsposten für verdiente Gewerkschaftsfunktionäre. Man sah in ihnen aber auch ein politisches Zugeständnis an die Gewerkschaften und die soziale Marktwirtschaft.[141] Das war insofern richtig, als sozial- und arbeitspolitische Aspekte in den internationalen Beziehungen immer wichtiger wurden – man denke etwa an die Anwerbung der »Gastarbeiter« seit Ende der fünfziger Jahre – und gewerkschaftliche Positionen auch in den Außenbeziehungen zu berücksichtigen waren. Auch diese Ausweitung der diplomatischen Beziehungen bedeutete eine Demokratisierung der Außenpolitik.

Das Idealbild des Diplomaten, der in der Lage sein soll, die Verflechtung zwischen den verschiedenen Aufgabengebieten zu erfassen und das komplette Instrumentarium zur Pflege der auswärtigen Beziehungen zu beherrschen, kollidierte schon in den Anfangsjahren mit den Realitäten auf der internationalen Bühne. Diese waren vielschichtiger und komplexer geworden, was den Ruf nach Spezialisten verstärkte. Sie hatten sich aber auch institutionell verändert: Multilateralisierung und Supranationalisierung, insbesondere im europäischen Zusammenhang, schufen einen neuen Typus des nicht weisungsgebundenen Beamten bei internationalen oder supranationalen Organisationen. Bereits 1960 stellte man im Amt fest, dass die Auswärtigen Dienste das Monopol in den internationalen Beziehungen verloren hätten.[142] Die Bedeutung der Diplomaten als Berichterstatter und persönliche Vertreter ihrer Regierung im Ausland wurde durch die modernen Kommunikations- und Transportmittel zusätzlich gemindert. Verglichen mit den Zeiten Bismarcks, so Regierungssprecher Felix von Eckardt, hätten die Diplomaten fast jeden Einfluss verloren: »Eins ist sicher, es war damals für die Diplomaten eine bessere Zeit. Sie schrieben weniger, aber was geschrieben wurde, wurde gelesen. Jetzt ist es eine Inflation von Papier, das größtenteils in den Referaten hängen bleibt.«[143]

Man kann darüber streiten, ob es ein Monopol für auswärtige Beziehungen je gegeben hat. Wenn, dann hatte der Nationalsozialismus den Alleinstellungs- und Dominanzanspruch des Auswärtigen Amts bei der Vertretung der auswärtigen Politik längst gebrochen. 1951 trugen der Verlust der Dominanz und der Aufstieg weiterer Institutionen auf dem Gebiet der Außenbeziehungen jedenfalls dazu bei, dass der Auswärtige Dienst sich den veränderten Umständen anpasste. Man verstand sich als die außenpolitische Repräsentativinstitution eines demokratischen Staates. Traditionelle Überzeugungen von Sinn und Wesen der deutschen Außenpolitik verloren zwar allmählich ihre Anziehungskraft. Aber auf die befürchtete Marginalisierung seiner Arbeit reagierte das Auswärtige Amt umso heftiger durch beharrliches Festhalten am traditionellen Selbstverständnis eines in sich geschlossenen Dienstes.

Wiedergutmachung und Erinnerung

Während staatliche Wiedergutmachung für die Mehrzahl der NS-Verfolgten maßgeblich auf alliierten Druck zustande kam, ging die Wiedergutmachung für ehemalige Angehörige des öffentlichen Dienstes auf deutsche Initiativen zurück. Lange bevor mit dem Inkrafttreten des Artikels 131 GG die Vorbereitungen für ein eigenes Bundesgesetz zur Versorgung der nach 1945 »verdrängten« Beamten begannen, hatten die Länder erste Regelungen für die geschädigten Beamten und Angestellten des öffentlichen Dienstes getroffen. Der relativ kleinen Gruppe der politisch und rassisch Verfolgten des NS-Regimes wurde dabei ein privilegierter Status zuerkannt. Ein zentrales Motiv für deren Besserstellung war nicht zuletzt, einen möglichst »günstigen Vergleichsstandard« für das Heer der Vertriebenen, Ostflüchtlinge und Entnazifizierungs-»Verdrängten« unter den ehemaligen Staatsdienern zu schaffen.[1]

Es war vor allem Bundesinnenminister Gustav Heinemann (CDU), der sich dafür einsetzte, die Entschädigungsansprüche ehemals verfolgter Beamter in einem selbstständigen Gesetz zu regeln. Zum einen waren die Angehörigen des öffentlichen Dienstes, die außerhalb des Territoriums des späteren Bundesgebiets verfolgt worden waren, in den Ländergesetzen meist nicht berücksichtigt worden. Zum anderen nahm man zu Recht an, eine frühzeitige und großzügige Entschädigung für die NS-Verfolgten unter den Beamten würde helfen, die zu erwartenden politischen und moralischen Widerstände gegen die »131er«-Gesetzgebung aufzuweichen. Vor allem die SPD konnte so gegenüber ihrer Parteibasis darauf verweisen, dass man der Rehabilitierung der nach 1945 »Verdrängten« schon deshalb zustimmen müsse, um den nach 1933 Geschädigten möglichst rasch zu Gerechtigkeit zu verhelfen.

Aufgrund der symbolpolitisch bedeutsamen Koppelung zwischen der Wiedergutmachung für NS-Verfolgte des öffentlichen Dienstes und dem

»131er«-Gesetz traten beide Regelungen fast zeitgleich im Frühjahr 1951 in Kraft. Im Gegensatz zur Masse der NS-Verfolgten, die grundsätzlich nur Teilentschädigungen erhielten, galt für die geschädigten Beamten das Prinzip der möglichst vollständigen Wiedergutmachung für erlittenes Unrecht. So sah das am 11. Mai 1951 in Kraft getretene »Bundesgesetz zur Regelung der Wiedergutmachung nationalsozialistischen Unrechts für Angehörige des öffentlichen Dienstes« (BWGöD) ein Recht auf Wiedereinstellung vor; diese sollte sich an der voraussichtlich erreichten Dienstposition orientieren. Darüber hinaus wurde den betroffenen Beamten ein Entschädigungsanspruch für die beschäftigungslose Zeit und entgangene Rentenzahlungen zuerkannt.[2] Ein knappes Jahr später erließ der Gesetzgeber ein weiteres Wiedergutmachungsgesetz, das sich an die nach 1933 ins Ausland geflohenen Beamten richtete (BWGöD-Ausland). Auch diese waren nun in der Lage, Ansprüche auf Wiedereinstellung oder Schadenersatz geltend zu machen, sofern sie in Ländern lebten, mit denen die Bundesrepublik diplomatische Beziehungen unterhielt.[3]

Formale Voraussetzung für eine Wiederbeschäftigung im öffentlichen Dienst der Bundesrepublik war der Besitz der deutschen Staatsbürgerschaft. NS-Verfolgte, die während des Exils ausgebürgert worden waren oder die deutsche Staatsbürgerschaft aufgegeben hatten, waren daher bei ihrer Rückkehr nach Deutschland gezwungen, die neu erworbene Staatsbürgerschaft aufzugeben und die alte wieder zu erwerben.[4] Bei Remigranten, die in den Auswärtigen Dienst aufgenommen werden wollten, erstreckte sich diese Regelung in der Regel auch auf die Ehepartner. Außer Kommunisten, die grundsätzlich von jeder Wiedergutmachung ausgeschlossen blieben, waren auch ehemalige NSDAP-Mitglieder ausgenommen, sofern es sich bei ihnen um mehr als eine »nominelle Mitgliedschaft« gehandelt hatte.

Die Maßnahmen, die auf der Grundlage des BWGöD und BWGöD-Ausland gegenüber verfolgten Kollegen aus dem alten Amt angewendet wurden, sind sorgfältig zu unterscheiden von der Bearbeitung der aus dem Ausland eingehenden Wiedergutmachungs-, Entschädigungs- und Restituierungsanträge durch das AA. Vor allem in Ländern wie den USA, Frankreich, Holland oder Großbritannien, in denen eine Vielzahl von NS-Opfern Zuflucht gefunden hatte, bildete diese Aufgabe in den fünfziger Jahren einen Arbeitsschwerpunkt an den deutschen Botschaften und Generalkonsulaten.

Die Wiedergutmachungsberechtigten bildeten mitnichten eine homogene Gruppe. Als vergleichsweise unkompliziert erwiesen sich in der Regel diejenigen Fälle, in denen die Betroffenen nach 1933 auf der Grundlage des Berufsbeamtengesetzes (BBG) oder seit 1935 durch das Reichsbürgergesetz (RBG) aus der »Volksgemeinschaft« ausgeschlossen worden waren. Da die Akten dieses Personenkreises größtenteils erhalten geblieben waren, fiel es den meisten Betroffenen nicht schwer, den Nachweis zu erbringen, dass sie als Gegner des NS-Regimes oder als Juden einer politischen Säuberung zum Opfer gefallen waren. Dass Personalchef Wilhelm Haas, Ministerialdirigent Werner Schwarz[5] und der für den Aufbau des Konsulardienstes zuständige Rudolf Holzhausen[6] selber als Betroffene der NS-Rassenpolitik galten, verschaffte den Antragstellern indes keinen Vorteil, geschweige denn eine Wiedereinstellungsgarantie. Alle drei waren wegen ihrer jüdischen Ehefrauen vorzeitig in den Ruhestand versetzt worden.

Zwar herrschte während der Aufbauphase gegenüber politisch und rassisch Verfolgten durchaus ein Klima der Aufgeschlossenheit. Personen mit Verfolgungshintergrund fühlten sich deshalb ermutigt, sich für den neuen Auswärtigen Dienst zu bewerben. Mit dem zunehmenden Rückstrom von Heimatvertriebenen und »Amtsverdrängten« machte sich aber bald ein immer stärker werdender Konkurrenzdruck bemerkbar, der sich aufgrund des zahlenmäßigen Übergewichts von »Ehemaligen« – darunter nicht wenige politisch Belastete – nachteilig auf die Chancen der NS-Geschädigten auswirkte. Anders als die »131er« verfügten diese zudem weder über eine schlagkräftige Lobby noch über eine gesetzlich festgelegte Quote, auf die sie sich bei ihren Wiedereinstellungsgesuchen hätten berufen können. Nicht gerade förderlich für die Interessen der Verfolgten war zudem, dass der Vorsitzende und Delegierte des Bundes der Verfolgten des Naziregimes (BVN) bei den Bundesbehörden ein ehemaliger Wilhelmstraßenmann war, der die Organisation augenscheinlich für sein persönliches Wiedergutmachungsverfahren zu funktionalisieren suchte.[7] Die Personalabteilung des AA war bereits früh zu der Überzeugung gelangt, bei dem Gesandtschaftsrat a.D. Eugen Budde handele es sich keinesfalls, wie von diesem nach 1945 behauptet, um ein Opfer politischer Verfolgung. Vielmehr wiesen die alten Personalakten darauf hin, dass Budde während der dreißiger Jahre in Spekulationsgeschäfte und Devisenschiebereien verwickelt gewesen war und überdies mehrfach gegen das Amtsgeheimnis verstoßen hatte. Nutznießer dieser Aktionen war regelmäßig die Mühlenbau und Industrie AG (MIAG) in Braunschweig gewesen, ein Unternehmen, dessen Aufsichtsrat Budde mehrere Jahre lang parallel zu den von ihm bekleideten AA-Posten angehört hatte.[8] Nachdem die Gestapo dem AA im März 1939 anheimgestellt hatte, selbst gegen Budde vorzugehen, war dieser im Sommer im Zuge eines Disziplinarverfahrens in den einstweiligen Ruhestand versetzt worden.

Angesichts der Tatsache, dass seit 1933 mehrere Dutzend Beamte des höheren Dienstes aus politischen Gründen, aufgrund ihrer jüdischen Abstammung oder ihrer Ehe mit jüdischen Partnern Arbeitsplatz und Beamtenrechte verloren hatten, überrascht es, dass offenbar keinerlei Anstrengungen unternommen wurden, einen halbwegs verlässlichen Überblick zu gewinnen.[9] Die pedantische Sorgfalt, mit der man die Zugehörigkeiten und Verbindungen zu den verschiedenen Widerstandszirkeln des Dritten Reichs zu dokumentieren suchte, fehlte in Bezug auf die NS-Geschädigten. Das mag zum Teil dem immensen Zeitdruck geschuldet gewesen sein, unter dem sich der personelle Wiederaufbau vollzog. Manches spricht aber auch für eine gewisse emotionale Befangenheit, die sowohl mit der eigenen Kooperationsbereitschaft vor 1945 als auch mit der unterschwelligen Abwehr der von den Alliierten gewünschten Wiedereinstellung von Emigranten und Verfolgten zu tun hatte.

Erste Initiativen für eine Erfassung des Kreises der Wiedergutmachungsberechtigten sind im Zusammenhang mit der Einsetzung des zweiten parlamentarischen Untersuchungsausschusses im Herbst 1951 nachweisbar. Der Umstand, dass das amtliche Interesse an der Wiedergutmachungsproblematik nicht etwa durch das entsprechende Gesetz vom Mai 1951, sondern durch parlamentarischen Aufklärungsdruck ausgelöst wurde, führte dazu, dass man sich der Sache mit einer gewissen Tendenz zur Apologetik widmete. Trotzdem deutet einiges darauf hin, dass das »Acht-Punkte-Programm« zur amtlichen Personalpolitik für den Auslandseinsatz in der Praxis schon länger angewandt wurde. Bedeutsam für die Gruppe der NS-Geschädigten waren vor allem die Punkte 3 (»Keine Entsendung in Länder, wo während des Naziregimes oder unmittelbar vorher Einsatz erfolgte«), 5 (»Ein Jahr Aufenthalt in Deutschland seit der Kapitulation«), 6 (»Keine Verwendung von Personen in dem Lande, in dem sie ansässig gewesen waren, insbesondere kein Einsatz von

Emigranten im Lande der Emigration«) und 8 (»Keine Verwendung in Ländern, deren Staatsangehörigkeit der Ehegatte hatte«).[10]

Es war symptomatisch für die auch in anderen Bereichen des öffentlichen Dienstes anzutreffende Haltung früherer Dienstherren gegenüber ausgeschlossenen oder vertriebenen Beamten, dass sich in diesem Reglement das fehlende Vermögen, möglicherweise auch der fehlende Wille widerspiegelte, die besondere berufliche und private Situation der Exilierten angemessen zu berücksichtigen. So ergaben sich für die Betroffenen zumeist immer dann Schwierigkeiten, wenn sie gemeinsam mit ihren Ehepartnern und Kindern aus Deutschland geflohen waren oder während eines Auslandseinsatzes aus dem Auswärtigen Dienst ausgeschieden waren. Dadurch, dass sich deren Familien in der Regel kaum bereit zeigten, ohne Weiteres in das Land der Verfolger zurückzukehren und sich dort einbürgern zu lassen, entstanden für die rückkehrwilligen Beamten oftmals unüberbrückbare Loyalitätskonflikte. Vor allem die Regel, keine Emigranten in ihrem früheren Exilland zum Einsatz kommen zu lassen, wurde von den Betroffenen zu Recht als Zeichen eines latent vorhandenen Misstrauens gedeutet; für viele kam darin die Vorstellung zum Ausdruck, die Emigration sei eine Form des Verrats gewesen. Schließlich konnte sich auch die Forderung, seit Kriegsende mindestens zwölf Monate in Deutschland gewesen zu sein, bei restriktiver Anwendung als Ausschließungsgrund auswirken, verfügten doch die meisten Emigranten weder über den nötigen finanziellen Spielraum, um diese Auflage erfüllen zu können, noch hatten sie dazu die innere Bereitschaft.

Auch wenn sich die internen Personalrichtlinien des AA durchaus positiv von denen anderer Arbeitgeber des öffentlichen Dienstes abhoben, indem sie der Gruppe der Verfolgten und Diskriminierten eine deutliche Vorrangstellung gegenüber den SBZ-Flüchtlingen, Heimatvertriebenen und Spätheimkehrern zuerkannten,[11] änderte dies nichts daran, dass vor allem den Emigranten eine außerordentlich hohe Vorleistung abgefordert wurde, die nicht jeder zu erbringen bereit war. Abgesehen davon, dass der einzelne Personalreferent bei der Anwendung des gesetzlichen Instrumentariums generell über einen großen Interpretations- und Ermessensspielraum verfügte, gab es viele individuelle Faktoren, die der Reintegration abträglich waren. Das Grundproblem aller ausgestoßenen Beamten, nach 1945 oftmals mit Personen konfrontiert zu werden, die das NS-Regime unterstützt hatten und möglicherweise auch persönlich an Verfolgungsmaßnahmen beteiligt gewesen waren, nannte der Göttinger Rechtshistoriker Hans Thieme das Hauptdilemma der Wiedergutmachung: »Dürfen wir solchen Männern zumuten, mit solchen zusammenzuarbeiten, die gleichsam den ordre public verletzt haben? Hier gibt es eine echte Wiedergutmachungspflicht, die selbst auf Empfindlichkeiten Rücksicht zu nehmen hat.«[12]

Wiedereinstellung als Wiedergutmachung?

Mit dem Inkrafttreten des BWGöD und des BWGöD-Ausland erhielten frühere AA-Beamte, die aufgrund ihrer Rasse, Religion oder Weltanschauung nach 1933 aus dem Auswärtigen Dienst ausgeschieden waren, einen juristischen Anspruch auf Wiedergutmachung, der – sofern keine Ausschließungsgründe vorlagen und die Altersgrenze noch nicht erreicht war – auch das Recht auf bevorzugte Wiedereinstellung umfasste. De facto trug allerdings die bestehende strukturelle Asymmetrie zwischen »131ern« und NS-Geschädigten dazu bei, dass sich der Wunsch nach Wiedereintritt in die alte Behörde oftmals nur über Umwege realisieren ließ. Sofern man nicht zu den wenigen Auserwählten gehörte, die die Personalabteilung von sich aus kontaktiert hatte, bedurfte es dazu meist einflussreicher Fürsprecher aus Politik und Wirtschaft. Dies erfuhr auch Hans Eduard Riesser.

Der Sohn des Reichstagsvizepräsidenten Jakob Riesser (DVP) war 1918 in den Auswärtigen Dienst eingetreten, wo er zunächst der Friedensdelegation in Versailles zugeteilt wurde. Im Juli 1933 »zur Disposition« gestellt und im März 1934 auf der Grundlage des § 6 BBG (»zur Vereinfachung der Verwaltung« bzw. »im Interesse des Dienstes«) in den dauernden Ruhestand versetzt, hatte er zunächst einige Jahre in Paris gelebt und die Kriegsjahre in der Schweiz verbracht. Im Mai 1949 erkundigte sich Riesser erstmals bei seinem Freund Vollrath von Maltzan nach einer möglichen Wiederverwendung. Da der Aufbau von Wirtschaftsvertretungen zu diesem Zeitpunkt noch kaum den *status nascendi* erreicht und Riesser das 61. Lebensjahr schon überschritten hatte, konnte ihm Maltzan nur wenig Hoffnung machen. Auch persönliche Gespräche mit Staatsrat Haas und dessen Stellvertreter Melchers brachten nicht den gewünschten Erfolg. Mit Hilfe von Manfred Klaiber, dem Chef des Bundespräsidialamts, mit dem Riesser Ende der zwanziger Jahre an der Pariser Botschaft zusammengearbeitet hatte, gelang es ihm jedoch, den Bundespräsidenten für sein Anliegen zu gewinnen. Dessen Engagement sowie Maltzans Unterstützung führten schließlich dazu, dass Riesser 1950 zusammen mit Krekeler nach New York geschickt wurde, wo er zunächst die Leitung der Konsularabteilung übernahm, bevor er 1952 zum Generalkonsul und Ständigen Beobachter bei den Vereinten Nationen ernannt wurde.[13]

Auch im Fall des früheren preußischen Beamten Werner Peiser sorgten erst Persönlichkeiten aus der Politik für dessen Reaktivierung. Anders als Riesser gehörte der promovierte Jurist und Philologe nicht zu den alten Wilhelmstraßenleuten, sondern war während der Weimarer Zeit zunächst als Pressereferent Otto Brauns tätig gewesen, bevor er 1931/32, bei gleichzeitiger Attachierung an die Deutsche Botschaft, als Ministerialrat im Preußischen Erziehungsministerium an das Preußische Historische Institut in Rom versetzt wurde. Dort machte er kurz nach Hitlers Machtübernahme die Bekanntschaft Robert Kempners, den man soeben seines Postens im Preußischen Innenministerium enthoben hatte. Gemeinsam mit Kempner betrieb Peiser einige Jahre lang in Florenz ein Landschulheim für deutsch-jüdische Kinder, deren Eltern in Deutschland ihre Emigration vorbereiteten. Nachdem die italienischen Behörden das Istituto Fiorenza im September 1938 auf deutschen Druck geschlossen hatten, emigrierten beide im Mai 1939 über Nizza in die USA. Nach einer mehrjährigen Professur an der Loyola University in New Orleans und zweijähriger Tätigkeit für das Office of War Information in Washington kehrte Peiser im Sommer 1945 – wiederum gemeinsam mit Kempner – als Angehöriger des Nürnberger Anklageteams nach Deutschland zurück, um eine Stelle als Senior Legal Expert und Berater in Fragen der medizinischen Jurisprudenz anzutreten.[14] Es folgte ein kürzerer Einsatz beim American Joint Distribution Committee in Frankfurt, bevor er sich auf Betreiben seines früheren Kollegen Hermann Katzenberger und mit Unterstützung von Heuss und Brentano im März 1950 schließlich bei der Verbindungsstelle im Bundeskanzleramt bewarb. Nachdem Personalreferent Grundherr seine grundsätzliche Eignung zwar bestätigt, von einem Einsatz als Leiter der Konsularstelle jedoch abgeraten hatte, wurde Peiser auf Empfehlung von Fritz von Twardows-ki, dem Leiter der Auslandsabteilung im Bundespresseamt, nach Rio de Janeiro geschickt, wo er unter Botschafter Fritz Oellers (FDP) als Presse- und Kulturreferent eingesetzt werden sollte.

Peisers weitere Laufbahn war von zwei entscheidenden Konflikten geprägt: Zum einen lieferte er sich über mehrere Jahre einen kräftezeh-renden Kampf mit der Zentrale, um die im Zuge seines Wiedergut-machungsverfahrens erreichte Anerkennung als Ministerialrat mit entsprechender Bezahlung durchzusetzen.[15] Zum anderen führte die Tatsache, dass er als Sozialdemokrat und Jude in einem Umfeld agieren musste, das durch deutschnationale Strömungen und antijüdische Res-sentiments gekennzeichnet war, zu ständigen Spannungen. Bereits der erste Auslandseinsatz in Brasilien unter Oellers sollte zu einem wahren Fiasko geraten. In seinem ersten Qualifikationsbericht schrieb der rechtslastige FDP-Mann über den neuen Pressereferenten, es handele sich zwar um einen »anständigen Charakter« mit »sauberen Anschau-ungen«. Da sein Weltbild aber entscheidend durch die Emigration ge-prägt sei und er zudem als »Gelehrtentyp« mit Fragen von Politik und Wirtschaft nichts anzufangen wisse, sei er auf seinem Posten zweifellos überfordert. Als Personalchef Dittmann, durch die schwelende Krise um seine Aussagen vor dem Bonner Untersuchungsausschuss stark in Mitleidenschaft gezogen, nicht reagierte, sah sich Oellers veranlasst, Staatssekretär Hallstein und Personalreferent Schwarz auf die Persona-lie aufmerksam zu machen. Einige Monate später zog er Dittmanns Nachfolger Peter Pfeiffer ins Vertrauen und legte diesem nahe, Peiser so schnell wie möglich zu versetzen. Zur Begründung führte er an, ein Re-migrant jüdischer Herkunft sei auf dem Posten des Presse- und Kul-turreferenten schlichtweg nicht zu halten: Die Emigranten würden es ihm verübeln, dass er für die deutsche Botschaft arbeite, und die Deutsch-Brasilianer akzeptierten nun einmal keinen Juden als Kultur-referenten.[16]

Ende 1953 – die Auseinandersetzung hatte sich weiter zugespitzt – war es dann Peiser, der um seine Versetzung nach Rom oder Athen bat.[17] Erst nach einem tragischen Unglücksfall und dem Tod seiner Ehefrau gab die Personal- und Verwaltungsabteilung diesem Wunsch statt und stellte Peiser die Leitung des Kulturreferats in Madrid in Aussicht. Noch ehe er am neuen Dienstort eintraf, regte sich jedoch Widerstand gegen diese

Entscheidung. Schwere Bedenken äußerte zum einen Botschafter Adalbert von Bayern. Der 66-jährige Prinz war 1952 als »Verlegenheitslösung« nach Madrid berufen worden, nachdem die Franzosen gegen die Entsendung von Peter Pfeiffer Einspruch erhoben hatten. Vor dem Hintergrund zeitgenössischer »Abendland«-Diskurse und der Bedeutung, die dem monarchistischen und antikommunistischen Spanien in diesem Zusammenhang zugeschrieben wurde, erschien der Bayern-Prinz aber schon bald als ideale Besetzung. Jetzt sträubte er sich dagegen, einen Remigranten jüdischer Herkunft mit Kulturaufgaben zu betrauen. Gegenüber der Zentrale machte er geltend, Peiser sei aufgrund seiner Rassezugehörigkeit und der früheren Tätigkeit für das American Joint Distribution Committee in Spanien unerwünscht.[18]

In der Personalabteilung, wo sich nach Pfeiffers Abgang mit Josef Löns ein weiterer Außenseiter aus Adenauers Kölner Umfeld in das schwierige Geschäft der Personalpolitik einzuarbeiten versuchte, war man angesichts der fortlaufenden Quertreibereien durch eigensinnige Botschaftsleiter mittlerweile ziemlich überfordert. Anstatt Adalbert von Bayern wegen seiner diskriminierenden Äußerungen nach Bonn einzubestellen, veranlasste Löns eine Untersuchung zur Bedeutung des jüdischen Faktors im deutsch-spanischen Verhältnis. Erst als feststand, dass der Botschafter mit seinen Warnungen stark übertrieben hatte, sprach sich Löns dafür aus, dass es wegen Peisers Status als Wiedergutmachungsberechtigter nötig sei, an der einmal getroffenen Entscheidung für Madrid festzuhalten.[19] Obschon selbst nicht völlig frei von antijüdischen Ressentiments, war Löns' Stellungnahme in dieser Angelegenheit doch insofern bemerkenswert, als er der einzige AA-Mitarbeiter blieb, der die Debatte über Peisers Judentum mit dem Argument zu beenden suchte, das Amt stehe hier auch in der moralischen Verantwortung.

Neben dem Botschafter gab es einen weiteren Madrider Mitarbeiter, der den neuen Kollegen lieber heute als morgen loswerden wollte. Bereits im Frühjahr 1951 hatte sich Rupprecht von Keller, damals noch Leiter des Ausbildungsreferats in der Personalabteilung, anlässlich der geplanten Einstellung Peisers an den ihm befreundeten Frankfurter Anwalt Victor von der Lippe gewandt und ihn gefragt, ob es sich bei diesem eventuell um einen früheren Mitarbeiter der Nürnberger Anklagevertretung handele. Zwar hatte der Anwalt Entwarnung gegeben, da er sich zu erinnern glaubte, Peiser sei wohl Pressefotograf gewesen; aber kurz nach dessen Dienstantritt scheint Keller dann doch in Erfahrung gebracht zu haben, dass er es tatsächlich mit einem engen Vertrauten Kempners zu tun hatte, der auch der Vernehmungsoffizier von Werner Best gewesen war. Jedenfalls gerieten Keller und Peiser, kaum war dieser in Madrid eingetroffen, heftig aneinander. An der Botschaft herrsche ein recht ungemütliches Klima, gestand Peiser seinem Kollegen Salat; wegen der deutschen Schulen befinde er sich seit einiger Zeit in einem wahren »Kampf auf Leben und Tod« mit Botschaftsrat Keller.[20]

Zu den wenigen emigrierten »Ehemaligen«, die vom Ministerium im Hinblick auf eine Wiedereinstellung kontaktiert worden waren, gehörte Richard Hertz. Aus einer assimilierten Hamburger Senatorenfamilie stammend, die mit Heinrich und Gustav Hertz zwei bedeutende Physiker und einen Nobelpreisträger hervorgebracht hatte, erschien der promovierte Historiker und Nationalökonom als die ideale Verkörperung jener »deutsch-jüdischen bildungsbürgerlichen Symbiose«, an die Politiker wie Adenauer und Heuss mit ihrem Einsatz für die Wiedergutmachung anzuknüpfen suchten.[21] Bereits im April 1950 schrieb Melchers dem »lieben Hertz« das erste Mal, um zu erkunden, inwieweit sich dieser für eine Rückkehr in die alte Behörde interessiere. Sowohl der herzliche Ton als auch der Umstand, dass die Verbindungsstelle ihn an seinem neuen Wohnsitz im kalifornischen Claremont aufgespürt hatte, lösten bei Hertz widerstreitende Gefühle aus. Seiner »alten Anhänglichkeit für das AA« hätten die Jahre zwar nichts anhaben können, ließ er Melchers wissen. Er stehe aber vor dem Dilemma, dass seine Frau und die vier Kinder inzwischen völlig »amerikanisiert« seien. Während er selbst nichts dagegen einzuwenden habe, die amerikanische Staatsbürgerschaft gegen die deutsche einzutauschen, würde seine ebenfalls naturalisierte Frau dies nur ungern tun. Vor diesem Hintergrund müsse er fragen, wie sich das AA eine Wiederverwendung praktisch vorstelle. Zwei Monate später meldete sich Melchers zurück. Grundsätzlich sehe auch er die Frage der Staatsangehörigkeit als Problem an. Man habe allerdings im AA schon ganz »ähnliche Fälle« bearbeitet und sei dabei stets zu einvernehmlichen Lösungen gekommen.[22]

Mitte März 1951, kurz nach der offiziellen Neugründung des Ministeriums, hielt sich Hertz für einige Tage in Bonn auf. Es war sein erster Deutschlandbesuch nach fast fünfzehnjähriger Abwesenheit. Im Kreis der früheren Kollegen überkam ihn, wie er später an Melchers schrieb, das Gefühl, wieder zu Hause zu sein, und dies bestärkte ihn in seinem Entschluss, sich für den neuen Dienst zu bewerben und dafür die amerikanische Staatsbürgerschaft aufzugeben. Hertz' nichtjüdische Ehefrau Feliza sprach sich jedoch weiterhin kategorisch gegen die Rückkehr aus. In der Personalabteilung suchte man daraufhin nach Wegen, um dem Kollegen entgegenzukommen. Zunächst wurde er einige Monate in der Länderabteilung der Zentrale beschäftigt; Haas und Melchers suchten unterdessen, abweichend von den internen Grundsätzen, seine Entsendung in die USA zu erreichen. Im Mai 1951, kurz vor seiner Abberufung als Personalchef, schlug Haas Staatssekretär Hallstein vor, Hertz in der Position eines Vortragenden Legationsrats bei der Abteilung IIIb (Internationale Zusammenarbeit und Internationale Organisationen) wiederzuverwenden.[23] Dies hätte Hertz auf jene Besoldungsstufe zurückgebracht, die der bei seiner Versetzung in den Ruhestand 1937 erreicht hatte. Hallstein griff den Vorschlag nicht auf. Haas' Nachfolger Dittmann setzte sich dafür ein, Hertz auf einen ihm entsprechenden Posten in sein früheres Exilland zu entsenden. Während Dittmann eine Botschaftsratstelle in Washington favorisierte, war Hallstein der Meinung, es komme höchstens eine Ernennung als Konsul in Los Angeles infrage.[24]

Obwohl auch Generalkonsul Krekeler diese Lösung befürwortete, ergaben sich in den folgenden Monaten weitere Schwierigkeiten, ausgelöst durch Wolfgang von Welck, den neuen Leiter der Unterabteilung Personal I / Abteilung I. Da er die Entsendung von Hertz in die USA nicht mehr verhindern konnte, nahm er die weiterhin ungeklärte Staatsbürgerschaft von dessen Ehefrau zum Anlass, grundsätzliche Zweifel an der Personalentscheidung zu äußern. Damit trat er einen bürokratischen Vorgang los, der nach zweijährigem zähen Schriftwechsel Ende 1953 in Verleumdungen einer ehemaligen Konsulatsmitarbeiterin gipfelte, die im Streit mit Hertz ausgeschieden war. Hertz und seine Frau seien deutschfeindlich, gab sie zu Protokoll, außerdem halte der Konsul Kontakte »zu deutschen Emigranten jüdischen Glaubens«, darunter viele »zweifelhafte Leute«.[25] Welck fühlte sich bestätigt und forderte eine abschließende Entscheidung: Entweder gelinge es Hertz, seine Frau zu überzeugen, die deutsche Staatsbürgerschaft anzunehmen, oder er müsse aus dem Auswärtigen Dienst ausscheiden. »Es war ein ganz besonderes Entgegenkommen gegenüber Herrn Hertz, dass er nach verhältnismäßig kurzer Tätigkeit im Auswärtigen Amt als Konsul nach Los Angeles gesandt wurde, und es erscheint heute fraglich, ob diese Besetzung im deutschen Interesse lag. Es ist anzuerkennen, dass Herr Hertz nach allem, was ihm während des 3. Reichs widerfahren ist, in den deutschen öffentlichen Dienst zurückgekehrt ist. Es muss jedoch auch von ihm verlangt werden, dass er alle Konsequenzen aus dieser Entscheidung zieht; denn dazu gehört m.E. auch, dass seine Frau sich als Deutsche bekennt und für die Bundesrepublik eintritt, und dass sie auch die äußere Konsequenz aus dieser Haltung zieht, indem sie die deutsche Staatsangehörigkeit wiedererwirbt. Bei dem Charakter von Herrn Hertz wäre mit Sicherheit zu erwarten, dass er im Falle eines Loyalitätskonflikts nicht für die Bundesrepublik, sondern für die Vereinigten Staaten optieren würde. Es erscheint mir unter diesen Umständen bedenklich, ihn auf die Dauer in Los Angeles zu belassen.«[26]

Obwohl sich Personalchef Löns dieser Position seines Mitarbeiters weitgehend anschloss – statt einer Entlassung fasste Löns allerdings nur eine Einberufung in die Zentrale ins Auge – und wenige Monate später eine entsprechende Vorlage für Hallstein anfertigte, sollte es auch danach zu keiner Entscheidung kommen.[27] Stattdessen erfolgte im Sommer 1954 – bedingt durch laufende Schwierigkeiten mit dem Bundesfinanzministerium, das mit einer Beschneidung von Planstellen für wiedergutmachungsberechtigte Beamte drohte – eine Beförderung zum Generalkonsul und 1956 die Versetzung an das neu eröffnete Generalkonsulat in Seoul. Hertz' Karriere endete schließlich 1960, ein Jahr vor seinem Tod, mit der Übernahme der Botschaftsleitung in Mexiko-Stadt, ohne dass seine Frau ihre amerikanische Staatsbürgerschaft aufgegeben hatte.

Inhalt und Diktion von Welcks Vermerk zeigen deutlich, dass sich hinter der legalistischen Haltung, die man gegenüber Richard Hertz einnahm, ein generelles Misstrauen gegenüber Emigranten versteckte, in dem defensiv-nationalistische Denkmuster mit latentem Antisemitismus verschmolzen. Während es im Fall des Spitzendiplomaten und früheren SS-Mitglieds Franz Krapf widerspruchslos hingenommen wurde, dass dieser mit einer schwedischen Staatsbürgerin verheiratet blieb,[28] rief die Weigerung von Feliza Hertz, ihre amerikanische Staatsbürgerschaft aufzugeben, nachhaltige Zweifel an der Integrität ihres Ehemanns hervor. Besonders pikant war, dass Parteimitglied Welck sich selbst zum

Kreis der politischen Oppositionellen zählte und in der Behandlung des Falls Hertz eine ungerechtfertigte Bevorzugung zu erkennen meinte, die er nicht hinnehmen wollte.[29] Zwar hatten persönlich motivierte Vorstöße in der Verwaltungspraxis normalerweise kaum Aussicht auf Erfolg, aber die zeitweilige Vakanz und die hohe Fluktuation in der Leitung der Personalabteilung Anfang der fünfziger Jahre machten es möglich, dass Welck einen mit mehreren Referaten abgestimmten Beschluss nachträglich infrage stellen konnte.

Als Lackmustest, an dem sich ablesen lässt, inwieweit das neue Amt bereit war, Verantwortung für historisches Unrecht zu übernehmen, kann die Praxis der Wiedergutmachung gegenüber nicht emigrierten Beamten gelten. Die Rehabilitierung von Nicht-Emigrierten warf nicht nur weniger beamtenrechtliche Probleme auf, auch die psychologischen Barrieren zwischen Verfolgten und Nicht-Verfolgten konnten in der Regel leichter und schneller überwunden werden. Deutlich wird dies am Fall Georg von Broich-Oppert. Wie Riesser, Peiser und Hertz war auch der gebürtige Berliner Broich-Oppert aufgrund seiner jüdischen Abstammung 1935 zunächst in den einstweiligen Ruhestand versetzt worden.

Wie mehrere rassisch verfolgte Diplomaten hatte Broich-Oppert während der Kriegsjahre sein Auskommen in der Berliner Zentrale der I.G. Farben gefunden. Nach Kriegsende beteiligte er sich an der Neugründung der Berliner CDU und stieg binnen vier Jahren zum Chef der Senatskanzlei auf. Mit Gründung der Bundesrepublik erwachte dann der Wunsch, an die diplomatische Karriere anzuknüpfen. Nachdem er auf eine erste Anfrage eine nichtssagende Antwort von Hermann Pünder erhalten hatte, wandte sich Broich-Oppert Anfang 1950 an die Verbindungsstelle und machte geltend, 1935 wegen seiner jüdischen Herkunft gemaßregelt worden zu sein. Doch auch dort machte man ihm nur wenig Hoffnung, alsbald wieder in seinen alten Beruf zurückkehren zu können: Es gebe eine große Zahl von »geeigneten Bewerbern«, auch solchen, die nicht Pgs gewesen seien und unter dem nationalsozialistischen Regime »zu leiden« gehabt hätten; im Übrigen seien noch viele der früheren Kollegen ohne Stelle.[30] Doch schon wenige Monate später begann sich das Blatt für Broich-Oppert zu wenden.

Bei Adenauers erstem West-Berlin-Besuch im April 1950 war es zum Eklat gekommen, als der Kanzler bei der Abschlussveranstaltung im Ti-

tania-Palast für alle überraschend die dritte Strophe des Deutschlandlie-
des singen ließ. Der britische Hochkommissar blieb demonstrativ sitzen,
Bundespräsident Heuss, der bereits den Auftrag für eine neue National-
hymne erteilt hatte, fühlte sich öffentlich düpiert. Der größte Zorn
herrschte allerdings in den Reihen der Berliner SPD, deren Abgeordnete
den Text nicht kannten und deshalb nicht hatten mitsingen können. Als
Hauptschuldigen für das Debakel hatte man schnell Broich-Oppert aus-
gemacht, der gegenüber dem SPD-Vorsitzenden Franz Neumann zugab,
auf »höhere Anweisung« gehandelt zu haben, als er die SPD-Abgeordneten nicht unterrichtete.[31] Neumann veranlasste daraufhin die Einleitung
eines Disziplinarverfahrens, und Broich-Oppert wurde von Oberbürgermeister Ernst Reuter vom Dienst suspendiert.

Broich-Oppert, der nun auf ein Zeichen aus Bonn wartete, musste
bald feststellen, dass im Umfeld des Kanzlers wenig Interesse bestand, an
die Affäre zu rühren. Anfang August richtete Jakob Kaiser, sein politischer Ziehvater, einen moralischen Appell an Hans Globke, um sowohl
Broich-Oppert als auch dem ebenfalls ins Abseits geratenen Otto John
aus der Bredouille zu helfen. Doch erst ein weiterer Brief des Parteilin-
ken Ernst Lemmer an Adenauer sowie ein offenbar von Lemmer initiier-
ter Artikel in der *Aachener Volkszeitung* brachten Bewegung in die
Sache. Als im Frühjahr 1951, ein Jahr nach dem Vorfall im Titania-Palast,
Broich-Opperts Berufung in den Auswärtigen Dienst bevorstand, hatte
man auch gleich einen Posten für ihn. Norwegen hatte soeben das Exequatur für einen Beamten mit der Begründung verweigert, bei diesem
handele es sich um einen »Nazi«; jetzt konnte das AA als Ersatz einen
vormals rassisch Verfolgten anbieten. Obwohl dem ehemaligen Legationssekretär nach Einschätzung der Personalabteilung die Vorausssetzun-
gen für den Posten in Oslo fehlten und er aufgrund seines Engagements
für die verbotene österreichische SA auch unter die Ausschließungsgründe des Wiedergutmachungsgesetzes fiel, wurde Broich-Oppert
nach Norwegen entsandt. Nach fünf Jahren in Oslo, die mit seiner Beförderung zum Botschafter gekrönt wurden, und einer zweijährigen Tätigkeit als Ständiger Beobachter bei den Vereinten Nationen wurde Broich-
Oppert 1958 neuer Personalchef des Auswärtigen Amts.[32]

Verweigerte Wiedergutmachung

Als wenige Tage nach den Gedenkfeiern zum zehnten Jahrestag des Hitler-Attentats vom 20. Juli 1944 die Meldung durch die Presse ging, Otto John, seit Dezember 1950 Präsident des Bundesamtes für Verfassungsschutz (BfV), habe sich mit Hilfe eines West-Berliner Bekannten und Stasispitzels in die »Zone« abgesetzt, löste dies in zahlreichen soldatischen Traditionsgemeinschaften ein Gefühl der Genugtuung aus. Bestätigt sah sich auch der ehemalige Personalreferent für den höheren Dienst, Wilhelm Melchers, der inzwischen im fernen Bagdad Dienst tat. Wie die dem Amt eng verbundene Gräfin Dönhoff unmittelbar nach Johns Übertritt in der *Zeit* in Erinnerung rief, war es Melchers gewesen, der bereits 1949/50 nachdrückliche Zweifel an der Integrität Johns angemeldet hatte und dafür von den Mitgliedern des Untersuchungsausschusses Nr. 47 heftig kritisiert worden war.[33] Nachdem Melchers in einer streckenweise turbulent verlaufenen Sitzung vernommen worden war, hatte der Untersuchungsausschuss empfohlen, ihn wegen Befangenheit nicht länger mit Personalfragen zu befassen und seine Aussagen einer erneuten Prüfung zu unterziehen.

John, der aufgrund seiner Kontakte zu Stauffenberg, Leber und anderen Verschwörern Deutschland im Juli 1944 fluchtartig hatte verlassen müssen, hatte sich seit Gründung der Bundesrepublik Hoffnungen auf einen Posten im Auswärtigen Dienst gemacht. Im Dezember 1949 legte ihm Bundespräsident Heuss deshalb nahe, seine Bewerbungsunterlagen bei Staatsrat Haas einzureichen, was John auch unverzüglich tat. Als Einige Wochen später noch keine Reaktion des Organisationsbüros vorlag, entschloss sich der mittlerweile in London lebende Jurist, nach Bonn zu reisen, um sich persönlich zu erkundigen. Als erstes suchte er Melchers auf, der vorgab, von der Bewerbung »keine Ahnung zu haben«. Einen Tag später traf er sich mit Haas. Dieser ließ durchblicken, dass jemand, »der sich während des Krieges als Emigrierter im Ausland politisch betätigt« habe, im Auswärtigen Dienst keine Verwendung finden könne. John ahnte nicht, dass man seinen Fall zu diesem Zeitpunkt bereits mit dem Verdikt des »Landesverrats« belegt hatte.[34] Obwohl Haas beim Abschied zusagte, man werde sich wieder melden, hörte John nichts mehr, und auch mehrere Unterstützungsschreiben sowie eine Nachfrage Jakob Kaisers beim Bundeskanzler prallten an einer Mauer des Schweigens ab. Als John Ende Oktober bei Melchers vorsprach, um über eine außergerichtliche Lösung für seinen Mandanten Wolfgang Gans Edler Herr zu Putlitz zu verhandeln, dessen Wiederbewerbung vom AA aufgrund des Spionagevorwurfs gegen ihn abgelehnt worden war, hatte er seinen Wunsch nach Wiedereintritt bereits aufgegeben. Etwa ein Jahr nach der erfolglosen Bewerbung beim Organisationsbüro sollte John dann »mehr zufällig« auf den Posten des Verfassungsschutzpräsidenten gelangen.[35]

Als Melchers im Mai 1952 zu den Vorgängen des Jahres 1950 befragt wurde, ging es ausschließlich um den Fall John. Bei der Überprüfung von Johns Personalakte, die das AA eigenartigerweise zu ihm und anderen abgelehnten Bewerbern angelegt hatte, waren Dokumente aufgetaucht, aus denen eindeutig hervorging, dass Melchers noch vor Eintreffen des ersten Bewerbungsgesuchs darum bemüht gewesen war, den unerwünschten Interessenten abzuwimmeln. So hatte Melchers bei Erich Kordt und dem Weizsäcker-Verteidiger Hellmut Becker nachgefragt, wie auf die Bewerbung reagiert werden solle. Da John mit seiner Tätigkeit für die britische War Crimes Unit kurz zuvor maßgeblich zur gerichtlichen Überführung Erich Mansteins beigetragen hatte, fiel das Urteil alles andere als wohlwollend aus. Beckers Antwortbrief war ein krudes Gemisch aus Fakten, Halbwahrheiten, Gerüchten und vorsätzlichen Diffamierungen; zudem empfahl er, Kontakt zu Fabian von Schlabrendorff aufzunehmen, der über Informationen verfüge, dass John seit geraumer Zeit für das Foreign Office und den englischen militärischen Geheimdienst spioniere. Und obwohl sich Johns Rolle im Weizsäcker-Prozess auf die eines sachverständigen Zeugen beschränkt hatte, der wegen des Einspruchs von Verteidiger Magee gar nicht zum Zuge gekommen war, behauptete Becker wider besseres Wissen, John sei »der einzige aus den Reihen der Widerstandsbewegung« gewesen, der sich bereit gezeigt habe, als Zeuge der Anklage gegen Weizsäcker aufzutreten.[36] Weder hatte Melchers diese weitreichenden Vorwürfe einer Überprüfung unterzogen, noch hatte er John selbst Gelegenheit zu einer Stellungnahme gegeben. Alles sah vielmehr danach aus, dass ihn Beckers Auskünfte lediglich in seiner bereits feststehenden Ablehnung bestätigt hatten. Auch zweieinhalb Jahre nach dem letzten Nürnberger Urteil galt jedwede Zusammenarbeit mit der alliierten Anklagebehörde als triftiger Grund, um eine Eignung für den Auswärtigen Dienst prinzipiell auszuschließen.[37]

Während John das gescheiterte Bewerbungsverfahren wegsteckte, spitzten sich die Auseinandersetzungen zwischen seinem Mandanten Putlitz und dem Amt im Laufe des Jahres 1950 in dramatischer Weise zu. Eine Schlüsselrolle spielte dabei erneut Melchers, der sich einen intensiven Schriftwechsel mit dem in London lebenden einstigen Kollegen lieferte. Hintergrund des Schlagabtauschs war, dass sich Melchers in einem Streitgespräch mit Henry P. Jordan, einem Remigranten, der das Amt 1933 hatte verlassen müssen und jetzt auf Wiedereinstellung hoffte, dazu hatte hinreißen lassen, in ungewöhnlich drastischen Worten darzulegen, warum ein Mann wie Putlitz nicht für den neuen Auswärtigen Dienst tauge. Putlitz hatte wohl weniger seine mögliche Wiederverwendung als seine persönliche Ehre im Blick, als er Melchers aufforderte, die Quellen der »gegen ihn laufenden Gerüchte« offenzulegen.[38]

Daraufhin wiederholte Melchers, was er Jordan gesagt hatte, dass er nämlich von dem früheren Personalchef Schroeder gehört habe, dass Putlitz' ehemaliger Vorgesetzter bei der deutschen Gesandtschaft in Den Haag – der Mann war inzwischen in russischer Gefangenschaft verstorben – kurz nach Putlitz' Überlaufen zu den Engländern im Jahr 1939 der Zentrale gemeldet habe, sein Mitarbeiter sei aufgrund homosexueller Neigungen erpresst worden und deswegen zum Verräter geworden. Diese Auskunft verknüpfte Melchers mit der Drohung, von den Informationen Gebrauch zu machen, falls er wegen seiner Entscheidung, Putlitz nicht wiederzubeschäftigen, angegriffen werde. Als früherem »Mitarbeiter« von Kordt und Trott sei ihm durchaus bewusst, dass »Landesverrat und Landesverrat zwei verschiedene Dinge« seien. Und er wisse auch, dass »unter allen denen, die ›Widerstand‹ geleistet haben, um dieses abgegriffene Wort zu benutzen, irgendwie ein geheimes Einverständnis vorhanden gewesen ist. Diese Tatsache führt dazu, dass jeder, dem zu Unrecht irgendwelche unlauteren Motive zugeschrieben werden, Mittel und Wege findet, sich ein klares Alibi zu verschaffen.«[39] Damit stellte Melchers gegenüber den politischen Emigranten die Maxime auf, sie stünden der Behörde gegenüber in der Beweispflicht.

Statt das an Kollegen begangene Unrecht durch Reintegrationsangebote und eine großzügige Verwaltungspraxis »wiedergutzumachen«, forderte Melchers von den Betroffenen Verständnis dafür, dass gerade die Wiedereinstellungsgesuche politisch Verfolgter einer besonders strengen Auslese unterliegen müssten, um die Patrioten von den Verrätern zu unterscheiden. Sieht man von der Fiktionalität dieser Unterscheidung ab, versprach die Abgrenzung gegenüber Personen, die sich nach herrschender Meinung zu weit mit den Kriegsgegnern eingelassen hatten, aus der Perspektive des Amtes auch einen gewissen Selbstschutz. Denn in einem gesellschaftlichen Klima, in dem Vorstellungen von Befehlsnotstand und Opferbereitschaft nach wie vor hoch im Kurs standen und Vertreter der Opposition gegen Hitler als »Eidbrecher« oder charakterlose »Opportunisten« diffamiert wurden, machte eine Traditionsbildung, die sich in hohem Maß mit dem Erbe des nationalkonservativen und militärischen Widerstands identifizierte, zweifellos auch angreifbar. Die Anerkennung, dass Widerstand partiell durchaus legitim und moralisch gerechtfertigt sein konnte, war nur um den Preis einer umso schärferen Grenzziehung zwischen vermeintlich moralischen und unmoralischen Formen des Widerstands möglich.

Angesichts der Verbissenheit, mit der im Parlament und in den Medien um die Deutung des militärischen und zivilen Widerstands gerungen wurde, hatten die Betroffenen in der Regel keine Chance, ihre vielfach komplizierten, nicht selten auch widersprüchlichen Motivlagen rückblickend einer breiteren Öffentlichkeit plausibel zu machen. Dies traf in besonderer Weise auf unangepasste Köpfe wie John oder Putlitz zu, die Sympathien für die Idee eines wiedervereinigten und neutralen Deutschlands zwischen den Blöcken hegten und versuchten, ihre Widerstandskonzeption irgendwie auf die neue weltpolitische Konstellation zu übertragen. Es wurde ihnen nicht gedankt. Denn obschon dem Organisationsbüro seit September 1950 Berichte der deutschen Gesandtschaft in London vorlagen, aus denen hervorging, dass die Gestapo die Gerüchte um Putlitz in die Welt gesetzt hatte, um diesen prominenten Fall von Flucht zu diskreditieren, dienten dieselben Gerüchte später noch dazu, Putlitz die materielle Wiedergutmachung und moralische Rehabilitierung zu verweigern. Auch in Großbritannien sah Putlitz zu Beginn der fünfziger Jahre für sich kaum noch Perspektiven. Angeblich war er zu diesem Zeitpunkt bereits von der Unterstützung Lady Vansittarts abhängig, für deren Ehemann er während der dreißiger Jahre als Informant gearbeitet hatte.[40] Anfang 1952 setzte sich Putlitz schließlich in die DDR ab, wo er eine Stelle im Außenministerium fand. Zwei Jahre später versuchte er dann offenbar, seinen ehemaligen Anwalt und Freund John zum Übertritt zu überreden.

Bei der Bundestagsdebatte über den Fall John im Spätsommer 1954 nutzte der frühere AA-Mitarbeiter und CDU-Abgeordnete Kurt Georg Kiesinger Johns Übertritt in die DDR zur Diskreditierung des politischen Exils. Dabei griff er alte Behauptungen auf, John, ein »Trunkenbold« und »Homosexueller«, habe sich bereits vor 1945 in den Dienst des Kriegsgegners gestellt und danach an Prozessen gegen Deutsche mitgewirkt. Zwar könne man nicht grundsätzlich ausschließen, dass es unter den Emigranten einige »großartige Persönlichkeiten« gegeben habe. Entscheidend sei aber, dass auch die »Millionen in diesem Lande, die in der tragischen Situation der Hitlerzeit eben nicht jene heroische Haltung der Widerstandskämpfer oder nicht jenen Entschluss zur Emigration finden konnten oder finden wollten«, nach der »Katastrophe« trotzdem »echte und überzeugte Bürger des demokratischen Staatswesens« geworden seien. Solche feinsinnigen Unterscheidungen gingen Hans-Joachim von Merkatz (DP) noch viel zu weit: Für ihn stand außer Frage, dass ein Deutscher, der während des Zweiten Weltkrieges »mit dem Feind« zusammengearbeitet habe, für jedes öffentliche Amt »disqualifiziert« sei.[41]

»Bitte dringend abraten«: Der Fall Fritz Kolbe

Die Opposition, die sich im Auswärtigen Amt gegen Hitler gebildet hatte, bestand überwiegend aus Angehörigen des Großbürgertums und des Adels. Weitverzweigte familiäre und gesellschaftliche Beziehungen erleichterten es, potenzielle Verbündete zu mobilisieren und Kontakte zum Ausland zu knüpfen. Nur Fritz Kolbe, einer der effektivsten Gegner des NS-Regimes, stammte aus einfachen Verhältnissen. Unter dem Decknamen »George Wood« hatte er seinen Kontaktmann Allen Dulles während der letzten anderthalb Kriegsjahre mit politischen, militärischen und strategischen Informationen aus dem innersten Führungszirkel des Dritten Reichs versorgt und sich dadurch bewusst dem Verdikt des Landesverrats ausgesetzt.

Gegen Kriegsende nahm Dulles ihn unter seine Fittiche. Als das OSS im September 1945 aufgelöst wurde und Dulles vorübergehend in seine New Yorker Anwaltskanzlei zurückkehrte, wechselte Kolbe zur Berlin Operations Base (BOB), einer Nachfolgeeinrichtung des OSS in Deutsch-

land, wo er die Entwicklungen in der sowjetisch besetzten Zone beobachtete. Anfang 1948 musste Kolbe mit seiner zweiten Frau Maria das
Land überstürzt verlassen. Aufgrund verschiedener spektakulärer Ent-
führungsfälle im Ostsektor Berlins glaubten die Amerikaner seine Sicherheit in Deutschland nicht mehr gewährleisten zu können. Nach
einem einjährigen Aufenthalt in der Schweiz ließ sich das Ehepaar Kolbe
im Frühjahr 1949 in New York nieder. Während Dulles in Yale und
Michigan erfolglos versuchte, eine Stellung als Bibliothekar oder For-
schungsassistent für ihn zu organisieren, hoffte Kolbe, sich eine Existenz
als Geschäftsmann aufbauen zu können. Der Versuch endete in einem
finanziellen Debakel. Bereits nach wenigen Wochen war Kolbe dermaßen desillusioniert, dass er sich zur sofortigen Rückkehr nach Deutschland entschloss. Völlig mittellos und ohne Aussicht auf eine berufliche
Perspektive trafen er und seine Frau im Juli 1949 in Frankfurt ein.

Bereits Anfang Mai hatte sich Kolbe bei der in Höchst ansässigen Verwaltung für die Vereinigten Wirtschaftsgebiete (VfW) um einen Posten
im Außendienst beworben. Dabei war er von seinem Bekannten Walter
Bauer unterstützt worden, der als Mitglied der Bekennenden Kirche und
des Kreisauer Kreises im Dritten Reich zeitweise inhaftiert gewesen war
und das Vertrauen Adenauers und Erhards genoss. Es liege im Interesse
der VfW, schrieb Bauer, Kolbe in den Vereinigten Staaten einzusetzen,
handele es sich bei ihm doch um einen Menschen, der »politisch unbelastet« sei und im Kampf gegen den Nationalsozialismus Mut und Um-
sicht bewiesen habe. »Würde Kolbe Mitarbeiter der VfW z.B. in den
USA werden, so würde seiner Arbeit die Förderung, die er durch Allen
W. Dulles erfährt, gewiss zu Gute kommen.« Auch Ernst Kocherthaler,
ein deutscher Emigrant, suchte von der Schweiz aus seinem Freund nach
Kräften den Rücken zu stärken. Letztlich sei es Leuten wie Kolbe zu verdanken, dass sich während des Krieges in den USA die Überzeugung
habe bilden können, dass es »bis in das Auswärtige Amt hinein ein
Deutschland gäbe, mit dem der Westen zusammenarbeiten müsse, um
das europäische Gleichgewicht zu halten«.[42]

Zunächst sah es so aus, als ob Kolbes Wiedereinstieg dank des Engagements von Bauer und Kocherthaler glücken könnte. Die Leitung der
VfW erbat einen ausführlichen Lebenslauf und nahm Kolbe in die Vor-
merkliste auf.[43] Doch Alexander Böker, der nach fast fünfzehnjährigem
USA-Aufenthalt im April 1949 auf Einladung von Hermann Pünder

nach Deutschland zurückgekehrt war, um in das Marshallplan-Referat der VfW einzutreten, war sich seiner Sache im Fall Kolbe nicht sicher. Wahrscheinlich wurde sein Misstrauen geweckt, als er den Lebenslauf las, den Kolbe Anfang Juli geschickt hatte. Darin suchte Kolbe seine Eignung für den konsularischen Dienst mit dem Argument zu unterstreichen, dass er kein Parteimitglied gewesen sei, während er auf seine Zusammenarbeit mit dem OSS nur in verklausulierter Form einging. Anstatt sich offen zu seinen politischen Auffassungen und Methoden zu bekennen, wurden die riskanten Beziehungen »zu amerikanischen und französischen Kreisen« als bloße Gesprächskontakte ausgegeben, in denen es hauptsächlich darum gegangen sei, für den »Gedanken einer Zusammenarbeit mit dem vorhandenen demokratischen ›anderen‹ Deutschland zu werben«.[44] Auch wenn Kolbe die Verschleierung seiner Geheimdienstverbindungen möglicherweise mit früheren Mitstreitern abgestimmt hatte, war diese Strategie im Umgang mit deutschen Stellen höchst problematisch.

Böker wurde stutzig. Wenn Kolbe, wie er behauptete, dem »anderen Deutschland« nahestand, müsste er ja mit den Kordts in Verbindung gewesen sein. Also fragte Böker nach. Es habe im Büro von Botschafter Ritter einen Konsulatssekretär namens Kolbe gegeben, antwortete Theo Kordt Anfang August, der verschiedentlich amtliche Kurierreisen nach Bern unternommen habe. Im Zusammenhang mit »unseren, auf den Sturz des Hitlerregimes zielenden Bestrebungen« sei dessen Name aber niemals gefallen. Er selbst habe Kolbe nicht kennengelernt, von seinem früheren Vorgesetzten Köcher jedoch »eine Schilderung über das Auftreten dieses Herrn zwei oder drei Tage vor der Kapitulation« gehört, die zu begründeter Zurückhaltung Anlass gebe. Kordt versprach, weitere Erkundigungen einzuholen.[45] Noch am selben Tag setzte er sich mit seinem Ex-Kollegen Luitpold Werz in Verbindung, der mittlerweile eine leitende Position im Büro des hessischen Ministerpräsidenten bekleidete. Der promovierte Jurist, Pg seit Oktober 1934, war Kolbe bereits in den dreißiger Jahren am Konsulat in Barcelona unter Otto Köcher und in Pretoria begegnet. Während der letzten Kriegsmonate hatte Werz das Referat II B der Gruppe Inland II (Verbindung zum Chef der Sipo und des SD, zur Ordnungspolizei, zu den Polizeiattachés und SD-Beauftragten, Auslandsreisen, Polizeiliche Ermittlungen und Auskünfte, Emigrantentätigkeit, Sabotage, Attentate) geleitet. Diese Tätigkeit sowie der Verdacht,

Werz habe am Konsulat von Lourenço Marques, dem heutigen Maputo, Spitzeldienste für den SD geleistet, dürften der Grund dafür gewesen sein, dass Kolbe ihn im April 1945 unter jene Beamten gerechnet hatte, die »ungeeignet« für den neuen Auswärtigen Dienst seien.[46]

In der Annahme, Werz verfüge noch über Kontakte zur Familie seines früheren Chefs Köcher, klärte Kordt ihn über die Hintergründe seiner Korrespondenz mit Böker auf. Es sehe ganz so aus, als ob Kolbe derjenige gewesen sei, der am 5. oder 6. Mai 1945 in Köchers Wohnung erschienen sei, um erfolglos die Herausgabe von Gold aus amtlichen Beständen »für die USA-Regierung« zu fordern. Kordt rief auch die mysteriösen Umstände von Köchers Selbstmord im Ludwigsburger Internierungslager in Erinnerung, die er allenfalls vom Hörensagen kannte; die Amerikaner sollen den Gesandten dort mit Vorwürfen konfrontiert haben, die unter anderem auf Aussagen Kolbes beruhten. Jedenfalls ließ Kordt keinen Zweifel daran, dass ihm der Gedanke einer möglichen Wiederverwendung Kolbes großes Unbehagen bereite.[47]

Zu Kolbe könne er nur wenig beitragen, erklärte Werz. Abgesehen von der Tatsache, dass er ihm »von Grund auf unsympathisch« gewesen sei, gebe es nichts Ungünstiges über ihn zu berichten. Im Übrigen habe Kolbe ihn kürzlich in Wiesbaden aufgesucht und sich darüber beklagt, dass über seine frühere Tätigkeit so viel »gequatscht« werde. Da er sich »abfällig« über das angebliche Versagen Köchers geäußert habe, sei man »im Unfrieden« auseinandergegangen.[48]

Trotz mehrwöchiger Recherchen hatten die »Erkundigungen« zu Kolbe also nichts zutage gefördert, was sich substanziell gegen diesen ins Feld führen ließ. Trotzdem wollten sich die Brüder Kordt und ihre Helfer in dieser Angelegenheit nicht so schnell geschlagen geben, stand für sie doch nichts weniger auf dem Spiel als die Reputation der amtsinternen Opposition – und die Ehre eines früheren Vorgesetzten und Kollegen. Fast dringlich teilte Theo Kordt Anfang September Böker mit, dass sich die »Bedenken gegen Herrn K.« bestätigt hätten. Was er herausgefunden habe, eigne sich nicht zur schriftlichen Wiedergabe, er werde bei nächster Gelegenheit mündlich berichten. Etwaige Zweifel an der Glaubwürdigkeit seiner Informationen wies Kordt schon im Vorfeld zurück; schließlich kenne man sich lange genug, um zu wissen, dass »ich ernste Gründe habe, wenn ich Herrn K. gegenüber große Zurückhaltung empfehle«.[49]

Für Kolbe begann jetzt eine demütigende Phase des Klinkenputzens, denn die Kordts sorgten dafür, dass die Erzählung von Köchers heroischer Haltung und seinem anschließenden tragischen Tod Verbreitung fand. Ehemaligen Kollegen und Untergebenen des Berner Gesandten, die sich entweder gar nicht oder nur unvollständig erinnern konnten, half man geschickt auf die Sprünge. Vor allem Werz, inzwischen zur rechten Hand von Bundespräsident Heuss geworden, wurde verstärkt in die Mangel genommen. Als Ministerialrat Holzhausen von der VfW Ende November erneut bei ihm nachfragte, ob er zu Kolbe Auskunft geben könne, hatte er sich die Version der Kordts schon weitgehend zu eigen gemacht: Kolbe versuche sich als Widerstandskämpfer auszugeben, obwohl er vermutlich ein bezahlter Spion der Alliierten gewesen sei. Binnen weniger Wochen hatten die diffusen Gerüchte über Kolbe den Status gesicherten Wissens erlangt. Als Mitte Dezember ein weiteres Bewerbungsschreiben von Kolbe beim Organisationsbüro in Bonn eintraf, bedurfte es schon gar keiner Entscheidung mehr. Der Bewerber dürfe unter keinen Umständen eingestellt werden, so Melchers, und solle »ohne Bescheid« bleiben. Eine weitere Bewerbung, die Kolbe an den designierten New Yorker Generalkonsul Hans Schlange-Schöningen gesandt hatte, quittierte Melchers mit der unmissverständlichen Bemerkung »Bitte dringend abraten«.[50]

Im Laufe des Jahres 1950 begannen sich die Kriterien der Bewertung Kolbes allmählich zu verschieben. Es ist vermuten, dass hierbei vor allem die sich verschärfenden Rivalitäten zwischen deutschen und amerikanischen Geheimdiensten eine Rolle spielten. Und es dürfte von nicht zu unterschätzender Bedeutung gewesen sein, dass Kolbes Mentor Allen Dulles 1950 von dem neuen CIA-Direktor Walter Bedell Smith reaktiviert und zum Leiter einer Einheit für verdeckte Operationen ernannt wurde.

Im Sommer 1950 verdichteten sich die Hinweise, dass die Amerikaner darüber verärgert waren, wie man in Frankfurt und Bonn alle Bemühungen Kolbes, in den öffentlichen Dienst zurückzukehren, zu vereiteln wusste. Sichtbares Zeichen dieser Verstimmung war ein längerer Artikel in der US-Illustrierten *True*. Unter dem Titel »The Spy the Nazis missed« würdigte der Journalist Edmund P. Morgan nicht nur ausführlich Kolbes Einsatz während des Krieges, sondern ging auch auf seine erfolglosen Versuche ein, im neuen Auswärtigen Dienst Fuß zu fassen. Morgan be-

schrieb Kolbe als idealistischen Einzelgänger, der aus antinationalsozia-
listischer Gesinnung gehandelt habe – und dabei weder finanzielle noch
materielle Vorteile im Sinn gehabt habe. Kolbe wurde mit der Bemerkung zitiert, man betrachte ihn in Bonn als »Verräter« und versuche
deshalb, seine Wiederbeschäftigung zu verhindern. Dies hänge in erster
Linie mit den rufschädigenden Äußerungen des früheren Berner Gesandten Köcher zusammen, der ein »überzeugter Nationalsozialist« gewesen sei.[51]

Die USA machten jetzt Druck, um eine positive Entscheidung zu erzwingen. Einen Tag vor Publikation des *True*-Artikels erschien Walter
Bauer, der inzwischen bei der Ruhrbehörde in Paris tätig war, bei Hellmut Allardt im Bundeswirtschaftsministerium, um seine Verwunderung
darüber zum Ausdruck zu bringen, dass Kolbe noch immer ohne Beschäftigung sei. Sobald er wieder in Paris sei, wolle er darüber mit Dulles
sprechen, der »außer sich« sein werde, wenn er von Kolbes Schicksal
erfahre. Auch mit Blankenhorn und Haas werde er sich ins Benehmen
setzen.[52]

Tatsächlich schaltete sich Dulles im Spätsommer 1950 persönlich in
die Kontroverse um Kolbe ein. In Unterredungen mit Bauer und Theo
Kordt stellte er klar, dass Kolbe nicht aus finanziellen Motiven gehandelt
habe und dass er auch am Tod des Gesandten Köcher keine Schuld trage.
Gleichzeitig legte er Blankenhorn ans Herz, doch dafür zu sorgen, dass
für Kolbe ein Platz im neuen Amt gefunden werde.[53] Während die amerikanische Seite zu diesem Zeitpunkt noch davon ausging, man müsse
nur die Kriegsgerüchte aus der Welt schaffen, um Kolbe zu helfen, war
die Entscheidungslage aus deutscher Sicht insofern um einiges komplexer, als Kolbes Nähe zum amerikanischen Geheimdienst nicht unbedingt eine Empfehlung für seine Einstellung in einer Bundesbehörde
war. Es wurde längst offen darüber geredet, dass es sich bei der Personalie Kolbe um einen Infiltrationsversuch der CIA handele, der unter allen
Umständen abgewehrt werden müsse.[54] Maßgeblich war in dieser Hinsicht erneut die Einschätzung der Kordt-Brüder und des Personalreferenten Melchers, die von Kolbes Illoyalität überzeugt waren. Ohne es zu
ahnen, trug Dulles mit seiner Intervention zugunsten von Kolbe dazu
bei, die bestehende Abwehrfront zu stärken.

Am Ende scheiterte Kolbes Wiedereinstieg in den Auswärtigen Dienst
vor allem an Blankenhorn, der bis Juni 1943 einer der engsten Mitarbei-

ter von Köcher gewesen war.[55] Zu den Kräften, die durch fehlende Initiative dazu beitrugen, dass Kolbe nicht reaktiviert wurde, gehörte aber auch die oppositionelle SPD: Weder Carlo Schmid, den Kolbe 1949 persönlich angeschrieben hatte, noch der außenpolitische Sprecher Gerhart Lütkens sahen eine Veranlassung, sich in dieser Angelegenheit zu exponieren.[56] Nicht zuletzt aufgrund des offenkundigen Desinteresses der SPD an dem Fall kam die gescheiterte Bewerbung Kolbes vor keinem der beiden Untersuchungsausschüsse zur Sprache.

Im Juli 1955, möglicherweise im Zusammenhang mit den Feierlichkeiten zum 20. Juli 1944, kam im AA die Frage auf, ob die monatlichen 300 D-Mark Übergangsgeld, die Kolbe seit 1951 auf der Grundlage der 131er-Gesetzgebung bezog, nicht gestrichen werden müssten. Der für die Festsetzung der Versorgungsbezüge zuständige Referent war darüber gestolpert, dass zu Kolbe weder Personalakten noch ein Wiedereinstellungsgesuch vorlagen. Auf der Suche nach den Unterlagen stieß man auf den Bewerbungsvorgang von 1949/50; darin befand sich auch eine längere Aufzeichnung von Melchers, in der dieser Kolbes Nichtwiederverwendung mit dem Verdacht der Spionage begründete. Vor diesem Hintergrund regte Referat 103 an, beim Bundesamt für Verfassungsschutz nachzufragen, ob dort Informationen vorhanden seien, welche die Einleitung eines Disziplinarverfahrens rechtfertigen würden. Der Vortragende Legationsrat Stackelberg kam zu dem Schluss, es bestünden keine hinreichenden Anhaltspunkte für ein »schweres Dienstvergehen«. Danach verschwand die Akte wieder in der Versenkung.[57]

Erst Mitte der sechziger Jahre wurde Kolbe eine späte Anerkennung durch einen Vertreter der Bundesrepublik zuteil – wenn auch nur in Form einer privaten »Ehrenerklärung«. In einem Artikel zum zwanzigsten Jahrestag des 20. Juli 1944 hatte sich Bundestagspräsident Gerstenmaier – mit Bezugnahme auf Kolbe, aber ohne diesen namentlich zu nennen – zur Problematik des »Verrats« geäußert; damit reagierte er offenbar auch auf die Wertschätzung, die Kolbe weiterhin in amerikanischen Geheimdienst- und Historikerkreisen genoss.[58] Als Kolbes Freunde, darunter Ernst Kocherthaler, daraufhin wegen einer Rehabilitierung Kolbes nachhakten, ließ Gerstenmaier gönnerhaft ausrichten, er stelle Kolbe »von den gegen ihn erhobenen Vorwürfen frei«.[59]

In erster Linie aufgrund der Intransigenz des Amtes verstarb Kolbe 1971 in der Schweiz, ohne rehabilitiert worden zu sein. Obwohl Zeithistoriker in ihm spätestens seit Mitte der neunziger Jahre einen »standhaften Gegner des Nationalsozialismus« sahen, dauerte es bis 2004, ehe Außenminister Joschka Fischer die im selben Jahr in Deutschland erschienene Kolbe-Biographie des französischen Journalisten Lucas Delattre und die Recherchen zweier *Spiegel*-Redakteure zum Anlass einer offiziellen Würdigung nahm. Anlässlich der Einweihung des Fritz-Kolbe-Saals im Auswärtigen Amt nannte Fischer Kolbe einen »Vertreter des stillen Widerstands« und verknüpfte dies mit der selbstkritischen Bemerkung, dessen Nachkriegsschicksal stelle kein »Ruhmesblatt« für die Behörde dar. Der deutschen Historikerzunft und der Öffentlichkeit attestierte er, Kolbe über Jahrzehnte hinweg ignoriert zu haben.[60]

Zweierlei Widerstand: Der Fall Rudolf von Scheliha

Die mehr oder weniger offene Unterscheidung zwischen »echten« Widerstandsangehörigen und angeblichen Landesverrätern bestimmte die frühe Gedenkpraxis des AA. Zur Zeit der Gründung der Bundesrepublik taten sich die Repräsentanten der jungen Republik noch schwer, den sogenannten »Eidbrechern« Anerkennung zu zollen. Erst der Prozess gegen Otto Ernst Remer im März 1952 schlug eine Schneise in die öffentliche Geringschätzung. Remer, der Kommandeur des Wachbataillons, das die Verschwörung am 20. Juli niedergeschlagen hatte, hatte den Kreis der Attentäter als Hoch- und Landesverräter verunglimpft, woraufhin ihn Innenminister Robert Lehr wegen Verleumdung anzeigte. Die Verurteilung Remers durch das Landgericht Braunschweig gilt als wichtiger Schritt auf dem Weg zur Rehabilitierung der Verschwörer um Stauffenberg und Goerdeler.

Ein weiterer Meilenstein war die Rede des Bundespräsidenten zum zehnten Jahrestag des Hitler-Attentats. Heuss wandelte auf schmalem Grat: Sein Bekenntnis zum Widerstand würdigte die Verschwörung der Militärs, ihr moralisches und historisches Recht auf Widerstand, und stellte die Schmähungen der politischen Rechten als Angriffe auf das neue Staatswesen bloß. Gleichzeitig verengte die Rede den Widerstand auf die konservativen Eliten. Deren Würdigung gab denen, die der neuen Demokratie noch ablehnend oder abwartend gegenüberstanden, die

Möglichkeit, den Widerstand als moralisches Alibi zu nutzen. »Die Scham, in die Hitler uns Deutsche gezwungen hat«, so Heuss, »wurde durch ihr Blut vom besudelten deutschen Namen wieder weggewischt.«[61]

Die Rede von Heuss war eine für damalige Verhältnisse energische Parteinahme für die Widerstandskämpfer, die er als sittliche Vorbilder sah. Nur einen Tag später jedoch drohte der Übertritt Otto Johns nach Ost-Berlin alle Bemühungen um eine neue Bewertung des Widerstands zunichte zu machen. Pikanterweise war John direkt nach der Gedenkfeier im Bendlerblock in den Ost-Sektor der Stadt verschwunden. Am 22. Juli meldete der ostdeutsche Rundfunk, dass John fortan mit den Behörden der DDR zusammenarbeiten wolle. Der Schaden war immens. Wer Widerstand als Hoch- und Landesverrat sah, konnte sich durch den Fall John bestätigt sehen. Die Linien zwischen Widerstand und Verrat drohten wieder zu zerfließen.

Bereits vor der offiziellen Neugründung 1951 war das Selbstbild des Auswärtigen Amts fest etabliert: auf der einen Seite die qualifizierten Diplomaten, die das »wahre« Amt repräsentierten und in Opposition zum Regime standen, auf der anderen Seite die von der Partei eingeschleusten Dilettanten und Spitzel. So entstand früh das Bild eines in sich tief gespalten Ministeriums, in dem sich zwölf bittere Jahre lang ein »unverdorbener« Kern traditioneller, »anständiger« Diplomaten gegen nationalsozialistische Parvenüs habe behaupten müssen.[62] Dieses Selbstbild galt es nach der Gründung des neuen Amts, vor allem nach der lauten Kritik an der Wiedereinstellung belasteter Diplomaten und dem fatalen Echo, das der Untersuchungsausschuss hervorrief, einer breiteren Öffentlichkeit zu kommunizieren. Der zehnte Jahrestag des gescheiterten Attentats vom 20. Juli bot dazu Gelegenheit. Auf der Feier im Stadttheater Bonn am 21. Juli 1954 trat neben dem Bundeskanzler als Hauptredner Eugen Gerstenmaier auf, der dem Kreisauer Kreis angehört hatte und nach dem Attentat verhaftet worden war. Als Mitglied des Untersuchungsausschusses war er mit der öffentlichen Kritik an der Personalpraxis des AA bestens vertraut.

Die Feierstunde, so schon der Bundeskanzler in seiner Eröffnungsrede, sei dazu da, vom Auswärtigen Amt »die besondere Verdammnis, die im Inland und im Ausland über dies Amt … zu Unrecht ausgesprochen worden ist, hinwegzunehmen«. Keine leichte Aufgabe für Gerstenmaier, der gleich eingangs betonte, dass »es außer in der Armee nur noch im

Auswärtigen Amt eine relativ dicht gefügte, aktive Gemeinschaft von Männern gab, die jahrelang planmäßig am Sturz Hitlers gearbeitet hatten«. Dass ihnen kein Erfolg vergönnt gewesen sei, habe nicht etwa an mangelnder Entschlossenheit gelegen, sondern sei letztlich die Schuld der westlichen Verbündeten, besonders Großbritanniens, gewesen. Die freie Welt habe »die faire Bundesgenossenschaft des anderen Deutschland ausgeschlagen«, indem sie der Opposition Zusicherungen für die Zeit nach Hitler verweigerte. Chamberlain und Daladier hätten Hitler im Herbst 1938 »gerettet«. Ihre Reise nach München habe die Angehörigen des Widerstands gezwungen, den für jenes Jahr erwogenen Staatsstreich zu vertagen. Gerstenmaiers Hinweis auf die Mitschuld gerade der britischen Regierung entsprach dem Bild, das zeitgleich in der Literatur zum nationalkonservativen Widerstand verankert wurde.[63]

Ob die Verantwortlichen im Auswärtigen Amt die erste Rede zum Widerstand der Diplomaten so konzipiert hätten, muss offenbleiben; Gerstenmaiers Rede wurde nicht in der Koblenzer Strasse entworfen.[64] Dort hatte man lediglich die protokollarische Herausforderung zu lösen, wer in der Rede namentlich erwähnt und geehrt werden sollte. Wolfgang von Welck, zu der Zeit Leiter der Länderabteilung, erhielt den Auftrag, die Veranstaltung vorzubereiten und dabei die delikate Frage zu klären, wer unter den Angehörigen des AA tatsächlich dem Widerstand zuzurechnen sei.[65] Offenbar hielt es Welck nicht für opportun, unter den »Ehemaligen« eine neuerliche Diskussion darüber loszutreten, wer in welcher Form seine Opposition zum Ausdruck gebracht habe. Es erschien ihm sicherer, sich bei der Gedenkfeier auf jene Personen zu beschränken, die für ihre Haltung mit dem Leben bezahlt hatten. Im Historischen Referat wurden zehn Biographien recherchiert: Albrecht Graf von Bernstorff, Eduard Brücklmeier, Hans Bernd von Haeften, Ulrich von Hassell, Otto Kiep, Richard Kuenzer, Hans Litter, Herbert Mumm von Schwarzenstein, Werner Graf von der Schulenburg und Adam von Trott zu Solz.[66] Die Genannten hatten auf unterschiedlichen Wegen zum Widerstand gefunden, nicht zwangsläufig im Zusammenhang mit dem aktiven diplomatischen Dienst. Für die Belange der Gedenkfeier 1954 wurden individuelle Wege und Motivationen aber dem Ziel untergeordnet, den Beitrag des Auswärtigen Amts am Widerstand möglichst breit herauszustellen.

Ein prominentes Opfer der NS-Herrschaft, Legationsrat Rudolf von Scheliha, fehlte in der Liste. Ihn schlossen die Verantwortlichen bewusst von der Ehrung aus, obwohl gerade er sich seine amtliche Stellung und die Ressourcen des Dienstes gezielt zunutze gemacht hatte, um Verfolgten des Regimes zu helfen, Informationen über NS-Verbrechen ins Ausland zu lancieren und Kontakt mit anderen Regimegegnern zu halten. An Scheliha haftete jedoch seit seiner Hinrichtung im Dezember 1942 in Plötzensee der Vorwurf des Verrats. Seit 1922 im diplomatischen Dienst, hatte er nach Stationen in Prag, Konstantinopel, Ankara und Kattowitz von 1932 bis 1939 in der deutschen Vertretung in Warschau gearbeitet. In diesen Jahren baute er vielfältige Kontakte mit polnischen Adeligen und Intellektuellen auf und machte aus seiner wachsenden Ablehnung der NS-Politik und der Kriegsvorbereitungen keinen Hehl. In Warschau war Scheliha unter anderem für die Betreuung deutscher Zeitungskorrespondenten zuständig; dazu zählten auch der Mitarbeiter des *Berliner Tageblatts*, Rudolf Herrnstadt, der als überzeugter Kommunist seit 1931 für den sowjetischen Nachrichtendienst arbeitete, und die freie Journalistin Ilse Stöbe.

Die Entscheidung, Scheliha bei der Gedenkfeier 1954 nicht zu ehren, fiel auf der Direktorenbesprechung des AA am 13. Juli. Der von der Gestapo erhobene Vorwurf bezahlten Landesverrats und das Urteil des Reichskriegsgerichts wurden vorerst als gegeben betrachtet. Die Gründe für die Hinrichtung Schelihas seien nicht abschließend geklärt, sodass es nicht möglich sei, ihn auf der Gedenkfeier zu erwähnen. Marie Louise von Scheliha erhielt ein entsprechendes Schreiben, in dem Welck auch auf das noch nicht abgeschlossene Wiedergutmachungsverfahren der Witwe verwies.[67]

Der Antrag der Witwe Scheliha auf Wiedergutmachung und die Frage der Ehrung bedeuteten in der Tat eine ungünstige Koinzidenz. Ihr ursprünglich in Stuttgart anhängiges Verfahren auf Wiedergutmachung war gescheitert, nachdem in einem Artikel der Illustrierten *Stern* (»Rote Agenten unter uns«) auch der Name Scheliha erwähnt worden war.[68] Kurz vor Ablauf der Fristen reichte Marie Louise von Scheliha im März 1952 einen neuen Antrag beim Auswärtigen Amt ein.[69] An gutem Willen mangelte es dort zunächst nicht. Der Antrag landete auf dem Schreibtisch von Alfred »Fips« von Lieres und Wilkau, einem alten Freund Schelihas, der im neuen Amt die Abteilung Wiedergutmachung (I Pers F) leitete. Lieres bemühte sich nach Kräften, die Sache voranzutreiben. Er erkannte frühzeitig, dass die angeblichen Beweise des Reichskriegsgerichts unzuverlässig waren und von Beteiligten an dem Verfahren keine Aufklärung erwartet werden konnte, da sie sich selbst belastet hätten.[70] Innerhalb des Amtes konnte Lieres besonders auf die Unterstützung des Generalkonsuls in Barcelona, Herbert Schaffarczyk, zählen, der ein enger Mitarbeiter Schelihas in der Informationsabteilung gewesen war und in mehreren Erklärungen für seinen ehemaligen Vorgesetzten eintrat.

Außerhalb des Amts wurden die Recherchen von Lieres jedoch vielfach blockiert und um bald zwei Jahre verzögert. Die Staatsanwaltschaft Lüneburg weigerte sich, dem AA die Akten im Verfahren gegen den Generalrichter der Luftwaffe Manfred Roeder zugänglich zu machen. Einer der Gründe dafür mag gewesen sein, dass der Versuch der Staatsanwaltschaft Lüneberg, in dem Verfahren gegen Roeder auch die Frage zu klären, ob sich die AA-Leitung anlässlich Schelihas Verhaftung hinter diesen gestellt hatte, daran gescheitert war, dass Staatssekretär a. D. Weizsäcker sich an keine Details mehr zu erinnern vermochte.[71] Roeder hatte die Anklage gegen Mitglieder der »Roten Kapelle« sowie gegen Scheliha und Stöbe vor dem Reichskriegsgericht geführt und war nach dem Krieg von Überlebenden angezeigt worden. Nicht zuletzt aufgrund der hinhaltenden Auskünfte aus Lüneburg ging Lieres davon aus, dass die Unterlagen zu Roeder Aufschluss über Schelihas Verurteilung und vor allem seine Tatmotive enthielten. Tatsächlich enthielten sie weder Urteil noch Urteilsbegründung. Lieres aber jagte den Akten über Monate nach: erst bei der Staatsanwaltschaft Stuttgart, dann beim niedersächsischen Justizministerium, von wo sie zum Bundesjustizministerium wanderten, um schließlich an das Bundesamt für Verfassungsschutz abgegeben zu werden. Letztlich scheiterte er an den personellen Kontinuitäten in der westdeutschen Justiz, die es Protagonisten der NS-Justiz erlaubten, sich der Strafverfolgung zu entziehen, während ihre Urteile weiterhin Rechtsgültigkeit besaßen.

Bei der Bonner Gedenkfeier fiel Wolf-Ulrich von Hassell, dem Sohn des ehemaligen Botschafters, auf, dass Scheliha übergangen worden war. Er legte den Organisatoren nahe, beim Gefängnispfarrer Harald Poelchau nachzufragen, dem sich Scheliha in seiner letzten Nacht in Plötzensee anvertraut hatte, wobei es ihm besonders wichtig gewesen war herauszustellen, dass er »keinerlei Geldbeträge genommen« habe.[72] Auch Welck, der persönlich davon überzeugt war, dass Scheliha »ein fanatischer Gegner des Nationalsozialismus war«, setzte sich für eine

Fortsetzung der Untersuchung ein, da das Amt dem Fall Scheliha noch nicht gerecht geworden sei.[73] Im Zuge dieser Untersuchung wurden weitere persönliche Zeugnisse gesammelt, von denen etliche für Scheliha bürgten.

Woran also scheiterte der Antrag der Witwe, wenn die Beweislage eindeutig war, eindeutiger als bei manch anderem, der in der Gedenkfeier geehrt wurde? Zum einen wurden Hinterbliebene von angeblichen »Landesverrätern« aus dem Umfeld der »Roten Kapelle« in der Wiedergutmachungspraxis der frühen Bundesrepublik systematisch ausgegrenzt.[74] Zum anderen gab es einen übereifrigen, vielleicht auch böswilligen Juristen in der Wiedergutmachungsabteilung, der stets neue Einwände formulierte. Es wurde viel Zeit verloren, und in dieser Zeit wurden weitere Diffamierungen gegen Scheliha und die »Rote Kapelle« veröffentlicht, sodass es politisch immer heikler erschien, sich offiziell zu Scheliha zu bekennen.

Mit der Pensionierung von Lieres 1955 geriet die Sache endgültig ins Stocken. Die Untersuchung wurde fortan von Walter Jesser geleitet, der sich einer Regelung zugunsten der Witwe mehrfach in den Weg stellte.[75] Als deren Anwalt im März 1955 die Aufhebung des Todesurteils gegen Rudolf von Scheliha vorlegen konnte – das bayerische Justizministerium hatte, gestützt auf die Annullierung aller Kriegsstrafgesetze durch die Alliierten, das Urteil für ungültig erklärt[76] –, war eigentlich die Voraussetzung für ein Wiedergutmachungsverfahren gegeben. Jesser erkannte jedoch die bayerische Zuständigkeit in der Angelegenheit nicht an; das Urteil war in Berlin-Charlottenburg gesprochen worden und konnte in seiner Logik auch nur dort wieder aufgehoben werden.[77] Als Nächstes verhinderte er eine pragmatische Lösung, die sein Kollege Gerhard Stahlberg vorschlug, um Frau von Scheliha möglichst rasch aus ihrer prekären finanziellen Lage zu helfen. Stahlberg argumentierte, dass die Aufhebung des Todesurteils auch die beamtenrechtlichen Folgen des Urteils beseitige. Scheliha war kurz vor seiner Verurteilung aus dem Beamtenverhältnis ausgestoßen worden. Wenn man die Aufhebung des Urteils dahingehend interpretierte, dass auch die Entlassung hinfällig war, hätte die Witwe Anspruch auf Versorgung nach Artikel 131 des Grundgesetzes gehabt. Jesser lehnte diese Interpretation Stahlbergs ab und stellte sicher, dass dieser sich damit nicht durchsetzen konnte. Er fertigte einen Vermerk, in dem er die Zuständigkeit des bayerischen Justizministeriums auch für die beamtenrechtliche Seite des Falles bestritt. So konnte er erwirken, dass das Bundesinnenministerium eingeschaltet wurde. Dort wurde der Vorschlag einer Versorgung nach Art. 131 abgelehnt. Das Innenministerium schlug als letzten Ausweg ein Gnadengesuch beim Bundespräsidenten vor.[78]

Als Jesser davon erfuhr, hielt er in einem Vermerk fest, dass das Amt ein Gnadengesuch der Witwe beim Bundespräsidenten nur dann befürworten könne, wenn sie im Gegenzug ihren Wiedergutmachungsantrag zurückziehe. Im Januar 1956 reichte Marie Louise von Scheliha beim Auswärtigen Amt ein solches Gesuch ein, da sie aufgrund ihrer bedrückenden materiellen Lage keinen anderen Weg mehr sah. Jesser, der sie ja selbst auf dieses Gleis gesetzt hatte, besaß abschließend noch die Unverfrorenheit, in einem Vermerk festzuhalten, er habe »Bedenken« dagegen, »dass das Gesuch vom AA befürwortet wird«. Dieses Mal konnte er sich mit seiner Auffassung nicht durchsetzen. Minister Brentano befürwortete den Antrag, der schließlich zugunsten der Witwe entschieden wurde.[79]

Die positive Beurteilung durch das Bundespräsidialamt änderte nichts daran, dass der Fall Scheliha weiterhin umstritten blieb. Während der drei Jahre zwischen dem Antrag der Witwe auf Wiedergutmachung beim Auswärtigen Amt im März 1952 und dem Gnadenerweis des Bundespräsidenten im Januar 1956 verfestigte sich zudem die negative, zum Teil reißerische Beurteilung des Widerstandes der »Roten Kapelle«, der Scheliha und Stöbe in der Regel zugeschlagen wurden. Den Anfang machte Fabian von Schlabrendorff, der in der zweiten Auflage seines immer wieder umgeschriebenen Buches »Offiziere gegen Hitler« die »Rote Kapelle« 1951 als Vereinigung von Landesverrätern bezeichnete. Der ehemalige Ankläger Manfred Roeder konnte 1952 eine Schmähschrift veröffentlichen, die ihre Kreise zog. Auch der Freiburger Historiker Gerhard Ritter machte sich Roeders Sicht in seiner Goerdeler-Biographie zu eigen: Die Widerstandskämpfer um Harnack und Schulze-Boysen hätten »ganz eindeutig im Dienste des feindlichen Auslandes« gestanden und seien deshalb als »Landesverräter« anzusehen.[80]

Die Rehabilitierung Schelihas wurde 1990 eingeleitet, als Botschafter a. D. Ulrich Sahm seine Biographie vorlegte.[81] Sahm hatte bei den alljährlichen Gedenkstunden zum 20. Juli wohl etwas zu genau hingehört. In seiner Ansprache zur 40. Wiederkehr des Jahrestages hatte Minister

Genscher den noch immer lückenhaften Wissensstand zum Schicksal jener Diplomaten beklagt, die dem NS-Regime zum Opfer gefallen waren. Sahm griff daraufhin den Fall Scheliha auf mit dem erklärten Ziel, den Mann zu rehabilitieren, der in den Ehrungen des Auswärtigen Amts bis dahin immer bewusst ausgegrenzt worden war.[82] Die rechtskräftige Rehabilitierung Schelihas erfolgte 1995 durch das Verwaltungsgericht Köln, eine Würdigung durch das Amt fand im gleichen Jahr statt, als in den Bonner Amtsräumen eine Erinnerungstafel mit Schelihas Namen enthüllt wurde. Die fünf Jahre zwischen Buch und Ehrung deuten auf Reibungsverluste. In der Tat traf Sahms Anliegen, eine Neubewertung der Person Schelihas zu erreichen, auf Vorbehalte, nicht zuletzt im Politischen Archiv. Dass es 1995 dennoch zu einer Würdigung kam, ging auf mehrfache Intervention aus dem Büro des Staatssekretärs zurück.

Der gerade noch abgewendete Skandal nahm im Frühjahr 1990 mit einem Schreiben Sahms an Staatssekretär Jürgen Sudhoff seinen Anfang. Sahm verstand seine Biographie als Beitrag zur Traditionspflege und war auch der Meinung, dass das Amt an der Familie von Scheliha »einiges wiedergutzumachen« habe. Er schlug deshalb vor, die aktiven Mitarbeiter im Auswärtigen Dienst über das bevorstehende Erscheinen des Buches zu informieren und die Familie zu einer Buchvorstellung in die Räume des Ministeriums einzuladen.[83] Sudhoff war durchaus der Meinung, dass das AA sich diesem Thema stellen müsse, und reichte das Manuskript an das Politische Archiv zur Beurteilung weiter.[84] Dort verfasste der zuständige Referent Ludwig Biewer eine ausführliche Stellungnahme, die zwar einen »cessat«-Vermerk erhielt, also nicht benutzt wurde, die aber tief blicken lässt, was die Einstellung des Politischen Archivs angeht. Der Referent interpretierte Sahms Anfrage als Vorbereitung für eine Verlagswerbung; da das Ministerium seine Räumlichkeiten nicht für Werbezwecke zur Verfügung stellen könne, müsse der Vorschlag abgelehnt werden. Das Gleiche gelte für einen Hinweis auf das Buch an die Mitarbeiter im Auswärtigen Dienst.

Als Gutachter war der Referent vollends überfordert. So fielen beispielsweise Schelihas Reisen in die Schweiz unter den Tisch, auf denen er die Predigten Bischof Galens verbreitete und mit an Sicherheit grenzender Wahrscheinlichkeit jener Informant wurde, der Carl J. Burckhardt im Oktober 1942 erste Nachrichten über den Holocaust zuspielte.[85] Dass Sahm aufgrund der komplizierten Quellenlage zu vorsichtigen Formulierungen greifen musste und Vermutungen als solche kennzeichnete, diskreditierte die Studie in den Augen des Referenten, der sich auch an »methodischen Fehlern« stieß. Seine These, dass Scheliha keinen Landesverrat zugunsten der Sowjets begangen habe, könne der Verfasser jedenfalls nicht beweisen. Deshalb entstehe auch »für das Auswärtige Amt kein Handlungsbedarf bei seiner Traditionspflege«.[86] Handschriftlich fügte er noch hinzu, dass kein Anlass für den Minister bestehe, die mittlerweile 86-jährige Witwe Scheliha und ihre Tochter zu empfangen.[87]

Das ebenso ungnädige wie inkompetente Gutachten wurde intern zwar gerade noch rechtzeitig kassiert, aber das Historische Referat hielt daran fest, dass das Amt weder seine Räume noch seinen Apparat kommerziellen Verlagsinteressen zur Verfügung stellen könne. Zwar sei die Widerstandshaltung Schelihas selbst nach Abzug einiger Vermutungen »gut belegt«; der Komplex einer möglichen Weitergabe von Nachrichten lasse sich aber bei der derzeitigen Quellenlage nicht wirklich aufklären.[88] Sahm fühlte sich missverstanden und erläuterte dem Staatssekretär noch einmal seine Motivation, woraufhin dieser sich dazu bekannte, »dass das Auswärtige Amt den Widerstand unseres früheren Kollegen Rudolf von Scheliha gegen das Naziregime bisher nicht in angemessener Weise gewürdigt hat«. Auch die Wiedergutmachungsregelung der Witwe solle noch einmal untersucht werden. Schließlich wies er an, dass Scheliha »auch unter denjenigen Kollegen aufzuführen ist, die ihr Leben gewaltsam verloren haben und die im Ministerbau namentlich auf einer Gedenktafel erwähnt sind«.[89] Ein weiteres Mal wurde damit die Frage der Wiedergutmachungsregelung mit der einer Ehrung durch das AA verknüpft.

Die Neuverhandlung der Bezüge für Marie-Louise von Scheliha verlief abermals unerquicklich. Eine erste interne Stellungnahme für den Staatssekretär krallte sich daran fest, dass Frau von Scheliha ihren Antrag auf Wiedergutmachung 1956 offiziell zurückgezogen habe und alle Fristen für einen Neuantrag verstrichen seien. Dann verwies die Stellungnahme auf die widersprüchlichen historischen Bewertungen Schelihas und die lückenhafte Quellenlage. Deshalb lasse sich »der Komplex einer möglichen Spionagetätigkeit gegen Entgelt« nicht aufklären. Zur Hintergrund-»Information« wurde dem Staatssekretär ein Aufsatz zur »Roten Kapelle« von 1955 beigelegt, der alle bekannten Klischees über diese Widerstandsvereinigung wiederholte, im Falle Schelihas auf den Gestapo-Akten basierte und die Verräter-These replizierte.[90] Da die Ehrung aber nun einmal per Weisung auf den Weg gebracht war, schlug der zeichnende Leiter der Abteilung I eine Erinnerungstafel im Besucherzimmer des Ministerflügels als »ideelle Wiedergutmachung« vor.[91]

Sudhoffs Versetzung als Botschafter nach Paris diente nicht eben der Beschleunigung der Angelegenheit. Erst penetrantes Nachfragen brachte die Frage nach einer Ehrung Schelihas Ende 1992 wieder in Gang. Minister Genscher wurde bei einem Staatsbesuch in Israel von dem Journalisten Hans-Ulrich Sahm, dem Sohn des ehemaligen Botschafters, auf den Stand der Ehrung Schelihas angesprochen.[92] Der FAZ-Korrespondent Jörg Bremer, der sich mit dem Hinweis, dass Schelihas Personalakte und andere wichtige Belege fehlten, nicht begnügen wollte, fragte süffisant: »Wurde eigentlich bei anderen Personen auf der Ehrentafel … ähnlich ›geprüft‹? Schließlich gab es doch bei den meisten keine Personalakten mehr.« Auf der Tafel von 1961 stünden ja – sicherlich zu Recht – die Namen von Männern, »über deren Widerstandsaktivitäten weit weniger bekannt ist als über Scheliha«. Bremer empfahl dem Pressereferat eine rasche Klärung, »bevor die weitere Öffentlichkeit in Deutschland von dieser Art von Traditionspflege Kenntnis erhält«.[93]

Durch die vorgeschlagene Erinnerungstafel im Besucherzimmer, so befand der Abteilungsleiter, »würde die Ehrung vollzogen, gleichzeitig unterbliebe die sichtbare Gleichstellung mit den Opfern des 20. Juli 1944« – Widerstand im zweiten Rang, sozusagen. Angesichts der bleibenden Zweifel über Schelihas mögliche Spionage und seine Verbindung zur »Roten Kapelle« sollte um die Tafel nicht zu viel Aufhebens gemacht werden.[94] Dass das Thema »Spionage« bei der Wiederaufnahme der Angelegenheit überhaupt eine Rolle spielte, kam einem Rückfall in die frühen sechziger Jahre gleich. Weder wurde nach Schelihas Motiven und Intentionen zum Widerstand gefragt noch der Stellenwert von Gestapo-»Geständnissen« und Reichskriegsgerichtsurteilen diskutiert. Den Vorwurf des »Landesverrats« teilte Scheliha im Übrigen mit den jahrzehntelang diffamierten Mitgliedern der »Roten Kapelle«.

Statt einer Neubewertung des Falls erreichte das Auswärtige Amt Anfang 1993 eine negative Stellungnahme der Wiedergutmachungsstelle in Baden-Württemberg. Nachdem das Bundessozialgericht 1991 entschieden hatte, dass »grundsätzlich die Todesurteile von Wehrmachtgerichten offensichtlich unrechtmäßig« waren und für entsprechende Wiedergutmachungsverfahren die Beweislast umgekehrt und nunmehr den Behörden auferlegt wurde,[95] hatte Marie-Louise von Scheliha noch einmal die Überprüfung ihrer Versorgungslage beantragt. Unbeeindruckt von dem, was die historische Forschung und die Aufklärungsarbeit beispielsweise der Gedenkstätte Deutscher Widerstand inzwischen zu Tage gefördert hatten, kam das württembergische Landesamt für Besoldung und Versorgung zu dem Schluss, dass »die Schilderung des Prozessablaufs durch die noch lebenden Beteiligten samt überlebender Mitangeklagter ... keine Veranlassung [gibt], an dem (auch nach heutiger Auffassung) ordnungsgemäßen Verfahren zu zweifeln«. Die Aussagen der Prozessbeteiligten – unter anderem Richter Kraell und Ankläger Roeder – stünden außer Zweifel, »da diese keinerlei Vorteile von falschen Aussagen für sich oder andere hätten. Die Aktenlage spricht überwiegend gegen damalige Missachtung der Menschenwürde.« Ob Scheliha Verrat gegen Geld betrieben habe, sei unerheblich, der Verrat allein habe bereits zu seiner Verurteilung und dem Verlust der Beamtenrechte geführt.[96]

Nach diesem Debakel der Justiz schlug sich das AA auf die Seite der Familie Scheliha. Unabhängig von der negativen Stellungnahme der Wiedergutmachungsstelle in Baden-Württemberg sollte die Anbringung der Erinnerungstafel weiterbetrieben werden.[97] Gleichzeitig befürwortete das Amt das Gesuch der Witwe auf Wiedergutmachung. Die Bearbeitung des Antrags musste zwar zuständigkeitshalber an das Innenministerium abgetreten werden,[98] aber der zuständige Referatsleiter verfasste jetzt eine Bewertung des Falles Scheliha, die frei von den früheren Ambivalenzen war und dem Innenministerium die Richtung weisen sollte.[99] Mitte Juli 1993 war auch die Erinnerungstafel fertiggestellt, die allerdings bis Mai 1994 auf Wiedervorlage ging,[100] da die Familie Scheliha die Wiedergutmachungsangelegenheit vor Gericht ausfechten musste. Das Kölner Verwaltungsgericht rehabilitierte Rudolf von Scheliha im Oktober 1995.[101]

Diese Entscheidung machte fünf Jahre nach der Weisung Staatssekretär Sudhoffs schließlich den Weg zur Ehrung Schelihas im Auswärtigen Amt frei. Die Gedenkrede am 21. Dezember 1995 hielt Staatssekretär Hans-Friedrich von Ploetz. Eine Tochter Schelihas war anwesend, die 91-jährige Witwe konnte aus Gesundheitsgründen nicht mehr anreisen.[102] Mit dem Umzug an den neuen Dienstort Berlin im Jahr 2000 wurden die vorhandenen Ehrentafeln zusammengeführt; auf der neuen Tafel, die die Namen chronologisch nach Todesdatum aufführt, steht Scheliha an erster Stelle. Ilse Stöbe, Schelihas Mitarbeiterin in der Informationsabteilung, die am gleichen Tag mit ihm verurteilt und in Plötzensee hingerichtet wurde, fehlt nach wie vor auf der Tafel. Sie hatte keine Verwandten mehr, die sich für sie einsetzen konnten, ihre Mutter war in Ravensbrück ermordet, ihr Halbbruder in Brandenburg-Görden hingerichtet worden.[103]

Die Vergangenheit als außenpolitische Herausforderung

Adenauers Politik der Westbindung, die Wiederbewaffnung und die Anfänge der neuen Ostpolitik unter Außenminister Willy Brandt gelten als die entscheidenden Wegmarken, mit denen die außenpolitische Entwicklung der Bundesrepublik in den fünfziger und sechziger Jahren gemeinhin umschrieben wird. Dabei wird meist übersehen, dass die auswärtige Politik des westdeutschen Teilstaats nicht weniger stark von der Auseinandersetzung mit der NS-Vergangenheit bestimmt wurde, als dies in anderen politischen, gesellschaftlichen und kulturellen Bereichen der Fall war. Die fortwährende Präsenz des Themas in der westdeutschen Außenpolitik beschränkte sich keineswegs auf Fragen der Personalpolitik oder der Ausbildung des diplomatischen Nachwuchses, sondern wirkte in nahezu alle Bereiche der Diplomatie, der Außenhandelspolitik und der auswärtigen Kulturpolitik hinein. Seit den späten fünfziger Jahren, als die Debatte um die Nachwirkungen des Nationalsozialismus in und außerhalb der Bundesrepublik neue Virulenz erlangte, schlug sich dies auch in den Verwaltungsabläufen des Auswärtigen Amtes nieder. Es kam zu einer auffälligen Häufung von aktenkundigen Vorgängen, die mittelbar oder unmittelbar mit dem Problem der »unbewältigten Vergangenheit« zusammenhingen.

Von großer Durchschlagskraft waren vor allem die von der DDR initiierten Propagandakampagnen gegen ehemalige Ribbentrop-Diplomaten im Dienste Bonns. Während das Amt nach außen so tat, als ignorierte es die unerwünschten Störfeuer aus dem Osten, unternahm es gleichzeitig erste Anstrengungen, die Belastungen übernommener Mitarbeiter aufzuklären – um die ermittelten Informationen danach eiligst zu geheimen Verschlusssachen zu erklären. Dass sich das gesellschaftliche Klima seit dem Ende der Besatzungszeit spürbar verändert hatte, wollte man im

Amt lange Zeit nicht wahrhaben. Zwar war es der Mehrheit der Deutschen eher gleichgültig, dass die Bundesrepublik als Rechtsnachfolger des Dritten Reichs mit dem latenten Misstrauen ihrer Verbündeten und Partner zu kämpfen hatte; mit dem Hinweis auf die staatliche Entschädigungs- und Wiedergutmachungspolitik war das Thema für die meisten erledigt. Aber die Frage, welche außenpolitischen Implikationen sich vor allem aus der personellen Kontinuität und der langen Liste ungesühnter NS-Verbrechen in fast ganz Europa ergaben, weckte schon bald das Interesse von Publizisten, Intellektuellen und Wissenschaftlern. Auch die Tatsache, dass in der Öffentlichkeit der westlichen Partnerstaaten vermehrt auf eine kritische Aufarbeitung der NS-Vergangenheit gedrängt wurde, zwang den Auswärtigen Dienst immer häufiger zu unbequemen Entscheidungen. Das defensive Geschichtsverständnis der Behörde wurde dabei ein ums andere Mal infrage gestellt.

Verhandlungen mit Israel

Am 10. September 1952, fast drei Jahre nach dem Beginn erster Vorgespräche im Bonner Bundeskanzleramt, unterzeichneten Konrad Adenauer, der israelische Außenminister Moshe Sharett und Nahum Goldmann als Vertreter der Jewish Claims Conference (JCC) im Luxemburger Hôtel de Ville das Abkommen über materielle Entschädigungsleistungen für überlebende NS-Verfolgte. Das deutsch-israelisch-jüdische »Wiedergutmachungsabkommen«, wie das Vertragswerk in bewusster Abgrenzung zu den zeitgleich in London laufenden Verhandlungen über deutsche Reparationszahlungen genannt wurde, sah eine Globalentschädigung in Höhe von drei Milliarden DM vor, die die Bundesrepublik über einen Zeitraum von 14 Jahren an den Staat Israel zahlen sollte. Zwei weitere »Protokolle« zwischen der Bundesrepublik und der JCC, die Teil des Abkommens waren, sahen eine Globalentschädigung in Höhe von knapp 3,5 Milliarden DM vor, von denen etwa 30 Prozent in Warenlieferungen und weitere 30 Prozent durch Rohölkäufe zu leisten waren. Darüber hinaus verpflichtete sich Bonn, die nationalen Entschädigungs- und Rückerstattungsgesetze teilweise zugunsten der Geschädigten zu novellieren.

Der Weg zum Luxemburger Abkommen, bis heute ein Markstein in der Geschichte der langsamen Wiederannäherung zwischen Deutschen und Juden, erwies sich von Beginn an als steinig. Als Adenauer im November 1949 in einem Interview mit Karl Marx, dem Herausgeber der *Allgemeinen Wochenzeitung der Juden in Deutschland,* erstmals seine Absicht bekannt gab, dem Staat Israel mit Waren im Wert von 10 Millionen DM aus seiner angespannten finanziellen Lage herauszuhelfen, bestanden zwischen beiden Ländern weder offizielle Kontakte noch sogenannte »back channels«. Erst durch die Vermittlung Gerhard Lewys, eines 1938 nach Großbritannien emigrierten Berliner Geschäftsmanns und Mitarbeiters der europäischen Sektion des World Jewish Congress (WJC), kam es im Frühjahr 1950 zu einem Treffen zwischen Blankenhorn und Noah Barou, dem Vorsitzenden der europäischen Abteilung des WJC.[1] Nachdem der Bundeskanzler am 27. September 1951 die vom WJC geforderte Regierungserklärung abgegeben hatte, in der er die Bereitschaft der Bundesrepublik bekundete, »gemeinsam mit Vertretern des Judentums und des Staates Israel … eine Lösung der materiellen Wiedergutmachung« herbeiführen zu wollen, konnten förmliche Verhandlungen beginnen.[2]

Eingeleitet wurden diese durch ein Gespräch, das am 6. Dezember 1951 im Londoner Claridges Hotel zwischen Adenauer und Nahum Goldmann, dem Vorsitzenden der sechs Wochen zuvor gegründeten JCC, stattfand. Goldmann, ein aus Deutschland emigrierter Zionist, hatte bereits wenige Monate nach dem deutschen Überfall auf die Sowjetunion einen Plan für eine umfassende Entschädigung der verfolgten europäischen Juden vorgelegt, der eine Behandlung des Problems im Rahmen deutscher Reparationszahlungen vorsah. Auf Druck der Amerikaner, die durch John McCloy beratend an den Verhandlungen teilnehmen sollten, musste dieses völkerrechtlich umstrittene Konzept zurückgezogen werden. In London traf Adenauer in Gegenwart von Blankenhorn und Barou die »gleichermaßen überraschende wie weitreichende Entscheidung«, die israelische Forderung nach einer Milliarde Dollar – umgerechnet 4,2 Milliarden DM – als Verhandlungsgrundlage zu akzeptieren, und konnte damit einen ersten Durchbuch erzielen.[3]

Doch obwohl die Bundesregierung damit ihren Willen zu einer einvernehmlichen Lösung mit Nachdruck unterstrichen hatte, konnte sie die prinzipiellen Vorbehalte der Gegenseite nicht aus dem Weg räumen.

So war es bereits im Vorfeld des Londoner Geheimgesprächs zu Protesten religiöser Juden gekommen, die sich gegen direkte Unterredungen mit den Deutschen richteten. Während der Parlamentsdebatte, auf der Anfang Januar 1952 über die Ermächtigung der Regierung Ben Gurion entschieden werden sollte, tobten in Jerusalem mehrstündige Straßenkämpfe. Der Verhandlungsauftakt im niederländischen Wassenaar war überschattet von Bombendrohungen ehemaliger Irgun-Aktivisten. Als sich die beiden Delegationen dort am 20. März 1952 zum ersten Mal trafen, beschränkten sie sich auf ein protokollarisches Minimum: Ohne Begrüßung nahmen sie am jeweils anderen Ende des Konferenztisches Platz und gingen nach Verlesung der englischsprachigen Eröffnungserklärungen ohne ein weiteres Wort auseinander.

Die Zusammensetzung der deutschen Delegation war in mehrfacher Hinsicht bemerkenswert. Zum einen hatten sich Adenauer, Hallstein und Blankenhorn bewusst für Persönlichkeiten entschieden, die eine gewisse Lebenserfahrung mitbrachten und moralisch integer waren; das schien ihnen wichtiger als finanztechnisches Fachwissen. Auf Hallsteins Vorschlag war der Frankfurter Juraprofessor Franz Böhm zum Leiter der Delegation ernannt worden. Der CDU-Politiker trat in seiner Funktion als Vorsitzender der Gesellschaft für christlich-jüdische Zusammenarbeit seit Langem für eine aktive Wiedergutmachung gegenüber Israel ein. Als sein Stellvertreter fungierte der Stuttgarter Rechtsanwalt Otto Küster, der als baden-württembergischer Staatsbeauftragter dafür gesorgt hatte, dass sein Land im Ruf eines »›Musterländle‹ der Wiedergutmachung« stand.[4] Das Auswärtige Amt wurde hauptsächlich durch Legationsrat Abraham Frowein vertreten, der erst wenige Wochen zuvor in den Dienst eingetreten war, aber ein »nicht unerhebliches Vertrauenskapital bei den israelischen Repräsentanten« genoss.[5] Geboren 1904 als Sohn eines Elberfelder Textilindustriellen, hatte er im Dritten Reich zunächst als Anwalt gearbeitet, wegen seiner Einstufung als »Mischling 2. Grades« allerdings keine Notarzulassung erhalten. Während des Krieges war er lange in Brüssel beim Unterstab des deutschen Militärbefehlshabers stationiert. Nach 1945 trat Frowein zunächst als Verteidiger vor französischen Militärgerichten auf, bevor er per Dienstverpflichtung zum Vorsitzenden des politischen Untersuchungsausschusses Konstanz bestellt wurde.[6] In den fünfziger Jahren sollte er zu einem der wichtigsten Akteure der deutsch-israelischen Beziehungen avancieren.

Die Ernennung eines Außenseiters zum Leiter der neu gebildeten Arbeitseinheit »Politische Fragen des Israelvertrags« erfolgte ohne erkennbare Beteiligung, möglicherweise sogar unter Umgehung der Nahostexperten des AA. Melchers, einer der führenden »Arabisten« aus der alten
Wilhelmstraße, war seit seiner Berufung zum Leiter des Referats höherer
Dienst darum bemüht, einen Expertenstab von Orient- und Asienfach-
leuten nach dem Vorbild der britischen »Oriental Secretaries« heranzuziehen. Dabei hatte er nicht nur frühere Mitarbeiter aus dem Referat
Pol. VII (»Orient«) rekrutiert, das während der Kriegsjahre unter seiner
Leitung gestanden hatte, sondern war auch mit Vorschlägen für einen ei-
genen Ausbildungsgang hervorgetreten.[7] Kurz nach seiner Abberufung als
Personalreferent wurde Melchers mit der Leitung des neu gegründeten
Referats V (»Mittlerer und Naher Osten«) betraut; es war die einzige Abteilung mit einer nahezu ungebrochenen personellen Kontinuität. Nachfolger von Melchers, der im Juni 1956 die Leitung der Gesandtschaft in
Bagdad und der Außenstelle Amman übernahm, wurde Hermann Voigt,
der den Typus des »Arabisten« par excellence verkörperte. Auch wenn die
Rolle der Nahostexperten des AA noch nicht gründlich genug aufgearbei-
tet ist, spricht doch einiges dafür, dass dem Referat V in den Kontroversen
um die Formalisierung der deutsch-israelischen Beziehungen einiges an
Gewicht zukam. Deren spezifische Perspektive dürfte langfristig dazu beigetragen haben, dass das Auswärtige Amt bis Mitte der sechziger Jahre an
der Überzeugung festhielt, deutschland- und außenhandelspolitische
Gründe sprächen gegen eine Aufnahme der Beziehungen mit Israel.[8]

Jedenfalls gab es handfeste Gründe, diese Gruppe nicht in die Wiedergutmachungsverhandlungen einzubeziehen. Abgesehen davon, dass sich
deren Teilnahme als zusätzliche Belastung für das überaus schwierige
deutsch-israelische Verhältnis hätte auswirken können, galt das Wieder-
gutmachungsprojekt offenbar als eine zeitlich wie inhaltlich begrenzte
Aufgabe, deren mögliche Auswirkungen auf die Beziehungen insbesondere zu den arabischen Staaten man für überschaubar hielt. So plädierte
Legationsrat Heinz Trützschler von Falkenstein, der im Juni 1952 für den
zurückgetretenen Küster eingesprungen war, für eine vorläufige Beibehaltung des Referats »Israel, Wiedergutmachungsfragen« mit dem Hinweis, erst müssten noch die deutsch-israelischen Verhandlungen über das
konfiszierte Templer-Vermögen zu einem Abschluss gebracht werden.
»Es erscheint mir nicht besonders glücklich«, fasste er Anfang 1954 seine

Überlegungen zusammen, »den Leiter des Referats ›Vorderer Orient‹ [Wilhelm Melchers], der vor allem die arabischen Länder zu betreuen hat, mit Israel-Fragen zu belasten; ich glaube nicht, dass eine solche Kombination die noch immer delikaten Beziehungen zu den israelischen Vertretern erleichtern würde.«[9]

Obwohl also die »Arabisten« nicht mit zu den Verhandlungen nach Wassenaar fuhren, bot die personelle Zusammensetzung der Delegation noch immer genügend Sprengstoff. Neben Rolf Friedemann Pauls, dem persönlichen Referenten Hallsteins, war auch Alexander Török von der deutschen Botschaft in Den Haag der Delegation als Betreuer zugeteilt. Für beider Vergangenheit begann man sich allerdings erst 1965 genauer zu interessieren, als Pauls und Török anlässlich der Aufnahme diplomatischer Beziehungen die Leitung beziehungsweise stellvertretende Leitung der Botschaft in Tel Aviv übernahmen, was in der israelischen Öffentlichkeit stürmische Gegenreaktionen auslöste.[10]

Während die israelischen Behörden 1952 in Bezug auf Pauls und Török einige unschöne biographische Details möglicherweise übersehen hatten, mussten sie bei Ernst Kutscher wissen, mit wem sie es zu tun hatten. Seine Rolle als Referent auf der berüchtigten Krummhübeler Tagung vom April 1944 hatte bereits Ende der vierziger Jahre einigen Staub aufgewirbelt. Der ehemalige Legationssekretär zählte nicht zum Tross des AA in Wassenaar, sondern gehörte zu einem Expertenstab, der sich aus Mitarbeitern der Bundesministerien für Wirtschaft und Finanzen zusammensetzte und die Ergebnisse von Wassenaar und London koordinieren sollte. Vor seiner Berufung zum persönlichen Referenten Erhards war Kutscher etwa anderthalb Jahre als stellvertretender Abteilungsleiter bei der Verwaltung für Wirtschaft des Vereinigten Wirtschaftsgebietes (VfW) in Frankfurt-Höchst tätig gewesen, wo er sich vor allem um Fragen des Besatzungsstatuts und des Lastenausgleichs kümmerte. Als die US-Militärregierung der VfW im Frühjahr 1949 anlässlich Kutschers bevorstehender Festanstellung eine Reihe belastender Dokumente aus dem Nürnberger Hauptkriegsverbrecherprozess übersandte, veranlassten der VfW-Personalamtsleiter Kurt Oppler (SPD) und das hessische Befreiungsministerium seine Beurlaubung und erneute politische Überprüfung.[11]

Da sich Kutscher trotz zweifachen »Screenings« in der britischen und amerikanischen Zone nicht sicher sein konnte, dieses neuerliche Verfahren zu überstehen, kam er dem zuvor, indem er im April 1949 ein zweites

Spruchkammerverfahren gegen sich selbst beantragte. Es fand vor der gleichen Marburger Spruchkammer statt, die ihn gut zwei Jahre zuvor als entlastet eingestuft hatte. Mit Hilfe eines großen Aufgebots von »Ehemaligen« – außer seinen früheren Vorgesetzten Werner von Schmieden und Emil von Rintelen sagten unter anderem Hans Schroeder, Friederike Haußmann, Rudolf Schleier, Hans-Otto Meissner und Ernst Achenbach zugunsten von Kutscher aus[12] – wurde er auch beim zweiten Mal auf ganzer Linie von dem Vorwurf entlastet, sich im Rahmen seiner Tätigkeit für das Büro Megerle an antijüdischer Propaganda beteiligt zu haben. Vielmehr kam die Spruchkammer unter dem Vorsitz des Historikers Schilling in ihrer fast 40-seitigen Urteilsbegründung zu dem Schluss, Kutschers Beitrag zur Tagung der »Judenreferenten« in Krummhübel sei als klare Distanzierung von der nationalsozialistischen Judenpolitik zu bewerten. Kutscher hatte dort zu Protokoll gegeben, »der Jude« habe sich »mit diesem Krieg sein eigenes Grab gegraben«.[13] Als Beweis für Kutschers widerständige Haltung wertete die Spruchkammer den Umstand, dass er nach seiner Rückkehr von der Tagung als Betreuer in den »Diplomatenschutzbunker« – gemeint war die Ausweichstelle der Protokollabteilung in Bad Gastein – »strafversetzt« worden sei.[14]

Nach diesem maßgeschneiderten Freispruch betrachtete Kutscher seine Hinzuziehung zu den deutsch-israelisch-jüdischen Wiedergutmachungsverhandlungen offenbar als willkommene Gelegenheit, nunmehr seine vollständige Rehabilitierung und den Wiedereintritt ins Auswärtige Amt anzustreben. Doch als er dort im Januar 1952 erstmals sein Anliegen vortrug, war die Stimmung durchaus frostig. Sensibilisiert durch seinen unerfreulichen Auftritt vor dem Bonner Untersuchungsausschuss, ignorierte Personalreferent Welck sogar die Empfehlungen von Ludwig Erhard, der den Arbeitsplatzwechsel seines Mitarbeiters unterstützte. Welck nannte den Bewerber »vorläufig nicht tragbar«. Kutscher, den die kühle Reaktion seiner vormaligen Kollegen nicht unvorbereitet traf, beeilte sich daraufhin, seine aktuellen israelisch-jüdischen Kontakte zu aktivieren. Außer Barou, dem Wirtschaftsexperten der israelischen Delegation in Wassenaar, ließ sich auch Konsul Elijahu K. Livneh, ehemaliger Bevollmächtigter der Jewish Agency, auf das *quid pro quo*-Geschäft mit Kutscher ein. Während Livneh noch vor Beginn der zweiten Verhandlungsrunde erklärte, gegen Kutscher liege »nichts Belastendes« vor, bedankte sich Barou am Tag der Vertragsunterzeichnung für die erwiesene

Unterstützung. Kutschers Verhalten in Wassenaar habe gezeigt, wie ernst einzelne Deutsche die ganze Angelegenheit nähmen. Auch der Herausgeber der *Allgemeinen Wochenzeitung der Juden in Deutschland* Karl Marx signalisierte, Kutscher im Bedarfsfall mit einer »entsprechenden Notiz« aushelfen zu wollen.[15]

Inzwischen war man auch im Auswärtigen Amt zu der Auffassung gelangt, dass »von jüdischer Seite keinerlei Angriffe« mehr zu erwarten seien; damit galten auch »im Zusammenhang mit der Krummhübeler Tagung aufgetretene Bedenken« als ausgeräumt.[16] Nachdem sich der Ministerialrat bereit erklärt hatte, im Fall einer Auslandsverwendung auch eine niedrigere Besoldungsgruppe zu akzeptieren, setzte sich Ende November Blankenhorn bei Erhard für einen raschen Wechsel ein. Nach vorübergehender Tätigkeit in der Zentrale übernahm Kutscher im September 1953 die stellvertretende Leitung der Gesandtschaft in Teheran.

Mit der Unterzeichnung des Luxemburger Abkommens am 10. September 1952 begann die bis dahin schwierigste Phase der deutsch-israelischen Beziehungen, denn für die Ratifikation war die Verabschiedung durch den Bundestag nötig. Konsequent ablehnend äußerten sich Finanzminister Fritz Schäffer (CSU), Justizminister Thomas Dehler (FDP) und der wortmächtige CSU-Abgeordnete Franz Josef Strauß. Im September 1953 standen Bundestagswahlen bevor, und mit jedem Tag, der verging, wuchs das Risiko, dass das Abkommen scheiterte. Neben den innenpolitischen Gegnern traten jetzt auch arabische Staaten auf den Plan. Bereits wenige Tage vor der Unterzeichnung hatte eine Gruppe arabischer Staaten unter der Führung Syriens erstmals Vertreter nach Bonn entsandt. In dem Memorandum, das sie Adenauer übergaben, wurde ausdrücklich vor den negativen Rückwirkungen des Abkommens auf die deutsch-arabischen Beziehungen gewarnt.[17] Einige Wochen später traf eine Abordnung der Arabischen Liga unter Leitung Ahmed Daouks, des früheren libanesischen Ministerpräsidenten, in Bonn ein, um auf die politischen und wirtschaftlichen Risiken des Israel-Vertrags aufmerksam zu machen. Es kam zum Eklat: Nach drei mehrstündigen Unterredungen forderte Staatssekretär Hallstein die Delegation sichtlich erregt auf, die Bundesrepublik so schnell wie möglich zu verlassen.

Aber die Delegation dachte gar nicht daran, dieser Aufforderung nachzukommen, und betrieb stattdessen weiterhin konsequente Lobbyarbeit. Dass die Arabische Liga in der Bundesrepublik zahlreiche Fürsprecher hatte, war bereits im September deutlich geworden, als eine Gruppe von etwa 30 Bundestagsabgeordneten aus CSU, FDP, Deutscher Partei und Zentrum unter Führung des FDP-Politikers Trischler die Bundesregierung aufforderte, die Interessen der Araber stärker zu berücksichtigen. Auf ihrem Goslarer Parteitag beschwor die DP nicht nur die traditionelle »deutsch-arabische Freundschaft«, sondern griff auch den ursprünglich von der Liga vorgebrachten Vorschlag auf, den Israel-Vertrag von der UNO prüfen zu lassen. Einen anderen Weg, die Ratifizierung auf die lange Bank zu schieben, um so dem Konflikt mit den Arabern auszuweichen, wies Marion Dönhoff. Sie empfahl in der *Zeit*, die Entschädigungszahlungen erst beginnen zu lassen, »nachdem Israel und die arabischen Staaten Frieden geschlossen« hätten.[18]

Blankenhorn, der in der Außenwahrnehmung als der eigentliche Urheber des Luxemburger Abkommens galt, wurde zur Zielscheibe einer Medienkampagne, die weit über Deutschlands Grenzen hinausreichte. So behauptete die in Argentinien erscheinende Zeitschrift *Der Weg*, die Verbindungen zum rechtsextremen Naumann-Kreis und dessen Mentor Ernst Achenbach unterhielt, Blankenhorn habe als Gegenleistung für seine Zustimmung zum Wiedergutmachungsvertrag größere Geldbeträge von dem englischen Geschäftsmann Lewy entgegengenommen.[19] Ähnlich lautende Bestechungsvorwürfe tauchten auch in der westdeutschen Presse auf. Strauß machte das Thema einen Tag vor der entscheidenden Bundestagsdebatte am 18. März 1953 zum Gegenstand einer CDU/CSU-Fraktionssitzung.

Bereits im September 1952 hatte sich Blankenhorn hilfesuchend an Otto John, den Präsidenten des Verfassungsschutzes, gewandt. Nach Einschätzung Johns gingen die Attacken überwiegend von pro-nazistischen Kreisen aus; aber auch Protagonisten des Nahost-Außenhandels, die teilweise mit diesen identisch waren, beteiligten sich an der Kampagne. Ein exponierter Vertreter dieser Gruppe war der ehemalige Reichsbankpräsident Hjalmar Schacht. Seit seinem Freispruch in Nürnberg betätigte sich der Schwiegervater des späteren AA-Staatssekretärs Albert Hilger van Scherpenberg nicht nur als Publizist und Finanzberater arabischer Potentaten, sondern engagierte sich auch als Inhaber einer Privatbank mit wachsendem Erfolg in der Außenhandelsfinanzierung.

Für die Ratifizierung des Abkommens fast noch bedrohlicher als die äußeren Angriffe waren die unterschiedlichen Positionen, die sich in dieser überaus angespannten Phase innerhalb des Auswärtigen Amtes herausbildeten. Im Gegensatz zu den im arabischen Raum eingesetzten Missionschefs, die dafür plädierten, den arabischen Widerstand durch direkte Gespräche im Vorfeld aufzuweichen, war man in Bonn der Meinung, vordringlich sei die Ratifizierung. Selbst die von Theo Kordt geleitete Länderabteilung, die sich – anders als die von Blankenhorn geführte Politische Abteilung – »schon früh als Anwalt der arabischen Staaten sah«, riet davon ab, den Zorn der Araber durch eine Goodwill-Mission zu beschwichtigen.[20] Statt Verständigung zu bewirken, meinte etwa der stellvertretende Abteilungschef Hasso von Etzdorf, könne dadurch vielmehr »der gute Eindruck verwischt werden, den wir ... in der ganzen Welt, insbesondere bei den Juden, erweckt haben«. Da die Bundesrepublik in den Hauptstädten der arabischen Welt diplomatisch nicht vertreten sei und eine derartige Reise deshalb nicht angemessen vorbereitet werden könne, riskiere man, »dass der Mufti und ultranationale Elemente Demonstrationen durch den Pöbel anzetteln« oder dass umgekehrt »arabische Elemente, die während des Krieges in Deutschland eine Rolle spielten, sich stark bei den Empfängen in den Vordergrund drängen werden«. Es dürfe auch nicht der Eindruck entstehen, als müsse Bonn »an den guten Willen der arabischen Regierungen appellieren«, und im Übrigen könne man den Arabern ja »praktisch nichts mitbringen«.[21]

Eine solche Distanz gegenüber »arabischen Elementen«, die es während des Zweiten Weltkriegs in Scharen an die Seite Hitlers gedrängt hatte, war keineswegs überall selbstverständlich. Anfang Juni 1952 – gut zwei Monate bevor der im Exil in Kairo lebende Ex-Mufti Haj Amin al-Husseini unter Berufung auf gemeinsame deutsch-arabische Interessen in einer Note an Adenauer gegen Wiedergutmachungszahlungen an Israel protestierte – hatte der deutsche Botschafter Werner Otto von Hentig auf der Fahrt an seinen Dienstort Jakarta einen Zwischenstopp im Hafen von Port Said eingelegt und einen Vertreter der Arabischen Liga zu einem Gespräch empfangen. Zwar hatte er sich dafür keine Genehmigung aus Bonn geholt, aber die Aufzeichnung, die sein Vorgesetzter Melchers hinterher unter Auswertung türkischer und arabischer Presseberichte anfertigte, bekundete Einverständnis. Hentig versicherte, die Unterredung mit Professor Alim Idris habe sich im Rahmen »allgemeiner Gemeinplätze« bewegt; auch sei ein Blumenstrauß überreicht worden – eine Courtoisie des Ex-Muftis für Hentigs mitreisende Ehefrau.[22] Melchers dürfte gewusst haben, dass es sich bei dem Professor um Hentigs ehemaligen Mitarbeiter aus dem Referat Pol. VII handelte, der gegen Ende des Krieges für das SS-Hauptamt islamische Geistliche ausgebildet hatte. Aber obwohl sich Melchers erst einige Monate zuvor vor dem Untersuchungsausschuss für sein zeitweise recht enges Verhältnis zu al-Husseini hatte rechtfertigen müssen und schon deswegen Anlass gehabt hätte, den Vorfall niedrig zu hängen, segnete er Hentigs Eigenmächtigkeit im Nachhinein ab.[23]

Einige Monate später – der Ton des Ex-Muftis war mittlerweile um einiges schärfer geworden; er drohte mit Vergeltungsmaßnahmen und nannte Adenauer ein »Werkzeug des Weltjudentums«– machte der kurz zuvor nach Ägypten entsandte Botschafter Günther Pawelke das Auswärtige Amt darauf aufmerksam, dass Hentig seine laufenden Geschäfte im fernen Indonesien vernachlässige und stattdessen im Nahen Osten eine Art Gegendiplomatie betreibe. Am 5. und 7. Februar kabelte Pawelke aus Kairo, Professor Idris von der Arabischen Liga habe ihm soeben mitgeteilt, dass Hentig am 8. Februar in die ägyptische Hauptstadt komme. Er beabsichtige, »›eine private Unterhaltung mit seinen Freunden‹, vor allem mit [dem] Mufti von Jerusalem« zu führen. Idris halte den Zeitpunkt für nicht glücklich und empfehle, Hentig von dem geplanten Besuch vorerst abzuraten. Bei ihm selbst, so Pawelke, habe sich der Kollege nicht angemeldet.[24]

Als sich Hallstein daraufhin den aktuellen Flugreiseplan des umtriebigen Mitarbeiters vorlegen ließ, stellte sich heraus, dass Hentig auf seinem Rückflug von Deutschland nach Jakarta tatsächlich einen mehrtägigen Kairo-Aufenthalt einlegen wollte, dem kurze Besuche in Beirut, Delhi und Bangkok folgen sollten. Kurz vor Hentigs Abflug aus Frankfurt erreichte ihn die schriftliche Aufforderung Hallsteins, nicht nur von dem Besuch in Ägypten Abstand zu nehmen, sondern künftig auch eine Genehmigung der Zentrale beziehungsweise des zuständigen Botschafters einzuholen.[25] In Bonner Pressekreisen hatte sich zu diesem Zeitpunkt bereits herumgesprochen, dass Hentig, der in einer Journalistenrunde offen die Bonner Wiedergutmachungspolitik kritisiert hatte, von Hallstein dafür eine »Zigarre« bekam, verbunden mit der Aufforderung, sich künftig mit öffentlichen Äußerungen zurückzuhalten.[26] Vor härteren disziplinarischen Maßnahmen schreckten der Staatssekretär und sein Personalchef jedoch zurück.

Im Frühjahr 1955, nach Hentigs Ausscheiden aus dem Amt, sollte es allerdings noch zu einem internen Nachspiel kommen; Hentig war inzwischen persönlicher Berater von König Saud geworden. Sein Nachfolger in Jakarta, Hellmut Allardt, stieß im dienstlichen Nachlass auf eine von Hentig gefertigte Aufzeichnung, die dieser gut zwei Wochen nach Unterzeichnung des Luxemburger Abkommens dem ägyptischen Gesandten in Jakarta übergeben hatte. Darin forderte Hentig die arabischen Staaten auf, mit ihren Protesten gegen die Bonner Wiedergutmachungspolitik fortzufahren, um die ohnehin schwache Position der Adenauer-Regierung weiter zu untergraben. Israel und der »unter jüdischem Einfluss stehenden« amerikanischen Presse unterstellte er, das deutsche Volk in verleumderischer Weise für die NS-Verbrechen verantwortlich zu machen, während die Zahlen jüdischer Emigranten in unverantwortlicher Weise hochgerechnet würden.[27]

Israel-Referent Frowein, dem das Papier zur Prüfung vorgelegt wurde, gelangte zu dem Schluss, der eigentliche Zweck von Hentigs Aktion sei wohl gewesen, die Ratifizierung zu »erschweren«.[28] Von disziplinarischen oder gar strafrechtlichen Konsequenzen rieten Personalchef Löns und die Rechtsabteilung jedoch ab, weil sie die Ansicht vertraten, dass die Bundesdisziplinarkammer die Verletzung der Treuepflicht vermutlich nicht als so gravierend einschätzen werde, dass sie eine nachträgliche Aberkennung oder Kürzung des Ruhegelds verhänge. Ein gerichtliches Verfahren sei daher für das Amt mit einem möglichen Gesichtsverlust verbunden.[29] Eine offensivere Behandlung des Falls wollte sich das Amt offenbar nicht leisten. Zudem wäre ein energisches Durchgreifen in der Öffentlichkeit zweifellos als verspätetes Schuldeingeständnis gewertet worden. Da mit dem kurz bevorstehenden Amtsantritt Brentanos und dem ersten großen Revirement alle Zeichen auf Neubeginn und Aufbruch standen, musste genau dieser Eindruck vermieden werden.

Mehr als fünf Jahre nach dem Inkrafttreten des Luxemburger Abkommens kam es doch noch zu einem Gerichtsverfahren im Zusammenhang mit der Wiedergutmachungspolitik. Die Anklage lautete auf Verleumdung und richtete sich gegen die drei Spitzenbeamten des AA, Blankenhorn, Hallstein und Maltzan. Hans Strack, ein ehemaliger Kollege aus der Wilhelmstraße, der inzwischen das Referat Vorderer Orient im Wirtschaftsministerium leitete, hatte bereits 1953 Strafanzeige gegen die drei erhoben, weil sie einen Bericht des ägyptischen Gesandten Kamal En-Din Galal weitergeleitet hatten, in dem dieser dem Wiedergutmachungsgegner Strack Korruption vorwarf.[30] In dem erstinstanzlichen Verfahren vor dem Kölner Landgericht, das nach mehrmonatiger Verhandlung im April 1959 mit einer Verurteilung Blankenhorns zu vier Monaten Gefängnishaft auf Bewährung und einer Geldstrafe endete, kamen die Vorbehalte, die ein Teil der deutschen Öffentlichkeit gegen den Israel-Vertrag hegte, deutlich zum Ausdruck; den Gegnern des Abkommens galt Blankenhorn als der Hauptverantwortliche für das Zustandekommen.[31] Auch wenn der Bundesgerichtshof das Urteil ein Jahr später aufhob, wurde der erstinstanzliche Richterspruch von ihnen doch als »Denkzettel« für Blankenhorn aufgefasst.[32]

Zeitgeschichtsforschung und DDR-Kampagnen

Als der CDU/CSU-Fraktionsvorsitzende Heinrich von Brentano im Juni 1955 als neuer Außenminister in der Koblenzer Straße einzog, konnte die Regierungskoalition aus CDU/CSU, FDP und DP auf eine Reihe beachtlicher Erfolge zurückblicken: Die Pariser Verträge, die am 5. Mai in Kraft traten, hatten die außenpolitischen Handlungsspielräume der Bundesrepublik auf einen Schlag erheblich erweitert, mit dem Israel-Vertrag – dessen Ratifizierung Adenauer im März 1953 mit Unterstützung der sozialdemokratischen Opposition durchgesetzt hatte – war ein Grundpfeiler symbolischer Abgrenzung vom Dritten Reich errichtet worden. Im September schließlich brachte Adenauers Moskau-Besuch den lang ersehnten Durchbruch in der Kriegsgefangenenfrage.

Was die innere Entwicklung des Auswärtigen Dienstes betraf, setzte mit dem Amtsantritt Brentanos ebenfalls eine neue Etappe ein, allerdings in gegenläufiger Richtung, nämlich eine verstärkte Rückkehr der »Ehemaligen«. Unter Hallstein – der im Februar 1958 von dem Schacht-Schwiegersohn und früheren kommissarischen Leiter der Abteilung 4, Albert Hilger van Scherpenberg,[33] abgelöst wurde – waren alle Forderungen, die der Untersuchungsausschuss Nr. 47 im Hinblick auf eine personelle Erneuerung des Auswärtigen Dienstes erhoben hatte, weitestgehend abgeschmettert worden. Kompromittierte konnten sich danach umso sicherer fühlen. Obwohl Vorwürfe gegen die Personalpolitik des AA auch nach dem Ende der Enquête keineswegs verstummten, legte die Amtsführung gegenüber der Vergangenheitsproblematik von nun an eine deutlich laxere Haltung an den Tag. Die fortschreitende Homogenisierung des Beamtenkörpers ließ sich vor allem in der sukzessiven Auswechslung der ersten Generation von »Außenseiter«-Botschaftern an den wichtigen Standorten Paris (1955), London (1955), Madrid (1956), Washington (1958) sowie in der Neubesetzung der 1955 eröffneten Botschaften in Moskau und Belgrad ablesen, die mit Haas und Pfleiderer zwei Altgediente übernahmen.[34] Zudem war der Anteil von »Ehemaligen« bereits vor Brentanos Ernennung kräftig gestiegen, weil das Amt seit 1953 sukzessive das Personal einzelner Einheiten des Wirtschafts- und Justizministeriums sowie Leute aus dem abgewickelten Blücher-Ministerium übernommen hatte. Dass mit der Inkorporierung ganzer Abteilungen und Referate auch der Anteil von Beamten mit SS- oder SD-Vergangenheit in die Höhe schnellte, wurde von der Personalabteilung teils widerwillig hingenommen, teils nicht registriert.[35]

Auf der Grundlage der Gesetzesregelungen für Spätheimkehrer gelangten jetzt selbst Schwerbelastete wie der frühere NS-Staatsanwalt Franz Nüßlein problemlos auf höchste Posten: Nüßlein, dessen Bewerbung von CSU-Familienminister Franz Josef Wuermeling, dem Präsidenten des Bundessozialgerichts Josef Schneider und dem AA-Beamten Gustav von Schmoller unterstützt wurde, deutete seine Verurteilung zu zwanzigjähriger Haft durch ein tschechoslowakisches Volksgericht, von der er immerhin knapp acht Jahre abgesessen hatte, zu einer »Internierung« um und stellte nach seiner Abschiebung in die Bundesrepublik umgehend einen Antrag auf Haftentschädigung.[36]

Protegiert von Ministerialdirektor Hans Berger, dem Leiter der Rechtsabteilung, übernahm Nüßlein nach seinem Eintritt in den Auswärtigen Dienst die Bearbeitung beamtenrechtlicher Fragen, worunter auch die Behandlung von Entschädigungsansprüchen ehemaliger Angehöriger der Wilhelmstraße fiel.[37] Im Frühjahr 1959, dreieinhalb Jahre nach seiner Einstellung und etwa ein Jahr nach der vor allem von Berger forcierten Beförderung zum Vortragenden Legationsrat I. Klasse, wurden erstmals Proteste gegen Nüßleins Beschäftigung im Amt laut, die bis zu seiner Pensionierung Mitte der siebziger Jahre nicht mehr abreißen sollten. Besonders unangenehm für das Amt war, dass der Beamte gleich von mehreren Seiten unter Beschuss genommen wurde: Fast zeitgleich brachten der in Ost-Berlin ansässige Ausschuss für Deutsche Einheit und der tschechoslowakische Verband der antifaschistischen Widerstandskämpfer Broschüren heraus, aus denen hervorging, dass sich Nüßlein während des Krieges an der Verschärfung des Strafrechts und der Vollstreckung zahlloser Todesurteile gegen tschechische Zivilisten beteiligt hatte, indem er die Ablehnung von Gnadengesuchen empfahl.[38] Mit Bezug auf Ost-Berliner Pressemeldungen berichtete die *Frankfurter Rundschau*, Angehörige des Sozialistischen Deutschen Studentenbundes (SDS) hätten im britischen Unterhaus kompromittierende Dokumente zu Nüßlein und weiteren früheren NS-Juristen übergeben.[39] Schwere Vorwürfe kamen außerdem von Legationsrat a.D. Walter Staudacher, einem offenbar wegen seiner Konflikte mit der NSDAP-Auslandsorganisation entlassenen Diplomaten, dessen Antrag auf Wiedergutmachung und Wiederverwendung Nüßlein als unbegründet abgelehnt hatte.[40]

In einer ersten Stellungnahme, zu der ihn Staatssekretär Scherpenberg aufgrund von Staudachers Eingabe aufgefordert hatte, ging Nüßlein auf die vorliegenden Dokumente mit keinem Wort ein. Stattdessen erhob er seinerseits Beschuldigungen gegen den früheren AA-Beamten. Dieser stehe offensichtlich in Verbindung zu östlichen Geheimdiensten, für sich selbst erbitte er daher »beamtenrechtliche[n] Schutz«.[41] Angesichts der Tatsache, dass die Vorwürfe in der Folgezeit nicht etwa abrissen, sondern im Gegenteil ständig neue belastende Akten auftauchten, griff das Amt diesen Wink ein gutes Jahr später auf. Während man mit dem Bundesjustizministerium übereinkam, auf eine Strafanzeige wegen »übler Nachrede« oder »Verleumdung« zu verzichten, da dies nur zur unerwünschten Aufwertung der Gegner führen könne, sollte der Verfassungsschutz nunmehr prüfen, ob die Urheber der Angriffe tatsächlich, wie von Nüßlein behauptet, Kontakte zu »sowjetzonalen Dienststellen« hätten.[42] Wenig später kam von dort die Rückmeldung, der in West-Berlin lebende Staudacher und dessen Ehefrau stünden in Verbindung zur polnischen Militärmission. Über den SDS-Aktivisten Reinhard Strecker, der die Ausstellung »Ungesühnte Nazijustiz« mitorganisiert und die Kontakte zur britischen Labour-Partei hergestellt hatte, wussten die Bonner Verfassungsschützer zu berichten, dass dieser sein Material aus Ost-Berlin und Prag beziehe.[43] Das Amt interpretierte dies als eine Bestätigung für Nüßleins antikommunistische Verschwörungsthese.[44] Zumindest im Fall des früheren Kollegen fasste man deshalb eine umfassende geheimdienstliche Observierung ins Auge.[45]

Auch Nüßleins Appell, das Amt sei ihm gegenüber zu besonderer Fürsorge verpflichtet, nahm man in der Koblenzer Straße durchaus ernst. Im Juli 1960 beauftragte Scherpenbergs ständiger Vertreter Karl Heinrich Knappstein den mittlerweile als Botschafter in Kopenhagen amtierenden Hans Berger mit der Überprüfung des Falls.[46] Dieser hatte sich für die Aufgabe zuvor selbst angeboten. Hier nun schloss sich der Kreis, denn Bergers Bereitschaft, ein entsprechendes Gutachten zu erstellen, war nicht nur der Kollegialität gegenüber einem früheren Mitarbeiter geschuldet. Mindestens ebenso wichtig war ihm, eine mittlerweile stark umstrittene Personalentscheidung zu rechtfertigen, die er fünf Jahre zuvor in Kenntnis von Nüßleins alter Personalakte aus dem Reichsjustizministerium selbst getroffen hatte. Dabei kam ihm zupass, dass die Kölner Staatsanwaltschaft ein Verfahren wegen »Rechtsbeugung«, das auf eine Anzeige des Bundes der Verfolgten des Naziregimes zurückging, kurz zuvor eingestellt hatte: eine Mitwirkung an Todesurteilen sei dem Beamten nicht nachzuweisen.[47] Unter Verweis auf den staatsanwaltschaftlichen Einstellungsbescheid erklärte Berger alle erhobenen Vorwürfe für unbegründet. Und wie bereits 1955, führte er auch jetzt zu Nüßleins Entlastung an, ehemalige Kollegen aus der Behörde des Reichsprotektors hätten dessen Distanz zum Nationalsozialismus bestätigt.[48] Seiner Empfehlung, den Beamten auch weiterhin uneingeschränkt in allen Bereichen des Auswärtigen Dienstes zu verwenden, schloss sich die Amtsführung vorbehaltlos an. Dabei war man sich wohl bewusst, dass dies neue Proteste hervorrufen würde: Weil damit zu rechnen sei, dass die »Angelegenheit in der Öffentlichkeit immer wieder aufflackert«, sollten Nüßleins Personalunterlagen – wie die anderer belasteter Diplomaten – bis auf Weiteres in einem Panzerschrank im Vorzimmer des Personalchefs verbleiben.[49]

Symptomatisch für die zielgerichtete Heranziehung von Laufbahnbeamten aus der Weimarer Zeit und der nationalsozialistischen Ära war auch die Besetzung der Länderreferate. So wurde nicht nur das strategisch wichtige Nahost-Referat, sondern auch die neu errichtete Ostabteilung mit führenden Experten aus dem alten Amt besetzt: Im Herbst 1953 wurden innerhalb der Länderabteilung die für den »Osten« zuständige Unterabteilung B unter Otto Bräutigam und das Referat 350 (Sowjetunion und ihre Republiken, Weltkommunismus, politische Emigration, Ostlektorat) unter der Leitung des Ostforschers Boris Meissner eingerichtet – letzterer Ex-NSDAP und SA-Mitglied sowie früherer Angehöriger der wirtschaftswissenschaftlichen Fakultät der Universität Posen. Gustav Hilger, ein Ostexperte aus dem alten Amt, war bereits im Juni 1953 als Berater verpflichtet worden.[50]

Die schleichende Restauration des Auswärtigen Dienstes rief kaum noch hörbare Proteste hervor. Nicht ohne Grund sah die Führung des Amtes daher ihre Einschätzung bestätigt, dass es seinerzeit vor allem Adenauers autoritärer Führungsstil und seine Machtfülle gewesen seien, welche die Angriffe auf den Dienst provoziert hätten. Das Verhalten der SPD bekräftigte diese Auffassung. Nach jahrelangen scharfen Auseinandersetzungen hatte sich jedenfalls die Parteispitze der Sozialdemokraten mit den Verhältnissen im Amt abgefunden. Im Falle des vormaligen Personalchefs Dittmann, den die Leitung aufgrund seines fatalen Auftritts vor dem Untersuchungsausschusses Nr. 47 für mehrere Jahre an das Generalkonsulat Hongkong abgeschoben hatte, unterstützte die SPD 1958 sogar den Wunsch des Ministers, ihn in die Zentrale zurückzubeordern und zum Unterstaatssekretär zu ernennen.[51] Ähnlich großzügig beurteilte man die Rehabilitierung anderer umstrittener Diplomaten.

Nach einer kurzen Ruhepause in der zweiten Hälfte der fünfziger Jahre musste sich das Amt jedoch erneut und anhaltend mit der Vergangenheit auseinandersetzen. Zum einen kam es zu einer stärkeren öffentlichen Thematisierung der nationalsozialistischen Judenpolitik und der Verwicklung des Auswärtigen Amts in die »Endlösung«. Ihren Anfang nahm die Debatte mit den Veröffentlichungen einiger meist jüdischer Historiker, die teilweise bei der amerikanischen Anklagevertretung in Nürnberg mitgewirkt hatten. Vorwiegend auf der Grundlage des Nürnberger Beweismaterials entstanden in Großbritannien und den USA, aber auch in der Bundesrepublik erste wissenschaftliche Überblicksdarstellungen zur Judenvernichtung und zu den Wurzeln des Antisemitismus, die ein stetig wachsendes Lesepublikum fanden. Die Bundeszentrale für Heimatdienst nahm mehrere dieser Veröffentlichungen in ihr Programm und schloss damit eine Lücke in der westdeutschen Zeitgeschichtsschreibung. Kurz nachdem das Münchner Institut für Zeitgeschichte Mitte 1954 entschieden hatte, die Übersetzung von Gerald Reitlingers »The Final Solution« nicht in seine Publikationsreihe aufzunehmen, kam die Bundeszentrale – auf Empfehlung von Bundespräsident Heuss – mit einer deutschsprachigen Ausgabe heraus. Während sich Reitlingers Studie auch innerhalb der etablierten Geschichtswissenschaft schnell als Standardwerk durchsetzen konnte, blieben die dokumentarischen Editionen von Joseph Wulf und Léon Poliakov bei deutschen Historikern umstritten. Gleichwohl entwickelte sich ihr erstes gemeinsames Buch, das 1955 unter dem Titel »Das Dritte Reich und die Juden« erschien, schnell zu einem Bestseller.[52] Ebenso wie in Reitlingers »Endlösung« nahm auch in diesem Werk das Thema der Elitenkollaboration breiten Raum ein; in beiden Büchern fand sich überdies eine ziemlich vollständige Liste mit den Namen der verantwortlichen Akteure aus Regierung und Verwaltung – ein beispielloser Tabubruch, der zu entsprechenden Reaktionen führte.

Vor allem die Kontinuität der Funktionseliten war ein Thema, das bei den Opferverbänden und der politischen Linken einen Mobilisierungsschub auslöste, der sich auch in einer besseren weltweiten Vernetzung niederschlug. »Renazifizierung« wurde zum Topos eines transnationalen Mediendiskurses. Begünstigt wurde diese Entwicklung einerseits durch eine Reihe vergangenheitspolitischer Skandale, die – bedingt durch die zunehmende Impertinenz der »131er« und das Wiederaufflammen antisemitischer Feindbilder – die westdeutsche Gesellschaft gegen Ende des Jahrzehnts in immer stärkerem Maße erschütterten. Andererseits trug auch die DDR-Propaganda zur Intensivierung der Debatte bei, indem sie dazu überging, Vertreter des Bonner Establishments wegen ihrer NS-Vergangenheit anzugreifen. Die medialen Verstärkungseffekte zwischen den vom Osten inspirierten Entlarvungsaktionen und deren Rezeption durch die Öffentlichkeit im Westen musste das Auswärtige Amt in besonderem Maße beunruhigen, drohte doch die Strategie der Bundesregierung, den NS-Vorwürfen durch eine restriktive, auf Kontrolle zielende Informationspolitik zu begegnen, unterlaufen zu werden.

Als Ende 1955 mit finanzieller Unterstützung der Bundeszentrale die erste deutsche Ausgabe von »The Final Solution« im West-Berliner Colloquium-Verlag herauskam, war es im Prinzip nur eine Frage der Zeit, bis sich diejenigen Personen, die Reitlinger als Verantwortliche namentlich im Anhang aufgeführt hatte, dagegen zur Wehr setzen würden. Unter den wiederverwendeten Beamten des Auswärtigen Amts, deren aktive bürokratische Mitwirkung an der Judenvernichtung in dem Buch zur

Sprache kam, fand sich neben Werner von Bargen auch der Sowjetuni-on-Experte Otto Bräutigam. Der ehemalige Rosenberg-Intimus und kommissarische Leiter der Unterabteilung Ost hatte erst Anfang 1953 nach längerer Wartezeit und trotz nachweislich falscher Angaben über seine NSDAP-Mitgliedschaft im neuen Amt Fuß fassen können.[53] Eine beabsichtigte Entsendung nach São Paulo, wo er sich nach Adenauers Vorstellung mit sowjetischen Umtrieben in Südamerika befassen sollte, war im Herbst 1955 am Einspruch des Kabinetts gescheitert.[54]

Kurz vor Weihnachten wurde Bräutigam von einem Mitarbeiter der Bundeszentrale über die Reitlinger-Studie informiert. Daraufhin ver-ständigte er umgehend Personalchef Löns. Bräutigams Hinweis, eine mit öffentlichen Mitteln geförderte Publikation, die »in epischer Breite die Greueltaten des Dritten Reichs« schildere, ziele auch auf das Amt und einzelne Diplomaten, veranlasste die Personalabteilung, das Innenmi-nisterium noch vor den Feiertagen zu einer Stellungnahme aufzufor-dern.[55] Doch inzwischen hatte der Leiter der Bundeszentrale, Paul Fran-ken, die Sache bereits selbst in die Hand genommen. Während er bei dem Verleger Otto Hess darauf drang, die Namen der beiden AA-Leute aus dem Anhang zu tilgen, suchte er Löns mit dem Argument zu be-schwichtigen, der »federführende Referent für Judenprobleme im Insti-tut für Zeitgeschichte« (gemeint war Helmut Krausnick) habe ihm auf Nachfrage erneut versichert, Reitlingers Werk sei trotz Unrichtigkeiten im Einzelnen das »wissenschaftliche bedeutendste« auf seinem Sektor. Die Bundeszentrale könne niemals alle Einzelheiten prüfen, dies sei nun mal Sache der Wissenschaft, und auch rechtlich seien ihm die Hände gebunden. Er sei aber bereits mit dem Verleger übereingekommen, dass die Bundeszentrale ein Vorwort für die deutsche Ausgabe verfassen wer-de, das unter dem Namen des Verlegers erscheine. Zu den beiden Diplo-maten sollten kurze Korrekturhinweise gegeben werden, in denen insbe-sondere auch auf die Ergebnisse der parlamentarischen Untersuchung verwiesen werde.[56]

In der deutschen Fassung erschien »The Final Solution« fortan mit einem Vorwort von Hess, in dem es hieß, man habe – angeblich im Ein-vernehmen mit dem Autor – einige »sachliche Richtigstellungen« vor-nehmen müssen. Während Bargens Name danach nur noch in Verbin-dung mit einer Fußnote auftauchte, in der das entlastende Urteil des Bundesdisziplinaranwalts vom Oktober 1954 erwähnt wurde, fand sich zu

Bräutigam ein kurzer Auszug aus dem Urteil des Landgerichts Nürnberg-Fürth, das ihm im Januar 1950 bescheinigt hatte, sich nicht an der »Ausrottung der Juden in den besetzten Ostgebieten« beteiligt zu haben.[57] Da Franken in seinem Schreiben an die Personalabteilung zu bedenken gegeben hatte, dass der Vergleich zwischen deutscher und englischer Buchfassung eventuell »unliebsame Erörterungen« heraufbeschwören könne, setzte sich Bargen kurz darauf noch einmal persönlich mit dem Colloquium-Verlag in Verbindung und verlangte, dass auch die Stellen in der Originalausgabe entsprechend geändert werden müssten.[58] Durchsetzen konnte er sich damit allerdings nicht.

Während es über die Weihnachtsfeiertage so aussah, als sei die Angelegenheit aus der Welt geschafft, drohte zur Jahreswende neues Ungemach. Bei der Lektüre der soeben im West-Berliner arani-Verlag erschienenen Dokumentation von Wulf/Poliakov war dem Parlamentarischen Geschäftsführer der SPD Walter Menzel ein aus dem Jahr 1941 stammendes Schreiben mit Unterschrift Bräutigam aufgefallen, das auf eine weitreichende Kenntnis von Judenpogromen in Litauen schließen ließ. Am 30. Dezember erkundigte sich Menzel bei Brentano, ob der Verfasser des Dokuments mit dem AA-Beamten identisch sei.[59] Ende Januar veröffentlichte dann der sozialdemokratische Pressedienst Auszüge aus Bräutigams Kriegstagebuch, in dem sich zustimmende Äußerungen zur Judenvernichtung fanden; das Thema beschäftigte die gesamte deutsche Tagespresse.[60] Kaum war die Welle abgeflaut, legte am 1. März 1956 auf einer Pressekonferenz in Ost-Berlin der Ausschuss für deutsche Einheit (AdE) die vollständige Fassung des Tagebuchs vor. Hauptredner der »Kundgebung gegen die Judenmörder in der Bonner Regierung«, die zehn Tage später in der Ost-Berliner Volksbühne stattfand, waren neben Bruno Baum vom Internationalen Auschwitz-Komitee der Nationalpreisträger Wolfgang Langhoff, Rabbiner Martin Riesenburger von der Jüdischen Gemeinde Groß-Berlins sowie der Schriftsteller Stephan Hermlin. Während Leute wie Hans Frank und Alfred Rosenberg gehenkt worden seien, mache jemand wie Bräutigam in Westdeutschland »nach wie vor Ostpolitik«.[61]

Als im Januar 1956 die ersten Entrüstungsstürme über der Koblenzer Straße hinwegfegten, gab es dort kein Konzept, wie man den Angriffen auf Bräutigam begegnen sollte. Dies war insofern erstaunlich, als es im Vorfeld seiner Reaktivierung genug Stimmen gegeben hatte, die ausdrücklich warnten. Besonders heftigen Widerstand hatte Blankenhorn geleistet, der bereits Bräutigams Einstieg ins Bundespresseamt verhindert hatte.[62] Wie Bräutigam gerüchteweise von Pressechef Fritz von Twardowski erfahren haben wollte, nahm ihm Blankenhorn sowohl seinen Wechsel vom Auswärtigen Amt ins Rosenberg-Ministerium übel als auch seine Aussagen im Nürnberger OKW-Prozess, mit denen er die Wehrmachtgeneralität belastet habe.[63] Auch auf parlamentarischer Ebene bestanden zunächst erhebliche Bedenken, sodass das Kabinett im September 1952 eine Beschlussfassung zu Bräutigams Reaktivierung hatte zurückstellen müssen.

Bundestagspräsident Gerstenmaier suchte seine prinzipiellen Einwände politisch zu begründen. In russischen Emigrantenkreisen, argumentierte er gegenüber der Länderabteilung, würde man den früheren Moskauer Botschaftsrat Gustav Hilger als Leiter der Ostabteilung vorziehen, da man Bräutigam im Verdacht habe, er werde gegenüber der Sowjetunion erneut eine Politik nach völkischen Kriterien betreiben.[64] Anders als der SPD-Abgeordnete Lütkens, der sich von der Personalabteilung durch eine Aufzeichnung zu Bräutigams angeblichen Widerstandsaktivitäten blenden ließ, stellte sich Gerstenmaier quer. Aufgrund der in dieser Massivität wohl unerwarteten Widerstände bat Bräutigam eine Reihe früherer Kollegen, ihm mit Leumundserklärungen behilflich zu sein. Außer Hilger, der zu dieser Zeit noch selbst für das Amt des Abteilungsleiters im Gespräch war, kamen Hans Schroeder, Hans Herwarth von Bittenfeld, Karl Werkmeister, Hasso von Etzdorf, der frühere Kriegsverwaltungsrat beim Wirtschaftsstab Ost, Otto Schiller, sowie der FDP-Rechtsaußen Friedrich Middelhauve, Bräutigams ehemaliger Referent aus dem Ostministerium, der Aufforderung nach.[65]

Ende September 1952 waren sowohl Personalchef Pfeiffer als auch sein Mitarbeiter Welck der Meinung, es liege so viel entlastendes Material zu Bräutigam vor, dass man ihn ruhigen Gewissens mit dem Aufbau der Ost-Abteilung betrauen könne. Hallstein suchte sich letzte Klarheit zu verschaffen, indem er etwa einen Monat später den früheren Ostexperten Richard Meyer von Achenbach zurate zog, der aufgrund seiner jüdischen Abstammung allerdings bereits 1940 nach Schweden emigriert war und deshalb Bräutigams spätere Tätigkeit kaum beurteilen konnte. Meyers vorbehaltlos positives Urteil – »wärmstens« zu empfehlen – lieferte letztlich den Ausschlag für Bräutigams Berufung.

Während Blankenhorn, der im Falle einer Verwendung Bräutigams »innerpolitische Angriffe« prophezeite, weiterhin Widerstand leistete, stellte Gerstenmaier seine Bedenken im Sommer 1953 zurück.[66] Hallstein hatte Mitte Juni in einem längeren Schreiben noch einmal bei ihm nachgefühlt und ihn gebeten, seine Entscheidung zu überdenken. Natürlich stelle die frühere leitende Stellung im Ostministerium »eine optische Belastung« dar, die Bräutigams Wiederverwendbarkeit für den neuen Auswärtigen Dienst »äußerst zweifelhaft« erscheinen lasse. Aber die Prüfung habe ergeben, dass Bräutigam unermüdlich auf eine »menschliche Kriegsführung in Russland und eine humane Behandlung der Kriegsgefangenen und Ostarbeiter« hingearbeitet habe.[67] Nach einem persönlichen Gespräch mit Personalreferent Welck, der ihm kurz darauf noch eine Reihe entlastender Dokumente aus Bräutigams Personalakte vorlegte, gab der Bundestagspräsident schließlich seine Zustimmung – unter der Voraussetzung, dass »keine neuen begründeten Einwände« gegen Bräutigam auftauchten.[68]

Als genau diese Situation zweieinhalb Jahre später eintrat und Gerstenmaier deshalb vom Auswärtigen Amt um Hilfe gebeten wurde, weigerte er sich strikt, abermals mit den Personalien kompromittierter Diplomaten befasst zu werden. Es handele sich um eine »politische Frage« und als solche müsse sie von Brentano in eigener Verantwortung entschieden werden.[69] Abgesehen davon, dass der Außenminister ohnehin nicht als Mann von großer Entschlusskraft galt, war damit weder dem Betroffenen noch den Verwaltungsjuristen der Personalabteilung geholfen. Also zog man es vor, die Angelegenheit nach altbewährter Manier zu bereinigen. Nachdem er Bräutigam bei vollen Bezügen suspendiert hatte, beauftragte Brentano Anfang Februar den pensionierten Oberlandesgerichtspräsidenten Heinrich Lingemann mit der Erstellung eines Gutachtens. Dieser kam nach mehr als einem Jahr zu dem Befund, aus den »übereinstimmenden Aussagen sämtlicher vernommener Zeugen« habe sich ergeben, dass »Dr. Bräutigam an der Judenverfolgung im Dritten Reich in keiner Weise beteiligt« gewesen sei und stattdessen alles getan habe, um verfolgten Juden zu helfen.[70]

Diese Formulierung war insofern unpräzise, als zumindest ein Zeuge nicht in den bekannten Chor der Bräutigam-Unterstützer einstimmte: Henry Ormond, ein 1939 aus Deutschland emigrierter Jurist, der sich nach seiner Rückkehr als Anwalt in Frankfurt am Main niedergelassen hatte. Ormond hielt nicht nur die Reaktivierung Bräutigams, sondern auch die Methode seiner amtlichen Weißwaschung für skandalös: »Sie können noch weitere 200 ehemalige Vorgesetzte, Kollegen oder Untergebene, sei es aus dem Auswärtigen Amt, sei es aus dem damaligen Reichsministerium … hören. Ich bin überzeugt davon, dass keine dieser Personen einen Stein auf Dr. Bräutigam werfen wird. Nur allzu viele sind daran interessiert, die Kollektivunschuld ganzer Dienststellen zu betonen und dabei auch Herrn Dr. B. miteinzubeziehen.« Ob Bräutigam noch bestraft werde, sei nicht das Entscheidende. Entscheidend sei, dass es nicht im Interesse des Auswärtigen Amts und der Bundesrepublik liegen könne, wenn eine Persönlichkeit, »mit deren Willen und Wissen« solche Massenmorde geschehen seien, heute noch an verantwortlicher Stelle im Auswärtigen Dienst arbeite.[71]

Noch bevor Brentano im Juni 1957 das Gutachten genauer studieren konnte, hatten sich Löns und Hallstein bereits über Bräutigams weitere Verwendung verständigt. Da dieser mittlerweile im 62. Lebensjahr stand, sollte eine »frische, jüngere und leistungsfähige Kraft« die Geschäfte weiterführen, während für Bräutigam selbst ein Auslandsposten in Betracht zu ziehen sei. Der Minister hielt es jedoch für besser, Bräutigam einen Posten in der Zentrale anzubieten und ihn dadurch zu veranlassen, freiwillig in den Vorruhestand zu gehen.[72] Allerdings stand in Bonn keine adäquate Stelle zur Verfügung. Löns, der sowohl bei der SPD als auch in der Öffentlichkeit einen Stimmungswandel zugunsten von Bräutigam zu erkennen glaubte, empfahl Brentano, beide Optionen zu prüfen und sowohl mit Bräutigam über die Möglichkeit einer vorzeitigen Pensionierung zu sprechen als auch nach einem geeigneten Auslandsposten Ausschau zu halten. Im Zuge des kurz darauf vorgenommenen Revirements wurde Bräutigam dann in die britische Kronkolonie Hongkong entsandt.[73]

Die Hoffnung, sich des Problems damit auf elegante Weise entledigt zu haben, hielt nicht allzu lange an. Denn noch bevor der neue Konsul sein Amt antreten konnte, trafen aus Fernost bereits erste Hiobsbotschaften ein. So berichtete Unterstaatssekretär Dittmann, der ursprünglich Bräutigams Reaktivierung maßgeblich befürwortet hatte, über einen Artikel in der britischen *South China Morning Post*, der sich in »sensationeller« Weise mit Bräutigams geplanter Entsendung befasse. Dass der designierte Generalkonsul in Hongkong nicht gerade willkommen war, ging auch aus der Berichterstattung anderer Tageszeitungen hervor. Wie der englische *Guardian* meldete, sympathisierten die Briten in Hongkong mit der Initiative des Labour-Abgeordneten Arthur Lewis, der den Fall Bräutigam vor das Unterhaus bringen wollte. Wegen der bevorstehenden Anfrage hatte sich das Foreign Office bereits an das AA gewandt und eine Sprachregelung erbeten. In der Unterhausdebatte am 26. März konterte Unterstaatssekretär Ian Harvey die Forderung von Lewis, der neue deutsche Vertreter sei aufgrund seiner Beteiligung an der nationalsozialistischen Judenpolitik »unacceptable«, mit dem Hinweis, die Beschuldigungen seien unbegründet.[74]

Zwar trug die Tatsache, dass sich die Bundesregierung Ende der fünfziger Jahre zunehmend mit Vorwürfen aus dem Ausland konfrontiert sah, dazu bei, dass Minister und Verwaltung dem Thema »Renazifizierung« eine erhöhte Aufmerksamkeit widmeten. Um gegen die sich häufenden Angriffe gewappnet zu sein, wies Staatssekretär Scherpenberg die Leitung des Politischen Archivs im Februar 1959 an, sämtliche noch im aktiven Dienst stehende »Ehemalige« anhand der im Berlin Document Center befindlichen Unterlagen zu überprüfen.[75] Ein vergangenheitspolitischer Kurswechsel war mit solchen Präventivmaßnahmen aber mitnichten verbunden. Im Gegenteil, die Amtsspitze ging davon aus, dass die meisten Angriffe in direkter oder indirekter Weise aus dem »Osten« gesteuert würden. Im Übrigen vertraute man darauf, dass sich das Problem in Kürze aus biologischen Gründen ohnehin erledigt hätte.

Im Fall des Generalkonsuls Otto Bräutigam wäre dieses Kalkül fast aufgegangen, hätte nicht Brentano im Sommer 1959 die Debatte neu entfacht, indem er Bräutigam für das Große Bundesverdienstkreuz vorschlug.[76] In der kritischen deutschen Presse, wo man durch die anhaltenden Enthüllungsaktionen der DDR mittlerweile sensibilisiert war, wurde diese späte Ehrung nicht zu Unrecht als Trotzreaktion gewertet, so als seien aus Sicht des AA Bräutigams Verdienste und Leistungen viel zu lange von unnötigen Vergangenheitsdiskussionen überschattet worden. Dezidierte Kritik übte auch der Fernsehreporter Thilo Koch, einer der vielen jüngeren Journalisten, die sich Ende der fünfziger Jahre des Vergangenheitsthemas annahmen. Die Ordensverleihung an einen Mann, dessen Rolle bei der Judenvernichtung umstritten sei und dessen Kriegstagebuch Kopfschütteln erregt habe, lasse auf das mangelnde Taktgefühl derer schließen, die dem Bundespräsidenten einen derartigen Vorschlag unterbreitet hätten. Fünf Tage später schob Koch in der *Zeit* noch eine Glosse nach: »Bräutigams Orden«.[77]

Der Betroffene im fernen Hongkong war schnell im Bilde. Er schrieb nicht nur unverzüglich an Staatssekretär Scherpenberg, sondern einen Tag später auch einen geharnischten Brief an den »Schmutzfink« selbst, in dem er ihn in eine Reihe mit denen stellte, die an Weihnachten die neue Kölner Synagoge mit Hakenkreuzen und antisemitischen Parolen beschmiert hatten: »Wer diejenigen Personen angreift, die sich unter Einsatz ihres Lebens (Feststellung des Oberlandesgerichtspräsidenten a.D. Dr. Lingemann) während des Krieges für die Juden verwendet haben, ist in meinen Augen – und ich bin überzeugt, auch in den Augen der Öffentlichkeit – genauso ein antisemitischer Schmutzfink wie diejenigen, die Hakenkreuze an die Hausmauern malen. Ich würde daher auch keine Bedenken tragen, Sie entsprechend dem Vorschlag des Herrn Bundeskanzlers öffentlich zu ohrfeigen, wenn ich Sie in Deutschland treffe. Rufmörder sind genau solche Verbrecher wie physische Mörder, denn ein anständiger Mensch stellt seine Ehre über das Leben. Deutschland kann nicht gesunden, solange solche antisemitischen Ehrabschneider wie Sie ihr Unwesen in Deutschland treiben. Ich bin überzeugt, dass jeder anständige Mensch und jede anständige Zeitung von einem Manne abrückt, der es gerade im Augenblick der Erregung über antisemitische Kundgebungen für taktvoll hält, den Versuch zu unternehmen, denjenigen zu verunglimpfen, der stolz darauf ist, dass es ihm gelungen ist, viele tausende Juden vor dem ihnen zugedachten Schicksal zu bewahren.«[78]

Als Scherpenberg Anfang Februar von den peinlichen Ausfällen erfuhr, hoffte er noch, die Angelegenheit werde keine größeren Kreise ziehen. Gegenüber Bräutigam äußerte er zwar »Verständnis« für die Empörung, den Brief aber hielt er dem Inhalt wie der Form nach für unangebracht. Er, Bräutigam, könne froh sein, wenn daraus keine neuen öffentlichen Auseinandersetzungen entstünden, die »gerade heute« unbedingt vermieden werden müssten.[79] Zwei Wochen später druckte die *Zeit* unter der Überschrift »Bräutigam – in Harnisch« dessen Selbstentblößung ab. Daneben stellte sie einen längeren Leserbrief des Theologen Helmut Thielicke, der Bräutigam als einen Mann von »ausstrahlender Humanität« pries. Die »Kollektivschuld«-These der Alliierten habe zwangsläufig zu einer deutschen »Kollektiv-Neurose« geführt. Zwar seien Minderwertigkeitsgefühle und Schuldkomplexe durchaus berechtigt, aber der »üble und wirklich antisemitische Vorfall mit der Kölner Synagoge« habe auch deutlich gemacht, dass der »unbeherrschte Nervositätsrummel« von der »öffentlichen Meinung« – gemeint waren die kritischen Journalisten – absichtsvoll geschürt werde.[80] Die *Zeit*-Redaktion enthielt sich eines Kommentars.

Als es am 18. Februar 1960 im Bundestag zu einer parlamentarischen Aussprache über die antisemitischen Vorfälle von Köln kam, brachte der SPD-Abgeordnete Jahn neben den üblichen Verdächtigen Oberländer und Globke auch den Fall Bräutigam zur Sprache. Bräutigam unterbreitete daraufhin den grotesken Vorschlag, Minister oder Staatssekretär sollten von der Bundestagstribüne herab Auszüge des Lingemann-Gutachtens vortragen. Dies lehnte das Amt dankend ab und ermahnte Bräutigam stattdessen, sich aller weiteren Äußerungen zu enthalten. Brentano dankte Thilo Koch in einem persönlichen Brief für dessen »vornehme Haltung«; schärfere disziplinarische Konsequenzen gegen den Generalkonsul seien nur deshalb unterblieben, weil er in zwei Monaten wegen Erreichens der Altersgrenze ohnehin aus dem Amt scheiden werde.[81] Die vorzüglichen Netzwerke der westdeutschen Ostforschung bescherten Bräutigam nach seinem Ausscheiden noch eine dritte Karriere: Auf Vermittlung seines ehemaligen Mitarbeiters Boris Meissner, inzwischen Geschäftsführender Direktor des 1961 in Köln gegründeten Bundesinstituts zur Erforschung des Marxismus-Leninismus, wurde er 1964 zum Leiter der neu gegründeten Studiengruppe Ost-West-Fragen ernannt, einer Einrichtung zur Ostforschung im Umfeld des Bundesnachrichtendienstes (BND).

»Braune Internationale«

Mit dem Sturz Peróns im September 1955 fand ein Abschnitt ausgesprochen harmonischer Beziehungen zwischen der Bundesrepublik und Argentinien sein abruptes Ende. Im Mittelpunkt der Spannungen, die nun einsetzten, stand das deutsche Kapital in Argentinien. Einerseits wurde mit dem Putsch der kurz vor der Ratifizierung stehende Vertrag hinfällig, der die Rückgabe des deutschen Eigentums regeln sollte, das nach der argentinischen Kriegserklärung an das Deutsche Reich im März 1945 als »Feindeigentum« beschlagnahmt worden war. Andererseits befanden sich unter den neun Firmen, die wegen des Verdachts der Korruption während des Perón-Regimes von der neuen Regierung unter Zwangsverwaltung gestellt wurden, sieben deutsche Unternehmen.

Erschwert wurden die Verhandlungen zwischen Bonn und Buenos Aires durch ein Buch, das nach Peróns Sturz erstmals in Argentinien verbreitet werden konnte: »Technik eines Verrats«. Die Nationalsozialisten, so die These des Autors Silvano Santander, hätten über ihre Botschaft in Buenos Aires just zu dem Zeitpunkt, als sich ihre eigene Niederlage abzuzeichnen begann, Perón den Weg an die Macht geebnet, um in Argentinien einen faschistischen Nachfolgestaat zu schaffen, unter dessen Schutz die Reorganisation der »braunen Internationale« ermöglicht werden sollte. Zu diesem Zweck sei das aus dem besetzten Europa geraubte »Nazigold« nach Argentinien geschafft worden. Bei dem beschlagnahmten deutschen Kapital handele es sich folglich um Raubgut.

Zu den Organisatoren der Unterwanderung Argentiniens gehörte laut Santander auch der Bonner Justizminister Merkatz (DP). Er hatte während des Krieges als Sekretär im Ibero-Amerikanischen Institut gearbeitet, einer Institution, die für Santander eine Schlüsselrolle bei dem Komplott spielte. Seine These, die »braune Internationale« befinde sich im Wiederaufbau und versuche nun, an ihr argentinisches Geld zu kommen, erhielt dadurch politische Brisanz. Santander war nicht irgendein Publizist, der abenteuerliche Verschwörungstheorien in die Welt setzte, sondern prominentes Mitglied des »Partido Radical«, der nach dem Sturz Peróns zur wichtigsten zivilen Macht aufstieg, und er verfügte über zahlreiche exzellente Verbindungen, um seinen Thesen Gehör zu verschaffen.

Im Auswärtigen Amt war man sich zunächst nicht sicher, wie man den Einfluss Santanders auf die argentinische Regierung einzuschätzen habe. War die Tatsache, dass sich unter den neun ausländischen Firmen in Argentinien, die unter Zwangsverwaltung standen, sieben deutsche befanden, auf antideutsche Stimmungsmache zurückzuführen, oder spiegelte die Zwangsverwaltung, wie die argentinische Regierung versicherte, vor allem das ehrliche Bestreben, die Korruption unter der peronistischen Diktatur zu überwinden?[82] Am 16. Dezember führte eine Untersuchungskommission in der Provinz Córdoba eine Haussuchung bei Hans-Ulrich Rudel durch, der als enger Freund Peróns bekannt war. Man habe eindeutige Hinweise darauf gefunden, erklärte die Kommission in ihrem anschließenden Bericht, dass Rudel sich von Argentinien aus am Aufbau einer »braunen Internationale« beteiligt habe. Mit den bei Rudel gefundenen Unterlagen werde man die Thesen Santanders untermauern können.[83] Auf der am folgenden Tag stattfindenden Lagebesprechung im AA zog man den Schluss, dass es sich bei der neuen Regierung um eine deutschfeindliche handele, die Deutschland nach wie vor mit dem Faschismus in Verbindung bringe.[84] Mit zehnjähriger Verspätung wurden die deutsch-argentinischen Beziehungen von der nationalsozialistischen Vergangenheit eingeholt.

Das Engagement der Nationalsozialisten in Argentinien sowie Spekulationen über deutsche Verbindungen zu argentinischen Institutionen und Politikern waren bereits zu Beginn der vierziger Jahre Gegenstand innenpolitischer Auseinandersetzungen in Buenos Aires gewesen. Im Juli 1940 war Präsident Ortiz aus gesundheitlichen Gründen aus dem Amt geschieden, der nach Jahren der autoritären Herrschaft eine vorsichtige Liberalisierung gewagt hatte, aber nur zwei Jahre im Amt gewesen war. Sein Nachfolger machte diese Entwicklung schnell rückgängig. Sein antiliberaler, autoritärer Kurs ließ in Oppositionskreisen den Eindruck entstehen, dass die Regierung Castillo den faschistischen Bewegungen zuzurechnen sei.

Im Juni 1941 setzte die Opposition, die im argentinischen Unterhaus über die Mehrheit verfügte, eine Untersuchungskommission zur Aufklärung Antiargentinischer Aktivitäten durch. Die Kommission befasste sich mit dem Fortbestehen des 1939 verbotenen Landesverbands der NSDAP in Argentinien, den Spionageaktivitäten der deutschen Botschaft, der Bestechung argentinischer Zeitungen durch Botschaftsmitarbeiter und der von der Botschaft geförderten Propagierung eines deutschen Nationalismus in den Schulen der deutschen Kolonie und legte dazu vier Informationsbroschüren vor. Die Untersuchungen wurden unterstützt von Mitgliedern der deutschen Kolonie, die den Nationalsozialismus ablehnten und sich bereits 1933 gegen die Gleichschaltung deutscher Institutionen in Argentinien zur Wehr gesetzt hatten. Mit ihren Ergebnissen lag die Kommission ziemlich richtig.[85] Wichtiger als die Erkenntnis, dass getarnte Agenten an der Botschaft tätig waren und die Deutschen mit allerlei unfeinen Mitteln versuchten, die öffentliche Meinung Argentiniens zu beeinflussen, war für die Opposition aber die politische Bedeutung der Sache: Während Castillo unter dem Vorwand, die Nation zu schützen, die bürgerlichen Freiheiten einschränkte, genossen Institutionen wie die Deutsche Botschaft alle Freiheiten, die argentinische Gesellschaft zu infiltrieren und zu unterwandern.

Seit dieser Zeit waren nationalsozialistische Aktivitäten in Argentinien immer wieder thematisiert worden und gehörten zum festen Bestandteil des politischen Diskurses. Eine wichtige Rolle spielten sie 1945/46, als Juan Péron, der nach dem Sturz Castillos im März 1943 zur dominierenden Figur der argentinischen Politik geworden war, seine Kandidatur für das Präsidentenamt bekannt gab. Der Unterstaatssekretär im State Department Spruille Braden, der zuvor amerikanischer Botschafter in Buenos Aires gewesen war, setzte alle Hebel in Bewegung, Péron zu verhindern. Er hielt ihn für einen Faschisten, der Argentinien auf einen gefährlichen Weg bringe. Mit Bradens Hilfe wurden Recherchen in Auftrag gegeben, um mögliche Verbindungen zwischen Perón und den Nationalsozialisten offenzulegen. Die Ergebnisse wurden in einem Pamphlet zusammengefasst, das den Titel »Blue Book« trug und mit der Behauptung aufwartete, alle argentinischen Regierungen seit Castillo hätten mit den Nationalsozialisten zusammengearbeitet, um in Südamerika einen faschistischen Staat zu etablieren. Perón habe dabei eine zentrale Rolle gespielt.

Auch nach Pérons überwältigendem Wahlsieg im Februar 1946 gab Braden den Kampf gegen Perón nicht auf. Dabei kam ihm der aus Deutschland vertriebene Heinrich Jürges zu Hilfe. Jürges hatte sich während des Krieges in Argentinien an antinationalsozialistischen Aktivitäten beteiligt und war auch der Untersuchungskommission behilflich gewesen. Im Juli 1946 kehrte er nach Deutschland zurück, wo er eine Stelle in der Finanzabteilung der amerikanischen Militärregierung (OMGUS) bekam und sich mit den nach Argentinien verschobenen Geldern des Dritten Reiches beschäftigte.[86] Was das Rechercheteam Braden nicht hatte liefern können, nämlich Beweise für die Verbindungen zwischen Perón und den Nationalsozialisten, das beschaffte nun Jürges. In einem Memorandum nannte er die Frau Peróns, Eva Duarte, und seinen Finanzberater die entscheidenden Strohmänner, die Nazivermögen nach Argentinien geschafft hätten. Braden war entzückt.

Nachdem Jürges bereits in Südamerika durch spektakuläre, aber nachweislich erfundene Meldungen aufgefallen war, wurde ihm 1949 auch sein Status als Opfer des Faschismus (OdF) aberkannt, nachdem bekannt geworden war, dass er über ein Vorstrafenregister aus der Zeit vor 1933 verfügte. Er fälschte Dokumente, die belegen sollten, dass das Vorstrafenregister von der NS-Regierung angelegt worden sei, um ihn in Argentinien zu diskreditieren, und nahm Kontakt zu dem in Uruguay im Exil lebenden argentinischen Oppositionspolitiker Silvano Santander auf, den er als Mitglied der Untersuchungskommission kennengelernt hatte. Bei seinen Recherchen für die OMGUS sei er auf eindeutige Beweise für Peróns Verstrickung in den Nationalsozialismus gestoßen. Santander witterte eine einmalige Gelegenheit, Perón vor aller Welt zu diskreditieren. Aber er brauchte mehr Beweise. Jürges ging darauf ein und lieferte Stück für Stück jenes Materials, das dann die Grundlage für Santanders Buch »Technik eines Verrats« bilden sollte, das Ende 1953 erschien und außerhalb Argentiniens viel Staub aufwirbelte.[87]

Dies wurde auch im Auswärtigen Amt mit Sorge beobachtet. Als die Gesandtschaft in Montevideo nach Peróns Sturz meldete, Santander beabsichtige die Veröffentlichung seines Buches in Argentinien, wurde die Botschaft in Buenos Aires sofort beauftragt, zu überprüfen, ob sich bei der argentinischen Regierung Schritte zur Verhinderung unternehmen ließen.[88] Als »Technik eines Verrats« Anfang November 1955 auf dem argentinischen Markt erschien und sofort in hohen Auflagen verkauft wurde, wagte der stellvertretende Leiter der deutschen Botschaft, Luitpold Werz, einen zweiten Vorstoß beim argentinischen Außenministerium.[89] Deutsche Nachforschungen hätten ergeben, dass es sich bei den von Santander abgedruckten Dokumenten um Fälschungen handele. Werz schloss mit dem Hinweis, dass der Brief zwar privat sei, er aber nichts gegen die Veröffentlichung seines Inhalts einzuwenden habe.[90]

Dem Auswärtigen Amt kam zu Hilfe, dass Santander in seiner Schrift nicht nur Perón beschuldigte; unter denjenigen, die angeblich mit den Nationalsozialisten kooperiert hatten, tauchte auch eine Reihe namhafter Militärs auf, die nun alles daransetzten, die Dokumente in Santanders Buch als Fälschungen zu entlarven. Die Herren wandten sich an die deutsche Botschaft mit der Bitte, sie zu unterstützen und Material zur Verfügung zu stellen. Der Rechtshilfeverkehr, der sich daraufhin über die gesamte Dauer des jahrelangen Verfahrens gegen Santander entspann, wurde vom Auswärtigen Amt mit viel Engagement betrieben. Santander geriet bald in Beweisnot. Im Oktober 1956 kündigte er deshalb an, bei seiner nächsten Europareise Jürges aufzusuchen und die fehlenden Beweise beizubringen. Im AA war man alarmiert: Die Publikation neuen Materials könne »eine erneute Schädigung des deutschen Ansehens und eine weitere Verunglimpfung des Herrn Bundesministers der Justiz bedeuten«.[91] Der zuständige AA-Referent Welck traf sich mit dem Minister, und man beschloss, einen Weg zu finden, Jürges während Santanders Aufenthalt in Europa hinter Gitter zu bringen.[92] Mit der Begründung, Jürges habe durch seine Fälschungen den außenpolitischen Interessen der Bundesrepublik und ihrem Ansehen erheblichen Schaden zugefügt, erstattete das Auswärtige Amt am 8. Januar 1957 beim Bundesgerichtshof in Karlsruhe Strafanzeige.[93] Zwar gelang es nicht, das Treffen zwischen Jürges und Santander zu verhindern, aber Jürges besaß ohnehin keine Dokumente, die eine Zusammenarbeit zwischen Péron und dem Dritten Reich hätten beweisen können.

Für das Amt war die ganze Episode insofern besonders unerfreulich, als nicht nur die Aktivitäten der Botschaft in Buenos Aires während des Dritten Reichs ans Licht gezerrt, sondern auch viele »Fakten« hinzugedichtet wurden. Das führte einerseits zwar zu Spannungen in den deutsch-argentinischen Beziehungen, ermöglichte es dem Amt aber andererseits, mit juristischen Mitteln nachzuweisen, dass viele Behauptungen haltlos waren. Darüber geriet völlig aus dem Blickfeld, dass am Anfang der Geschichte nicht Urkundenfälschung und dubiose Finanztransfers standen, sondern Versuche der deutschen Botschaft, mit Schmiergeldzahlungen Einfluss auf die argentinische Politik zu nehmen.

Der Eichmann-Prozess

Als Altbundespräsident Heuss im Frühjahr 1960 zum ersten Mal Israel besuchte, erwartete ihn eine dicke Überraschung. Am 23. Mai gab Ministerpräsident Ben Gurion vor dem Parlament bekannt, dass »einer der größten Naziverbrecher«, Adolf Eichmann, soeben vom israelischen Geheimdienst in seinem Versteck aufgespürt worden sei und demnächst in Jerusalem vor Gericht gestellt werde.[94] Heuss, von Pressevertretern um eine spontane Stellungnahme gebeten, quittierte die Sensation mit der knappen Bemerkung, er sei überzeugt, dass Eichmann in Israel einen fairen Prozess bekomme. Auch in Bonn, wo man nach der weltweiten

Aufregung um die antisemitischen Schmierereien an der Kölner Synagoge auf eine Beruhigung des angespannten Verhältnisses zu Israel hoffte, war niemand auf die Ergreifung des seit Jahren gesuchten NS-Verbrechers vorbereitet.

Im März hatten sich Adenauer und Ben Gurion zum ersten Mal in New York getroffen und bei dieser Gelegenheit eine vertiefte wirtschaftliche, militärische und geheimdienstliche Zusammenarbeit ihrer beiden Staaten vereinbart. Die heikle Frage diplomatischer Beziehungen aber, die mittlerweile nicht mehr nur von der israelischen Regierung, sondern auch von der SPD und breiten Kreisen der deutschen Öffentlichkeit ausdrücklich gewünscht wurden, hatte Adenauer mit dem Argument umschifft, er sei angesichts des schwelenden Ost-West-Konflikts von den Amerikanern gebeten worden, derzeit keine Schritte zu unternehmen, die die bestehenden Spannungen verschärfen könnten. Weil die Bundesregierung die Entscheidung über eine Formalisierung erneut hinausgeschoben hatte, fiel es ihr leichter, Distanz gegenüber dem bevorstehenden Großprozess zu wahren. Auf der anderen Seite war man aber auch der Möglichkeit beraubt, sich bei einem Thema, das viel diplomatisches Fingerspitzengefühl erforderte, in wichtigen Detailfragen mit Jerusalem abzustimmen.

Da weder das Justizministerium noch das Auswärtige Amt, sondern lediglich der indirekt an der Fahndung beteiligte hessische Generalstaatsanwalt Fritz Bauer vorab von Eichmanns Ergreifung und der geplanten Regierungserklärung erfahren hatte, hatte man in Bonn einige Mühe, eine offizielle Stellungnahme zu formulieren.[95] Einen Tag nach der Aufsehen erregenden Knesset-Sitzung ließ die Bundesregierung mitteilen, man beabsichtige nicht, eine Auslieferung Eichmanns zu beantragen. Zur Begründung hieß es, Israel würde eine derartige Aufforderung voraussichtlich ohnehin ablehnen, da es zwischen beiden Ländern kein Auslieferungsabkommen gebe. Auch werde die Bundesregierung Eichmann weder juristische Unterstützung noch Rechtsschutz gewähren, weil beides nur in »schutzwürdigen Fällen« infrage komme. Vielmehr sei damit zu rechnen, dass die westdeutsche Justiz den israelischen Kollegen Rechtshilfe leisten werde, etwa durch Zeugenvernehmungen oder die Überlassung von Beweismitteln.[96]

Nicht zuletzt mit Rücksicht auf die arabischen Staaten hatte die Bundesregierung bewusst darauf verzichtet, ihre Haltung der Nichteinmischung moralisch zu begründen, und sich stattdessen auf Rechtsformalien zurückgezogen. Damit begab man sich auf recht dünnes Eis. Denn weder war die israelische Aktion rechtlich ohne Weiteres zu begründen, noch ließ sich die ad hoc getroffene Entscheidung, Eichmann jede juristische Unterstützung zu verweigern, mit der staatlichen Rechtsschutzpflicht in Einklang bringen. Dennoch suchte die Bundesregierung an der einmal beschlossenen Linie festzuhalten, zumal sich die Nachrichtenlage in den ersten Tagen und Wochen fast stündlich änderte und jedes Mal eine Fülle neuer Fragen und Probleme aufgeworfen wurde. So verbreitete sich wenige Tage nach der Bekanntgabe von Eichmanns Inhaftierung das später bestätigte Gerücht, dieser sei keineswegs – wie zunächst vom israelischen Regierungschef behauptet – von ehemaligen KZ-Häftlingen an seinem argentinischen Wohnort gekidnappt und anschließend nach Israel gebracht worden, sondern vielmehr Ziel einer sorgfältig vorbereiteten Geheimdienstoperation geworden. Wie die deutsche Botschaft in Buenos Aires vermutete, sei Eichmanns Entführung von »philosemitischen Kreisen« in der argentinischen Regierungsbürokratie begünstigt worden.[97]

Die Regierung Arturo Frondizis, über die Verletzung ihrer Hoheitsrechte verständlicherweise wenig erbaut, reagierte auf den völkerrechtswidrigen Akt, indem sie ihn vor den Weltsicherheitsrat brachte. Vertraulich fragte sie bei der deutschen Botschaft an, ob man in Bonn die Rechtsauffassung teile, dass Argentinien aus dem Vorfall Wiedergutmachungsansprüche gegenüber Israel ableiten könne.[98] Adenauer, der in diesem Vorstoß eine ernste Bedrohung für das deutsch-israelische Verhältnis witterte, gab daraufhin die Direktive aus, Kontakte zur argentinischen Botschaft vorerst zu meiden.[99]

Zumindest für den Außenminister bedurften die Umstände von Eichmanns Ergreifung aber noch aus anderen Gründen der Klärung. Am 1. Juni landete auf Brentanos Schreibtisch ein längerer Bericht des FAZ-Korrespondenten Nikolaus Ehlert, der sich mit Eichmanns absonderlicher Fluchtgeschichte befasste. Der Artikel, der als Fernschreiben aus der deutschen Botschaft in Buenos Aires eintraf, enthielt eine Reihe nicht unwesentlicher Informationen; auf dieselben Informationen stützte sich auch der Bericht der Botschaft an die Zentrale. Daraus ging hervor, dass der gesuchte Kriegsverbrecher unter dem Namen Ricardo Klement mit Hilfe eines Vatikan-Passes 1950 nach Argentinien eingereist war und zwei Jahre später auch seine Frau Vera und die Kinder aus Österreich hatte nachkommen lassen.[100] Besonders die Angabe, die drei Söhne (ein vierter wurde 1955 in Argentinien geboren) hätten unter ihrem richtigen Namen in der Nähe von Buenos Aires gelebt, erregte Brentanos Misstrauen. Da die Frankfurter Staatsanwaltschaft Eichmann seit November 1956 per Haftbefehl suchte und das Amt deswegen 1958 eigens bei der Botschaft in Buenos Aires nachgefragt hatte, ergab sich unweigerlich die Frage, wie die drei an ihre Pässe gekommen waren.[101] Brentano forderte unverzüglich eine Zusammenstellung und Verifizierung aller bisher bekannten Nachrichten zu Eichmann und dessen Familie an und verband dies mit der Aufforderung zu »größter Beschleunigung«.[102] Auch über die Untersuchung, die das argentinische Innenministerium mittlerweile zum Fall Eichmann eingeleitet hatte, sollte ihm die Botschaft berichten.

Nach und nach wurden dem Minister daraufhin die Einrichtungen und Protagonisten eines Netzwerks für geflüchtete NS-Täter bekannt, das bis zum Ende der Perón-Diktatur mit einiger Effizienz gearbeitet hatte. Der frühere SS-Angehörige Horst Carlos Fuldner, Bankier und Inhaber der deutsch-argentinischen Tarnfirma CAPRI (Compañia Argentina para Proyectos y Realisaciones Industriales Fuldner y Cia), hatte Eichmann mehrere Jahre bei sich untergebracht, ehe er ihm im März 1959 eine Stelle bei Mercedes-Benz Argentina vermittelte, wo der Gesuchte bis zu seiner Verhaftung tätig war. Die Söhne Klaus und Horst Adolf Eichmann waren am 20. August 1954 von der deutschen Botschaft in Buenos Aires mit Reisepässen ausgestattet worden. Als das Ministerbüro nachhakte, suchte die Rechtsabteilung die Angelegenheit herunterzuspielen. Die Botschaft habe 1956, als Eichmann zur Fahndung ausgeschrieben wurde, nicht wissen können, dass aus den zwei Jahre zuvor eingereichten Passanträgen »Rückschlüsse auf den Aufenthaltsort des jetzt gesuchten Eichmann gezogen werden konnten«.[103]

Als zwei Monate später aus den USA die Nachricht eintraf, ein in Paris lebender Journalist habe der jüdischen Wochenzeitung *Aufbau* einen Artikel angeboten, in dem das Verhalten der deutschen Botschaft in Buenos Aires im Fall Eichmann skandalisiert werde, sah sich die Botschaft zu einer längeren Rechtfertigung veranlasst.[104] Botschaftsrat Brückmann teilte mit, der verantwortliche Konsulatsbeamte könne sich nicht an den Vorgang erinnern, und dies sei durchaus nachvollziehbar. Im Übrigen habe eine vor Kurzem angestellte Umfrage ergeben, dass, von einer Ausnahme abgesehen, kein Botschaftsangehöriger, den Botschafter eingeschlossen, »von Adolf Eichmann und seinen Untaten vor den Mai-Ereignissen dieses Jahres jemals etwas gehört hatte«. Dies beantworte auch die Frage, warum die Botschaft nach Beginn der Fahndung nicht über die Passausstellung für die beiden Eichmann-Söhne berichtet habe.[105]

Tatsächlich war der »Judenreferent« im Reichssicherheitshauptamt nach dem Krieg nur kurz in den Blickpunkt des öffentlichen Interesses gerückt, als die Nürnberger Richter – nicht zuletzt aufgrund belastender Aussagen seines ehemaligen Mitarbeiters Dieter Wisliceny – Eichmanns Rolle bei den Deportationen erörtert hatten. Danach geriet der Name schnell wieder in Vergessenheit. Um wen es sich handelte, wusste Mitte der fünfziger Jahre nur eine kleine Gruppe jüdischer Überlebender – darunter Fritz Bauer, Tuviah Friedmann aus Haifa und der in Wien lebende Simon Wiesenthal –, die unabhängig voneinander versuchten, ihm auf die Spur zu kommen. Aber selbst wenn die Behauptung der deutschen Botschaft zutraf, man habe bis zu Eichmanns Entführung keine Kenntnis von dessen Verantwortung für den Judenmord gehabt, hatte man doch auch nichts Wesentliches unternommen, um den Hinweisen des Kölner Verfassungsschutzes nachzugehen, die die Zentrale 1958 nach Buenos Aires weitergeleitet hatte.[106] Das Fehlen jeglicher Initiative ist umso bemerkenswerter, als es sich bei dem seit 1956 amtierenden Botschafter Werner Junker um einen Ex-Pg und früheren Mitarbeiter des AA-Sonderbeauftragten für den Südosten, Hermann Neubacher, handelte, der selbst Mitverantwortung für die Raub- und Deportationsverbrechen auf dem Balkan trug.[107] Dies erklärt möglicherweise auch, warum Fritz Bauer, der die Aktion gegen Eichmann im September 1957 mit einem Hinweis an die Israel-Mission in Köln ins Rollen brachte, weder das Auswärtige Amt ins Vertrauen zog noch einen Auslieferungsantrag an die argentinische Regierung erwog.[108]

Das indolente Verhalten der Botschaft in der Passaffäre blieb keineswegs der einzige Vorfall, der die Verwunderung Brentanos erregte. Auch den Umgang mit anderen nach Argentinien geflüchteten NS-Tatverdächtigen empfand er als unbefriedigend. Nur wenige Tage nach seiner ersten Weisung war in der *FAZ* berichtet worden, dass sich ein gewisser Karl Klingenfuß, ehemals Mitarbeiter des ebenfalls flüchtigen »Judenreferenten« Rademacher aus der Abteilung D, seit längerer Zeit in Buenos Aires aufhalte. Der Artikel stützte sich auf Angaben der Staatsanwaltschaft Bamberg. Diese war seit Anfang der fünfziger Jahre für die Ermittlungen gegen Rademacher und Klingenfuß zuständig und hatte sich auf einer Pressekonferenz zum Stand des Verfahrens geäußert.

Brentano, der bereits seit Längerem vergeblich versuchte, über das Bundesjustizministerium Einsicht in Rademachers Akten zu erhalten, wies die Rechtsabteilung an, bei den Bamberger Justizbehörden Erkundigungen einzuholen und auch die Botschaft in Buenos Aires zur Berichterstattung aufzufordern.[109] Bereits einen Tag später lag die Reaktion des Botschafters vor. Junker hielt es allerdings nicht für nötig, die Fragen des Ministers zu beantworten, sondern forderte in recht brüskem Ton, ihm so rasch wie möglich eine Niederschrift der Bamberger Pressekonferenz zukommen zu lassen. Die Sorge des Botschafters galt Karl Klingenfuß, dem früheren Kollegen, der als Syndikus der deutsch-argentinischen Handelskammer inzwischen eine »recht exponierte Stellung« innehabe. Pressemeldungen, die argentinische Regierung habe sich geweigert, einem Bonner Auslieferungsersuchen Folge zu leisten, bewertete er als »tendenziös«.[110]

Nun konnte allerdings kein Zweifel bestehen, dass die Bundesregierung im Herbst 1952 tatsächlich ein Auslieferungsersuchen an die Perón-Regierung gerichtet hatte, das einige Monate später abgelehnt wurde.[111] Der gegen Klingenfuß erhobene Vorwurf, durch »schriftliche Aufforderung« zur Deportation von mindestens 10 000 in Belgien lebenden Juden sich der »Freiheitsberaubung« [sic] schuldig gemacht zu haben, stellte nach Auffassung der argentinischen Behörden »keine strafbare Handlung« dar.[112] Als Botschafter Junker im August 1956 seinen Posten in Südamerika antrat, wurde er sich mit Klingenfuß schnell einig, dass dem bestehenden Haftbefehl nicht Folge zu leisten sei. Schließlich habe sogar der stellvertretende US-Chefankläger Robert Kempner in einem längeren Schreiben an das AA Klingenfuß bescheinigt, eine untergeordnete Rolle gespielt zu haben – ohne allerdings zu erwähnen, dass es Klingenfuß gewesen war, der das Auswärtige Amt auf der zweiten Folgekonferenz zur Wannsee-Konferenz vertrat.[113] Er verstehe nicht, dass gegen Klingenfuß ermittelt werde, schrieb Kempner, wo doch »einige Personen, die weit höhere Ränge … hatten und eine weit größere Verantwortung gegenüber ihrem Gewissen und der Menschheit, heute wieder im deutschen Auswärtigen Dienst« seien.[114]

Im Juni 1958 schlug Junker der Zentrale vor, Klingenfuß freies Geleit einzuräumen, damit er gegenüber der bayerischen Justiz seine Unschuld beweisen könne.[115] Auch seinen früheren AA-Kollegen Friedrich Janz, Staatssekretär im Bundeskanzleramt, weihte er in diesen Plan ein. Zwei Monate später berichtete Janz an das Auswärtige Amt, der deutsche Botschafter in Buenos Aires habe ihn während seiner Südamerikareise davon unterrichtet, dass Klingenfuß in Argentinien eine segensreiche Rolle spiele und insbesondere von »Emigranten« sehr geschätzt werde. Käme es zu einer Gerichtsverhandlung, könnte die »mühsam geleistete Kleinarbeit« im deutsch-argentinischen Verhältnis zunichte gemacht weden.[116]

Während Botschaft und Rechtsabteilung – deren Leitung hatte im Oktober 1960 der aus dem Kanzleramt gekommene Ministerialdirektor Janz übernommen – bereits übereingekommen waren, dass es falsch wäre, den früheren Kollegen der westdeutschen Justiz zu überstellen, wenn damit nicht seine Rehabilitierung verbunden wäre, tappte der Minister weiter im Dunkeln. Am 21. Juni, unmittelbar vor der parlamentarischen Fragestunde zum Eichmann-Prozeß und zu flüchtigen NS-Tätern, mahnte er Janz, dass in diesem Zusammenhang auch »eine sorgfältige Klärung der Sache Klingenfuß« erforderlich sei. Er solle die Bamberger Staatsanwaltschaft um Übersendung der Akten bitten, außerdem müsse verifiziert werden, ob ein Auslieferungsantrag gestellt worden sei, den die argentinische Regierung abgelehnt habe. »Gerade weil Herr Dr. Klingenfuß als Syndikus der deutsch-argentinischen Handelskammer in einer exponierten Stellung tätig ist, haben wir alles zu tun, um den Sachverhalt aufzuklären. Wenn begründete Vorwürfe gegen ihn erhoben werden, ist er in dieser Position schlechthin nicht tragbar. Und wenn ein Auslieferungsersuchen abgelehnt worden ist, weiß ich nicht, warum die Erwähnung dieses Sachverhalts, wie der Botschafter meint, ›im gegenwärtigen Augenblick als tendenziös bezeichnet werden müsste‹.« Brentano verband seine Kritik an der dilatorischen Behandlung des Falls zuletzt mit der Aufforderung, die Botschaft möge sich zur Frage der Ausweispapiere äußern. Wenn Klingenfuß auf der Fahndungsliste stehe, könne er ja wohl kaum noch im Besitz eines deutschen Reisepasses sein.[117]

Als Justizminister Schäffer am folgenden Tag wegen der Fluchtfälle Eichmann, Klingenfuß und Rademacher dem Bundestag Rede und Antwort stand, musste der Außenminister erkennen, dass er mit seiner Auffassung nicht nur innerhalb der eigenen Behörde relativ isoliert dastand. Auf die Frage des SPD-Abgeordneten Karl Mommer, was man über Eichmanns Aufenthaltsort vor dessen Festnahme gewusst habe, gab

Schäffer die nachweislich falsche Auskunft, es habe lediglich Gerüchte über einen möglichen Aufenthalt im »Vorderen Orient« gegeben, wo dann auch ergebnislos Nachforschungen angestellt worden seien. Dem Vorwurf des SPD-Rechtsexperten Walter Menzel, die Bundesregierung habe sich um die Auslieferung von Klingenfuß offenbar nicht mit dem nötigen Nachdruck bemüht, begegnete Schäffer mit dem lapidaren Hinweis, der Bund habe schließlich gegenüber der bayerischen Justiz »kein Weisungsrecht«. Im Übrigen hätten die bayerischen Kollegen »erhebliche prozessuale Bedenken«, gegen Klingenfuß unabhängig vom Rademacher-Verfahren vorzugehen.[118] Zwar sagte Schäffer zu, mit dem bayerischen Justizministerium über einen neuen Auslieferungsantrag zu beraten. Aber obwohl die argentinische Regierung erst einige Wochen zuvor Entgegenkommen im Fall Mengele signalisiert hatte, unterblieb jeder weitere Versuch, an Klingenfuß heranzukommen.[119]

Es konnte nicht ausbleiben, dass sich bei Brentano, seit er Einblick in die deutsch-südamerikanischen Fluchthilfenetzwerke gewonnen hatte, Zweifel an der Integrität des deutschen Botschafters in Buenos Aires einstellten. Gut dreieinhalb Monate vor Beginn des Eichmann-Prozesses sollten die Spannungen ihren Höhepunkt erreichen. Anlass war ein längerer Bericht Junkers über den deutsch-niederländischen Journalisten Willem Sassen. Der ehemalige SS-Untersturmführer gehörte zu jenem Kreis »alter Kameraden«, die im Umfeld des Perón-Freundes Fuldner ihr Auskommen gefunden hatten. Ebenso wie sein langjähriger Freund Eichmann litt auch Sassen seit Mitte der fünfziger Jahre darunter, dass die NS-Seilschaften brüchiger wurden, sodass er sich nach neuen Einnahmequellen umsehen musste. In dieser Situation verfiel er 1956 auf die Idee, ein langes Interview mit Eichmann aufzuzeichnen, in dem sich dieser gegen die in Nürnberg erhobenen Beschuldigungen zu rechtfertigen suchte. Ob Sassen damit tatsächlich den Mossad auf Eichmanns Spur führte, wird sich wohl nicht mehr klären lassen. Fest steht, dass unmittelbar nach Eichmanns Entführung intensive Verhandlungen mit *Time/LIFE* und dem Hamburger *Stern* geführt wurden, die Auszüge aus dem Manuskript veröffentlichten. *Stern*-Herausgeber Henri Nannen, wie Sassen seinerzeit als SS-Kriegsberichterstatter an der Ostfront eingesetzt, hatte seinen Bekannten als Südamerikakorrespondent des *Stern* beschäftigt und griff auch für die Eichmann-Berichterstattung auf dessen Material zurück.[120]

Junker berichtete am 29. November farbig und detailverliebt, was ihm über den umtriebigen Sassen alles zu Ohren gekommen sei.[121] Ton und Inhalt des Briefes ließen keinen anderen Schluss zu, als dass Junker mit den Lebensumständen von Sassen recht gut vertraut war und durchaus mit ihm sympathisierte. Jetzt platzte Brentano der Kragen. Er werde zuweilen den Eindruck nicht los, schrieb er an Janz, »dass einige unserer Missionen über solche Restbestände des Nationalsozialismus nicht ausreichend berichten und nicht alle Vorkehrungen treffen, um sich von ihnen in unmissverständlicher Weise zu distanzieren«.[122]

Während die Frage der Abgrenzung gegenüber alten und neuen Nationalsozialisten eher als Symptom eines längeren Transformationsprozesses zu sehen ist, gehörte die Rechtsschutzproblematik zu den vom AA zu beantwortenden Kernfragen im Vorfeld des Eichmann-Prozesses. Zwar musste die Bundesregierung alles vermeiden, was als Unterstützung für den Angeklagten hätte gedeutet werden können. Aber die Verweigerung des Rechtsschutzes für einen deutschen Staatsbürger widersprach nicht nur dem Verfassungsgrundsatz, sondern brach auch mit der Praxis, im Ausland angeklagten Kriegsverbrechern nicht nur politisch und juristisch, sondern auch finanziell zur Seite zu stehen. Seit es Ende der fünfziger Jahre zur Einleitung neuer NS-Verfahren gekommen war und die Zentrale Stelle zur Aufklärung von NS-Verbrechen in Ludwigsburg ihre Arbeit aufgenommen hatte, war es zwar vereinzelt zu Kritik am staatlichen Rechtsschutzsystem gekommen. Eine grundsätzliche Neubestimmung der Prioritäten, die den Schutz des Angeklagten zugunsten einer effektiveren Strafverfolgung aufgegeben hätte, wussten der Außenminister und die beim AA angesiedelte Zentrale Rechtsschutzstelle (ZRS) jedoch erfolgreich abzuwehren. So hatte es Brentano beispielsweise im Oktober 1958 abgelehnt, einer Bitte des Bundesjustizministers und des bayerischen Justizministeriums nachzukommen und den Strafverfolgungsbehörden Einblick in die Akten der ZRS zu gewähren, weil er der Meinung war, dadurch würden die Rechte des Angeklagten ausgehöhlt.[123]

Wie weit die Fürsorge des staatlichen Rechtsschutzes ging, machen die deutsch-griechischen Verhandlungen über Max Merten deutlich. Der ehemalige Militärverwaltungsleiter beim Befehlshaber Saloniki-Ägäis war im März 1959 in Athen zu einer 25-jährigen Gefängnisstrafe verurteilt worden. Nachdem das Auswärtige Amt der Regierung Karamanlis noch vor Verkündung des Urteils die Daumenschrauben in Form wirtschaftlicher Sanktionen gezeigt hatte, wurde Merten im November in einer Nacht- und Nebelaktion in die Bundesrepublik abgeschoben, wo man ihn gegen Kaution sofort freiließ. In den folgenden Monaten wusste Merten das Eichmann-Verfahren geschickt für seine Zwecke zu instrumentalisieren, indem er Kanzleramtschef Globke für die Ermordung der griechischen Juden verantwortlich machte.[124] Nicht nur von seinen Anwälten Gustav Heinemann und Diether Posser, auch vom *Spiegel* wurde er zum »Opfer einer reaktionären Verschwörung« stilisiert.[125]

Die Haltung der Bundesregierung in der sogenannten Kriegsverbrecherfrage war von starken Widersprüchen gekennzeichnet. Einserseits unternahm man einige beachtliche Anstrengungen, um gesuchter NS-Täter habhaft zu werden. Andererseits trug man aktiv dazu bei, dass sie der Justiz durch die Maschen schlüpfen konnten. Auch hier ist das Beispiel Griechenland bezeichnend. Knapp zwei Jahre nach Einrichtung der »Zentralstelle für die Bearbeitung von Kriegsverbrechen in Griechenland« in Bochum setzte sich die deutsche Botschaft in Athen dafür ein, dass der Name von Eichmanns Mitarbeiter Alois Brunner – bei dem es sich nota bene um einen Österreicher handelte – von der griechischen Fahndungsliste gestrichen wurde.

Als das Auswärtige Amt unmittelbar nach Ben Gurions Parlamentserklärung bekannt gab, Eichmann erhalte keinen Rechtsschutz, ging man davon aus, dass sich die Frage ohnehin nicht stellen würde, weil Eichmann nach israelischer Strafprozessordnung das Recht auf einen Pflichtverteidiger habe und es außerdem zweifelhaft sei, ob er aufgrund seines frühen Umzugs nach Österreich noch die deutsche Staatsbürgerschaft besitze.[126] Beide Annahmen entsprangen typischem Wunschdenken. Nicht nur hatte der in Solingen geborene Eichmann seine deutsche Staatsbürgerschaft behalten, es zeichnete sich auch schnell ab, dass kein israelischer Anwalt bereit war, das Mandat des Angeklagten zu übernehmen. Ende Juni hielt die Rechtsabteilung deshalb fest, die ZRS sei im Falle Eichmanns verpflichtet, einen Verteidiger zu stellen; eine »Verwirkung« dieses Rechts aufgrund der Schwere der ihm zur Last gelegten Taten komme nicht in Betracht. Auch die Sorge, die Presse könnte diese Entscheidung möglicherweise als »pronazistisch« missdeuten, sei aus rechtlicher Sicht irrelevant. Schließlich sei sogar in Nürnberg nach der Regel verfahren worden, den »sog. Kriegsverbrechern« das Recht auf

einen Anwalt nicht zu verweigern. Während Staatssekretär Scherpenberg dem beipflichtete, bat Brentano, die Angelegenheit bis zu seiner
Rückkehr aus dem Urlaub ruhen zu lassen.[127]

Inzwischen hatte sich Eichmanns in Linz lebender Bruder Robert, ein
Rechtsanwalt, nach einem geeigneten Verteidiger umgesehen und war
auf seinen Kölner Kollegen Robert Servatius gestoßen. Servatius hatte in
Nürnberg als Verteidiger von Fritz Sauckel, Karl Brandt, Paul Pleiger
(Fall 11) und des Politischen Führerkorps der NSDAP auf Richter und
Ankläger einen guten Eindruck gemacht.[128] Als im November 1960 die
Veröffentlichungen aus dem Sassen-Manuskript Eichmann als einen fa-
natischen Judenhasser entlarvten, entwickelte sich zwischen Servatius,
Eichmann und dessen Familie ein enges, geradezu freundschaftliches
Verhältnis.[129] Man tauschte Weihnachtsgrüße aus und erregte sich gemeinsam über Sassen, dem man vorwarf, sich auf Kosten des Angeklagten bereichern zu wollen.[130] Die Bemühungen des Anwalts, die Vermark-
tung durch Sassen zu stoppen oder zumindest einen Teil des Honorars
für die Familie Eichmann zu sichern, scheiterten jedoch, und Servatius
war mehr denn je auf finanzielle Unterstützung durch das Auswärtige
Amt angewiesen. Im November 1960 und erneut im Januar 1961 reichte
er deshalb bei der ZRS den Antrag ein, ihn offiziell zu Eichmanns Verte-
diger zu bestellen und sämtliche Kosten zu übernehmen.[131]

In der Koblenzer Straße war die Lage weiterhin unklar. Auch nach der
Sommerpause konnte sich Brentano nicht zu einer Entscheidung durchringen – er hoffte wohl, Eichmann würde sich in letzter Minute doch
noch als Österreicher entpuppen.[132] Die Israelis hielten sich in der Frage
des Pflichtverteidigers nach wie vor bedeckt. In einem Gespräch mit dem
Leiter der Israel-Mission, Felix Shinnar, suchte die ZRS Jerusalem zu
einer Kostenübernahme zu bewegen; dies empfehle sich, weil sonst womöglich der Ostblock versucht sein könne, durch eine verdeckte Vertei-
digerfinanzierung auf den Prozess Einfluss zu nehmen. Auch wenn es
vorerst keine Anhaltspunkte für dieses Szenario gebe, werde die Gefahr
sehr real, sobald der Familie Eichmann das Geld ausgehe.[133] Nachdem die
Unterredung mit Shinnar keine substanziellen Fortschritte gebracht hatte, suchte die ZRS am selben Tag eine Ministerentscheidung herbeizuführen und konnte sich dabei erneut auf den Staatssekretär stützen, der
die Rechtsschutzpflicht für Eichmann inzwischen allerdings ebenfalls politisch begründete. Man müsse, hieß es in einem handschriftlichen Ver-

merk für den Minister, »unter allen Umständen verhindern, dass E.'s Verteidigung vom Osten finanziert« werde, »äußerstenfalls« sei daher doch die Rechtsschutzstelle in Betracht zu ziehen. Daraufhin stellte Brentano klar, eine Finanzierung durch die Bundesrepublik komme nicht in Frage.[134]

Nachdem er die undifferenzierte Rechtsschutzpraxis bis dahin widerspruchslos mitgetragen hatte, war für den Außenminister mit dem Eichmann-Prozess ein Punkt erreicht, der ihn zum Umdenken zwang. Wenig überzeugend war allerdings seine Begründung, die ZRS habe nicht die Aufgabe, »Verbrechen aus der nationalsozialistischen Zeit oder gar nationalsozialistische Verbrechen« zu schützen, vielmehr sei sie dazu da, »rechtsstaatliche Lücken zu füllen, welche gegenüber den Besonderheiten des Kriegsrechts gegeben« seien.[135] In der bisherigen Praxis war der Rechtsschutz aber gerade deshalb einer Vielzahl von NS-Tätern zugute gekommen, weil sie pauschal als »Kriegsgefangene« betrachtet wurden, die die Siegermächte aus »politischen« Gründen vor Gericht gestellt hätten. Obwohl Servatius in seiner im Januar 1961 eingereichten Klageschrift gegen das Auswärtige Amt diesen Widerspruch hervorhob und unter Verweis auf die in Frankreich abgeurteilten Höheren SS- und Polizeiführer Carl-Albrecht Oberg und Helmut Knochen auf eine Gleichbehandlung seines Mandanten pochte, hatte er damit keinen Erfolg.[136] Der Fall Eichmann, so das AA, sei keineswegs mit dem der beiden SD-Männer vergleichbar. Zwar seien beide wegen Mittäterschaft an Deportationen angeklagt und verurteilt worden. Die Bundesrepublik habe ihnen aber den Rechtsschutz nicht verweigern können, weil in dem Verfahren auch Maßnahmen gegen die französische Widerstandsbewegung eine Rolle gespielt hätten, sodass ein Zusammenhang mit Kriegsereignissen bestanden habe.[137]

In der Finanzierungsfrage half schließlich die Regierung Ben Gurion den Deutschen aus der Bredouille, indem sie nach einigem Hin und Her entschied, die Beteiligung ausländischer Verteidiger durch eine entsprechende Gesetzesänderung zu ermöglichen und Servatius' Kosten zu übernehmen.[138] Der kommunistischen Propaganda konnte man damit allerdings nicht den Wind aus den Segeln nehmen. Besonders in der DDR, wo man von der Existenz einer »Achse Bonn-Tel Aviv« ausging, wurde der Eichmann-Prozess als Teil eines imperialistischen Komplotts gewertet, mit dem die arabischen Staaten geschwächt werden sollten.

Vor dem Hintergrund der sich verschärfenden Berlin-Krise und anhaltender wirtschaftlicher Schwierigkeiten wollte die SED-Führung den Prozess für eine propagandistische Großoffensive gegen die Adenauer-Regierung nutzen. Hauptangriffsziel war erneut Staatssekretär Hans Globke, doch auch die Diplomaten mussten neue Enthüllungsaktionen über sich ergehen lassen.[139] So brachte das Ost-Berliner Ministerium für Auswärtige Angelegenheiten wenige Monate vor dem erstinstanzlichen Urteil eine aufwendig gestaltete Broschüre unter dem Titel »Von Ribbentrop zu Adenauer« heraus, in der – unter Berufung auf den 1950 nach Ost-Berlin übergelaufenen Gans Edler Herr zu Putlitz – mit den »Widerstandslegenden« der Wilhelmstraße abgerechnet wurde. Auswärtiges Amt und Reichssicherheitshauptamt seien, was die Vernichtung der Juden betraf, »ein Herz und eine Seele« gewesen – nur sei dem AA die »faschistische Ausrottungspolitik« nicht schnell genug gegangen.[140]

Den Verantwortlichen im Auswärtigen Amt war längst klar, dass der Eichmann-Prozess ein großes Gefahrenpotential für die gesamte Behörde barg. Denn bei einem Prozess dieser Art ließ sich gar nicht verhindern, dass die Verteidigung sowohl das Argument des Befehlsnotstands ins Feld führen als auch eine generelle Diskussion über die Mittäterschaft der Beamtenelite eröffnen würde. Das Amt drohte schon deshalb mit auf der Anklagebank zu sitzen, weil sich die Anklage überwiegend auf Dokumente aus der Wilhelmstraße stützte. Es handelte sich um Material, das die Amerikaner 1945 konfisziert, in den USA verfilmt und später an die Bundesrepublik zurückgegeben hatten; Kopien dieser und anderer alliierter Bestände waren seit 1956 systematisch im Archiv von Yad Vashem gesammelt und erfasst worden.[141]

Welche weitreichenden Wirkungen von dem Jerusalemer Verfahren ausgingen, bekam wenige Monate vor Beginn der Hauptverhandlung der Essener Rechtsanwalt Ernst Achenbach zu spüren. Unter dem Titel »Die Bestie will nicht schweigen« publizierte die Illustrierte *Revue* im November 1960 Auszüge aus Nürnberger Beweisdokumenten. Dabei zitierte sie aus einem Telegramm vom Februar 1943, in dem Achenbach der Zentrale die Deportation von 2 000 Juden als Sühnemaßnahme angekündigt hatte.[142] Wenig später fand sich in einer von Nehemiah Robinson herausgegebenen Broschüre »Preliminary List of Persons accused or suspected of Crimes against Humanity« unter dem Namen Achenbach die Eintragung: »German Embassy in Paris, persecut[ion] of Jews, not arrested«.[143] Während sich der FDP-Politiker mit dem World Jewish Congress nicht anlegen mochte, ging er gegen die Redakteure der *Revue* mit strafrechtlichen Mitteln vor. Dabei waren ihm seine guten Beziehungen zu Johannes Ullrich von Nutzen, der seit seiner Rückkehr aus sowjetischer Kriegsgefangenschaft 1955 erneut das Politische Archiv des AA leitete. Während Achenbach im April 1959 noch mit seinem Versuch gescheitert war, in Vertretung seines Mandanten Horst Wagner Einsicht in die Bestände des Politischen Archivs des Auswärtigen Amts zu erhalten, stieß er dort eineinhalb Jahre später – anders als etwa die Ludwigsburger Ermittler – auf keinerlei Zugangsbeschränkungen mehr. Fortan hielt er sich mit Hilfe dieses Materials nicht nur unliebsame Kritiker vom Leib, sondern nutzte es offenbar auch für seine Mandanten.[144]

Schon frühzeitig hatten die Israelis den Wunsch geäußert, die ihnen nur als Kopien vorliegenden Beweisdokumente anhand der AA-Archivalien authentifizieren zu dürfen. Wenige Monate vor Prozessbeginn fragte auch Rechtsanwalt Servatius in Bonn an, ob er die Bestände des Politischen Archivs sichten könne – gemeinsam mit Eichmanns Bruder Robert und dem einige Monate zuvor von den Griechen abgeschobenen Kriegsverwaltungsrat a. D. Max Merten, der sich inzwischen als Anwalt in Berlin niedergelassen hatte.[145] Aber wie sollte der Zugang zu den Akten des Politischen Archivs geregelt werden? Bereits im Juli 1960 hatte Hans Gawlik, der Leiter der ZRS, den Vorschlag gemacht, umgehend mit einer Sichtung und Ordnung der Bestände zu beginnen, weil im Zuge des Eichmann-Prozesses mit »Angriffen schwerster Art gegen das frühere Auswärtige Amt« gerechnet werden müsse.[146] Als einige Monate später das Generalkonsulat in New York anregte, den Vorschlag des B'nai B'rith-Vorsitzenden Benjamin Epstein aufzugreifen und ein »Weißbuch« zur NS-Strafverfolgung herauszubringen, war allerdings noch kaum etwas geschehen. Gawlik begrüßte den Vorschlag, eine Aufklärungsschrift zusammenzustellen. Damit könne unterstrichen werden, »dass die Eichmann zur Last gelegten Handlungen a) von einem kleinen Kreis von Personen durchgeführt worden sind und b) mit einem so starken Geheimschutz umgeben waren, dass Personen, die nicht unmittelbar beteiligt waren, keine Kenntnis haben konnten«.[147] Der Plan, der unübersehbar auch darauf zielte, das Amt vom Vorwurf der »Endlösungsverbrechen« zu entlasten, fand innerhalb der Behörde zunächst keinen großen Anklang.

Erst als sich wenig später das Gerücht verdichtete, die Israelis wollten von der Verhängung der Todesstrafe absehen und Eichmann stattdessen nach der Urteilsverkündung nach Polen überstellen, kam Bewegung in die Sache. Gawlik schien mit seiner Warnung richtig gelegen zu haben, und so wurde das Archiv jetzt mit »größtmöglicher Beschleunigung« nach Schriftwechseln zwischen Reichssicherheitshauptamt und AA durchsucht.[148] Auf Anregung des Bundeskanzleramts richtete das Koordinierungsgremium der Staatssekretäre, das sogenannte »Donnerstag-Kränzchen«, unter Gawliks Vorsitz einen interministeriellen Unterausschuss ein, der die Abwehrarbeit bündeln sollte; beteiligt waren neben Innen-, Justiz- und Verteidigungsministerium das Bundeskanzleramt, das Bundespresseamt, der Verfassungsschutz und der Bundesnachrichtendienst.[149] Aus der geplanten Veröffentlichung einer Aufklärungsbroschüre wurde allerdings nichts: Einer Mitarbeiterin der ZRS war bei der Aktensichtung ein Dokument in die Hände gefallen, in dem von einer »Verschickung der Juden in die ›faschistischen Vernichtungslager‹« die Rede war. Zwar konnte die Archivleitung später richtigstellen, dass es sich nicht um ein Telegramm von Inland II, sondern um einen Propagandaartikel aus dem *Neuen Deutschland* handelte, doch da war die Kollegin wegen eines Nervenzusammenbruchs bereits beurlaubt worden.[150]

Alles in allem beschränkte sich die Öffentlichkeitsarbeit der Bundesregierung darauf, dem wiedererwachenden jüdischen Leben in der Bundesrepublik den Antizionismus des Ostblocks gegenüberzustellen.[151] Parallel versuchte man erneut, die Opposition im Auswärtigen Amt verstärkt in den Blickpunkt zu rücken. Zu diesem Zweck beauftragte Staatssekretär Scherpenberg das Historische Referat Anfang 1961, Kurzbiographien von AA-Angehörigen zu erstellen, die »im Zusammenhang mit den Ereignissen des 20. Juli 1944 ihr Leben geopfert« hatten.[152] Zudem gab es Überlegungen, die Bestände von Inland II bis auf Weiteres komplett zu sperren.[153] Gegenüber den Israelis griff man allerdings auf robustere Methoden zurück: Mit Blick auf das laufende Verfahren entschied Außenminister Brentano kurzerhand, eine bereits bewilligte Kreditvergabe in Höhe von 85 Millionen »bis zur Beendigung des Eichmann-Prozesses zu sistieren«.[154]

»Hier braut sich ein Skandal zusammen«

Seit den antisemitischen Vorfällen von 1959/60 hatte sich in der Bundesrepublik eine lebhafte Debatte über den Zusammenhang von Demokratie und Geschichtsbewusstsein entwickelt. Hauptstreitpunkt war die ursprünglich von den Alliierten aufgeworfene Frage, ob die Vergegenwärtigung der Vergangenheit die westdeutsche Demokratie eher stabilisiere oder schwäche. Zu den Politikern, die der Meinung waren, dass die Deutschen langfristig vor allem mit sich selbst versöhnt werden müssten, gehörte Gerhard Schröder, der im November 1961 Nachfolger von Brentano wurde. Bei der Vorstellung des amtlichen »Weißbuchs« zu den Ursachen der antisemitischen Schmierwelle im Februar 1960 hatte Schröder, damals noch in der Funktion des Bundesinnenministers, das öffentliche Schweigen zur deutschen Verantwortung und die Stabilität des demokratischen Systems in einen direkten Zusammenhang gebracht. Die Zunahme antisemitischer Tendenzen sei indes auf das Fehlen eines »allgemeingültigen deutschen Geschichtsbildes« und eines »allgemeinen pädagogischen Leitbilds« zurückzuführen. Fünfzehn Jahre nach dem Zusammenbruch sei es an der Zeit, »endlich ein ausgeglicheneres Verhältnis zu unserer Vergangenheit« zu finden.[155]

In Schröders geschichtspädagogischer Offensive kam auch eine gewisse Ungeduld darüber zum Ausdruck, dass das Thema der deutschen Schuld trotz staatlicher Wiedergutmachungsleistungen und intensivierter Strafverfolgung die Öffentlichkeit nach wie vor stark beherrschte. Vor diesem Hintergrund schaltete er sich wenige Jahre später persönlich in eine geschichtswissenschaftliche Debatte ein, in der die Frage nach der historischen Verantwortung der Deutschen in bis dahin unbekannter Schärfe thematisiert wurde. Es ging um die Kriegsschuldfrage 1914. Ausgelöst wurde die Diskussion durch die 1961 unter dem Titel »Griff nach der Weltmacht« veröffentlichte Studie des Hamburger Historikers Fritz Fischer, die sich mit der Kriegszielpolitik des kaiserlichen Deutschland im Ersten Weltkrieg, insbesondere mit den diplomatischen Aktivitäten im Juli und August 1914 befasste. Fischer kam zu dem Ergebnis, dass Deutschland ein »erebliche[r] Teil der historischen Verantwortung« für den Kriegsausbruch zufalle.[156]

Die Fischer-Kontroverse traf das Auswärtige Amt in einem denkbar ungünstigen Moment: Von April 1961 bis Mai 1962 lief in Jerusalem der

Eichmann-Prozess, im April 1963 wurde nach jahrelangen Ermittlungen die Anklageschrift im ersten Auschwitz-Prozess eingereicht. Auf der großen Bühne kamen Mauerbau und Kuba-Krise hinzu. Die Nerven lagen blank.

Die Involvierung des Auswärtigen Amts begann im Dezember 1961 mit einem Anruf des Kölner Historikers Theodor Schieder bei Johannes Ullrich, dem Leiter des Politischen Archivs. Schieder nannte das Buch Fischers eine »nationale Katastrophe«.[157] Hätten die Kollegen nicht so heftig reagiert, wäre Fischers sperrige Studie möglicherweise eine akademische Angelegenheit geblieben. Fischer wolle den Nachweis führen, empörte sich noch mehr als zwei Jahre später der Freiburger Historiker Gerhard Ritter in einem Brief an Schröder, dass »die Außenpolitik des kaiserlichen Deutschland nur eine Vorstufe zur Politik Adolf Hitlers darstellte«. Sein Urteil übertreffe »an Radikalität der Anklage die Kriegsschuldthese des Versailler Vertrags noch erheblich«.[158] Indem er Fischers Studie gegenüber dem Außenminister in solche Zusammenhänge rückte, war es Ritter gelungen, das Thema zu emotionalisieren und die bekannten Abwehrreflexe des Amts für seinen Feldzug gegen Fischer zu wecken. Besonders lebhaftes Interesse an der Sache zeigte Staatssekretär Karl Carstens, der sich im September 1962 das inzwischen vom Politischen Archiv bestellte Gutachten zu Fischers Werk in den Urlaub nach Sylt nachschicken ließ.[159] Anschließend wies er in Direktorenbesprechungen wiederholt auf »die unhaltbaren Thesen von H. Fischer« hin.[160]

Im Dezember 1963 erfuhr die Kulturabteilung des Auswärtigen Amts durch einen Anruf des Freiburger Politikwissenschaftlers Arnold Bergsträsser, dass die deutsche Botschaft in Washington Fischer zu einer Vortragsreise in die USA eingeladen habe; die Reise werde vom Goethe-Institut mit Mitteln des Auswärtigen Amts finanziert. Der stellvertretende Leiter der Abteilung, Karl Kuno Overbeck, teilte der Botschaft daraufhin mit, dass Fischer eine Studie veröffentlicht habe, »in der er die Alleinschuld Deutschlands am 1. Weltkrieg nachgewiesen haben will«, und fragte nach den Umständen der Einladung.[161] Wenig später informierte Gerhard Ritter Außenminister Schröder über die Reise. Er wundere sich, dass Fischer »seine völlig unreifen Thesen nun im indirekten Auftrag des Auswärtigen Amtes« vorstellen könne; das amerikanische Publikum werde »natürlich gar nicht imstande sein, die Zuverlässigkeit seiner Thesen zu beurteilen«. Ritter sprach Fischer ab, ein legitimer Repräsentant der deutschen Geschichtswissenschaft zu sein, und sagte eine »politische Sensation« voraus, sollte die Reise nicht verhindert werden.[162] Die Botschaft Washington blieb standfest und kabelte an die Zentrale: »professor fischer ist ordinarius an einer deutschen universitaet, vertritt eine eigene meinung, spricht ausgezeichnet englisch und hat in den usa einen guten namen als historiker. das sind drei wichtige voraussetzungen, um wissenschaftler an amerikanischen universitaeten auftreten zu lassen.«[163]

Hier trafen Welten aufeinander. Es stellte sich heraus, dass die Einladung Fischers auf die Initiative des Kulturreferenten an der Washingtoner Botschaft, Hanns-Erich Haack, zurückging. Dieser war mit der historischen Fachliteratur bestens vertraut und argumentierte, dass Fischers Ansichten gerade in den USA inhaltlich nicht viel Neues bringen würden. Im Übrigen stimme es nicht, dass Fischer die Alleinschuldthese vertrete, wie die Kulturabteilung behaupte.[164] Haack war schon einmal durch nichtkonforme Ansichten aufgefallen. Bei einer Rede zum Volkstrauertag 1955 in Toronto hatte er als Konsul den Ärger der dort ansässigen Deutschen auf sich gezogen, die sich flugs über den Abgeordneten Gottfried Leonhard (CDU) beim Auswärtigen Amt beschwerten. In klarer Abgrenzung zum Heldengedenktag der Nationalsozialisten hatte Haack Heldentum als solches infrage gestellt und in das Totengedenken auch Zivilisten eingeschlossen, vor allem die Opfer der NS-Gewaltherrschaft. Einen besonderen Platz nahmen in seiner Rede jene ein, die das »Verbrecherische gerade des letzten Krieges« rechtzeitig erkannt hätten.[165] Hatte die Toronto-Rede für Haack keine Konsequenzen gehabt, so forderte Carstens dieses Mal Botschafter Knappstein auf, er möge den eigenwilligen Haack »einer etwas strengeren Dienstaufsicht unterstellen«.[166]

In Bonn war zu diesem Zeitpunkt die Entscheidung schon gefallen, Fischers Reise nicht zu finanzieren. Minister Schröder hatte auf dem Rand von Ritters Brief verfügt, dass »bei aller Abneigung gegen Eingriffe in die freie Diskussion« die Förderungswürdigkeit von Fischers Reise doch noch einmal überdacht werden sollte.[167] Staatssekretär Rolf Lahr plädierte dafür, die Förderung zu streichen, Staatssekretär Carstens hielt Haacks Initiative in Washington »sachlich u. prozedural für *falsch*«.[168] Die Referenten der Kulturabteilung allerdings wiesen ihre Vorgesetzten auf einen pikanten Aspekt der Intervention Ritters hin. Ritter gehe es nicht nur um Fischers Ansichten zum Ersten Weltkrieg, sondern ganz klar auch darum, einen wissenschaftlichen Konkurrenten auszuschalten, der ihm schon auf dem Feld der Reformationsforschung in die Quere gekommen sei.[169] Die Führung hatte sich die Argumente Ritters jedoch längst zu eigen gemacht und wies die Zentrale des Goethe-Instituts an, Fischers Reise wegen knapper Mittel abzusagen – eine mehr als unglaubwürdige Begründung.

Vier Wochen später trafen erste alarmierende Nachrichten aus den USA in der Koblenzer Straße ein. Der Generalkonsul in New York, Georg Federer, registrierte »große Verstimmung« und einen »denkbar schlechten Eindruck« in akademischen Kreisen. Der Historiker Fritz Stern von der Columbia University vermute bereits, dass »deutsche amtliche Stellen« bei der Absage ihre Finger im Spiel gehabt hätten und es sich möglicherweise um einen Akt von Zensur handele.[170] Nachdem in anderen Generalkonsulaten ähnliche Reaktionen bekannt wurden, warnte Botschafter Knappstein die Kulturabteilung: »Hier braut sich ein Skandal zusammen, der unserer geistig-politischen Position hier in Amerika schweren Schaden zufügen kann.« Knappstein, der selbst bis 1960 die Kulturabteilung geleitet hatte, stand nicht grundsätzlich in Opposition zur Kulturpolitik des Amtes; immerhin hatte er eine Diskussion mit Rolf Hochhuth im New Yorker Goethe-House verhindert und dem Schriftsteller stattdessen eine »›schweigende‹ Cocktailparty« ausgerichtet. Diesmal sah er die Folgen voraus. Sollte die Presse von der Angelegenheit Wind bekommen, drohe ein gewaltiger Skandal. Fischers Reise aber werde trotzdem stattfinden, »jetzt erst recht«, nur eben mit amerikanischen Geldern: »Und wir stehen dann dabei mit sehr langen Gesichtern und müssen eine neue Kampagne derjenigen über uns ergehen lassen, die uns ohnehin nicht wohlwollen oder noch recht skeptisch sind. Ich bin sehr traurig über die Angelegenheit, weil sie mir hier das ›Geschäft‹ verdirbt.«[171]

Anstatt das Steuer noch herumzureißen, wie der Generalkonsul in New York vorschlug, schickte Staatssekretär Lahr den stellvertretenden Leiter der Kulturabteilung Overbeck nach Hamburg mit dem Ziel, Fischers »loyale Mitwirkung« zu sichern, um die negativen Reaktionen im Ausland »zu konterkarieren«. Zu seiner Überraschung zeigte sich Fischer jedoch keineswegs geneigt, dem Amt bei der Schadensbegrenzung behilflich zu sein und seinen Korrespondenzpartnern mitzuteilen, dass er den Rückzieher des Auswärtigen Amts »verstehe oder billige«.[172]

Die Affäre nahm ihren Lauf. Im Auswärtigen Amt trafen Protestbriefe von amerikanischen Deutschlandhistorikern ein – genau jenen Multiplikatoren also, um deren Sympathie sich die Generalkonsulate bemühten.[173] Fischer reiste im Frühjahr 1964 trotzdem in die USA – eingeladen von amerikanischen Universitäten. Obwohl die Konsulate nach Bonn berichten konnten, dass Fischers Vorträge auf kritische Nachfragen stießen, wurde er doch primär als »eine Art Märtyrer für die Freiheit der Wissenschaft« wahrgenommen. »Der spontane und heftige Applaus am Ende galt mindestens ebenso sehr dem Mann, der ohne Billigung seiner Regierung gesprochen, als dem Wissenschaftler, der eine historische These zwar mit Temperament, aber nicht sehr überzeugend vorgetragen hatte.«[174] Mit diesem Tenor begleitete auch die Presse die Reise, die *Zeit* veröffentlichte zudem den Protest von zwölf amerikanischen Historikern, darunter Fritz Stern, Gordon Craig, Klaus Epstein, Otto Pflanze und Hans Rosenberg.[175] So bekam Gerhard Ritter am Ende die von ihm prophezeite »politische Sensation«.

Nicht zuletzt aufgrund der Einmischung des Auswärtigen Amtes wurde die Fischer-Kontroverse zum einschneidenden Ereignis in der Geschichtsschreibung der Bundesrepublik. Mit ihrer Unterstützung für Fischer wollten die amerikanischen Historiker nicht unbedingt uneingeschränkte Zustimmung zu seinen Thesen zum Ausdruck bringen. Ihr Protest richtete sich in erster Linie gegen die nicht zumutbare Gängelung ihrer Zunft durch einen noch jungen Staat, der sich demokratisch nannte, dessen politische Eliten aber offenbar nicht verstanden oder nicht verstehen wollten, dass eine unabhängige, von politischen und nationalen Interessen abgekoppelte Geschichtsschreibung zu den wesentlichen Bedingungen einer freiheitlichen Grundordnung gehört.

Mit seinem Bemühen, historische Forschung und »Staatsräson« zu verknüpfen, stand das Auswärtige Amt natürlich nicht allein. Geschichtspolitik galt auch in anderen Bundesministerien als legitimes Betätigungsfeld, schließlich konnte die »Sinnstiftung« der Bundesrepublik nicht Wissenschaft und Publizistik allein, und schon gar nicht der DDR überlassen werden. Das Bundespresseamt beispielsweise beobachtete die britischen Publikationen zu Kaiser Wilhelm II.; das Innenministerium dachte zur 50-jährigen Wiederkehr des Kriegsbeginns 1914 über »Abwehrmaßnahmen« nach, um »gegen eine propagandistische Ausschlachtung des ... Gedenktages durch den Weltkommunismus zu einer weiteren Hetze gegen die Bundesrepublik« gewappnet zu sein.[176]

Auch im Amt selbst hinterließ die Fischer-Kontroverse ihre Spuren. Der gut informierte kulturpolitische Sprecher der SPD-Fraktion, Georg Kahn-Ackermann, grillte Staatssekretär Carstens in einer Fragestunde des Bundestags, in der Carstens sich nicht anders zu helfen wusste, als den Zusammenhang zwischen Fischers Ansichten und der Absage der Reise rundweg abzustreiten.[177] Die Entscheidung der beiden Staatssekretäre Carstens und Lahr fiel intern auf die Kulturabteilung unter Dieter Sattler zurück, der verzweifelt versuchte, sich von Lahrs dilettantischem Krisenmanagement zu distanzieren. Für eine Abteilung, die im neuen Amt ohnehin stiefmütterlich behandelt wurde, war die Angelegenheit ein herber Rückschlag.

Neue Diplomatie

Nach dem Ende des Zweiten Weltkriegs galten für die internationale Diplomatie überall auf der Welt andere Bedingungen als zuvor. Das internationale System hatte sich grundlegend verändert, die Epoche der autonomen nationalen Machtstaaten, die seit der zweiten Hälfte des 19. Jahrhunderts das Staatensystem geprägt hatten, war endgültig vorbei. Im Zeichen des Ost-West-Konflikts bestimmte die Konfrontation der Blöcke unter amerikanisch-sowjetischer Doppelhegemonie die internationale Politik. Für die Staaten der westlichen Welt begann eine Phase schnell wachsender Kooperation und zwischenstaatlicher Verflechtung, die nicht zuletzt durch neue technische Möglichkeiten und eine immer stärker global operierende Wirtschaft vorangetrieben wurde. Abstimmung und Zusammenarbeit wurden auf immer neuen Gebieten notwendig. Angesichts der gegenseitigen nuklearen Bedrohung musste politisches Handeln jetzt auf die Vermeidung bewaffneter Konflikte gerichtet sein. Krieg war endgültig nicht mehr die Ultima ratio der Außenpolitik.

Diese Veränderungen bedeuteten einen Wandel beziehungsweise eine Erweiterung des diplomatischen Aufgabenbereichs. Diplomatie, klassischerweise verstanden als Mittel zur Pflege der zwischenstaatlichen Beziehungen, hat die Aufgabe, die Interessen des eigenen Landes im Ausland zu vertreten und die eigene Regierung über relevante Vorgänge im Gastland zu informieren. Nach 1945 traten neben Informationsbeschaffung, Kontaktpflege, Repräsentation und bilaterale Verhandlungen ganz neue Tätigkeiten, besonders auf multilateraler Ebene. Diplomatie fand jetzt immer öfter im Licht der Öffentlichkeit statt, unter den Scheinwerfern und vor den Mikrofonen der Medien. Die Forderung nach mehr Transparenz im diplomatischen Verkehr war nicht neu; bereits der Ausbruch des Ersten Weltkriegs, von Zeitgenossen als Versagen der Diplomatie gedeutet, hatte Forderungen nach einer öffentlich kontrollierten und auf Wege der friedlichen Streitschlichtung ausgelegten »new diplomacy« laut werden lassen. Ein erster Anlauf dazu war mit der Gründung des Völkerbunds 1920 genommen worden. Durchsetzen konnte sich die Erneuerung der Diplomatie jedoch erst mit Ende des Zweiten Weltkriegs und den damit einhergehenden grundlegenden Veränderungen des internationalen Staatensystems.[1]

Den Herausforderungen dieser Wandlungsprozesse mussten sich die diplomatischen Dienste auf der ganzen Welt stellen. Für die junge Bundesrepublik kamen zwei besondere Hemmnisse hinzu: die nationalsozialistische Vergangenheit und die deutsche Teilung. Beide Faktoren bestimmten die Arbeit der westdeutschen Diplomatie wesentlich mit. Zumal in der Frühzeit der Bundesrepublik zählte die Integration des zunächst weitgehend isolierten Staates in die westliche Gemeinschaft zu den vorrangigen Aufgaben des Auswärtigen Dienstes. Dabei den Partnern immer wieder das für sie leidige Problem der deutschen Teilung in Erinnerung zu rufen, ohne den europäischen Integrationsprozess durch das dauernde Memento zu gefährden, erwies sich als ein schwieriger Akt.

Der diplomatische Dienst, der sich nach 1951 in Westdeutschland entwickelte, war von Anfang an fest in das demokratische System eingebunden. Dies war angesichts der hohen personellen Kontinuität zwischen altem und neuem Amt nicht selbstverständlich. Der Generationenwechsel, die allmähliche Ablösung der Wilhelmstraßendiplomaten durch die in Speyer und später in Bonn ausgebildeten Diplomaten, hat zur Durchsetzung eines neuen Verständnisses von Diplomatie zweifellos wesentlich beigetragen. Dennoch sollte nicht außer Acht gelassen werden, dass auch große Teile des alten Personals die grundsätzliche Bereitschaft zur Revision ihrer politischen Grundannahmen und Überzeugungen mitbrachten. Die Geschichte der frühen Bundesrepublik ist in diesem Sinne als eine Geschichte vielfältiger gesellschaftlicher Wandlungsprozesse zu verstehen, die auch zu einer allmählichen Veränderung der politischen Orientierungsmuster führten.

Unter den Voraussetzungen des Ost-West-Konflikts und der verheerenden deutschen Niederlage im Zweiten Weltkrieg, die mit einer nachhaltigen Diskreditierung des Nationalismus einherging, kamen die Westdeutschen intensiv in Kontakt mit westlichen Werten und Vorstellungen, die besonders dominant durch die Amerikaner verbreitet wurden. In diesen Prozessen, die die Forschung heute als »Westernisierung« bezeichnet, bildete sich allmählich eine gemeinsame Werteordnung in den westeuropäischen und nordamerikanischen Gesellschaften heraus. In der Bundesrepublik wurden Anstöße einer solchen Verwestlichung aber nicht nur aufgenommen, sondern auch mit spezifisch deutschen Traditionsbeständen verbunden und so in neue politisch-ideelle Orientierungen eingefügt. Neue Formen internationaler Zusammenarbeit, besonders in den Foren und Gremien internationaler Organisationen, halfen auch den »Ehemaligen«, sich mit der neuen Diplomatie anzufreunden. Die Prägekraft dieser zum Teil ganz neuen Kooperationsformen sollte nicht unterschätzt werden.

Im neuen Amt begegnet man durchaus noch traditionellen außenpolitischen Vorstellungen, so beispielsweise der Idee von einer Brückenfunktion Deutschlands als Mittler zwischen Ost und West. Die alten Denkmuster wurden aber mehr oder weniger rasch im Rahmen neuer westlicher Orientierungen eingehegt. Dies lässt sich gut am Beispiel des alten Wilhelmstraßenmannes Albrecht von Kessel zeigen, für den die Wiedervereinigung das oberste Ziel der deutschen Außenpolitik war. Bereits vor der Neugründung des Amts hatte Kessel dafür plädiert, die Neutralisierung Deutschlands als Preis für die nationale Einheit zu akzeptieren. Die von ihm empfohlene Linie, einer Option für eine der beiden Seiten, den Osten oder den Westen, so lange wie möglich aus dem Weg zu gehen, entsprach einer langen Tradition deutscher Außenpolitik. Schon Anfang der fünfziger Jahre distanzierte sich Kessel allerdings von der Neutralisierungsidee.

Jetzt wurden die Westbindung der Bundesrepublik sowie ihre westlich-liberale Grundordnung Voraussetzung seiner Überlegungen. Die Chance auf Wiedervereinigung sah er jetzt nur im Zusammenhang europäischer Lösungen, ein wiedervereinigtes Deutschland erschien ihm nur noch im größeren Kontext einer europäischen Einigung realistisch, die auch die osteuropäischen Staaten umfassen sollte. Bezeichnenderweise konnte ein geeintes Europa in Kessels Augen eine »dritte Kraft« neben den beiden Supermächten darstellen und somit wiederum eine Mittlerfunktion zwischen Ost und West übernehmen. Ohne die politisch-ideelle Einbindung der Bundesrepublik ins westliche Lager infrage zu stellen, befürwortete Kessel daher eine Annäherung an die Staaten Osteuropas. Französische Beobachter schätzten ihn deshalb als Nationa-

listen ein, dem es vor allem um die Rückgewinnung der verlorenen Ostgebiete gehe; deswegen bekämpfe er Adenauers Europapolitik und setze
sich für eine aktivere Ostpolitik ein. Nachdem Kessel im Namen der nationalen Einheit zunächst eine Stellung zwischen den Blöcken befürwortet hatte, vertrat er am Ende einen »gleichsam bündnisintegrierten und
gehegten Revisionismus«.[2]

Unter den Bedingungen des Kalten Krieges war der Antikommunis-
mus der entscheidende Anknüpfungspunkt für die Zusammenarbeit mit
dem Westen. Über diese als gemeinsame Abwehrmaßnahme verstandene strategische Grundausrichtung hinaus kam es durch Mitwirkung der
Deutschen an neuen außenpolitischen Konzepten auch zu politischen
Neuorientierungen im Amt selbst. Die Diplomaten vollzogen in großer
Mehrheit den Abschied vom Primat des nationalen Staats und rückten
den »Primat der verflochtenen Interessen« (Christian Hacke) in den
Mittelpunkt ihrer Arbeit. Die Interessen der Bundesrepublik wurden
nicht isoliert betrachtet, sondern im größeren Kontext gemeinsamer
Ziele, deren Umsetzung den Staaten des Westens insgesamt zugutekom-
men sollte. Gemeinsame Zielsetzungen waren bestimmend, spezifische
deutsche Interessen durften erklärtermaßen nicht im Widerspruch zur
Strategie des Westens stehen.[3]

Internationalisierung und Multilateralisierung

Besonders deutlich wird der Wandel des internationalen Systems in der
sprunghaft wachsenden Zahl internationaler Organisationen nach 1945.
Während es bei Kriegsende 82 internationale Organisationen gab, betrug
ihre Zahl nur fünf Jahre später schon 123 und wuchs in den folgenden
Jahrzehnten kontinuierlich.[4] Im Zuge dieses Prozesses verlagerte sich ein
großer Teil der diplomatischen Tätigkeit auf die multilaterale Ebene. Im
Auswärtigen Amt wurde die wachsende Bedeutung internationaler Organisationen als neue Schaltstellen der Außenpolitik klar erkannt und
die engagierte Mitarbeit auch als Chance zur Reintegration des westdeutschen Teilstaats in die Staatenwelt begriffen.[5] In den multilateralen
Foren trat die Bundesrepublik schon früh als prinzipiell gleichrangiger
Teilnehmer auf. 1955 wies Ministerialdirektor Karl Carstens auf die

Gleichberechtigung der deutschen Sprache als einen zentralen Punkt der WEU-Charta hin; hierin erkannte er einen »sehr bedeutsamen Schritt in Richtung auf die Anerkennung der vollen Gleichberechtigung Deutschlands in den europäischen Organisationen«.[6] Im Vorfeld der Konferenz über Sicherheit und Zusammenarbeit in Europa (KSZE) machte Staatssekretär Frank darauf aufmerksam, dass die besondere Bedeutung der Konferenz von Helsinki für die Bundesrepublik darin bestehe, dass man erstmals auf »großer internationaler Bühne« gleichberechtigt und mit vollem Stimmrecht agieren werde.[7]

Solche Äußerungen zeigen, welche zentrale Rolle die Erlangung staatlicher Souveränität für die Diplomaten spielte. Es ging ihnen dabei um gleichberechtigte Mitarbeit, nicht um die Instrumentalisierung multilateraler Arbeit zum Zwecke einer wie auch immer definierten westdeutschen Autonomie. Im Gegenteil, die fortschreitende Abgabe staatlicher Souveränitätsrechte an internationale Organisationen hielten sie für notwendig und sinnvoll. Mit Blick auf den europäischen Integrationsprozess kritisierten viele westdeutsche Diplomaten den ihrer Ansicht nach rückwärtsgewandten und unzeitgemäßen Nationalismus der Franzosen.[8] Im Auswärtigen Amt herrschte große Einigkeit über das Ideal eines geeinten Europa. Konflikte über dessen praktische Ausgestaltung brachen erst spät auf: Die einen traten für de Gaulles »Europa der Vaterländer« ein, die anderen sahen Europa eher als Ersatz für den Nationalstaat.

So wichtig die multilaterale Diplomatie in zwischen- und überstaatlichen Organisationen für den Auswärtigen Dienst nach 1945 auch war und so sehr man im Amt ihre Relevanz betonte, so groß waren auf der anderen Seite institutionelle und individuelle Anpassungsschwierigkeiten. Beispielsweise galten multilateral ausgerichtete Posten als äußerst unbeliebt. Noch 1970 kritisierte der Gesandte Plehwe die »konservative Berufsauffassung ... der eine Anzahl von Angehörigen des Auswärtigen Dienstes aus Unkenntnis der Bedeutung der internationalen Organisationen, nicht zuletzt aber auch aus Vorliebe für die angenehmeren, weniger nüchternen Sparten des Auswärtigen Diensts noch anhängt und die sich vielfach in offenem oder verstecktem Sträuben gegen eine Verwendung bei internationalen Organisationen niederschlägt«.[9] Das Amt tat lange Zeit wenig, um den Diplomaten eine Verwendung bei internationalen Organisationen schmackhaft zu machen. Auch die Diplomatenausbildung passte sich nur allmählich den neuen Realitäten an; im

Handbuch des Auswärtigen Dienstes von 1957 kamen internationale Organisationen noch überhaupt nicht vor.[10]

Es verwundert nicht, dass in den Anfangsjahren Anpassungsprobleme bestanden, mussten viele Diplomaten doch erst einmal multilaterale Erfahrungen sammeln. Dass sich die Probleme allerdings so lange hinzogen, ist nicht nur als Indiz für die generellen Schwierigkeiten institutioneller Reformen zu deuten, sondern unterstreicht auch die Beharrungskraft überkommener Berufsvorstellungen, die zu überwinden mehr als zwei Jahrzehnte in Anspruch nahm. Dennoch verdankte die multilaterale Zusammenarbeit dem Amt wichtige Impulse, zumal man in der Koblenzer Straße das Idealbild einer einheitlichen, eng abgestimmten und dadurch besonders effektiven westlichen Politik verfolgte. Immer wieder beklagten die Deutschen die uneinheitliche europäische Linie, die aus ihrer Sicht nicht nur den Integrationsprozess behinderte, sondern zugleich auch Europas Stellung in der Welt marginalisierte.[11]

Die Internationalisierung der westdeutschen Diplomatie wurde durch den Ost-West-Konflikt und die daraus sich ergebende Notwendigkeit einer einheitlichen westlichen Strategie begünstigt. Beim Nachdenken über außenpolitische Konzeptionen betonten die westdeutschen Diplomaten stets als wichtigste Voraussetzung, die Einheit des Westens zu wahren. Bundesdeutsche Ziele und Interessen sollten im Einklang mit westlichen stehen. So hieß es bei einer Botschafterkonferenz 1956 in Istanbul mit Bezug auf den Nahen Osten: »Es kann daher dort in der gesamtpolitischen Zielsetzung, in der Abwehr der sowjetischen Offensive, keine partikularistischen deutschen Interessen geben, sondern es gibt nur Ziele, in denen wir uns mit dem verbündeten Westen finden.«[12] Die deutschen Diplomaten regten immer wieder Absprachen mit den Verbündeten an, nicht nur um Widersprüche zu vermeiden, sondern auch um die Arbeitsteilung voranzutreiben. Im Sinne einer einheitlichen westlichen Politik sollten die Aktionen einzelner Länder am Ende allen zugutekommen, nicht jedes Land brauchte dafür zwangsläufig eine eigene Gesamtkonzeption. Die Bundesrepublik glaubte besonders im Nahen Osten und in Afrika eine Rolle spielen zu können, war sie doch in diesen Regionen sehr viel weniger als andere durch ihre Kolonialgeschichte belastet.[13] Ohne dass dies offen ausgesprochen wurde, gibt es Hinweise darauf, dass man im Nahen Osten auch an die guten Beziehungen aus der Zeit vor 1945 und an proarabische – und damit womöglich auch antisemitische – Traditionen im Amt anknüpfen konnte.[14] Sogenannte Arabisten wie Wilhelm Melchers kamen als Nahostexperten des alten Amts vielfach in gleicher Funktion auch im neuen Amt unter.

Nicht nur im multilateralen Bereich betrat die deutsche Diplomatie nach 1951 Neuland; die veränderten Bedingungen internationaler Politik und die besondere Situation der Bundesrepublik machten auch ein neues »Mischungsverhältnis« diplomatischer Aktivitäten erforderlich. Es galt, Ziele auf anderen Wegen und mit anderen Mitteln als bisher anzustreben. Ganz neue Leitlinien prägten das außenpolitische Handeln der Bundesrepublik. Für den zunächst isolierten, dann fest in den Westen eingebundenen Staat gab es Gebiete, auf denen die Diplomatie stark eingeschränkt war, und solche, wo man relativ große Bewegungsfreiheit genoss. Auch weil der Bundesrepublik klassische Machtpolitik verschlossen war, suchte das Auswärtige Amt in andere Bereiche internationaler Aktivität auszuweichen und intensivierte zum Beispiel die Kultur- und Wirtschaftspolitik. Hier fühlte man sich in gewisser Weise noch souverän und suchte den vorhandenen Spielraum zu nutzen.[15]

In den ersten Jahren praktizierte das Auswärtige Amt noch eine klare Trennung zwischen der eigentlichen politischen und der kulturellen Arbeit. Anfang 1952 war die Kulturabteilung noch immer nicht voll arbeitsfähig, später stand sie in einem schlechten Ruf, der Dienst dort war nicht sonderlich begehrt. Ihre Leitung war zunächst Rudolf Salat, einem Außenseiter ohne viel Gewicht im Amt, 1955 dann Heinz Trützschler von Falkenstein übertragen worden. Trützschler war in der Wilhelmstraße unter anderem an der Redaktion der sogenannten Weißbücher zur Rechtfertigung nationalsozialistischer Kriegspolitik beteiligt gewesen. Der Untersuchungsausschuss Nr. 47 hatte ihn deswegen als nicht verwendbar für das Ausland eingestuft.[16] Wachsende öffentliche Kritik an der als passiv wahrgenommenen Kulturpolitik, die vor dem Hintergrund des Systemkonflikts ihr Potenzial nicht nutze, führte 1959 schließlich dazu, dass der anerkannte Kulturpolitiker Dieter Sattler zum neuen Leiter der Abteilung berufen und gleichzeitig der Etat aufgestockt wurde. Die politische Dimension der kulturellen Arbeit im Ausland wurde nun stärker in den Vordergrund gestellt. Besonders in den Staaten der Dritten Welt, um deren Gunst Bonn im direkten Wettbewerb mit Ost-Berlin stand, wurden kulturpolitische Aktionen jetzt zu regelrechten Werbefeldzügen.[17]

Im Rahmen internationaler Entspannungspolitik und der damit verbundenen Annäherung der Bundesrepublik an Osteuropa kam in den
sechziger Jahren eine neue Dimension kulturpolitischer Arbeit des Auswärtigen Amts hinzu, die Möglichkeit nämlich, auf die inneren Verhältnisse in den kommunistischen Staaten einzuwirken. Über kulturelle
Kontakte sollten westliche Werte und Leitvorstellungen in Osteuropa
bekannt gemacht werden:»Der Uniformität muss die Vielfalt, der Disziplin die Freiheit gegenübergestellt und so dem Anspruch des Kommunismus widersprochen werden, den Menschen total zu erfassen, um ihn
total zu beherrschen … Die Kulturpolitik ist zur Förderung dieses Wun-
sches nach Eigenständigkeit ein hervorragendes Mittel, weil ihre Methoden honorig sind, der kommunistischen Gegenpropaganda nicht ohne
weiteres Angriffspunkte bieten und weil sie ihrem Wesen nach eine mul-
tiple Infiltration in Persönlichkeitsbereiche darstellt, die von der Partei-
politik verödet werden.«[18]

Auch wenn man sich von der Kulturpolitik keine unmittelbare Veränderung der politischen Verhältnisse im Ostblock versprach, so diente sie
doch der ebenso beharrlichen wie unauffälligen Unterstützung von Auf-
weichungstendenzen. In dieser Zielsetzung sah das Auswärtige Amt eine
gemeinsame Aufgabe des Westens und regte eine entsprechende Koordinierung der Maßnahmen an. Aber das Amt verfolgte auch genuin westdeutsche Interessen, etwa indem es die auswärtige Kulturpolitik besonders für den Abbau von Spannungen und Vorbehalten einsetzte, die aus
der NS-Vergangenheit stammten. Die kulturelle Repräsentation im Ausland sollte Vertrauen in die Friedfertigkeit und demokratisch gefestigte
Grundordnung der Bundesrepublik schaffen.[19] Die Spannbreite der
Maßnahmen reichte von Kunstausstellungen und Theateraufführungen
über Sportveranstaltungen und Modenschauen bis hin zu Konzerten.
Die Botschafter konnten die Veranstaltungen im Rahmen ihres Budgets
beim Amt buchen – »Will sonst noch jemand den ›Tristan‹?«[20] – und
Informationsmaterial anfordern. Nicht zuletzt boten auch deutsche
Schulen und Sprachinstitute, Wissenschaftskontakte und Austauschpro-
gramme der Bundesrepublik Gelegenheit zur kulturellen Selbstdarstellung. Das nach außen vermittelte Deutschlandbild wirkte im Übrigen
auch auf die Vermittler selbst zurück, insbesondere dann, wenn sich
über das, was sie im Ausland als deutsche Kultur präsentierten, zu Hause
eine öffentliche Diskussion erhob. Das Auswärtige Amt als eine der

wichtigsten Trägerorganisationen auswärtiger Kulturpolitik hatte und hat großen Anteil an dem, was man gesellschaftliche Selbstverständigungsprozesse nennt.[21]

Neben der Kulturpolitik ist die Entwicklungspolitik ein weiteres gutes Beispiel für die Verlagerung außenpolitischer Schwerpunkte nach 1945. Entwicklungshilfe begann mit den Unabhängigkeitserklärungen ehemaliger Kolonien nach dem Zweiten Weltkrieg ein wichtiges Aktionsfeld im Rahmen des Ost-West-Konflikts zu werden. Um die neuen Staaten, die mehrheitlich bündnispolitische Neutralität wahrten, zu gewinnen, musste die Bundesrepublik, die über keine machtpolitischen Mittel verfügte, mit attraktiven Kooperationsangeboten locken. Im Amt wurde Entwicklungshilfe ganz offen als eine Art Fortsetzung der Kolonialpolitik mit anderen Mitteln beschrieben: »An die Stelle der Domination tritt die Kooperation, bei der die Interessen der unterentwickelten Länder nun das gleiche Gewicht beanspruchen wie die der Industriestaaten.«[22] Wenn man Entwicklungspolitik als Teil der Wirtschaftspolitik unter außenpolitischen Gesichtspunkten führt, so die Überzeugung im Amt, werden die Entwicklungsländer schnell erkennen, »wer der bessere Partner im Handel und Investition [sic] ist. Die politische Stärke der freien Welt ruht nicht zuletzt auf ihrer wirtschaftlichen Stärke.«[23]

Auch in der Entwicklungspolitik spiegelte sich das Verhältnis allgemein westlicher und speziell westdeutscher Interessen wider. Hauptziel war es, die nicht blockgebundenen Entwicklungsländer für den Westen zu gewinnen; die Diplomaten befürworteten deshalb eine enge Abstimmung einzelstaatlicher Entwicklungsmaßnahmen, um so einen größeren Effekt für den Westen insgesamt zu erzielen und Reibungsverluste gering zu halten.[24] Da die Interessen der bundesdeutschen Wirtschaft dabei häufig als nachrangig betrachtet wurden, konnten sie sich mit dieser Auffassung bei der Bundesregierung allerdings nicht immer durchsetzen. Ein spezifisch westdeutsches Ziel, das der Auswärtige Dienst verfolgte, war die Durchsetzung des Alleinvertretungsanspruchs. Entwicklungspolitik war immer auch ein Hebel für die Deutschlandpolitik der Bundesrepublik und sollte die Anerkennung der DDR durch Staaten der Dritten Welt verhindern. Deswegen reagierte das Amt häufig zurückhaltend auf multilateral organisierte Hilfsmaßnahmen und befürwortete unter deutschlandpolitischen Gesichtspunkten zumeist bilaterale Projekte.[25]

Die Spannung zwischen gesamtwestlichen und deutschen Aktionen war nicht nur ein Problem bei der Erschließung neuer außenpolitischer Felder. Auch das Personal des Auswärtigen Amts musste sich erst umstellen. Viele Diplomaten betrachteten neue Konzeptionen im Bereich der Kultur- und Wirtschaftspolitik zunächst nur als eine Ausweich- und Übergangslösung – bis zu dem Zeitpunkt, an dem der Bundesrepublik wieder »richtige« Außenpolitik offenstehen würde. Für sie waren neue Politikbereiche eher Mittel zum Zweck und nicht etwa integraler Bestandteil der Außenpolitik.[26] Diese Auffassung spiegelte sich in der geringen Wertschätzung der neuen Wirtschaftsabteilung, die ähnlich unbeliebt war wie die Kulturabteilung und ebenfalls erst verspätet arbeitsfähig wurde.

Trotz des enormen Gewichts, das die Wirtschaft in den internationalen Beziehungen zunehmend erlangte, wurde die Bedeutung der Wirtschaftsabteilung im Amt nur zögernd akzeptiert. Einigen galt sie gar als »Bremsklotz«, der durch Geltendmachung von Handelsinteressen die politischen Zielsetzungen behindere.[27] Noch 1970 zeigte eine Befragung der nach 1920 geborenen Angehörigen des höheren Diensts, dass die Arbeit in den Wirtschaftsreferaten zu den unbeliebtesten Arbeitsfeldern im Amt gehörte. Schlechter schnitt nur die Bearbeitung von Rechts- und Konsularsachen ab – eine bemerkenswerte Deklassierung angesichts des nach wie vor bestehenden Juristenmonopols im Dienst.[28]

Was zunächst als Ausweichmanöver galt, wurde im Laufe der Jahre zum festen Bestandteil diplomatischen Handelns. So ging aus der Meinungsumfrage von 1970 unter anderem hervor, dass der Dienst in den Kulturabteilungen im In- und Ausland von den Diplomaten inzwischen geschätzt wurde. Was die Kulturabteilungen in den Augen der Diplomaten besonders auszeichnete, war, dass den Mitarbeitern dort auch unterhalb der Leitungsebene Verantwortung übertragen wurde. Die Diplomaten waren dort eben nicht nur an der Umsetzung, sondern auch an der produktiven Entwicklung neuer Konzepte beteiligt.

Im Juni 1970 legte der Parlamentarische Staatssekretär im Auswärtigen Amt, der Soziologe und FDP-Politiker Ralf Dahrendorf, »15 Thesen zur Internationalen Kultur-, Wissenschafts- und Gesellschaftspolitik« vor.[29] Das Papier machte deutlich, dass sich außenpolitisches Denken und Handeln weder vor gesellschaftlichen Entwicklungen im eigenen Land noch vor internationalen Einflüssen verschließen kann. In Dahrendorfs

Neukonzeption sollte die kulturpolitische Arbeit künftig nicht mehr Regierungspolitik sein, sondern von vielen gesellschaftlichen Gruppen getragen werden und in erster Linie transnationale Beziehungen zwischen Institutionen, Organisationen, Gruppen und Individuen fördern. Die Bedeutung des Staates in den internationalen Beziehungen ging Dahrendorf zufolge zurück, neue Akteure beträten die Bühne, diese gelte es einzubeziehen. »Eine Politik, die nicht Selbstdarstellung, sondern vielmehr Austausch, nicht Konfrontation, sondern Wettbewerb, nicht nationale Eigenart, sondern internationale Verflechtung betonen will, wird internationalen Organisationen und multilateralen Abmachungen notwendigerweise ihre besondere Aufmerksamkeit widmen. Hier hat die Bundesrepublik Deutschland einen Nachholbedarf zu decken, wenn sie mit dieser Politik überzeugen will.«[30]

In diesem klaren Bekenntnis zum Multilateralismus spielten klassische bilaterale Beziehungen keine zentrale Rolle mehr. Auch wenn Dahrendorf das Amt im selben Jahr wieder verließ, wurden seine Anregungen aufgenommen und fanden in den offiziellen, vom Amt herausgegebenen »Leitsätzen für die auswärtige Kulturpolitik« ihren Niederschlag.[31] In der Hinwendung zu multilateralen Kooperationsformen und zur grenzübergreifenden wissenschaftlichen Zusammenarbeit suchte man Anschluss zu finden an politische, technische, wissenschaftliche und gesellschaftliche Entwicklungen. Auf der Höhe der Zeit war auch das Bekenntnis zu freiem Wettbewerb auf dem »Markt« politischer Ideen; die Konkurrenz zwischen Ost und West insgesamt und speziell zwischen der Bundesrepublik und der DDR wurde, statt wie bisher als Konfrontation, nun ebenfalls als Wettbewerb gedeutet – als ein Wettbewerb, in dem die westlichen Gesellschaften allerdings als überlegen galten. Die Leitsätze reflektieren erkennbar die in den sechziger Jahren in Westdeutschland weit verbreitete These vom »Ende der Ideologien«, die, selber stark ideologisch, von »1968« und der neuen Linken zunehmend infrage gestellt wurde. Unüberhörbar ist aber auch ein gewisser Stolz, dass die Bundesrepublik nach kaum mehr als zwanzig Jahren als ein stabiler, international anerkannter und wirtschaftlich erfolgreicher Staat dastand, der den Wettbewerb nicht zu scheuen brauchte.

Wie aber ging die westdeutsche Diplomatie zu diesem Zeitpunkt mit ihrem spezifischen Problem, mit der nationalsozialistischen Vergangenheit um? Gerade sie bedingte nach 1945 wesentlich eine auf Kooperation und Multilateralisierung gerichtete Außenpolitik und belastete zugleich immer wieder die Stellung des westdeutschen Staates in der Welt. Virulent wurde das Thema immer dann, wenn die internationale Öffentlichkeit beispielsweise durch Kriegsverbrecherprozesse oder antisemitische Zwischenfälle in der Bundesrepublik darauf aufmerksam wurde; durch das rasche Erstarken der 1964 gegründeten NPD in der zweiten Hälfte der sechziger Jahre wurde die Vertrauens- und Glaubwürdigkeit der Deutschen international besonders in Frage gestellt. Das Auswärtige Amt versorgte die Auslandsvertretungen mit Informationsmaterial zu den Vorkommnissen und Sprachregelungen, mit denen die Kritik an der Bundesrepublik aufgefangen werden sollte.[32]

Die Außenpolitik der Bundesrepublik war Teil der demokratischen Willensbildung geworden und unterlag der Kontrolle durch das Parlament und die öffentliche Meinung – auch wenn der erste Bundeskanzler, Konrad Adenauer, Kabinett und Bundestag so wenig wie möglich in außenpolitische Entscheidungen einbezog. Die für die Diplomaten ungewohnte Transparenz ihrer Arbeit, die nicht zuletzt aufgrund der neuen technischen Möglichkeiten zeitnaher Berichterstattung zu einem großen Teil vor den Augen der Öffentlichkeit stattfand, führte dazu, dass man sich verstärkt an der öffentlichen und veröffentlichten Meinung des In- und Auslands orientierte. Schon vor 1945 hatte man in diversen Außenämtern dem wachsenden Einfluss der Weltmeinung mit dem Aufbau von Nachrichtenabteilungen Rechnung getragen; in den Kriegsjahren waren diese Abteilungen vor allem für Propaganda zuständig gewesen. Für das neue Auswärtige Amt wurden, zumal unter den Vorzeichen des Ost-West-Konflikts,»Public Relations« zu einem wichtigen Bestandteil seiner Arbeit.[33] Dabei griff man durchaus auf professionelle Hilfe zurück; die Botschaft in Washington ließ sich beispielsweise von einer amerikanischen PR-Agentur beraten – wenn auch »politische Themen« von der Beratung ausgenommen blieben.[34]

Mit dem Anspruch der Deutschen auf Wiedervereinigung hatte das Auswärtige Amt eine international nicht eben populäre Forderung zu vertreten. Aus Sorge, die Weltöffentlichkeit sei dieses Themas bald überdrüssig, suchten die Diplomaten Ende der fünfziger Jahre nach einem Alternativbegriff, der sich international besser »verkaufen« ließ. 1959 schlug der stellvertretende Staatssekretär Karl Heinrich Knappstein dem Bundeskanzler deshalb vor, statt der »Wiedervereinigung« das »Recht auf Selbstbestimmung« einzufordern, eine Formel, die bald zum Standardrepertoire außenpolitischer Argumentation gehörte. Damit hatte man einen Begriff gewählt, der im In- und Ausland positiv besetzt und in der Charta der Vereinten Nationen verankert war und von dem man überdies hoffte, dass er gerade in den jungen Staaten der Dritten Welt auf Zustimmung stieß. Die nationale Dimension, die von der östlichen Seite erfolgreich als Revanchismus interpretiert wurde, geriet auf diese Weise in den Hintergrund, stattdessen erschien jetzt das Streben nach Freiheit als Kern der deutschen Frage.[35]

Was die öffentliche Meinung im eigenen Land anging, spielte die Außenpolitik vor allem im Vorfeld von Bundestagswahlen eine bedeutende Rolle. Dass die Auffassungen des Amts und die deutsche öffentliche Meinung zuweilen keineswegs harmonierten, belegen zahlreiche Dokumente. So zeigte sich Staatssekretär Carstens 1966 geradezu entsetzt über ein Gespräch mit Primanern, die ihr Unverständnis für das Primat der Wiedervereinigung geäußert hatten: »Beunruhigend war für mich das völlige Fehlen jeder Art von Identifizierung mit unserem Staat und die völlige Ablehnung des wichtigsten Zieles unserer auswärtigen Politik, nämlich der Wiedervereinigung unseres Volkes.«[36] Bereits sein Vorgänger Walter Hallstein war in diesem Punkt unzufrieden mit den seiner Ansicht nach oberflächlichen Ansichten der Westdeutschen gewesen, denen er ein differenziertes Urteil in außenpolitischen Fragen deshalb auch nicht zutraute.[37] Eine ähnliche Überheblichkeit lässt sich für die frühen Jahre des Auswärtigen Diensts auch gegenüber der sozialdemokratischen Opposition feststellen; schließlich war die Mitwirkung des Parlaments an außenpolitischen Entscheidungen für die meisten Diplomaten eine Neuerung, an die sie sich erst allmählich gewöhnen mussten.

Diplomaten und Parlamentarier trafen vor allem im Auswärtigen Ausschuss des Bundestags zusammen. In den Sitzungen des Ausschusses war das Auswärtige Amt in der Regel das personell am zahlreichsten vertretene Ressort; in den ersten fünf Wahlperioden nahmen mehr als hundert Diplomaten an den Sitzungen teil.[38] Die Vertreter des Amts hofften jedes Mal auf einen Konsens zwischen Regierung und Opposition und eine überparteiliche Außenpolitik.[39] Im Laufe der Jahre hat sich die Zusammenarbeit zwischen Parlamentariern und Diplomaten, nach einem zunächst eher konfrontativen Aufeinandertreffen, allerdings insgesamt versachlicht.

Externe Zirkel und Institutionen

Die immer stärkere Einbeziehung gesellschaftlich relevanter Gruppen in außenpolitische Entscheidungsprozesse dürfte ebenfalls nicht ohne Wirkung auf den diplomatischen Dienst geblieben sein. Für die Außenpolitik der Bundesrepublik war es von entscheidender Bedeutung, dass Adenauers Politik der Westintegration und der transatlantischen Orientierung nicht nur von der Bundesregierung vertreten, sondern auch von einer Reihe außenpolitischer Zirkel und Netzwerke außerhalb der Regierung unterstützt wurde. Zu diesen Zirkeln gehörten in den fünfziger Jahren Organisationen wie die Deutsch-Englische Gesellschaft, die Königswinter-Konferenzen, die Atlantik-Brücke oder auch die Deutsche Gesellschaft für Auswärtige Politik (DGAP). In diesen Institutionen sammelte sich eine neue, westlich und liberal orientierte außen- und sicherheitspolitische Elite. Nicht wenige Diplomaten standen genau aus diesem Grund der Gründung und den Aktivitäten dieser unabhängigen, nicht in die Strukturen und Hierarchien der Bundesregierung beziehungsweise des Auswärtigen Amts eingebundenen Institutionen mit Skepsis, ja Ablehnung gegenüber. Als Mitte der fünfziger Jahre die Gründung eines unabhängigen außenpolitischen Instituts, der späteren DGAP, ventiliert wurde, reagierte das Auswärtige Amt mit Widerstand; lieber wollte man selber ein außenpolitisches Forschungsinstitut errichten. Es war kein Zufall, dass die Idee eines außerministeriellen Instituts schließlich von Staatssekretär Hallstein und »Sonderberater« Wilhelm Grewe unterstützt wurde, die beide aus der Wissenschaft kamen und keine »Ehemaligen« aus der Wilhelmstraße waren.

Die Idee eines Deutschen Forschungsinstituts für Internationale Fragen ging auf die späten vierziger Jahre zurück. Entwickelt wurde sie in ihren Grundzügen von Angehörigen des Deutschen Büros für Friedensfragen in Stuttgart. Ein solches Institut sollte nach Gründung der Bundesrepublik und der Errichtung einer Dienststelle für auswärtige Angelegenheiten im Bundeskanzleramt gleichsam als Auffangorganisation für das Büro für Friedensfragen und seine Angehörigen etabliert werden – eine Minimallösung, nachdem alle Versuche des Friedensbüros, institutioneller Kern eines neuen Auswärtigen Amts zu werden, gescheitert waren. Die Bemühungen waren nicht zuletzt deshalb fehlgeschlagen, weil führende Repräsentanten des Friedensbüros – darunter

die früheren Diplomaten Hasso von Etzdorf, Theo Kordt, Hans Herwarth von Bittenfeld und Herbert von Dirksen – den amerikanischen
und britischen Besatzungsmächten als zu nationalistisch und neutralis-
tisch galten und insbesondere vom Foreign Office mit der Rapallo-Tra-
dition deutscher Außenpolitik in Verbindung gebracht wurden.[40]

Am 9. Mai 1949, einen Tag nach der Verabschiedung des Grundgesetzes, hatte das Stuttgarter Friedensbüro eine Denkschrift mit dem Titel
»Die Regelung der auswärtigen Angelegenheiten bei der künftigen Bundesregierung« vorgelegt. Verfasser waren die beiden »Ehemaligen« Hasso von Etzdorf und Gustav Strohm. Ihr Memorandum, das ganz in den
Traditionen des späten 19. und frühen 20. Jahrhunderts stand, huldigte
der Idee des autonomen nationalen Machtstaats und dem Primat der
Außenpolitik. Außenpolitik müsse stets über den Parteien stehen, dem
Parteienstreit entzogen sein, wenn sie die Interessen des Landes kraftvoll
vertreten solle, und diese Forderung gelte auch für die entstehende Bundesrepublik. In einer Anlage zu ihrem Memorandum sprachen sich die
Verfasser für die Errichtung eines Forschungsinstituts zur »wissenschaftlichen Behandlung zwischenstaatlicher Beziehungen« aus. Ein Vorbild sei das in Großbritannien nach dem Ersten Weltkrieg gegründete
Royal Institute of International Affairs (Chatham House). Die Idee eines
deutschen Chatham House, von der in den folgenden Jahren immer
wieder die Rede war, sollte Westorientierung signalisieren. In Wahrheit
ging es darum, die absehbaren Begrenzungen westdeutscher Außenpolitik zu überwinden, ganz in den Traditionen des deutschen Nationalstaates mehr außenpolitische Bewegungsfreiheit zu gewinnen oder, wie es
im Memorandum hieß, »alles das zu tun, was die Bundesexekutive aus
irgendeinem Grund nicht selbst tun will oder tun kann«.[41]

Die Initiative ging ebenso ins Leere wie der Versuch des Büros für
Friedensfragen, sich als außenpolitisches Forschungsinstitut zu etablieren. Stattdessen wurde das Büro Ende 1949 von der Bundesregierung
übernommen, die kurze Zeit später seine Finanzierung einstellte. Auch
eine zweite Denkschrift Etzdorfs vom 28. Februar 1950, in der er nochmals den Versuch unternahm, aus dem Friedensbüro ein Deutsches
Forschungsinstitut für Internationale Fragen zu machen, das zuletzt
auch für die Ausbildung des diplomatischen Nachwuchses zuständig
sein sollte, wurde von Adenauer verworfen.[42] Eine Abgrenzung von der
inzwischen im Kanzleramt eingerichteten Dienststelle für Auswärtige

Angelegenheiten wäre schwierig gewesen, womöglich wäre es zu einer institutionellen Konkurrenzsituation gekommen. Als das Friedensbüro am 30. Juni 1950 seine Tätigkeit einstellte, wurde ein Teil der Mitarbeiter, darunter eine Reihe ehemaliger Diplomaten aus der Wilhelmstraße, in die neu geschaffene Dienststelle für Auswärtige Angelegenheiten im Bundeskanzleramt übernommen.

Hasso von Etzdorf hatte jedoch noch ein anderes Eisen im Feuer. Er gehörte zu jener Gruppe deutscher Ex-Diplomaten, die Anfang der fünfziger Jahre den Versuch unternahm, in London ein Britisch-Deutsches Institut zu errichten und sowohl die Anglo-German Association als auch die Deutsch-Englische Gesellschaft (DEG), Gründungen der Zwischenkriegszeit mit Verbindungen in Politik, Verwaltung, Wissenschaft und Medien, wiederzubeleben. Gemeinsam mit seinem Kollegen Adolf Velhagen, in der Bonner Dienststelle für Großbritannien und Nordamerika zuständig, trieb Etzdorf diese Initiative voran, die auch von dem im Juni 1950 in London eröffneten deutschen Konsulat unterstützt wurde. Ihm ging es um ein deutsches Chatham House als Basis einer nationalmachtstaatlichen Außenpolitik sowie als Auffangbecken für ehemalige Wilhelmstraßen-Diplomaten, vor allem solche mit England-Erfahrung. So sollte der ehemalige Diplomat Richard Sallet hauptamtlicher Generalsekretär der DEG werden. Sallet, NSDAP-Mitglied seit 1938, war nach 1933 Vertreter von Goebbels' Propagandaministerium an der Deutschen Botschaft Washington gewesen, später diente er als persönlicher Referent Ribbentrops.[43] Während seine Pläne für eine Neugründung der DEG im Sande verliefen, versuchte Etzdorf mit der Revitalisierung der Anglo-German Association seinen Zielen doch noch näher zu kommen. Seine Rechnung ging indes nicht auf.

Die Briten hatten die Pläne von Anfang an argwöhnisch verfolgt. Als sich dann noch herausstellte, dass die deutschen Protagonisten – in den Augen Londons Repräsentanten der aggressiven Vorkriegsdiplomatie – mit den Anhängern der britischen Appeasement-Politik der dreißiger Jahre in Verbindung standen, schlug die Skepsis in massive Ablehnung um. Insbesondere das britische Außenministerium setzte jetzt alles daran, einen Erfolg dieser Initiative zu verhindern und stattdessen ein westlich ausgerichtetes deutsch-englisches Netzwerk zu etablieren. In London griff man die Idee der vom Niederrhein stammenden Unternehmersgattin Lilo Milchsack auf, die 1949 in Düsseldorf eine »Gesellschaft für kulturellen Austausch mit England in Nordrhein-Westfalen« gegründet und mit dieser Gesellschaft 1949 die erste »Königswinter-Konferenz« durchgeführt hatte. Man vermittelte Lilo Milchsack hochrangige Kontakte und stellte ihr beste Referenzen aus, sodass es der Dienststelle für Auswärtige Angelegenheiten unmöglich gemacht wurde, sie bei der Neugründung der Anglo-German Association zu umgehen. Im März 1951 wurde Milchsacks Gesellschaft in Deutsch-Englische Gesellschaft umbenannt. Mit den alljährlichen Königswinter-Konferenzen stieg sie alsbald zur wichtigsten Nichtregierungsorganisation in den deutsch-britischen Beziehungen auf und leistete einen entscheidenden Beitrag zur Liberalisierung der deutschen Außenpolitik. Der Plan Etzdorfs, ehemaligen Angehörigen der Wilhelmstraße und insbesondere dem Kreis um Ernst von Weizsäcker über London den Weg zurück in die internationale Szene zu ebnen, war damit gescheitert.

Einige Jahre später wurde die Idee eines deutschen Chatham House erneut diskutiert. Am Ende stand 1955 die Gründung der Deutschen Gesellschaft für Auswärtige Politik (DGAP) mit ihrem zunächst in Frankfurt, ab 1960 in Bonn angesiedelten Forschungsinstitut. Vorgänger der DGAP war das Frankfurter Institut für Europäische Politik und Wirtschaft, das sich mit Fragen der Europapolitik beschäftigte und die von Wilhelm Cornides begründete Zeitschrift *Europa-Archiv* herausgab. Der Industrielle und CDU-Bundestagsabgeordnete Günter Henle, ein ehemaliger Diplomat, hatte, als das Institut 1953 in die Krise geriet, eine Verbindung zum Bundesverband der Deutschen Industrie hergestellt, der die Finanzierung eines unabhängigen außenpolitischen Instituts nach angelsächsischem Muster übernahm.[44]

Im Auswärtigen Amt war man der Ansicht, beim Aufbau eines außenpolitischen Forschungsinstituts müsse das eigene Haus federführend, zumindest aber aktiv in die Planungen einbezogen sein. Viele Diplomaten hätten »das Eindringen von Außenseitern, die ›nicht vom Bau‹ waren, auf dem weiteren Vorfeld der amtlichen Diplomatie mit besorgtem Stirnrunzeln« verfolgt, schrieb Theodor Steltzer, der das Frankfurter Europainstitut leitete und 1955 erster Präsident der DGAP wurde. Die Spitze des Ministeriums, insbesondere Staatssekretär Hallstein, nahm Steltzer von diesem Vorwurf aus. »Aber in den Korridoren des grauen Neubaus lag so etwas wie stille Missbilligung, wenn wir auftauchten, und die Akte über unser Programm hatte eine merkwürdige Neigung, immer

wieder unauffindbar zu sein.«[45] Als sich die DGAP im März 1955 dank
der Unterstützung durch Adenauer und die Amtsspitze in Bonn konsti-
tuieren konnte, wählte sie Günter Henle zu ihrem Vorsitzenden, der gemeinsam mit seinem außenpolitischen Berater Emil von Rintelen, einem
alten Wilhelmstraßen-Mann, die Gründungsvorbereitungen an sich gezogen hatte.

Die DGAP lieferte regierungsunabhängige wissenschaftliche Expertisen auf dem Gebiet der internationalen Politik. Privat finanziert, betrieb
sie außenpolitische Netzwerkbildung unabhängig von dem, was Regierung und Auswärtiger Dienst an Verbindungen unterhielten. Nicht zuletzt suchte die DGAP die Zusammenarbeit mit ähnlich ausgerichteten
Institutionen im westlichen Ausland. So avancierte sie rasch zu einem
zentralen Ort außenpolitischer Forschung und Diskussion. Vor allem im
Bereich der Sicherheitspolitik entwickelte die DGAP zahlreiche Konzepte. Mit der »Studiengruppe für Rüstungskontrolle, Rüstungsbeschrän-
kung und internationale Sicherheit« entstand ein in der Bundesrepublik
einmaliges Expertennetzwerk, dem hohe Ministerialbeamte, Diplomaten und Offiziere ebenso angehörten wie Politiker, Wissenschaftler und
Medienvertreter. Außen- und Sicherheitspolitik waren nicht länger mehr
ein Arkanum der Exekutive, sondern Gegenstand zum Teil heftiger
politischer und gesellschaftlicher Auseinandersetzungen. Die Liberali-
sierungsprozesse, die seit der Wende zu den sechziger Jahren die Bundesrepublik zunehmend erfassten, begannen auch die traditionellen
politischen Ordnungsvorstellungen zu verändern. Zugleich ging es aber
auch um die Planbarkeit und Steuerbarkeit politischer Prozesse, internationale Sicherheitspolitik schien ohne wissenschaftliche Expertise nicht
mehr denkbar.

1965 trat mit der Gründung der Stiftung Wissenschaft und Politik
(SWP) ein weiteres regierungsunabhängiges Forschungsinstitut für internationale Politik und Sicherheit auf den Plan. Aber auch im Auswärtigen Amt selbst wurde das kleine Referat »Abrüstung und Sicherheit«
nun personell verstärkt und im weiteren Verlauf zu einer Unterabteilung
aufgewertet. Im selben Jahr wurde Ministerialdirigent Swidbert Schnip-
penkoetter nicht zuletzt auf Betreiben der DGAP zum »Beauftragten der
Bundesregierung für Fragen der Abrüstung und der Rüstungskontrolle«
ernannt und von der DGAP-Studiengruppe sogleich kooptiert.[46] Der au-
ßen- und sicherheitspolitische Monopolanspruch des Auswärtigen

Dienstes gehörte damit endgültig der Vergangenheit an, auch wenn in der Bundesrepublik anders als in den USA keine außenpolitischen Experten aus Wissenschaftsinstituten ins Ministerium einzogen.

DGAP und SWP standen von Mitte der sechziger Jahre an für eine immer engere Einbindung des deutschen außen- und sicherheitspolitischen Diskurses in die transatlantische »strategic community«. Für die Durchsetzung der amerikanischen Entspannungspolitik und damit letztlich auch für die Entwicklung der deutschen »Ostpolitik« ist diese Verankerung gar nicht hoch genug einzuschätzen. In die transatlantischen Beziehungsnetzwerke waren jedoch nicht nur Experten aus Wissenschaft und Politik einbezogen. Neben der Deutsch-Englischen Gesellschaft mit ihren Königswinter-Konferenzen ist hier vor allem die 1952 begründete, seit der zweiten Hälfte der fünfziger Jahre als informelles Elitennetzwerk an Bedeutung gewinnende Atlantik-Brücke e.V. zu nennen, deren Entstehung dem emigrierten und nach dem Krieg in seine Vaterstadt Hamburg zurückgekehrten Bankier Eric M. Warburg zu verdanken war. Früh engagierte sich in der Atlantik-Brücke auch die Hamburger Journalistin Marion Gräfin Dönhoff, die entscheidend dazu beitrug, dass aus der *Zeit*, die bis weit in die fünfziger Jahre hinein für eine nationale und neutralistische Politik stand, das journalistische Flaggschiff einer westlich-liberalen, internationalistischen und vor allem transatlantisch orientierten deutschen Politik wurde.

Loyalität und Gewissen

Der Diplomat »darf seine abweichende Auffassung, solange er im Dienst ist, nur der Stelle gegenüber äußern, die es angeht, der eigenen Regierung. Auf keinen Fall kann er in der Öffentlichkeit an der Außenpolitik seiner Regierung Kritik üben. Dies wäre nicht nur unloyal gegenüber einen demokratisch legitimierten Regierung, sondern auch ein Verstoß gegen sein Berufsethos.«[47] Dissens in politischen Fragen war im Auswärtigen Dienst zunächst einmal nichts Ungewöhnliches. Vor dem Hintergrund der jüngsten deutschen Geschichte war der Umgang damit jedoch eine besondere Herausforderung für das Amt und sein Personal. Von den Beamten durfte keine unkritische Befehlsempfängermentalität verlangt werden. Eine unter Umständen abweichende politische Meinung konnte aber zu Konflikten führen, zumal wenn solche Auseinandersetzungen an die Öffentlichkeit drangen. Dann stellte sich die heikle Frage nach der Loyalität des einzelnen Diplomaten gegenüber seiner Behörde beziehungsweise gegenüber dem Minister.

Diplomaten agieren stets im Rahmen der ihnen vorgegebenen Richtlinien, die häufig nur geringen Handlungsspielraum lassen. Einerseits sind sie verpflichtet, sich an die Vorgaben zu halten, andererseits wird von ihnen aber auch Eigeninitiative erwartet. Ihre Situation wird dadurch nicht leichter, dass die Grenzen zwischen einer privaten und einer beruflichen Äußerung oft nur schwer zu ziehen sind. Albrecht von Kessel, der sich mit der Ost- und Deutschlandpolitik der jungen Bundesrepublik nicht abfinden konnte, hatte wohl nicht nur politische Gründe, als er 1959 aus dem aktiven Dienst ausschied. Auch die wenig kreative Stimmung im Amt missfiel ihm: »Die Umgebung Adenauers erlaubt nur noch die langweiligste Paraphrasierung der vom ›Alten‹ bereits öffentlich ausgesprochenen Gedanken.«[48]

Um politische Differenzen von vornherein zu minimieren, vertraten große Teile des Personals des Auswärtigen Amts wie auch anderer Bundesbehörden die Auffassung, dass Beamte nicht parteipolitisch gebunden sein sollten. Hier war die Vorstellung des unparteiischen, nur dem Gemeinwohl verpflichteten Staatsdieners noch sehr lebendig; der angeblich »unpolitische Beamte« spielte auch bei der individuellen und kollektiven Rechtfertigung der Vergangenheit eine große Rolle. Von den 98 Beamten, die zwischen 1949 und 1955 Führungspositionen im Amt beziehungsweise seinen Vorläuferinstitutionen bekleideten, waren nichtsdestoweniger 25 in Parteien organisiert.[49] Politisch hat die Mehrheit der Beamten im frühen Auswärtigen Amt – das ergab sich auch aus dem Primat der Westintegrationspolitik Adenauers – wohl eher der Union zugeneigt.[50] Parteizugehörigkeiten ließen im Amt mehr oder weniger lose Netzwerke entstehen. So hielt FDP-Mitglied Barthold Witte, der 1971 ins Auswärtige Amt eintrat und dort lange Zeit die Kulturabteilung leitete, seine Parteifreunde im Amt über alle Aktivitäten von FDP-Kollegen auf dem Laufenden; einmal im Monat trafen sie sich zu Diskussionsrunden.[51]

Wie stark die Mitgliedschaft in der »falschen« Partei der Karriere schaden konnte, bekam mit voller Wucht SPD-Mitglied Kurt Oppler zu spüren. Der aus Breslau stammende jüdische Rechtsanwalt, der mit Ausnahme eines Bruders die gesamte Familie im Holocaust verloren hatte, war 1946 aus Belgien nach Deutschland zurückgekehrt, wo er zunächst Mitarbeiter des hessischen Justizministers Georg August Zinn wurde. Etwa ein Jahr später bestellte man Oppler zum Leiter des neu gegründeten Personalamtes der Verwaltung der Vereinigten Wirtschaftsgebiete in Frankfurt am Main. In dieser Funktion zog er sich früh den Unmut der Union zu. Adenauer, dem Oppler mit einer konsequenten Personalpolitik Paroli zu bieten suchte, erhob den Vorwurf, der Personalamtschef verfolge bei der Besetzung von Posten »rücksichtslos« parteipolitische Interessen.[52] Da Oppler die amerikanischen Reformvorstellungen weitgehend mitgetragen hatte, fand er nach Auflösung der Zweizonenverwaltung zunächst keinen adäquaten Posten in der Bundesverwaltung. Auch sein Wechsel ins Amt 1952 gestaltete sich schwierig, namentlich der Kanzler sprach sich gegen die Übernahme Opplers in den Auswärtigen Dienst aus. Weil hier offensichtlich parteipolitische und sachliche Motive vermischt wurden, empfand man die Personalie im Amt als heikel: »Diese Sache müsste sehr vorsichtig behandelt werden«, ermahnte Blankenhorn den Personalchef. Wohl nur aufgrund wiederholten Drängens aus dem Bundesinnenministerium, dem Oppler nach Auflösung des bizonalen Personalamts zugeordnet war, konnte er nach zweijährigen Bemühungen schließlich doch ins Amt wechseln.[53]

Wie weit die politischen Ansichten im Auswärtigen Amt auseinandergingen, zeigte sich besonders in den Debatten zur Ost- und Deutschlandpolitik. In den Aufbaujahren traten viele Amtsangehörige im Namen der nationalen Einheit für eine aktive Wiedervereinigungspolitik ein und standen damit in scharfem Gegensatz zu Adenauer. Sie befürchteten eine Verfestigung des Status quo in Europa. Ohne die Westbindung als solche infrage zu stellen, mahnten sie immer wieder ostpolitische Initiativen als notwendiges Korrektiv an. Schon in den fünfziger Jahren wurde im Amt die Aufnahme diplomatischer Beziehungen zu osteuropäischen Staaten und der Austausch von Gewaltverzichtserklärungen erwogen.[54] Hier liegt eine der Ursachen für das tiefe Misstrauen des Kanzlers gegenüber seinem Außenministerium, zumal dort nicht nur andere Vorstellungen entwickelt, sondern durchaus auch konkrete Vorstöße unternommen wurden. So unterbreitete Blankenhorn als Botschafter bei der NATO während der Genfer Konferenz 1955 dem Unterstaatssekretär im Foreign Office, Ivone Kirkpatrick, die Idee, der Sowjetunion zur Belebung der Ost-West-Gespräche die Neutralisierung eines wiedervereinigten Deutschlands vorzuschlagen. Damit griff Blankenhorn frühere Überlegungen zu einem ost-westlichen Disengagement in Europa auf, die er als ersten Schritt in Richtung Einheit verstand; dass der Bundeskanzler von solchen Plänen nichts hielt, war ihm klar.[55]

Mit dem Amtsantritt von Gerhard Schröder 1961 näherten sich die ostpolitischen Vorstellungen großer Teile der Beamtenschaft denen des Außenministers an.[56] Schröder trat für eine »Politik der Bewegung« nach Osteuropa ein. Obwohl eine Mehrheit der Diplomaten von der Notwendigkeit einer solchen Politik grundsätzlich überzeugt war, fand man zu keinem Konsens über deren konkrete Ausgestaltung. Zur Wiedervereinigung, einem der zentralen Themen des Amts von Anfang an, gab es in den verschiedenen Abteilungen ganz unterschiedliche Überlegungen. »Jeder von uns«, so der Diplomat Joachim Peckert von der Unterabteilung Ost, »fühlte sich in der nationalen Pflicht, nach Wegen zu suchen, die verlorene Reichseinheit wiedererstehen zu lassen.« Jeder einzelne Beamte habe »seinen Wiedervereinigungsplan oder seine Meinung zu den Wiedervereinigungsplänen seiner Kollegen« gehabt, und jeder habe sich erst einmal für sein eigenes Konzept stark gemacht.[57]

Beamte, die von der amtlichen Linie abwichen, wurden in den Entscheidungsfindungsprozessen marginalisiert. Das musste auch Otto Bräutigam erfahren, der Ostexperte der Jahre 1941 bis 1945 im Reichministerium für die besetzten Ostgebiete, der im neuen Amt einige Jahre die Unterabteilung Ost leitete. Hier setzte er sich wiederholt für eine aktive Ost- und vor allem Wiedervereinigungspolitik ein und befürwortete die schnellstmögliche Normalisierung der Beziehungen zu den kommunistischen Staaten. Er wurde immer ausgebremst. »In den 3 Jahren, in denen ich die Ostabteilung leitete, hat weder mit Herrn Adenauer, noch mit Herrn v. Brentano, noch mit Herrn Hallstein je eine Besprechung über ostpolitische Fragen stattgefunden ... Wiederholt wurde in raffinierter Weise in dem Augenblick, in dem die Ostabteilung Ansätze für eine Aktivierung der Ostpolitik sah, die Zuständigkeit in der Wiedervereinigungs- und der Berlinfrage einem natürlich gänzlich schimmerlosen Beamten der ›Politischen Abteilung‹ übertragen.«[58]

Hin und wieder kam es vor, dass Diplomaten darum baten, nicht auf politisch exponierten Posten verwendet zu werden, weil sie an einer Außenpolitik, der sie kritisch gegenüberstanden, nicht aktiv mitwirken wollten. So lehnte Alois Mertes, CDU-Mitglied mit politischen Ambitionen und entschiedener Gegner der Brandt'schen Ostpolitik, 1971 eine ihm in Aussicht gestellte Dirigentenstelle in der Bonner Zentrale ab, weil er in dieser Position auch für ostpolitische Fragen verantwortlich gewesen wäre.[59] Ein beliebter »unpolitischer« Posten im Ausland war der des Botschafters beim Heiligen Stuhl. So sah Josef Jansen 1964 seiner Versetzung dorthin hoffnungsvoll entgegen, weil er als Kritiker der außenpolitischen Linie von Schröder für sich keine Möglichkeit mehr sah, in der Bonner Zentrale weiterhin entsprechend seinen Überzeugungen zu arbeiten.[60] Auch einer seiner Nachfolger beim Vatikan, Alexander Böker, trat den Posten auf eigenen dringenden Wunsch an. Als scharfer Gegner der neuen Ostpolitik sah sich der ehemalige enge Mitarbeiter Adenauers außerstande, weiterhin als Beobachter bei den Vereinten Nationen zu wirken. »Einem Freund gestand er«, so wusste der *Spiegel* zu berichten, »nach seiner Pensionierung möchte er am liebsten seinen deutschen Pass verbrennen. Auf die Frage, wie er bei dieser Gemütslage überhaupt noch Botschafter der Bundesrepublik sein könne, enthüllte Böker das wahre Motiv für sein Ausharren im Dienst: ›Ich brauche das Geld.‹«[61]

Sein römischer Vorgänger, Hans Berger, dürfte für eine solche Einstellung kaum Verständnis gehabt haben. Noch weniger als Böker verhehlte Berger seine Ablehnung der Ostpolitik der sozialliberalen Koalition; seine Versetzung zum Vatikan sei »bei der Art unserer Außenpolitik für mich natürlich ein Vorteil«. Als Berger 1971 wohl wegen seiner unverhohlenen Kritik an Außenminister Scheel in den vorzeitigen Ruhestand geschickt wurde, nutzte er seine Abschiedsbesuche im Vatikan, um eindringlich vor der neuen Ostpolitik zu warnen. »Ich verwies auf die Europa nach wie vor drohende kommunistische Gefahr, die durch die deutsche Ostpolitik besonders aktualisiert sei. Nunmehr könne ich so frei sprechen, nachdem ich praktisch nicht mehr Botschafter sei.«[62]

Die Tatsache, dass die Mehrheit seiner Kollegen im Auswärtigen Amt die Ostpolitik mittrug, verbitterte Berger. Er führte diese Haltung auf gewissenlosen Karrierismus und Opportunismus zurück. Denn zur Überraschung der neuen Amtsspitze arrangierten sich die alten, konservativen »Kanzlerbotschafter« tatsächlich mit der neuen Richtung. Der *Spiegel* zitierte Außenminister Scheel mit den Worten: »Es hat lediglich hier und da ein paar Anpassungsprobleme gegeben.«[63] Tatsächlich war die

Zahl der Diplomaten, die wegen ihrer Opposition zur Außenpolitik das Amt aus eigenem Antrieb verließen, klein.

In den meisten Fällen wurden Meinungsverschiedenheiten amtsintern geregelt, das Amt legte Wert darauf, divergierende Auffassungen nicht öffentlich werden zu lassen. Amtliche »Rüffel« sorgten für viel Aufsehen. Anfang Februar 1969 berichtete die *Frankfurter Allgemeine* über kritische Äußerungen des NATO-Botschafters Wilhelm Grewe und des Abrüstungsbeauftragten der Bundesregierung, Swidbert Schnippenkötter, zum Atomsperrvertrag.[64] Noch am gleichen Tag ersuchte Staatssekretär Duckwitz die beiden Botschafter, sich bis auf Weiteres jeglicher öffentlichen Äußerung zu diesem Thema zu enthalten.[65] Der Parlamentarische Staatssekretär im Auswärtigen Amt Gerhard Jahn ließ eine kritische Stellungnahme zu dem Vorfall im Pressedienst der SPD-Fraktion veröffentlichen. Diese öffentliche Rüge, verbunden mit einem »Maulkorb« für die Diplomaten, sorgte in der Presse für Empörung und führte zu einer Fragestunde im Parlament, in der Jahn sich von seinem Vorgehen distanzieren musste.[66]

Zu einer ähnlichen Diskussion darüber, was dem einzelnen Diplomaten an freier Meinungsäußerung zugestanden werden muss und wo die Grenze der Loyalität überschritten wird, war es bereits 1965 in der sogenannten »Affäre Huyn« gekommen. Hans Graf Huyn, 1955 in den diplomatischen Dienst eingetreten, war CSU-Mitglied und Befürworter einer engen deutsch-französischen Kooperation. Huyn hatte den Inhalt einer vertraulichen Besprechung der Unterabteilung Westeuropa im Auswärtigen Amt an den CSU-Politiker Karl-Theodor zu Guttenberg weitergegeben. Abteilungsleiter Paul Frank, der 1950 als Außenseiter in den Auswärtigen Dienst gekommen war und später unter Außenminister Scheel Staatssekretär wurde, hatte in dieser Besprechung unter anderem Ideen für eine intensivere Zusammenarbeit mit Großbritannien entwickelt. Huyn sah darin ein Abweichen von der außenpolitischen Linie der Bundesregierung und eine Gefährdung der Politik der europäischen Integration, insbesondere der deutsch-französischen Zusammenarbeit.

Huyn, der mit seiner Kritik an der seiner Meinung nach zu stark angloamerikanisch orientierten Politik Gerhard Schröders amtsintern auf taube Ohren gestoßen war, wandte sich an seinen Parteifreund Guttenberg als Mitglied des Auswärtigen Ausschusses. Die nach Frankreich orientierten »Gaullisten« in den Unionsparteien griffen daraufhin den

»Atlantiker« Schröder und das Auswärtige Amt scharf an. Während Amt und Minister das Verhalten Huyns als eklatanten Verstoß gegen seine Verschwiegenheitspflicht werteten, begründete dieser sein Vorgehen mit einer Gewissensentscheidung.[67] Die Heftigkeit, mit der dieser Konflikt in der Öffentlichkeit ausgetragen wurde, erklärt sich ähnlich wie bei der »Maulkorb-Affäre« aus grundsätzlichen politischen Differenzen, dem schwelenden Konflikt zwischen »Atlantikern« und »Gaullisten«. Für Aufsehen sorgte aber nicht nur der Vorfall selbst – der zum baldigen Ausscheiden Huyns aus dem Amt führte –, sondern auch eine Einlassung des Abteilungsleiters Frank zur Frage des Gewissenskonflikts. Gegenüber einem Amtskollegen hatte Frank ausgeführt, dass er »Gewissenskonflikte eines Beamtens erst für gegeben hielte, wenn er höre, dass im Keller des Auswärtigen Amts gefoltert werde. Damit wollte ich zum Ausdruck bringen, dass der Beamte in einen wirklichen Gewissenskonflikt erst kommen kann, wenn ihm eine Beteiligung an strafbaren Taten zugemutet wird.«[68] In der Presse und im Bundestag wurde eine drastischere Version kolportiert: »Ein deutscher Diplomat muss jede Politik mitmachen, bis zu dem Zeitpunkt, da die Schreie der Gefolterten bis zum vierten Stock hinauf zu hören sind.«[69]

Wie auch immer der Wortlaut gewesen sein mag, die Aussage ließ das Auswärtige Amt in keinem günstigen Licht erscheinen. In pointierter Form stellte sich hier die Frage nach der Unabhängigkeit von Diplomaten. Vor dem Hintergrund der jüngsten deutschen Geschichte wünschten sich Parlamentarier und Öffentlichkeit mehr Courage unter Diplomaten und empfanden Franks Äußerung als skandalös. Der in der Kritik implizit mitschwingende Vergleich zwischen der NS-Außenpolitik und der Außenpolitik der Regierung Kiesinger erschien vielen jedoch abwegig: In einer Demokratie könne kein Diplomat wegen außenpolitischer Zielsetzungen in Gewissensnöte geraten.[70] Die Pflicht zur Loyalität gegenüber der Regierung habe ihre Grundlage in dem demokratischen Mandat dieser Regierung, hatte 1957 schon Botschafter Krekeler festgestellt, als er sich in einer Denkschrift »Loyalität und Gewissen im Auswärtigen Dienst« mit dieser Frage beschäftigte.[71]

Die Frage nach der Loyalität beinhaltete für die Diplomaten immer auch die Frage, wie viel Eigeninitiative sie ergreifen durften. Die weitgehende Autonomie, die einige Botschafter für sich beanspruchten, entsprach jedenfalls nicht ihren tatsächlichen Handlungsmöglichkeiten.

Gerade die älteren Diplomaten aus der Wilhelmstraße, denen häufig ein anderes Berufsbild vor Augen stand, mussten zur Kenntnis nehmen, dass die Unabhängigkeit gegenüber der Zentrale nach dem Krieg zusehends schwand. Auch die neuen und schnelleren Kommunikationsmöglichkeiten sowie die in den fünfziger Jahren einsetzende Reisediplomatie auf Regierungsebene schränkten Handlungsspielräume ein und machten die Botschafter stärker von Weisungen aus dem Amt abhängig. Von eigenständiger Politik einer Botschaft konnte keine Rede mehr sein.

Besonders deutlich wird das Ringen um Autonomie am Beispiel des Botschafters in Moskau Hans Kroll. Kroll, der die Bundesrepublik dort von 1958 bis 1962 vertrat, gehörte im Auswärtigen Amt zu den stärksten Befürwortern direkter Kontakte mit der Sowjetunion, weil er auf diese Weise einen Weg zur Wiedervereinigung zu finden hoffte. Kroll gab nicht nur entsprechende Anregungen an die Zentrale, sondern versuchte auch durch beschönigende Berichterstattung und mit Hilfe der Presse die Annäherung zu forcieren. 1961 ergriff er die Initiative zu einem persönlichen Gedankenaustausch mit Chruschtschow, dem er einen eigenen Plan für die Verbesserung des deutsch-sowjetischen Verhältnisses vortrug. Er habe sich »eingehend, in nächtelangem Nachdenken auf die Begegnung vorbereitet, da ich angesichts der Sackgasse, in die die Besprechungen unserer Verbündeten mit den sowjetischen Politikern geraten waren, nun entschlossen war, von dem üblichen, konventionellen Weg abzugehen und ›den Stier bei den Hörnern zu packen‹«.[72]

Das Gespräch fand große Aufmerksamkeit, erregte aber vor allem bei Franzosen und Amerikanern heftiges Misstrauen. Weder die Verbündeten noch die sowjetische Führung konnten sich vorstellen, dass ein amtierender Botschafter eine solche Initiative ohne Absprache mit seiner Regierung einleitete, auch wenn Kroll mehrfach betonte, nicht im Namen der Bundesregierung gehandelt zu haben. Zwar stellte sich Adenauer zunächst schützend vor ihn, aber auf Dauer war er als Botschafter in Moskau nicht zu halten. Dass Kroll öffentlich eine andere politische Meinung als die Bundesregierung vertrat, war aus Sicht des Amts schlimm genug, dass er darüber hinaus aber auch wiederholt gegen Weisungen der Zentrale verstieß, machte ihn dort zu einem problematischen Fall.[73] Kroll verkörperte den Botschafter alter Schule, jenen selbstbewussten Typus, der, wie der Diplomat Alexander Drenker es formulierte, noch etwas vom »alten Glanz« der Wilhelmstraße ausstrahlte.[74] »Ich war nicht nach Moskau gegangen, um Briefträger zu spielen«, schrieb Kroll in seinen 1967, ein Jahr vor seinem Tod erschienenen Lebenserinnerungen. »Ich hatte den Posten in der Überzeugung angenommen, dass ich einen fruchtbaren Beitrag leisten könnte für die Lösung der deutschen Lebensfragen, für die Rettung Berlins und die schließliche Beseitigung der deutschen Spaltung. Ich hätte es mir niemals verzeihen können, wenn ich, nur um auf meinem Posten zu bleiben, nicht alle, aber auch alle Mittel eingesetzt hätte, um meine Mission zu erfüllen. Ich hatte immer wieder erklärt: Ich will Motor sein und nicht Bremse.«[75] Dieses Amtsverständnis passte freilich nicht mehr in die Zeit. Nach dem Krieg waren Botschafter weniger denn je freie, selbstständige Akteure. Im Sinne einer einheitlichen und glaubwürdigen Außenpolitik konnte das Amt auf Dauer keine Alleingänge tolerieren.

Diplomatischer Stil

Der Diplomatenberuf war nach 1945 durch veränderte außen- und innenpolitische Rahmenbedingungen genauso bestimmt wie durch die Multilateralisierung der täglichen Arbeit. Die Diplomaten des Auswärtigen Amts mussten darüber hinaus der spezifisch deutschen Problemlage Rechnung tragen: der nationalsozialistischen Vergangenheit, dem verlorenen Weltkrieg und der Teilung der Nation. Ihr Auftreten auf dem internationalen Parkett, das sich in vielerlei Hinsicht von dem der Jahre vor 1945 unterschied, lässt sich als »Haltung der Zurückhaltung« (Johannes Paulmann) kennzeichnen. Besonders die ersten Auslandsvertreter erlegten sich diese Zurückhaltung auf.[76]

Die wichtigste Aufgabe in den ersten Jahren lautete, die Isolierung Deutschlands zu durchbrechen und für den neuen Staat um Vertrauen zu werben. Dazu war es notwendig, alles zu vermeiden, was an das »alte« Deutschland hätte erinnern können. Nationalistische Töne wurden im Amt als störend empfunden und strikt unterbunden. Die Diplomaten in Südamerika wurden angehalten, im Umgang mit deutschen Auswanderern, die oft stark nationalistisch geprägt waren und sich vom Nationalsozialismus nicht immer klar genug distanzierten, »keine Weichheit oder Verständnisbereitschaft« zu zeigen.[77] Im Fall des Missionschefs Werner Junker zeigte diese Weisung wenig Wirkung.

Im Umgang sowohl mit den Verbündeten als auch mit blockfreien Staaten sollte eine auf Transparenz und Kooperation bauende Diplomatie Vertrauen gewinnen.[78] Gerade in internationalen Organisationen – auf europäischer wie auf globaler Ebene – suchten die Vertreter des Auswärtigen Amts engen Kontakt und offenen Austausch mit den Abgesandten verbündeter Staaten. Gute und engagierte Mitarbeit in diesen Gremien wurde in Bonn als Chance zur Reintegration der Bundesrepublik in die Staatenwelt gesehen.[79] Staatssekretär Lahr erinnerte sich auch in diesem Zusammenhang an die »Haltung der Zurückhaltung«, an das damals geflügelte Wort »Deutsch sein, heißt zahlreich sein – und schweigen«.[80]

Für die Diplomaten bedeutete die Zugehörigkeit zur »freien Welt« ein Bekenntnis zu Demokratie und Freiheit als den beiden Säulen des westlichen Bündnisses. Diese Verpflichtung auf gemeinsame Werte sorgte für einen ungewöhnlichen Zusammenhalt innerhalb der Allianz. Dirk Oncken, Gesandter bei der NATO, sprach 1968 gar von »Korpsgeist«: Der Korpsgeist werde es ermöglichen, auch kontroverse Fragen freundschaftlich zu regeln.[81] In ähnlicher Weise berichteten die westdeutschen Auslandsvertretungen von einem besonders engen und offenen Kontakt der westlichen Botschafter untereinander.[82] Solidarität mit den westlichen Verbündeten, allen voran den USA, galt den deutschen Diplomaten als Handlungsmaxime.[83]

Engagierte Mitarbeit in internationalen Organisationen konnte gelegentlich auch als Übereifer wahrgenommen werden. Bei manchen Partnern mache sich Unbehagen über den »deutschen Perfektionismus« breit, wusste ein erfahrener Diplomat 1970 zu berichten.[84] Die internationalen Organisationen waren allerdings auch ein Forum der Konfrontation mit dem Osten. Deuteten die Diplomaten den Kampf zwischen Ost und West anfangs noch als eine weltanschauliche Auseinandersetzung, bei der es um das eigene Überleben ging, so begriffen sie im Zuge der allgemeinen Entspannungspolitik die Rivalität zunehmend als eine Konkurrenz der Systeme im Sinne eines Wettbewerbs. Auch in der direkten Konkurrenz mit der DDR wurden die westdeutschen Diplomaten bald gelassener. 1969, als sich abzeichnete, dass die Hallstein-Doktrin wohl endgültig ausgedient hatte, stellte Staatssekretär Duckwitz selbstbewusst fest: »Unsere wirtschaftliche Kraft, unsere politische Bedeutung und unsere kulturellen Leistungen ermöglichen uns, die Konkurrenz mit der DDR in anderen Ländern, in denen sie wie wir vertreten ist, aufzunehmen und erfolgreich durchzustehen.«[85] Drei Jahre später meinte der »Kanzlerbotschafter« und einstige Adenauer-Vertraute Herbert Blankenhorn, die Bundesrepublik könne sich ohne Sorge mit der DDR messen, daher befürwortete er den Beitritt der DDR zur UNESCO.[86] Eine solche Feststellung wäre zehn Jahre zuvor unvorstellbar gewesen.

In den frühen Jahren des Auswärtigen Amts war westdeutschen Diplomaten jeglicher Kontakt zu amtlichen Vertretern der DDR untersagt, ebenso die Teilnahme an Veranstaltungen, auf denen auch Vertreter Ost-Berlins anwesend waren. Insofern hielt sich der Botschafter in Moskau, Helmut Allardt, an die Anweisungen, als er 1970 ein Konzert im Moskauer Bolschoi-Theater verließ, nachdem der stellvertretende Kultusminister der DDR zu einer Rede angesetzt hatte. Dass dieses Verhalten vom Bundeskanzleramt kritisiert wurde, zeigt, dass das Auswärtige Amt der Entwicklung ein wenig hinterherhinkte, denn die sozialliberale Koalition – unterstützt von großen Teilen der Bevölkerung – hatte inzwischen einen Kurs der Annäherung an die DDR eingeschlagen und den Alleinvertretungsanspruch praktisch aufgegeben.[87] In den Verhaltensrichtlinien, die das Amt für seine Diplomaten erließ, spiegeln sich die deutschlandpolitischen Entwicklungen mit leichter Zeitverzögerung wider. Eine neue Richtlinie aus dem Jahr 1973, als der Grundlagenvertrag zwischen beiden deutschen Staaten in Kraft trat, schrieb schließlich vor, die Kollegen der DDR wie alle anderen auch nach den Regeln des Protokolls zu behandeln.[88]

Bei allen Veränderungen der deutschen Diplomatie gab es auch Traditionslinien, die von ausländischen Beobachtern als typisch für die Vertreter des Auswärtigen Amts wahrgenommen wurden. Das State Department etwa konstatierte 1964 einen »juristischen Konservatismus«, der die deutsche Diplomatie nach wie vor kennzeichne. Die legalistische und formalistische Herangehensweise an außenpolitische Probleme sei auf das Juristenmonopol im Auswärtigen Amt zurückzuführen, das bereits vor 1945 bestanden habe. Damit unterschieden sich die westdeutschen Diplomaten in den Augen der Amerikaner von ihren Kollegen aus anderen Ländern. »Der deutsche Durchschnittsdiplomat ist immer noch formeller als sein Gegenpart und eher geneigt, legalistisch oder ›Anweisungs-geleitet‹ in seinem Zugang zu Problemen und den diesbezüglichen Verhandlungen zu sein.« Da außenpolitische Fragen juristisch und nicht politisch angegangen würden, seien die Deutschen auch weniger flexibel als ihre ausländischen Kollegen.[89] Diese Einschätzung ist vor dem Hintergrund der beginnenden Entspannungsphase insofern zu relativieren, als das westdeutsche Beharren auf dem Rechtsstandpunkt bezüglich der deutschen Teilung, der Oder-Neiße-Grenze und der Stellung Berlins den Amerikanern nicht ins Konzept passte. Dennoch ist damit auch ein Charakteristikum westdeutscher Diplomatie angesprochen. Die deutsche Frage war immer auch eine Rechtsfrage und das Insistieren auf Rechtstitel oft das einzige Mittel der Bundesrepublik, ihren Standpunkt durchzusetzen.

Vor dem Hintergrund der deutschen Geschichte – nicht nur der Jahre 1933 bis 1945, sondern auch darüber hinaus – war das internationale Auftreten westdeutscher Diplomaten immer auch eine Gratwanderung. So berichtete die französische Botschaft in Warschau 1964 dem Quai d'Orsay von Schwierigkeiten des Leiters der bundesdeutschen Wirtschaftsvertretung, Bernd Mumm von Schwarzenstein, der sich im diplomatischen Korps in Polen nur schwer zurechtfinde, weil er sich nicht die ihm angesichts der deutschen Vergangenheit gebotene Zurückhaltung auferlege.[90] International wurde lange Zeit mit Misstrauen beobachtet, dass die Deutschen ihre »Haltung der Zurückhaltung« allmählich aufgaben.

Wandel, Reform und alte Probleme

Auf dem internationalen Parkett war die Bundesrepublik Mitte der sechziger Jahre präsent und aktiv. Das »Ende der Nachkriegszeit« (Ludwig Erhard) schien auch in der Außenpolitik erreicht. Galt dies auch für den Auswärtigen Dienst? Seit der Wiedergründung 1951 hatte sich seine Zusammensetzung verändert. Neben ehemalige Angehörige der Wilhelmstraße, die freilich jetzt zum Teil in Spitzenpositionen gelangten, traten, langsam von unten nachwachsend, jüngere Diplomaten, die erst nach 1951 in den Dienst eingetreten waren. Seiteneinsteiger ergänzten das Bild. So sprach manches für einen Neuaufbruch, als Ende 1966 der SPD-Vorsitzende Willy Brandt die Leitung des Außenministeriums übernahm. Und in der Tat rückten personalpolitische Fragen innerhalb kürzester Zeit an die Spitze der Themen, mit denen sich der neue Außenminister in seinem Haus zu beschäftigen hatte. Die Schatten der NS-Vergangenheit des Amtes reichten weit in die sechziger, siebziger Jahre hinein. Immer neue NS-Ermittlungen wurden eingeleitet, immer wieder belasteten Vorwürfe und Skandale im Zusammenhang mit dem Nationalsozialismus und dem Judenmord nicht nur einzelne Diplomaten, sondern das Amt insgesamt. Sie überschatteten auch die Reforminitiativen, mit denen Brandt sein Amt antrat, die aber rasch an Dynamik und Durchschlagskraft verlieren sollten. Erst 1990 führte der damals angestoßene Reformprozess mit dem Gesetz über den Auswärtigen Dienst zu einer gesetzlichen Regelung seiner Tätigkeit – der ersten überhaupt in der Geschichte des AA seit 1871.

Personalpolitik unter Brandt

Die Berufung von Willy Brandt zum Außenminister und Vizekanzler der Großen Koalition am 11. Dezember 1966 bedeutete eine tiefe Zäsur für die deutsche Sozialdemokratie. Ihre letzte Regierungsbeteiligung lag mehr als 36 Jahre zurück, und die zweimonatige Amtzeit von Reichsaußenminister Adolf Köster im Frühjahr 1920 vermochten selbst traditionsbewusste Genossen kaum noch zu erinnern. Die Rückkehr der SPD in die Regierungsverantwortung war zum einen das Ergebnis eines innerparteilichen Richtungswechsels seit dem Godesberger Programm von 1959. Zum anderen hatten sich die Gemeinsamkeiten zwischen Union und FDP in den Jahren der Regierung Erhard fast völlig erschöpft. Herbert Wehner, der eigentliche Architekt der Großen Koalition, hatte diese Situation zu nutzen gewusst. Er war es auch, der den zaudernden Brandt davon überzeugte, sich als Vizekanzler nicht mit dem Amt des Forschungsministers zufriedenzugeben.

Der Widerspruch gegen den von der Parteispitze gewollten Regierungseintritt ließ nicht lange auf sich warten. Günter Grass nannte die Liaison eine »miese Ehe« und warnte davor, dass die jüngere Generation sich »vom Staat und seiner Verfassung« abwenden werde.[1] Auch innerhalb der SPD gab es zahlreiche Abgeordnete, die die Gefolgschaft verweigerten. Erwartungsgemäß entzündete sich die Kritik vor allem an der Person Kurt Georg Kiesingers und seiner Vergangenheit. Der neue Bundeskanzler war als 28-jähriger im Mai 1933 der NSDAP beigetreten; sein Biograph hat dies angesichts der kleinbürgerlichen Herkunft Kiesingers, in der ein zwar nationaler, jedoch weltoffener Katholizismus gepflegt wurde, als versuchten Brückenschlag zwischen rechtskatholischem Gedankengut und NS-Ideologie gedeutet.[2]

Zwar sollte die Parteimitgliedschaft ein Stigma bleiben, gegen das sich der CDU-Politiker zeit seines Lebens mit dem Hinweis zu verteidigen suchte, sie sei weder aus »Überzeugung« noch aus »Opportunismus« erfolgt.[3] Im Gegensatz zu vielen anderen »Märzveilchen« hatte Kiesinger aus den blutigen Ereignissen vom 30. Juni 1934 aber insofern Konsequenzen gezogen, als er auf eine Laufbahn als Richter verzichtete und sich stattdessen als freier Rechtsanwalt und Repetitor in Berlin niederließ. Erst im Frühjahr 1940, auf dem Höhepunkt der Westoffensive, kam es zu einer erneuten Annäherung an das Regime. Sein ehemaliger Schüler Karl-Heinz Gerstner,[4] ein Sohn Karl Ritters, der in Paris für den deutschen Botschafter Otto Abetz arbeitete, hatte Kiesinger darauf aufmerksam gemacht, dass in der Kulturabteilung des Auswärtigen Amtes ein Rechtsanwalt mit Fremdsprachenkenntnissen gesucht werde. Kiesinger begriff dies als willkommene Chance, dem unmittelbar bevorstehenden Wehrdienst zu entgehen. Am 9. April 1940 nahm er eine Tätigkeit als »Wissenschaftlicher Hilfsarbeiter« bei Kult R (»Kulturabteilung, Rundfunk«) auf.

Von dem »alten Kämpfer« Gerd Rühle geleitet, widmete sich diese Unterabteilung der Gestaltung und Kontrolle des seit Kriegsbeginn stetig wachsenden deutschen Auslandsrundfunks. Nachdem ein Abkommen zwischen AA und Reichspropagandaministerium (RMVP) den Wirkungsbereich von Ribbentrops Auslandspropaganda 1941 empfindlich beschnitten hatte, konzentrierte sich Kult R vor allem auf die Steuerung und getarnte Beeinflussung deutsch- und fremdsprachiger Auslandssender. Dies umfasste auch die Zensur ausländischer Korrespondenten und die Mitarbeit in der gemeinsam mit dem RMVP betriebenen »Interradio«-Gesellschaft. Nach dem Krieg hat Kiesinger zu seiner Entlastung vielfach darauf verwiesen, seine Arbeit bei Kult R habe sich im Wesentlichen auf Kompetenzkämpfe mit dem RMVP beschränkt. Derartige institutionelle Konflikte waren im Dritten Reich in der Tat gang und gäbe.

Aber das Abkommen zwischen AA und RMVP verhalf Kiesinger auch zu einem Karriereschub. Gemeinsam mit vier anderen Mitarbeitern – darunter sein Freund Gerhard Kreuzwendedich Todenhöfer, vormals D III – wurde er zum Verbindungsmann zwischen Rundfunkpolitischer Abteilung und RMVP beziehungsweise Reichsrundfunkgesellschaft ernannt; er sollte vornehmlich Informationen aus den Länderreferaten für einzelne Propagandaaktionen bündeln und dem RMVP übermitteln. Als Anfang 1943 sein Chef Hans Heinrich Schirmer zur Wehrmacht eingezogen wurde, stieg Kiesinger zum stellvertretenden Abteilungsleiter des für »Allgemeine Propaganda« zuständigen Referats B auf. Einige Monate später übernahm er zudem die Leitung des Referats A (»Rundfunkeinsatz und Internationale Rundfunkbeziehungen«), das bis dahin von dem rührigen Interradio-Gründer Kurt Mair geführt worden war.

Die fünfjährige Tätigkeit im Dienst der Auslandspropaganda sollte sich in mehrfacher Hinsicht prägend auf Kiesingers weiteren Lebensweg auswirken. Während er in seinem Spruchkammerverfahren und auch später immer wieder darauf pochte, er und seine Kollegen hätten den Zugang zu geheimen Informationen – darunter auch Abhörberichte – zur Widerstandsarbeit genutzt, hielten seine in- und ausländischen Kritiker ihm vor, von den Aufstiegsmöglichkeiten des Regimes profitiert zu haben. Wie viele andere habe er durch seine Mitarbeit dem Regime zu respektablem Glanz verholfen. Zwar kommt auch sein Biograph zu dem Befund, dass sich Kiesinger nachweislich an der »Verbreitung antisemitischer Hetzpropaganda« beteiligt habe.[5] Auf der anderen Seite war er aber – wenn schon nicht aus prinzipieller Ablehnung, so doch aus praktischen Erwägungen – Ribbentrops Plan entgegengetreten, einen speziellen Auslandssender für antijüdische Propaganda einzurichten. Dies trug ihm im November 1944 eine Denunziation durch die Kollegen Ernst Otto Doerries und Hanns-Dietrich Ahrens ein. Während die Anzeige seinerzeit ohne erkennbare Folgen geblieben war, ließ sie sich nach Kriegsende dazu nutzen, politische Vorbehalte gegen Kiesingers Kanzlerkandidatur abzubauen. Hilfreich war dabei auch das so genannte Conrad-Ahlers-Dokument: Gleichsam als Gegenleistung für Kiesingers Unterstützung in der *Spiegel*-Affäre hatte der stellvertretende Chefredakteur des Hamburger Magazins dem späteren Bundeskanzler im November 1965 ein entlastendes Gesprächsprotokoll über die Doerries-Ahrens-Denunziation zugespielt.[6]

Entscheidend dafür, dass Kiesinger die öffentlichen Angriffe überstand, dürften aber wohl langlebige Kontakte und Freundschaften aus der Zeit bei Kult R gewesen sein. Diese sollten Kiesinger bei seiner Karriereplanung in vielfacher Weise zugutekommen. Zum harten Kern jener Seilschaft aus vormaligen AA-Auslandspropagandisten gehörte neben dem Berufsdiplomaten Fritz von Twardowski, ehemals Leiter der Kulturabteilung, Kiesingers früherer Chef Schirmer. Auch Gerhard Todenhöfer, Günther Diehl, Gustav Adolf Sonnenhol, Erwin Wickert, Georg von Lilienfeld und Kajus Köster nahmen regen Anteil am beruflichen Fortkommen ihres Ex-Kollegen. Wie Kiesinger waren sie gegen Ende der dreißiger Jahre überwiegend als Neueinsteiger in das AA gekommen und hatten von Ribbentrops Umstrukturierungen profitiert. Nachdem man sich während der Besatzungszeit wechselseitig Entnazifizierungszeugnisse geschrieben hatte – so stützte sich beispielsweise Diehl bei seiner Bewerbung auf Referenzen von Achenbach und Sonnenhol –, holte Twardowski einen Teil der Mannschaft in das neu aufzubauende Bonner Presseamt; viele der anderen kehrten von Beginn der fünfziger Jahre an in den diplomatischen Dienst zurück.[7]

Da die öffentlichen Angriffe während Kiesingers Kanzlerschaft nicht etwa abflauten, sondern in der zweiten Hälfte seiner Amtszeit nochmals stark zunahmen, blieb der CDU-Politiker bis zum Schluss auf die vergangenheitspolitische Expertise seiner früheren AA-Mitstreiter angewiesen. Umgekehrt dürften diese aus Kiesingers Position einen nicht unwesentlichen Teil ihrer Selbstlegitimation bezogen haben, mit der sich eigene, teils recht erhebliche Belastungen kompensieren ließen. Während Diehl und Wickert dem Kanzler vor allem zu Hause den Rücken frei hielten, kümmerte sich Lilienfeld – ein früherer Mitarbeiter des *Völkischen Beobachters*, der während des Krieges zeitweise Verbindungsmann des AA bei Reichskommissar Hinrich Lohse im »Ostland« gewesen war[8] – bis zum Sommer 1968 darum, die Abwehrarbeit in der amerikanischen Hauptstadt zu koordinieren.

Über eine vergleichbar schlagkräftige Hausmacht verfügte der neue Außenminister nicht. Anders als der Kanzler hatte Brandt während des Dritten Reichs nicht Karriere gemacht, sondern aus dem norwegischen Exil auf den Sturz des Diktators hingearbeitet. Der SPD-Vorsitzende brachte jedoch zwei enge Vertraute mit ins Amt, die seine Modernisierungs- und Reformpolitik in jeder Hinsicht unterstützten: Egon Bahr als Leiter des Planungsstabes und Klaus Schütz als Staatssekretär. Neben Schütz und Staatssekretär Rolf Lahr – letzterer ein Mann Schröders – stand Brandt außerdem von April 1967 an der Bundestagsabgeordnete Gerhard Jahn auf dem neu geschaffenen Posten des Parlamentarischen Staatssekretärs zur Seite. Und nicht zuletzt gab es jene kleine Gruppe von höheren Beamten mit sozialdemokratischem Parteibuch, die dem Einzug der SPD in die Regierung jahrelang mit großer Erwartung entgegengefiebert hatte. Sie erhofften sich nicht nur eine grundlegende Erneuerung der Personalpolitik und das Ende jahrelanger Schikanen, sondern auch eine klare Distanzierung von der Vergangenheit.

Willy Brandt hatte bereits 1962 in einer Parteitagsrede zu diesem Thema Stellung bezogen. Vielen Menschen im Ausland sei die »Vergangenheit des Tausendjährigen Reiches« sehr viel präsenter als die neue Bundesrepublik. Dass die »Decke des Vertrauens« auch nach vier Jahren demokratischer »Umerziehung« und dreizehn Jahren Bundesrepublik noch reichlich dünn sei, hänge nicht zuletzt mit der Behandlung der

»Ehemaligen« zusammen: »Im offiziellen Bonn hat man auch gewiss nicht immer eine geschickte Hand gehabt, wenn es darum ging, sich von Leuten zu distanzieren, die nun einmal im Ausland als Repräsentanten einer vergangenen Epoche deutscher Geschichte und nicht als Repräsentanten demokratischer Gegenwart empfunden werden«.[9] Für die Angehörigen des Auswärtigen Dienstes stellte sich daher im Dezember 1966 die Frage, welche personalpolitischen Akzente der neue Minister setzen und wie er mit dem Erbe der Adenauer'schen Integrationspolitik umgehen werde.

Bereits wenige Tage nach Brandts Amtsantritt hatte sich Egon Bahr einen ersten Überblick verschafft, und kurz vor Weihnachten setzte er den neuen Außenminister in Kenntnis. Seine Einsichten klangen alles in allem eher düster. Es seien »drei Schichten« von Angehörigen erkennbar: Die »Reaktivierten aus dem alten AA«, die »Neuen« – überwiegend Absolventen der Diplomatenschule Speyer –, und die »Außenseiter«. Über die erste Gruppe sei wenig zu sagen. Sie habe »zuviel erlebt« und befinde sich zumeist auf der »Endstation«. Zwar seien die Reaktivierten kaum zu beeindrucken, im Großen und Ganzen aber loyal. Problematisch sei indes die zweite Gruppe. In konfessioneller wie in parteipolitischer Hinsicht »ungeheuer einseitig«, zeichne sich deren Haltung durch eine Mischung aus Zynismus und Snobismus aus. Die neue Regierung werde als »Interregnum« wahrgenommen, das möglichst gut überwintert werden müsse. Die außenpolitischen Akzentverschiebungen nähmen diese Leute nicht ernst. »Es gibt unter ihnen sehr wenige, die sachlich hervorragend sind, der SPD nicht nahe stehen, eine neue Politik wünschen, sich bisher nicht getraut haben, die ›schwache und korrupte Bande bisher‹ verachten und große Erwartungen mit echter Bereitschaft zur Zusammenarbeit verbinden.« Die dritte Gruppe erschien Bahr als die heterogenste. Die Außenseiter seien isoliert geblieben, nur wenige hätten es geschafft, sich durch Leistung Autorität zu erwerben. Der Rest bestehe aus – zu Recht oder Unrecht – »Zu-Kurz-Gekommenen« und aus Leuten, »deren schreiende Unfähigkeit« kein Hinderungsgrund gewesen sei, sie für »gute CDU-Arbeit« zu belohnen.

Vor diesem Hintergrund prophezeite Bahr unvermeidbare Enttäuschungen für »unsere Freunde«. Dies gelte sowohl »für die tragischen Figuren« als auch für all jene »guten Leute«, die mit einem schnellen

Wandel gerechnet hätten. Aber, so warnte Bahr, »ein eiserner Besen, der unter parteipolitischen Vorzeichen stünde, wäre nur die andersgeartete Fortsetzung der bisherigen CDU-Politik. Um das Haus zu integrieren, ist eine Personalpolitik erforderlich, die mit der bisherigen Benachteiligung Schluss macht und die Leistung zum obersten Maßstab macht.« Die Umsetzung dieses Prinzips sei allerdings nicht ohne einige entscheidende Veränderungen zu bewerkstelligen, die möglichst innerhalb der ersten hundert Tage erfolgen sollten. Dabei müsse man sich den Umstand zunutze machen, dass die aktuelle Stimmung im Haus geprägt sei durch eine »weitgehende Bereitschaft zur loyalen Zusammenarbeit, durchsetzt mit etwas echter Hoffnung«.

Bahr schlug vor, sich der Zustimmung der Beamtenschaft zu versichern, indem man einige »Partei-Buch-Kostgänger« mit Außenseiterstatus vorzeitig in den Ruhestand schicke. Damit werde Verständnis für die Beförderung von Personen erzeugt, die trotz guter Leistungen bisher benachteiligt worden seien. Er ließ keinen Zweifel daran, dass er als potenzielle Kandidaten vor allem SPD-nahe Diplomaten im Auge hatte. Denn »einen prononciert katholischen CDU-Mann«, der etwas könne und nicht bereits denkbar hoch stehe, gebe es praktisch nicht. Besonders wichtig sei in diesem Zusammenhang die Frage eines neuen Personalchefs: Es sollte möglichst ein »erfahrener Botschafter« ohne Ambitionen sein, der sich in den letzten zwei bis drei Jahren seiner Laufbahn befinde.[10]

Bahrs Lagebericht macht deutlich, dass es der neuen Amtsführung anfangs nicht ganz leichtfiel, sich in dem völlig unbekannten Gelände zu orientieren. Gleichwohl scheinen bestimmte Grunderkenntnisse bereits in dieser Frühphase praktische Relevanz erlangt zu haben. An erster Stelle stand der ernüchternde Befund, dass die langjährige Vorherrschaft der Christdemokraten auch in personalpolitischer Hinsicht Strukturen geschaffen und Mentalitäten geformt hatte. Diese ließen sich, so viel war klar, nicht von heute auf morgen beseitigen. Besonders alarmierend musste wirken, dass der Generationenwechsel und die gezielte Nachwuchsförderung obrigkeitsstaatliche und elitäre Haltungen nicht etwa aufgebrochen, sondern im Gegenteil offenbar eher verfestigt hatten. Aus der Tatsache, dass gerade unter den Jungdiplomaten viele der SPD mit Ablehnung und Skepsis gegenüberstanden, leitete Bahr einerseits die Notwendigkeit ab, die Personalführung und -rekrutierung neu auszurichten. Dabei orientierte er sich an den Thesen der Remigranten Arnold Brecht und Kurt Oppler, die neben der Einführung von Qualifikationsexamina auch eine leistungsabhängige Beförderungs- und Entlassungspraxis gefordert hatten. Andererseits sprach er sich für eine vorsichtige personelle Erneuerung aus. Diese sollte aber nicht ausgrenzend wirken, sondern das vorhandene Know-how bündeln.

Unter dem Strich hielt Bahr die »Ehemaligen« nicht nur für loyal, sondern glaubte auch, auf ihre Mitarbeit nicht verzichten zu können. Dabei ließ er sich allerdings weniger von dem Gedanken an eine politische und gesellschaftliche Versöhnung leiten, wie ihn vor allem der Kanzler zur Legitimierung der Großen Koalition öffentlich propagierte. Vielmehr kam es ihm darauf an, den strukturellen und personellen Realitäten des neuen Amtes Rechnung zu tragen, ohne sympathisierende Kräfte in die Resignation zu treiben. Allerdings unterschätzte er, dass die Mehrzahl der Beamten das ungleiche Bündnis aus Konservativen und Sozialdemokraten nur als temporäre Zweckgemeinschaft in Zeiten der Krise betrachtete. Zudem mangelte es seiner Bestandsaufnahme an historischer Tiefenschärfe. Es schien für ihn weder eine Rolle zu spielen, weshalb SPD-Mitglieder, Remigranten und Frauen jahrelang an ihrem beruflichen Fortkommen gehindert worden waren, noch vermochte er einen Zusammenhang zwischen der offenkundigen Apathie der Älteren und dem Zynismus der Jungen zu erkennen.

Bereits die Anfangsmonate der Ära Brandt waren durch eine Reihe veritabler personalpolitischer Krisen gekennzeichnet. Der erste Zusammenstoß zwischen Außenministerium und Bundeskanzleramt ereignete sich, wenig überraschend, im Kontext der neuen Ostpolitik. In Fortführung einer bereits von Erhard und Schröder verfolgten Linie hatte das AA im Januar 1967 die Formalisierung diplomatischer Beziehungen zu Rumänien angestoßen. Die Folge war, dass die Warschauer-Pakt-Staaten kurz darauf die »Ulbricht-Doktrin« beschlossen, der zufolge kein Ostblockstaat seine Beziehungen zur Bundesrepublik normalisieren durfte, solange die DDR dies nicht getan hatte. Infolge des überstürzten Botschafteraustauschs gelang es Brandt nicht, seinen Parteifreund Hans-Georg Steltzer für den Posten in Bukarest durchzusetzen.[11] Erster bundesdeutscher Botschafter wurde stattdessen der von der CDU favorisierte Erich Strätling, vormaliger Leiter der Handelsvertretung. Da innerhalb des Amtes nur Gerüchte über die Nichtentsendung Steltzers kursierten – gemunkelt wurde über eine Intervention des Kanzleramts –, kamen alsbald Zweifel an Brandts Stehvermögen auf.

Mitte Mai schien es Bahr geboten, den Minister vor den unerwünschten psychologischen Rückwirkungen einer allzu schlaffen Personalführung zu warnen. Zwar sei das Klima insgesamt gut, besonders was die Beurteilung seiner Person angehe. Es seien jedoch auch Symptome feststellbar, die gefährlich werden könnten. Wenn die Besetzung einzelner Botschaften und Konsulate damit begründet werde, dass es sich um »Einlösungen von Hypotheken« handele, stoße dies allgemein auf Verständnis. Hingegen sei die Behandlung problematischer Einzelfälle für viele Beamte nicht nachvollziehbar. Insofern bestehe die Gefahr, dass »Gutwillige zu resignieren beginnen, Aufgeschlossene in den mittleren und jüngeren Jahrgängen enttäuscht sind und Opportunisten zum Kanzleramt zu schielen beginnen«.[12]

Dies klang alles ernst genug. Die Realität war freilich noch bedrückender, denn einige »Gutwillige« hatten zu diesem Zeitpunkt bereits das Handtuch geworfen. Kurt Oppler, seit 1963 Botschafter in Ottawa, gehörte zu jener kleinen Gruppe von Diplomaten, die sich von Brandts Amtsantritt eine grundlegende Wende erhofft hatten. In seiner Biographie vereinigte er das antifaschistische Erbe der Exil-SPD und die amerikanisch inspirierte Reformpolitik der frühen Aufbaujahre. Nach seinem mit vielen Schwierigkeiten verbundenen Wechsel ins Auswärtige Amt 1952 war ihm zunächst die Leitung der Botschaft in Reykjavik angeboten worden, ein Posten, den er mangels Alternativen annahm. Nach einer Zwischenstation in Oslo sollte Ende 1958 die Versetzung nach Brüssel erfolgen. Gegen diese Entscheidung Brentanos liefen Adenauer, Strauß, Schröder und Blank Sturm: Die Entsendung eines Emigranten in sein früheres Exilland sei bedenklich. »Man könne der christlich-sozialen Regierung des Herrn Eyskens in Brüssel nicht zumuten, einen Sozialdemokraten als Botschafter zu akzeptieren«,[13] meinte der Bundeskanzler, und Verteidigungsminister Strauß sekundierte, Oppler habe als Leiter des Personalamtes der Bizone eine »stark sozialistisch orientierte« Personalpolitik betrieben.[14] Der Minister und sein stellvertretender Staatssekretär Knappstein hielten jedoch an der Entscheidung fest. Nach viereinhalb Jahren Brüssel folgte dann unter Schröder erneut eine Versetzung an die Peripherie, diesmal nach Kanada, einen Wechsel, den Oppler nicht nur wegen der klimatischen Verhältnisse als ein »auf Eis-Legen« empfand.[15]

Im März 1967 erhielt Brandt einen bewegenden Brief aus Ottawa. Anlass war ein Schreiben von Staatssekretär Schütz, in dem er Oppler mitgeteilt hatte, dass er noch etwas länger auf seinem Posten verbleiben müsse, um den Besuch des Bundespräsidenten vorzubereiten. Im Übrigen seien er und der Minister übereingekommen, nun doch keine Unterstaatssekretärsstelle für Oppler zu schaffen, weil sich dies als zu zeitraubend herausgestellt habe. Stattdessen schlage man ihm vor, ein Gutachten zu verfassen, in dem er seine Vorstellungen zu einer organisatorischen und personellen Reform des AA niederlegen könne.[16] Damit hatte sich ein Plan zerschlagen, den Oppler und der schon schwer kranke Fritz Erler, bis 1966 Fraktionsvorsitzender der SPD, wenige Tage nach Brandts Amtsübernahme mit diesem besprochen hatten: Durch Opplers Einberufung in die Zentrale und seine Ernennung zum Unterstaatssekretär sollten die nötigen Reformen an Haupt und Gliedern vorangebracht werden. Für diese Aufgabe war Oppler nicht nur wegen seines Status als höchster Bundesbeamter mit SPD-Parteibuch, sondern auch aufgrund langjähriger praktischer Erfahrungen und fachlicher Kenntnisse prädestiniert. Umso enttäuschender war daher der Brief von Schütz, der Oppler den Bruch dieser Vereinbarung dadurch glaubte schmackhaft machen zu können, dass er ihn um ein Gutachten für die Schublade bat.

In Opplers Schreiben an Brandt mischte sich Wut mit Bitterkeit: Nach allem, was ihm in den letzten fünfzehn Jahren im AA widerfahren sei, mache ihn die Entwicklung seit dem Regierungswechsel mehr als betroffen. Auf seinen Vorschlag, der bis in die Kreise der CDU befürwortet werde, sei praktisch nichts erfolgt. Im AA werde seit Jahren weder Personalpolitik betrieben, noch seien dazu Grundsätze erarbeitet worden. Auch eine Koordinierung des Apparates erfolge nicht. Die Leitung der Personalabteilung liege seit Längerem in den Händen von Beamten, die über keinerlei Auslandserfahrung verfügten. Anstatt eine objektive Auslese zu betreiben, werde die Personalauswahl nach wie vor von Parteizugehörigkeit, Religion und Einfluss bestimmt. Das Leistungsprinzip werde vernachlässigt, stattdessen dominiere die »Ochsentour«. Anstatt ihn zu aktiver politischer Arbeit heranzuziehen, werde ihm jetzt die Erstellung eines Gutachtens angeboten. Die Tätigkeit eines Gutachters übertrage man in der Regel einer Person, die man aus dem aktiven Dienst entfernen wolle. Er könne sich daher die Frage nicht ersparen, was der

Grund für das alles sei. »Weicht man vor Beamten zurück, die Anstoß daran nehmen, dass ich seit 1927 der SPD (später SAP, ich habe diese in Breslau zusammen mit Ernst Eckstein für Schlesien gegründet) angehöre? … Oder seit 20 Jahren der Gewerkschaft (ÖTV) oder Emigrant jüdischer Abstammung bin oder Außenseiter oder alles zusammen? Oder bin ich eigenwillig? Aber Du selbst sagtest ja am 6. Dez.: gerade auf deren Mitarbeit möchtest Du zählen. Offen gestanden verstehe ich es nicht. Will man es etwa der CDU nicht zumuten?«[17]

Entgegen Bahrs Empfehlung, während der »Flitterwochen« in personeller Hinsicht einige Pflöcke einzurammen, verstrich die Zeit größtenteils ungenutzt. Und die Situation verbesserte sich nicht, als Schütz im November 1967 als Regierender Bürgermeister nach West-Berlin zurückkehrte und der von Brandt reaktivierte Ferdinand Georg Duckwitz als neuer Staatssekretär auch die Verantwortung für Personal- und Verwaltungsfragen übernahm. Zwar galt Duckwitz, der vor seiner zwei Jahre zuvor auf eigenen Wunsch erfolgten Versetzung in den Ruhestand zeitweise Leiter der Abteilung 7 (»Ostfragen«) gewesen war, als Befürworter der neuen Ostpolitik. Als ehemaliger enger Mitarbeiter von Reichskommissar Werner Best stand er den »Ehemaligen« jedoch näher als den NS-Verfolgten – ungeachtet seines mutiges Eintretens für die in Dänemark lebenden Juden im Oktober 1943.[18]

Bahr hatte empfohlen, die Leitung der Personalabteilung einem »erfahrenen Botschafter« anzuvertrauen. Im Januar 1967 wusste der *Spiegel* zu berichten, eine Gruppe von CDU-Politikern habe dem Minister Kurt Oppler vorgeschlagen; mit dessen Ernennung lasse sich ein Teil der »schlechten Presse« kompensieren, die Kiesingers NSDAP-Mitgliedschaft und die wachsenden Wahlerfolge der NPD vor allem im westlichen Ausland hervorgerufen hätten.[19] Während Oppler im fernen Ottawa vergeblich auf einen Ruf aus Bonn wartete, nutzte der amtierende Personalchef Paul Raab, ein Urgestein aus Adenauers katholischem Kölner Netzwerk, die ihm verbliebene Zeit. Als nach seiner Pensionierung im Herbst 1967 schließlich Georg Federer, ein Mann aus der Wilhelmstraße und Ex-Pg, mit der Leitung der Abteilung Z (Personal und Verwaltung) beauftragt wurde, hielten einige SPD-Beamte im Amt die Zeit zum Handeln für gekommen.

In einem Schreiben an den gewerkschaftsnahen Bundestagsabgeordneten Hans Matthöfer, das zugleich dem SPD-Vorsitzenden zuging, tat

Botschafter Erich Knapp in Vertretung eines kleineren Kreises kund, ihnen bereite die Personalpolitik des Parteivorsitzenden immer größere Sorgen. Sei dessen anfängliche Zurückhaltung noch als »psychologische Raffinesse« verstanden worden, damit der »vom Sozialistenschreck aufgescheuchte Apparat« sich beruhige, wirke Brandts Agieren inzwischen wie eine Mischung aus »Uninteressiertheit und Gutgläubigkeit«. So habe Raab mit Brandts Einverständnis fast ein ganzes Jahr lang Gelegenheit gehabt, Personaldispositionen umzusetzen, die noch von Amtsvorgänger Schröder verfügt worden seien. Auch habe es der »monoglotte Nichtfachmann« geschafft, eine Reihe sozialdemokratischer Beamter madig zu machen, sodass deren Zahl mittlerweile noch unter der vor Brandts Amtsantritt liege. Der neue Mann, ein »untadeliger und liberaler« Beamter, genieße das besondere Vertrauen von Kiesinger und Gerstenmaier. Der Weggang von Schütz habe eine Lücke gerissen, die durch Duckwitz, der »schon von Herkommen und Prägung« weniger Verständnis aufbringe, nicht ausgefüllt werden könne. Der alte Apparat sei »routiniert und schlau« und verstehe es auf elegante Art, »den Laden wieder fest in die Hand zu bekommen«. Fraglos sei es wichtig, die neuen Ostblock-Vertretungen mit Männern ohne Scheuklappen zu besetzen. Darüber die Schaltstellen in der Zentrale zu vernachlässigen, erscheine aber »fast schon leichtsinnig«. Auch im Hinblick auf die nächsten Legislaturperioden sei es dringend geboten, dass sich Partei und Fraktion in die Sache einschalten und den Parteivorsitzenden – »zweifellos der zugleich fleißigste, umtriebigste, sensibelste und energischste Minister« – auf die personalplanerischen Versäumnisse aufmerksam machen.[20]

Trotz dezidierter Kritik aus den eigenen Reihen blieb Brandt bei seiner zurückhaltenden Linie. Zum einen erschienen ihm die Mitarbeiter des Amtes überwiegend als »tüchtig und loyal«.[21] Zum anderen entsprach es seinen politischen Grundsätzen, dass sich eine fortschrittliche Außenpolitik an Realitäten und nicht an Dogmen zu orientieren habe. Während anfangs auch die Überlegung eine Rolle gespielt haben dürfte, das sorgsam austarierte Gleichgewicht zwischen den Koalitionspartnern nicht zu stören, wurden Brandts Handlungsspielräume in der zweiten Hälfte der Legislaturperiode dadurch beschnitten, dass sich Kanzler und Bundeskanzleramt immer stärker in außenpolitische Belange einmischten. Es war daher vor allem Ausdruck einer zunehmenden Defensivlage, dass während Brandts dreijähriger Amtsperiode kaum eine der ursprünglich avisierten Entlassungen von Parteibuch-Beamten tatsächlich durchgesetzt wurde. Der Außenminister nahm es in Kauf, die eigene Klientel, die bei Beförderungen jahrelang benachteiligt worden war, damit vor den Kopf zu stoßen. Selbst die Leitung der Reformkommission, deren Einsetzung er persönlich mit angestoßen hatte, wurde schließlich in die Hände eines pensionierten Wilhelmstraßen-Mannes gelegt. Anstelle von Kurt Oppler, der ursprünglich für diesen Posten vorgesehen war, erhielt »Johnny« Herwarth im Herbst 1968 den Auftrag, die lange überfälligen Reformen für das AA zu entwickeln.[22] Zu den Mitgliedern seines ursprünglich zwölfköpfigen Gremiums aus Verwaltungsbeamten, Bundestagsabgeordneten und Wissenschaftlern zählte neben Günther Diehl, Klaus von Dohnanyi und Theodor Eschenburg auch der FDP-Politiker und »Ehemalige« Ernst Achenbach. Letzterer sprang im Herbst 1969 für seinen Parteifreund Walter Scheel ein, der mit Beginn der sozialliberalen Koalition Brandts Nachfolger als Außenminister wurde.[23]

Scheel war es, der mit der vorzeitigen Versetzung höherer Beamter in den Ruhestand Ernst machte und dadurch Anfechtungsklagen der 25 Betroffenen auslöste.[24] Mit Wilhelm Hoppe wurde 1970 außerdem erstmals ein SPD-Mitglied, Gewerkschaftsangehöriger und Nichtakademiker Personalchef des AA. Auch der SPD-Mann Hoppe hatte allerdings eine Vergangenheit, war er doch 1941 als Angehöriger der deutschen Gesandtschaft in Kopenhagen der NSDAP beigetreten.[25] Im Februar 1971 tauschte Scheel den stellvertretenden deutschen Botschafter in Israel, Alexander Török, gegen den *Vorwärts*-Redakteur Jesco von Puttkamer aus. Bei diesem handelte es sich um einen früheren Wehrmachtoffizier, der sich nach seiner Gefangennahme in Stalingrad dem Nationalkomitee Freies Deutschland angeschlossen hatte.[26] Der neue Außenminister, der seine NSDAP-Mitgliedschaft erst einige Jahre später publik machen sollte, sorgte aber durchaus auch für Kollegen aus der eigenen Partei: Anfang 1972 beauftragte er Margarete Hütter mit der Leitung der deutschen Botschaft in San Salvador – die erste Frau auf einem Botschafterposten im Ausland.[27] Die vormalige Nationalsozialistin hatte sich nach ihrem FDP-Beitritt seit 1948 als rabiate Fürsprecherin der deutschen »Kriegsverurteilten« einen Namen gemacht.[28]

Brandts Umgang mit den »Ehemaligen« entsprach einer schwer zu durchschauenden Mischung aus Pragmatismus und Misstrauen. In einzelnen Fällen lehnte er es ab, Personen auf Botschafterposten zu entsenden, die er als belastet erachtete. Der mit Kiesinger gut befreundete Gustav Adolf Sonnenhol, ein »alter Kämpfer«, SA- und SS-Mitglied, Mitarbeiter im Persönlichen Stab des Reichsführers-SS, wurde auf Brandts Wunsch nach Pretoria statt nach Ankara geschickt, was nicht nur in der in- und ausländischen Presse, sondern auch an der dortigen Botschaft selbst zu Unruhe führte.[29] Hingegen nahm er den Botschafter in Lissabon, Hans Schmidt-Horix, wegen seiner Mitgliedschaft im SS-Reitersturm praktisch nur in arabischen Staaten und bei autoritären Regimen einsetzbar, ausdrücklich vor Presseangriffen in Schutz.[30] Im Fall des Karrierediplomaten Franz Krapf, ebenfalls ein früheres SS-Mitglied, war es vor allem Fürsorge, die Brandt bewog, den in Tokio tätigen Beamten von einem Wechsel nach Washington abzubringen. Obwohl Krapf bereits Ende der fünfziger Jahre zeitweise in der amerikanischen Hauptstadt gewirkt hatte, meinte Brandt zu wissen, eine Übernahme der Botschaftsleitung in Washington würde mit ziemlicher Sicherheit Anfeindungen gegen seine Person und die Bundesrepublik nach sich ziehen.[31]

Der frühere NS-Staatsanwalt Franz Nüßlein, seit 1962 auf Posten am Generalkonsulat in Barcelona, wurde im Februar 1968 auf Brandts Wunsch mit dem Verdienstkreuz 1. Klasse ausgezeichnet. Seinen lange gehegten Traum, kurz vor Ende der Dienstzeit noch zum Leiter einer Botschaft aufzusteigen, konnte Nüßlein allerdings nicht verwirklichen. Nachdem Abiturienten der Deutschen Schule in Barcelona im April 1969 gegen die Vergangenheit ihres Generalkonsuls protestiert hatten, sollte für den fast 60-Jährigen ein unauffälligerer Posten gefunden werden. Der Versuch, Nüßlein auf einer wenig attraktiven Stelle innerhalb der Rechtsabteilung unterzubringen, rief den Widerspruch des früheren Staatssekretärs Rolf Lahr hervor, der Nüßlein bei den Moskauer Verhandlungen von 1957/58 kennen- und schätzen gelernt hatte. Er bat Staatssekretär Duckwitz und den scheidenden Personalchef Federer, das Amt solle für einen »Kollegen, von dessen Ehrenhaftigkeit wir überzeugt sind, etwas stärker eintreten«.[32] Doch die Spielräume waren Ende der sechziger Jahre enger geworden: Nüßlein verblieb bis zu seiner regulären Pensionierung in Barcelona.

Neue Ermittlungen

»Bald ein Ende der braunen Affären?« – unter dieser Schlagzeile suchte Ende 1968 die *Süddeutsche Zeitung* den Ursachen für die anscheinend nicht abreißende Kette von Personalskandalen im Auswärtigen Amt auf den Grund zu gehen. Erst wenige Monate zuvor war mit Herbert Müller-Roschach ein weiterer hochrangiger AA-Beamter über seine Vergangenheit gestolpert, als offenbar wurde, dass er während des Krieges zeitweise im berüchtigten »Judenreferat« der Abteilung Deutschland gearbeitet hatte. Die *SZ* bewertete diesen und andere Fälle als das Ergebnis einer im Kern verfehlten Personalpolitik. Gleichzeitig verband man damit jedoch die Hoffnung, dass dies der »letzte Ausläufer« in einer Reihe von unerfreulichen Affären sein möge, die das AA seit seiner Gründung im März 1951 begleitet hätten. Denn inzwischen habe sich nicht nur die Gruppe ehemaliger Nationalsozialisten »durch natürlichen Ausleseprozess immer mehr verdünnt«; mit Georg Ferdinand Duckwitz sei auch ein Mann Staatssekretär geworden, der während des Krieges geholfen habe, »mehreren tausend dänischen Juden das Leben« zu retten.[33]

Es war ein Überlebender der deutschen Judenpolitik in Dänemark und Teilnehmer der spektakulären Flucht über den Öresund, der Anfang 1968 den Fall Müller-Roschach ins Rollen gebracht hatte: Fritz Bauer. Der deutsche Jude und Sozialdemokrat, der 1936 ins dänische Exil gegangen war, hatte in seiner Funktion als hessischer Generalstaatsanwalt Mitte der fünfziger Jahre damit begonnen, die umfangreichen Aktenbestände des Politischen Archivs des Auswärtigen Amtes danach auszuwerten, welche Bediensteten des Ministeriums an der Organisation und Durchführung von Deportationsverbrechen beteiligt gewesen waren. Damit hatte er eine Ermittlungswelle gegen AA-Beamte ausgelöst, die nach Übergabe der letzten Akten durch die Alliierten und der etwa zeitgleich erfolgten Gründung der Zentralen Stelle in Ludwigsburg zunehmend an Schwung gewinnen sollte. Während sich die hessischen Strafverfolger vorwiegend auf das Geschehen in Ungarn, im früheren Satellitenstaat Bulgarien und in den von diesem besetzten griechischen Gebieten konzentrierten (Adolf Hezinger, Edmund Veesenmayer, Gustav Richter, Helmuth Triska, Adolf Hoffmann, Arthur Witte, Anton Mohrmann, Walther Pausch, Theodor Dannecker, Fritz Gebhardt von Hahn, Adolf Heinz Beckerle, Friedhelm Dräger), nahmen sich die Staatsanwaltschaft Essen und der als Untersuchungsrichter am Landgericht Essen tätige Ulrich Behm vor allem die Verantwortlichen in der Zentrale vor (Horst Wagner, Eberhard von Thadden, Andor Hencke).

Weitere (Vor-)Ermittlungen gegen frühere und noch aktive Diplomaten liefen seit Anfang der sechziger Jahre bei der Zentralen Stelle und den Staatsanwaltschaften in Berlin (Karl Klingenfuß, Martin Luther, Erich Schrötter, Rudolf Bobrik), Bonn (Manfred Klaiber, Walter Büttner, Werner Picot, Manfred Garben, Werner von Bargen), Düsseldorf (Wilhelm Weilinghaus), Gießen (Karl August Balser), Hamburg (Otto Bene), Hannover (Felix Benzler, Franz Goltz), Koblenz (Günther Altenburg, Klemm von Hohenberg, Kurt-Fritz von Graevenitz, Herbert Nöhring, Fritz Schönberg, Hermann Neubacher), Köln (Carltheo Zeitschel, Eugen Feihl, Rudolf Rahn, Otto Hofmann), Lübeck (Otto von Bismarck), München (Walter Hellenthal), Stuttgart (Curt Heinburg).[34] Außerdem war ein Auslieferungsverfahren gegen den weiterhin flüchtigen Franz Rademacher anhängig, der 1966 freiwillig in die Bundesrepublik zurückkehrte, um sich in Bamberg der Justiz zu stellen.

Während man die Ermittlungen gegen das Personal von Inland II kurz nach der Urteilsverkündung im Jerusalemer Eichmann-Prozess ausbremste und der energische Essener Landgerichtsrat Behm von seiner Aufklärungstätigkeit entbunden wurde, steuerten die Frankfurter Staatsanwälte beharrlich auf eine größere Gerichtsverhandlung zu. Im November 1967, nach mehr als zehnjähriger Ermittlungsarbeit, konnte schließlich vor dem Frankfurter Landgericht die Hauptverhandlung gegen zwei frühere AA-Beamte beginnen. Angeklagt im so genannten Diplomaten-Prozess waren Adolf Heinz Beckerle, vormaliger Gesandter in Sofia, und der frühere Legationssekretär Fritz Gebhardt von Hahn, zwischen Dezember 1942 und März 1943 Rademachers Mitarbeiter bei D III. Beiden wurde vorgeworfen, als Mittäter an der Deportation von über 11000 »neubulgarischen« Juden aus Thrakien und Makedonien mitgewirkt zu haben. Hahn wurde außerdem zur Last gelegt, die Deportation von etwa 20000 griechischen Juden aus Saloniki veranlasst zu haben.

Ende der vierziger Jahre hatte Hahn den Angeklagten Weizsäcker mit einem Gutachten unterstützt, das die Arbeit des Judenreferats als einen abgeschirmten Sonderbereich innerhalb des Amtes beschrieb.[35] Gut fünfzehn Jahre später lieferte er sich gleichsam selbst der Justiz aus, als er während eines Vernehmungstermins vor dem Landgericht Essen zwei

Tage lang freimütig über seine Tätigkeit bei D III berichtete. Bei dieser Gelegenheit hatte er auch zu Protokoll gegeben, bereits frühzeitig den wahren Zweck der Deportationen erkannt zu haben. Im Frankfurter Gerichtssaal wollte er davon nichts mehr wissen. Auch der Mitangeklagte Beckerle bestritt energisch, den Zweck der Deportationen gekannt zu haben, er habe 1943 vielmehr alles getan, das Leben der Juden zu retten.

Gestützt wurde die Verteidigungsstrategie durch eine Vielzahl von Diplomaten und Ex-Diplomaten, die einhellig bekundeten, erst nach dem Krieg von den Vernichtungsaktionen gehört zu haben. Da kaum damit zu rechnen war, dass das Schwurgericht dieser Argumentation folgen würde, bemühten sich die Verteidiger von Hahn und Beckerle, den politischen Druck auf das Gericht zu erhöhen. Eine Politisierung ließ sich am besten dadurch erreichen, dass man den kommunistischen Faschismusvorwurf in abgeschwächter Form adaptierte und die NS-Vergangenheit von Vertretern der Bonner Politprominenz als kollektiven Schuldminderungsgrund anführte. Beckerles gewiefter Anwalt, der mit dieser Masche schon im Koblenzer Prozess gegen den Kommandeur der Sicherheitspolizei in Minsk einige Erfolge erzielt hatte, stellte deshalb Anfang 1968 den Antrag, Bundeskanzler Kiesinger und Bundestagspräsident Gerstenmaier zu einer Einvernahme nach Frankfurt zu laden. Zur Begründung führte er an, beide könnten aufgrund ihrer früheren Funktionen im Dritten Reich bestätigen, dass Kenntnisse über den Massenmord auf einen kleinen Kreis von Mitwissern beschränkt gewesen seien, zu dem die Angeklagten nicht gehört hätten.

Obwohl Staatsanwaltschaft und Gericht den Antrag als verfahrensfremd verwarfen, konnte Verteidiger Egon Geis mit Hilfe eines prozessualen Tricks erreichen, dass Kiesinger dem Gericht am 4. Juli 1968 in Bonn Rede und Antwort stehen musste. Vor voll besetzten Bänken und in Anwesenheit von etwa 50 Pressevertretern aus dem In- und Ausland schilderte der Bundeskanzler ausführlich seinen Werdegang im AA und gab Auskunft zu seinen Kenntnissen über die Judenvernichtung. Unter Eid sagte Kiesinger aus, die eingehenden ausländischen Meldungen über systematische Mordaktionen anfangs nicht bemerkt und später für Gräuelpropaganda gehalten zu haben. Erst ab 1943/44 sei bei ihm ein diffuses Gefühl entstanden, »dass da mehr sein könnte«. Die Aufgaben des Referats D III habe er nicht gekannt, dessen Leiter Rademacher lediglich dann und wann »gesehen«.[36] Auch eine Geheimdienstmeldung vom April 1944, in der ausdrücklich von Massenmord an Juden die Rede war, wollte er nicht bewusst wahrgenommen haben.

Zwar klang all dies nicht sehr glaubwürdig – trotz Kiesingers Spitzfindigkeit, zwischen dienstlichem Nichtwissen und privatem Wissen trennen zu wollen. Aus der Perspektive des Kanzlers und seines vergangenheitspolitischen Beraterstabs kam es aber vor allem darauf an, die etablierten Selbstrechtfertigungsstrategien der Wilhelmstraße nicht zu unterlaufen. Doch was Ende der vierziger Jahre im Kontext des Abwehrkampfes gegen »Nürnberg« noch über das engere Milieu hinaus konsensstiftend gewirkt hatte, besaß im Lichte der neuen Ermittlungen und angesichts einer kritischer gewordenen Öffentlichkeit kaum noch Überzeugungskraft. Die Lebenslüge der bundesdeutschen Diplomatie – das Amt sei von dem Vernichtungsfeldzug gegen die Juden weitgehend ausgeschlossen gewesen – hatte nach dem Eichmann-Prozess, dem Ost-Berliner »Braunbuch« von 1965 und den im Frankfurter Diplomaten-Prozess zur Sprache gebrachten Details als Entlastungsargument ausgedient.

Kiesinger wurde für seine exkulpierenden Äußerungen von in- und ausländischen Journalisten kritisiert, das Gros der Presse vertrat die Auffassung, die Angeklagten hätten von seinen Aussagen profitiert.[37] Maßgeblich für die fast einhellige Ablehnung des Kanzler-Auftritts war ein neues Verständnis vom gesellschaftspolitischen Zweck solcher Prozesse: Im Zeichen des erstarkenden parlamentarischen Rechtsradikalismus betrachteten viele Journalisten die juristische Aufklärung von NS-Verbrechen als eine der wichtigsten Voraussetzungen für die innere Stabilität der Demokratie. Vor diesem Hintergrund wurde die Tatsache, dass sich eine größere Zahl hochrangiger Schreibtischtäter noch immer auf freiem Fuß befand, als ein besorgniserregendes Defizit des Rechtsstaats gewertet.

Die schärfsten Reaktionen kamen allerdings von Vertretern jüdischer Organisationen in den USA. Wenige Tage nach dem Bonner Gerichtstermin ging ein Telegramm von Rabbiner Joachim Prinz im Bundeskanzleramt ein. Kiesingers Zeugenaussage, er habe nur mit Verzögerung erkannt, dass »mit den Juden Europas etwas Furchtbares geschah«, habe auf ihn gleichermaßen »erstaunlich und schockierend« gewirkt, schrieb der Vorsitzende der Kommission für Internationale Angelegenheiten beim American Jewish Congress (AJC). »Sie waren entweder blind gegenüber all dem, was um Sie herum geschah, oder Sie verschlossen freiwillig die Augen ... Haben Sie 1935 nicht wie jeder andere auch gewusst, dass die neu erlassenen Nürnberger Gesetze die deutschen Juden ihrer gesetzlichen, sozialen und politischen Rechte beraubten und sie zu Bürgern zweiter Klasse degradierten? War das nicht etwas Furchtbares? Haben Sie im November 1938 nicht wie jeder andere auch mitangesehen und mitangehört, wie ohne Ausnahme jede Synagoge in Deutschland abgebrannt und zertrümmert wurde? ... Wie konnten Sie als Beamte des deutschen Außenministeriums nicht bemerken, dass den Bewegungen von Menschenmassen in Richtung einiger ausgewählter Orte wie Auschwitz, Dachau, Bergen-Belsen, Treblinka und andere Orte etwas Böses anhaftete? ... Sie und das deutsche Volk sind belastet durch das Wissen über die amoralischen und übelwollenden Pläne der Nazis für Europa seit Hitlers ersten öffentlichen Äußerungen, in denen er kein Geheimnis aus seinen Absichten machte, das deutsche Judentum zu zerstören und die europäische Zivilisation einer Herrschaft der Barbarei und des Terrors zu unterwerfen. Niemand musste erst auf die Beweise der Gaskammern und Brennöfen warten ... Ihre Aussage vor Gericht ist ein Zeichen der unentschuldbaren Geisteshaltung, die für das deutsche Volk während des Zweiten Weltkrieges kennzeichnend war und welche es für die entsetzliche und furchtbare Vernichtung von sechs Millionen europäischer Juden verantwortlich macht.«[38]

Kiesinger scheint dem Rat seiner Mitarbeiter folgend auf eine Zurückweisung der auch öffentlich geäußerten Vorwürfe des AJC verzichtet zu haben.[39] Ein Grund dafür mag gewesen sein, dass man im engsten Kreis des Kanzlers weiterhin annahm, dessen Vergangenheit liefere keine wirklichen Angriffspunkte. Möglich ist aber auch, dass man im Kanzleramt nachträglich zu der Einsicht gelangte, Robert Kempner habe mit seinen Warnungen recht behalten. Der frühere amerikanische Ankläger hatte Kiesinger ausdrücklich von einer gerichtlichen Vernehmung abgeraten, die von »rechts und links« nur zu einem Kesseltreiben genutzt werde.[40] Tatsächlich rief Kiesingers missglückter Auftritt eine Reihe neuer und alter Kritiker auf den Plan, die bemüht waren, die Unglaubwürdigkeit seiner Einlassungen zu beweisen. Neben Günter Grass schoss sich vor allem die Journalistin Beate Klarsfeld auf Kiesinger ein, den sie für den aufkommenden Neonazismus und die politische Desorientierung der jüngeren Deutschen verantwortlich machte. Die Affäre Kiesinger sollte wenige Wochen später ihren Höhepunkt erreichen, als Klarsfeld dem »PG 2633930«, so der Titel ihrer Kiesinger-Dokumentation, auf dem West-Berliner CDU-Parteitag eine Ohrfeige verpasste.

Aber nicht nur die Linke, auch die rechtsextreme Gnadenlobby um den früheren Heydrich-Stellvertreter Werner Best bereitete jetzt eine Anti-Kiesinger-Kampagne vor. Der Kanzler, so die übereinstimmende Meinung in diesen Kreisen, habe seine früheren Kollegen und Mitstreiter verraten, als er sich Plänen für eine Generalamnestie widersetzte und eine abermalige Verlängerung der Verjährungsfristen für NS-Mordtaten befürwortete. Gemeinsam mit dem früheren AA-Mitarbeiter und Kiesinger-Denunzianten Hanns-Dietrich Ahrens – er arbeitete inzwischen in Essen als erfolgreicher Public-Relations-Berater westdeutscher Industriekonzerne – suchte Best im Herbst 1968 eine öffentliche Kampagne gegen den Kanzler anzustoßen. Als diese Pläne mangels brauchbarer Archivdokumente begraben werden mussten (Recherchen in den Washingtoner National Archives hatten nur das altbekannte Denunziationsprotokoll zutage gefördert), konzentrierten sich die Amnestiebefürworter auf das Politische Archiv des Auswärtigen Amtes. Auf der Suche nach potenziellen Verbündeten hoffte man, dessen Leiter Heinz-Günther Sasse, seinen Stellvertreter Nikolaus Weinandy und den Hilfsreferenten Theodor Gehling zur Mitarbeit bei der geplanten »Dokumentenhilfe« zu gewinnen. In einem 16-seitigen Memorandum für Best legte Ahrens dar, die Leitung des Archivs sei ebenfalls von Sorge über eine drohende strafrechtliche Verfolgungswelle gegen Angehörige des Auswärtigen Amtes erfüllt. Ungeachtet des wachsenden Drucks einer »jüdische[n] Weltorganisation«, Zugang zu den Archivbeständen zu erhalten, bremse der junge Historiker Gehling, »die Seele des Betriebs«, wo er nur könne.[41] Mit den zunehmenden staatsanwaltschaftlichen Ermittlungen sei »die kleine Mannschaft« aber überfordert, sodass schnellstens ein professioneller Historiker gefunden und finanziert werden müsse, um die Beschaffung geeigneter Dokumente zu sichern.

Anhaltspunkte dafür, dass sich tatsächlich engere Kontakte zwischen der Leitung des Politischen Archivs und dem »Kameraden-Kreis« von Best herausgebildet hätten, finden sich in den Archivbeständen nicht. Abgesehen davon, dass eine Zusammenarbeit der traditionellen Linie des Amtes widersprochen hätte, sich nicht öffentlich für die Belange angeklagter NS-Verbrecher einzusetzen, ist es wenig wahrscheinlich, dass

Sasse oder einer seiner Archivmitarbeiter Ahrens' krude antisemitische Verschwörungstheorien teilten. Allerdings bestanden enge Kontakte zu Achenbach, einem Mitstreiter Bests. Dieser trat in den späten sechziger Jahren aber vor allem als Verteidiger des vormaligen Leiters Inland II Horst Wagner hervor, von dem sich das Amt wohlweislich zu distanzieren suchte.

Um der drohenden Ausweitung der NS-Ermittlungen wirkungsvoll entgegenzutreten, hatte das Amt ganz andere Möglichkeiten, zum Beispiel indem man die etablierten Wege der Amtshilfe nutzte. Von dieser Möglichkeit der Einflussnahme machte das Amt vor allem in den verschiedenen Ermittlungsverfahren gegen den Ribbentrop-Intimus Wagner Gebrauch. Bereits 1960 hatte das AA auf Veranlassung des nordrhein-westfälischen Justizministers Otto Flehinghaus einen Entwurf der Wagner-Anklageschrift zum Fall des 1945 ermordeten französischen Generals Louis Mesny zugeschickt bekommen, um, wie es hieß, negative Rückwirkungen auf die deutsch-französischen Beziehungen abzuwenden. Nach eingehender Lektüre hatte Staatssekretär Scherpenberg einige Änderungen vorgeschlagen, die darauf hinausliefen, die Verantwortung für den Mord ausschließlich bei der Abteilung Inland II zu verorten.[42] Auch als einige Jahre später in Essen die Anklageerhebung im »Endlösungskomplex« bevorstand, bediente man sich dieser Methode. In seiner Stellungnahme zur Anklageschrift der Staatsanwaltschaft Essen, die das Bundesjustizministerium vertraulich an das AA weitergereicht hatte, bemängelte Archivleiter Sasse, die Staatsanwaltschaft habe die Distanz zwischen den »klassischen Abteilungen« und den auch räumlich entfernt liegenden Abteilungen D und Inland II – die beide zu einer »nationalsozialistischen Domäne« geworden seien – nicht genügend herausgearbeitet.[43] Die Selbstdeutung des AA, die Bearbeitung der Judenfrage habe in den Händen einiger weniger Ribbentrop-Günstlinge gelegen, fand auf diese Weise Eingang in die juristischen Bewertungen.

Trotz dieser Vorkehrungen ließ sich allerdings nicht vermeiden, dass mit den fortschreitenden Ermittlungen gegen NS-Schreibtischtäter weitere Details über die Mitwirkung von AA-Angehörigen am Völkermord bekannt wurden. Im Zuge ihrer Bemühungen, das unübersichtliche Struktur- und Kompetenzgeflecht in der Zentrale und den einzelnen Missionen zu entwirren, war die Zentrale Stelle in Ludwigsburg schon im Frühjahr 1965 zu dem Befund gelangt, das Auswärtige Amt unter

Ribbentrop sei zwar nicht insgesamt, aber doch »in einzelnen Teilen von Anfang an in den Plan zur Endlösung der Judenfrage eingeschaltet« gewesen.[44] Eine ganze Reihe hochrangiger Diplomaten, darunter auch noch aktive Beamte, hätten »über das Programm der Judenvernichtung« im wesentlichen Bescheid gewusst.[45]

Während des Frankfurter Diplomaten-Prozesses erhielt dann erstmals eine breitere Öffentlichkeit Kenntnis von der AA-spezifischen Dimension der Elitenkontinuität. Im Februar 1968 kündigte das Frankfurter Schwurgericht dem Amt an, eine Reihe noch aktiver Beamter im Beckerle-Hahn-Prozess als Zeugen vernehmen zu wollen.[46] Das Amt erteilte seine Zustimmung. Zwei Monate später wurden Staatsanwaltschaft und Gericht von Botschafter Herbert Müller-Roschach mit der Mitteilung überrascht, er habe als Vorgänger des Angeklagten Hahn ab November 1941 einige Monate lang »Judensachen« in der Abteilung Deutschland bearbeitet.[47] Die Identität des früheren »Judensachbearbeiters« war den Justizbehörden bis dahin verborgen geblieben, weil Müller 1955 zusätzlich den Mädchennahmen seiner Frau angenommen hatte.[48] Auf Nachfrage des Gerichts, warum er denn seinen Namen geändert habe, erklärte der Zeuge, dies sei auf Veranlassung von Abteilungsleiter Maltzan geschehen, der der Meinung gewesen sei, ein »Müller« könne die Bundesrepublik nicht angemessen im Ausland vertreten.[49] Dass er bei seinem Wiedereintritt ins AA 1951 den Einsatz bei D III verschwiegen hatte, erwähnte der Zeuge nicht.

Zu seinem Werdegang im AA befragt, gab Müller an, Anfang 1939 in die wirtschaftspolitische Abteilung eingetreten zu sein. Gegen seine Versetzung zu D III habe er zunächst Protest angemeldet, weil dies von ihm als Degradierung empfunden worden sei. Im Übrigen habe im Referat eine Geheimnistuerei geherrscht, die jede »gewissenhafte Tätigkeit« unmöglich gemacht habe. Schließlich habe Rademacher, ein alter Bekannter aus Müllers Heimatstadt Schwerin, ihm bedeutet, eine Beendigung seiner Arbeit für DIII sei nur auf dem Wege eines freiwilligen Fronteinsatzes möglich. Tatsächlich trat Müller Anfang April 1942 in das Afrikakorps ein. Schwer verwundet und seitdem zu 50 Prozent kriegsbeschädigt, kehrte er im Juli 1943 in den Auswärtigen Dienst zurück und wurde persönlicher Referent von Botschafter Abetz in Paris.

Während seiner Vernehmung am 17. April in Frankfurt am Main verwickelte sich der Botschafter in Widersprüche. So behauptete er, von der

Wannsee-Konferenz nicht erfahren zu haben, obwohl er die Einladung im Januar 1942 selbst abgezeichnet hatte. Die Frankfurter Staatsanwaltschaft leitete daher unmittelbar danach ein Ermittlungsverfahren wegen des Verdachts der Mordbeihilfe ein. Dieses wurde einige Wochen später nach Bonn abgegeben, wo Müller seinen Wohnsitz hatte, und um den Vorwurf der meineidlichen Falschaussage erweitert. Während die Öffentlichkeit von diesen Vorgängen zunächst nichts erfuhr, wurde das AA umgehend über die Ermittlungen informiert, verbunden mit der Aufforderung, disziplinarisch gegen den Mitarbeiter vorzugehen. Daraufhin bestellte die Personalabteilung Botschafter Müller, seit März 1966 auf Posten in Lissabon, nach Bonn ein. Der ursprüngliche Plan seiner Versetzung an die OECD-Botschaft in Paris wurde aber nicht wegen der laufenden Ermittlungen fallengelassen, sondern weil Müller seinen Arbeitgeber daran erinnert hatte, dass die Übernahme des Lissaboner Postens mit einer Herabstufung und deutlichen Einkommenseinbußen verbunden gewesen war. Die Entscheidung, Müller nach Lissabon zurückkehren zu lassen und ihn nicht abzuberufen, entsprach durchaus der üblichen Praxis. Auch in anderen Fällen beließ es das Amt dabei, soweit es überhaupt von den Ermittlungen Kenntnis erhielt, den Bediensteten zu einer kurzen Stellungnahme aufzufordern, die zu den Personalakten genommen wurde. Im Fall Müller fühlte sich die Personalabteilung zusätzlich abgesichert, weil eine drei Jahre zuvor durchgeführte interne Untersuchung nichts Belastendes gegen ihn ergeben hatte.[50]

Inzwischen war die Öffentlichkeit aufgrund der Vorgänge um den Frankfurter Diplomaten-Prozess und den zweiten Rademacher-Prozess beim Thema »Auswärtiges Amt und Endlösung« jedoch hoch sensibilisiert. Darauf setzte jetzt die Frankfurter Staatsanwaltschaft, die eine Reaktion des Auswärtigen Amtes zu erzwingen suchte, indem sie die Presse über das laufende Ermittlungsverfahren gegen Müller unterrichtete.[51] Auch erschien es vielen als skandalös, dass ein sozialdemokratischer Außenminister offensichtlich einen ähnlich nachlässigen Umgang mit den »Ehemaligen« pflegte wie seine christdemokratischen Vorgänger. Die internen Bemühungen des Amtes, laufende Ermittlungsverfahren gegen das eigene Personal einfach auszusitzen, machte Ende Juli die *Frankfurter Rundschau* zum Thema. Die Amtsspitze sei bereits zu Schröders Zeiten »nachdrücklich« davor gewarnt worden, Müller weiter in führender Position zu verwenden, da im Zuge strafrechtlicher Untersuchungen be-

lastendes Material aufgetaucht sei. Schröder habe diese Warnungen jedoch in den Wind geschlagen und Müller stattdessen zum Leiter des
Planungstabes ernannt. Jetzt sei Brandt aufgrund von Schröders Laxheit
in eine »Zwickmühle« geraten: Einerseits habe er als Amtschef eine
»Fürsorgepflicht«, andererseits müsse er mit Vorwürfen rechnen, falls er
den belasteten Mitarbeiter weiter in wichtigen Positionen halte.[52]

Während die Medien mit Spannung verfolgten, ob und wie sich der
Außenminister im Fall des früheren »Judenreferenten« entscheiden würde, sah sich das Bundeskanzleramt vor ein noch größeres Dilemma gestellt. In der zweiten Oktoberhälfte 1968 stand Kiesingers Staatsbesuch
bei dem schwer kranken Diktator António de Oliveira Salazar in Portugal bevor, und die Frage, wie mit der Affäre um den deutschen Botschafter umzugehen sei, beschäftigte nicht nur das Protokoll. Der Besuch barg
ohnehin genügend Sprengstoff, und Kiesinger sah dem mit einiger Sorge
entgegen. Im Spätsommer sah sich das Kanzleramt wiederholt veranlasst, beim AA nachzufragen, wie sich die Dinge im Fall Müller entwickelten. Im Juli hatte der Bonner Generalstaatsanwalt Franz Drügh in
der *Welt* geäußert, dass er mit langwierigen Ermittlungen rechne, und
von schwerwiegenden Belastungen gesprochen.[53] Vor diesem Hintergrund gab das AA Anfang August bekannt, man sehe keinen Anlass zu
disziplinarischen Maßnahmen, da die erhobenen Vorwürfe nachweislich »unzutreffend« seien, man habe den Botschafter aber dennoch aufgefordert, einen »mehrwöchigen Urlaub« anzutreten.[54]

Ende Oktober – aus dem »mehrwöchigen Urlaub« war mittlerweile
eine »verlängerte Kur« geworden[55] – wandte sich Müller hilfesuchend an
Egon Bahr, der ihn 1966 als Leiter des Planungsstabs abgelöst hatte. Von
seinem Refugium aus, einer »möblierten Kleinwohnung« im Schwarzwald-Kurort Bad Herrenalb, klagte er diesem sein Leid. Es sei sehr bitter
für ihn gewesen, bei dem ersten Besuch des Kanzlers in Lissabon sein
Amt nicht ausüben zu dürfen, habe sich dadurch doch die Zahl »von
Pharisäern und Zweiflern« erhöht. Auch könne er es nicht verwinden,
dass »offenbar der Bundeskanzler dem von einem Staatsanwalt gegen
mich leichtfertig geäußerten Verdacht, der allerdings von der Presse begierig aufgegriffen und sogar vom Bundespresse- und Informationsamt
(ohne vorherige Einschaltung des Amtes) verbreitet wurde, das gleiche
oder gar größeres Gewicht als dem Wort und dem Eid eines alten bewährten Beamten beimisst«. Er sehe mit Sorge, dass die Bonner Staats

anwaltschaft sich offenbar vorgenommen habe, seine gesamte Laufbahn beim AA zu untersuchen, sich also nicht auf den Zeitraum seiner Zugehörigkeit zu dem »anrüchigen Referat in der Rauchstraße« zu konzentrieren. Sollten die Ermittlungen tatsächlich beschleunigt werden, wie es der Minister mit dem nordrhein-westfälischen Justizminister Josef Neuberger besprochen habe, könne er womöglich seine Tätigkeit zum Jahresende wieder aufnehmen. Sollten die Ermittlungen aber noch ein Jahr dauern, würde er nach Ablauf des Urlaubs gern zurückkehren – zumal ihm Duckwitz kürzlich signalisiert habe, dass sich die Dinge »nicht zum Schlechteren« entwickelt hätten.[56]

Während sich Bahr auffällig bedeckt hielt und auch Staatssekretär Lahr, Müllers ehemaliger Kollege im Reichswirtschaftsministerium, zum weiteren Abwarten riet, brachten ein Schreiben an Brandt und ein Telefonat mit Duckwitz wieder Bewegung in die Sache.[57] Offenbar war es dann Duckwitz (und nicht etwa die Personalabteilung), der den Minister fälschlicherweise informierte, es sei nicht möglich, den Beamten gegen seinen Willen in den einstweiligen Ruhestand zu versetzen. Vor diesem Hintergrund sprach sich Brandt zunächst dafür aus, Müller ungeachtet der andauernden Ermittlungen sobald wie möglich nach Lissabon zurückzuschicken – dies sei immer noch besser als ein Einsatz in der Zentrale.[58] Nur wenige Tage später wurde der Minister jedoch eines Besseren belehrt, als er von Personalchef Federer erfuhr, die staatsanwaltschaftlichen Untersuchungen seien nicht etwa in Sande verlaufen, sondern hätten zusätzliche Verdachtsmomente erbracht. Zwar ging Federer weiterhin davon aus, dass die Verfahren über kurz oder lang die Unschuld des Beschuldigten bekräftigen würden. Angesichts des Meineidsvorwurfs hielt er es jedoch für angezeigt, die bisherige Vorgehensweise zu ändern.

In der Annahme, Müller werde für die Nöte seines Dienstherrn Verständnis aufbringen, setzte Federer diesen Ende November von seinen Erwägungen in Kenntnis: Zwar werde sich Brandt an sein Versprechen halten, ihn nicht der »Staatsräson« zu opfern. Wegen der neu hinzugekommenen Anschuldigungen könne das Amt aber seinem Wunsch, in Lissabon zu verbleiben, nicht mehr entsprechen. Es müsse nicht nur damit gerechnet werden, dass die Presse in Kürze über die jüngst erhobenen Vorwürfe berichte, es sei auch mit verstärkter feindlicher Propaganda zu rechnen – biete doch ein Botschafter, der sich nicht an »schaurige Meldungen« über Judentötungen erinnern könne, »unerschöpflichen Stoff für Verleumdung«. Aus Fürsorgegründen und um ihm die Möglichkeit zu geben, staatsanwaltschaftliche Ermittlungen »mit voller Kraft« abwehren zu können, habe der Minister deshalb vorgeschlagen, ihm eine Botschafterstelle »zur besonderen Verwendung« in der Zentrale anzubieten. Er, Federer, wisse, dass dies nicht Müllers Erwartungen entspreche, sei ihm doch ursprünglich die Rückkehr auf eine B8-Stelle zugesichert worden. Sein Fall verlange aber eine rasche Entscheidung, zumal der *Spiegel* schon die nächste »story« vorbereite. Sollte das Ermittlungsverfahren wider Erwarten zu einer Anklageerhebung führen, lasse sich eine Versetzung in den einstweiligen Ruhestand allerdings nicht mehr vermeiden.[59]

Zwar traf Müller daraufhin tatsächlich Vorkehrungen zu seiner baldigen Verabschiedung aus Portugal, am eingeforderten Korpsgeist ließ er es jedoch fehlen. So war der erfolgsverwöhnte Spitzendiplomat keineswegs bereit, sich mit einer niedrigeren Besoldungsstufe zufriedenzugeben. Nicht nur erschien ihm dies als indirektes Schuldeingeständnis, er spekulierte auch darauf, dass sich sein Arbeitgeber eine gerichtliche Auseinandersetzung angesichts des damit verbundenen Ansehensverlusts kaum würde leisten können. Diese Hoffnung war nicht unbegründet. Denn obwohl sich zur Jahreswende abzeichnete, dass die nordrheinwestfälische Justiz mit besonderem Nachdruck ermittelte und eine Anklageerhebung immer wahrscheinlicher wurde, war die Amtsspitze weiterhin darum bemüht, dem Beamten nach Kräften entgegenzukommen. Im Dezember teilte Brandt ihm mit, ihn zum neuen Vorsitzenden des Ausschusses für Internationale Angelegenheiten und Vertreter des Staatssekretärs bei der Deutschen Kommission für Ozeanographie ernennen zu wollen. Abermals handelte der Minister dabei nicht aus eigener Initiative, sondern griff – sichtlich überfordert – einen Vorschlag auf, den ihm Lahr und Duckwitz kurz zuvor unterbreitet hatten.[60]

Bald darauf beging Müller einen schweren taktischen Fehler. Angesichts der anhaltenden Sympathie, die ihm offenkundig von der politischen Führungsebene entgegenschlug, glaubte er, gegenüber der Personalabteilung auf Konfrontation gehen zu dürfen. Dies führte dazu, dass Federer dem Minister im Februar 1969 nahelegte, den unbotmäßigen Botschafter sofort in den einstweiligen Ruhestand zu versetzen.[61] Dabei stützte er sich auf Auskünfte der Zentralstelle für die Aufklärung von NS-Verbrechen in Köln, die inzwischen die Ermittlungen gegen die Judensachbearbeiter im Auswärtigen Amt übernommen hatte. Brandt zögerte jedoch weiterhin, Maßnahmen gegen den Beamten zu ergreifen, und versuchte stattdessen, Justizminister Neuberger dazu zu bewegen, von seinem Weisungsrecht gegenüber der Staatsanwaltschaft Gebrauch zu machen.

Aber anders als der SPD-Vorsitzende, der sich seit seiner Rückkehr aus Skandinavien von einem Befürworter zu einem Gegner der NS-Strafverfolgung gewandelt hatte, setzte sich sein Parteifreund Neuberger, selbst aus Israel remigriert, weiterhin für eine konsequente Aufarbeitung von NS-Verbrechen ein. Neuberger behielt damit die Linie des mit Brandt befreundeten hessischen Generalstaatsanwalts Fritz Bauer bei, der im Sommer 1968 überraschend verstorben war. Hinzu kam ein besonderes Misstrauen Neubergers gegen das Auswärtige Amt; erst wenige Monate zuvor hatte er heftige Kritik an der Arbeit der Zentralen Rechtsschutzstelle geübt, die in Verdacht geraten war, NS-Tatverdächtige vor Strafverfolgung zu schützen.

Als ein Mitarbeiter Federers, der die undankbare Aufgabe übernommen hatte, im Justizministerium vorzusprechen, Mitte März in Düsseldorf erschien, wählten Neuberger und sein Staatssekretär Münchhausen eine deutliche, wenig diplomatische Sprache. Er sehe sich außerstande, die laufenden Verfahren zu stoppen, erklärte der Minister. So hätten die bisherigen Ermittlungen ergeben, dass Müller weichere Entwürfe sogar noch verschärft habe.[62] Auch über seine angeblich freiwillige Meldung zur Wehrmacht bestünden Zweifel. Im Übrigen könne man Müllers Einlassung, die erschütternden Einsatzgruppenberichte vergessen zu haben, nicht ohne Weiteres hinnehmen. Eine Anklageerhebung in beiden Verfahren sei daher wahrscheinlich. Mit Blick auf Brandt fügte Neuberger hinzu, er könne dem Minister die Entscheidung leider nicht abnehmen. Schon sein Vorgänger habe es sich zur Maxime gemacht, dass ehemalige Sonderrichter – ungeachtet der Tatsache, dass sie in der Regel nur »das Beste« gewollt hätten – in Nordrhein-Westfalen keine leitende Stelle erhielten. Diese Härte könne man auch Müller zumuten.[63]

Am 19. Mai 1969 schließlich teilte Brandt dem Botschafter mit, dass er keine andere Möglichkeit sehe, als ihn in den einstweiligen Ruhestand zu versetzen; für das gewünschte persönliche Gespräch fehle ihm die Zeit. Dass sich Brandt zu diesem Schritt förmlich hatte durchringen müssen, wurde deutlich, als kurz darauf entschieden werden musste, ob Müller für das anhängige Verfahren amtlichen Rechtsschutz erhalten sollte. Während die Personalabteilung die Ansicht vertrat, die Voraussetzungen für eine Übernahme der Anwaltskosten seien zwar gegeben, gleichzeitig aber geltend machte, dies werde aller Voraussicht nach zu öffentlicher Kritik führen, entschied Duckwitz, Müller die beantragten Zuschüsse aus öffentlichen Mitteln zu bewilligen. Zwei Wochen später reagierten Brandt und sein Staatssekretär einigermaßen verständnislos, als das Bundespräsidialamt mitteilen ließ, der Bundespräsident sehe sich leider nicht in der Lage, eine Urkunde zu unterzeichnen, in der einem unter Mordverdacht stehenden Beamten der Dank für die »dem Deutschen Volk geleisteten treuen Dienste« ausgesprochen werden soll. Dass dies vom Amt kommentarlos hingenommen wurde, lässt auf einen erheblichen Grad an Führungslosigkeit schließen und zeigt, wie weit sich politische Spitze und Apparat inzwischen voneinander entfernt hatten. Lübkes Wunsch entsprechend übersandte man kurz darauf eine neue Urkunde, in der die insinuierten Passagen fehlten.[64]

Das Ermittlungsverfahren gegen Müller wurde im September 1972 »mangels Beweisen« eingestellt, nachdem Neubergers Nachfolger, der CDU-Politiker Otto Flehinghaus, auf einen beschleunigten Abschluss gedrängt hatte. Müllers Verbindung zum AA riss allerdings auch nach Beendigung der aktiven Laufbahn nicht ab: Neben seiner Funktion als Vertreter des AA bei der Deutschen Kommission für Ozeanographie übernahm er zusätzlich bis 1976 verschiedene gut bezahlte Gutachteraufträge für den Planungsstab.

Der Fall Müller-Roschach war nicht die einzige vergangenheitspolitische Krise, die der Amtsführung im Jahr 1968 zu schaffen machte. Schon seit Jahresbeginn gärte ein anderer Konflikt, der sich im Frühjahr zu einem größeren Skandal auswuchs. Simon Wiesenthal, der Leiter des Dokumentationszentrums des Bundes jüdischer Verfolgter in Wien, war darauf aufmerksam geworden, dass ein in Österreich erscheinendes Veteranenblatt Warnhinweise an österreichische und deutsche Staatsbürger veröffentlicht hatte, die in Frankreich wegen NS- und Kriegsverbrechen polizeilich gesucht wurden. Bei seinen Nachforschungen hatte Wiesenthal herausgefunden, dass die Namenlisten ursprünglich von der Hamburger Dienststelle des Deutschen Roten Kreuzes (DRK) stammten, die ein Informationsblatt unter der Bezeichnung »Warndienst West« verbreitete. Als Wiesenthal den Leiter der Ludwigsburger Zentralstelle,

Oberstaatsanwalt Adalbert Rückerl, vertraulich von seinen Entdeckungen in Kenntnis setzte, wurden sich beide schnell einig, dass es sich bei der Benachrichtigungsaktion nicht um einen einmaligen Fall, sondern um eine seit längerem bestehende Praxis handelte.[65] Neben Alois Brunner und Ernst Pfanner – zwei Deportationsspezialisten aus dem RSHA, deren Namen in dem österreichischen Mitteilungsblatt genannt worden waren – schienen Hunderte weiterer Tatverdächtiger auf vergleichbare Weise von einem existierenden Haftbefehl informiert worden zu sein und sich so der Strafverfolgung entzogen zu haben. Dass das DRK ein derartiges Warnsystem aus eigener Kraft auf die Beine gestellt haben konnte, war mehr als unwahrscheinlich. So war Wiesenthal denn auch der Meinung, die Einrichtungen des DRK seien nur zur Tarnung benutzt worden, die eigentlichen Verantwortlichen säßen vermutlich in der Zentralen Rechtsschutzstelle des Auswärtigen Amtes. Diese Möglichkeit musste auf Rückerl besonders ernüchternd wirken, verweigerte die ZRS doch seit gut zehn Jahren jegliche Zusammenarbeit. Wiesenthal stellte gegen deren Leitung Strafanzeige wegen Begünstigung.

Da sich in den folgenden Monaten außer der Wiener Bundespolizei[66] auch die westdeutschen Medien mit den Hintergründen der Affäre »Warndienst West« beschäftigten, gerieten Hans Gawlik und seine Mitarbeiter zunehmend unter Druck. So berichtete der *Spiegel* am 15. April 1968 unter der Überschrift »Ist unterrichtet«, das AA verfüge bereits seit Längerem über eine Liste mit Namen von etwa 800, von französischen Gerichten in Abwesenheit verurteilten Deutschen, darunter eine Vielzahl ehemals in Frankreich tätiger SS- und SD-Männer. Um zu verhindern, dass die genannten Personen ahnungslos nach Frankreich reisen und dort verhaftet würden, habe die ZRS einen Auszug der Liste an das DRK gesandt. Dies habe man mit der Bitte verbunden, die betreffenden Personen aufzuspüren und vor einer Reise nach Frankreich zu warnen. Da die ZRS die Liste vorher bereinigt habe, sei für die DRK-Funktionäre nicht erkennbar gewesen, dass es sich bei vielen der Gesuchten um Deutsche handelte, die in Frankreich schwere Verbrechen verübt hätten.[67]

Gawlik und sein langjähriger Mitarbeiter Karl Theodor Redenz, der inzwischen zum Leiter der ZRS aufgestiegen war, sahen damit die Grundlagen ihrer Arbeit infrage gestellt. Sie bestritten nicht, Warnhinweise an deutsche Staatsbürger gegeben zu haben, die im Ausland wegen ihrer Kriegsvergangenheit gesucht wurden. Sie vertraten jedoch den Standpunkt, im Einklang mit einem Auftrag des Deutschen Bundestags gehandelt zu haben. Auf einer Besprechung im Justizministerium Ende April stellte Gawlik klar, die ZRS habe bereits zu Beginn der fünfziger Jahre deutsche Staatsangehörige auf bestehende ausländische Urteile hingewiesen, sofern diese »sachlich unrichtig« erschienen seien. Zu derartigen Warnungen sei man rechtlich verpflichtet gewesen, um Regressklagen gegen den deutschen Staat abzuwenden.[68] Dabei verschwieg Gawlik allerdings, dass bereits in der Frühzeit des Amts Schwerbelastete wie Klaus Barbie und Kurt Lischka von der staatlichen Rechtsschutzarbeit profitiert hatten.[69] Politisch-moralisch war diese »Rechtsauffassung« – zumal sich das Wissen über die deutschen Besatzungsverbrechen durch die großen Prozesse der sechziger Jahre enorm verbreitet hatte – ein einziger Skandal.

Gegenüber dem Kooperationspartner DRK klang die Begründung der ZRS viel weniger dramatisch: Danach entsprächen die französischen Abwesenheitsurteile nicht etwa deutschen Strafurteilen, sondern seien allenfalls mit zivilrechtlichen Versäumnisurteilen vergleichbar – den Betroffenen drohten daher im schlimmsten Falle »einige Monate hinter französischen Kerkermauern«.[70] Hinter dieser Haltung stand die Überzeugung, die Strafverfolgung von Deutschen wegen Taten aus dem Zweiten Weltkrieg sei eine Spätfolge der alliierten »Siegerjustiz«, die es zu bekämpfen gelte. Ungeachtet der Ludwigsburger Ermittlungen war man nach wie vor der Meinung, durch das während der Besatzungszeit an Deutschen verübte »Unrecht« sei alles, was sich vor 1945 ereignet habe, mehr als ausgeglichen. Die Urteile der »ehemaligen Feindstaaten«, so Gawliks Mitarbeiter Steinmann auf amtsinterne Kritik, träfen »in der Regel unschuldige Soldaten«. Darin sei nichts anderes zu sehen als eine Fortführung der Nürnberger Prozesse: »Die schlimmsten Verbrechen gegen die Menschlichkeit stellen die sog. Kriegsverbrecherurteile einzelner oder mehrerer Feindstaaten dar. Denn mit diesen Urteilen ist die Institution der Kriegsgefangenschaft in Wahrheit abgeschafft worden.«[71]

Wenn aus der Affäre für die Bonner »Rechtsschützer« keine Konsequenzen folgten, so hatte das vermutlich auch damit zu tun, dass Gawlik und Redenz kurz vor ihrer Pensionierung standen und man einen Zusammenstoß mit dem Verband der Heimkehrer, Kriegsgefangenen und Vermissten-Angehörigen vermeiden wollte, der beiden seit Jahren eng verbunden war. Entscheidend war aber wohl, dass die Spitze des AA am Treiben der ZRS im Grunde nichts auszusetzen hatte. Obwohl deren extensive Rechtsschutzpraxis die Arbeit der Ludwigsburger Strafverfolger und anderer westdeutscher Staatsanwaltschaften massiv behinderte, sah man auch danach keinen Anlass zu Veränderungen. Stattdessen suchte man Wiesenthal und Rückerl in die Schranken zu weisen: Durch unbegründete Vorwürfe hätten sie das Ansehen des Auswärtigen Amtes beschädigt.[72] Die Ermittlungen gegen die ZRS wegen des Verdachts der Begünstigung mussten im Januar 1969 eingestellt werden, nachdem das AA der Bonner Staatsanwaltschaft mitgeteilt hatte, die Ermächtigung zu einer strafrechtlichen Untersuchung werde nicht erteilt.[73] Mit dem Abgang von Gawlik und Redenz wurde die ZRS aufgelöst; ihre verbliebenen Aufgaben übernahm die Strafrechtsabteilung. Die ominösen Warnlisten, die seinerzeit den Skandal um die Rechtsschutzpraktiken ausgelöst hatten, sind seit dieser Zeit spurlos verschwunden.[74]

Die Vergangenheitspolitik des AA in der zweiten Hälfte der sechziger Jahre war durch ein politisch und gesellschaftlich höchst kontroverses Umfeld geprägt. Auf der einen Seite wurden die NS-Ermittlungen nach dem ersten Verjährungskompromiss des Bundestages von 1965 mit einem bis dahin unbekannten Elan betrieben, der sich erstmals auch gegen die Führungsriege des Reichssicherheitshauptamtes und die Funktionsspitzen der früheren Reichsbehörden richtete. Auf der anderen Seite wirkte ein ungestilltes Bedürfnis nach einem »Schlussstrich« unter die Vergangenheit fort, das sich Ernst Achenbach und Werner Best, die rührigsten Apologeten, zunutze zu machen suchten. Nachdem Best im Laufe der sechziger Jahre nicht nur zu einem begehrten Täterzeugen in NS-Prozessen, sondern auch zum Zeitzeugen der historischen Forschung avanciert war, geriet der ehemalige AA-Angehörige im Zuge der West-Berliner RSHA-Ermittlungen nun selbst in das Visier der Strafjustiz. Aufgrund seiner zahlreichen Kontakte zu beschuldigten Gestapo-Kollegen war ihm bekannt, dass die Berliner Staatsanwaltschaft seit 1965 wegen seiner Rolle bei den Einsatzgruppenmorden in Polen gegen ihn ermittelte.

Best fühlte sich einigermaßen sicher, solange er sich – entsprechend seiner bereits Ende der vierziger Jahre praktizierten Verteidigungsstrategie – bei jeder Gelegenheit als der »Retter der dänischen Juden« präsentieren konnte. Darin unterstützten ihn seine vormaligen Mitarbeiter und

Kollegen Georg Ferdinand Duckwitz und Franz von Sonnleithner, die durch ihre entlastenden Aussagen ihrerseits dazu beigetragen hatten, dass Best von der dänischen Justiz zu einer relativ milden Haftstrafe verurteilt worden war.[75] Duckwitz, dem es trotz einiger Anfangsschwierigkeiten gelungen war, im neuen Amt Karriere zu machen, kam offenbar nur schwer damit zurecht, dass sein früherer Chef mit seiner Bewerbung gescheitert war.[76] Umso nachdrücklicher sorgte er dafür, dass Bests Verdienste in der Öffentlichkeit gewürdigt wurden. Noch 1964, drei Jahre nach dem Eichmann-Prozess, wurde er in der dänischen Presse mit dem Ausspruch zitiert, Best sei der Mann, dem »Dänemark in seiner jüngeren Geschichte am meisten zu verdanken« habe.[77]

Am 11. März 1969 wurde Best an seinem Wohnort in Mülheim-Ruhr in einer spektakulären Aktion von den Berliner Ermittlern verhaftet und per Flugzeug nach West-Berlin gebracht, wo ihm der Prozess gemacht werden sollte. Kurz darauf setzte sich Hugo Stinnes jr., Bests langjähriger Mentor und Arbeitgeber, mit Duckwitz in Verbindung, um zu beraten, wie man dem Inhaftierten helfen könne. Duckwitz wusste bereits Bescheid. Denn anders als in der Bundesrepublik hatte der Zugriff der Berliner Ermittler in Dänemark ein lebhaftes Medienecho ausgelöst, über das der deutsche Botschafter in Kopenhagen, Klaus Simon, den Staatssekretär unverzüglich in Kenntnis setzte.[78] Duckwitz und Stinnes kamen überein, dass Duckwitz seine Kontakte zum West-Berliner Justizsenator Hans Günter Hoppe (FDP) nutzen solle, um für Stinnes einen zeitnahen Besuchstermin zu arrangieren. Außerdem wollte Duckwitz umgehend den Außenminister unterrichten.

Nachdem eine erste Unterredung zwischen Stinnes, Justizsenator Hoppe und dem West-Berliner Generalstaatsanwalt Hans Günther am 19. März in Berlin anscheinend wunschgemäß verlaufen war,[79] traf es Stinnes umso härter, dass in seiner Firma am nächsten Vormittag der West-Berliner Dezernent Henryk Filipiak und ein Polizeibeamter erschienen, um den gesamten Schriftverkehr der »Nebenkanzlei Best« zu beschlagnahmen. Dabei fiel ihnen das bereits erwähnte Memorandum des Best-Mitstreiters Hanns-Dietrich Ahrens in die Hände, aus dem sie die Schlussfolgerung zogen, einzelne Mitarbeiter des Politischen Archivs seien in die »Kameradenhilfe« verwickelt. Sie stießen aber auch auf Dokumente, die auf eine jahrelange »enge persönliche Bekanntschaft« zwischen Best und Duckwitz hindeuteten.[80] Stinnes verweigerte eine Unterzeichnung des Durchsuchungsprotokolls, setzte noch am selben Tag zwei längere Schreiben an Hoppe und Günther auf und erkundigte sich bei Duckwitz, ob dieser inzwischen mit Brandt gesprochen habe. Wenige Tage später kam es zu einem Telefonat, über dessen Inhalt Duckwitz notierte: »Stinnes unterricht[et], dass Ehmke auf geeignetem Weg mit Berlin Fühlung nehmen wird, diese Unterrichtung ist vertraulich«.[81] Einen Tag später wurde Horst Ehmke, bis dahin Staatssekretär von Heinemann, zum neuen Justizminister der Großen Koalition ernannt.

Von seinem ursprünglichen Vorhaben, gemeinsam mit dem Gesandten a.D. Sonnleithner als Zeuge für Best auszusagen, nahm Duckwitz später Abstand. Einer der Gründe dürfte gewesen sein, dass ihm Bests Verteidiger Heinz Meurin und Friedrich Christoph von Bismarck im Spätsommer 1969 die Kopie eines Schreibens zukommen ließen, in dem die Staatsanwaltschaft gegenüber dem Berliner Kammergericht die Fortdauer der Untersuchungshaft begründete. Dort wurden nicht nur schwere Vorwürfe gegen das Politische Archiv erhoben, auch Duckwitz selbst erschien in ungünstigem Licht. Die Behauptung der Staatsanwaltschaft, er stehe seit längerer Zeit in »enger persönlicher Bekanntschaft« zu Best, quittierte Duckwitz mit der Bemerkung: »Seit Jahren nicht gesehen und gesprochen! Unverschämt!«[82]

Obwohl Duckwitz und Sonnleithner als Entlastungszeugen ausfielen, gelangte Best anderthalb Jahre später dennoch auf freien Fuß. Einflussreiche Freunde und rührige Anwälte erreichten im Frühjahr 1971 die Einsetzung eines neuen Haftrichters, der seine Entlassung verfügte. Während Best bis zu seinem Tod 1989 hauptsächlich damit beschäftigt war, seine persönliche Deutung der Geschichte vor Gericht und in der historischen Publizistik durchzusetzen, blieb sein langjähriger Mitstreiter Achenbach auch weiterhin der praktischen Vergangenheitspolitik verpflichtet. So suchte er seit Mitte der sechziger Jahre das Zustandekommen eines deutsch-französischen Zusatzabkommens zum Überleitungsvertrag zu verhindern, das die Bestrafung ehemals in Frankreich wirkender NS-Täter ermöglichen sollte. Die Initiative für ein solches Abkommen war Ende 1966 von der Kölner Staatsanwaltschaft ausgegangen, der aufgefallen war, dass die Ermittlungen gegen diese Tätergruppe infolge der Rechtsprechung des Bundesgerichtshofs zu scheitern drohten.

Zwar hatte der zuständige Dezernent im Bundesjustizministerium, Hans-Georg Schätzler, im Zusammenwirken mit dem ihm gut bekannten Achenbach – beide waren zeitweise Verteidiger in Nürnberg gewesen – auf eine restriktive Auslegung des Überleitungsvertrags hingearbeitet. Anders als Achenbach war Schätzler aber nicht an einer pauschalen Straffreistellung, sondern an einer möglichst weitgehenden Wiederherstellung der deutschen Rechtsautonomie interessiert. Vor diesem Hintergrund setzte sich Schätzler im Oktober 1966 dafür ein, die Angelegenheit einer Zusatzvereinbarung mit den Franzosen »befürwortend an das Auswärtige Amt« heranzutragen.[83] Dort waren die Rechtsabteilung, seit Juni 1964 geleitet von Ministerialdirektor Rudolf Thierfelder, und das Frankreich-Referat der Politischen Abteilung unter dem Vortragenden Legationsrat Sanne zuständig. Der Volljurist Thierfelder, Ex-Pg und SA-Mitglied, hatte während des Zweiten Weltkriegs bei der Gruppe Justiz des Militärbefehlshabers (MBF) in Paris gearbeitet und in dieser Funktion an der Ausformulierung der so genannten Geiselrichtlinien mitgewirkt.[84] Zusammen mit anderen ehemaligen Angehörigen des MFB hatte er Anfang der fünfziger Jahre den vormaligen Militärverwaltungsbeamten und Kommandeur der Sicherheitspolizei Hans Luther entlastet, als sich dieser vor der französischen Strafjustiz für die deutsche Praxis der Geiselerschießungen verantworten musste.[85]

Thierfelder und sein Unterabteilungsleiter Helmut Rumpf betrachteten die geplante Sondervereinbarung mit Skepsis. Angeblich aus Sorge um das deutsch-französische Verhältnis schlugen die beiden vor, zunächst die Franzosen um ihre Meinung zu befragen. Sekundiert von der ZRS, vertrat hingegen die Politische Abteilung des Auswärtigen Amtes den Standpunkt, der Bundestag würde den Vertrag vermutlich ablehnen, sofern darin nicht der Grundsatz der Gegenseitigkeit berücksichtigt werde. Damit machte man sich die Position des Vertriebenenfunktionärs Herbert Czaja zu eigen, der gefordert hatte, dass deutsche Gerichte künftig auch Verbrechen verfolgen sollten, die die französischen Besatzer nach 1945 an Deutschen begangen hätten. Nach einigem Hin und Her – zu klären war beispielsweise, ob sich die französische Justiz zu einem Verzicht auf die Vollstreckung bereits verhängter Todesurteile gegen Deutsche bereitfand – konnte das Regierungsabkommen »über die deutsche Gerichtsbarkeit für die Verfolgung bestimmter Verbrechen« am 2. Februar 1971 unterzeichnet werden.

Nun fehlte nur noch die Ratifizierung durch den Bundestag. Anfangs deutete alles auf eine rasche Prozedur hin, doch dann geriet die Sache ins

Stocken. Staatssekretär Paul Frank, den der neue Bundesaußenminister Scheel gegen Duckwitz eingetauscht hatte, war mit Achenbach übereingekommen, die Weiterleitung der Gesetzesvorlage so zu steuern, dass vor der Sommerpause nicht mehr darüber verhandelt werden konnte. Auch danach nutzte Achenbach seine Schlüsselstellung als Berichterstatter des Auswärtigen Ausschusses dazu, die Unterzeichnung des Zusatzabkommens zu blockieren. Erst nach seinem erzwungenen Rücktritt im Juli 1974 wurde das Abkommen schließlich am 30. Januar 1975 gegen die Stimmen der CDU/CSU-Opposition angenommen.

Warum aber beließ die sozialliberale Koalition den bekennenden Amnestie-Lobbyisten Ernst Achenbach trotz seiner allseits bekannten NS-Belastung auf diesem sensiblen Posten? Warum nahm man es hin, dass der Abgeordnete die Unterzeichnung eines bilateralen Vertrags verzögerte und dadurch nicht nur demokratische Spielregeln, sondern nach Auffassung der Politischen Abteilung des AA sogar die »guten Beziehungen« zu Frankreich aufs Spiel setzte?[86] Eine entscheidende Ursache für Achenbachs nahezu unantastbare Position dürfte seine Rolle als Königsmacher beim Zustandekommen der sozialliberalen Koalition gewesen sein. Angesichts äußerst knapper Mehrheitsverhältnisse und der von Erich Mende und Siegfried Zoglmann angedrohten Spaltung der FDP wurde er von Scheel und Brandt gleichermaßen hofiert. Hinzu kam, dass Achenbach als ein zwar weltfremder, aber durchaus flexibler Nationalist galt, von dem man zu Recht annahm, dass er sich für die visionären Ziele der neuen Ostpolitik langfristig würde erwärmen können.

Im Kampf um die Kanzlermehrheit beschränkten sich SPD und FDP so wenig wie die Unionsparteien auf bloße Gespräche. Um Achenbach bei der Stange zu halten, war ihm zu Beginn der Legislaturperiode das frei werdende Amt eines deutschen Kommissars bei der Europäischen Wirtschaftsgemeinschaft (EWG) angeboten worden. Außenminister Scheel hatte deshalb in Paris eigens Dokumente vorlegen lassen, die Achenbach entlasten sollten. Dennoch löste seine Nominierung nicht nur in Frankreich harsche Proteste aus. Dafür sorgte nicht zuletzt Beate Klarsfeld, die während der Recherchen für ihre Kampagne gegen Kiesinger auf ein 1943 verfasstes Telegramm gestoßen war, in dem Gesandtschaftsrat Achenbach die Verhaftung und Deportation von 2 000 Juden als »Sühnemaßnahme« ankündigte. Munitioniert mit diesen und anderen Dokumenten, sprach Klarsfeld im Frühjahr 1970 mit dem französischen Außenminister Maurice Schumann und anschließend, während einer Rundreise durch westeuropäische Hauptstädte, mit NATO-Generalsekretär Joseph Luns. Willy Haferkamp (SPD), der zweite deutsche EWG-Kommissar, hatte schon Ende Januar seinen Rücktritt für den Fall angekündigt, dass die Bundesregierung an der Personalie festhalte. Gut zwei Monate später warnte er seinen Parteivorsitzenden vor ernsten Störungen für die europäische Zusammenarbeit: Mitglieder von NS-Verfolgtenorganisationen hätten angedroht, sich in Häftlingskleidung vor dem Brüsseler Kommissionsgebäude aufzustellen und Achenbach den Zutritt zu verweigern.

Als Willy Brandt Mitte April Achenbachs Rückzug bekannt gab, verband er dies mit einer »Ehrenerklärung« für den früheren AA-Beamten, dem durch die gegen ihn entfachte Kampagne »Unrecht« geschehen sei.[87] Dabei stützte sich der Kanzler sowohl auf die ihm vorgelegten Dokumente als auch auf sein näheres Umfeld, zu dem außer Duckwitz auch ein aus dem AA übernommener Beraterstab gehörte. Allerdings bedurfte es keineswegs irgendwelcher Einflüsterungen, um Brandt davon zu überzeugen, dass früheren Nationalsozialisten, die sich glaubhaft zu Demokraten geläutert hatten, ihre Vergangenheit nicht länger vorgehalten werden dürfe. Denn nicht erst in seinen späten Jahren nahm er für sich in Anspruch, als Korrespondent bei den Nürnberger Prozessen die »Mehrheit der Deutschen gegen die Minderheiten der Verbrecher« in Schutz genommen zu haben; schon als Regierender Bürgermeister von Berlin hatte er sich für Belastete eingesetzt.[88] So war Brandt wiederholt für eine vorzeitige Freilassung von Albert Speer eingetreten und hatte nach dessen Entlassung 1966 dafür gesorgt, dass sich dieser nicht – wie in Berlin gesetzlich vorgesehen – einem Spruchkammerverfahren unterwerfen musste. Das nicht unerhebliche Vermögen auf Speers »Schulgeldkonto«, mit dem während der Haft diverse Anwälte und Unterstützer finanziert worden waren, konnte deshalb nicht vom Staat konfisziert werden. Die Journalistin Inge Deutschkron war über Brandts Gefälligkeiten für Speer derart erbost, dass sie ihr SPD-Parteibuch zurückgab und kurz darauf die israelische Staatsbürgerschaft beantragte.[89].

Brandts öffentliche »Ehrenerklärung« für Achenbach verstörte gerade auch jüdische Sozialdemokraten. Im April 1970 schrieb ihm aus New York Kurt R. Grossmann, der ehemalige Generalsekretär der Liga für Menschenrechte, mit dem zusammen Brandt in den dreißiger Jahren die

Nobelpreiskampagne für den im KZ Sachsenhausen inhaftierten Carl von Ossietzky geleitet hatte (und der den Kanzler wenige Monate später für den Friedensnobelpreis vorschlagen sollte): »Gerade wir, Ihre treuesten Freunde, die Ihre neue Politik in den Vereinigten Staaten gegen die Opposition verteidigen, müssen erstreben, dass das Image Ihrer Regierung nicht durch eine Verteidigung Achenbachs geschädigt« werde. Grossmann erinnerte daran, dass Achenbach bereits von der amerikanischen Anklagebehörde in Nürnberg für Deportationen, Geiselerschießungen und Zwangsarbeiterrekrutierungen zur Verantwortung hatte gezogen werden sollen. Vor diesem Hintergrund bitte er dringend, den Fall »nicht nach den Grundsätzen politischer Zweckmäßigkeit, sondern nach denen der Moral und der politischen Ethik zu beurteilen«.[90]

Brandt ging auf die Kritik seines früheren Mitstreiters nicht persönlich ein. Er habe aufgrund der ihm vorgelegten Dokumente entschieden, ließ er Grossmann mitteilen, und nach reiflichen Überlegungen: Für ihn sei das Thema »erledigt«.[91] Dass dem nicht so war, sollte sich im Juli und Dezember 1970 erweisen, als Achenbach Scheel und Brandt auf ihren Reisen nach Moskau und Warschau begleiten und helfen durfte, die Ostverträge unter Dach und Fach zu bringen. Nach deren Ratifizierung durch den Bundestag erhielt Achenbach das Bundesverdienstkreuz.

Reformen und Gesetz über den Auswärtigen Dienst

In der Amtszeit Willy Brandts als Bundesaußenminister kam endlich auch die Diskussion über eine Reform des Auswärtigen Dienstes wieder in Gang. Eine solche Debatte hatte es bereits in den frühen fünfziger Jahren im Umfeld des Untersuchungsausschusses 47 gegeben. Schon die damaligen Reforminitiativen, die vor allem von Politikern der Opposition ausgingen, zielten auf eine gesetzliche Grundlage für den im Wiederaufbau befindlichen Auswärtigen Dienst, den man durch ein solches Gesetz fest im demokratischen Institutionengefüge der jungen Bundesrepublik verankern wollte. Ohne eine »Reform an Haupt und Gliedern« sei überhaupt nichts zu verbessern, betonte der SPD-Bundestagsabgeordnete Hermann Brill, der seine Partei im Untersuchungsausschuss vertrat.[92] Während bei Brill eine generelle Skepsis gegen die Revitalisierung des traditionellen Berufsbeamtentums mitschwang – ihm schwebte eher das angelsächsische Modell eines »Zivilstaatsdienstes« vor –, ging die allgemeine Tendenz dahin, dass das Gesetz auch den Einfluss und die Handlungsfreiheit der ehemaligen Wilhelmstraßen-Diplomaten verringern sollte, die den Aufbau des Auswärtigen Dienstes und insbesondere seine personelle Zusammensetzung zu ihrer Sache gemacht hatten.

Auch wenn in der Bundesrepublik der Ära Adenauer von einem Gesetz über den Auswärtigen Dienst schon bald keine Rede mehr war, blieben doch Reformüberlegungen seither eng mit der Perspektive einer gesetzlichen Regelung der Aufgaben, der Funktionsweise und der institutionellen Ausgestaltung des Auswärtigen Dienstes verbunden. Das galt auch in den sechziger Jahren, als der Gedanke einer Dienstreform wieder auf die Tagesordnung rückte. Die neue Reformdynamik speiste sich dabei aus zwei Quellen: Zum einen gehört sie in den Kontext breiterer Diskussionen über eine Reform und Effizienzsteigerung der öffentlichen Verwaltung. Auf allen Ebenen – Bund, Länder und Gemeinden – wurden in den sechziger Jahren solche Überlegungen angestellt. Sie folgten Rationalitäts- und Modernisierungsimperativen, waren wissenschaftlich unterfüttert und beruhten auf der Grundannahme einer gerade durch effizientes Verwaltungshandeln möglichen Planbarkeit und Steuerbarkeit gesellschaftlicher und politischer Entwicklungen. Zum anderen reagierte die Diskussion über eine Reform des Auswärtigen Dienstes auf den Gestaltwandel der internationalen Beziehungen und die Veränderung auswärtiger Politik. Diese Entwicklungen hatten einerseits zu einer Ausweitung der Tätigkeitsfelder des diplomatischen Dienstes geführt, zugleich jedoch waren sie die Ursache für den Aufstieg anderer Behörden und Institutionen, die dem Auswärtigen Amt, nicht zuletzt im Bereich der Wirtschaft, seine weitgehende Monopolstellung in der Pflege der auswärtigen Beziehungen streitig machten. Auch in anderen Ländern hatte man bereits auf diese Entwicklungen reagiert, in Großbritannien beispielsweise mit der Bildung einer Reformkommission unter dem Vorsitz von Lord Plowden, die 1965 ihrer Ergebnisse vorlegte. Die Plowden-Kommission reagierte freilich auch auf den Niedergang des britischen Empire, der institutionelle Reformen dringend erforderlich machte.

Mit der Bildung der Großen Koalition im Herbst 1966 erhöhten sich die politischen Chancen auf ein Reformgesetz. Die Reformpläne für den Auswärtigen Dienst bildeten dabei nur einen kleinen Ausschnitt einer

viel breiteren politischen und sozialen Reformagenda des Regierungs-
bündnisses aus Unionsparteien und Sozialdemokratie. Auch Bundesaußenminister Brandt stellte die Idee einer »Kommission zur Reform des
Auswärtigen Dienstes«, die er im Frühjahr 1968 dem Bundeskanzler vorschlug, in den Kontext allgemeiner Reformanstrengungen im Bereich
von Beamtenschaft und öffentlicher Verwaltung. Die Aufbauphase des
Auswärtigen Amtes sei beendet, der Auswärtige Dienst befinde sich in
ruhigeren Fahrwassern – eine gute Voraussetzung für strukturelle Reformen. Die Nachkriegsepoche sei abgeschlossen, hieß es später im AA, als
die Reformkommission ihre Arbeit aufnahm.[93] Zugleich freilich betonte
Brandt – und dabei hatte er die Leitungsebene seines Ministeriums hinter sich –, dass die Reform des Auswärtigen Dienstes »aufgrund der besonderen Aufgaben und Struktur des Auswärtigen Dienstes« getrennt
von anderen Verwaltungsreformen behandelt werden solle.[94] Dahinter
stand nichts Anderes als die Absicht, die Sonderrolle des Auswärtigen
Amtes unter den Ministerien fortzuschreiben und die Beamten des diplomatischen Dienstes von den übrigen Beamten der öffentlichen Verwaltung abzuheben. Dafür gab es sachliche Gründe, die mit den Spezi-
fika des Auswärtigen Dienstes zu tun hatten, doch es ging auch darum,
dem Korpsbewusstsein der deutschen Diplomaten eine auch künftig
tragfähige Grundlage zu geben.

Die Bundesregierung indes sperrte sich gegen ein separates Reform-
projekt des AA. Erst wenn sich herausstellen sollte, »dass der große Wurf
der Vereinheitlichung und Modernisierung in absehbarer Zeit nicht gelingen kann«, ließ man die Leitung des Außenministeriums aus dem
Bundeskanzleramt wissen, könne man einer Sonderregelung für den
Auswärtigen Dienst nähertreten.[95] Auch im Bundeskabinett stieß Brandts
Initiative auf Bedenken. Finanzminister Strauß führte Kostengründe ins
Feld, Innenminister Benda verwies nicht nur auf die allgemeinen Reformüberlegungen, sondern auch auf Pläne seines Ministeriums, eine
»Akademie für öffentliche Verwaltung« zur Ausbildung von Nach-
wuchsbeamten für alle Bundesbehörden einzurichten. Das Kabinett je-
denfalls sperrte sich dagegen, die AA-Reformkommission einzusetzen.
Ein Kompromissvorschlag von Bundeskanzler Kiesinger entspannte den
Konflikt – und gab der AA-Führung dennoch freie Bahn: Die Bundesregierung stellte es dem Außenminister anheim, seine Reformkommission
selbst einzusetzen.[96]

Vorsitzender der Reformkommission, der deutsche Lord Plowden, wurde Hans von Herwarth, damals Botschafter in Rom. Der 64-jährige Diplomat wurde nach Bonn zurückgeholt, dort zum Staatssekretär ernannt, aber bereits nach zwei Wochen in den Ruhestand versetzt, damit er, wie es hieß, weisungsunabhängig die schon bald nach ihm benannte Kommission leiten könne. Die einflussreiche Position lag damit bei einem Wilhelmstraßen-Mann. Der zunächst für den Kommissionsvorsitz vorgesehene sozialdemokratische Diplomat Kurt Oppler mit seiner Emigrantenbiografie, der bis 1967 deutscher Botschafter in Kanada gewesen war, durfte seinen Ruhestand weiter genießen. Unberücksichtigt blieb auch Walter Hallstein, der zunächst ebenfalls als möglicher Vorsitzender genannt worden war.[97] In das zwölfköpfige Gremium wurden Bundestagsabgeordnete, Verwaltungsbeamte, Vertreter der Wirtschaft und der Wissenschaft berufen, unter ihnen Günther Diehl, ein weiterer Wilhelmstraßen-Mann, als stellvertretender Vorsitzender, Klaus von Dohnanyi und Theodor Eschenburg. Auch der FDP-Vorsitzende Walter Scheel gehörte der Kommission an. Nach seinem Wechsel an die Spitze des Auswärtigen Amts im Herbst 1969 trat für die FDP Ernst Achenbach an seine Stelle.

Der Auftrag an die Herwarth-Kommission, die sich im September 1968 konstituierte, lautete, zu prüfen, »wie die dem Auswärtigen Dienst heute gestellten Aufgaben in der wirksamsten, den Interessen unseres Landes am besten dienenden Weise erfüllt werden können und welche Voraussetzungen – insbesondere organisatorischer, dienstrechtlicher und personeller Art – dafür zu schaffen sind. Dabei wird sie auch zu untersuchen haben, ob und welche gesetzgeberischen Maßnahmen notwendig sind, um das gesteckte Ziel zu erreichen.«[98] In ihrer zweieinhalbjährigen Arbeit trat die Kommission in ihren vier Unterkommissionen (Aufgaben des Auswärtigen Dienstes; Wirtschafts- und Entwicklungspolitik; Wissenschaft, Kultur und Öffentlichkeitsarbeit; Personal, Organisation, Haushaltsfragen), fast fünfzigmal zusammen. Dutzende Vertreter anderer Behörden und Organisationen, von der Gewerkschaft ÖTV über die Alexander-von-Humboldt-Stiftung bis hin zum Verband deutscher Reeder, wurden angehört. Die Mitglieder der Kommission besuchten zahlreiche deutsche Auslandsvertretungen, die Botschaften in Washington und Rom ebenso wie die in Kampala und Rangoon.

Der Schlussbericht, den die Kommission nach zweieinhalbjähriger Arbeit im Frühjahr 1971 vorlegte, spiegelte den Gestaltwandel internationaler Beziehungen und internationaler Politik und damit auch den Funktionswandel des diplomatischen Dienstes. Einerseits verabschiedete sich der Auswärtige Dienst mit dem Bericht der Reformkommission offiziell von einem klassischen Verständnis von Diplomatie: »Das Verhältnis von Staat und Gesellschaft hat sich in den letzten 50 Jahren grundlegend geändert. Staatliche Gestaltung erfasst heute fast alle Bereiche der Gesellschaft. Umgekehrt ist das politische Gewicht gesellschaftlicher Gruppen eines der wesentlichen Elemente staatlichen Lebens geworden. ... Wahrnehmung außenpolitischer Interessen bedeutet damit nicht mehr allein den Verkehr von Regierung zu Regierung im klassischen Sinn der Diplomatie. Sie hat heute alle politisch wirksamen Kräfte und gesellschaftlichen Formierungen einzubeziehen.«[99] Andererseits reklamierte der Bericht für die Pflege der auswärtigen Beziehungen nach wie vor einen Primat des Auswärtigen Amts und eine Abgrenzung von rivalisierenden Institutionen und entwickelte eine ganze Reihe von Vorschlägen, wie dieser Primat im praktischen Vollzug umgesetzt werden sollte. Der Schwerpunkt des Berichts lag bei organisatorischen und dienstrechtlichen Fragen. Doch auch hier trat der Anspruch des Dienstes auf einen besonderen Status klar zutage, nicht zuletzt im Beharren auf einer autonomen Gestaltung der Rekrutierung und Ausbildung künftiger Diplomaten.

Deutlicher als der Herwarth-Bericht wurden interne Dokumente. Noch unter Außenminister Brandt entwarf der AA-Planungsstab, geleitet von Egon Bahr, unter ausdrücklichem Bezug auf die Arbeit der Reformkommission klare Zielvorstellungen des Auswärtigen Amtes. Um die »Einheitlichkeit der deutschen Außenpolitik zu sichern«, müsse der Außenminister eine besondere Stellung im Kabinett erhalten. »Es wäre zu begrüßen, wenn dem Auswärtigen Amt eine klare Weisungsbefugnis in allen auswärtigen Angelegenheiten etwa in Form eines *overriding vote* eingeräumt würde.« Auch könne man das Bundesministerium für wirtschaftliche Zusammenarbeit sowie die Auslandsabteilung des Bundespresseamts dem AA eingliedern. Abzuschaffen sei das Ministerium für Gesamtdeutsche Fragen: »Seine Auflösung würde einen Reptiliensumpf trocken legen.« AA-Staatssekretär Duckwitz unterstützte seinen Planungschef und forderte ein Ende der »Bevormundung« des AA durch das Bundeskanzleramt. Selbstverständlich erkenne man die Richtlinienkompetenz des Bundeskanzlers an. »Aber dieses Recht kann nicht bedeuten, dass das Bundeskanzleramt sich auf fast allen Etagen bemüßigt fühlt, in die tägliche Arbeit der auswärtigen Politik hineinzupfuschen.«[100] Das waren nicht nur politische Positionen vor dem Hintergrund der Großen Koalition. In ihnen spiegelten sich auch der fortgesetzte Primatsanspruch des Auswärtigen Amtes und das Sonderbewusstsein des Auswärtigen Dienstes.

Manche Empfehlungen der Reformkommission, insbesondere zur Organisation des Auswärtigen Dienstes, wurden in den nächsten Jahren umgesetzt, allerdings nur in Gestalt amtsinterner Maßnahmen. Die fünf Berichte zur Reform des Dienstes, die die Bundesregierung in den Jahren 1974 bis 1985 dem Bundestag vorlegte, dokumentieren, dass die Reform insgesamt eher schleppend verlief. Zu einem Gesetz über den Auswärtigen Dienst, wie es die Herwarth-Kommission empfohlen hatte, kam es nicht.

Doch immer größer wurde in Bonn seit Beginn der achtziger Jahre der fraktionsübergreifende Konsens, dass eine umfassende Erneuerung des Dienstes mit amtsinternen Maßnahmen nicht zu erreichen sei, sondern nur durch eine gesetzliche, vom Parlament beschlossene Grundlage. Am 24. November 1988, 17 Jahre nach dem Bericht der Reformkommission, forderte der Deutsche Bundestag die Bundesregierung in einer Plenarentscheidung auf, noch in der laufenden Legislaturperiode den Entwurf eines Gesetzes vorzulegen.[101] Am Ende stand das Gesetz über den Auswärtigen Dienst (GAD), das der Bundestag am 31. Mai 1990, mitten in den Verhandlungen über die deutsche Einheit, mit den Stimmen aller Fraktionen verabschiedete.

Das Gesetz besteht vor allem aus dienst- und organisationsrechtlichen Regelungen – von der Bildung einer Personalreserve über die Ausbildung bis hin zu Besoldungsfragen und Verbesserungen der Situation von Ehepartnern und Kindern. In den ersten Paragraphen wird die Aufgabe des Auswärtigen Dienstes fixiert, die Außenbeziehungen der Bundesrepublik wahrzunehmen und zu pflegen. Der Dienst solle ferner die außenpolitische Beziehungen betreffenden Tätigkeiten von staatlichen und anderen öffentlichen Einrichtungen im Ausland koordinieren, um auf diese Weise, so heißt es in einem aus dem Auswärtigen Amt stammenden Gesetzeskommentar, »schädliches Nebeneinander und falsche

Prioritätensetzung zu verhindern«.[102] Der Primatanspruch, der sich wie ein roter Faden durch die Geschichte des Auswärtigen Amtes zieht und der auch die Einsetzung und die Arbeit der Reformkommission bestimmte, hier scheint er wieder auf. In der Tat ist es dem Auswärtigen Dienst mit dem Gesetz von 1990 gelungen, seine Sonderrolle in der deutschen öffentlichen Verwaltung zu bewahren und damit auch die Voraussetzung zu schaffen für den Erhalt des spezifischen Selbstverständnisses und des distinkten Selbstbewusstseins seiner Angehörigen.

Von der »Ungenauigkeit der Schuld-zuweisungen« zur Einsetzung der Historikerkommission

Bis in die frühen achtziger Jahre hinein blieb die westdeutsche Zeitge-schichtsschreibung hinsichtlich der »Endlösung der Judenfrage« hinter der internationalen Forschung eher zurück. Nach einer ersten, Ende der fünfziger Jahre einsetzenden Phase, die durch das verstärkte Zusammen-wirken von kritischer Historiographie, aufklärerischem Journalismus und wiedererwachter Strafverfolgung geprägt gewesen war, hatte sich die Forschung zunehmend den großen Erklärungsversuchen und Deu-tungen zugewandt. Auch wenn die Gründe dafür, dass seitdem mehr über die »Entschlussbildung« als über Tatabläufe, Täter und Opfer gear-beitet wurde, noch einer genaueren Klärung bedürfen, so ist doch deut-lich, dass den Debatten über »Totalitarismus« und »Faschismus«, über »Hitlerismus« und »Polykratie« in gewisser Hinsicht entlastende Wir-kung zukam: Die Frage nach dem konkreten Anteil einzelner Institutio-nen und Bevölkerungsgruppen am Völkermord blieb dadurch weitge-hend ausgeblendet.

In Bezug auf die Geschichtsschreibung über das Auswärtige Amt wirkten sich vor allem die personellen und strukturellen Kontinuitäten der frühen Bundesrepublik als Forschungshindernis aus. Besonders im 1951 wiedererrichteten »Politischen Archiv und Historischen Referat des Auswärtigen Amtes« (PAAA), dessen Vorläufer das 1920 gegründete und mit der Zurückweisung der »Kriegsschuldlüge« beauftragte »Schuldrefe-rat« gewesen war,[1] gab es wenig Neigung zur Transparenz. Hinsichtlich der Personalunterlagen aus der Zeit vor 1945 interpretierten die Verant-wortlichen die mit den westlichen Alliierten getroffenen Vereinbarun-gen über die Zugänglichmachung der rückgeführten deutschen Akten ausgesprochen restriktiv.[2] Da sich die Amerikaner und Briten nicht explizit hatten zusichern lassen, dass auch dafür die Regeln der Benutzungsordnung gelten sollten, und das State Department nur über eine Mikrofilmkopie der 1944 entstandenen Ersatz-Personalbögen verfügte, blieb die wissenschaftliche Nutzung dieser Bestände jahrzehntelang strengen Zugangsbeschränkungen unterworfen.

So kam es, dass die ersten Spezialstudien zur Beteiligung des Auswärtigen Amtes an der »Endlösung« schließlich auf der Grundlage von Justizakten und Archivalien entstanden, die nicht nur im PAAA, sondern in Kopie auch in den USA und Israel greifbar waren, weil sie nach Kriegsende immer wieder als urkundliche Beweismittel in Strafprozessen gedient hatten. Nachdem der amerikanische Historiker Christopher Browning 1978 mit seiner Dissertation zur Judenpolitik der »Wilhelmstraße« eine Schneise geschlagen hatte, erschien neun Jahre später im Berliner Siedler Verlag Hans-Jürgen Döschers Studie zur personellen Entwicklung des AA seit 1933.[3] Der Schüler des Hamburger Historikers Werner Jochmann hatte sich zum Ziel gesetzt, die Einflussnahme der SS auf das Personal und die Politik des Reichsaußenministeriums systematisch zu erkunden, um daraus Einblicke in die Mechanismen von Anpassung und Selbstgleichschaltung zu gewinnen. Zwei kürzere Kapitel des Buches behandelten die Involvierung der Behörde in die »Endlösung«, ein Exkurs von zweieinhalb Seiten riss die Problematik der verhinderten Aufarbeitung nach »Nürnberg« an. Zwar hatte das Politische Archiv dem Hamburger Doktoranden, wie vielen anderen Forschern zuvor, die Einsicht in die Personalakten verweigert, in Washington aber war Döscher auf bis dato unbekannte Mikrofilme der Personalfragebögen von 1944 mit Angaben zu 330 höheren Beamten des Auswärtigen Dienstes gestoßen.[4]

Die Akribie, mit der sich Döscher um die Heranziehung und Auswertung neuer Quellen bemüht hatte, rief in Fachwelt und Öffentlichkeit ein überwiegend positives Echo hervor. Ausgewiesene Kenner der NS-Außenpolitik wie George O. Kent[5], Andreas Hillgruber und Wolfgang Michalka erblickten in der Studie einen bedeutenden Beitrag zur Rolle der alten Eliten im Dritten Reich, Gerhard L. Weinberg sprach sogar von einem »Standardwerk«.[6] Döschers Forschungsergebnisse galten den Kollegen als ebenso zuverlässig wie »bedrückend«[7]; es handele sich um nicht weniger als den »Auftakt für eine längst überfällige, die zahlreichen Detailanalysen integrierende Strukturgeschichte des Dritten Reiches«[8].

Auch Christopher Browning, der sich unterdessen als führender Holocaust-Experte etabliert hatte, hob die Vorzüge der Arbeit hervor. Zugleich kritisierte er Döschers Drang,»Namen zu nennen«, gehe dies doch zu Lasten der analytischen Schärfe. Was in Deutschland offenbar noch als Sensation empfunden werde, so Browning, wirke auf ausländische Forscher eher wie ein Durchkauen von allseits Bekanntem. Und im Widerspruch zu dem personalisierenden Ansatz stehe, dass sich Döscher gerade im heiklen Fall Ernst von Weizsäckers in das eher nebensächliche Detail seiner SS-Mitgliedschaft verbissen habe, während er Weizsäckers Haltung zum Judenmord, die teilweise bis an den Rand »krimineller Komplizenschaft« gegangen sei, kaum berücksichtige.[9]

In der Tat gingen Döschers Befunde, was die Frage der Mitwirkung der alten Beamtenschaft an der Vernichtung der europäischen Juden betraf, kaum über das hinaus, was bereits Ende der vierziger Jahre Gegenstand der juristischen Beweiserhebung im Nürnberger »Fall 11« gewesen war. Vor allem die Tatsache, dass das Buch auch längere Passagen aus der Urteilsbegründung gegen Weizsäcker zitierte, nahm *Spiegel*-Herausgeber Rudolf Augstein zum Anlass, höchstpersönlich zur Feder zur greifen.[10] Angekündigt als »Besprechung«, provozierte er mit seinen psychologisierenden Deutungen zur »Causa Weizsäcker« ebenjene durchaus kalkulierten Abwehrreflexe und Verteidigungsmuster, die auch vier Jahrzehnte nach Beginn des Wilhelmstraßenprozesses noch jederzeit abrufbar waren.

Wie schon vier Jahrzehnte zuvor, als die *Zeit* unter der Ägide ihres stramm nationalistischen Chefredakteurs Richard Tüngel und der jungen Marion Gräfin Dönhoff zum Sturmangriff auf die Nürnberger Nachfolgeprozesse geblasen hatte – und ungeachtet der seitdem eingetretenen Wandlung der Wochenzeitung zum liberalen Flagschiff –, bemühte man auf dieser Seite erneut das gesamte Repertoire an persönlichen Beziehungen und Argumenten, um Weizsäcker – und mit ihm die gesamte alte Beamtenschaft – von jedem moralischen Vorwurf freizusprechen. Tonangebend war wiederum Dönhoff, die auch als Herausgeberin der *Zeit* an einer undifferenziert negativen Bewertung der Nürnberger Verfahren festhalten sollte.[11] Von ihr stammte offenbar auch die verwegene Idee, durch ein Aufgebot an ehrbaren »Zeitzeugen« die Zeitgeschichtsforschung in die Schranken zu weisen. Für die Aufgabe ausgewählt wurden Carl Friedrich von Weizsäcker und der Tübinger Politikwissenschaftler Theodor Eschenburg, ein langjähriger Freund der Gräfin, der sie seinerzeit mit seinem Schüler Theo Sommer bekannt gemacht hatte.[12]

Nur wenige Wochen nach dem *Spiegel*-Artikel ging das alte Netzwerk in der *Zeit* zu einem doppelgleisigen Gegenangriff über: Eschenburg warf Döscher in einer Rezension vor, das historische »Ambiente« nicht zu kennen und daher zu falschen Schlussfolgerungen gelangt zu sein.[13] Scheinbar aus der Warte des distanzierten Emeritus urteilend, vermied es der langjährige *Zeit*-Autor, seine Nähe zu diesem »Ambiente« preiszugeben: Immerhin hatte Eschenburg Ende der vierziger Jahre als Abteilungsleiter beim Deutschen Büro für Friedensfragen geholfen, offensichtlich kompromittierten Bewerbern den Weg in die Bundesverwaltung zu ebnen.[14] Auch Carl Friedrich von Weizsäcker, der sich in der selben Ausgabe der *Zeit* über die »Selbstgerechtigkeit« der Historiker und die »Ungenauigkeit der Schuldzuweisungen« beklagte, hielt es nicht für nötig, seine Mitwirkung an der Verteidigungsaktion zugunsten seines Vaters zu erwähnen.[15]

Zumindest die öffentliche Kontroverse über den Fall Weizsäcker bewegte sich also in altbekannten Bahnen: Während Familie, Freunde und Unterstützer aus dem Kreis des Auswärtigen Amtes für eine »totalisierende« Sicht der Dinge plädierten, bei der »Verstrickungen« und »Widerständigkeit«, »Friedenswille« und »Konzessionsbereitschaft« in gewisser Weise austariert und gegeneinander aufgewogen werden sollten,[16] sahen andere einen Fall exemplarischen politischen Versagens. Angesichts der Tatsache, dass sich die lange überfällige historische Aufarbeitung erneut auf die Frage nach der Moralität einzelner Protagonisten reduziert hatte, war es kaum erstaunlich, dass man im Auswärtigen Amt auf die öffentlich erhobenen Forderungen nach einer liberaleren Archivpolitik eher verschreckt als aufgeschlossen reagierte.

Während man sich einerseits mit Verweis auf die »räumlichen Verhältnisse«[17] von den professionellen Standards und gesetzlichen Regeln der Bundesarchive teilweise abkoppelte, zeigte man sich andererseits bereit, auch weiterhin die eigene Klientel bei der Verfolgung ihrer privaten juristischen Abwehrmanöver zu bedienen. Mehr als einmal machte Döscher daher die Erfahrung, dass düpierte Ruheständler oder Angehörige von bereits verstorbenen Diplomaten den Klageweg beschritten, um die Tilgung inkriminierter Namen aus seinem Buch zu erreichen. Zwar scheiterten diese Aktionen, anders als noch in den fünfziger Jahren, auf ganzer Linie. Aber es wirkte nicht gerade als eine Ermutigung der historischen Forschung, dass das Amt den Klägern auch noch logistische und ideelle Hilfestellung leistete, indem es zum Beispiel – unter Außerachtlassung der üblichen Sperrfristen – exklusive Einsicht in die Personalakten von verstorbenen Verwandten gewährte.[18] Einer der wenigen aktiven Diplomaten, die Döscher in seinen Auseinandersetzungen mit der Behörde unterstützten, war der in Mailand amtierende Generalkonsul Manfred Steinkühler. Dieser war – nicht zuletzt infolge von Döschers Buch – seinerseits mit seinem Dienstherrn über die Frage einer angemessenen Gedenkpraxis in Oberitalien aneinandergeraten.[19]

Dass sich die Schere zwischen einer zunehmend quellengestützten, mittlerweile den gesamten europäischen Raum erfassenden NS-Täterforschung und der amtlichen Erinnerungskultur des AA nach der Epochenwende von 1989/90 eher noch vergrößern sollte, hing nicht nur mit dem weiterhin fehlenden Aufarbeitungswillen der Amtsspitze zusammen. Hinzu kamen die Interessen der Erfahrungsgeneration, die sich mehr und mehr als »Zeitzeugen« in die historischen Debatten der Berliner Republik einzuschalten suchte. Bis in die späten neunziger Jahre wurde die Deutungsmacht jener älteren Diplomaten, die sich in gewisser Weise als Präzeptoren des amtlichen Geschichtsverständnisses verstanden, innerhalb der Behörde kaum infrage gestellt. Eine entscheidende Wende stellte erst der Machtwechsel von 1998 dar – dies allerdings weniger wegen der geschichtspolitischen Akzente, die die rot-grüne Bundesregierung in der ersten Phase ihrer Amtszeit setzte. Vielmehr waren es überwiegend unvorhersehbare Ereignisse, die dazu führen sollten, dass sich bald unüberbrückbare Differenzen zwischen der alten Diplomatenriege und dem neuen Außenminister auftaten.

Unmittelbar nach dem Regierungsantritt von Rot-Grün deutete noch nichts auf die späteren Kontroversen hin. Im Gegenteil, das Debüt des Grünen Joschka Fischer im Auswärtigen Amt war zunächst ausgesprochen harmonisch verlaufen. Dies hatte einerseits damit zu tun, dass zumindest ein Teil des Apparats den Wechsel an der Spitze begrüßte, nachdem das Ministerium zuvor fast 30 Jahre lang eine Domäne der FDP gewesen war. Andererseits verzichtete Fischer darauf, dem Generationenwechsel, den das »rot-grüne Projekt« zweifellos in den Augen vieler verkörperte, mit einem parteipolitisch motivierten Personalaustausch zu verbinden.[20] Auch Fischers resolute Haltung im Kosovo-Konflikt sowie seine frühzeitige Absage an eine »grüne Außenpolitik«[21] dürften dazu beigetragen haben, dass er sich Ansehen unter den Diplomaten verschaffte. Doch schon bald sollte es zu ersten Spannungen und Dissonanzen kommen.

Zu wachsendem Unmut führte die Tatsache, dass Ende 1999 auf Antrag der Regierungsfraktionen vier neue Planstellen im höheren Dienst geschaffen wurden, die mit drei SPD-Fraktionsangehörigen und einem langjährigen Mitarbeiter der Friedrich-Ebert-Stiftung besetzt werden sollten. Fischer, der dem Amt zuvor drastische Personaleinsparungen verordnet hatte, erhielt daraufhin einen Offenen Brief des Personalrats, in dem gegen den Missbrauch der Behörde als »Abschiebebahnhof für Versorgungsfälle« protestiert wurde.[22] Doch anstatt der Ämterpatronage in seinem Haus einen Riegel vorzuschieben, stellte der Minister nun selbst die personalpolitischen Weichen. Nach und nach besetzte er wichtige Positionen mit Vertrauten, darunter auch politische Weggefährten aus seiner Zeit als Aktivist im Frankfurter Häuserkampf.

Während Fischers erstaunliche Metamorphose vom Sponti zum Staatsmann mit einem gewissen Respekt betrachtet wurde, erregte die Vergabe von Spitzenämtern an ehemalige Angehörige der studentischen Protestbewegung und qualifizierte Frauen aus Fischers politischem Umfeld das Misstrauen der Laufbahnbeamten. Was zunächst wie ein ziemlich natürlicher Wachwechsel der Generationen gewirkt hatte, erschien Fischers Gegnern nun mehr und mehr als zielstrebig umgesetzte, machtpolitisch motivierte Strategie.[23] Da änderte es nichts, dass sich die meisten der 68er bereits seit langem von ihren weltrevolutionären Zielen verabschiedet hatten und viele von ihnen zu Vorzeigeeuropäern mutiert waren.

Anfang Januar 2001, wenige Tage vor der Vereidigung des neu gewählten amerikanischen Präsidenten George W. Bush, veröffentlichte der *Stern* fünf Pressephotos aus dem Jahr 1973. Sie zeigen, wie eine Gruppe teilweise vermummter Demonstranten auf einen Polizisten einschlägt.[24] Das brisante Bildmaterial war dem *Stern* von der Hamburger Journalistin Bettina Röhl zugeleitet worden. Die Tochter der 1976 verstorbenen Ulrike Meinhof hatte den damals 25-jährigen Fischer auf den Fotos als einen der Schläger identifiziert. Die Aufnahmen lösten sofort ein gewaltiges Medienecho im In- und Ausland aus. Zwar entschuldigte sich Fischer spontan für die Ausschreitungen der Frankfurter »Putz-gruppe«. Damit konnte er aber nicht verhindern, dass die militante Ver-gangenheit der 68er mehrere Wochen lang das beherrschende Thema der Berichterstattung wurde.

Mit Fischers Zeugenauftritt in dem Anfang 2001 endenden Wiener Mordprozess gegen den ehemaligen Linksterroristen Hans-Joachim Klein rückte zudem die Frage des Antizionismus in der bundesdeut-schen Linken ins Rampenlicht der internationalen Öffentlichkeit: Klein, ein früherer Mitbewohner Fischers aus Frankfurter Zeiten, war Mitglied der »Revolutionären Zellen« gewesen, einer Gruppierung, die 1976 im Auftrag der Volksfront für die Befreiung Palästinas (PFLP) ein Flugzeug der Air France nach Uganda entführt hatte. Bevor die Geiseln von einer Einheit des israelischen Militärs befreit werden konnten – bei dieser Ak-tion kam der als Soldat dienende Bruder des späteren israelischen Minis-terpräsidenten Benjamin Netanjahu ums Leben –, hatten die deutschen Entführer die jüdischen Passagiere unter den Opfern exekutieren wol-len.[25] Die Ereignisse von Entebbe leiteten einen unumkehrbaren Desillu-sionierungsprozess aufseiten der westdeutschen Linken ein, unabhängig von der politischen Position und dem individuellen Selbstverständnis: So stieg Klein kurz danach aus der Szene aus, um in Frankreich unterzu-tauchen. Fischer forderte die Terroristen zum Gewaltverzicht auf – ein Schritt, der Mitte der siebziger Jahre angesichts der damals üblichen Sanktionen gegen Renegaten einigen Mut verlangte.[26]

Auch 2001, als die Irrungen und Wirrungen der 68er-Bewegung vor allem von der Boulevardpresse schlagzeilenträchtig vermarktet wurden, betonte Fischer den Läuterungseffekt von Entebbe. Dass es ihm gelang, seine Argumente auch einer breiteren Öffentlichkeit zu vermitteln und nicht zuletzt ausländische Kommentatoren von der Glaubwürdigkeit seiner Wandlung zu überzeugen, dürfte maßgeblich dazu beigetragen haben, dass die Attacken bereits nach wenigen Wochen an Schwungkraft verloren. Hinzu kam, dass Fischers Kritiker zunehmend in die Defen-sive gerieten. Wenig Erfolg versprach auch eine parlamentarische Anfra-ge der FDP-Bundestagsabgeordneten Jürgen Koppelin, Jörg van Essen und Wolfgang Gerhardt, die vorgab, Fischers Verbindungen zu terroris-tischen Kreisen – konkret zu der ehemaligen RAF-Terroristin Margrit Schiller – durchleuchten zu wollen.[27] Angesichts der Tatsache, dass die Liberalen nicht nur das prestigeträchtige Ministeramt, sondern auch ihre traditionell ausgeübte Funktion als Mehrheitsbeschaffer an die Grünen hatten abtreten müssen, wirkte dies wie ein durchsichtiger Versuch, die 68er-Thematik für parteipolitische Zwecke zu funktionalisieren.

Zumindest in einer Hinsicht aber konnte die FDP ein Strohfeuer entfachen. Denn in wesentlichen Teilen betraf die Anfrage gar nicht den Außenminister, sondern dessen Mitarbeiter Hans-Gerhart »Joscha« Schmierer, Referatsleiter und Experte für Europafragen im Planungsstab des AA. Der ehemalige Maoist und Heidelberger SDS-Vorsitzende hatte sich Ende der sechziger Jahre noch als ideologischer Scharfmacher hervorgetan, bevor er 1973 Sekretär des Zentralkomitees des Kommunistischen Bundes Westdeutschland (KBW) wurde.[28] Als sich die diversen K-Gruppen Anfang der achtziger Jahre mehrheitlich auflösten, war Schmierer wie viele andere seiner Mitstreiter den Grünen beigetreten, wo er dem Realo-Flügel zugerechnet wurde.

Am 31. Januar 2001, also knapp einen Monat nach Veröffentlichung der Prügel-Photos, publizierte der Berliner Politikwissenschaftler Jochen Staadt – auch er ein der 68er, der jedoch ins konservative Lager gewechselt war – in der *FAZ* einen längeren Beitrag, in dem die Geschichte des KBW und seines Führungspersonals geschildert wurde. Darin zitierte Staadt aus einem Glückwunschtelegramm, das Schmierer 1980 an den kambodschanischen ZK-Sekretär Pol Pot geschickt hatte.[29] Zwar verzichtete Staadt darauf, sich näher mit der Person Schmierers auseinanderzusetzen. Doch auch so war die Botschaft des Artikels kaum misszuverstehen: Wie viele andere Alt-68er, die in der Berliner Republik zu Amt und Würden gekommen waren, habe sich auch der Ex-KBW-Funktionär Schmierer niemals von seinen sektiererischen, orthodox-marxistischen und antizionistischen Wurzeln gelöst; seine Wandlung zum Demokraten sei nichts weiter als Camouflage, die Übernahme eines Postens im Außenministerium pure klassenkämpferische Taktik gewesen.

Zufall oder nicht, die FDP-Fraktion kam mit ihrer Anfrage zu einem Zeitpunkt heraus, als man sich im Außenministerium auf die Feierlichkeiten anlässlich des 50. Jahrestages der Gründung des neuen Auswärtigen Amtes am 15. März 1951 vorbereitete. In Anbetracht dieses Ereignisses stellte sich die Frage, ob und wie auf die schwelende Kontroverse um Fischers 68er-Vergangenheit reagiert werden sollte. Zwar blieb es unter den aktiven Diplomaten weiterhin ruhig. Einige der Pensionäre hielten indes den Zeitpunkt für gekommen, ihrem Unmut über Fischers Führungsstil, den man zunehmend als selbstherrlich und arrogant empfand, nunmehr auch öffentlich Ausdruck zu geben.

Zu diesen Pensionären gehörte der publizistisch umtriebige frühere Botschafter Erwin Wickert, ein Angehöriger der Kriegsjugendgeneration, der 1933 zunächst der SA und 1940 auch der NSDAP beigetreten war. Im September 1939 war Wickert durch SA-Obergruppenführer Hermann Kriebel, einen Teilnehmer des Hitler-Putsches von 1923 und ehemaligen Mithäftling Hitlers in Landsberg, zur AA-Auslandspropaganda gestoßen.[30] Kriebel war bis 1937 deutscher Generalkonsul in Shanghai gewesen und hatte im April 1939 die Leitung der Personalabteilung übernommen. Kurz nachdem er Wickert in das Rundfunkreferat der Kulturabteilung geholt hatte, übertrug Kriebel dem erst 25-Jährigen die Aufgabe, einen deutsch-japanischen Großsender im besetzten China aufzubauen. Im September 1940 – Wickert war kurz zuvor zum Rundfunkattaché befördert worden – folgte die Versetzung an die deutsche Botschaft in Shanghai, wo die neue Radiostation eingerichtet werden sollte.

Mit seinen hochfliegenden rundfunkpolitischen Ambitionen (»Es ist beabsichtigt, dem Sender den Namen European Broadcasting Station zu geben, womit auf die Tatsache hingewiesen werden soll, dass der deutsche Sender nicht nur die Interessen des Reichs, sondern ganz Europas vertritt«) und seinem Eigensinn in propagandistischen Fragen (»Der Bedarf an Märschen ist gedeckt«) zog sich der junge Aufsteiger schon bald den Groll des örtlichen Landesgruppenleiters der NS-Auslandsorganisation zu. Siegfried Lahrmann sorgte dafür, dass Wickert bereits im Juni 1941 an die deutsche Botschaft in Tokio versetzt wurde, wo er unter der Leitung des Gesandten Erich Kordt wiederum den Posten eines Rundfunkattachés übernahm. Im Herbst 1947 wurde Wickert zusammen mit Franz Krapf, dem ehemaligen Wirtschaftsfachmann der Botschaft, nach Deutschland repatriiert und im Mai 1948 von der Spruchkammer Heidelberg als »entlastet« entnazifiziert.[31]

Die Unterstützung durch Kordt, Krapf und Blankenhorn ermöglichte Wickert 1955 den Wiedereinstieg in den höheren Dienst des neuen Amtes, seine zwei Jahre später folgende Verbeamtung (trotz fehlender Attachéprüfung) und den nachfolgenden Aufstieg. Doch Wickerts überwiegend reibungslose Karriere im diplomatischen Dienst und seine Transformation vom NS-Auslandspropagandisten zum *homme de lettres* waren mit kleineren Schönheitsfehlern behaftet: So hatte er nicht nur

beim Eintritt ins AA falsche Angaben zu seiner SA-Mitgliedschaft gemacht, sondern seine vorwiegend auf persönlichen Animositäten beruhenden Differenzen mit der NS-Auslandsorganisation in Shanghai als
Zeichen politischer Dissidenz ausgegeben. Schon in den späten sechziger Jahren, als er seinen ehemaligen Kollegen Kurt Georg Kiesinger
dabei unterstützt hatte, die vergangenheitspolitischen Attacken der westdeutschen Studentenbewegung abzuwehren, war das geschichtspoliti-
sche Engagement des streitbaren Diplomaten immer auch Teil seiner
individuellen Erinnerungsarbeit gewesen. Sein Eintreten für eine mehr-
dimensionale, die Vielfalt an Erfahrungen berücksichtigende Deutung
des Dritten Reichs ging daher mit den üblichen Überschreibungen und
Umdeutungen der eigenen NS-Biographie einher.

Wickerts Vorbehalte gegen den Grünen-Außenminister speisten sich
aus unterschiedlichen Quellen. Zum einen bestanden grundsätzliche
Meinungsverschiedenheiten über zentrale Menschenrechtsfragen. So
hielt Wickert, seit den siebziger Jahren in der deutsch-chinesischen Kulturarbeit engagiert, die Politik der Grünen gegenüber dem Dalai Lama
für naiv. Zum anderen meinte er in den Protestformen grüner Straßen-
politik ein mangelndes, zumindest aber schwach ausgebildetes historisches Bewusstsein zu erkennen. Die Mahnwache, die die Grünen-Politi-
ker Petra Kelly und Gert Bastian im Juli 1989 anlässlich des Massakers
auf dem Platz des Himmlischen Friedens vor der chinesischen Botschaft
in Bonn abhielten, kritisierte er als einen Versuch der »Nötigung«, der
ihn an die Gewaltsprache der Nazis erinnere. Denn wer 1933 erlebt habe,
wie SA-Männer »Kunden, Angestellte und Inhaber« jüdischer Geschäfte
drangsaliert hätten, dem müsse bei dem Gedanken an Mahnwachen vor
Botschaften zwangsläufig unwohl werden. Zwar habe die SA seinerzeit
verwerfliche Ziele verfolgt, während das Anliegen der Menschenrechts-
aktivisten »ehrenwert« sei. Ungeachtet dessen demütige man aber mit
derartigen Aktionen pauschal alle chinesischen Botschaftsmitarbeiter.[32]
Der Vergleich zwischen den randalierenden nationalsozialistischen
Schlägertrupps und den Protestmärschen der Studenten war bereits in
der zweiten Hälfte der sechziger Jahre ein zentraler Topos des konservativen Diskurses gewesen, der maßgeblich dazu beigetragen hatte, die politischen Fronten zu verhärten.[33]

Wickerts Intervention in der Debatte um Joschka Fischers 68er-Ver-
gangenheit verband historisch begründete Kritik mit allgemeinen mo-

ralphilosophischen Erwägungen. Anfang März 2001, noch vor der Kleinen Anfrage der FDP-Bundestagsfraktion und dem geplanten Jubiläumstermin, teilte er dem Minister schriftlich mit, er sehe sich leider nicht in der Lage, der Festveranstaltung beizuwohnen. Zur Begründung führte er an, Fischer habe durch die Berufung des Ex-KBWlers Schmierer den »untadeligen Ruf« des Amtes in Zweifel gezogen. Gleichzeitig schloss er aus, dass der Betreffende das Opfer eines »politischen Irrtums« geworden sei. Denn dessen Grußadresse an Pol Pot, so Wickert, sei kein politischer Irrtum, sondern das Bekenntnis zu einer »zutiefst inhumanen Anschauung vom Menschen«. Als Deutscher aber, dessen »nationale Geschichte durch die Genozid- und Kriegspolitik Hitlers« schwer belastet bleibe, sei ihm der Gedanke unerträglich, dass die heutige deutsche Außenpolitik von einem Mann entworfen werde, der sich zu einem Massenmörder wie Pol Pot bekannt habe.[34]

Fischer antwortete auf diese Absage zehn Tage später. Am Tag vor der geplanten Festveranstaltung schrieb er Wickert, er teile dessen Bewertung des kambodschanischen Terrorregimes. Er könne aber nicht nachvollziehen, dass man seinem Mitarbeiter Schmierer Opportunismus unterstelle und dessen demokratische Wandlung bestreite. Und in spitzem Ton fügte er hinzu: »Ich bin sicher, dass das Recht, politische Auffassungen zu ändern, auch grundsätzlich zu ändern, gerade auch in Ihrer Generation vielfach in Anspruch genommen wurde.«[35]

Dass Wickert in Inhalt und Form weit über das Maß hinausgeschossen war, lag auf der Hand. Hinzu kam, dass Zeitpunkt und Stoßrichtung seines Briefes auf einen direkten Zusammenhang mit der FDP-Anfrage – also auf eine gezielte politische Provokation – schließen ließen. Doch obwohl Wickerts Argumente darauf hindeuteten, dass sich bei manchen Pensionären des AA ein sonderbar unaufgeklärtes Geschichtsverständnis hatte behaupten können, nahm Fischer den unerfreulichen Briefwechsel nicht zum Anlass, die seit Langem überfällige Aufarbeitung der Vergangenheit des Amtes endlich anzustoßen. Wie noch alle seine Vorgänger scheute auch der Grünen-Außenminister vor der Aufgabe zurück, die institutionellen und biographischen Belastungen wissenschaftlich untersuchen zu lassen. Die knapp überstandene Kontroverse um die Brüche der eigenen Biographie mag die Zurückhaltung des Ministers erklären. An möglichen Vorbildern für eine solche Vorgehensweise fehlte es jedenfalls nicht, hatten sich doch erst kurz zuvor etliche deutsche Wirtschaftsunternehmen im Rahmen der Debatte über die Zwangsarbeiterentschädigungen dazu entschlossen, Historiker mit der Erforschung ihrer NS-Vergangenheit zu beauftragen.[36] Während das Bundesjustizministerium bereits Ende der Achtziger eine große Wanderausstellung zur Rolle der Justiz im Nationalsozialismus organisiert hatte, in der auch die Kontinuitäten und Brüche nach 1945 thematisiert worden waren, ging die neue Aufarbeitungswelle auch jetzt wieder spurlos am Auswärtigen Amt vorbei.

Nachdem die erste Amtszeit des Grünen-Außenministers von einem Quantensprung in der Militär- und Sicherheitspolitik geprägt gewesen war, stand die zweite ganz im Schatten der Terroranschläge vom 11. September 2001. Zwar hatte sich die Bundesrepublik unmittelbar nach den Attacken in die Front der Staaten eingereiht, die die USA in ihrem Kampf gegen Al Qaida unterstützten. Schon wenige Monate nach Beginn der NATO-Intervention in Afghanistan machten sich jedoch erste Spannungen im deutsch-amerikanischen Verhältnis bemerkbar. Als sich dann gegen Mitte des Jahres 2002 abzeichnete, dass die Bush-Regierung eine militärische Invasion im Irak vorbereitete, ging Rot-Grün nicht nur auf deutliche Distanz zu den USA, sondern stellte das Thema des drohenden Krieges auch in den Mittelpunkt des Wahlkampfs. Doch während Bundeskanzler Schröder die Amerikaner auch nach den gewonnenen Wahlen vom September 2002 mit populistischen Parolen verschreckte, setzte Fischer auf die Kraft des besseren Arguments.

Fischers Bruch mit dem Weißen Haus steigerte zwar eher noch dessen Beliebtheit in der Bevölkerung, im Auswärtigen Amt hingegen war die Stimmung ambivalent. Zwar bezweifelte dort niemand, dass die Entscheidung der Bundesregierung, sich nicht der »Koalition der Willigen« anzuschließen, richtig gewesen war. Sowohl die konfrontative Strategie gegenüber Washington als auch Fischers Führungsstil wurden jedoch mit wachsendem Missfallen betrachtet. Auch das amerikanische Sperrfeuer gegen die 68er-Vergangenheit des bundesdeutschen Außenministers, entzündet von routinierten rechten Propagandisten wie dem Radiomoderator Rush Limbaugh, trug nicht gerade dazu bei, den schleichenden Prozess wechselseitiger Entfremdung zu stoppen.

In dieser Situation kam im Frühjahr 2003 die Debatte über die »Ehemaligen« im Auswärtigen Dienst in Gang. Auslöser der Kontroverse war ein Nachruf auf einen verstorbenen Beamten in der Hauszeitschrift *InternAA*. Anlässlich des Todes von Franz Nüßlein im Februar 2003, bis zu seiner Pensionierung im Jahre 1974 Generalkonsul in Barcelona, hatte das Referat Höherer Dienst – wie üblich – einen kurzen Lebenslauf verfasst. So hieß es in der Mai-Ausgabe der Mitarbeiterzeitschrift: »Nach dem Studium der Rechts-, Staats- und Wirtschaftswissenschaften an den Universitäten München, Paris, Berlin und Göttingen promovierte Dr. Franz Nüßlein zum Dr. jur. und war zunächst als Richter am Oberlandesgericht Kassel tätig. Nach zehnjähriger Internierung in der Tschechoslowakei trat Dr. Nüßlein 1955 in den Auswärtigen Dienst ein. Seine erste und einzige Auslandsverwendung führte ihn 1962 nach Spanien, wo er bis zu seinem Eintritt in den Ruhestand im Jahre 1974 die Leitung des Generalkonsulats Barcelona inne hatte. Das Auswärtige Amt trauert um einen ehemaligen Kollegen, der die ihm übertragenen Aufgaben mit Engagement und Einsatzfreude wahrgenommen hat und wegen seiner fachlichen und menschlichen Qualitäten hoch geschätzt wurde. Das Auswärtige Amt wird ihm ein ehrendes Andenken bewahren.«[37]

Bei der Abfassung des Nachrufs hatte der zuständige Referent, wie in vergleichbaren Fällen, die ihm wichtig erscheinenden Daten aus der Personalakte entnommen. Da Nüßlein seine Mitverantwortung für Todesurteile der NS-Strafjustiz im Protektorat Böhmen und Mähren zu Lebzeiten stets bestritten hatte und ein strafrechtliches Ermittlungsverfahren 1961 ergebnislos eingestellt worden war, hatte der Referent das Historische Referat nicht konsultiert. Verfälschungen, Ungereimtheiten und Auslassungen im Lebenslauf, die auf ein ausgeprägtes Bedürfnis nach Glättung und Stilisierung verwiesen, flossen folglich ungeprüft in den Nachruf ein. Auch die Tatsache, dass die zu Nüßlein vorhandenen Dokumente teilweise in einem Panzerschrank des Personalchefs sekretiert worden waren und die interne Überprüfung seines Falls von demselben Mitarbeiter durchgeführt worden war, der 1955 Nüßleins Einstellung in den Auswärtigen Dienst betrieben hatte, war kein Anlass zur Vorsicht gewesen.

Erst als eine frühere AA-Mitarbeiterin und Bekannte Nüßleins an den Formulierungen des Nachrufs Anstoß nahm, wurde die Akte aus dem Archiv geholt. Am 11. Mai 2003 wandte sich Marga Henseler, eine Dolmetscherin, die im letzten Kriegsjahr zeitweise in Gestapo-Haft gesessen hatte, persönlich an Fischer, um ihm mitzuteilen, dass sie über den Nachruf für Nüßlein »aufs tiefste erschüttert« sei. Henseler forderte

Fischer auf, ihr mitzuteilen, warum das AA einen Mann wie Nüßlein ehre und ihn sogar als »Opfer der Nachkriegs-CSSR« ausweise, wo er doch in Wirklichkeit ein »gnadenloser Jurist« gewesen sei, der eine erhebliche Mitschuld an der »animosen Haltung« der Tschechen gegenüber der Bundesrepublik trage.[38]

Was dann konkret geschah, lässt sich derzeit nur in groben Umrissen rekonstruieren. Offenbar verfügte das Ministerbüro, dass der Brief Fischer nicht vorgelegt wurde, sondern dass sich das Referat Höherer Dienst (Ref. 101) und das Politische Archiv (Ref. 117) der Angelegenheit annehmen sollten. Während sich nicht mehr mit Sicherheit sagen lässt, ob die Archivleitung tatsächlich von der Sache Kenntnis erhielt,[39] bezog das Personalreferat am 10. Juni 2003 schriftlich gegenüber der ehemaligen Mitarbeiterin Stellung. Henseler wurde um Verständnis für die formalisierte Form der Todesanzeige gebeten, ohne dass man auf ihre konkreten Monita einging.[40] Doch das Schreibens löste das Gegenteil von dem aus, was es hatte bezwecken sollen, denn nun geriet die Ruheständlerin erst recht in Rage. Henseler wandte sich in einem zweiten Brief allerdings nicht mehr an Fischer, sondern an Bundeskanzler Schröder. Gegenüber diesem beschuldigte sie die Beamten des Auswärtigen Amts, Nüßleins Personalakte »gereinigt« zu haben. Die Todesanzeige bezeichnete sie als »Geschichtsfälschung«.[41]

Über das Bundeskanzleramt gelangte das Schreiben zwei Tage später ins Außenministerium, genauer gesagt ins Vorzimmer von Staatsministerin Kerstin Müller. Daraufhin wurde das Referat Höherer Dienst erneut um eine Stellungnahme gebeten, die knapp vier Wochen später eintraf. Obwohl die zuständige Sachbearbeiterin inzwischen gewechselt hatte, gelangte auch deren Nachfolgerin zu dem gleichen Befund: Da es sich um eine Todesanzeige für den internen Gebrauch handele, eine ausführliche biographische Würdigung mithin nicht vorgesehen sei, sei es gerechtfertigt, die Inhaftierungszeiten »im amerikanischen Lager und in der Tschechoslowakei« verkürzend als »Internierung« zu bezeichnen. Auch eine nachträgliche Korrektur der Todesanzeige erscheine nicht angebracht.[42] Erneut blieb somit die Möglichkeit außer Betracht, dass der verharmlosende, teilweise auch grob verfälschende Text des Nachrufs außerhalb des Amtes wahrgenommen und kritisiert werden könnte; auch der an sich naheliegende Gedanke, dass außer Henseler noch andere ehemalige und gegenwärtige Bedienstete des Auswärtigen Amtes an der Gedenkpraxis Anstoß nehmen könnten, fand keinen Niederschlag in den Erwägungen der Personalabteilung. Auffällig ist zudem, dass das Politische Archiv nicht zu einer Meinungsäußerung aufgefordert wurde.

Vor diesem Hintergrund müssen die Mitarbeiter der zuständigen Referate geradezu schockiert gewesen sein, als sie Ende September 2003 davon in Kenntnis gesetzt wurden, dass Henselers Intervention mit einiger Verspätung doch Wirkung gezeigt hatte. In einem Runderlass stellte Staatssekretär Klaus Scharioth nämlich in wenigen Worten klar, es gebe bei Gratulationen, Nachrufen und Ehrenbezeugungen für ehemalige Amtsangehörige keinen »Automatismus« mehr. Vielmehr müsse künftig jeder Einzelfall sorgfältig geprüft werden; für frühere Mitglieder der NSDAP oder einer ihrer Unterorganisationen seien grundsätzlich keine Glückwünsche oder Nachrufe vorgesehen.[43] Eine nähere Begründung für diese neue Regelung erhielten die Bediensteten nicht, wohl aber Frau Henseler, die bereits vierzehn Tage vorher Post vom Minister bekommen hatte.

Der Inhalt von Henselers Beschwerde, die Fischer erst wenige Tage zuvor erstmals zu Gesicht bekommen hatte, war ihm offensichtlich nahegegangen. Fischer teilte ihre Haltung, dass historische Schuld und Verantwortung nicht relativiert oder in einer Weise verschleiert werden dürften, die Täter als Opfer erscheinen lasse. Auch stimmte er ihr darin zu, dass eine Versöhnung mit den Nachbarn nur gelingen könne, wenn nationalsozialistisches Unrecht beim Namen genannt werde und Deutschland sich zu seiner Verantwortung bekenne. Fischer kündigte zudem Konsequenzen für die Behörde selbst an. Henselers Intervention habe deutlich gemacht, dass es personelle Kontinuitäten und Verbindungslinien zwischen nationalsozialistischer Verwaltung und den Ministerien und Behörden der jungen Bundesrepublik gebe, denen man sich stellen müsse. Die Aufarbeitung der Vergangenheit sei noch längst nicht abgeschlossen – dies gelte auch für das Auswärtige Amt. Er habe seine Mitarbeiter deshalb angewiesen, die Verantwortung für die Geschichte des Ministeriums »noch wachsamer und sensibler« wahrzunehmen. Die Todesanzeige für Nüßlein missbillige er; sie hätte, so Fischer, in der vorliegenden Form »nicht erscheinen dürfen«.[44]

Danach blieb es ein gutes Jahr lang ruhig, die Nachrufpraxis wurde entsprechend den Auflagen modifiziert, der Erlass selbst und die ihm zugrunde liegende Beschwerde gerieten in der täglichen Betriebsamkeit in Vergessenheit.

Ende 2004 kam unter früheren Diplomaten das Gerücht auf, Fischer habe heimlich die Anweisung erteilt, verstorbene frühere NSDAP-Mitglieder nicht mehr mit einem amtlichen Nachruf zu ehren. Anlass dafür waren zwei Todesfälle: Am 23. Oktober 2004 war der 93-jährige Franz Krapf gestorben, ein ehemaliges NSDAP- und SS-Mitglied, der bis zum Botschafter in Tokio und Leiter der Ständigen Vertretung bei der NATO hatte aufsteigen können. Am 13. November 2004 war Wilhelm Günter von Heyden verschieden; bei dem ehemaligen Generalkonsul von Hongkong und Macau handelte es sich um einen Laufbahnbeamten, der noch vor seinem 1935 erfolgten Eintritt ins AA der NSDAP beigetreten war. Beide Fälle waren somit vergleichsweise unkompliziert: Gemäß der neuen Regelung durften Krapf und Heyden keine Todesanzeige im Amtsblatt erhalten.

Nun nahmen die Dinge ihren Lauf: Nachdem die Personalabteilung auf Nachfrage bestätigt hatte, dass man die Nachrufpraxis aufgrund kritischer Stimmen geändert habe, kam es Anfang 2005 zum Aufstand der Pensionäre gegen den Minister. Als Initiatoren traten vor allem der Ex-Botschafter Heinz Schneppen, ein »Seiteneinsteiger« aus dem Bundespresseamt und promovierter Historiker, und Ernst Friedrich Jung, vormals Botschafter in Budapest, in Erscheinung. In einem Leserbrief an die *FAZ* nannte Schneppen die von Fischer eingeführte Verfahrensweise »unsachlich«, »unanständig« und »unehrlich«, weil das Kriterium der Parteimitgliedschaft zu kurz greife und ein ehrender Nachruf angesichts der erbrachten Leistungen nicht verweigert werden dürfe. Außerdem hielt er Fischer vor, mit zweierlei Maß zu messen: So beanspruche er zwar das »Recht auf politischen Irrtum« für sich und seine Freunde, gestehe dies aber politisch Andersdenkenden nicht zu – in diesem Zusammenhang verwies Schneppen auf den Schlagabtausch zwischen Wickert und Fischer aus dem Jahre 2001.[45]

Jung beklagte ebenfalls in der *FAZ* die Ignoranz des Ministers.[46] Mit seinen eigenwilligen Ansichten zur NS-Vergangenheit hatte er bereits in den achtziger Jahren als noch aktiver Diplomat einiges Aufsehen verursacht. 1984 war in der Fachzeitschrift *Kritische Justiz* ein längerer Aufsatz des Braunschweiger Richters Helmut Kramer erschienen, der sich mit der skandalösen Erledigung eines Strafverfahrens beschäftigte, das der

1968 verstorbene hessische Generalstaatsanwalt Fritz Bauer noch kurz vor seinem Tod in Gang gebracht hatte. Gegenstand des Verfahrens, das im Mai 1970 sang- und klanglos eingestellt worden war, war die Mitverantwortung führender NS-Juristen – darunter Jungs Vater – an der Verschleierung und scheinrechtlichen Legitimierung der NS-»Euthanasie«-Morde gewesen.[47] Anders als dies noch in den fünfziger oder sechziger Jahren der Fall gewesen wäre, stieß Jung mit seinem Versuch, Kramer zu diskreditieren und seinen Vater zu einem Opfer des NS-Regimes zu stilisieren, in der Öffentlichkeit größtenteils auf Unverständnis.[48] Seinem Ansehen im AA tat all dies allerdings keinen Abbruch: Nachdem das Bonner Gericht das Verfahren 1990 nach sechs Jahren wegen Geringfügigkeit eingestellt hatte, wurde Jung von Außenminister Hans-Dietrich Genscher zum Exekutiv-Sekretär des in Berlin tagenden KSZE-Rats bestellt.

Am 9. Februar 2005 erschien in der *FAZ* eine großformatige Todesanzeige für den verstorbenen Krapf, einen Tag später folgte in der *SZ* eine entsprechende Anzeige für Heyden. Unterzeichnet hatten mehr als 130 ehemalige Diplomaten, darunter auch die schon genannten Ex-Botschafter Schneppen, Jung und Wickert. Fischer, wegen der zeitgleich schwelenden Visa-Affäre ohnehin unter enormem politischen Druck, reagierte am 17. März mit einem Rundbrief an »alle Mitarbeiterinnen und Mitarbeiter«. Gegenüber seinen Kritikern stellte er darin klar, dass eine Rückkehr zur ursprünglichen Gedenkpraxis nicht infrage komme. Man habe aber gemeinsam mit dem Personalrat eine Kompromisslösung gefunden: Auf ehrende Nachrufe werde künftig verzichtet – stattdessen solle bei allen Todesfällen nur noch eine kurze Nachricht in der Mitarbeiterzeitschrift erscheinen.[49] Zu einer Beruhigung der Diskussion kam es allerdings auch danach nicht, denn Fischers Kritiker strebten nun verstärkt danach, den Konflikt an die Öffentlichkeit zu tragen. Dabei wurden auch alte Rechnungen beglichen, so etwa, als Genschers ehemaliger Mitarbeiter Frank Elbe, mittlerweile deutscher Botschafter in Bern, dem Minister in einem Privatdienstschreiben ein »miserables« Krisenmanagement vorwarf und gleichzeitig dafür sorgte, dass sein Brief exklusiv in *Bild* erscheinen konnte.[50]

Angesichts der Tatsache, dass um die ausgefallenen Nachrufe für Krapf und Heyden ein gewaltiger Medienrummel entfacht worden war, stellte sich für einen Teil der AA-Bediensteten inzwischen ganz entschieden die Frage nach der Repräsentativität und Legitimität der Kritik: Wer beanspruchte, den Interessen der Diplomaten öffentlich eine Stimme zu verleihen? Wer definierte diese tatsächlichen oder vermeintlichen Interessen in Vertretung für wen? Und vor allem: War es überhaupt zulässig, den noch aktiven und den schon ausgeschiedenen Mitarbeitern, den Lebenden und den Toten, ein gemeinsames Anliegen zu unterstellen, das es rechtfertigte, gegen den professionellen Kodex zu verstoßen, indem man – ein einmaliger Vorgang in der Geschichte der Bundesrepublik – öffentlich gegen den Minister zu Felde zog? Musste dies nicht als Bevormundung, ja sogar als Vereinnahmung empfunden werden – ganz zu schweigen von den Imageschäden, die öffentliche Bekundungen für ehemalige NSDAP- und SS-Mitglieder im In- und Ausland auslösten?

Als es im Frühjahr 2005 zum ersten Mal in der über 50-jährigen Geschichte der Behörde zu einer internen Debatte über die NS-Vergangenheit und deren Nachwirkungen im neuen AA kam, zeigte sich jedenfalls, dass über derartige Fragen keineswegs Einigkeit herrschte. Während ein Teil der noch aktiven Bediensteten »tiefes Unbehagen« über die verweigerten Nachrufe empfand und den zivilisatorischen Wert des Totengedenkens betonte,[51] waren andere Mitarbeiter – nicht zuletzt vor dem Hintergrund der wenige Monate zurückliegenden, verspäteten Ehrung für Fritz Kolbe durch Minister Fischer[52] – der Meinung, bei der früheren amtlichen Gedenkpraxis habe es sich um einen Anachronismus gehandelt, der auf einem überholten, weil personalisierenden Staatsverständnis beruhte; eine Änderung sei demnach mehr als überfällig gewesen. Auch die Skandale der Aufbauphase wurden jetzt erstmals kontrovers diskutiert – und angesichts einer vielfach problematischen Geschichte wurde vor »Trotzreaktionen« gewarnt.[53]

Vor diesem internen Hintergrund, aber auch mit Blick auf die Heftigkeit, mit der das Thema inzwischen öffentlich diskutiert wurde, berief Bundesaußenminister Fischer im Sommer 2005 eine Unabhängige Historikerkommission.

Anhang

Nachwort und Dank

Vier Jahre nach dem Beginn ihrer Arbeit im Herbst 2006 legt die *Unabhängige Historikerkommission zur Erforschung der Geschichte des Auswärtigen Amts in der Zeit des Nationalsozialismus und in der Bundesrepublik* mit diesem Buch ihre Ergebnisse der Öffentlichkeit vor. Damit verbindet sich nicht etwa die Erwartung eines Endes aller Diskussionen über die Vorgeschichte und die Vergangenheit des Auswärtigen Dienstes der Bundesrepublik Deutschland; wohl aber haben wir es als unsere Aufgabe betrachtet, einem hoffentlich breiten Leserkreis eine wissenschaftlich gesicherte Grundlage für die eigene Meinungsbildung an die Hand zu geben.

Blickt man zurück auf die fast sechs Jahrzehnte, die seit der Wiederbegründung des Auswärtigen Amts im Frühjahr 1951 vergangen sind, so erweist sich die Frage nach dem Verhältnis von demokratischem Neubeginn und personeller Kontinuität als von Anfang an umstritten. Einen ersten dramatischen Höhepunkt fand dieser Streit bereits ein halbes Jahr nach Adenauers Amtsantritt als Außenminister, als der Bundestag angesichts einer Serie alarmierter Zeitungsberichte auf Antrag der sozialdemokratischen Opposition den Untersuchungsausschuss Nr. 47 einsetzte. Obgleich es seitdem immer wieder Phasen gab, in denen die nationalsozialistische Vergangenheit scheinbar keine Rolle spielte, blieb das Thema doch über Dekaden hinweg virulent – im Amt wie in der Öffentlichkeit. So gesehen mochte der Konflikt, der sich amtsintern seit 2003 über einer von Joschka Fischer veranlassten Änderung der Nachrufregelung für politisch belastete ehemalige Angehörige des AA entfaltete, zunächst nur als ein weiteres Element in einer seit langem schwelenden Deutungskontroverse erscheinen.

Anfang 2005 jedoch erreichte die Kritik schließlich auch die Öffentlichkeit. Für den Außenminister der rot-grünen Bundesregierung war dies Anlass, am 11. Juli 2005 eine Unabhängige Historikerkommission einzusetzen. Er ging damit einen Weg, den noch jeder seiner Vorgänger gemieden hatte. Denn entgegen mancherlei Ankündigungen, sich der Vergangenheit des Hauses stellen und insbesondere ihre problematischen Seiten untersuchen lassen zu wollen – so etwa eine Absichtserklärung von Walter Scheel im Jahr 1971 –, hatte sich das Amt jahrzehntelang nicht nur faktisch bedeckt gehalten, sondern durch eine ausgesprochen restriktive Archivpolitik unabhängige Bemühungen um eine kritische Erforschung seiner Geschichte immer wieder konterkariert.

Am 9. September 2005 trat die Historikerkommission – bestehend aus den Professoren Eckart Conze (Marburg), Norbert Frei (Jena), Klaus Hildebrand (Bonn), Henry Ashby Turner (New Haven) und Moshe Zimmermann (Jerusalem) – erstmals im AA zusammen. Anlass war ein von der Amtsspitze einberufenes internationales Expertenkolloquium, das der Bestandsaufnahme offener Forschungsfragen und heranzuziehender Archivquellen dienen sollte; gerne nutzt die Kommission die Gelegenheit, den seinerzeit versammelten Kolleginnen und Kollegen sowie den anwesenden Vertretern des Bundesarchivs noch einmal für zahlreiche Hinweise und Anregungen zu danken.

Bedingt durch die vorgezogene Bundestagswahl am 18. September 2005 und den sich daraus ergebenden Wechsel in der Leitung des Ministeriums verzögerte sich die notwendige Ausformulierung eines Vertrags zwischen Kommission und AA um etliche Monate. Das Ziel, über eine Laufzeit von drei Jahren die notwendigen Mittel für die wissenschaftliche Arbeit der Kommission bereitzustellen und zugleich deren völlige inhaltliche Unabhängigkeit zu gewährleisten, wurde jedoch erreicht. In diesem Zusammenhang gilt unser aufrichtiger Dank zunächst Botschafter Dr. Klaus Scharioth, der als Staatssekretär des AA die Einsetzung der Kommission seit Frühjahr 2005 entschlossen vorangetrieben hatte und die weiteren Schritte noch über den Ministerwechsel hinaus begleitete. Ebenso wie Bundesaußenminister a. D. Joschka Fischer danken wir seinem Nachfolger Dr. Frank-Walter Steinmeier, der die diesbezüglichen Entscheidungen seines Vorgängers alsbald nach seinem Amtsantritt bestätigte und unsere Arbeit später persönlich unterstützte, indem er in einer schwierigen Situation dafür Sorge trug, dass Irritationen bezüglich der Akteneinsicht im Politischen Archiv des Auswärtigen Amts ausgeräumt werden konnten.

Noch vor Unterzeichnung des Kommissionsvertrags am 11. August 2006, die namens des Auswärtigen Amts durch Staatssekretär Georg Boomgaarden erfolgte, sah sich Professor Turner aus gesundheitlichen Gründen zum Rücktritt gezwungen. An seiner Stelle wurde sein vormaliger Schüler Professor Peter Hayes (Evanston) berufen. Professor Turner ist am 17. Dezember 2008 verstorben; wir denken voller Dankbarkeit an ihn zurück.

Die wichtigsten Aufgaben in den ersten Monaten der Kommissionsarbeit waren zum einen der konzeptionelle Zuschnitt des Untersuchungsvorhabens und zum anderen die Sondierung der dafür infrage kommenden Quellenbestände; dass die Unterlagen im Politischen Archiv des Auswärtigen Amts eine zentrale Rolle spielen würden, war von Anfang an ebenso klar wie die Notwendigkeit, die Recherche auf eine Vielzahl weiterer Archive und Bibliotheken im In- und Ausland auszudehnen. Zur systematischen Erfassung und Auswertung dieser Informationen begründete die Kommission am Sitz ihrer Koordinationsstelle an der Philipps-Universität Marburg eine eigene Datenbank und verschaffte sich mit Unterstützung einer Reihe wissenschaftlicher Rechercheure einen ersten Überblick über die Quellenlage. Für ihre Mitarbeit an den verschiedenen, im Anhang detailliert verzeichneten Orten bedanken wir uns bei Enrico Böhm M.A., Dr. Wolfgang Fischer, Dr. Kordula Kühlem, Dr. Jens Kuhlemann, Jan Lambertz M.A., Dr. Ariane Leendertz, Richard Lutjens M.A., Dr. Claudia Moisel, Prof. Dr. Ulrich Pfeil, Dr. Markus Roth, Dr. Jörg Rudolph, Dr. Sonja Schwaneberg, Dr. Gerald Steinacher, Dr. Daniel Uziel.

Die Entscheidung, als Ergebnis der Kommissionsarbeit nicht etwa (wie in der Presse anfangs zum Teil gemutmaßt) einen bloßen »Bericht« oder gar nur ein »Gutachten« vorzulegen, es aber auch nicht mit einer Serie mehr oder weniger aufeinander bezogener Einzelstudien bewenden zu lassen, wurde schon zu einem frühen Zeitpunkt einmütig getroffen. Damit verbunden war die Entwicklung von fünf großen Themenfeldern; für jeweils eines davon übernahm – ungeachtet der Gesamtverantwortung der Kommission – ein Mitglied die besondere Zuständigkeit. Konkret handelte es sich um die folgenden Bereiche: Die Zeit des Nationalsozialismus bis 1939 (Hildebrand), Zweiter Weltkrieg und Holocaust (Zimmermann), Ende und Beginn 1945/51 (Hayes), Das Auswärtige Amt und die Vergangenheit (Frei), Das Auswärtige Amt der Bundesrepublik

(Conze). Aufgrund einer plötzlichen schweren Erkrankung konnte Professor Hildebrand die Forschungsarbeit in dem von ihm übernommenen Teilgebiet jedoch nur noch im Anfangsstadium begleiten, und schließlich mussten wir zur Kenntnis nehmen, dass unserem geschätzten Kollegen die lange erhoffte Rückkehr in die Kommission versagt blieb. Wir verbinden unseren Dank für die geleistete konzeptionelle Arbeit mit dem Ausdruck unserer Betroffenheit und unseren besten Wünschen für Klaus Hildebrand.

Neben die – wiederum vielfach arbeitsteilig organisierten – Detailrecherchen in den Archiven traten im weiteren Verlauf des Forschungsprozesses Interviews mit einer Reihe von Zeitzeugen, die seitens der Kommission vor allem ihr Sprecher Eckart Conze zusammen mit den wissenschaftlichen Mitarbeiterinnen Dr. Annette Weinke und Andrea Wiegeshoff M.A. führte; an einzelnen der Gespräche, die im Anhang nachgewiesen sind, nahm auch Norbert Frei teil. Die Kommission weiß sich allen ehemaligen Angehörigen des Auswärtigen Dienstes, die ihre Erinnerungen und Erfahrungen mündlich und zum Teil auch schriftlich zur Verfügung stellten, zu Dank verpflichtet; Gleiches gilt für Professor Dr. Joachim Scholtysek, der in Bonn, und für Professor Dr. Dominik Geppert, der in Berlin eine der Gesprächsrunden leitete. Die Kommission dankt außerdem Corinna Felsch M.A. für die Organisation und technische Abwicklung der Zeitzeugengespräche. Ein besonderer Dank gebührt Professor Dr. Hans-Jürgen Döscher, der uns wiederholt sachdienliche Auskünfte gab und Unterlagen überließ, die nicht zuletzt seinen jahrzehntelangen zähen Kampf gegen eine alles andere als forschungsfreundliche Archivpolitik des Politischen Archivs des Auswärtigen Amts (PAAA) dokumentieren.

An dieser Stelle ist ein Wort hinsichtlich der Bedingungen geboten, unter denen die Kommission ihre Arbeit im PAAA zu organisieren hatte: Ungeachtet des guten Willens vieler Beteiligter und der seitens der Führung des AA vertraglich zugesicherten »Erleichterungen« bei der Einsichtnahme in alle »relevanten Unterlagen« – namentlich auch der Personalakten, die sich entgegen der Vorhersagen der Archivleitung vielfach als ausgesprochen ergiebig erwiesen – gestaltete sich die Benutzung mancher Archivbestände in der Praxis als schwierig. Neben evidenten individuellen Vorbehalten einzelner Mitarbeiter gegen den an die Kommission ergangenen Auftrag dürften die Gründe dafür vor allem in den eingeschliffenen strukturellen Sonderbedingungen zu suchen sein, unter denen das PAAA seit Langem operiert und die einem demokratisch transparenten Archivzugang, wie ihn das Bundesarchiv auf der Grundlage des Bundesarchivgesetzes erfolgreich praktiziert, zuwiderlaufen. Hinzu kommen Defizite in der Erschließung der Bestände, die zum Teil jedoch im Laufe der Kommissionsarbeit behoben werden konnten, und eine wenig zeitgemäße Organisation des Archivs. All dies hat zur Konsequenz, dass die Kommission trotz wiederholter Bemühungen um Abhilfe, an denen aufseiten des AA zunächst Ministerialdirigent Rolf-Dieter Schnelle und seit Mai 2008 als persönlicher Beauftragter des Ministers der stellvertretende Leiter des Planungsstabs Ralph Tarraf beteiligt waren, letztlich nicht sicher sein kann, wirklich alle für ihre Arbeit wesentlichen Unterlagen zu Gesicht bekommen zu haben; dies gilt insbesondere für die erst zu einem sehr späten Zeitpunkt zugänglich gewordenen und noch nicht deklassifizierten VS-Sachen.

Freilich musste die Kommission trotz eines vergleichsweise großen Mitarbeiterstabes auch vor dem Hintergrund ihres zeitlich bemessenen Auftrags Prioritäten setzen. Nicht alle denkbaren Wege der Spurensuche konnten verfolgt, nicht alle potenziellen Recherchefelder abgeschritten werden; manches ließ sich schon aus Umfanggründen nur exemplarisch behandeln – so zum Beispiel die Frage nach den Fort- und Folgewirkungen vergangenheitspolitischer Belastungen an den Einsatzorten deutscher Diplomaten in den ersten Jahrzehnten der Bundesrepublik. Auch konnten die Aufgaben und die Tätigkeit des Auswärtigen Amts nicht hinsichtlich aller Aspekte der Politik des Dritten Reiches im Detail beschrieben werden. So musste insbesondere hinsichtlich der Mitwirkung des AA an der »Endlösung« einerseits ein möglichst umfassendes Bild gezeichnet werden; andererseits aber galt es, Redundanzen zu vermeiden, ohne Gefahr zu laufen, das monströse Geschehen (etwa im Vergleich zur Mitwirkung des AA an der Ausplünderung der besetzten Gebiete) zu relativieren. Wenn wir dennoch glauben, mit diesem Band eine in vieler Hinsicht neue und aussagekräftige Darstellung zu liefern, so auch und vor allem aufgrund einer zu jedem Zeitpunkt konstruktiven Zusammenarbeit zwischen den Mitgliedern der Kommission und ihren Mitarbeiterinnen und Mitarbeitern.

Die auf Seite 4 genannten Mitautoren des vorliegenden Gemeinschaftswerkes, für dessen ebenso energische wie meisterhafte Redaktion wir Thomas Karlauf (Berlin) zu größtem Dank verpflichtet sind, haben wie folgt beigetragen: Dr. Jochen Böhler S. 167–171, 200–220, 221–286; Dr. Irith Dublon-Knebel S. 167–199, 227–294, 309–316; Prof. Dr. Astrid Eckert S. 375–401, 558–569, 615–620; Prof. Dr. Norman Goda S. 363–374; Prof. Dr. William Gray S. 435–439, 441–448; Lars Lüdicke M. A. S. 25–142, 171–185; Prof. Dr. Thomas Maulucci S. 342–362; Prof. Dr. Katrin Paehler S. 321–342; Dr. Jan-Erik Schulte S. 142–166, 295–316; Daniel Stahl M.A. S. 595–600; Dr. Annette Weinke S. 309–316, 401–435, 448–488, 533–558, 570–595, 600–614, 652–687, 694–711; Andrea Wiegeshoff M.A. S. 489–532, 621–633, 639–650. Dr. Annette Weinke hat überdies zahlreiche Übersetzungen aus dem Englischen angefertigt. Auch dafür gilt ihr unser Dank.

Am Ende gebührt ein Wort des Dankes den Mitarbeiterinnen und Mitarbeitern in den Archiven und Bibliotheken fast rund um den Globus, auf deren Unterstützung wir rechnen durften; es sind zu viele, um sie namentlich zu nennen. Explizit genannt und ebenfalls bedankt werden sollen aber die studentischen und wissenschaftlichen Mitarbeiter in der von Andrea Wiegeshoff geleiteten Marburger Koordinationsstelle der Kommission, die vor allem bei den Abschlussarbeiten am Gesamtmanuskript in den letzten Wochen vor der Drucklegung Unglaubliches geleistet haben: Enrico Böhm M.A., Steffen Henne und Jan Ole Wiechmann, sowie daneben Eneia Dragomir, Sebastian Haus, Daniel Monninger und Tilman-Ulrich Pietz M.A.

Marburg, Jena, Evanston und Jerusalem im Sommer 2010

Eckart Conze
Norbert Frei
Peter Hayes
Moshe Zimmermann

Anmerkungen

Erster Teil Die Vergangenheit des Amts

Das Auswärtige Amt und die Errichtung der Diktatur

1   PAAA, Washington, Bd. 1126: Telegramm Bülow, 21.3.1933.

2   Ebd.: Simon an Botschaft Washington, 13.3.1933; Telegramm Kiep an Botschaft Washington, 17.3.1933; PAAA, R 98468: Telegramm Kiep an AA, 21.3.1933.

3   PAAA, R 121208: Aufzeichnung Aschmann, 23.3.1933.

4   PAAA, Paris, Bd. 506b; PAAA, R 28258: Aufzeichnung, Zur augenblicklichen Stimmung in Frankreich, 15.3.1933.

5   Der Abwehrkampf gegen die Verleumdung Deutschlands. Der Reichsaußenminister an den amerikanischen Klerus, *Deutsche Allgemeine Zeitung*, 28.3.1933.

6   Interview Neurath, Der Kampf gegen die Greuelpropaganda, gegen Unwahrheiten und Tendenzlügen, *Der Angriff*, 27.3.1933.

7   Verband Nationaldeutscher Juden gegen die Auslandshetze, *Berliner Börsen Zeitung*, 25.3.1933.

8   PAAA, Washington, Bd. 1126: Prittwitz und Gaffron an Neurath, 29.3.1933.

9   Ebd.: Telegramm Leitner an Konsulat Cleveland, 18.3.1933; Telegramm Friebel an AA, 23.3.1933; PAAA, R 121208: DB Prittwitz an AA, 26.3.1933.

10 PAAA, Washington, Bd. 1126: Prittwitz an AA, Stimmungsbericht, 21.3.1933; Prittwitz an AA, Medienbericht, 21.3.1933.

11 Ebd.: Anlage zum Schreiben Prittwitz an AA, 29.3.1933.

12 Ebd.: Prittwitz an AA, 6.4.1933.

13 ADAP, C I, Nr. 139: Drahtbericht Köster an Bülow, 5.4.1933; PAAA, Paris, Bd. 506b: Telegramm Hoesch an AA, 12.4.1933.

14 Goebbels (1987), Eintrag vom 1.4.1933, S. 400 f., hier S. 401.

15 Weizsäcker (1974), Privatschreiben Weizsäcker 23.3.1933 und 22.4.1933, S. 70 f.

16 BA, NL Ernst von Weizsäcker, N 1273, Bd. 82: handschriftliche Aufzeichnung, [o. D., 1950].

17 Adel und Außendienst, *Berliner Volkszeitung*, 17.11.1921.

18 BA, NL Neurath, Bd. 177, Notizen.

19 IMT, Bd. 16, Aufzeichnung, 22.6.1946, S. 652.

20 HSTAS, Q 3/11, Bü 385: Neurath an Mathilde von Neurath, 25.11.1923.

21 ADAP, C I, Nr. 64: Hassell an Neurath, 8.3.1933; Schlie (2004), S. 31, Hassell an Ilse von Hassell, 16.6.1933; ADAP, E VIII, Nr. 228: Aufzeichnung Sonnenhol, Verhandlungen vor dem Volksgerichtshof am 7.9.1944 Fall Hassell, 7.9.1944.

22 PAAA, R 28268: Prittwitz an AA, 20.10.1926.

23 ADAP, C I, Nr. 75: Prittwitz an Neurath, 11.3.1933; PAAA, R 28498, Prittwitz an Neurath, 16.3.1933.

24 PAAA, R 29517: Bülow an Prittwitz, 25.1.1932.

25 Ebd.: Prittwitz an Bülow, 12.2.1932.

26 Zit. nach: Krüger/Hahn (1972), S. 410.

27 François-Poncet (1962), S. 276.

28 Vgl. Krüger/Hahn (1972), S. 398.

29 IMT, Bd. 16: Aufzeichnung, 22.6.1946, S. 657.

30 Krüger/Hahn (1972), S. 397.

31 ADAP, C I, Nr. 70: Köster an Bülow, 11.3.1933.

32 PAAA, R 29518: Dirksen an Bülow, 14.3.1933.

33 ADAP, C I, Nr. 22: Aufzeichnung Meyer, 17.2.1933; vgl. Wollstein (1973), S. 100–146; Mühle (1995), S. 41–59.

34 ADAP, C I, Nr. 33: Neurath an die Deutsche Botschaft Moskau (geheim), 22.2.1933.

35 Wollstein (1973), S. 82–94, hier S. 86.

36 BA Koblenz, NL Weizsäcker, N 1273, Bd. 50: Lebenserinnerungen, Vatikan, September 1945.

37 ADAP, C I, Nr. 79: Aufzeichnung Bülow für Bülow-Schwante, 13.3.1933.

38 AdR, Kabinett Schleicher, Bd. 1, Nr. 79: Tagebuchaufzeichnung Lutz Graf Schwerin von Krosigk, 5.2.1933; IfZ, ZS 1021: Aufzeichnung Jacobsen über Gespräch mit Bülow-Schwante am 9.11.1965, 10.11.1965; vgl. Graml (2001), S. 113–169.

39 PAAA, R 2158: Aufzeichnung Bülow-Schwante, 11.5.1933.

40 PAAA, Personalakte Bernhard Wilhelm von Bülow, Bd. 2113: Aufzeichnung Bülow für Neurath, 10.2.1933.

41 PAAA, R 98651: Hauszirkular Bülows, 20.3.1933.

42 ADAP, C III, Anhang II: Geschäftsverteilungsplan, Juni 1934 – März 1935.

43 Ebd.

44 PAAA, Personalakte Emil Schumburg, Bd. 14090.

45 PAAA, Personalakte Franz Rademacher, Bd. 11619.

46 PAAA, R 98468: Aufzeichnung Bülow-Schwante, 20.4.1933.

47 Ebd.: Runderlass Bülow-Schwante an alle Missionen, 30.4.1933.

48 PAAA, R 99292: Runderlass Bülow-Schwante an alle Missionen, 28.2.1934.

49 PAAA, R 984980: Runderlass Bülow-Schwante an alle Missionen, 6.6.1933.

50 PAAA, R 99530: Bülow-Schwante an Propagandaministerium, 31.1.1934.

51 PAAA, R 99574: Bismarck an AA, 27.9.1934.

52 PAAA, R 99531: Neurath an alle Missionen sowie an Rudolf Heß, das Reichsinnenministerium und das Propagandaministerium, 30.10.1934; Aufzeichnung Bülow-Schwante, 16.10.1934.

53 PAAA, R 99346: Aufzeichnung Schumburg, 24.10.1934.

54 Zum Folgenden vor allem Graf (2008), S. 9–14, 194–237, 244–251, 268–273.

55 Zit. nach: ebd., S. 13.

56 Zit. nach: ebd., S. 233.

57 Zit. nach: ebd., S. 197.

58 Ebd.: Pfundtner an das Reichsministerium für Ernährung und Landwirtschaft, 13.6.1934; Backe an das Geheime Staatspolizeiamt, 27.2.1934.

59 PAAA, R 984980: Runderlass Bülow-Schwante an alle Missionen, 6.6.1933.

60 RGBl. I (1933), S. 175ff. (Gesetz zur Wiederherstellung des Berufsbeamtentums, 7.4.1933).

61 ADAP, B XVI, Nr. 47: Hoesch an AA, 10.11.1930; ebenso in: PAAA, Personalakten Hans Riesser, Bd. 12350: Hoesch an Köster bzw. an Grünau, 28.2.1931 bzw. 10.11.1930.

62 PAAA, Personalakte Hans Riesser, Bd. 12350: Poensgen an Riesser, 25.7.1933; Poensgen an Riesser (Entwurf), 25.7.1933; Hoesch an Bülow, 4.9.1933.

63 Ebd., Bd. 12351: Riesser an Völckers mit Marginalie Neurath, 29.8.1933; Völckers an Riesser, 14.9.1933 (Hervorhebung im Original); vgl. Riesser (1959), S. 32–34.

64 PAAA, Personalakte Hans Riesser, Bd. 12351: Bülow an Riesser, 15.3.1934.

65 PAAA, Personalakte Georg von Broich-Oppert, Bd. 01861: Beschluss Neurath, 18.3.1935.

66 Ebd.: Dienstliche Erklärung Broich-Opperts, 1.8.1934; Schroetter an Broich-Oppert, 17.8.1934.

67 Ebd.: Grünau an Gercke, 28.9.1934; Gercke an AA, 12.10.1934.

68 Ebd.: Verfügung Neurath, 26.10.1934; Beschluss Neurath, 18.3.1935; Barandon an Pappenheim, 30.11.1934; Bd. 01860: AA an Präsidialkanzlei, 11.4.1935.

69 PAAA, Personalakte Georg von Broich-Oppert, Bd. 01861: Aufzeichnung über die Vernehmung Rieths, 5.12.1934; Rudolf May, Eidesstattige Erklärung, 5.12.1934; Josef Meissner, Eidesstattige Erklärung, 5.12.1934; Bd. 01860: Erbprinz zu Waldeck und Pyrmont an Wühlisch, 25.4.1934.

70 Krüger/Hahn (1972), S. 398.

71 BA, NL Neurath, Bd. 20: Bülow an Neurath, 5.7.1933.

72 PAAA, R 984980: Runderlass Bülow-Schwante, 11.7.1933.

73 PAAA, Personalakte Josias Prinz zu Waldeck und Pyrmont, Bd. 16033: Personalbogen, 20.4.1933; Auswärtiges Amt an Reichsfinanzministerium, 2.5.1933; IfZ, ZS 1021: Aufzeichnung Jacobsen zu einem Gespräch mit Bülow-Schwante am 9.11.1965, 10.11.1965.

74 PAAA, Personalakte Erich Michelsen, Bd. 09996: Personalveränderungslisten, 13.7.1933 bzw. 16.7.1933.

75 PAAA, Personalakte Walter Zechlin, Bd. 017102: Planck an Köster, 4.6.1932.

76 PAAA, Personalakte Erich Michelsen, Bd. 09996: Keppler an Waldeck und Pyrmont, 2.10.1933.

77 PAAA, R 27242: Bohles an Heß, 20.1.1934.

78 PAAA, R 27242: Keppler an Neurath, 28.10.1933.

79 PAAA, Personalakte Erich Michelsen, Bd. 09996: Aufzeichnung der Personalabteilung, 25.10.1933.

80 Ebd.: Michelsens an Grünau, 4.11.1933; siehe auch: Michelsen an Neurath, 2.11.1933.

81 Ebd.: Aufzeichnung der Personalabteilung, 25.10.1933; Michelsen an Grünau, 4.11.1933; siehe auch: Michelsen an Neurath, 2.11.1933; Grünau an GK Shanghai, 7.11.1933; Trautmann an AA, 9.11.1933; Grünau an Trautmann, 9.11.1933; Neurath an Michelsen, 6.3.1934.

82 PAAA, R 28045: Waldeck und Pyrmont an Völckers, 16.6.1933.

83 PAAA, Personalakte Erich Michelsen, Bd. 09996: Aufzeichnung Waldeck und Pyrmont, 3.11.1933.

84 Ebd.: Aufzeichnung Neurath, 4.11.1933.

85 Ebd.: Aufzeichnung Nöldeke, 9.1.1934 und 28.12.1933; Bd. 09998: Aufzeichnung Nöldeke, 8.3.1934.

86 PAAA, R 27242: Bohle an Heß, 21.2.1934.

87   PAAA, R 60975: Neurath an Köster, 5.2.1934.

88   PAAA, R 29462: Aufzeichnung Bülow, 10.3.1934; Meissner an Neurath, 14.3.1934; vgl. Neurath an Meissner, 13.3.1934.

89   ADAP, C II, Nr. 405: Neurath an die Botschaften London und Paris, 18.4.1934; vgl. PAAA, R 60978: Ribbentrop an Neurath, 12.4.1934.

90   PAAA, Etatakten R 143339 und R 143340.

91   PAAA, R 60952: Hassell an Neurath, 4.10.1933.

92   Weizsäcker (1950), S. 144.

93   BA, NL Neurath, Bd. 177: Notizen aus dem Leben des Reichsprotektors Constantin Hermann Freiherr von Neurath; HstA Stuttgart, Q 3/11, Bü. 459: Gedenkblätter aus unserem Leben 1923–1933.

94   IfZ, ZS 1021: Aufzeichnung Jacobsen über ein Gespräch mit Bülow-Schwante am 9.11.1965, 10.11.1965.

95   PAAA, R 27246: Aufzeichnung Bohle für Heß, 15.11.1933.

96   BA Berlin, BDC, SS-Personalakte Edmund Freiherr von Thermann, SS A 11.

97   PAAA, R 27246: Bohle an Heß, 27.11.1933; vgl. Döscher (1991), S. 110–114.

98   PAAA, R 27246: Bohle an Heß, 27.11.1933.

99   Ebd.: Bohle an Heß, 15.11.1933.

100   Zeitzeugengespräch in Berlin am 26.3.2009.

101   PAAA, R 143440: Pers M Eintrittsjahre 1929–38.

102   Weizsäcker (1974), Schreiben, 22.2.1933, S. 60.

103   Ebd., Schreiben, 23.3.1933, S. 70.

104   Ebd., Schreiben, 30.3.1933, S. 70.

105   Ebd., Schreiben, 11.3.1933, S. 61.

106   Pyta (2007), S. 598.

107   Weizsäcker (1974), Schreiben, 14.7.1933, S. 74.

108   Ebd., Tagebuchaufzeichnung 6.8.1933 sowie August 1933 [o. D.].

109   PAAA, R 139500: Aufzeichnung Thomas, 1.2.1933.

110   PAAA, R 139499: Aufzeichnung o.U. mit Druckblatt als Anlage, 18.6.1932.

111   PAAA, R 28569: Erlass Neurath, 18.7.1932.

112   PAAA, R 139500: Aufzeichnung Grünau, 1.2.1933.

113   PAAA, Personalakte Leopold Thomas, Bd. 015408: Thomas an Neurath, 5.11.1937.

114   PAAA, R 139499: Erlass Neurath an die Leiter der Auslandsvertretungen, 17.12.1932.

115   PAAA, R 28045: Erlass Neurath zum Eintritt von Beamten in die NSDAP, 28.6.1933.

116   PAAA, R 98429: Erlass Neurath, 9.12.1933; vgl. PAAA, 98651: Hauszirkular Bülow, 27.7.1933; R 99103: Frick an alle Reichsminister, 27.11.1933.

117   Die Arbeit des Auswärtigen Amts im ersten Jahre der nationalen Regierung, *Berliner Börsen-Zeitung*, 14.2.1934.

Die Jahre bis zum Krieg

1   PAAA, R 984980: Runderlass Bülow-Schwante an alle Missionen, 6.6.1933.

2   PAAA, R 29507: Runderlass Neurath an alle deutschen Auslandsmissionen (außer Moskau), 28.2.1933.

3   PAAA, R 984980: Runderlass Bülow-Schwante an alle Missionen, 22.7.1933.

4   PAAA, R 98460: Neurath an Frick, 8.9.1933; Aufzeichnung Kotze für Schumburg,

22.9.1933; Winterfeldt-Menkin an Prinz Carl von Schweden, 5.10.1933, zit. nach: Favez (1989), S. 73. Vgl. auch Wicke (2002), S. 107.

5   PAAA, R 28653: Bülow an Neurath, 9.8.1933.

6   PAAA, R 28486: Neurath an Bülow, 14.8.1933.

7   PAAA, R 98457: Hoesch an Neurath, 17.3.1933.

8   Ebd.: Neurath an Frick, 16.3.1933; vgl. Aufzeichnung Siegfried für Bülow-Schwante, 16.3.1933; Aufzeichnung Bülow-Schwante, 17.3.1933.

9   Ebd.: Aufzeichnung Neurath, 20.3.1933; Friese (2000), S. 109–130.

10 PAAA, R 99641: Aufzeichnung Referat Deutschland, [o. D.]; vgl. Drobisch/Wieland (1993), S. 171.

11 PAAA, R 99478: Frick an das Anhaltinische Staatsministerium Dessau, 18.5.1934.

12 PAAA, R 99576: Drahtbericht Röhrecke an die Botschaft London und die Gesandtschaft Oslo, 22.5.1934.

13 PAAA, R 99469: Bülow-Schwante an Franz Gürtner, 27.10.1934.

14 PAAA, R 99292: Runderlass Bülow-Schwante an alle Missionen, 30.6.1934.

15 PAAA, R 99574: Himmler an das AA, 12.3.1935.

16 Ebd.: Bülow-Schwante an Himmler, 31.3.1935.

17 PAAA, R 99565: Röhrecke an das Reichs- und Preußische Ministerium des Innern, Geheimes Staatspolizeiamt, 25.12.1934.

18 Ebd.: Runderlass Bülow-Schwante an alle Missionen, 21.1.1935 bzw. 12.4.1935.

19 PAAA, R 98450: Bülow-Schwante an Diels, 20.7.1933.

20 PAAA, R 98455, Runderlass Bülow-Schwante an alle europäischen Missionen, 18.11.1933.

21 PAAA, R 98450: Diels an AA, 4.5.1933; vgl. Runderlass Bülow-Schwante an alle Missionen, 22.5.1933.

22 PAAA, R 99578: Bismarck an AA, 3.5.1934.

23 Ebd.: Bülow-Schwante an Geheimes Staatspolizeiamt, 8.5.1934.

24 PAAA, R 42543: Runderlass Bülow-Schwante an alle Missionen, 26.4.1937; Wörtliche Wiedergabe des Schreibens von Heydrich, 30.3.1937.

25 PAAA, R 98422: Alfred Kerr an Neurath, 10.4.1933.

26 WTB-Meldung, 25.8.1933.

27 Stoermer (2005), S. 81.

28 PAAA, R 28653: Bülow an Neurath, 16.8.1933.

29 Ebd.: Neurath an Bülow, 18.8.1933.

30 Psychopath Einstein. Der Jude will einen neuen Weltkrieg gegen Deutschland, *Völkischer Beobachter*, 13.9.1933.

31 PAAA, R 29461: Aufzeichnung Bülow, 20.9.1933.

32 Frick an Neurath, 7.12.1933, zit. nach: Grundmann (2004), S. 456 f.

33 PAAA, R 100101: Pfundtner an AA, 18.1.1934.

34 Ebd.: Röhrecke an Reichsinnenministerium, 4.10.1934. Vgl. RGBl. I (1933), S. 480 (Gesetz über den Widerruf von Einbürgerungen und die Aberkennung der deutschen Staatsangehörigkeit vom 14. Juli 1933).

35 PAAA, R 100102: Welczeck an AA, 1.5.1936.

36 Ebd.: Weizsäcker an AA, 6.5.1936.

37 Ein Brief von Thomas Mann, *Neue Zürcher Zeitung*, 3.2.1936.

38 PAAA, R 100102: Aufzeichnung [o.Verf.], 9.7.1936.

39 Ebd.: Hering an AA, 8.9.1936.

40   Ebd.: Erlass Bülow-Schwante an alle Missionen, 10.12.1936.

41   Ebd.: Pfundtner an AA, 27.5.1936.

42   Ebd.: Hinrich an Reichsinnenministerium, 16.7.1937; vgl. auch Pfundtner an AA, 4.8.1937; Schumburg an Reichsinnenministerium, 16.10.1937.

43   Ebd.: Heydrich an Bayerische Staatskanzlei, 29.12.1937; Pfundtner an AA, 4.11.1937; Entscheidung des Reichsinnenministeriums, 15.9.1936; RGBl. I (1933), S. 293 (Gesetz über die Einziehung volks- und staatsfeindlichen Vermögens vom 14.7.1933).

44   PAAA, R 28045: Aufzeichnung Bülow-Schwante, 2.7.1934; vgl. Longerich (1989a), S. 165–219; Frei (2002), S. 9–41.

45   PAAA, Rom-Quirinal: 666b, 30.6.1934.

46   PAAA, R 99292: Runderlass Neurath an alle Missionen, 2.7.1934.

47   PAAA, R 27999: Rundfunkansprache Neuraths, 11.8.1934.

48   Frieden, Ehre, Freiheit. Neurath über die außenpolitische Bedeutung des 19. August, *Berliner Tageblatt*, 15.8.1934.

49   PAAA, R 28768: Frick an die Reichsministerien, 19.8.1934.

50   PAAA, R 99292: Runderlass Bülow-Schwante an alle Missionen, 19.9.1934.

51   Zit. nach: Vogelsang (1954), S. 435.

52   Ribbentrop (1953), S. 63 f.

53   Ingrim (1962), S. 151.

54   IfZ, ZS 1021: Aufzeichnung Jacobsen zum Gespräch mit Bülow-Schwante, 10.11.1965.

55   BA Berlin, BDC, NS-Hängeordner, Bd. 946: Bekanntmachung Hitler 98736, 6.8.1936.

56   PAAA, R 60975: Ribbentrop an Neurath, 27.5.1935.

57   Ebd.: Neurath an Ribbentrop, 29.5.1935.

58   Schmidt (1950), S. 312; Wiedemann (1964), S. 145.

59   François-Poncet (1962), S. 335.

60   PAAA, Rom-Quirinal Geheim, Bd. 44: Aufzeichnung Hassell, Berliner Unterredung am 19. Februar 1936, 21.2.1936.

61   Robertson (1962), S. 204; vgl. Hildebrand (1999), S. 701–710; Schmidt (2002), S. 192–204.

62   Goebbels (1987), S. 579, Eintrag vom 6.3.1936.

63   Domarus (1973), S. 606.

64   Herr von Hoesch. German Ambassador in London, *The Times*, 11.4.1936.

65   Kordt (1950), S. 146.

66   Jacobsen (1968), S. 282.

67   Hassel (2004), S. 36, 56; Ders. an Ilse von Hassell, 4.10.1934 bzw. 23.6.1933.

68   PAAA, Personalakte Eberhard von Thadden, Bd. 15292a: Haushofer an Dienststelle 4.5.1940.

69   Ebd.: Zeugnis Dienststelle, 31.10.1937.

70   PAAA, R 27157: Aufzeichnung für Ribbentrop [o.Verf., Likus], Oktober 1936.

71   PAAA, Personalakte Constantin von Neurath, Bd. 10615: Neurath an Hitler, 27.7.1936.

72   Kordt (1950), S. 145, 162. Zum Itinerar vgl. PAAA, R 27157: Aufzeichnung, 30.10.1937.

73   Spitzy (1986), S. 183.

74   Zit. nach: PAAA, R 27242: Bohle an Heß, 26.2.1934.

75   PAAA, Personalakte Werner Freiherr von Grünau, Bd. 4934: Grünau an Neurath, 21.4.1936; PAAA, Personalakte Curt Prüfer, Bd. 11523: Bormann an AA, 2.5.1936.

76   PAAA, Personalakte Walter Poensgen, Bd. 11358: Poensgen an Reiswitz und Kaderzin, 10.2.1933; Rüdiger an Lammers, 10.10.1934; Lammers an Neurath, 12.10.1933.

77 PAAA, Personalakte Hans Schroeder, R 13866: Aufzeichnung Bode, 14.8.1933; Schroeder an AA, 5.8.1933; Aufzeichnung Grünau, 7.3.1935; Bohle an AA, 15.5.1935.

78 PAAA, R 143405.

79 PAAA, R 27234: Aufzeichnung Bewerber für Attachéstellen im A.A., Frühjahr 1937.

80 Braun (2008), S. 79; vgl. Ley/Schoeps (1997).

81 PAAA, R 100683: Aufzeichnung Frick, 18.4.1935.

82 Zit. nach: Schacht (1935); vgl. Kieffer (2002), S. 139–142; Kopper (2006), S. 279–282.

83 PAAA, R 99348: Aufzeichnung Röhrecke für Bülow, 19.8.1935.

84 ADAP, C IV, Nr. 168: Aufzeichnung Röhrecke über die Chefbesprechung im Reichswirtschaftsministerium am 20.8.1935, 21.8.1935.

85 Friedländer (2000), S. 164.

86 RGBl. I (1935), S. 1146 f. (Gesetz zum Schutze des deutschen Blutes und der deutschen Ehre vom 15.9.1935, Reichsbürgergesetz vom 15.9.1935).

87 PAAA, R 99347: Hans Pfundtner an alle Reichsminister, 3.4.1935.

88 Briefkasten, *Der Stürmer* 36, 1935; vgl. Der Konsul, ebd. 33, 1935.

89 PAAA, Personalakte Richard Meyer, Bd. 9923: Richard Sonntag, Breslau, an Reichskanzlei mit Marginalie Neurath, 26.7.1935.

90 PAAA, Personalakte Richard Meyer, Bd. 9923: Neurath an Frick, 2.12.1935; Lammers an Neurath, 18.6.1936.

91 PAAA, R 60974: Aufzeichnung Köpke zu Gespräch mit Neurath, 4.11.1935.

92 PAAA, R 99351: Aufzeichnung Bülow-Schwante, 17.11.1936.

93 PAAA, R 692/2 Pol 2a1: Hassell an das AA, 6.10.1933.

94 ADAP, C IV, Nr. 69: Aufzeichnung Neurath zu einem Gespräch mit dem japanischen Botschafter Mushanokōji Kintomo, 6.5.1935.

95 Ebd., Nr. 168: Aufzeichnung Röhrecke über die Chefbesprechung im Reichswirtschaftsministerium am 20.8.1935, 21.8.1935.

96 PAAA, R 99332: Bülow-Schwante an alle Missionen, 21.3.1935.

97 PAAA, R 99348: Aufzeichnung Pfundtner, 3.9.1935.

98 Bergmann (2003), S. 99.

99 PAAA, R 99347: Tschammer an Sherrill, 21.9.1935.

100 François-Poncet (1962), S. 304.

101 PAAA, R 27266: Döhle an AA, 22.3.1937; vgl. Wetzel (1996), S. 446–476, 497 f.

102 Ebd.: Döhle an AA, 22.3.1937.

103 Ebd.: Aufzeichnung Bülow-Schwante, 27.4.1937.

104 Ebd.: Aufzeichnung Bülow-Schwante, 27.4.1937.

105 Ebd.: AHA an Bohle, 26.5.1937.

106 Ebd.: Aufzeichnung Bülow-Schwante, 11.6.1937.

107 Ebd.: Göring an AHA, 20.9.1937

108 Ebd.: Aufzeichnung Schleicher, Ressortbesprechungen betr. Haavara-Abkommen im AA und RWM am 21. u. 22.9.1937, 23.9.1937.

109 Vogel (1977), II. Teil, Dokumente, Dok. 18, S. 152 f., AHA an Bohle, 24.1.1938.

110 ADAP, D V, Nr. 571: Aufzeichnung der Politischen Abteilung VII [Hentig] über die Palästina-Frage, 7.8.1937.

111 PAAA, 27266: Drahterlass Neurath an die Botschaft London, die Gesandtschaft Bagdad und das Generalkonsulat Jerusalem, 1.6.1937.

112 Ebd.: AHA an Bohle, 1.2.1938; vgl. auch: ADAP, D V, Nr. 579: Legationsrat Clodius, Aufzeichnung, 27.1.1938; Kieffer (2002), S. 132–154.

113 Ebd.: Bisse an Bohle, 1.2.1938.

114 PAAA, R 99241: Erlass Neurath an alle Missionen, 1.5.1935.

115 Ebd.: Heeren an AA, 13.11.1935; vgl. Kube (1987), S. 179; Jacobsen (1968), S. 40–45.

116 Ebd.: Köpke an Heeren, 9.12.1935.

117 Ebd.: Bülow-Schwante an AO, 27.3.1936; Bohle an Bülow-Schwante, 3.4.1936.

118 Ebd.: Bülow-Schwante an AO, 27.5.1937.

119 Ebd.: Erlass Neurath an alle Missionen, 26.2.1937; vgl. RGBl. I (1937), S. 187 f. (Erlass über die Einsetzung eines Chefs der Auslands-Organisation im Auswärtigen Amt vom 12.2.1937).

120 Hildebrand (2003), S. 132.

121 PAAA, R 27242: Bohle an Heß, 4.12.1933.

122 Ebd.: Bohle an Heß, 20.12.1933.

123 Ebd.: Vereinbarung, 20.12.1933.

124 PAAA, R 60974: Bohle, Denkschrift, 26.2.1936; vgl. Jacobsen (1968), S. 119–138.

125 PAAA, R 60974: Neurath an Lammers, 30.3.1936.

126 PAAA, R 27235: Bohle an Dirksen, 8.4.1937; Dirksen an Bohle, in: Bohle an Heß, 3.11.1933.

127 BA, NL Weizsäcker, N 1273, Bd. 50: Lebenserinnerungen, Vatikan, September 1945.

128 PAAA, R 27090: Likus, Aufzeichnung für Vortrag bei Ribbentrop, 9.4.1937.

129 Speer (1975), Eintrag vom 24.11.1949.

130 PAAA, R 99244: Erlass Bohle an alle Missionen, 1.3.1937.

131 PAAA, R 27235: Bohle an Heß, 22.3.1937.

132 Jacobsen (1968), S. 469.

133 Vgl. ebd., S. 43 f., 471 f.; Hausmann (2009), S. 141–144.

134 PAAA, Personalakte Ernst Wilhelm Bohle, Bd. 1867: Aufzeichnung Mackensen, 16.12.1937.

135 PAAA, R 99244: Erlass Neurath an alle Arbeitseinheiten, 21.12.1937.

136 PAAA: Erlass Bohle an alle Arbeitseinheiten, 27.1.1938.

137 PAAA, R 27235: Bohle an Butting, Bohle an Zech sowie Aufzeichnung Bohle für Pers.H, 24.2.1938.

138 IMT, S. 30, Sitzung vom 25.3.1946, Vormittagssitzung.

139 Vgl. Jacobsen (1968), S. 476.

140 PAAA, R 27242: Bohle an Heß, 18.11.1933.

141 PAAA, R 27235: Fischer an Bisse, [o. D., Januar 1938].

142 Hans Georg von Mackensen an August von Mackensen, zit. nach: Schwarzmüller (2001), S. 340. Vgl. BA Berlin, BDC, SS-Personalakte Neurath, SSO 348-A; NS-Hängeordner 392, Goldenes Ehrenzeichen, Namenslisten I; Gedenksitzung des Reichskabinetts. Alle Kabinettsmitglieder Träger des Goldenen Parteiabzeichens, *Völkischer Beobachter*, 1.2.1937; BA Berlin, BDC, SS-Personalakte Mackensen, SSO 287-A.

143 Vgl. Döscher (1991), S. 136–140.

144 BA Berlin, BDC, SSO 348-A: Protokoll über die Vereidigung, 9.11.1937.

145 Ebd.: Marchtaler an Stab Reichsführer-SS, 8.11.1938; Beförderungsurkunde zum SS-Obergruppenführer, 1.6.1943; Telegramm Neurath an Hitler, 21.6.1943.

146 BA Berlin, BDC, SSO 287-A: Mackensen an Himmler, 7.1.1939; Telegramm Mackensen an Himmler, 24.12.1942.

147 Neurath in der S.S., *Neue Zürcher Zeitung*, 20. 9.1937; S.S. Rank for Baron von Neurath,

The Times, 20.9.1937; Freiherr von Neurath SS-Gruppenführer, *Völkischer Beobachter*, 19.9.1937.

148 Döscher (1991), S. 135.

149 BA Berlin, NL Dirksen, N 2049, Bd. 8: Krapf an Dirksen, 30.9.1937.

150 PAAA, R 143340-R143351.

151 PAAA, R 27234; vgl. Döscher (1991), S. 115.

152 PAAA, Personalakte Werner Picot, Bd. 11234.

153 BA Berlin, BDC, SS-Personalakte Thermann, SS A 11: Werner Lorenz, Leiter der Volksdeutschen Mittelstelle an Walter Schmitt, Chef des SS-Personalamtes, 19.10.1937; vgl. Döscher (1991), S. 14, 115–118.

154 Vgl. Bracher/Funke/Jacobsen (1983), S. 223; Statistisches Jahrbuch für das Deutsche Reich (1938), Beilage und S. 7; Döscher (1991), S. 115.

155 BA Berlin, BDC, SS-Personalakte Ribbentrop, SSO 25-B.

156 PAAA, R 27171: Aufzeichnung Likus, 19.12.1936; vgl. Döscher (1991), S. 150.

157 Döscher (1991), S. 153.

158 ADAP, D 1, Nr. 19: Hoßbach, Niederschrift über die Besprechung in der Reichskanzlei am 5. November 1937, 10.11.1937.

159 Burleigh (2000), S. 787.

160 PAAA, R 60964: Hassell an Neurath 19.1.1938; vgl. auch IfZ, ED 88, Bd. 1: Aufzeichnung Hammerstein, 4.6.1945.

161 Goebbels (1987), S. 423 f., Eintrag vom 1.2.1938.

162 Jacobsen (1979), Nr. 184, S. 342, Karl Haushofer an Ribbentrop, 2.3.1938; vgl. Kordt (1950), S. 198–200; Schmidt (1950), S. 560 f.

163 BA, NL Weizsäcker, N 1273, Bd. 42: Weizsäcker an Paula von Weizsäcker, 27.2.1938.

164 Weizsäcker (1974), Tagebuchaufzeichnung vom 5.3.1938, S. 121 f.

165 PAAA, Personalakte Ernst Frhr. von Weizsäcker, Bd. 16363: Ernennungsurkunde, 19.3.1938.

166 PAAA, R 27234: Leonhardt an Bohle, 11.4.1938.

167 Weizsäcker (1974), Tagebuchaufzeichnung vom 24.3.1938, S. 124.

168 PAAA, R 27234: Fischer an Leonhardt, 11.4.1938.

169 BA Berlin, BDC, SS-Personalakte Ernst Frhr. von Weizsäckers, SSO 234-B.

170 Weizsäcker (1950), S. 152 f.

171 PAAA, Personalakte Ernst Woermann, Bd. 16956: Prüfer an Helms, 1.4.1938.

172 Vgl. Wiedemann (1964), S. 142 f.; Weizsäcker (1974), Notiz, 11.5.1938, S. 126 f.; PAAA, Personalakte Vicco von Bülow-Schwante, Bd. 2158: Aufzeichnung Prüfer, 7.3.1938; PAAA, Bd. 2161: Ernennungsurkunden, 6.7.1938 und 26.9.1938.

173 PAAA, Personalakte Alexander Freiherr von Dörnberg zu Hausen, Bd. 2913: Helms an AA, 8.6.1938.

174 PAAA, R 27234: Tagesbefehl Nr. 33/38, 23.5.1938.

175 Koop (2009), S. 52–62; Hausmann (2009), S. 167 f.

176 Koop (2009), S. 63–80.

177 Hausmann (2009), S. 164 ff.

178 Ebd., S. 178–182.

179 PAAA, Personalakte Heinrich Sahm, Bd. 012825: Sahm an Prüfer, 5.8.1938; Aufzeichnung Dienstmann, 9.1.1939; Meissner an AA, 14.6.1939.

180 PAAA, R 27188: Vertrauliche Mitteilung [Likus] für den Reichsaußenminister, 14.4.1938.

181 Weizsäcker (1974), Schreiben vom 15.3.1938, S. 123.

182 PAAA, R 60965; R 60972; PAAA, BA 61146.

183 PAAA, R 143351.

184 ADAP, D II, Nr. 221: Der Oberste Befehlshaber der Wehrmacht an die Oberbefehlshaber des Heeres, der Marine und der Luftwaffe, Weisung für den Plan ›Grün‹, 30.5.1938.

185 Müller (1980), S. 544, Denkschrift Beck, 16.7.1938.

186 ADAP, D II, Nr. 244: Dirksen an AA, Politischer Bericht, 8.6.1938.

187 PAAA, 143351: Aufzeichnung Krake, 13.4.1939.

188 Weizsäcker (1974), S. 152, Tagebuchaufzeichnung vom 16.3.1939, S. 152.

189 Weizsäcker (1950), S. 172; Weizsäcker (1974), Notiz vom 23.8.1939, S. 137.

190 Hassell (1946), S. 55, Eintrag vom 28.3.1939.

191 ADAP, D VI, Nr. 460: Weizsäcker an Mackensen, 31.5.1939

192 Weizsäcker (1950), S. 232.

193 Vgl. Weizsäcker (1974), S. 163, Notiz vom 31.8.1939.

194 BA, NL Weizsäcker, N 1273, Bd. 50: Lebenserinnerungen, Vatikan, September 1945.

195 Hassell (1946), Aufzeichnung vom 1.11.1942, S. 276.

Alte und neue Diplomaten

1 Weizsäcker (1974), S. 163 f., Notiz vom 5.9.1939.

2 PAAA, R 27188: Aufzeichnung, Zwecke und Ziele des Nachwuchshauses junger deutscher Diplomaten, [o. D., 14.2.1938]

3 Ebd.

4 PAAA, Bildband Auswärtiges Amt. Nachwuchshaus.

5 PAAA, R 27188: Aufzeichnung Zweck und Ziel des Nachwuchshauses junger deutscher Diplomaten, [o. D., 14.2.1938].

6 Wildt (2003a), S. 251–259.

7 PAAA, R 27188: Aufzeichnung Zweck und Ziel des Nachwuchshauses junger deutscher Diplomaten, [o. D., 14.2.1938].

8 PAAA, R 27235: Erich an AO-Leitung, 23.6.1938.

9 Ebd.: Bohle an Ritter, 25.6.1938.

10 Ebd.: Fischer an Claussen, 4.4.1939.

11 PAAA, Personalakte Rudolf Likus, Bd. 8939: AA an Lammers und Heß, 28.2.1939.

12 BA Berlin, BDC, SS-Personalakte Best, SSO 64: Wolff an Best, 5.11.1941.

13 Vgl. Browning (1977), S. 325.

14 Döscher (1987), S. 263.

15 Hachmeister (1998), S. 245.

16 StA Nürnberg, Nürnberger Dokument NG 3590: Eidesstattliche Erklärung von Paul
Karl Schmidt im Fall 11: Wilhelmstraßenprozess gegen das AA und andere Ministerien, 13.11.1947, zit. nach: Benz (2005), S. 15 f.

17 ADAP, D VIII, Nr. 31: Befehl des Führers, 8.9.1939; zit. nach: Benz (2005), S. 16. Vgl.
Longerich (1987), S. 134ff.

18 Studnitz (1963), zit. nach: Benz (2005), S. 21.

19 Rutz (2005), S. 40; vgl. Benz (2005), S. 26; Longerich (1987), S. 143ff.

20 Vgl. ADAP, E VI: Stellenbesetzung, September 1943.

21 Vgl. Gassert (2006), S. 86.

22 Vgl. Biographisches Handbuch, Bd. 2 (2005), S. 526ff.; Gassert (2006), S. 69–160, 746–748.

23 Vgl. PAAA, Sammlung der Geschäftsverteilungspläne des Auswärtigen Amtes, Geschäftsverteilungsplan der Kulturpolitischen Abteilung, 1.8.1944.

24 Vgl. Longerich (1987), S. 163.

25 Wirsing (1943), S. 23, zit. nach: Rutz (2007), S. 214.

26 Zit. nach: Rutz (2007), S. 219.

27 Vgl. PAAA, R 143407: Liste, 1.5.1943, S. 13; ADAP, Sonderdruck aus: Ergänzungsband zu den Serien A bis E, Bonn 1995, S. 512.

28 Vgl. ADAP, Sonderdruck aus: Ergänzungsband zu den Serien A bis E, Bonn 1995, S. 583.

29 Hassell (1988), S. 363, Eintrag vom 20.4.1943.

30 Vgl. ADAP, Sonderdruck aus: Ergänzungsband zu den Serien A bis E, Bonn 1995, S. 566–588.

31 Vgl. Jacobsen (1985), S. 179.

32 Vgl. PAAA, R 54409, Personal des Auswärtigen Amts, [o. D., Mitte 1942].

33 Vgl. Ebd.

34 Vgl. PAAA R 54409 und R 143424: Angestellte, Hilfsamtsgehilfen, Pförtner, Drucker, Reinemachefrauen, [o. D., nach Nov. 1944].

35 Spitzy an Syring, 17.4.1991, zit. nach: Syring (1993), S. 155.

36 Goebbels (1993), S. 371, Eintrag vom 26.5.1943; Hassel (1988), S. 363, Eintrag vom 20.4.1943.

37 Döscher (1991), S. 191.

38 Zit. nach: ebd.

39 Vgl. PAAA, R 143407: Liste, 1.5.1943.

40 Vgl. BA Berlin, BDC, Personalakte Alexander Dörnberg: Thadden an SS-Personalhauptamt, 7.7.1944.

41 Dönhoff (1976), S. 223–234; PAAA, Personalakte Werner Otto von Hentig, 005804, Bd. 1: Bericht, 16.11.1943; PAAA, NL Hentig: Ministerialdirektor Hans Schroeder 22.10.1899 – 8.1.1965 zum Gedächtnis, Exemplar Nr. 35.

42 Vgl. Weizsäcker (1974), S. 207–211, Weizsäcker an Ribbentrop und anliegende Notiz Weizsäckers, 26.6.1940.

43 Vgl. PAAA, R 143407: Liste der Beamten des höheren Dienstes, [o. D., 1941], S. 9.

44 Herwarth (1982), S. 108.

45 Vgl. Sahm (1990), S. 189 f.; siehe auch: Hassell (1988), S. 349, Eintrag vom 14.2.1943.

46 Vgl. Weitkamp (2008a), S. 72.

47 PAAA, NL Hentig: Ministerialdirektor Hans Schroeder 22.10.1899 – 8.1.1965 zum Gedächtnis, Exemplar Nr. 35, S. 33.

48 Jacobsen (1985), S. 187.

49 Vgl. PAAA, R 143407: Liste, 1.5.1943.

50 Vgl. ebd.; ADAP, E VI: Geschäftsübersicht des AA, September 1943.

51 Vgl. Weitkamp (2008b), S. 181.

52 StA Nürnberg, Protokoll S. 4958 f., Verhör von Friedrich Gaus, zit. nach: Stuby (2008), S. 459.

53 Stuby (2008), S. 382 f.

54 Hassell (1988), S. 363, Eintrag vom 20.4.1943.

55 Stuby (2008), S. 387–415.

56 Vgl. PAAA, R 143407: Liste, 1.5.1943; ADAP, E VI: Geschäftsübersicht des AA, September 1943.

57 Vgl. PAAA, R 143407: Liste, 1.5.1943.

58 Hassell (1988), S. 363, Eintrag vom 20.4.1943.

59 BA Berlin, NS 19/3302, Bl. 42: SS-Gruppenführer Schmitt, Chef des SS-Personalhauptamtes, an SS-Gruppenführer Wolff, Chef des Persönlichen Stabes RFSS, 14.10.1941.

60 Best fehlt in der Aufstellung, was darauf hindeutet, dass die Listen nicht alle SS-Führer erfassten; vgl. PAAA, R 100690: Liste, [o. D., 1944].

61 Vgl. ebd.: Liste, [o. D., 1944]. Ein Dienstrang konnte nicht ermittelt werden.

62 Vgl. PAAA, R 27174: Martin Schmidt an Likus, 7.10.1940; PAAA, R 100312 (Inland II A/B): Thadden an Kaßler, 19.11.1943.

63 PAAA, R 100312 (Inland II A/B): Thadden an Kaßler, 3.7.1944.

64 Ebd.: Herff an Thadden, 2.3.1944.

65 Vgl. Weitkamp (2008b), S. 70.

66 Heydrich an Daluege, 30.10.1941, zit. nach: Weitkamp (2008a), S. 59.

67 Ebd., S. 59.

68 Ebd., S. 73.

69 Hassell (1988), S. 279, Eintrag vom 17.10.1941.

70 NARA, RG 226 (OSS), Entry 19, Nummer XL 27946: Vernehmung Hans Heinrich Herwarth u. Andor Hencke, Wiesbaden, 9.11.1945.

71 BA, NS 19/2798, Bl. 1–3: Berger an Himmler, 17.4.1941.

Das Auswärtige Amt im Krieg

1 YV, JM 3570 H6: Abschließender Schriftsatz über die Strafgerichtliche Verantwortung Otto von Erdmannsdorffs durch Max Mandellaub und Robert H.W. Kempner, 30.10.1948; YV, P-13/180: Anklageschrift gegen Rademacher und Klingenfuß, 19.1.1950; Weitkamp (2008a), S. 15.

2 YV, JM 3570/H 5: Verteidigungsschrift Erdmannsdorffs; The Trial of Adolf Eichmann, Bd. V: Statement of Thadden, Closed Session of the Court of First Instance, S. 1903.

3 Vgl. Beaumont (2000), S. 51, 60.

4 Vgl. Mommsen (2002), S. 224.

5 ADAP, D IV, Nr. 501: Dieckhoff an AA, 14.11.1938; vgl. Friedländer (2000), S. 291–328; Longerich (1998), S. 190–207.

6 ADAP, D IV, Nr. 372: Aufzeichnung Ribbentrops, 9.12.1938.

7 Vgl. Kieffer (2002), S. 256–480; Friedländer (2000), S. 329–357; Longerich (1998), S. 222.

8 IMT, Bd. 28, Nr. 1816-PS, S. 499–540, hier S. 499.

9 PAAA, R 29989: Aufzeichnung Woermanns, 12.11.1938.

10 IMT, Bd. 28, Nr. 1816-PS, S. 499–540, hier S. 540; vgl. Hilberg (2007), S. 48–53.

11 Domarus (1973), S. 1047–1067, hier S. 1058.

12 Le Ministre de Suisse à Paris, W. Stucki, au Chef du Département politique, G. Motta, 15.11.1938, in: Diplomatische Dokumente der Schweiz, 1937–1938, Nr. 449, S. 1030ff., hier S. 1031.

13 ADAP, D V, Nr. 664: Runderlass des Auswärtigen Amtes, 25.1.1939.

14 YV, JM 3141 (PAAA, R 99368): Reichsstelle für Auswanderungswesen an AA, 5.10.1939.

Berichte über Zahlungen an fremde Diplomaten erreichten das AA auch durch die Missionen; Reinebeck an AA, 19.3.1940.

15 Vgl. etwa YV, JM 3146: Bescheinigung für die jüdische Witwe Gustel Riesenfeld aus Breslau, 11.10.1940; Reichsstelle für Auswanderungswesen an Zentralstelle für jüdische Auswanderung, In Sachen der Juden Erwin und Gertrud Bach, Blüthenthal Bertha, Otto und Anna Frank, Margarethe Edith Loepert und Gustav und Paula Löwenberg, Kathi Brasch, 8.11.1940; YV, JM 3147 (PAAA, R 99381): Auswandererberatungsstelle Frankfurt an AA, Bescheinigung für die Juden Arthur und Anna Hamburger über Ausreise nach Manila, 12.12.1940.

16 YV, JM 3142 (PAAA, R 99373): Günther an Rademacher, 3.7.1940; vgl. Eichmann an Rademacher, 21.6.1940.

17 Vgl. ebd.: Rademacher an Reichsführer-SS, 28.6.1940.

18 Vgl. Browning (1978), S. 43; YV, JM 3141 (PAAA, R 99367): Schreiben der Hilfsorganisation für jüdische Aus- und Durchwanderer in Pressburg an die deutsche Gesandtschaft, 12.7.1940; D III an die Konsularabteilung der Botschaft der UdSSR zur Erteilung des russischen Durchreisevisums an Eugen Israel Ledermann, 15.8.1940; YV, JM 3142 (PAAA, R 99380): Pol V AA an das Münchner Verkehrsbüro Wilhelm Höfling, 5.7.1940; D III an die Spanische Botschaft in Sachen der Eheleute Gutmann, 22.10.1940.

19 YV, JM 3148 (PAAA, R 99385), Schaefer-Rümelin an Kulturabteilung AA und AO, 21.10.1939; Schumburg an Kult U, 30.11.1939.

20 Ebd. (PAAA, R 99389): NSDAP AO an AA, 6.10.1939.

21 YV, JM 3142 (PAAA, R 99374): Rademacher an Reichsministerium für Wissenschaft, Erziehung und Volksbildung, 4.9.1940.

22 YV, JM 3137 (PAAA, R 99354): Deutsches Konsulat Mukden an AA, 1.11.1940; vgl. YV, JM 3141 (PAAA, R 99367): Stohrer (Deutsche Botschaft Madrid) an AA, 27.9.1939; Korrespondenz zwischen Generalkonsulat Addis Abeba, Norddeutscher Lloyd und dem AA, 5. – 26.10.1939.

23 Ebd. (PAAA, R 99367): Ripken an RSHA und Reichsministerium des Innern, August 1940; Rademacher an die Gesandtschaft in Kabul, 20.8.1940.

24 Vgl. YV, JM 3147, (PAAA, R 99382): Deutsche Gesandtschaft in Kabul an AA, 3.12.1940; YV, JM 3141 (PAAA, R 99368): Deutsche Gesandtschaft in Kabul an AA, 29.1.1941; Eichmann an AA, 7.4.1941.

25 YV, JM 3141 (PAAA, R 99367): Deutsches Konsulat Manila an AA, 25.1.1940. Drei Listen wurden dem Schreiben angehängt: Liste der deutschen Juden, Liste der ehemaligen österreichischen Juden, Liste der Deutschen in den Philippinen.

26 Ebd.: Schoen an AA, 2.2.1940.

27 YV, JM 3139 (PAAA, R 99364): RSHA an Reichsministerium des Innern und AA, 12.7.1940.

28 YV, JM 3127 (PAAA, R 99297): Reichswirtschaftsminister (gez. Coelln) an Badischen Finanz- und Wirtschaftsminister und AA, 9.6.1941.

29 Ebd. (PAAA, R 99296): Picot an deutsches Konsulat in Ciudad Trujillo, 19.4.1940.

30 YV, JM 3148 (PAAA, R 99385): Reichsminister für Wissenschaft, Erziehung und Volksbildung an AA, 6.2.1941.

31 Ebd.: Heydrich an den Reichsarbeitsminister, 17.12.1940; vgl. Übersendung des Schreibens durch den Reichsarbeitsminister an AA, 1.3.1941; Reichsminister für Wissenschaft, Erziehung und Volksbildung an AA bezüglich des Antrags der Witwe Ella

Werner, 18.3.1941; Rademacher an Reichsministerium für Wissenschaft, Erziehung und Volksbildung, 14.11.1941.

32 YV, JM 3141 (PAAA, R 99367): Ruedt (Deutsche Botschaft Mexiko) an AA, 9.5.1940; Deutsche Gesandtschaft Bukarest an AA, 4.6.1940.

33 Vgl. YV, JM 3133 (PAAA, R 99335): Schreiben des Deutschen Roten Kreuzes an AA, 3.9.1940; Mackensen (Deutsche Botschaft Rom) an AA, 16.10.1940; Eidgenössisches Politisches Department, Abteilung für fremde Interessen, Schweiz, an die Deutsche Gesandtschaft in Bern, 29.12.1939; Siegfried Bernstein an AA bezüglich der Suche nach seiner Familie in Russland, 16.8.1940; YV, 3141 (PAAA, R 99367): Deutsche Gesandtschaft in Bern an AA, 4.1.1940; YV, 3133 (PAAA, R 99335).

34 YV, JM 3333 (PAAA, R 29588): Abetz an AA, 1.10.1940.

35 Vgl. ebd. (PAAA, R 99633): Habermann an AA, 9.10.1940.

36 Ebd. (PAAA, R 99633): Luther an Abetz, 16.10.1940; Hering (Reichsministerium des Innern) an RSHA und AA, 23.10.1940; Quiring an Deutsche Botschaft Paris, 1.11.1940; NSDAP/AO an AA, 7.11.1940.

37 Ebd. (PAAA, R 99633): Bargen an AA, 29.10.1940.

38 Vgl. YV, JM 3127 (PAAA, R 99297): Gestapo Frankfurt a. M. an AA, 25.3.1943; Deutsche Gesandtschaft Bern an AA, 11.5.1943 und 27.5.1943; RSHA an AA, 26.1.1943; Deutsches Konsulat Turin an AA, 14.3.1943.

39 YV, JM 3234: Weizsäcker an Referat D, 16.2.1940; YV, JM 3137: Bielefeld und Neuwirth an Weizsäcker, 17.2.1940; vgl. Browning (1978), S. 20.

40 Vgl. YV, JM 3137 (PAAA, R 99355): Schumburg an Müller, Februar 1940; Antwort Jagusch bezüglich K. Hamsuns Schreiben an den Reichsaußenminister, 9.3.1940; Schumburg an Weizsäcker, 26.2.1940; vgl. Browning (1978), S. 20.

41 YV, JM 3137: Schumburg an Weizsäcker, 21.3.1940; vgl. Browning (1978), S. 20.

42 YV, TR3/892: Heydrich an Luther, 29.10.1940; vgl. Browning (1978), S. 44.

43 Bericht über Verschickung von Juden deutscher Staatsangehörigkeit nach Südfrankreich, zit. nach: Wiehn (1990), Dokument 441, S. 242 f.; vgl. Adler (1974), S. 155ff.

44 PAAA, R 100869, S.7; vgl. Browning (1978), S. 45.

45 YV, TR 3/1559 (PAAA, R 99369): Eichmann an AA, 28.10.1941; vgl. YV, TR3/1062 (PAAA, R 99225): Eichmann an AA, 21.3.1941.

46 YV, TR 3/464 (PAAA, R 100857): Heydrich an Ribbentrop, 24.6.1940; vgl. YV, JM 3121 (PAAA, R 100857): Aufzeichnung Luther, 21.8.1942; Notiz Rademacher, 3./4.6.1940, zit. nach: Döscher (1991), S. 216.

47 Vgl. YV, P13/180: Eidesstattliche Erklärung Rademachers, Nürnberg, 10.3.1948.

48 Notiz Rademacher, 3.6.1940, zit. nach: Döscher (1991), S. 215.

49 Vgl. Adam (1972), S. 255ff.; Browning (1978), S. 35ff.; ders. (1992), S. 127 f.; Hilberg (1985), S. 397ff.; Döscher (1991), S. 215ff. Zum Madagaskar-Plan vgl. Brechtken (1997) und Jansen (1997). Jennings (2007), hier S. 187.

50 YV, JM 3121 (PAAA, R 100857): Aufzeichnung Luthers, 21.8.1942; YV, P-13/180: Anklageschrift gegen Rademacher und Klingenfuß, 19.1.1950, S. 7.

51 Vgl. Browning (1978), S. 42; Döscher (1991), S. 220.

52 Rademacher an Bielfeld, 10.2.1942, in: Poliakov/Wulf (1956), S. 142. Vgl. Woermann an Rademacher, 14.2.1942, in: Poliakov/Wulf (1956), S. 142; vgl. Browning (1978), S. 79.

53 YV, 051.463: Aufzeichnung D III, 27.10.1941; vgl. Browning (1978), S. 133.

54 YV, 051.463: Luther an Weizsäcker, 4.12.1941.

55 Ebd.

56 Ebd.: Aufzeichnung Albrechts, 11.12.1941; vgl. IMT, Bd. II, Bl. 248, Anl. Bd. Ia, Bl. 127–130 in Anklage 9, 1941.

57 Tätigkeits- und Lagebericht Nr. 1, 31.7.1941, zit. nach: Klein (1997), S. 118 f.

58 Tätigkeits- und Lagebericht Nr. 2, 29.7. – 14.8.1941, zit. nach: ebd., S. 140.

59 YV, 051/116: Hahn, Zusammengefasster Inhalt, 10.12.1941; Hahn an Luther, 12.12.1941, zit. nach: Ministry of Foreign Affairs (1961), Document 34.

60 Browning (1978), S. 401 f. Zum Umlauf der Berichte über die »Judenausrottung im Osten« vgl. auch YV, JM 2029: Eidesstattliche Erklärung Tippelskirch, 29.8.1947.

61 Browning (1978), S. 401 f.

62 YV, TR 3/946: Heydrich an Luther, 29.11.1941.

63 Besprechungsprotokoll über die »Endlösung der Judenfrage«, 20.1.1942, zit. nach: Schnabel (1957), Dokument D 176, S. 499.

64 Ebd.

65 Vgl. YV, JM 3156 (PAAA, R 99430): Wagner an Staatssekretär, 16.10.1944.

66 YV, JM 3121 (PAAA, R 100857): Aufzeichnung Luther, 21.8.1942.

67 Vgl. YV, P-13/180: Anklageschrift gegen Rademacher und Klingenfuß, 19.1.1950, S. 63.

68 YV, 0.68/352, Personalakte Abetz: Abetz an SS-Hauptamt, 20.7.1937; Schreiben des Chefs des SS-Gerichts, 2.2.1938; Schreiben des Reichsführers SS, 9.4.1939; Brigadeführer Humann-Hainhofen an Woyrsch, 23.12.1938; Schreiben SS Personalamt, 6.3.1939; vgl. Ray (2000).

69 Vgl. PAAA, NL Schleier, 964/16-I: Kreuzverhör Schleiers, Extradition Tribunal Hamburg, 1948; ebd., 963/8: Stellungsnahme Schleier, 1948; vgl. Ray (2000), S. 20, FN 28.

70 YV, 0.68/670: Lebenslauf Zeitschels, 9.12.1938.

71 Best an Gruppe 1 der Militärverwaltung, 19.8.1940, zit. nach: Poliakov / Wulf (1956), S. 103; vgl. Lambauer (2005), S. 244 ff.

72 Abetz an Reichsaußenminister, 20.8.1940, in: Poliakov / Wulf (1956), S. 104.

73 Luther an Abetz, 20.9.1940; Luther an Reichsführer SS, 10.9.1940, beide zit. nach: Poliakov / Wulf (1956), S. 104 f.

74 Heydrich an Luther, 20.9.1940, zit. nach: Poliakov / Wulf (1956), S. 84 f.

75 Vgl. Schleier an AA, 9.10.1940, zit. nach: Poliakov / Wulf (1956), S. 106 f.; vgl. Browning (1978), S. 49 f.

76 Dannecker, Judenfragen in Frankreich und ihre Behandlung, 1.7.1941, zit. nach: Ray (2000), S. 355.

77 YV, JM 3132 (PAAA, R 99334): Reichsministerium für Volksaufklärung und Propaganda an AA, 6.2.1940.

78 Ebd.: Notiz Schumburg, 23.3.1940.

79 YV, JM 3121: Thomsen an AA, 17.9.1941.

80 YV, JM 3127 (PAAA, R 99297): Deutsches Konsulat Lausanne an AA, 30.7.1941; Reichsinstitut für die Geschichte des neuen Deutschlands an AA, 21.8.1941; Deutsches Konsulat Lausanne an AA, 11.9.1941.

81 Weitkamp (2008a), S. 251.

82 YV, JM 3119 (PAAA, R 100849): RSHA, VII B 1 B, 15.1.1943; Thadden an Vertreter des AA beim Reichskommissar für die Ukraine, 24.5.1943 (Eingangsdatum).

83 Ebd. (PAAA, R 100850): Welt-Dienst an Thadden, 27.3.1944; Welt-Dienst, Auszüge aus dem jiddischen *Forwerts*, 18.4.1944; Welt-Dienst, Betrifft: Ermordung von Juden, *Forwerts* 16774, 20.11.1943; Welt-Dienst, Betrifft: Die letzten Juden im Warschauer Ghetto,

Forwerts 16803, 19.12.1943; Welt-Dienst, Betrifft: 16 000 Menschen in Rowno getötet; Weitkamp (2008a), S. 252.

84 Rundschreiben Thadden, Mai 1943, zit. nach: Weitkamp (2008a), S. 251.

85 Vgl. Weitkamp (2008), S. 257 f., 264 f.; Vorschlag Inland II, [o. D.], zit. nach: ebd., S. 262.

86 Auswärtiges Amt, Inf. XIV, 4.3.1944, zit. nach: Poliakov/Wulf (1955), S. 158.

87 PAAA, NL Schleier, 963/Bd. 5–6: Aufzeichnung Schleier; vgl. auch Weitkamp (2008a), S. 269ff.

88 YV, TR 1095: Eidesstattliche Versicherung Thadden, 21.6.1946.

89 Weitkamp (2008a), S. 263ff.

90 Ebd., S. 271 f.

91 YV, JM 3119 (PAAA, R 100892): Anlage zum Erlass Nr.137 g, 28.4.1944; vgl. Weitkamp (2008a), S. 271.

92 Vortragsnotiz Wagners, 28.1.1944, zit. nach: Weitkamp (2008a), S. 276.

93 Thadden an Eichmann, 10.3.1944, zit. nach: ebd.

94 YV, JM 3138: Aktennotiz über eine am 16. März 1944 bei Herrn Gesandten Six unter Beteiligung von Dr. Richter stattgefundene Besprechung, 17.3.1944; vgl. Weitkamp (2008a), S. 277.

95 Eichmann-Dik. T/1250, 10.3.1944, zit. nach: Gerlach/Aly (2002), S. 188.

96 YV, TR 3/506: Protokoll der Arbeitstagung; vgl. auch Auswärtiges Amt (2000), S. 219 f.

97 Arbeitstagung der Judenreferenten der Deutschen Missionen in Europa, 3.–4.4.1944, zit. nach: Poliakov/Wulf (1956), S. 158–168, hier S. 162.

98 YV, TR 3/506: Schleier an die Missionen, April 1944.

99 PAAA, NL Schleier, NL 965/24 II: Amtliche Niederschrift der Zeugenaussage über angeklagte Organisationen vor der vom Internationalen Militärgerichtshof am 13. März 1946 gemäß Paragraph 4 ernannten Kommission, 11.6.1946, S. 32 f., 36.

100 Hillgruber (1972), S. 152.

101 Hürter (2009), S. 371 f.

102 Bräutigam (1968), S. 269; Rosenkötter (2003), S. 90.

103 PAAA, Personalakte Otto Bräutigam, Bd. 1703: Bräutigam, Haupttreuhandstelle Ost an Schroeder, AA, 23.11.1939.

104 Bräutigam (1968), S. 272 f.

105 PAAA, Personalakte Otto Bräutigam, Bd. 1703: Stellungnahme Bräutigams, 22.1.1940.

106 IMT, Bd. 26, Nr. 1039-PS: Rosenberg, Bericht über die vorbereitende Arbeit in Fragen des osteuropäischen Raumes, 28.6.1941, S. 586; Biographisches Handbuch, Bd. 1 (2000), S. 250.

107 PAAA, Personalakte Otto Bräutigam, Bd. 1703: Vermerk, 21.5.1941.

108 Zit. nach: Heilmann (1987), S. 131.

109 PAAA, Personalakte Otto Bräutigam, Bd. 1703: Hewel an Schroeder, 30.9.1941.

110 IMT, Bd. 28: Richtlinien für die Führung der Wirtschaft, 16.6.1941, S. 6.

111 Bräutigam, Memorandum, Allgemeine Richtlinien für die politische und wirtschaftliche Verwaltung der besetzten Ostgebiete, 17.6.1941, zit. nach: Gibbons (1977), S. 259.

112 Rosenberg, Rede vom 20.6.1941, zit. nach: Gibbons (1977), S. 255.

113 Bräutigam, Memorandum, Allgemeine Richtlinien für die politische und wirtschaftliche Verwaltung der besetzten Ostgebiete, 17.6.1941, zit. nach: Gibbons (1977), S. 257.

114 IMT, Bd. 26: Rosenberg, Denkschrift über die Organisation der Verwaltung in den

besetzten Ostgebieten und die von ihr zu befolgenden Richtlinien, [o. D., Juli/August 1941], S. 602.

115 IMT, Bd. 25, 294-PS: Bräutigam, Geheime Aufzeichnung über die dreifache Zielsetzung des Ostfeldzuges und die gesamte Lage in der Sowjetunion, 25.10.1942, S. 332, 338 f.

116 Zit. nach: Herbert (1986), S. 242.

117 PAAA, R 27296: Dittmann an Windecker und Saucken, 29.3.1943; Entwurf, Richtlinien für die Behandlung der im Reich tätigen ausländischen Arbeitskräfte, [o. D., 15.2.1943].

118 PAAA, R 27308: Frenzel an Saucken, 4.6.1943; Merkblatt über die allgemeinen Grundsätze für die Behandlung der im Reich tätigen ausländischen Arbeitskräfte, 15.4.1943.

119 PAAA, R 104587: Bericht Starke, Ostarbeiter – Entscheidender Faktor des Endsieges, [o. D.]; auszugsweise abgedruckt in: Herbert (1986), S. 293 f. sowie IMT, Nr. NG 2562; Schreiben Hilger an Starke, 16.8.1943.

120 PAAA, Pol. XIII, Bd. 9: Allg. Akten Mai 1941 – Aug. 1941, Bericht des Gesandten Rates Baum, am 19.7. vorgelegt von VLR Großkopf, zit. nach: Streit (1991), S. 93.

121 PAAA, R 105177: Bericht Baum, Ref. Großkopf, an Botschaftsrat Hilger, Wirkung der deutschen Frontpropaganda. Frage der Behandlung der Kriegskommissare, 6.9.1941, »zur gefälligen Kenntnis, zur Unterrichtung des [Russland]Gremiums und zum gelegentlichen Vortrag beim Herrn RAM vorgelegt«.

122 Ebd.: Der Vertreter des Auswärtigen Amtes beim AOK 16 Frauenfeld, Bericht, Behandlung gefangener russischer Kommissare, 26.8.1941; vgl. Römer (2008), S. 267–275.

123 ADAP, E I, Nr. 15: Aufzeichnung Ribbentrop, 22.12.1941.

124 Buchbender/Sterz (1982), S. 33.

125 PAAA, R 27666: Notiz Ribbentrop für Hewel zur Vorlage bei Hitler, 6.9.1942.

126 Siehe unter anderem PAAA, R 27636: Stellungnahme Wüster, 24.2.1942; Luther an Wüster, 2.9.1942; PAAA, R 27666: Ribbentrop an Hewel, 8.9.1942; Aufzeichnung Luther, 8.9.1942; Luther an Rintelen zur Vorlage bei Ribbentrop, 10.9.1942; Aufzeichnung Wüster, Sitzung im Amt Rosenberg, 4.9.1942.

127 PAAA, R 60771: Liste der Verbindungsoffiziere, 1.7.1942.

128 Auf den Listen der zur Entsendung als VAA vorgesehenen deutschen Diplomaten sowie in einzelnen anderen Dokumenten finden sich folgende Namen: Legationsrat Anton Graf Bossi-Fedrigotti (AOK 1, AOK 2), Legationsrat Hasso von Etzdorf (OKH), Generalkonsul Alfred Frauenfeld, (AOK 12, AOK 16), Legationsrat Walter Hellenthal (AOK 6), Gesandter Werner Otto von Hentig (AOK 11), Gesandter Ernst Kühn (Befehlshaber der deutschen Truppen in Kroatien), Legationssekretär Wilhelm Lehmann (Panzer-AOK 1), Generalkonsul Walter Lierau (AOK 1), Regierungsrat Heinrich von zur Mühlen (Panzer-AOK 4), Gesandtschaftsrat Konstantin Frhr. von Neurath (deutsches Afrikakorps, Panzer-Gruppe Afrika), Legationsrat Ernst Ostermann von Roth (Panzer-AOK 2), Legationsrat Karl-Georg Pfleiderer (AOK 17), Gesandter Rudolf Rahn (Oberbefehlshaber in Tunis), Generalkonsul Johannes Richter (AOK 7), Gesandter Reinhold von Saucken (AOK 11), Generalkonsul Franz Schattenfroh (AOK 4), Rudolf von Scheliha (AOK 10), Legationsrat Josef Schlemann (AOK 9), Legationsrat Conrad von Schubert (AOK 6), Oberleutnant Werner Schütt (AOK 9), Legationsrat Gerhard Todenhöfer (AOK Norwegen, Befehlsstelle Finnland), Legationssekretär Reinhold Frhr. von Ungern-Sternberg (AOK 18); Botschaftsrat John von Wühlisch (Oberkommando Ost, Polen); PAAA, R 60771: Liste der Verbindungsoffiziere, 1.7.1942;

Liste der Verbindungsoffiziere, [o. D.], Verteilerliste, betr. OKW-Befehl Nr. 9519/42, 4.7.1942; R PAAA 102978: Notiz, betr. Gesandten Rahn, Tunis, 14.5.1943; PAAA, BA 61144: Reisebericht Kühn, Anlage zu Bericht, 2.2.1943; Sahm (1990), S. 98 f.; Umbreit (1968), S. 92. Nicht alle zur Entsendung vorgesehenen Diplomaten waren jedoch tatsächlich als VAA eingesetzt bzw. lieferten der Wilhelmstraße Berichte über ihre Tätigkeit bei den Wehrmachtstäben. In Polen wurden im September 1939 den AOKs 3, 4, 8, 10 und 14 keine VAAs zugeteilt, diese durften erst nach Abklingen der Kampfhandlungen das besetzte Gebiet bereisen, vgl. Groscurth, (1970), S. 285; PAAA, Inland II g Fiche 1723, Aufzeichnung Wagner, 25.6.1943; PAAA, R 100928, Inland II G, Geheime Reichssachen des Referats D IX, Bd. 1, Großkopf, Stellenbesetzungen für den Fall einer erweiterten Aktion im Osten, 22.5.1941: »Es wäre vielleicht von Nutzen, die in Aussicht genommenen Leiter der einzelnen Dienststellen schon bei Beginn der Bewegung nach Osten den Kommandos der betreffenden Heeresgruppen als Vertreter des Auswärtigen Amtes zuzuteilen.«

129 PAAA, R 60765: Dienstanweisung für die VAAs bei den AOKs, 10.4.1940.

130 PAAA, R 60741: Bericht Hentig, Betrachtungen zum Fall von Sewastopol, zit. nach: Hürter (2009), S. 370.

131 PAAA, R 60737: Hentig, Bericht Nr. 83, 12.10.1941.

132 PAAA, R 60739: Hentig, Krise der Propaganda, 7.4.1942, zit. nach: Hürter (2009), S. 385. Vgl. Angrick (2003), S. 492 f.

133 PAAA, R 60695, Russland, Berichte der VAAs bei den AOKs sowie Stimmungsberichte: Hentig, Die Zukunft der Krim, 30.7.1942.

134 PAAA, R 60704: Bossi-Fedrigotti an Rantzau, 26.8.1941.

135 PAAA, R 105192, Berichte der Vertreter des AA beim OKW und den AOKs: Bossi-Fedrigotti, Bericht, 15.1.1942.

136 PAAA, R 27635, Bl. 140–148, Handakten Luther, Schriftverkehr N-Sch: Pfleiderer, Die russische Südfront bis zum Kuban im Sommer 1940, 24.7.1942.

137 PAAA, R 60695, Russland, Berichte der VAAs bei den AOKs sowie Stimmungsberichte: Lehmann, Stimmung und Haltung ukrainischer Bevölkerung, 9.6.1942.

138 PAAA, R 27637: Bl. 49–52, Handakten Luther, Schriftverkehr K-Z: Brief Lehmann an Luther, 17.12.1942.

139 PAAA, R 60695, Russland, Berichte der VAAs bei den AOKs sowie Stimmungsberichte: Ungern-Sternberg, Die Entwicklung zu Estland unter Berücksichtigung des Verhältnisses zu Finnland, 10.8.1942.

140 PAAA, R 27634: Bl. 442–446, Handakten Luther, Schriftverkehr K-M: Brief von zur Mühlen an Luther, 24.7.1942.

141 PAAA, R 60695, Russland, Berichte der VAAs bei den AOKs sowie Stimmungsberichte: Schubert, Stimmung der Bevölkerung, 26.10.1942.

142 PAAA, R 105192, Berichte der Vertreter des AA beim OKW und den AOKs: Pfleiderer, Aufzeichnung über die Frage der Wiederherstellung des bäuerlichen Privateigentums in der Ukraine, 14.10.1941.

143 PAAA, R 60765: Schütt, Gedanken über den Einsatz politischer Mittel im Kriege gegen die Sowjet-Union«, [o. D., Ende 1942].

144 PAAA, R 27849: Büro des Staatssekretärs, Politischer Schriftwechsel, Megerle an Weizsäcker, 14.11.1942; Weizsäcker an Megerle, 16.11.1942.

145 PAAA, Paris 1293: Bericht Lierau an OKW/Westpreußen für AA, 26.1.1941.

146 PAAA, R 60757: Schattenfroh, Bericht Nr. 61, 14.12.1940.

147 PAAA, R 60741: Hentig, Betrachtungen zum Fall von Sewastopol, zit. nach: Hürter (2009), S. 370, 376 f.

148 PAAA, R 60695, Russland, Berichte der VAAs bei den AOKs sowie Stimmungsberichte: Pfleiderer, Die Beendigung des Feldzuges im Osten, 8.3.1942; Notiz Luther für Generalkonsul Wüster, 24.3.1942.

149 PAAA, R 105192: Berichte der Vertreter des AA beim OKW und den AOKs: Bossi-Fedrigotti, 15.1.1942.

150 PAAA, R 27651: Vortragsnotiz Luther, 8.9.1942.

151 Hürter (2009), S. 374.

152 Vgl. Heuß (1997), S. 536 f.; Matuszewski/Kozimor (2007).

153 Hartung (1997), S. 1.

154 Vgl. Heuß (1997), S. 539; Vermerk Nitsch, 21.10.1942, zit. nach: Hartung (1997), S. 65.

155 Heuß (1997), S. 538 f.

156 Vgl. PAAA, Oslo 229A: Bl. 613076.

157 Vgl. Hartung (1997), S. 13; Heuß (1997), S. 537.

158 Vgl. Hartung (1997), S. 15 f.

159 Ebd., S. 18.

160 Vgl. Heuß (1997), S. 540; Angrick (2003), S. 97.

161 Hartung (1997), S. 14 f., Heuß (1997), S. 340 f., 542.

162 Hartung (1997), S. 15 f.

163 Vgl. ebd., S. 14.

164 PAAA, R 27574: 11.7.1942; BStU, Nr. 942: Schreiben SS-Führungshauptamtes, 10.9.1942; Heuß (1997), S. 549 f.

165 Vgl. Heuß (1997), S. 538.

166 Ebd.

167 Treue (1965).

168 Schreiben Schwerin von Kosigk, 2.9.1942, zit. nach: Hartung (1997), S. 55.

169 Ebd., S. 50–60; Heuß (1997), S. 549.

170 »Führer-Erlasse« (1997), S. 237 f., Erlass vom 1.3.1942.

171 Einsatzbefehl Kommandoamt SS für Sonderkommando Künsberg, 31.1.1942, zit. nach: Heuß (1997), S. 549 f.

172 PAAA, R 27651, Bl. 79–82: Vortragsnotiz Luther für Steengracht zur Vorlage bei RAM, 17.8.1942.

173 Heuß (1997), S. 550.

174 Siehe PAAA, R 27654: Luther an Steengracht mit der Bitte um Vorlage beim RAM, 15.8.1942.

175 Hartung (1997), S. 95ff.

176 Ebd., S. 116 f.

177 Ebd.

178 Heuß (1997), S. 552.

179 IMT, Hauptverhandlungen; Siebenundneunzigster Tag, 2.4.1946, Nachmittagssitzung.

180 Europa unterm Hakenkreuz 6: Künsberg an Ribbentrop, 19.6.1941, S. 157 f.

Besatzung – Ausplünderung – Holocaust

1   Brandes (1969), S. 21, 31.
2   Mund (2009), der derzeit eine Quellenedition vorbereitet unter dem Titel »Deutsch-
     land und das Protektorat Böhmen und Mähren. Aus den deutschen diplomatischen
     Akten von 1939 bis 1945«.
3   ADAP, D VII, Nr. 106: Schreiben Wühlisch an das AA, 18.8.1939; vgl. ADAP, D V,
     Nr. 85: Aufzeichnung des Legationsrates Schwager, 27.10.1938; Pospieszalski (1983),
     S. 346.
4   Böhler (2009), S. 40–46; Chinciński/Machcewicz (2008).
5   Böhler (2009), S. 112–120.
6   PAAA, R 60626: Handschriftlicher Vermerk auf Schreiben Birckner an Chef Amt Aus-
     land/Abwehr, 12.9.1939: »Herrn LR Lohmann in Abschrift mit der Bitte um völker-
     rechtliche Argumentierung vorgelegt. [Paraphe unleserlich] 13/9.«
7   Böhler (2006); Mallmann/Böhler/Matthäus (2008).
8   Deutsches Generalkonsulat Kattowitz an das AA, 4.7.1939; Deutsches Generalkonsu-
     kat Posen an das AA, 10.7.1939; Deutsches Konsulat Lodsch an das AA, 11.7.1939; Ge-
     heimes Staatspolizeiamt an das AA, 18.7.1939; Deutsche Botschaft Warschau an das
     AA, 25.7.1939; Generalkonsulat Thorn an das AA, 18.8.1939; zit. nach: Szefer (1983),
     S. 228–240.
9   Broszat (1961), S. 15 f.
10   Bömelburg/Musial (2000), S. 71; Broszat (1961), S. 68 f.; Madajczyk (1986), S. 46–75.
11   Zit. nach: Hassel (1988), S. 127.
12   Broszat (1961), S. 22, 40.
13   Telegramm Reichsinnenminister an die Oberpräsidenten Königsberg, Breslau, Gum-
     binnen, Allenstein, Zichenau, Marienwerder, Danzig, Bromberg, Posen, Oppeln und
     Kattowitz, 7.2.1940, zit. nach: Pospieszalski (1959), S. 121; Krausnick (1981), S. 56; Bros-
     zat (1961), S. 47 f.; Schenk (2000), S. 155.
14   Dokumente polnischer Grausamkeit (1940).
15   Mitschrift Polizeisitzung beim Generalgouverneur, 30.5.1940, zit. nach: Frank (1975),
     S. 211; Krausnick (1981) S. 99.
16   PAAA, R 99238: Wühlisch an das AA, 30.10.1940.
17   Ebd.: Wühlisch an das AA, 10.10.1940 und 7.11.1940; AA an Wühlisch, 15.11.1940.
18   Broszat (1961), S. 159; Wiaderny (2002), S. 81–113; Sahm (1990) S. 96–100; Frank (1975),
     S. 73 f.; August (1997).
19   ADAP, D XI, Nr. 368: Umwandlung der Dienststelle des Auswärtigen Amtes beim
     Militärbefehlshaber Frankreich in Deutsche Botschaft Paris, 20.11.1940; vgl. »Führer-
     Erlasse« (1997), S. 151 f.
20   Lambauer (2005), S. 243.
21   Ebd., S. 244–255; Biographisches Handbuch, Bd. 1 (2000), S. 2 f.
22   Ray (2000), S. 283–289; Lieb (2007), S. 75.
23   Ray (2000), S. 245–247, 376; Europa unterm Hakenkreuz 4, S. 27.
24   ADAP, D X, Nr. 282: Schreiben Ribbentrop an Keitel, 3.8.1940; Ray (2000), S. 301–306.
25   Europa unterm Hakenkreuz 4: Tätigkeitsbericht der Deutschen Botschaft Paris für die
     Zeit vom 14.6.1940 bis zum 14.6.1941, S. 167 f.; vgl. Ray (2000), S. 307–339.
26   Vgl. Browning (1978), S. 91.
27   Eichmann an Rademacher, 10. März 1942, zit. nach: Poliakov/Wulf (1956), S. 112.

28 Vgl. PAAA, NL Schleier 964/16-II: Rademacher an Deutsche Botschaft Paris, 11.3.1942; Schleier an AA, 13.3.1942.

29 Eichmann an Rademacher, 11.3.1942, zit. nach: Poliakov/Wulf (1956), S. 115; vgl. Browning (1978), S. 91.

30 Vgl. PAAA, NL Schleier 964/16-II: Schleier an AA, 14.3.1942.

31 PAAA, NL Schleier 964/16-I, Kreuzverhör Schleiers, Extradition Tribunal Hamburg.

32 Vgl. Browning (1978), S. 91 f.

33 Döscher (1987), S. 241.

34 Vgl. Browning (1978), S. 100ff.

35 PAAA, NL Schleier 964/18–19 (1–2): Schleier an D III, 11.9.1942.

36 YV, 0.68/352: Aktennotiz Abetz, [o. D.].

37 Zu Abetz' Motivation vgl. Ray (2000), S. 375ff.; Lambauer (2005), S. 271ff.

38 Herbert (1996), S. 298–304; Meyer (2000), S. 54–82.

39 PAAA, R 29835: Aufzeichnung Weizsäcker, 30.10.1941.

40 ADAP, E I, Nr. 2: Abetz an AA, 12.12.1941; vgl. ADAP, D XIII, Nr. 422: Abetz an RAM, 25.10.1941.

41 ADAP, E II, Nr. 25: Schleier an das AA, 9.3.1942; Nr. 149: Schleier an das AA, 18.4.1942, S. 248 f.; Lieb (2007), S. 20–30.

42 Herbert (1986), S. 67–95; Tooze (2007), S. 420–427.

43 Zielinski (1995), S. 81–91; Durand (1991), S. 184–189; Herbert (1986), S. 96ff.

44 Zielinski (1995), S. 32.

45 PAAA, R 27850: Sauckel an Steengracht, 7.5.1943; Entwurf eines Schreibens Steengracht an Sauckel, 27.5.1943.

46 Lieb (2007), S. 46 f.

47 PAAA, R 67020: Telegramm Abetz an AA, 16.2.1942.

48 Durand (1991), S. 186ff.

49 Abetz, Memorandum, darin: Schriftbericht Abetz vom 2. April 1942, 1.7.1943, zit. nach: Zielinski (1995), S. 95ff.; ADAP, E II, Nr. 194: Unterstaatssekretär Luther an Deutsche Botschaft Paris, 9.5.1942.

50 IMT, Bd. 32: Anordnung Nr. 4 des Generalbevollmächtigten für den Arbeitseinsatz über die Anwerbung, Betreuung, Unterbringung, Ernährung und Behandlung ausländischer Arbeiter und Arbeiterinnen, 7.5.1942, S. 202ff., zit. nach: Naasner (1994), S. 117.

51 Zielinski (1995), S. 97; Browning (1977), S. 324 f.

52 PAAA, R 100695: Bericht Kieser, 24.6.1942.

53 Zielinski (1995), S. 106; Durand (1991), S. 189 f.

54 IMT, Bd. 41, Rede Sauckel im Rahmen der ersten Tagung der Arbeitseinsatzstäbe in Weimar, 6.1.1943, S. 225, zit. nach: Naasner (1994), S. 117.

55 Zielinski (1995), S. 131–155.

56 PAAA, R 67051: Telegramm Schleier an AA, 24.7.1943.

57 Zielinski (1995), S. 156–173, 176ff.

58 PAAA, R 26903: Telegramm Ribbentrop an Abetz, 2.2.1944, zit. nach: Zielinski (1995), S. 178.

59 IMT, Bd. 38, Nr. R-124: Protokoll der 54. Sitzung der Zentralen Planung im Vierjahresplan, 1.3.1944, S. 349ff., zit. nach: Naasner (1994), S. 118.

60 Europa unterm Hakenkreuz 4: Aktennotiz Abetz für Weizsäcker, 2.7.1941, S. 147.

61 Kwiet (1968), S. 54–58.

62 Vortragsnotiz Luther, 25.5.1940, zit. nach: Kwiet (1968), S. 80, 93; Erlass des Reichskommissars für die besetzten niederländischen Gebiete über den organisatorischen
   Aufbau der Dienststellen des Reichskommissariats, 3.6.1940, zit. nach: Blom (2005),
   digitaler Dokumentenanhang, Bijlage 4.
63 Schreiben Bene an AA, 29.1.1941, zit. nach: Kwiet (1968), S. 95, Anm. 16.
64 ADAP, E II, Nr. 198: Wickel an Luther, 11.5.1942; PAAA, R 99208, Inland II A/B, Allgemeine auswärtige Politik, betr.: Niederlande 1940–1943: Berichte über die Stimmung
   in den Niederlanden; PAAA, R 60683, Niederlande: Lageberichte 1940.
65 PAAA, R 27632: Bericht Bene über die Lage in den besetzten niederländischen Gebieten, 17.6.1942.
66 YV, JM 3124: Luther an Müller, 5.11.1941.
67 Ebd.; vgl. Browning (1978), S. 69; Hilberg (1985), S. 582 f.
68 YV, JM 3124 (PAAA, R 100876): Vermerk aus Telegramm Luthers an Gaus, 30.10.1941.
69 Ebd.: Albrecht an Weizsäcker, 31.7.1942.
70 Vgl. Hilberg (1985), S. 284; YV, JM 3124 (PAAA, R 100876): Albrecht an Weizsäcker, 31.7.1942; Bene an AA, 13.8.1942.
71 YV, JM 3124: Bene an AA, 31.7.1942 sowie 13.8.1942, 11.11.1942, 16.11.1942, 6.1.1943 und
   4.5.1943.
72 Vgl. YV, JM 3155 (PAAA, R 100876): Bene an AA, 16.2.1943; ebd. (PAAA, R 99428):
   Hahn an Bene, 18.2.1943; Bene an AA, 1.3.1943.
73 YV, JM 3155 (PAAA, R 99429): Bene an AA, 20.7.1944.
74 YV, JM 3156 (PAAA, R 99430): Schwedische Gesandtschaft an AA, 2.10.1944.
75 Ebd.: Vortragsnotiz Wagners, 11.10.1944.
76 Ebd.: Wagner an Staatssekretär, 16.10.1944.
77 Geller (1999); Europa unterm Hakenkreuz 3: S. 22–28, 66 f., 196; Kroener (1988),
   S. 128.
78 NARA, RG 165, War Department General and Special Staffs, Entry UD 72, Schuster
   Files, Box 1: Verhörprotokoll der Schuster-Kommission mit Werner von Bargen,
   13.8.1945.
79 ADAP, D XII, Nr. 569: Bargen an Weizsäcker, 29.5.1941.
80 PAAA, R 29858: Bargen an Weizsäcker, 15.1.1943.
81 YV, JM 3121 (PAAA, R 100862): Bargen an AA, 9.7.1942.
82 Dreyfus (2007), S. 54.
83 Ebd.: Bargen an AA, 11.11.1942.
84 YV, JM 3121 (PAAA, R 100862): Luther an Brüsseler Dienstelle des AA, 4.12.1942; vgl.
   ebd.: Bargen an AA, 9.7.1942.
85 Vgl. Browning (1978), S. 144ff.
86 ADAP, D IX, Nr. 125: Renthe-Fink an AA, 15.4.1940. Das Memorandum selbst ist abgedruckt in: Parlamentarisk Kommission (1948), Bd. 4, Nr. 10, S. 18.
87 Poulsen (1991), S. 371.
88 Weisung Ribbentrop an Kantstein, 5.5.1940, in: Parlamentarisk Kommission (1948),
   Bd. 13, Nr. 4, S. 20.
89 ADAP, D XIII, Nr. 447: Aufzeichnung Grundherr, 4.11.1941.
90 Wolff an Best, 5.11.1941, zit. nach: Döscher (1991), S. 196.
91 Herbert (1996), S. 360–373.
92 Vgl. YV, JM 3173 (PAAA, R 101039): Vortragsnotiz Luthers, 15.1.1942; vgl. Hilberg
   (1985), S. 558 f.; Browning (1978), S. 159 f.

93 YV, JM 3153 (PAAA, R 99413): Renthe-Fink an AA, 20.1.1942.

94 YV, JM 2032: Rintelen an Best, 19.4.1943; Best an AA, 24.4.1943.

95 Vgl. Ebd.: Best an AA, 24.4.1943; Herbert (1996), S. 362.

96 YV, JM 2032: Thadden, [o. D.]; vgl. Hilberg (1985), S. 560.

97 YV, JM 2032: Best an AA, 8.9.1943. Für den genauen Verlauf vgl. Yahil (1966).

98 YV, JM 2032: Best an AA, 8.9.1943; Schreiben Sonnleithners, 18.9.1943; vgl. Yahil (1966), S. 91 f., 101; Herbert (1996), S. 363ff.

99 YV, JM 2032: Erdmansdorff an die Vertretung in Kopenhagen, 28.9.1943.

100 Ebd.: Best an AA, 2.10.1943; vgl. Hilberg (1985), S. 568.

101 YV, JM 2032: Best an AA, 18.10.1943; vgl. Hilberg (1985), S. 568.

102 YV, JM 2032: Steengracht an Inl. II, 1.10.1943; vgl. Hilberg (1985), S. 564ff.

103 Vgl. Yahil (1966), S. 158ff; YV, JM 3122 (PAAA, R 100865): Deutsches Konsulat in Malmö an AA, 12.10.1943.

104 Ebd.: Best an AA, 5.10.1943; Thadden an Büro Reichsaußenminister, 6.10.1943; Yahil (1966), S. 136.

105 YV, JM 3153 (PAAA, R 99414): Thadden an Eichmann, 1.11.1943; vgl. Günter an Thadden, 3.12.1943.

106 Ebd.: RSHA an Thadden, 31.8.1944; vgl. Königliche Dänische Gesandtschaft an AA, 2.8.1944.

107 YV, JM 3122: Vortragsnotiz Wagner, 20.10.1943.

108 YV, JM 3153 (PAAA, R 99414): Best an AA, 19.11.1943; Weitkamp (2008a), S.190ff.

109 Vgl. ebd.: Eichmann an Thadden, 14.12.1943.

110 Ebd.: Thadden an Henke, 4.1.1944.

111 Vortrags-Notiz Wagner, 22.10.1943, zit. nach: Dublon-Knebel (2007), Dokument S.112.

112 ADAP, D IX, Nr. 95: Schreiben Ribbentrop an Bräuer, darin: Nebenanlage 1, Memorandum der Reichsregierung an die norwegische Regierung, 7.4.1940.

113 Ebd., Nr. 83: Telefonischer Bericht Bräuer an das AA, 10.4.1940, 22.30 Uhr.

114 Ebd., Nr. 95: Gesandtschaft Oslo, Paket 245/18, Lagebericht Bräuers an das AA, 11.4.1940.

115 Ebd., Nr. 106: Aufzeichnung [o. Verf.], 16.4.1940. Zu den ersten Wochen der deutschen Besatzung in Norwegen vgl. Bohn (2000), S. 3–7; ders. (1991), S. 139 f.; Europa unterm Hakenkreuz 7, S. 19–22.

116 PAAA, Oslo 229A, Bl. 613163 f.: Aufzeichnung »Organisation des Stabes des Reichbevollmächtigten«, [o. D., ca. 14./15.4.1940].

117 Ebd., Bl. 613168: Telegramm Neuhaus an Ribbentrop, 4.5.1940.

118 Matic (2002), S. 158 f.

119 Mazower (2008), S. 241 f.

120 Veesenmayer und Benzler an AA, 8.9.1941, zit. nach: Poliakov/Wulf (1956), S. 24.

121 Vgl. Browning (1978), S. 56.

122 Veesenmayer und Benzler an AA, 10.9.1941, zit. nach: Poliakov/Wulf (1956), S. 25.

123 Benzler an AA, 12.9.1941, zit. nach: Poliakov/Wulf (1956), S. 27; vgl. Browning (1978), S. 57.

124 Benzler an Ribbentrop, 28.9.1941, zit. nach: Poliakov/Wulf (1956), S. 28.

125 Aufzeichnung Rademachers, 25.10.1941, zit. nach: Poliakov/Wulf (1956), S. 33 f.; vgl. Browning (1992), S. 135 f.

126 Rademachers Antrag auf Dienstreisegenehmigung, zit. nach: Poliakov/Wulf (1956), S. 35 f.

127 Browning (1978), S. 62 f.

128 Aufzeichnung Rademacher, 25.10.1941, zit. nach: Poliakov/Wulf (1956), S. 33 f.

129 Vgl. Manoschek (2000), S. 179; Browning (1978), S. 94.

130 Mazower (1993), s. 251.

131 Rademacher an den Bevollmächtigen in Athen, 6.3.1942, in: Dublon-Knebel (2007), Dokument T17; vgl. Association Culturelle Sepharadite de Paris an Deutsche Botschaft in Paris, 13. Januar 1942, in: ebd., Dokument T12; Schleier an AA, 23. Januar 1942, in: ebd., Dokument T13; Graus an AA, 7. Februar 1942, in: ebd., Dokument T14; Schönberg an den Bevollmächtigen in Athen, 20. Februar 1942, in: ebd., Dokument T16.

132 Schönberg an Altenburg 17. August 1942, in: ebd., Dokument T28.

133 Vgl. Altenburg an AA, 13. Januar 1943, in: ebd., Dokument S36.

134 Luther nach Saloniki, 23. Januar 1943, in: ebd., Dokument S38.

135 Vgl. Wisliceny an Schönberg, 21. Juni 1943, in: ebd., Dokument T94.

136 Schönberg an AA, 15. März 1943, in: ebd., Dokument T50.

137 Merten an deutsches Konsulat in Saloniki, in: ebd., Dokument T49.

138 Schönberg an AA, 15. März 1943, in: ebd., Dokument T50.

139 Ebd.

140 Schönberg an AA, 1. April 1943, in: ebd., Dokument T55. Vgl. ebd., S. 126, Fußnote 364; Eichmann an Rademacher, 2. Februar 1943, in: ebd., Dokument T41.

141 Schönberg an AA, 3. Mai 1943, in: ebd., Dokument S67.

142 Ebd., S. 22; vgl. auch Döscher (1987), S. 133–135.

143 Altenburg an AA, 17. August 1942, in: Dublon-Knebel (2007), Dokument T28.

144 Vgl. Altenburg an AA, 26. Juli 1943, in: ebd., Dokument S102.

145 PAAA, R 29612, Altenburg an Berlin, 1.5.1941.

146 Mazower (1993), S. 219.

147 Europa unterm Hakenkreuz 6: Altenburg an AA über Hungersnot in Griechenland, 16.11.1941, S. 185 f.

148 ADAP, E V, S. 444–474, Dok. 232: Der Bevollmächtigte des Deutschen Reiches für Griechenland Altenburg (Athen) an AA, 22.3.1943.

149 Europa unterm Hakenkreuz 6: Bericht des Oberst i.G. Walter Weygoldt über die Lage in Mittelgriechenland an Generaloberst Alexander Löhr, Wehrmachtbefehlshaber Südost, 19.11.1942, S. 219 f.

150 PAAA, R 105195, Bl. 251301–251304: Denkschrift Neubacher, Betrachtungen über die Bedeutung Nord- und Transkaukasiens für die politische Neugestaltung des Ostens, 30.7.1941.

151 Vgl. Moll (1997), S. 350 f.

152 ADAP, E VII, Nr. 68: Anordnung Hitler, Die einheitliche Führung des Kampfes gegen den Kommunismus im Südosten, 29.10.1943; Europa unterm Hakenkreuz 6: Befehl Generaloberst Alexander Löhr, Stellvertreter des Oberbefehlshabers Südost, Zur Bekämpfung der kommunistischen Widerstandsbewegungen in Jugoslawien und Griechenland, 22.12.1943, S. 293 ff.

153 Schmider (2002), S. 42ff., 310 f., 463 f., 468ff.

154 Europa unterm Hakenkreuz 6: Aktennotiz Oberst Franz von Harling über eine Besprechung bei Generalfeldmarschall Maximilian von Weichs zur Lage in Serbien, 8.10.1944, S. 365 f.

155 NARA, RG 165, War Department General and Special Staffs, Entry UD 72, Schuster Files, Box 1: Verhörprotokoll der Schuster-Kommission mit Hermann Neubacher, 3.–4.10.1945.

156 BAMA, RW 40/80: KTB-Eintrag, 9.9.1943; BAMA, RW 40/81: Der Militärbefehlshaber
     Südost an den Höheren SS- und Polizeiführer Meyszner, 27.10.1943; Schmider (2002),
     S. 475.

157 BAMA, RW 40/89: Weisung des Sonderbeauftragten Südost, Sühnemaßnahmen,
     22.12.1943; Schmider (2002), S. 337.

158 PAAA, R 27301, Sonderbevollmächtigter Südost, Bd. 1, Bl. 110: Dienststelle Athen des
     Sonderbevollmächtigten des AA für den Südosten an Hermann Neubacher über ge-
     plante Deportationen von Einwohnern Athens, 5.7.1944; PAAA, R 27301, Sonderbe-
     vollmächtigter Südost, Bd. 1, Bl. 60: Kurt-Fritz von Graevenitz an Hermann Neu-
     bacher über Terroraktionen in Athen, 25.8.1944.

159 Mazower (1995); Meyer (2007).

160 Schmider (2002), S. 602.

161 Ihme-Tuchel (1999).

162 Neubacher (1956), S. 137.

163 YV, TR 3/1242: Luther an die Gesandtschaft in Budapest, 14.10.1942. Siehe auch: United
     Restitution Organization (1959), S. 95 f., Vortragsnotiz Luthers, 9.10.1942; ebd., Himm-
     ler an Ribbentrop, 30.11.1942, S. 119 f.; ebd., Notiz Luther, 16.1.1943, S.124 f.

164 Gerlach/Aly (2002), S. 37–90.

165 YV, 051/117, Vollmacht Hitlers an Vessenmayer, 19.3.1944; vgl. United Restitution Orga-
     nization (1959), S.164 f.

166 YV, TR 3/1124 (PAAA, R 29794), Ritter an Veesenmayer, 31.3.1944.

167 Matic (2002), S. 33–59.

168 Ebd., S. 61–79.

169 ADAP, D VII, Nr. 172: Veesenmayer an Weizsäcker, 22.8.1939; Nr. 173: Veesenmayer an
     Weizsäcker, 22.8.1939; Matic (2002), S. 85 f.

170 Matic (2002), S. 88ff.

171 Ebd., S. 91–156.

172 Ebd., S. 157–171.

173 Vgl. Weitkamp (2008), S. 290 f.

174 YV, TR 3/380, Veesenmayer an Ritter, 5. April 1944.

175 YV, TR 3/675 (PAAA, R 29794), Veesenmayer an Ritter, 15. April 1944.

176 Vgl. Weitkamp (2008a), S. 293 f.

177 Ebd., S. 295 f.

178 Bericht Thadden, 25.5.1944, in: United Restitution Organization (1959), S. 179 ff.

179 Vgl. Weitkamp (2008a), S. 298ff.

180 Bericht Thadden, 26.5.1944, in: United Restitution Organization (1959), S. 183.

181 YV, JM 3568, S. 1ff., Angaben Grells während des gegen ihn geführten Ermittlungsver-
     fahren, Kassel, 22.7.1949.

182 Vgl. YV, JM 6034: Vernehmung Veesenmayer, 23.10.1947; vgl. Weitkamp (2008a),
     S. 300 f., 304. Thadden benutzte den Begriff »Judenarbeit«: YV, TR 3/678: Bericht
     Thadden, 25.5.1944.

183 YV, JM 3568: Aussage Grell, 22.7.1949, S. 10 f.

184 Ebd., S. 13, 30.

185 YV, JM 3568: Aussage Grell, 31.8.1949, S. 16ff.; vgl. Weitkamp (2008a), S. 305 f.

186 YV, JM 3568: Aussage Grell, 5.9.1949, S. 37.

187 Ebd., 7.9.1949, S. 53.

188 Nachrichten- und Presseabteilung an den Staatssekretär und Inl. II, 27.5.1944, in:

United Restitution Organization (1959), S. 186; YV, TR 3/630, Thadden an die Gesandtschaft in Budapest, Mai 1944; vgl. Hilberg (1985), S. 849ff.; Weitkamp (2008a), S. 307 f.

189 YV, TR 3/632: Veesenmayer an AA, 8.6.1944; vgl. Weitkamp (2008a), S. 307.

190 ADAP, E VIII, Nr. 102: Veesenmayer an Ribbentrop über Ritter, 4.7.1944; vgl. Hilberg (1985), S. 852.

191 YV, JM 3126: Veesenmayer an Reichsaußenminister, 8.7.1944.

192 Ebd.: Vortragsnotiz Inl. II über Staatssekretär zur Vorlage beim Reichsaußenminister, 12.10.1944; vgl. Weitkamp (2008a), S. 311 f., 403.

193 ADAP, E VIII, Nr. 102: Veesenmayer an Reichsaußenminister über Ritter, 4.7.1944; vgl. YV, JM 3126, P XII b, Auslands-Presse-Berichte der Presseabteilung des AA: Bern, 8.7.1944, Blatt XVII; London, 9.7.1944, Blatt 4; vgl. Hilberg (1985), S. 851 f.

194 YV, TR 3/525(PAAA, R 99451): Veesenmayer an AA, 18.10.1944; vgl. Weitkamp (2008a), S. 312, FN 406.

195 Ebd.

196 Ebd.

197 YV, JM 3126 (PAAA, R 100894): Ribbentrop an Veesenmayer, 20.10.1944.

198 Vgl. Hilberg (1985), S. 856ff.

199 YV, JM 2214 (PAAA, R 100894): Veesenmayer an AA, 21.11.1944.

200 Vgl. Bauer (1994), S. 153, 158, 231 f.; Grossman (1986), S. 138.

201 YV, JM 3493 (PAAA, R 100893): Veesenmayer an AA, 25.7.1944; vgl. ebd., Veesenmayer an AA, 29.7.1944; Weitkamp (2008a), S. 316.

202 Gerlach/Aly (2002), S. 415; Hilberg (1985), S. 1300.

203 YV, JM 3122 (PAAA, R 100866): Blücher an AA, 29.1.1943; ebd. (PAAA, R 100865): Blücher an AA, 4.10.1943.

204 Ebd. (PAAA, R 100866): Luther an Deutsche Botschaft in Helsinki, Februar 1943; vgl. Browning (1978), S. 153.

205 YV, JM 3123: Vortragsnotiz Luther, 22.10.1942.

206 YV, JM 3123: Ribbentrop an Deutsche Botschaft in Rom, 13.1.1943.

207 Thadden an den Chef der Sicherheitspolizei und des SD, 27.5.1943, zit. nach: Dublon/Knebel (2007), Dokument T77.

208 Klinkhammer (1993), S. 138ff.

209 Ebd., S. 142–145. Siehe auch: ADAP, E VI, Nr. 235: Rahn, Denkschrift, 19.8.1943.

210 Klinkhammer (1993), S. 176–197, 422–457, 527.

211 BAMA, RH 19X, Bd. 37, Bl. 15 f., Besprechungsniederschrift, 12.11.1944, zit. nach Klinkhammer (1993), S. 528.

212 Moellhausen an AA, 6.10.1943; Sonnleithner an Inl. II, 9.10.1943, beide zit. nach: Poliakov/Wulf (1956), S. 80 f.; vgl. Hilberg (1985), S. 670ff..

213 Weizsäcker an AA, 28.10.1943, zit. nach: Poliakov/Wulf (1956), S. 85; vgl. Hilberg (1985), S. 672 f.

214 YV, JM 3123 (PAAA, R 100872): Wagner an Müller, 11.12.1943.

215 Ebd.: Thadden an Rahn, Dezember 1943.

216 PAAA, R 100888: Deutsche Botschaft Madrid, Moltke, an AA Berlin, 28.1.1943.

217 Thadden (AA Berlin) an Eichmann (RSHA), 10.7.1943, zit. nach: Rother (2001), S. 104.

218 Rother (2001), S. 338 f.

219 Tönsmeyer, S. 139, FN 143.

220 YV, TR3/837: Luther an Gesandtschaft Pressburg, 16.2.1942; vgl. Hilberg (1985), S. 727 f.

221 YV, TR3/1271: Luther an Gesandtschaft Pressburg, 20.3.1942; vgl. YV, TR3/282: Wisliceny an Grüniger, 25.4.1942; YV, TR 3/835: Schreiben der Gesandtschaft Pressburg an das slowakische Ministerium des Äußeren, 1.5.1942.

222 YV, TR3/839: Günther an Rademacher, 15.5.1942.

223 Telegramm Ludin, 26.6.1942, zit. nach: Poliakov / Wulf (1956), S. 70.

224 Weizsäcker an die Gesandtschaft Pressburg, 29.6.1942, zit. nach: Poliakov / Wulf (1956), S. 71.

225 PAAA, R 249624: Büro Staatssekretär an Ludin, 30.6.1942; vgl. Browning (1978), S. 95, sowie Tönsmeyer (2003), S. 156.

226 Vgl. Hilberg (1985), S. 735–739.

227 Sonnleithner an Wagner, 5.7.1943, zit. nach: Poliakov/Wulf (1956), S. 71.

228 Vgl. Hilberg (1985), S. 739.

229 Thadden an Wagner, 27.9.1944; Telegramm Ludin, 4.10.1944, beide zit. nach: Weitkamp (2008a), S. 248 f.

230 Vgl. Hilberg (1985), S. 740ff.

231 Matic (2002), S. 134–145; Hory/Broszat (1964), S. 39–57.

232 Hory/Broszat (1964), S. 60; Biographisches Handbuch, Bd. 2 (2005), S. 480.

233 Hösler (2006), S. 164–168; Bericht des Bevollmächtigten des Auswärtigen Amtes in Serbien über die Besprechung betreffend die Aussiedlung von Slowenen, zit. nach: Quellen zur nationalsozialistischen Entnationalisierungspolitik (1980), S. 91.

234 Kasche an AA, 13.5.1941, zit. nach: Quellen zur nationalsozialistischen Entnationalisierungspolitik (1980), S. 100.

235 Aufzeichnung Twardowski über Umsiedlungsfragen in den besetzten slowenischen Gebieten, 14.5.1941, zit. nach: ebd.

236 Kasche an AA, 27.5.1941, zit. nach: ebd., S. 130.

237 Kasche an AA, 4.6.1941, zit. nach: ebd., S. 162f; Besprechungsniederschrift der am 4.6.1941, 17.00 Uhr unter Leitung des Gesandtschaftsrats Troll stattgefundenen Sonderbesprechung der slowenisch-serbischen Umsiedlung, zit. nach: ebd., S. 166–169.

238 Aufzeichnung Schmidt über die Unterredung zwischen Hitler und Pavelić am 6.6.1941, 9.6.1941, zit. nach: ebd., S. 173 f.

239 Dienststelle AA in Belgrad an AA, 30.8.1941, zit. nach: ebd., S. 241; Niederschrift über die am 22.9.1941 in der Deutschen Gesandtschaft in Zagreb unter Leitung des Deutschen Gesandten stattgefundene Besprechung über die Umsiedlung aus dem Reich nach Kroatien und aus Kroatien nach Serbien, 22.9.1941, zit. nach: ebd., S. 271–274; Luther an Kasche, 5.10.1941, zit. nach: ebd., S. 292; Telegramm Kasche an AA, 8.10.1941, zit. nach: ebd., S. 294.

240 Hösler (2006), S. 167; Olshausen (1973), S. 222–228.

241 Olshausen (1973), S. 229ff.; Hory / Broszat (1964). S. 93–106.

242 Troll-Obergfell an AA, 10.7.1941, zit. nach: Hory/Broszat (1964). S. 99 f.

243 PAAA, R 61144: Stellungnahme Kasche zu dem Bericht des Generaloberst Löhr über Kroatien, 19.5.1943.

244 Telegramm Ribbentrop an Kasche, 21.4.1943, zit. nach: Hory/Broszat (1964), S. 145.

245 Europa unterm Hakenkreuz 6: Aufzeichnung Kasche über eine Besprechung bei Hitler am 30./31.8.1943, 8.9.1943, S. 252.

246 Hory / Broszat (1964), S. 149.

247 Europa unterm Hakenkreuz 6: Telegramm Kasche an Ribbentrop, 16.4.1944, S. 321 f. Dort ebenfalls Hinweis auf Telegramm Ribbentrop an Kasche, 20.4.1943.

248 Vgl. Hilberg (1985), S. 710ff.; Browning (1978), S. 93.

249 Luther an RAM, 24.7.1942, zit. nach: Poliakov/Wulf (1956), S. 40.

250 Kasche an AA, 14.10.1942, zit. nach: Poliakov/Wulf (1956), S. 41f.; vgl. YV, TR 3/87 (PAAA, R 100874).

251 Hilberg (1990), S. 764 f.

252 Kasche an AA, 22.4.1944, zit. nach: Poliakov/Wulf (1956), S. 46.

253 YV, 051.463 (PAAA, R 100863): Luther an Beckerle, 19.6.1942; Anl. Bad. I a Bl. 77, in Anklage Rademacher, S. 8; vgl. Browning (1978), S. 103.

254 YV, 051.461: Notiz Klingenfuß, 3.8.1942; Stahlberg an DIII, 29.7.1942; Browning (1978), S. 103.

255 YV, 051.463 (PAAA, R 100863): Luther an Deutsche Gesandtschaft Sofia, 5.8.1942.

256 YV, 051.463, Anklage 65: Vortragsnotiz an den Reichsaußenminister, 11.9.1942.

257 YV, P-13/180, S. 66: Anklageschrift gegen Rademacher und Klingenfuß, 19.1.1950; vgl. YV, 051.463 (PAAA, R 100863): Sonnleithner an Luther, 15.9.1942; Luther an Rademacher, 15.9.1942.

258 YV, JM 3123 (PAAA, R 100872): Luther an Weizsäcker, 24.9.1942.

259 Vgl. Browning (1978), S. 134.

260 YV, 051.463 (PAAA, R 100863): RSHA an Luther, Dezember 1942; Bergmann an SS-Gruppenführer Müller, 19.3.1943; vgl. auch Hahn an deutsche Gesandtschaft Sofia, 4.12.1942; Aufzeichnung Hahn, 2.1.1943.

261 Ebd.: Beckerle an AA, 16.1.1942; vgl. YV, TR3/1033: Beckerle an AA, 26.3.1943

262 YV, 051.463 (PAAA, R 100863): Beckerle an AA, 22.3.1943. Vgl. Browning (1978), S. 162.

263 YV, 051.463: Dannecker an RSHA, 8.2.1943; vgl. Hahn an Eichmann, 18.2.1943; Günther an Hahn, 9.3.1943; Browning (1978), S. 163.

264 YV, 051.463: Beckerle an AA, 16.3.1943; vgl. Hahn an Eichmann; Browning (1978), S. 163.

265 YV, 051.463 (PAAA, R 100863): Generalkonsul Witte an Deutsche Gesandtschaft Sofia, 18.3.1943; vgl. Lebel (2008), S. 307ff.

266 Ebd.: Generalkonsul in Kavala an Deutsche Gesandtschaft Sofia, 9.3.1943.

267 Ebd.: Bericht an RSHA, Attachégruppe Berlin, 5.4.1943; vgl. Beckerle an AA, 26.3.1943. Vgl. Browning (1978), S. 163.

268 YV, 051.463 (PAAA, R 100863): Beckerle an AA, 7.6.1943.

269 YV, TR 3/473: Killinger an Abteilung Deutschland, 1.9.1941; Browning (1978), S. 52ff.

270 Vgl. Hilberg (1985), S. 777.

271 YV, TR 3/83 (PAAA, R 100883): Eichmann an AA, 14.4.1942.

272 YV, TR 3/99 (PAAA, R 100883): Rademacher an Eichmann, 12.5.1942.

273 YV, TR 3/181 (PAAA, R 100881): RSHA an Luther, 26.7.1942.

274 YV, JM 3124: Luther an Killinger, 14.8.1942; vgl. YV, TR 3/477 (PAAA, R 100881): Klingenfuß/Luther an Müller (Entwurf), 11.8.1942; Browning (1978), S. 115ff.

275 YV, JM 3124 (PAAA, R 100881): Luther an Killinger, 15.8.1942; vgl. Browning (1978), S. 116.

276 YV, TR 3/178: Killinger an Abteilung Deutschland, 28.8.1942; vgl. Browning (1978), S. 121.

277 YV, TR 3/987 (PAAA, R 100881): Luther an Killinger, 14.12.1942; vgl. Browning (1978), S. 127.

278 YV, TR 3/575: Richter an deutsches Konsulat Galatz, 3.9.1942.

279 YV, TR 3/482: Richter an die deutschen Konsulate, 16.9.1943.

280 Hilberg (1985), S. 788ff.; Browning (1978), S. 171.

281 YV, TR 3/701 (PAAA, R 100875): Schreiben D III an Brüsseler Dienststelle des AA, 27.2.1943.

282 YV, JM 3121: Aufzeichnung Luther, 21.8.1942.

283 YV, TR 3/906: Thadden an Eichmann, 10.7.1943.

284 Vgl. YV, TR 3/147 (PAAA, R 99297): Eichmann an Rademacher, 9.7.1942.

285 Vgl. Browning (1978), S. 15 f.; Genschel (1966), S. 142; Adam (1972), S. 162 f. Über die ausländischen Juden vgl. Hilberg (1985), S. 445ff.

286 Vgl. Thadden an Eichmann, [o. D.], zit. nach: Dublon-Knebel (2007), Dokument T100; NCA, Bd. 6, Document PS-3319: Müller, 23.9.1943, S. 26–29.

287 Vgl. YV, JM 3156 (PAAA, R 99435): Reichsminister des Innern an das AA, 27.3.1941 und 16.5.1941.

288 Vgl. YV, JM 3134 (PAAA, R 99340): Reichsminister des Innern an Reichsministerium für Ernährung und Landwirtschaft, 28.8.1940.

289 Ebd.: Reichsminister für Ernährung und Landwirtschaft an AA, 6.9.1940.

290 YV, JM 3134 (PAAA, R 99340): Rademacher an Pol. IV und V, W III a und b, R I, 8.10.1940.

291 Ebd.: Roediger an D III, 28.10.1940.

292 YV, JM 3134 (PAAA, R 99340): Luther an Reichsministerium für Ernährung und Landwirtschaft, 14.11.1940; vgl. Reichsminister für Ernährung und Landwirtschaft an AA, 9.12.1940.

293 Ebd.: Woermann an die Abteilung Deutschland, 1.3.1941.

294 Ebd.: Vortragsnotiz Luther, 18.3.1941; Luther an das Reichsministerium für Ernährung und Landwirtschaft, 10.6.1941.

295 YV, JM 3127: RSHA an AA, 29.9.1941.

296 Ebd.: Rademacher an Politische Abteilung, Handelspolitische Abteilung und Rechtsabteilung, 27.10.1941.

297 YV, JM 3134 (PAAA, R 99341): Weisz an Petzke, 27.9.1941; Weisz an AA, 27.9.1941. Die Antwort Rademachers ist in unleserlicher Handschrift dem Schreiben Weisz' beigefügt: Reichsminister für Ernährung und Landwirtschaft an AA, 26.2.1943.

298 Ebd.: Argentinische Botschaft an AA, 26.10.1942; Reichsstatthalter in Wien an Landeswirtschaftsamt (Wehrwirtschaftsbezirk XVII), 19.2.1943; Landeswirtschaftsamt (Wehrwirtschaftsbezirk XVII) an das AA, 19.2.1943.

299 Ebd.: Reichsministerium für Ernährung und Landwirtschaft an AA, 19.12.1942.

300 Vgl. Ebd.: Aufzeichnung Granow, 26.2.1943; Schreiben Reinebeck, 19.3.1943.

301 YV, JM 3134 (PAAA, R 99341): Thadden an das Reichsministerium für Ernährung und Landwirtschaft, Mai 1943; Reichsminister für Ernährung und Landwirtschaft an AA, 2.7.1943.

302 Vgl. YV, JM 3130 (PAAA, R 99312): Wühlisch an AA, 18.11.1941.

303 Ebd.: Roediger an R IV, 21.2.1942.

304 YV, TR 3/942 (PAAA, R 99238): D III an das RSHA, 5.6.1942; YV, JM 3130 (PAAA, R 99312): Klingenfuß an Suhr, 3.9.1942.

305 YV, TR 3/721 (PAAA, R 100273): Argentinische Botschaft an AA, 17.4.1942; Beauftragter des AA beim Generalgouverneur an AA, 4.6.1942; D III an Reichsführer SS, 16.6.1942; Eichmann an AA, 9.7.1942.

306 YV TR 3/107: Eichmann an Thadden, 5.7.1943; YV, TR 3/105 (PAAA, R 100857): Eichmann an Thadden, 15.11.1943; Weitkamp (2008a), S. 236; vgl. YV, TR 3/906: Thadden
an Eichmann, 10.7.1943.

307 Günther an Thadden, 29.2.1944; Graevenitz an AA, 3.4.1944, beide zit. nach:
Dublon-Knebel (2007), Dokumente S 120 und T122.

Spuren der Resistenz, Formen des Widerstands

1 Klemperer (1994), S. 34.
2 Hassell (1988), S. 143, Eintrag vom 23.11.1939.
3 Ebd., S. 131, Eintrag vom 22.10.1939.
4 Vgl. BA Berlin, BDC, PA Erich Kordt: SS-Personalstammblatt.
5 Hassell (1988), S. 197, Eintrag vom 29.5.1940.
6 Vgl. BA Berlin, BDC, PA Brücklmeier: Kurt von Schneller/Fritz Karnitschnig, Meldung (Abschrift).
7 Vgl. ebd.: Schellenberg an SS-Hauptamt, 31.7.1941.
8 Ebd.: Niederschrift der Vernehmung Brücklmeiers, 9.10.1939.
9 Ebd.: Schellenberg an SS-Hauptamt, 31.7.1941.
10 Ebd.: SS-Personalstammblatt.
11 Vgl. BA Berlin, BDC, PA Karnitschnig: SS-Personalstammblatt.
12 Vgl. Hassell (1988), S. 350, Eintrag vom 6.3.1943.
13 Vgl. Thielenhaus (1984), S. 210.
14 Vgl. ebd., S. 170.
15 Vgl. Wassiltschikow (1987), S. 51; Sahm (1990), S. 123 f.
16 Gerstenmaier (1981), S. 127.
17 ADAP, D XII.2: Geschäftsverteilungsplan des Auswärtigen Amts, August 1940, S. 916.
18 Sahm (1990), S. 64, 111–114, 140–143.
19 Ebd., S. 147, 183 f., 283–296; gestützt von Stauffer (1998), S. 240–243.
20 PAAA, B 100, Bd. 1729: Erklärung Helfrich, September 1953; Bd. 1730, Welck an Jesser,
13.8.1955; Poelchau (1949), S. 62; Sahm (1990), S. 119, 164–168.
21 Sahm (1990), S. 208 f.
22 Ebd., S. 46 f., 84; dazu romanhaft-assoziativ Liebmann (2008).
23 Zu Stöbe vgl. Sahm (1990), S. 52–55, 106 f., 124ff., 147 f., 265 f.; ders. (1994), S. 262–276.
24 Sahm (1990), S. 52ff., 124 f.; zurückhaltender ders. (1994), S. 264.
25 Tuchel (1994); Haase (1994); Bergander (2006), S. 10–17.
26 Sahm (1990), S. 265 f.; ders. (1994), S. 265.
27 Sahm (1990), S. 191–238, bes. 193, 209, 237.
28 Murphy (2005), S. 14 f., 64.
29 Griebel/Coburger/Scheel (1992), S. 87.
30 Biographisches Handbuch, Bd. II (2005), S. 494.
31 Wassiltschikow (1987), S. 59.
32 Klemperer (1994), S. 34.
33 Vgl. Krusenstjern (2009), S. 418 f.
34 Vgl. PAAA, Personalakte Hans Bernd von Haeften, Bd. 5144.
35 Vgl. Haeften (1997), S. 18; Ringshausen (2008), S. 134.
36 Vgl. Ringshausen (2008); Bethge (1989), passim.

37 Zit. nach Krusenstjern (2009), S. 494.

38 Vgl. PAAA, Personalakte Hans Bernd von Haeften, Bd. 5144, Bl. 21: Schroeder an den Leiter der Partei-Kanzlei, München, 5.10.1943.

39 Ebd., Bl. 44: Haeften an Abteilung Pers H, 21.4.1944.

40 Vgl. PAAA, Personalakte Rudolf Schleier, Bd. 13281, Bl. 41: Schroeder an Schleier, 21.4.1944.

41 Ebd.: Ribbentrop an Schleier, 27.11.1943, sowie Telegramm Abetz, 4.12.1943.

42 Die folgende Darstellung stützt sich im Wesentlichen auf Krusenstjern (2009).

43 Vgl. PAAA, Personalakte Adam von Trott zu Solz, Bd. 15611, Bl. 17 f.: Vortragender Legationsrat Engelmann an Reichsfinanzminister, 16.10.1943.

44 Krusenstjern (2009), S. 411.

45 Vgl. PAAA, Personalakte Adam von Trott zu Solz, Bd. 15610.

46 Blasius (1984), S. 329 f.

47 Klemperer (1994), S. 40, 59.

48 Vgl. Krusenstjern (2009), S. 419 f.

49 Mommsen (1996), S. 67.

50 Vgl. Gerstenmaier (1981), S. 120, 128.

51 Vgl. Ringshausen (2008), S. 163.

52 Ebd., S. 441–481.

53 Schöllgen (1990), S. 99 f.

54 Vgl. Jacobsen (1984), S. 301.

55 PAAA, NL Haeften, Bd. 1: Aufzeichnungen von Dr. Wilhelm Melchers, Vortragender Legationsrat, 28.2.1946, S. 32, Abschrift.

56 Vgl. PAAA, R 100740: Kaltenbrunner an SS-Standartenführer Wagner, 16.8.1944.

57 Jacobsen (1984), S. 195.

58 Vgl. PAAA, R 100740: Sonnenhol an Wagner, 26.7.1944; Sonnenhol an Wagner, 11.8.1944.

59 Ebd.: Sonnenhol an Wagner, 11.8.1944.

60 Haeften (1997), S. 86.

61 Vgl. Hachmeister (1998), S. 263 ff.; Wuermeling (2004), S. 220 f.

62 PAAA, R 100740: Aufzeichnung Wagner, 31.8.1944.

63 So SS-Oberführer und Oberst der Polizei Friedrich Panzinger, Stellverterter des Gestapo-Chefs Heinrich Müller als Leiter der »Sonderkommission 20. Juli 1944«; PAAA, R 100740: Aufzeichnung Sonnenhol, 24.8.1944.

64 Ebd.: Sonnenhol an Wagner, 31.8.1944.

65 Ebd.: Aufzeichnung aus Ribbentrops Sonderzug »Westfalen«, ohne Unterschrift, 2.9.1944.

66 Ebd.: Verhandlung vor dem Volksgerichtshof am 7.9.1944; Fall Hassell, Aufzeichnungen Sonnenhol, 7.9.1944, und Fall Goerdeler, Aufzeichnungen Sonnenhol, 7.9.1944.

67 Ebd.: Verhandlung vor dem Volksgerichtshof am 7.9.1944. Fall Hassell, Aufzeichnungen Sonnenhol, 7.9.1944.

68 Delattre (2005), S. 121–128; vgl. auch PAAA, Bewerbungsvorgang Fritz Kolbe, Bd. 51723: Kocherthaler an VfW, 9.7.1949.

69 Zit. nach Delattre (2005), S. 133.

70 Zit. nach Klemperer (1994), S. 271; vgl. auch Petersen (1992); Grose (1994); Mauch (1999).

71 Vgl. Biographisches Handbuch, Bd. 3 (2008), S. 107.

72 PAAA, Personalakte Gerhart Feine, Bd. 47797: Lebenslauf, 24.7.1959.

73 Vgl. Biographisches Handbuch, Bd. 1 (2000), S. 553 f.; PAAA, Personalakte Felix Benzler, 00802, Bd. 2 und 3: Feine an AA, 20.11.1941 und 6.4.1943.

74 PAAA, Personalakte Gerhart Feine, Bd. 47797: Feine, Aufzeichnung über meine Tätigkeit bei der Deutschen Gesandtschaft Budapest im Jahre 1944, 6.11.1952; Lebenslauf, 24.4.1959; YV, JM 5975: Vernehmung Feine durch Kempner, 12.8.1947.

75 PAAA, Personalakte Gerhart Feine, Bd. 3595: Bergmann an Binding, 10.6.1941.

76 YV, JM 5975: Vernehmung Feine, 18.9.1947.

77 PAAA, Personalakte Gerhart Feine, Bd. 47797: Feine, Aufzeichnung über meine Tätigkeit bei der Deutschen Gesandtschaft Budapest im Jahre 1944, 6.11.1952.

78 YV, JM 5975: Vernehmung Feine, 18.9.1947; YV 051/117: Feine an AA, 31.3.1944; PAAA, Personalakte Manfred von Killinger, Bd. 007323: Feine an das AA Pers., 5.9.1944.

79 PAAA, Personalakte Gerhart Feine, Bd. 47797: Feine, Aufzeichnung über meine Tätigkeit, 6.11.1952, und Nachtrag, 17.11.1952.

80 YV, JM 5975: Vernehmung Feine, 18.9.1947.

81 YV, JM 3126: Feine an AA, 24.4.1944.

82 PAAA, Personalakte Gerhart Feine, Bd. 47797: Grell an Veesenmayer mit Sichtvermerk Feine, 27.9.1944 bis 30.10.1944; YV, 051/11: Feine an AA, 29.3.1944 und 31.3.1944; YV, JM 3493: Feine an AA, 8.5.1944 und 27.7.1944; siehe auch Aussage Veesenmayer, in: Taylor (1949), S. 500.

83 YV, JM 3568: Aussage Grell während des gegen ihn geführten Ermittlungsverfahrens, Kassel, 22.7.1949, S. 29.

84 PAAA, Personalakte Gerhart Feine, Bd. 47797: Feine, Aufzeichnung über meine Tätigkeit bei der Deutschen Gesandtschaft Budapest im Jahre 1944, 6.11.1952.

85 Grossman (1986), S. 63. In einer weiteren Veröffentlichung über Carl Lutz wird nur das Telegramm vom 3.4.1944 erwähnt, das Feine Lutz zeigte; Tschuy (1995), S. 148.

86 YV, JM 3126 (PAAA, R 100893): Veesenmayer an AA, 25.7.1944; Grossman (1986), S. 66 f.

87 PAAA, Personalakte Gerhart Feine, Bd. 47797: Grell an Veesenmayer über Feine, 27.9.1944 [zusammengefasst unter Document No. 4985 Office of Chief of Council for War Crimes]; siehe auch Bauer (1994), S. 213 ff.; YV, JM 3126: Grell über Feine an den Gesandten, 27.9.1944.

88 Grossman (1986), S. 69 f.

89 YV, JM 5975: Vernehmung Feine, 12.8.1947; PAAA, Personalakte Gerhart Feine, Bd. 47797: Carl Lutz an Gert Feine, 12.11.1952; Tschuy (1995), S. 257.

90 PAAA, Personalakte Gerhart Feine, Bd. 47797: Carl Lutz an Gert Feine, 26.2.1947.

91 Ebd.: Carl Lutz an Gert Feine, 12.11.1952.

92 Ebd.: Feine, Aufzeichnung über meine Tätigkeit bei der Deutschen Gesandtschaft Budapest im Jahre 1944, 6.11.1952.

93 Hildebrand (2008), S. 816 unter Bezug auf Erdmann (1976), S. 570.

94 PAAA, R 145665, Bl. 136/20: Führererlass, 19.5.1953.

95 Ebd.: Stellungnahme Steengracht, 5.6.1943.

96 Vgl. ebd.

97 PAAA, R 143665, Bl. 136/354: Ribbentrop an Bormann, 14.9.1944.

98 Vgl. ebd., Bl. 136/396 f.: Vermerk Reichskanzlei (?), 13.12.1944.

99 PAAA, R 143666: Ribbentrop an Kaltenbrunner, 2.3.1945.

Zweiter Teil **Das Amt und die Vergangenheit**

Die Auflösung des alten Dienstes

1   NARA, RG 226, E190C, Box 07: Personal des Auswärtigen Amtes nach dem Stand Ende März 1945, 17.4.1945; Schreiben 110 an Climax und Philip Horton, 19.4.1945.

2   NARA, RG 59, Report F-2023: Bericht Herbert Blankenhorn, Juni 1945; NARA, RG 226: The Organization of the German Foreign Office During the Last Years of the War, General P.E. Peabody [Zusammenfassung eines Berichts von Rintelens], September 1945; NARA, RG 84: Erich Kordt, Personal History Statement, Section III, September 1945.

3   NARA, RG 84, Entry 2530, Box 1: Plan for the Control of the Reich Ministry for Foreign Affairs, 13.1.1945.

4   Beck (2005), S. 191–199; Biographisches Handbuch, Bd. 2 (2005), S. 29 f.; Klee (2003), S. 181; NARA, RG 65, Entry A1-136AE, Box 44, File 105–10868: Director FBI, Memo [on Interrogation Hilger, KBP], 8.12.1948; PAAA, B 85, Bd. 238: Repatriierung deutscher Staatsangehöriger aus der Sowjetunion, Mai 1956.

5   Döscher (2005), S. 93, 114 f.

6   PAAA, Personalakte Adolf Heinz Beckerle, Bd. 647: Personalbogen; Ribbentrop an Frau Beckerle, 18.10.1944; Hilberg (1991), S. 796–811.

7   PAAA, Personalakte Adolf Heinz Beckerle, Bd. 647: Ribbentrop an Frau Beckerle, 18.10.1944; CdS, III b an AA, 18.12.1944; Thomsen (Stockholm) an AA, 3.10.1944; Abschrift, 5.10.1944.

8   Ebd.: Thomsen (Stockholm) an AA, 3.10.1944; Abschrift, 5.10.1944; Ahlfeldt, Memo, 23.11.1944; PAAA, B 85, Bd. 238: Entwurf, Ehemalige Angehörige des Auswärtigen Dienstes, die noch in der Sowjetunion zurückgehalten werden, 5.8.1955; Liste der im Gefängnis Wladimir (180 km ostw. Moskau) inhaftierten Deutschen, [o. D., vermutlich Sommer 1954]; Schmidt (2001), S. 298; Hilger (2001), S. 113, 228.

9   PAAA, B 85, Bd. 238: Entwurf, Ehemalige Angehörige des Auswärtigen Dienstes, die noch in der Sowjetunion zurückgehalten werden, 5.8.1955; Liste der im Gefängnis Wladimir (180 km ostw. Moskau) inhaftierten Deutschen, [o. D., vmtl. Sommer 1954]; Vermerk, 15.6.1954; PAAA, B 10, Bd. 2068: Dittler an Melchers, 21.3.1950; PAAA, Personalakte Karl Clodius, Bd. 2446: Dr. Philipp Langenhahn, Pro Memoria, [o. D.]; Föderaler Archivdienst Russland (Rossarchiw) an Botschaft BRD, Leiter des Kulturreferats, 8.5.2003; PAAA, Personalakte Karl Clodius Addendum; Döscher (2005), S. 63 f.

10 PAAA, NL Sasse, Mappe 119: Nöldeke, Notiz, 11.5.1959; Das Ende des »Auswärtigen Amtes« in Berlin, Rudolf Holzhausen, 20.6.1950; PAAA, NL Hencke: Diary of Andor Hencke; NARA, RG 65, Entry A1-136AE, Box 44, File 105–10868: Director FBI, Memo [on Interrogation Hilger, KBP], 8.12.1948; Döscher (2005), S. 53.

11 PAAA, NL Sasse, Mappe 119: Nöldeke, Notiz, 11.5.1959.

12 Ebd.: Rudolf Holzhausen, Das Ende des »Auswärtigen Amtes« in Berlin, 20.6.1950; PAAA, NL Hencke: Diary of Andor Hencke; PAAA, B 85, Bd. 238: Angehörige des ehemaligen Auswärtigen Amtes, die in den Jahren 1945 bis 1952 in sowjetischer Gefangenschaft bekundet worden sind, [o. D.]; Hergt, Notiz, 25.2.1954 [über Selbstmord Hewel, *KBP*]; Biographisches Handbuch, Bd. 1 (2000), S. 123 f., 212, 575 f.; Bd. 2 (2005), S. 300 f.; Bd. 3 (2008), S. 187 f.; Syring (1993), S. 152, 160 f. Holzhausen schreibt zwar von

einem »Bohlen«, scheint aber W. Bohn zu meinen; laut dessen Erinnerungsbericht starb Flügge in Sachsenhausen.

13 PAAA, Personalakte Theodor Auer, Bd. 45243: Lebenslauf, Februar 1953; PAAA, Personalakte Theodor Auer, Bd. 326: Oberreichsanwalt Volksgerichtshof an Auswärtiges Amt, 23.3.1945; PAAA, B 100, Bd. 2272, Wiedergutmachungssache Auer: Brief Buchholz [ehem. Gefängnispfarrer Plötzensee], 9.9.1952.

14 PAAA, Personalakte Theodor Auer, Bd. 45243: Lebenslauf, Februar 1953; Auer, Politische Gefangene in der sowjetischen Besatzungszone, 16.9.1952; Hilger (2006), S. 233.

15 PAAA, Personalakte Johannes Ullrich, Bd. 58872: Lebenslauf, 24.9.1955; Trauerrede, [o. D., vermutlich Dezember 1965 oder Januar 1966]; Wiedergutmachungsbescheid, 5.1.1956; Ernst Posner, In Memoriam, *The American Archivist* 29, Juli 1965, S. 405–408; PAAA, B 10, Bd. 2068: Grolman an Melchers, 26.3.1953; Korrespondenz Frau Dr. Steinbiß-Trützschler, Mai 1952; PAAA, B 85, Bd. 238: Angehörige des früheren Auswärtigen Dienstes, die sich in sowjetischen Gewahrsam befinden und deren Angehörige keine Dienstbezüge erhalten (Ergänzt und berichtigt nach dem Stand vom 20.10.1954 durch den DRK-Suchdienst Hamburg); Döscher (2005), S. 64 f. Zur Vermutung, dass Ullrichs Internierung eine Verwechslung zugrunde lag siehe Eckert (2006), S. 126.

16 PAAA, B 10, Bd. 2068: Verzeichnis der von den Russen verschleppten und in Konzentrationslagern festgehaltenen Angehörigen des früheren Auswärtigen Amts, so weit deren Namen bekannt geworden sind, [o. D., vermutlich März 1950]; Welsh (1991), S. 93 f.; Wember (1992), S. 43, 88ff.; Werkentin (2001), S. 6–26; Fricke (1979), S. 205–215; Weinke (2001), S. 27–48; Naimark (1995), S. 376 f. Zur Gesamtproblematik in der Sowjetunion und in der SBZ/DDR siehe Hilger (2006), S. 181–247.

17 PAAA, B 85, Bd. 238: Entwurf Brückner, Ehemalige Angehörigen des Auswärtigen Dienstes, die noch in der Sowjetunion zurückgehalten werden, 5.8.1955; Aufzeichnung, Angehörige des früheren Auswärtigen Dienstes, die noch in der Sowjetunion bezw. in der sowjetischen Besatzungszone zurückgehalten werden, Oktober 1955; Angehörige des ehemaligen Auswärtigen Dienstes, die vermisst werden und wahrscheinlich in sowjetische Gefangenschaft geraten sind, [o. D.]; Angehörige des ehemaligen Auswärtigen Dienstes, die in den Jahren 1945 bis 1952 in sowjetischer Gefangenschaft bekundet worden sind, [o. D.]; PAAA, B 10, Bd. 2068: Verzeichnis der von den Russen verschleppten und in Konzentrationslagern festgehaltenen Angehörigen des früheren Auswärtigen Amts, soweit deren Namen bekannt geworden sind, [o. D., vermutlich März 1950].

18 NARA, RG 319, IRR Personal, Box 304: Folder XO 049490; Biographisches Handbuch, Bd. 3 (2008), S. 557ff.; Klee (2003), S. 477.

19 Biographisches Handbuch, Bd. 1 (2000), S. 102 f.

20 Herbert (1996), S. 400–434.

21 Biographisches Handbuch, Bd. 1 (2000), S. 21; zu Neumünster siehe Wember (1992), S. 55–58; PAAA, Personalakte Helmut Allardt, Bd. 45101: Lebenslauf, [o. D., vermutlich 1950]; Döscher (2005), S. 58 f.

22 PAAA, Personalakte Gustav Adolph von Halem, Bd. 5229 und 5230; NARA, RG 238, Entry 200, Box 11: Haft-Akte Halem; NARA, RG 84 Entry 2531 B, Box 87, CDF 820.02a: Special Interrogation Report.

23 Döscher (2005), S. 79–82, 167; IfZ, ED 157/30, NL Kordt: Nürnberger Prozess; NARA, RG 84, Entry 2531 B, Box 88, CDF 820.01: State Department Interrogation Mission, Washington, Dezember 1945; NARA, RG 84, Entry 2531 B, Box 85, CDF 820.02 a: Bayne

to Reinhardt, 28.12.1945; Murphy to Jackson, 3.1.1946; Bayne to Rudlin, 13.10.1945; Telegram SecState, 29.12.1945; Department of State to PolAd, 5.6.1946; Heath to CCE/B.E., 13.7.1946; Bayne to Offie, 12.7.1946; Wendt [CCE/B.E.] to Heath, 4.9.1946; Jackson to Murphy, 25.10.1946; Heath to Jackson, 4.12.1946; Heath to SecState, 4.12.1946; Fyfe, Gutachten für Kordt, 8.8.1946; Riddleberger, Gutachten für Kordt, 28.12.1946.

24 Atkin (1995), S. 197–208; Biographisches Handbuch, Bd. 1 (2000), S. 2 f.

25 NARA, RG 331, Entry 11, Box 6, File GBI/Exec/383.6–6: SHAEF Forward, Eisenhower to AGWAR for CCS, 28.5.1945; Establishment of Special Detention Centers for Suspects and Important Personages, 26.5.1945; Place of Judgement, *Time*, 6.8.1945; Dolibois (1989), S. 96 f.

26 Biographisches Handbuch, Bd. 1 (2000), S. 229 f.

27 Dolibois (1989), S. 86 f.; PAAA, NL Sasse, Mappe 119: Das Ende des »Auswärtigen Amtes« in Berlin, 20.6.1950; NARA, RG 331, Entry 13-B, Box 74: File Ashcan Internees 6/7–45; Entry 15, Box 116: EXFOR Main to G-2 SHAEF, Second British Army, 31.5.1945; Entry 11, Box 6: File GBI/EXEC/383.6–4, SHAEF Forward to G-2, 3rd Army, 13.6.1945; Commandant Ashcan to SHAEF Main, 16.6.1945; Döscher (2005), S. 59, 61 f.; Döschers Datumsangabe für Ribbentrops Verhaftung ist zweifelhaft.

28 NARA, RG 84, Entry 2531 B, Box 27: Murphy to Secretary of State, 3.7.1945.

29 NARA, RG 331, Entry 11, Box 6, File GBI/Exec/383.6–6: Recommendation by Internee (Boetticher, Friedrich, 31G 350019), 26.5.1945; Dolibois (1989), S. 94 f.

30 Ebd., S. 90, 92 f.

31 NARA, RG 84, Entry 2530, Box 1: Plan for the Control of the Reich Ministry for Foreign Affairs, 13.1.1945; PAAA, NL Sasse, Mappe 119: Nöldeke, Notiz, 11.5.1959.

32 USHMM, RG 06.019.03*9s: Suggestion for the Interrogation of War Criminals [o. D.]; NARA, RG 84, Entry 2531 B, Box 27, CDF 820.02a: SecState to Muphy, 16.05.1945; Memorandum Murphy, 18.5.1945.

33 NARA, RG 84, Entry 2531 B, Box 28, Caffery: U.S. Embassy Paris to SecState, 11.4.1945; Caffery to SecState, 15.4.1945; SecState to Unknown, 21.4.1945; Questions to be asked Franz von Papen, 24.4.1945.

34 Ebd., Box 27: Interrogation of Former German Officials, [o. D.]; Questions to be Asked of Steengracht von Moyland [o. D.]; Dolibois (1989), S. 101, 108.

35 Ebd., S. 104 f.; NARA, RG 84, Entry 2531 B, Box 27: Murphy to SecState, Interrogation of Joachim von Ribbentrop … von Steengracht Moyland, 25.6.1945.

36 Ebd.: U.S. Political Advisor to G-2 USFET, Segregation of Internees at ASHCAN and Elsewhere for Interrogation, 30.7.1945; NARA, RG 331, Entry 11, Box 6, file GBI/EXEC/383.6–4: SHAEF FORWARD to EXFOR, 20.5.1945; SHAEF FORWARD to 21 Army Group for General Staff Intelligence, Twelfth Army Group for G-2, Sixth Army Group for G-2, 3.6.1945; SHAEF FORWARD to 21 Army Group for General Staff Intelligence, Twelfth Army Group for G-2, Sixth Army Group for G-2, 14.6.1945; Murphy to Strong, 16.5.1945; Draft Reply, Detention of German Foreign Office Officials, 3.6.1945; NARA, RG 84, Entry 2531 B, Box 27: Strong to Murphy, 11.6.1945; Murphy to SecState, 3.7.1945.

37 Ebd.: Murphy to Secretary of State, 3.7.1945; Murphy to SecState, Reports on Interrogation of Goering, Ley, and Steengracht von Moyland, 10.7.1945; Detailed Interrogation Report, Second Report on Baron Steengracht von Moyland, The German Foreign Office and Miscellaneous Topics, 2.7.1945.

38 NARA, RG 331, Entry 11, Box 6, Akte GBI/EXEC/383.6–4, II: Bad Gastein [o. D., ver-

mutlich Juni 1945]; Reported Whereabouts of Certain German Officials in Whom the Political Division Has An Interest [o. D., vermutlich Juni 1945]; Sixth Army Group to SHAEF MAIN, 11.6.1945; NARA, RG 84, Entry 2531 B, Box 27: Beam, PolAd to Warner, 6.8.1945; PAAA, NL Sasse, Mappe 119, Nöldeke, Notiz, 11.5.1959; Das Ende des »Auswärtigen Amtes« in Berlin, 20.6.1950; PAAA, NL Hencke: Diary of Andor Hencke.

39 NARA, RG 65, Entry 136 AB, Box 154: FBI-Akte Blankenhorn, Interrogation of Mr. Blankenhorn, 14.5.1945, S. 6–8. Von alledem findet sich kein Wort in Blankenhorns 1980 veröffentlichtem Tagebuch; ders. (1980).

40 Ramscheid (2006), S. 77–91; Biographisches Handbuch, Bd. I (2000), S. 173 f.; NARA, RG 65, Entry 136 AB, Box 154: FBI-Akte Blankenhorn.

41 Döscher (2005), S. 107 f.; NARA, RG 238, Entry 200, Box 11: Haftakte Grundherr; PAAA, Personalakte Werner von Grundherr, Bd. 4939; Biographisches Handbuch, Bd. 2 (2005), S. 124 f.

42 NARA, RG 84, Entry 2531 B, Box 27: Beam, PolAd to Warner, 6.8.1945.

43 Biographisches Handbuch, Bd. 1 (2001), S. 70 f.; Döscher (2005), S. 68–77; NARA, RG 238, Entry 200, Box 2, Haftakte von Bargen; RG 165, Entry UD 27, Box 9, Report on the Historical Interrogation of German Prisoners of War and Detained Persons; PAAA, B 100, Bd. 398: Wiedergutmachungssache Bargen; PAAA, Personalakte Werner von Bargen, Bd. 45365.

44 Biographisches Handbuch, Bd. 2 (2005), S. 263ff.; Kahn (2000), S. 70ff.; PAAA, NL Hencke, Diary of Andor Hencke; NARA, RG 238, Entry 200, Box 12: Haft-Akte Andor Hencke; NARA, RG 331, Entry 15, Box 116: SHAEF FWD to SHAEF MAIN, List of Government Personalities in Flensburg Murwick, 13.5.1945.

45 Hilberg (1991), S. 579, 1172; Biographisches Handbuch, Bd. 2 (2005), S. 414 f., 532; Klee (2003), S. 282, 308 f. Zu Selbstmordmustern siehe: Herbert (1996), S. 435.

46 Biographisches Handbuch, Bd. 2 (2005), S. 480; Klee (2003), S. 299; PAAA, NL Hencke, Diary of Andor Hencke; PAAA, B 83, Bd. 761, Namenssachen: Siegfried Kasche.

47 Biographisches Handbuch, Bd. 3 (2008), S. 131 f.; Senfft (2007), S. 39ff., 89, 97 f.

48 PAAA, B 100, Bd. 10: Wiedergutmachungssache Ludin.

49 Niethammer (1986), S. 78.

50 Rauh-Kühne (1995), S. 44ff.

51 Biographisches Handbuch, Bd. 2 (2005), S. 175 f.

52 Ebd., Bd. 3 (2008), S. 242ff.; Ramscheid (2006), S. 90.

53 PAAA, NL Haas, Bd. 13.

54 Biographisches Handbuch, Bd. 1 (2000), S. 471 f.

55 Herwarth (1990), S. 34; BA Koblenz, B 102, Bde. 43–53; PAAA, NL Theo Kordt, Bde. 1–5; BayHStA, MSO, Bd. 1109: Camill Sachs an Anton Pfeiffer, 2.2.1948.

56 PAAA, NL Hans Schroeder: Eintrag Günther Altenburg, S. 1 f., hier S. 2.

57 TNA/PRO, FO 371, Bd. 70811, Paper CG 4314: Petition H.J. Graf von Moltke an Winston Churchill, 25.10.1948 (eine englische Übersetzung von Schroeders »Persilschein« in der Anlage).

58 IfZ, ED 157, NL Erich und Theo Kordt, Bd. 6: Theo Kordt an Bibra, 5.5.1947; Dieckhoff an Theo Kordt, 15.4.1947.

59 StA Hamburg, B 221–11, Misc 5154: British Liaison Staff of Zonal Advisory Commission, Special Branch, Fragebogen/Action Sheet, 8.1.1947; PAAA, NL Melchers, Bd. 7: Urteil Spruchkammer Bremen, 13.4.1948.

60 NLA-StA Stade, Rep. 275, Nr. 4705: Werner von Bargen an den Bezirks-Entnazifizie-

rungs-Ausschuss Stade, 10.9.1947; Stellungnahme Jungclaus, 7.10.1947; Döscher (1995), S. 59–69.

61 StA Hamburg, B 221–11, L 1805: Ernst Ostermann von Roth, Fragebogen, 9.1.1948; Lebenslauf, [o. D.]; PAAA, NL Haas, Bd. 13; Biographisches Handbuch, Bd. 3 (2008), S. 413 f.

62 StA Hamburg, B 221–11, L 1805: Beratender Ausschuss Justiz, Protokoll, 7.2.1948; Fachausschuss Justiz, Fragebogen, 13.2.1948.

63 StA München, Spruchkammern, Karton 949: Franz Krapf, Civil Service Records, Special Branch, U.S. Military Government München an Spruchkammer III, 1.1.1948.

64 PAAA, Personalakte Franz Krapf, Bd. 7901: Helms, Partei-Kanzlei, an Auswärtiges Amt, 17.1.1939.

65 StA München, Spruchkammern, Karton 949: Klageschrift K 381, 13.4.1948; Spruchkammer III München, Spruch, 4.5.1948; Seitz, Randbemerkung auf Aufzeichnung des Special Branch, US Military Government, München an den Öffentlicher Kläger der Spruchkammer III, Fälschung von Fragebögen, 7.7.1948.

66 PAAA, Personalakte Günther Diehl, Bd. 2717: Zweigstelle der Deutschen Botschaft Paris in Vichy, Telegramm 1096/44 an Auswärtiges Amt, 12.5.1944; Zweigstelle der Deutschen Botschaft Paris in Vichy, Telegramm 4383/43 an die Personalabteilung des Auswärtigen Amtes, 7.10.1943; Six an Schroeder, 1.11.1943; Rühle an Schroeder, 20.12.1943; Biographisches Handbuch, Bd. 1 (2000), S. 422ff.

67 Diehl (1994), S. 60.

68 TNA/PRO, FO 371, Bd. 70692: Bericht des Foreign Office Research Departments in den »Minutes« des Paper C 2681, 16.8.1948; PAAA, Personalakte Günther Diehl, Bd. 2717: Bergmann an Diehl, 28.12.1944.

69 IfZ, ED 357, NL Schoen, Bde. 17–20.

70 Kühlem (2008), S. 123 f.

71 TNA/PRO, FO 1013 Bd. 197: W.H.A. Bishop an Brigadier W.G.D. Knapton, 29.6.1948.

72 IfZ, Sp 59: Boczkowski, Öffentlicher Kläger bei Berufungskammer Kassel, an Kammer III, 29.8.1949.

73 StA München, Spk-Akten K 938: Spruchkammer VIII München, Spruch, 13.9.1949; Öffentlicher Kläger bei Spruchkammer München VIII, Klageschrift VIII/1994/46, 22.5.1947; Hans Sachs, Special Projects Division, an Bayerisches Staatsministerium für Sonderaufgaben, 29.2.1948.

74 Hoffmann (1996), S. 550; Klemperer (1992), S. 153; StA München, Spk-Akten K 938: Heinke, Special Projects Division an Bayerisches Staatsministerium für Sonderaufgaben, 23.8.1948; Vermerk, [o. D.]; Herf an Bayerisches Staatsministerium für Sonderaufgaben, 17.11.1948; Vermerk Camill Sachs, 24.11.1948.

75 Biographisches Handbuch, Bd. 1 (2000), S. 248ff.; PAAA, Personalakte Otto Bräutigam, Bd. 46238; Bräutigam (1968); Gerlach (1999); Heilmann (1987).

76 PAAA, NL Haas, Bd. 13; Müller (1996), S. 274, 279.

77 33,2 Prozent aller Westdeutschen galten als »entlastet«, in der britischen Zone allerdings 58,4 Prozent; Fürstenau (1969), S. 227 f.

78 Ó Drisceoil (2006); Cole (2006), S. 68, 86; Döscher (1995), S. 48–59.

79 Biographisches Handbuch, Bd. 2 (2005), S. 308 f., 504 f.

80 Biographisches Handbuch, Bd. 2 (2005), S. 134 f.; Hill (1967), S. 148–151; Website der Volkswagen Group Italia S.P.A., URL: http://www.volkswagengroup.it/en_storia.asp (29.10.2008).

81 Biographisches Handbuch, Bd. 3 (2008), S. 485 f.; Wilfried Platzer is Dead at 72: Was Austrian Envoy to the United States, *New York Times*, 18.11.1981, S. B8; Agstner (2006), S. 48–50.

82 Biographisches Handbuch, Bd. 2 (2005), S. 183 f.; ebd., Bd. 3 (2008), S. 582.

83 Klee (2003), S. 181; vgl. Biographisches Handbuch, Bd. 1 (2000), S. 29 f.

84 Ebd., Bd. 2 (2005), S. 527.

85 Ebd., Bd. 1 (2000), S. 26 f., 380 f.; Bd. 3 (2008), S. 677 f.; Schanetzky (2001), S. 88.

86 Herbert (1996), S. 444–471; Biographisches Handbuch, Bd. 1 (2000), S. 3 f.

87 TNA/PRO, FO 1049, Bd. 1408: J. M. Rathbone an German Section, Foreign Office, 16.2.1948; Rathbone an Political Division, Allied Control Commission Berlin (British Element), 25.1.1948; TNA/PRO, FO 371, Bd. 70797, Paper CG 1472: Rathbone an C. M. Anderson, German Section, Foreign Office, 24.3.1948; Bd. 70799, Paper CG 1850: Legal Division, Zonal Executive Offices, C.C.G. Herford an die German Section, Foreign Office, 22.4.1948; Bd. 104146, Paper C W1661/85: Research Department, Foreign Office, an Central Department, Foreign Office, 12.3.1953.

88 Schroth (2004), S. 51–54; Maulucci (1998), S. 44 f.

89 PAAA, Pers. B. Akten, Bd. 3844: Geldakte Dirk Forster; IfZ, ED 134, NL Dirk Forster, Bd. 24; Biographisches Handbuch, Bd. 1 (2000), S. 583 f.

90 Biographisches Handbuch, Bd. 1 (2000), S. 501 f., 553 f.; Bd. 2 (2005), S. 150 f., 544 f.; Vogel (1969); Döscher (1995), S. 47; Haas (1974).

91 Herwarth (1982); Biographisches Handbuch, Bd. 2 (2005), S. 485 f.

92 Döscher (2005), S. 114 f.; Schroth (2004), S. 57; Biographisches Handbuch, Bd. 2 (2005), S. 485 f.

93 Biographisches Handbuch, Bd. 3 (2008), S. 173 ff.; PAAA, Geldakte Vollrath von Maltzan, Bd. 9444; BA Hoppegarten, ZA VI 3328, A. 18: Personalakte der I.G. Farbenindustrie Berlin, betr. Vollrath von Maltzan; BA Koblenz, B 102, Bd. 44, Heft 1: Maltzan, Eidesstaatliche Erklärung für Reiner Kreutzwald, 16.8.1946; Bd. 43, Heft 1: Maltzan, Eidesstaatliche Erklärung für Hasso von Etzdorf, 16.9.1946.

94 PAAA, MfAA, Personalakte Gerhard Kegel: Lebenslauf, 16.5.1973.

95 Murphy (2005), S. 15, 19, 62, 64.

96 PAAA, R 143450 Freundeskreis, Bd. 2, Liste I: Anschriften in Deutschland, März 1950.

97 Mund (2003), S. 181 f.

98 PAAA, R 143449 Freundeskreis, Bd. 1: Twardowski an Werner von Fries, 10.12.1948; siehe auch Twardowski, Niederschrift zur Vorstandssitzung des Freundeskreises am 31. Januar 1949, 4.2.1949.

99 PAAA, R 143451 Freundeskreis, Bd. 3; Schroth (2004), S. 40 f.; Döscher (1987), S. 281–287.

100 PAAA, R 143451, Bd. 3: Fritz von Twardowski an Felix Benzler, 3.11.1948.

101 PAAA, R 143452 Freundeskreis, Bd. 4: Hilger van Scherpenberg an Twardowski, 9.11.1948.

102 PAAA, NL Gottfried von Nostitz, Bd. 6: Hasso von Etzdorf an Gottfried von Nostitz, 17.5.1949.

103 Vernehmungsberichte siehe NARA, RG 59, Entry 1082, Boxes 1–4.

104 Truman Library, Papers of Harry N. Howard, Folder: Department of State Special Interrogation Mission in Germany, Poole an James W. Riddleberger, Chief Central European Division, Department of State, 7.12.1945.

105 Truman Library, Interview Howard, 5.6.1973; URL: http://www.trumanlibrary.org/

oralhist/howardhn.htm#transcript (17.6.2010), im Folgenden: Howard-Interview 1973;
Herwarth (1990), S. 14.

106 Herwarth, (1982), S. 69–73, 153ff., 157; Bohlen (1973), S. 69 ff.; Klemperer (1992),
S. 103 f.

107 Herwarth (1982), S. 190–240.

108 Hoffmann (2003), S. 151, 155–157, 182.

109 Thayer (1952), S. 185.

110 Critchfield (2003), S. 33 f.

111 NARA, RG 59, Entry 1082, Box 3, Folder Schmidt: State Department Special Interrogation Mission, Vernehmungsprotokoll Paul Otto Gustav Schmidt, vernommen durch
Harold C. Vedeler am 19., 22. – 26. Oktober 1945, 12.11.1945, S. 33.

112 Ebd., Box 2, Folder Henke: Andor Hencke, Die deutsch-sowjetischen Beziehungen
zwischen 1932 und 1941, S. 39.

113 Ebd.: Hencke, Die deutsch-sowjetischen Beziehungen zwischen 1932 und 1941, S. 41.

114 Ebd., Folder Herwarth: State Department Special Mission, Vernehmung Herwarth
(C), vernommen durch DeWitt C. Poole im Oktober 1945, 1.11.1945, S. 6, 7.

115 NARA, RG 59, Entry 1082, Box 1, Dirksen: Harry N. Howard, Gespräche mit Botschafter Herbert von Dirksen, 12. und 14.9.1945.

116 Truman Library, Papers of Harry N. Howard, Folder: Basic Aims of Soviet Policy in
Eastern Europe, 1939–1941: Harry Howard, Basic Aims of Soviet Policy in Eastern
Europe, 1939–1941, P10-487, 3.12.1945; Howard (1948); Henderson an Byrnes, 3.1.1946;
NARA, RG 84, Entry 2531B, Box 87, Folder H: Office to Secretary of State, No. 99.

117 Howard-Interview 1973, S. 52 f.

118 Mudd Library, Allan W. Dulles Papers, Series 1 (Correspondence 1891–1969), Box 45,
Folder 5: Poole an Dulles, 8.2.1946 und 20.7.1946.

119 Poole (1946), S. 135, 142, 149 f.

120 Byrnes (1947).

121 NARA, RG 59, Entry 1082, Box 1: Vernehmung Dirksen (A), vernommen durch De-
Witt C. Poole, German Policy and Operations in the Ukraine, 1914–1918, 30.10.1945.

122 Ebd., Box 2, Folder Hencke: Andor Hencke, Bemerkungen zur ukrainischen Frage in
der Ukrainischen-Sowjetischen-Sowjet-Republik.

123 Ebd., Folder Herwarth: State Department Special Mission, Vernehmung Herwarth
(C), vernommen durch DeWitt C. Poole im Oktober 1945, 1.11.1945, S. 5–7, 16.

124 Poole (1946), S. 152.

125 NARA, RG 59, Entry 1082, Box 2: Folder Hilger, Vernehmungsbericht zu Hilger,
17.7.1945; NARA, RG 65, Entry 1A-136B, Box 44, Folder 105–10868: P.E. Peabody, Chief
Military Intelligence, Report from Captured Personnel and Material Branch Issued by
the Military Intelligence Division, U.S. War Department, by Combined Personnel of
U.S. and British Services for Use of Allied Forces, 15.10.1945 [Information vom 26. –
29.8.1945]; Hilberg (2003), Bd. 2, S. 580, 719 f.

126 NARA, RG 65, Entry 1A-136B, Box 44, Folder 105–10868: Peabody, Report from Cap-
tured Personnel and Material Branch, 15.10.1945. Siehe auch: NARA, RG 263, Entry
ZZ-18, Box 51, Folder Hilger I: Summary of Gustav Hilger's Secret ›Diplomatic and
Economic Relations between Germany and the USSR, 1922 to 1941‹, 15.10.1946.

127 Ebd.: Vernehmungsbericht Nr. 5855, 9.11.1945; Vernehmungsbericht Nr. 5885, 6.12.1945.

128 Ebd.: Frank Wisner an J. Edgar Hoover, 20.10.1948; Memo an Wisner, 32–124–2,
16.11.1948; Chief of Station Karlsruhe an [Name unkenntlich gemacht], MGK-W-1040,

2.12.1948; NARA, RG 263, Entry ZZ-19, Box 29, Ruffner: Eagle and Swastika, Kapitel 7, S. 16.

129 Ebd., Entry ZZ-18, Box 51, Folder Hilger II: Chief of Mission Frankfurt an Chief, EE, EGL-A-325, 30.9.1952; Memorandum, 22.1.1957.

130 Ebd.: Berndt an D-Chef, 28.10.1947, hier: S. 17 f.

131 Ebd.; siehe auch: NARA, RG 263, Entry ZZ-18, Box 51, Folder Hilger I: Memorandum an Lt. Col. Deane, Operation FIREWEED, 2.8.1947; NARA, RG 65, Entry 1A-136B, Box 44, Folder 105–10868: H. B. Fletcher an D. M. Ladd, 22.11.1948.

132 NARA, RG 263, E ZZ-19, Box 29, Folder 2: Ruffner, Kapitel 7, S. 2 f.; siehe auch: Grose (2000); NARA, RG 65, Entry A1–136B, Box 44, Folder 105–10868: J. Edgar Hoover an [Name unkenntlich gemacht], 8.12.1948; H. B. Fletcher an D. M. Ladd, 22.11.1948; NARA, RG 263, Entry ZZ-18, Box 51, Folder Hilger I: Kennan to Wisner, 19.10.1948; [Name unkenntlich gemacht] an [Name unkenntlich gemacht], 7.7.1950.

133 Ebd.: G.H./No. 51, 8.2.1950; Memorandum für ADPC, 10.11.1949; G.H./No. 54, 22.3.1950; Memorandum Wisner, 30.6.1950; Memorandum für ADPC, 6.7.1950.

134 Ebd.: Memorandum für ADPC, 29.3.1950; siehe auch: Memorandum für DS I, 17.2.1950.

135 Ebd.: Notiz Kennan, 19.4.1950; siehe auch: Memorandum für CCP, COP, DS-II, DS-III, 5.5.1950.

136 Ebd.: [Name unkenntlich gemacht] an Wisner, Treffen, 27.12.1948; [Name unkenntlich gemacht] an Major General William Hall, Director of Intelligence, Office of the Military Governor, 30.12.1948; Hilger an Heusinger, 22.2.1949; Memorandum Wisner und Sheffield Edwards, 18.1.1950; Richard Helms an Chief, I & S, 22.2.1950.

137 NARA, RG 238, Entry 200, Box 12, Folder Hencke; Biographisches Handbuch, Bd. 2 (2005), S. 265.

Vor Gericht

1 Blasius (1987), S. 313; Zitat in James MacDonald, Hunted Nazi Found in Bed in British Raid for ›Lodger‹, New York Times, 16.6.1945, S. 5; Smith (1977), S. 183 f.

2 Weinke (2006), S. 20.

3 Report to the President [Truman] by Mr. Justice Jackson, 6.6.1945, Art. III.4, New York Times, 8.6.1945, S. 4.

4 Die Beweislage gegen Ribbentrop in: NCA, Bd. 2, Kap. XVI, S. 489–528; gegen Neurath ebd., S. 1014–1035.

5 NCA, Bd. 1, Kap. IX, S. 371.

6 IMT, Bd. 1, IMT Statut, Art. 6a, S. 11; vgl. auch NCA, Bd. 1, Kap. IX, S. 371; IMT, Bd. 19, Schlussplädoyer Shawcross, S. 502.

7 Ebd.: Schlussplädoyer Jackson, S. 460; Schlussplädoyer Shawcross, S. 589. Vgl. zu Neurath NCA, Bd. 3, Kap. XVI, S. 1029.

8 Bloch (1992), S. 439; Neave (1978), S. 230, 238; Edwin L. James, Herr Ribbentrop Asks Molotoff as Witness, New York Times, 2.12.1945, S. E3; Drew Middleton, Ribbentrop Wants Churchill Called, New York Times, 24.2.1946, S. 31.

9 IMT, Bd. 10, Kreuzverhör Ribbentrop-Maxwell Fyfe, 1.4.1946, S. 366–445; diplomatische Sprache siehe zum Beispiel S. 408 f., 445. Zum Original siehe: Ciano (1946), S. 118 f., 11.8.1939, »the decision to fight is implacable«; Salter/Charlesworth (2006a); dies. (2006b), bes. S. 108.

10 IMT, Bd. 10, 26. und 27.3.1946, S. 124–179, Zitat S. 156; Deportationen S. 146–156; Gelächter S. 157; Raymond Daniell, Ribbentrop Calls Hitler Bad Leader, *New York Times*, 28.3.1946, S. 12.

11 IMT, Bd. 10, 28.3.1946, S. 235 f., 245 f.; Taylor (1992), S. 352 f.; Raymond Daniell, Ribbentrop Saw Hitler as ›Savior‹, *New York Times*, 29.3.1946, S. 5.

12 IMT, Bd. 1, S. 321–324; Smith (1977), S. 184 f.; Bloch (1992), S. 453 f.; Taylor (1992), S. 571–611, bes. 589; Neave (1977), S. 306–318.

13 IMT, Bd. 17, 25.6.1947, S. 35, Zitat S. 39; siehe auch 26.6.1946, S. 111 f.

14 Major Monigan, Document Room Interrogation Analysis, Witness von Neurath, 2.10.1945, Donovan Collection, vol. XV, sec. 42.03. Neuraths Verteidigung in IMT, Bd. 16, 24.6.1946, S. 714 f., 724 f.; vgl. Lippman (1997), bes. S. 155–173.

15 Lüdicke (2010), Kap. 21.1; IMT, Bd. 16, 24.6.1946, S. 713 f., 720; Taylor (1992), S. 454–459; Heineman (1979), S. 228 f.; IMT, Bd. 17, 25.6.1946, S. 65 f.; Goda (2007), S. 96, 98; Ueberschär/Vogel (1999), S. 110, 127 f.

16 IMT, Bd. 16, 22.6.1946, S. 652; Bd. 17, S. 34; Von Neurath Plot on Czechs Alleged, *New York Times*, 26.6.1946, S. 2; Von Neurath Feared Murder, He Asserts, *New York Times*, 27.6.1946, S. 7; Goda (2007), S. 96; Lüdicke (2010), Kapitel 21.1.

17 Lüdicke (2010), Kapitel 21.1; vgl. auch Goda (2007), S. 98; Smith (1977), S. 224; Czechs Want to Try von Neurath, *New York Times*, 2.10.1946, S. 18; Urteil Neurath in IMT Bd. 1, S. 377–380.

18 Das Tagebuch ist in Privatbesitz und wurde erstmals ausgewertet von Lüdicke (2009).

19 IMT, Bd. 16, 22.6.1946, S. 568 f.; 24.6.1946, S. 717; Von Neurath Blames League for Warfare, *New York Times*, 23.6.1946, S. 14; Von Neurath Raps 1938 Appeasement, *New York Times*, 25.6.1946, S. 8.

20 Laut Robert Kempner; NARA, RG 84, Entry 2531B, Box 152, Nr. 10641: Robert Murphy an State Department, 8.8.1947.

21 Bayne (1946), S. 1; ADLL, TTP-14-3-1-17: F. Elwyn Jones an Telford Taylor, 30.12.1947.

22 PAAA, NL Köpke, Bd. 5: Dirksen an Köpke, 14.12.1946.

23 NARA, RG 153, Entry 1018, Box 1: Howard C. Peterson an Telford Taylor, 17.6.1946; Charles Fahy, Memorandum for the Secretary (of State), 24.7.1946; Damon M. Gunn, Memorandum for Col. McCarthy, 26.7.1946; Genereal Clay an George F. Schulgen, CC-1206, 4.8.1946, zit. nach: The Papers of Lucius D. Clay, S. 247; vgl. Bloxham (2002); Weindling (2000), S. 368–371; Buscher (1989), S. 30 f.

24 Bloxham (2001), S. 38, 49.

25 NARA, RG 153, Entry 1018, Box 13: Telford Taylor, Memorandum, Program of War Crimes Trials to be brought by the Office of Chief Counsel for War Crimes before the Military Tribunals, 14.3.1947; Taylor, dito, 20.5.1947.

26 Taylor (1949), S. 76; siehe auch Bloxham (2001), S. 49.

27 Clay an Echols, CC-3057, 4.9.1946, zit. nach: The Papers of Lucius D. Clay, S. 261; NARA, RG 153, Entry 1018, Box 7: Taylor an Clay, 4.9.1947.

28 NARA, RG 153, Entry 1018, Box 13: Damon M. Gunn, Memorandum for the Office of the Assistant Secretary of War, 30.10.1946; Box 7: Taylor, Program of War Crimes Trials to be brought by the Office of Chief of Counsel before the Military Tribunals, 4.9.1947; vgl. auch Friedman (2008), S. 78.

29 ADLL, TTP 20–1–3–34: Jackson an Sprecher, 29.11.1945; Sprecher an Jackson, 14.2.1946.

30 Biographische Angaben in ADLL, TTP 20-1-1-LC2, Public Information Office,

OCCWC: Memorandum, The Prosecution Staff, 1.2.1949; vgl. auch: Das Urteil im Wilhelmstraßen-Prozeß, S. XVIII-XX.

31   Clay an Noce, CC-1527, 8.9.1947, zit. nach: The Papers of Lucius D. Clay, S. 420 f.; NARA, RG 153, Entry 1018, Box 7: Taylor an Clay, 4.9.1947.

32   Ebd., Box 1: Royall an Clay, WAR 86180, 12.9.1947; Box 7: Taylor an Clay, Program of War Crimes Trials to be brought by the Office of Chief of Counsel before the Military Tribunals, 4.9.1947; Box 1: Clay an Royall, CC-1663, 19.9.1947; OCCWC [Taylor] an Dept. of the Army, War Crimes Branch, 131142Z, 13.10.1947.

33   TWC, Bd. 12, S. 7; Maguire (2001), S. 153, 157 f.; Bloxham (2001), 49 f.; Singer (1980), S. 109.

34   TWC, Bd. 12, S. 137 f.

35   Eckert (2004), S. 77–117.

36   NARA, RG 238, Entry 52a, Box 1: W. D. Hohenthal, Chief, Intelligence Branch, POLAD, an W. H. Coogan, Office of the U. S. Chief of Counsel, 8.9.1945; RG 84, Entry 2531B, Office of POLAD, Box 37: John Muccio, Office of Political Affairs, OMGUS, an Office of Director of Intelligence, Col Newton, 3.10.1945.

37   NARA, RG 84, Entry 2531B, Box 100: Lt. Col. Robert C. Thomson (Brit.) an John Krumpelmann (US), 5.10.1946.

38   USHMM, NL Kempner, Box 104: Kempner an Michael Mansfeld, 6.2.1953. Vgl. auch Axel Frohn, Klaus Wiegrefe, Das Dokument des Terrors, Der Spiegel, 9.2.2002; »Ich war gleich alarmiert«. Wie die Britin Betty Nute das einzige erhaltene Protokoll der Wannsee-Konferenz in die Hände bekam, ebd.

39   Kempner (1983), S. 310–318.

40   Die Liste der von Kempner persönlich durchgeführten Verhöre in USHMM, NL Kempner, Box Buffalo 121.

41   ADAP, D V, Nr. 664: Runderlass, 25.1.1939. Zu Schumburg vgl. Browning (1978), S. 13–21.

42   PAAA, NL Sasse, Mappe 127: Vernehmung Emil Schumburg durch Kempner, 21.7.1947; dort auch ein Verhör vom 21.10.1947.

43   TWC, Bd. 14: List of Witnesses in Case 11, gekennzeichnet nach Anklage- und Verteidigungszeugen, S. 1020–1032; siehe auch TWC, Bd. 12: Opening Statement for Defendant Von Weizsaecker, S. 236.

44   USHMM, NL Kempner, Box 188: Vernehmung Schroeder durch Kempner, 20.6.1947; NARA, RG 59, CDF 1945–1949, Decimal 840.414/6–745, Box 5702: [Herbert Blankenhorn], The German Foreign Office Under the Nazi Regime, OSS Report Nr. F-2023.

45   PAAA, NL Becker, Bd. 3/1: Margarete Blank an Georg Bruns, 8.2.1948; siehe auch Bd. 10.2.: Rudolf Steg an Becker, 31.1.1948.

46   Stuby (2008), S. 21, 400–444; zit. nach: Stuby (2000), S. 93; Döscher (1987), S. 195; Kempner (1983), S. 315.

47   Transkripte der Verhöre in USHMM, NL Kempner, Box 191 und Box Buffalo 121.

48   USHMM, NL Kempner, Box 246: [Gaus], Gedanken, [10 Seiten handschriftlich, o. D.]; Stuby (2008), S. 443, 446.

49   Neue Zeitung, 17.3.1947, S. 1; Stuby (2008), S. 447 f.

50   PAAA, NL Becker, Bd. 4/1: Becker an Marion Dönhoff, 14.5.1948; Ribbentrop (1954), S. 283; Weizsäcker (1997), S. 125 f.

51   Die Mai-Liste als Teil in NARA, RG 260, Entry 183, Box 2: Telford Taylor an General Clay, Program of War Crimes Trials to be brought by the Office of Chief of counsel

before the Military Tribunals, 20.5.1947; die August-Liste als Anhang in RG 84, Entry 2531B, Box 152: Robert Murphy an SecState, Nr. 10641, 8.8.1947.

52 Terror Tactics In War Trials are Revealed, *Chicago Tribune*, 23.5.1948; vgl. Kempner (1983), S. 316 f.; Stuby (2008), S. 448–453; Frei (1996), S. 149 f.

53 Browning (1978), S. 112ff.; Browning (1977), S. 331–340; Döscher (1987), S. 256–261.

54 USHMM, NL Kempner, Box 188: Vernehmung Schroeder durch Kempner, 20.6.1947.

55 Ebd.: Schroeder, Aufzeichnung [über] Referat Inland II, 16.7.1947.

56 Browning (1978), S. 188.

57 USHMM, NL Kempner, Box 188: Vernehmung Schroeder durch Kempner, 20.6.1947 und 1.7.1947. Zum Affidavit vom 18.6.1947 vgl. Singer (1980), S. 166; die Richter bezogen sich in ihrem Urteil auf dieses Affidavit vgl. Das Urteil im Wilhelmstraßen-Prozeß, S. 87.

58 NARA, RG 238, Entry 200, Box 29: Jason H. Martin, Apprehension & Locator Branch, Headquarters Justice Prison, Release of Hans Schroeder, 3.7.1947; MD a. D. Hans Schroeder, 22.10.1899 – 8.1.1965, zum Gedächtnis (im Folgenden: Gedenkbuch Schroeder), Beitrag Herbert Müller-Roschach, [das Gedenkbuch befindet sich im PAAA].

59 Gedenkbuch Schroeder, Beitrag Brunhoff.

60 USHMM, NL Kempner, Box 188: Kempner an »Herrn Bürgermeister, Stuttgart«, [o. D.].

61 TWC, Bd. 13: Weizsaecker Defense Exhibit 292, 20.4.1948, S. 385 f.; Kempner (1983), S. 229.

62 Gedenkbuch Schroeder, Beitrag Kundt.

63 BA, N 1273, Bd. 59: Antrag Ernst von Weizsäcker auf Niederlassung in der französischen Zone, 24.5.1946; Alliierter Kontrollrat, Proklamation Nr. 2, Abschnitt III, 7a-c, 20.9.1945, in: Amtsblatt des Kontrollrates in Deutschland Nr. 1, S. 9 f. Vgl. auch FRUS III (1945), S. 475–477; NARA, RG 59, entry 1073, Box 33, Decimal File 711: G. B. Montini, Segretaria di Stato di Sua Santità, an Harold H. Tittmann, Assistant to Myron C. Taylor, Personal Representative of the President of the USA to the Vatican, Nr. 101006, 4.8.1945.

64 NARA, RG 59, Entry 1073, Box 33: Tittmann an Montini, Secretariat of State of his Holiness, 5.8.1945.

65 Weizsäcker (1950), S. 384; IMT, Bd. 14, S. 308–331; Aus der Vatikanstadt, *Vaterland* (Luzern), 24.4.1946; Von Weizsaecker to Testify, *New York Times*, 24.4.1946, S. 3.

66 NARA, RG 59, Entry 1073, Box 33, Decimal 711: Murphy, POLAD, an Tittmann, Vatikan, 4.10.1945; Tittmann an Montini, Secretariat of State of His Holiness, 19.11.1945.

67 USHMM, NL Kempner, Box 191: Vernehmung Weizsäcker durch Kempner, 1.4.1947.

68 BA, NL Weizsäcker, N 1273, Bd. 71: AA an Hellmut Becker, 19.9.1951, mit handschriftlichen Bemerkungen von Richard von Weizsäcker.

69 USHMM, NL Kempner, Box Buffalo 121: Vernehmung Weizsäcker durch Kempner, 26.3.1947.

70 NARA, RG 153, Entry 1018, Box 13: Telford Taylor an General Clay, Memorandum, Program of War Crimes Trials to be brought by the Office of Chief of Counsel before the Military Tribunals, 14.3.1947; USHMM, NL Kempner, Box 191: Vernehmung Weizsäcker durch Kempner, 1.4.1947.

71 USHMM, NL Kempner, Box 252: Telford Taylor an E. Malcolm Carroll, German War Documents Project, 1.5.1947.

72 Der Fall Weizsäcker, *Der Aufbau*, 23.5.1947, S. 4.

73 MAE, Paris, Série Europe, Allemagne, 1944–1970, Bd. 5: Rapatriement de l'ambassadeur d'Allemagne auprès du Saint-Siège: Saint Hardouin, 5.7.1947, Nr. 94; Saint Hardouin, 18.8.1947, Nr. 104.

74 NARA, RG 260, Entry 183, Box 2: Telford Taylor an General Clay, Program of War CrimesTrials to be brought by the Office of Chief of counsel before the Military Tribunals, 20.5.1947.

75 NARA, RG 84, Entry 2531B, Box 152, Robert Murphy an SecState, Nr. 10641, 8.8.1947, mit der August-Liste als Anhang.

76 PAAA, NL Becker, Bd. 1: Sigismund von Braun an Hellmut Becker, 4.8.1947.

77 NARA, RG 153, Entry 1018, Box 1: Stephen Wise, President, WJC, an Kenneth Royall, Secretary of the Army, Memorandum Concerning the Inclusion of Certain German War Criminals Responsible for the Jewish Catastrophe in the Trial of Weizsaecker and Others (so-called ›Ministries‹ Case), 19.11.1947.

78 Ein Dokument der Schande. Erstmaliger Bericht über die Sitzung der deutschen Staatssekretäre zur »Endlösung der Judenfrage«, *Der Aufbau*, 14.11.1947, S. 1.

79 NARA, RG 153, Entry 1018, Box 1: Taylor, Teleconference TT 8775, 26.11.1947; C.F. H[ubbert], Memo for Record, [o. D.].

80 TWC, Bd. 12: Opening Statement for the Prosecution, S. 139.

81 Ebd., S. 4. Laut Zeitungsberichterstattung erfolgte die Übergabe der Anklageschrift bereits am 3. November.

82 Ebd.: Opening Statement for the Prosecution, S. 138 f., 148.

83 Robert M. W. Kempner, Pennsylvania's Mission to Prussia, *The Pennsylvania Gazette*, Mai 1942; vgl. auch Kempner (1983), S. 363.

84 NARA, RG 153, Entry 1018, Box 7: Taylor an Clay Program of War Crimes Trials, 4.9.1947.

85 PAAA, NL Becker, Bd. 4/1: siehe z. B. Becker an Claus Dohrn, Washington, 5.4.1948; Maguire (2001), S. 175; Singer (1980), S. 137 f.

86 TWC, Bd. 12: Indictment, Count IV, S. 38–43; Opening Statement for the Prosecution, S. 230; Nürnbergs zweitgrößter Prozess beginnt, *Neue Zeitung*, 7.11.1947, S. 1; Pöppmann (2003), S. 175 f.

87 TWC, Bd. 13, S. 76–117; Bloxham (2001), S. 64; Maguire (2001), S. 176 f.

88 Ebd., Bd. 12: Count I, Statement of the Offense, S. 20–34; Opening Statement for the Prosecution, S. 152–157, Zitat S. 154.

89 Maguire (2001), S. 165 f. Siehe auch TWC, Bd. 12: Zeugenaussage Theodor Hornborstel, 8.1.1948, S. 748–758.

90 TWC, Bd. 12: Prosecution Exhibit 123, S. 875 f.; ADAP, D IV, Nr. 229: Erklärung der Deutschen und der Tschechoslowakischen Regierung, mit zwei Anlagen, 15.3.1939.

91 TWC, Bd. 12: Extracts from the Testimony of the Prosecution Witness Milada Radlova, 12.1.1948, S. 902–911; Czechs Forced to Quit in '39, Presidents Daughter Asserts, *Washington Post*, 13.1.1948, S. 15; Kathleen McLaughlin, Hitler Ultimatum Detailed by Czech, *New York Times*, 13.1.1948, S. 9. Zu dem Hachá-Treffen vgl. Blasius (1981), S. 88; Mazower (2008), S. 56–63.

92 Das Urteil im Wilhelmstraßen-Prozeß, S. 6–14, Zitate S. 10 f.

93 Freigesprochen wurde er in den Anklagepunkten Verbrechen gegen den Frieden (Punkt I) und Gemeinsamer Plan und Verschwörung (Punkt II); vgl. aber Matić (2002), S. 295.

94 Singer (1980), 241 f., 247 ff.

95 Das Urteil im Wilhelmstraßen-Prozeß, S. 305–310, Zitate S. 308 f.

96 Zit. nach: Döscher (1987), S. 248 f., vgl. ebd., S. 246–255. Weitere Beispiele sowie Erläuterung des Verteilers vgl. Singer (1980), S. 172–179.

97 ADAP, E II, Nr. 56: AA (Rademacher) an Reichssicherheitshauptamt, 20.3.1942; vgl. Blasius (1987), S. 332; Wein (1990), S. 306 f.; Singer (1980), S. 194–197; Döscher (1987), S. 243–245.

98 Klarsfeld (1978).

99 Weizsäcker-Papiere (1974), S. 427 f.

100 Das Urteil im Wilhelmstraßen-Prozeß, S. 81.

101 Ebd., S. 94.

102 TWC, Bd. 14, S. 91; siehe auch Mendelssohn (1951).

103 TWC, Bd. 14, S. 23–28; Death is Asked for 21 Nazis, *Washington Post*, 10.11.1948, S. 4; New Evidence is Cited, *New York Times*, 10.11.1948, S. 9; U.S. Prosecutor Asks Death for 21 in Nazi Foreign Office, *Chicago Tribune*, 10.11.1948, S. A7; Kempner (1983), S. 346 f.

104 Das Urteil im Wilhelmstraßen-Prozeß, S. 15, 94.

105 Abweichende Stellungnahme des Richters Leon W. Powers in ebd., S. 281–318, bes. S. 291 f., 302 f.; Nuremberg Judge Dissents on Guilt, *New York Times*, 14.4.1949, S. 8; Iowan Dissents as Court Finds 19 Nazis Guilty, *Chicago Tribune*, 14.4.1949, S. N21.

106 Abweichende Stellungnahme des Richters Leon W. Powers, in: Das Urteil im Wilhelmstraßen-Prozeß, S. 282.

107 NARA, RG 84 Entry 2531B, Box 228: Kempner an Perry Laukhuff, Büro des POLAD, 30.3.1948. Vgl. Jacobsen/Smith (2007), S. 161–164; Das Urteil im Wilhelmstraßen-Prozeß, S. 217, 276.

108 Das Urteil im Wilhelmstraßen-Prozeß, S. 36ff., 134–139, 193ff., 271 f.; abweichende Meinung von Richter Powers ebd., S. 293, 305, 314 f.

109 Ebd., S. 99–105; abweichende Meinung von Richter Powers ebd., S. 303–305.

110 Ebd., S. 71–75; abweichende Meinung von Richter Powers ebd., S. 294–298; TWC, Bd. 13, S. 2–32.

111 Kempner (1983), S. 347.

112 Das Urteil im Wilhelmstraßen-Prozeß, S. 319–330.

113 PAAA, NL Becker, Bd. 9/2: Aufzeichnung Melchers, 28.2.1946.

114 Hassell (1946), S. 276, Aufzeichnung 1.11.1942; offenbar unter dem Eindruck des Hassell-Tagebuchs bezeichnete Allen Dulles den Weizsäcker-Kreis als »too timid«; PAAA, NL Becker, Bd. 1: Dulles an Niebuhr, 16.10.1947; zu Weizsäckers Rolle innerhalb des bürgerlich-aristokratischen Widerstands siehe Mendelssohn (1951); Hill (1974); Thielenhaus (1984); Blasius (1991); Heinemann (1990).

115 PAAA, NL Becker, Bd. 9/2: Aufzeichnung Melchers, 28.2.1946, S. 14.

116 Vgl. Herf (2009).

117 PAAA, NL Theo Kordt, Bd. 3: Melchers an Kordt, 14.7.1946.

118 Ebd.: Melchers an Kordt, 19.6.1947 und 14.7.1946.

119 Ebd.: Melchers an Kordt, 13.4.1947.

120 Ebd.

121 Ebd.: Melchers an Kordt, 8.6.1947.

122 PAAA, NL Becker, Bd. 9/2: Melchers an Gaus, 19.6.1947.

123 ADLL, TTP-14-3-1-17: Jones an Taylor, 16.1.1948.

124 PAAA, NL Becker, Bd. 1: Ernst von Weizsäcker an Kranzbühler, 27.6.1947.

125 ADLL, TTP-20-1-LC3, OCCWC, Public Information Office: List of Defense Counsel,

27.12.1947, S. 9; BA Berlin, BDC, NSDAP-Gaukartei: Mitgliedskarte Nr. 4455499, Hellmut Becker; vgl. dazu auch Raulff (2009), S. 403.

126 Internationales Biographisches Archiv 11/1994, 7.3.1994.

127 Hans-Georg von Studnitz, Der Fall Weizsäcker, *Weser-Kurier*, 3.2.1948.

128 Zu den in den USA geführten Prozessen gegen die AA-Auslandspropagandisten Robert Best und Douglas Chandler vgl. Boveri (1956), Bd. 1, S. 121–125.

129 Der Schweizer Diplomat und Historiker Paul Stauffer wies Anfang der neunziger Jahre nach, dass die von Burckhardt für den Fall 11 zur Verfügung gestellten »Tagebuch«-Eintragungen teilweise erst nach dem Krieg enstanden waren; Stauffer (1991), S. 216 f. und Fußnoten 51, 52, 57; vgl. Grandiose Anpassung, *Der Spiegel*, 23.9.1991.

130 Raulff (2009), S. 384, 393.

131 Zu Sonnleithner siehe PAAA, NL Becker, Bd. 14: Schroeder an Becker, 15.9.1949; Bd. 15/2: Becker an Richard von Weizsäcker, 6.9.1949.

132 Zur Nachkriegskarriere von Studnitz vgl. Hodenberg (2006), S. 128. Zu Bode siehe PAAA, B 100, Bd. 445: Naval Document Centre des Britsh Naval Headquarters, Berufsausbildungsnachweis, 23.4.1948.

133 PAAA, NL Becker, Bd. 12/2: Becker an Grewe, 23.7.1949.

134 Vgl. Hanke/Kachel (2004); Stolleis (2002), S. 175 ff.; Zelger (1996), S. 313–323. Zur Nachkriegsrechtsprechung vgl. Pingel (1993); Weber (1947).

135 Raulff (2009), S. 383.

136 PAAA, NL Becker, Bd. 1: Becker an Gundalena von Weizsäcker-Wille, 29.10.1947.

137 Ebd.: Hentig an Becker, 4.10.1947; IfZ ED 113/5, Hentig an Wolf-Ulrich von Hassel, 14.8.1947; zu Hentigs Verhalten im Wilhelmstraßenprozess vgl. auch Döscher (2005), S. 262 f. PAAA, NL Becker, Bd. 1: Dirksen an Becker, 28.12.1947.

138 PAAA, NL Becker, Bd. 1: Becker an Freytag, 19.12.1947, [Anlage nicht im Bestand].

139 Ebd.: Melchers an Becker, 29.8.1947.

140 Ebd., Bd. 9: Melchers an Becker, 9.1.1948.

141 Ebd., Bd. 1: Becker an Erich Kordt, 27.11.1947.

142 Ebd., Bd. 9: Ausarbeitung Melchers [o. D., ca. Nov./Dez. 1947]; PAAA, NL Melchers, Bd. 2: Hanns-Erich Haack, »Landesverrat« als Landestreue, [o. D.], ms. Ms.

143 PAAA, NL Becker, Bd. 6: Erste Aufzeichnung Kaufmann zu seiner Vernehmung, [o. D.].

144 Zum Begriff vgl. Messerschmidt (1995).

145 PAAA, NL Becker, Bd. 2: Becker an Achenbach, 26.11.1948.

146 Ebd., Bd. 19: Becker an Schaeder, 6.10.1948.

147 IfZ ED 157/4, NL Erich und Theo Kordt: Aufzeichnung Theo Kordt, [o. D.], S. 20.

148 PAAA, NL Becker, Bd. 19: Aufzeichnung Hahn, 3.3.1948, [Entwurf].

149 Ebd., Bd. 9/2: Eidesstattliche Erklärung Melchers, 22.1.1948.

150 PAAA, NL Melchers, Bd. 1: Schmieden, Strukturwandel und Bedeutungsminderung des Auswärtigen Amtes (1935–1945), [o. D.].

151 Moeller (2001), S. 3.

152 PAAA, NL Melchers, Bd. 2: Magee/Becker: Opening Statement für Ernst von Weizsäcker [Hervorhebung im Original].

153 PAAA, NL Becker, Bd. 11/1: Becker an Tüngel, 2.4.1949.

154 Ebd., Bd. 1: Keller an Gundalena von Weizsäcker-Wille, 30.9.1947.

155 Vgl. Singer (1980), S. 121–128; Blasius (1999), S. 190. Zum Quellenwert der Verwaltungsakten vgl. Kuller (2008).

156 PAAA, NL Becker, Bd. 4/1: Eisenlohr, Eidesstattliche Erklärung, 17.6.1947.

157 Ebd.: Becker an Eisenlohr, 20.4.1948.

158 PAAA, Personalakte Vollrath von Maltzan, Bd. 9442: Ilgner an Marschall von Bieberstein, 5.12.1944.

159 PAAA, Personalakte Vollrath von Maltzan, Bd. 53203: Eidesstattliche Erklärung Fries, 23.10.1946.

160 PAAA, NL Becker, Bd. 3/1: Bargen an Becker, 31.12.1947.

161 Ebd., Bd. 9/2: Maltzan an Becker, 5.1.1948; Marginalie Kessel. Zu Maltzan vgl. Schroth (2004), S. 11.

162 Ebd., Bd. 5: Holten an Becker, 5.1.1948.

163 Ebd., Bd. 6: Becker an Kesselring, 19.3.1948.

164 Weizsäcker (1950), S. 363.

165 Herbert (1996), S. 427.

166 PAAA, NL Becker, Bd. 11/1: Becker an Thadden, 29.4.1948.

167 Zit. nach: Herbert (1996), S. 418.

168 Bayne (1946).

169 IfZ, ED 157/7, NL Erich und Theo Kordt: Militärgerichtshof Nr. IV/XI (Kommission I), Vernehmungen Theo Kordt, 14. und 15.7.1948.

170 IfZ, ED 157/7, NL Erich und Theo Kordt: Vernehmung Kordt, 14.7.1948, S. 14, 8.

171 Ebd., ED 157/6, NL Erich und Theo Kordt: Halifax an Theo Kordt, 9.8.1947.

172 Zit. nach: Später (2003), S. 424.

173 IfZ, ED 157/49, NL Erich und Theo Kordt: Affidavit Vansittart, 31.8.1948.

174 PAAA, NL Becker, Bd. 1: Becker an Theo Kordt, 26.11.1947.

175 Ebd., Bd. 7: Halifax an Theo Kordt, 31.1.1948.

176 Ebd.: Butler an Theo Kordt, 31.1.1948.

177 Ebd.: Theo Kordt an Becker, 12.2.1948.

178 Ebd., Bd. 9/2: Becker an Magee, 16.8.1948; IfZ, ED 157/8, NL Erich und Theo Kordt: Erich Kordt an Theo Kordt, 26.9.1948.

179 PAAA, NL Becker, Bd. 9/2: Magee an Becker, 30.9.1948.

180 Zit. nach: Wrochem (2006), S. 142.

181 Parlamentsdebatte, 28.10.1948; Hansard Bd. 457, Nr. 3, S. 255 f.

182 IfZ, ED 157/48, NL Erich und Theo Kordt: Kordt an Becker, 10.8.1949.

183 Churchill (1995/2003), S. 519.

184 BA, N 1273, Bd. 79, Bl. 73: Becker, Plädoyer für Ernst von Weizsäcker; die Churchill-Rede ist darin fälschlicherweise auf den 28.10.1948 datiert.

185 Zu dem von Schmitt im Auftrag von Kempner erstellten Gutachten »Warum sind die Staatssekretäre Hitler gefolgt?« vgl. Wieland (1987).

186 BA, N 1273, Bd. 79, Bl. 34: Plädoyer Becker für Ernst von Weizsäcker zur Morgenthau- und Vansittart-Rezeption in Deutschland vgl. Olick (2005), S. 44ff., 90ff.

187 PAAA, NL Becker, Bd. 11/1: Exzerpte aus Vansittarts Memoiren mit Kommentaren Magees, [o. D.]; IfZ, ED 157/8, NL Erich und Theo Kordt: Kordt an Sethe, 22.9.1948.

188 Zum Begriff vgl. Lindenberger (2006), S. 13 f.; Payk (2008), S. 141ff.

189 PAAA, NL Becker, Bd. 11/2: Becker an Gundalena von Weizäcker-Wille, 13.5.1948.

190 Ebd., Bd. 13/1: Kordt an Becker, 15.5.1949.

191 Zit. nach: Frei (1996), S. 151.

192 PAAA, NL Becker, Bd. 11/1: Becker an Gundalena von Weizäcker-Wille, 13.9.1948; Bd. 4/1: Becker an Dönhoff, 29.9.1948; Valentin Gitermann, Ein Freund der Schweiz, *Volksrecht*, 18.8.1948, S. 1; vgl. Schwarz (2007), S. 590 f.

193 PAAA, NL Becker, Bd. 4/1: Becker an Eisenlohr, 13.9.1948.

194 Ebd., Bd. 9/2: Magee an Becker, 16.12.1948.

195 Ebd., Bd. 14: Redslob an Salin, Basel, 6.7.1949.

196 Ebd.: Salin an Außenkommission der FU Berlin, 25.5.1949.

197 Ebd.: Kempner an Salin, 10.7.1949.

198 Ebd.: Redslob an Salin, 6.7.1949; Bd. 15/2: Redslob an Viktor von Weizsäcker, 23.6.1949;
Carl-Friedrich von Weizsäcker an Dinghas, 5.7.1949; Viktor von Weizsäcker an Redslob, 28.6.1949.

199 Ebd., Bd. 13/1: OMGUS, Ankündigung des Public Information Office, 9.6.1949; vgl.
auch Henke (1996).

200 PAAA, NL Becker, Bd. 15/2: Becker an Richard von Weizsäcker, 21.5.1949.

201 Ebd., Bd. 12/1: Boveri an Becker, 10.7.1949.

202 Laut Mitgliedsausweis war Wolf der NSDAP am 1.3.1939 beigetreten; PAAA, Handakten Direktoren, Bd. 33; zu Wolfs NS-Biographie vgl. PAAA, B130, Bd. 6002A: Clemens
von Brentano an Schwarz, 17.7.1952.

203 PAAA, NL Becker, Bd. 1: Heinitz an Wolf, 17.6.1949.

204 Ebd., Bd. 15/2: Richard von Weizsäcker an Becker, 20.11.1949.

205 Einzelheiten in NARA, RG 466, Entry 53, Box 39: Hagan an Bross, 3.2.1950.

206 NARA, RG 59, 662.0026/2–1350: Acheson an Truman, 10.2.1950; Truman an Halifax,
11.2.1950.

207 Frei (1994), S. 199 f.

208 BA, N 1273, Bl. 35: Theodor Heuss an McCloy, 21.9.1950.

209 NARA, RG 466, Entry 1, Box 18: McCloy an Moran, 9.10.1950; Entry 53, Box 39:
McCloy an Frederick Libby, 27.6.1950, Schreiben Weizsäcker, 24.6.1950.

210 Ebd.: Bowie an McCloy, 12.10.1950.

211 Ebd., Entry 1, Box 20: HICOG, Press Release No. 497, 14.10.1950. Eine gewisse Verwunderung ließ sich in der HICOG-Stabskonferenz am 17.10.1950 bemerken; Entry 6, Box 2.

212 BA, N 1467, Bd. 15: Lütsches an Adenauer, 24.8.1951.

213 Biographisches Handbuch, Bd. 2 (2005), S. 629ff.

214 Der Vorgang findet sich in BA, N 1273, Bd. 75, Bl. 37–48.

215 Buscher (1989), S. 36–44; NARA, RG 59, 6662.0026/2–850: Hoey an Secretary of the
Army Gordon Gray, 3.2.1950.

216 NARA, RG 466, Entry 48, Box 10: Auszug aus dem Policy Directive vom 17.11.1949 in
Jonathan B. Rintels Niederschrift, Clemency for Nuremberg War Crimes Prisoners,
28.12.1949.

217 Ebd., Entry 1, Box 9: HICOG Frankfurt (McCloy) an Acheson, 17.2.1950; Schwartz
(1990), S. 387 f.

218 Ebd., Box 8: Acheson an HICOG Frankfurt 856, 8.2.1950.

219 NARA, RG 84, Entry 1030D, Box 121: Sondersitzung der Regierungsvertreter mit Kritikern der Landsberger Entscheidungen, 13.3.1951, S. 12–16.

220 NARA, RG 466, Entry 48, Box 8: Peck-Bericht zum Fall 11 mit einer früheren Fassung,
S. 19ff.

221 Ebd., Rintels an Bross, 26.10.1950. Zur Tätigkeit Veesenmayers in Ungarn vgl. Matic
(2002).

222 NARA, RG 466, Entry 6, Box 1: HICOG-Stabskonferenz, 24.1.1950, S. 3.

223 Die fünf Todesurteile stammten vorwiegend aus dem Einsatzgruppenprozess: Otto
Ohlendorf, Erich Naumann, Paul Blobel, Werner Braune – sowie Oswald Pohl aus

dem »Pohl-Prozess«. Weiter befanden sich noch zwei zum Tode Verurteilte aus den »Dachauer-Prozessen« der US-Armee in Haft. Am 7. 6. 1951 kam es zur Vollstreckung dieser letzten sieben Todesurteile durch die amerikanische Besatzungsmacht.

224 Telford Taylor, The Nazis Go Free: Justice and Mercy or Misguided Expediency?, *The Nation*, 24.2.1951, S. 170ff.

225 NARA, RG 466, Entry 53, Box 38: Order of Designation for Christmas Clemency 1951, 4.12.1951.

226 Compromise at Frankfort, *New York Times*, 2.2.1951, S. 20.

227 NARA, RG 466, Entry 1, Box 26: Javits, Rede vor dem Repräsentantenhaus, 2.2.1951.

228 Amherst College, McCloy Papers, Box HC5: McCloy an Mrs. Ogden Reid, 13.2.1951; McCloy an Henry Morgenthau, 7.3.1951.

229 DzD II, Bd. 3, Nr. 402; Frei (1996), S. 196–199.

Tradition und Neuanfang

1 Lahr (1981), S. 195.

2 Der Neubau stand von Anfang an im Kreuzfeuer der öffentlichen Kritik, dies nicht zuletzt aufgrund der Tatsache, dass sein Erbauer vor 1945 zum Planungsstab Albert Speers gehört hatte; vgl. Roth (2007), S. 119 ff.; zum AA-Neubau vgl. auch Vogt (2004), S. 226 f; ders. (1999), S. 173.

3 Ausführlich dokumentiert in TNA/PRO, FO 1049/77: 303, 304, 305; FO 1049/775: Allied Control Authority Political Directorate, 22.5.1947; Mai (1995), S. 397–435; FO 1049/1576: US London, 13.8.1948.

4 FRUS 1948/II, The Ministries of the Western Zones of Occupation of Germany to the United States Military Governor for Germany (Clay), S. 385ff.

5 TNA/PRO, FO 1049/1175: Steel (Berlin) an Patrick Dean (Chef der Deutschlandabteilung, Foreign Office, London), 30.8.1948, [secret].

6 Piontkowitz (1978), S. 37ff.

7 MAE, Europe, Allemagne 1944–1970, Bd. 74: General Koenig an den französischen Verteidigungsminister, 19.5.1949.

8 TNA/PRO, FO 1049/1796: Garran an Kirkpatrick, 5.11.1948 und die dazugehörigen Vermerke.

9 FRUS, 1949/III: Clays Mitteilung an Mitglieder des Parlamentarischen Rats, s. US Berlin (Riddleberger) 539, 14.4.1949, [secret], S. 238; TNA/PRO, FO 371/76788: Aufzeichnung des Foreign Office, November 1949.

10 NARA, RG 466, E-1, Box 5: Presse-Mitteilung Nr. 39, 15.12.1949; Adenauer und die HK 1949–1951, S. 464; BA, N 1351, Bd. 3: Blankenhorn, Tagebuch, 7.1.1950.

11 Gray (2003), S. 13–16; FRUS 1949/III: Acheson an Schuman, 30.10.1949, S. 622.

12 Ausschuss für das Besatzungsstatut, 3. Sitzung, 4.11.1949, in: Auswärtiger Ausschuß (1998), S. 18.

13 Siehe: Akten zur Vorgeschichte, Bd. 5, Dok. 52A.

14 NARA, RG 59, 862.00/10–1749 TSF: Whitman an McCloy, 17.10.1949, [top secret].

15 TNA/PRO, FO 371/76788: Steel an Dean, 31.10.1949, S. 4.

16 AAPD 1949/50: Blankenhorn, Aufzeichnung über ein Gespräch mit Bérard, 1.11.1949, S. 13 f.; TNA/PRO, FO 371/76788: Französisches Memorandum, überreicht an die Mitglieder des Politischen Komitees der AHK, 26. 10. 1949.

17   FRUS 1949/III: Acheson an Schuman, 30.10.1949, S. 623.

18   Adenauer, Gespräch mit der AHK, 15.11.1949, in: Adenauer und die HK 1949–1951, S. 9 f.; auch NARA, RG 466, E-1, Box 4: Gespräch zwischen Acheson, Bevin und Schuman, 10.11.1949, [secret].

19   AAPD 1949/50, Nr. 29: Haas, Besprechung mit dem politischen Ausschuss der AHK, 23.1.1950; MAE, Europe, Allemagne 1944–1970, Bd. 135: Recommendations du groupe de travail sur les missions etrangères, relatives à la représentation consulaire et commerciale allemande, 13.12.1949, S. 3.

20   PAAA, B 10, Bd. 157: Aufzeichnung Haas über eine Unterredung Blankenhorns mit Bernard Gufler, Charles Thayer und Calhoun Ancrum, Jr., 18.1.1950.

21   TNA/PRO, FO 371/93576: UK Luxembourg an FO 153, 12.7.1951. Untersuchungen in den Katalogen des Berlin Document Center brachten keine Hinweise auf eine NSDAP-Mitgliedschaft Jansens. Zur Ausführlichkeit der Angaben siehe PAAA, B 10, Bd. 157.

22   NARA, RG 59, 862.021/11–1649: HICOG Frankfurt Despatch No. 935, 16.11.1949, [confidential]; TNA/PRO, FO 371/76788: Steel an Dean, 31.10.1949.

23   Amherst College, McCloy Papers, Box HC4: Gufler an George Kennan, 19.5.1949; NARA, RG 59, 762A.13/10–2450: HICOG Frankfurt (Gufler) Air Pouch 1354, 24.10.1950.

24   TNA/PRO, FO 371/85236: UK Bern an FO, No. 139, 17.6.1950; auch FO 371/93576: UK Lisbon an FO, 27.8.1951.

25   TNA/PRO, FO 371/93575: UK Wahn an FO No. 398 Saving, 28.4.1951.

26   Siehe z. B. britische Depeschen aus Canberra TNA/PRO 371/85234, 22.2.1950 und 28.6.1950.

27   FRUS 1950/III: Besprechung zwischen Bevin, Acheson und Schuman, US London Secto 243, 12. 05. 1950, [secret], S. 1044–1050, hier S. 1046.

28   NARA, RG 466, E-1, Bd. 15: US London (Douglas) Sigto 40, 13.7.1950, [secret], S. 4; NARA, RG 466, E-1, Bd. 17: Alliierte Hohe Kommission, Draft Report an die Internationale Studienkommission, Section F, 25.7.1950.

29   FRUS 1950/IV: SecSta an HICOG 4182, 12.6.1950, [secret], S. 738–743, hier S. 740.

30   FRUS 1950/III: Bericht der Internationalen Studiengruppe, 4.9.1950, S. 1248–1254.

31   NARA, RG 466, E-1, Box 19: Befehle der Außenminister an die Hohen Kommissare, 19.9.1950; siehe auch FRUS 1950/IV: Kirkpatrick an Adenauer, 23.10.1950, S. 767–770.

32   DzD II, Bd. 3, Veröffentlichte Dokumente: Kommuniqué der drei Außenminister, 19.9.1950, S. 330–333.

33   Siehe z. B. NARA, RG 466, E-1, Box 23: US Bonn an DepSta 397, 15.12.1950, [secret, priority].

34   NARA, RG 466, E-6, Bd. 1: McCloys Bemerkungen in der Stabskonferenz, 26.9.1950, S. 1–5.

35   Siehe den Briefwechsel zwischen alliierten Stellen und dem neuen Auswärtigen Amt in PAAA, B 10, Bd. 158.

36   TNA/PRO, FO 371/93577: Kirkpatrick an Adenauer, 19.4.1951.

37   Görtemaker (1999), S. 101ff.

38   Vgl. Haas (1969), S. 15; Maulucci (1998), S. 36ff.; Ramscheid (2006), S. 117ff.; Vogt (2004), S. 200ff.

39   Zit. nach: Haas (1969), S. 22.

40 PAAA, Geldakte Wilhelm Haas, Bd. 5095.

41 BA, N 1351, Bd. 2, Bl. 41: Tagebucheintrag Blankenhorn, 17.11.1949 diese Version bestätigt Haas (1969), S. 23.

42 Ebd., Bd. 3, Bl. 7: Tagebucheintrag Blankenhorn, 5.1.1950.

43 Ebd., Bd. 2, Bl. 41: Tagebucheintrag Blankenhorn, 17.11.1949. Vgl. Maulucci (1998), S. 183.

44 Das Büro bildete eine Auffangstation für ehemalige Wilhelmstraßen-Mitarbeiter; vgl. Müller (1996), S. 21; Vogt (1999), S. 581. PAAA, B118, Bd. 110: Vermerk Lange betr. Anfrage des StS im Bundespräsidialamt nach Angehörigen der »Crew« 1929, 11.11.1964. Vgl. Ramscheid (2006), S. 64 ff.; zu Blankenhorns Einfluss auf den personellen Wiederaufbau des Auswärtigen Dienstes vgl. auch ebd., S. 119 ff. und S. 144 ff.

45 Vgl. Döscher (2005), S. 107 f.

46 Vgl. Müller (1996), S. 205.

47 Zit. nach: Morsey (1977a), S.220. Zu Pünders Ambitionen auf den Außenministerposten vgl. Vogt (2004), S. 171; Maulucci (1998), S. 109. Zur Diskussion um das von Kurt Oppler geleitete Personalamt vgl. Morsey (1977a), S. 203.

48 PAAA, Personalakte Herbert Nöhring, Bd. 54440: Nöhring an Blankenhorn, 9.11.1949.

49 Wengst (1984), S. 174–183; Müller (1996), S. 204, 213; Deutsch/Edinger (1959), S. 84; Maulucci (1998), S. 270ff.; zum Vergleich mit anderen Bundesministerien siehe auch Frei (1996), S. 85.

50 BA, N 1351, Bd. 3, Bl. 219 f.: Auslandsreferat des Presse- und Informationsdienstes an Bundeskanzler betr. Erklärungen Herrn Blankenhorns in London, 29.4.1950. Die tatsächliche Zahl der Bewerbungen dürfte bei knapp über 20 000 gelegen haben; vgl. PAAA, NL Melchers, Bd. 1.

51 PAAA, Personalakte Wilhelm Melchers, Bd. 53452: Haas an Apelt, 30.11.1949.

52 Vgl. Vogt (2004), S. 179 f.

53 PAAA, B 10, Abt. 2, Bd. 157: Übersetzung eines Protokolls über eine Besprechung zwischen Vertretern des Ausschusses für politische Angelegenheiten und Blankenhorn/Haas, 23.1.1950; AAPD 1949/50, Nr. 29: Aufzeichnung, Besprechung mit dem Politischen Ausschuss der Alliierten Hohen Kommission, 23.1.1950; Ramscheid (2006), S. 122; Haas (1969), S. 37; Maulucci (1998), S. 235.

54 Maulucci (1998), S. 187; Wengst (1984), S. 143; StBKAH, Allgemeine Korrespondenz, A-K: Adenauer an Haas, 14.3.1950.

55 PAAA, B 10, Abt. 2, Bd. 164: Boldt [Name unleserlich] an Dittmann, 20.11.1949.

56 Zu Globkes Nachkriegskarriere vgl. Garner (1995), S. 149 ff.; Rogers (2008); Lommatzsch (2009); Globkes Einflussnahme auf die Personalpolitik des frühen AA ist nur oberflächlich erforscht, zuletzt bei Döscher (2005), S. 135 ff.; die 2009 erschienene Biographie von Erik Lommatzsch spart dieses Thema aus; Lommatzsch (2009).

57 Herren in Lauerstellung, *Rheinischer Merkur*, 1.4.1950; Adenauer erhielt Liste der CDU über Ex-Pgs in leitender Stellung, *Die Neue Zeitung*, 20.4.1950; Der Vorkampf um das Außenamt, *Frankfurter Allgemeine Zeitung*, 21.04.1950. PAAA, NL Melchers, Bd. 1: Adenauer an Haas, 20.3.1950; Haas an Globke, 22.4.1950.

58 Vgl. Maulucci (1998), S. 238 f.

59 AA – wie gehabt?, *Frankfurter Neue Presse*, 22.4.1950; Haas (1969), S. 125–133.

60 Haas (1969), S. 45; auf die Vorwürfe gegen Haas' Personalpolitik reagierte der Bundestag am 20.7.1950 mit der Einsetzung eines Unterausschusses beim Ausschuss für das

Besatzungsstatut und Auswärtige Angelegenheiten, der seine Arbeit am 15.9.1950 aufnahm; Ramscheid (2006), S. 170; Döscher (2005), S. 146ff.

61 PAAA, Personalakte Walter Hallstein, Bd. 49356; PAAA, B 100, Bd. 93: Ehlers an Hallstein, 28.6.1955; zu Hallsteins Berufslaufbahn bis Kriegsende vgl. Maulucci (1998), S. 165 f.; zu den Recherchen der DDR-Staatssicherheit gegen Hallstein siehe BStU, MfS HA IX/11, PA 315.

62 IfZ, Sammlung Strobel, ED 329/2: Informationsbericht Strobel, 30.3.1950; vgl. dagegen Maulucci (1998), S. 248 f.; Kroll (1990).

63 IfZ, NL Krekeler, ED 135, Bd. 173: Krekeler, Meine Mission in den Vereinigten Staaten von Amerika, S. 3–5; zu Krekeler vgl. auch Blasius (1998); Maulucci (1998), S. 251.

64 PAAA, Personalakte Wilhelm Hausenstein, Bd. 49587: Notiz Dittmann für Bundeskanzler, 17.3.1950; Lebenslauf Hausenstein, 1.3.1950; zu Hausenstein vgl. Lappenküper (1995).

65 Vgl. Schieder u. a. (2005), S. 74.

66 Zit. nach: Görtemaker (1999), S. 263; dazu auch Dubiel (1999), S. 139; Goschler (2005), S. 139.

67 PAAA, B 130, Bd. 8423: Aufzeichnung Limbourg für Minister, 10.3.1958.

68 Schieder u. a. (2005), S. 74.

69 PAAA, Personalakte Wilhelm Hausenstein, Bd. 49587: Baumeister an Heuss, 27.4.1950.

70 Ebd., Bl. 7 f.: Heuss an Hausenstein, [o. D., Entwurf].

71 Hausenstein [o.Verf.], *Die Neue Zeitung*, 4.5.1950.

72 Ludwig Emanuel Reindl, Botschafter des Geistes, *Süddeutsche Zeitung*, 1.7.1950; weitere Pressestimmen zitiert bei Döscher (2005), S. 298ff.

73 PAAA, Personalakte Wilhelm Hausenstein, Bd. 49587: Sänger an Hausenstein, 24.5.1950; dazu Vogt (2004), S. 163.

74 BA, N 1351, Bd. 13: Tagebucheintrag Blankenhorn, 23.7.1952; dazu auch Lenz (1989), S. 176; zu Hausensteins Kritikern zählten auch führende Vertreter der CDU/CSU-Fraktion; vgl. Maulucci (1998), S. 253 f.; PAAA, Personalakte Albrecht von Kessel, Bd. 51191: Haas an Blankenhorn, 5.5.1950.

75 Zu Budde siehe auch IfZ, Sammlung Strobel, ED 329/3: Informationsbericht Strobel, 16.5.1951; Maulucci (1998), S. 50.

76 F.K. von Siebold, Kleiner Unterschied, *Der Spiegel*, 31.8.1950; zu Siebold siehe auch den Bericht des OLG-Präsidenten Schetter an Adenauer, 24.11.1951, in: Haas (1969), S. 178.

77 Friedrich Sieburg, Von Haus aus, *Der Spiegel*, 15.9.1950.

78 Vgl. Maulucci (1998), S. 239ff.

79 AAPD 1950, Nr. 120: Aufzeichnung Haas, Gespräch mit Gufler, 13.9.1950.

80 BA, B 305, Bd. 84: Blankenhorn an Lenz, 26.6.1951.

81 Ebd.: Dehler an Lenz, 8.4.1952.

82 Vgl. Müller/Scheidemann (2000), S. 85–92.

83 PAAA, Personalakte Margarete Bitter, Bd. 45912, Vormerkung Baer, 30.5.1951.

84 BA, B 305, Bd. 84, Adenauer an Dehler, 5.12.1953.

85 PAAA, B 101, Bd. 232: Aufzeichnung Raab, 24.6.1963; Personalakte Karl Theodor Redenz, Bd. 55535: Vermerk Buch, 4.11.1953.

86 Vgl. Taschka (2006), S. 68; Stuby (2008), S. 103 ff.; PAAA, B 118, Nr. 75F: Valentin, Abriss der Geschichte und Einteilung des AA.

87 Speier/Davison (1957); Deutsch/Edinger (1959); Zapf (1965b); ders. (1966); Scheuch (1966).

88 IfZ, NL Erich und Theo Kordt, ED 157/48: Ernst von Weizsäcker an Erich Kordt, 21.5.1951.

89 PAAA, NL Haas, Bd. 18: Reismann an Adenauer, 13.4.1950; Reismann an Adenauer, 23.11.1950; Entwurf Antwortschreiben Adenauer [o. D., Dezember 1950]; Reismanns Vorstoß stand offenbar im Zusammenhang mit einer Initiative des Altherrenverbands des KV der katholischen Studentenvereine Deutschlands; vgl. Morsey (1977a), S. 224.

90 Gerhard Lütkens, Die Bourbonen von Frankfurt, *Sozialdemokratischer Pressedienst*, 25.2.1949; zu Lütkens Motiven vgl. die Überlegungen von Maulucci (1998), S. 57 f.

91 Kurzprotokoll der 30. Sitzung des Ausschusses für das Besatzungsstatut und Auswärtige Angelegenheiten, 26.10.1950; in: Auswärtiger Ausschuss, S. 141–148; PAAA, B 130, Bd. 6002A: Aufzeichnung Schwarz, 31.10.1951.

92 Der Auswärtige Dienst in Bonn – Geschlossene Gesellschaft, *Das Zentrum*, Januar 1951, S. 1–3; zu Reismanns Kritik an der alliierten Entnazifizierungspraxis vgl. auch Frei (1996), S. 40 f., 58.

93 Kogon (1964), S. 146 f.

94 PAAA, Personalakte Hans Mühlenfeld, Bd. 53934: Lentz an AA, 21.3.1953.

95 PAAA, Personalakte Wilhelm Haas, Bd. 49198: Vermerk Dittmann, 23.8.1951; Veränderungen im Auswärtigen Amt, *Weser Kurier*, 25.7.1951; vgl. auch Haas (1969), S. 62; Wengst (1984), S. 187. PAAA, Personalakte Herbert Dittmann, Bd. 47071: Adenauer an Lehr, 15.12.1951; Bl. 79–80, Aufzeichnung Dittmann für Staatssekretär, 25.10.1951 [Abschrift]; zur Kabinettsempfehlung vom August 1950 vgl. auch PAAA, B 130, Bd. 6002A sowie Wengst (1984), S. 178 f.

96 PAAA, NL Melchers, Bd. 1: Inoffizielle Grundsätze bei der Einstellung von Beamten und Angestellten des höheren Dienstes bis 1950 im Auslande, 16.10.1951, [o.V.].

97 PAAA, Personalakte Eduard Mirow, Bd. 53749: Melchers an Mirow, 21.12.1949; PAAA, Personalakte Henning Thomsen, Bd. 58589: Melchers an Thomsen, 8.2.1950; PAAA, Personalakte Hans-Ulrich Granow, Bd. 48895: Melchers an Granow, 12.12.1948; PAAA, NL Haas, Bd. 36: Aufzeichnung Holzhausen, 13.12.1949.

98 Adenauer Diplomaten mit braunem Klecks, *Inside-Germany-Informations*, Vol. 3, März 1951.

99 Zit. nach: Döscher (2005), S. 149 f.

100 Die fünf Artikel sind vollständig abgedruckt bei Döscher (2005), S. 161ff.

101 IfZ, Sammlung Strobel, ED 329/3: Informationsbericht Strobel, 13.9.1951.

102 PAAA, B 130, 6002A: Aufzeichnung Simonis, 15.10.1951; Aufzeichnung Haas, 17.10.1951. Der exzentrische, zunehmend im nationalistischen Fahrwasser schwimmende Chefredakteur der *Zeit* nahm die FR-Serie zum Anlass, zu einem Schlag gegen Kempner auszuholen; Richard Tüngel, Abermals: Robert Kempner. Einem Schädling muss das Handwerk gelegt werden, *Die Zeit*, 20.09.1951; der Artikel wird affirmativ-zustimmend zitiert bei Kittel (1993), S. 128.

103 PAAA, B 130, Bd. 6002A: Aufzeichnung Heinburg, 22.11.1951.

104 BA, N 1467, Bd. 5, Mansfeld: Entwurffassung eines Artikels zum AA.

105 Karl Gerold, Wanken jetzt die schwankenden Gestalten?, *Frankfurter Rundschau*, 19.9.1951; der Artikel ist teilweise abgedruckt bei Döscher (2005), S. 184 f.

106 BA, N 1467, Bd. 16: Gerold an Hallstein, 16.9.1951.

107 Zur herausgehobenen Bedeutung der »45er« für den westdeutschen Nachkriegsjournalismus vgl. Möding/von Plato (1989); Gienow-Hecht (1999); von Hodenberg (2006); die Bedeutung generationsspezifischer Verarbeitungsmodi betonend van Laak (2002), S. 15ff.

108 IfZ, NL Theo und Erich Kordt, ED 157, Bd. 14: Mansfeld an Wilhelm Breucker, 13.9.1952; Haas (1969), S. 276.

109 Herr Sorge saß mit am Tisch, *Der Spiegel*, 29.8.1951, S. 32.

110 Ebd., S. 30.

111 IfZ, Sammlung Strobel, ED 329/3: Informationsbericht Strobel, 17.10.1951.

112 Zu Mahnke vgl. Hachmeister (2002), S. 98 f.; Wildt (2002), S. 374 f.

113 PAAA, NL Melchers, Bd. 1: Vermerk Melchers zur Personalsituation, [o.D].

114 PAAA, Personalakte Ernst Achenbach, Bd. 11: Ribbentrop an Achenbach, 22.10.1944. Für Herberts Vermutung, Achenbach sei im Zuge der Luther-Affäre abberufen worden, finden sich in den Personalunterlagen keine Anhaltspunkte; Herbert (1996), S. 453. IfZ, Sammlung Strobel, ED 329/5: Informationsbericht Strobel, 21.1.1953.

115 Hachmeister (1998), S. 316 ff., Hodenberg (2006), S. 222.

116 BA, N 1467, Bd. 8: Fritz Sänger an Arno Rudert, 17.9.1951. Zur AA-Reaktion vgl. Döscher (2005), S. 178 ff.; IfZ, Sammlung Strobel, ED 329/3: Informationsbericht Strobel, 15.9.1951.

117 BA, N 1351, Bd. 8a: Aufzeichnung Blankenhorn, 16.10.1951.

118 BT-Drs. Nr. 2680 und Stenographische Berichte, WP 1, 12.10.1951, S. 7035 C.

119 Stenographische Berichte, WP 1, 24.10.1951, S. 7035ff.

120 Ramscheid (2006), S. 60; Döscher betont zudem die landsmannschaftlichen Bande zwischen den beiden prominenten Christdemokraten; Döscher (2005), S. 248; Gerstenmaier war ab 1939 nebenamtlicher Mitarbeiter der Kulturpolitischen Abteilung des AA gewesen; Hodenberg (2006), S. 128; Longerich (1987), S. 158.

121 PAAA, NL Becker, Bd. 19: Nostitz an Gerstenmaier, 27.4.1949.

122 Zit. nach: Weber (2000), S. 21.

123 BA, Z 35, Bd. 60: Brill an Eberhard, 4.10.1947; zu Mehnerts Vergangenheit als NS-Auslandspropagandist vgl. Weiss (2006), S. 235.

124 BA, Z 35, Nr. 77: Brill an Eberhard, 24.12.1947; PAAA, Personalakte Karl-Georg Pfleiderer, Bd. 11196: Pfleiderer war ab März 1944 als VAA dem AOK Norwegen zugeteilt; Telegramm Bergmann, 24.3.1944; zu Wirsing vgl. Weiss (2006), S. 235–237.

125 BT ParlA, WP 1, Untersuchungsausschuss Nr. 47: Stenographisches Protokoll der 6. Sitzung des 47. Ausschusses, Vernehmung des Zeugen Haack, 13.2.1952, S. 2 ff.; dazu auch Eckert (2004), S. 168ff., Maulucci (1998), S. 240 f.; PAAA, B 10, Bd. 148: Blankenhorn an AHK, 3.6.1950; BA, N 1086, Bd. 348: Brill, Bericht, 14.7.1953; dazu auch Eckert (2004), S. 439.

126 BT ParlA, WP 1, Untersuchungsausschuss Nr. 47: Stenographisches Protokoll über die 6. Sitzung des 47. Ausschusses, Vernehmung des Zeugen Haack, 13.2.1952, S. 7; vgl. dazu auch Einleitung zum Biographischen Handbuch, Bd. I (2000), S. X.

127 IfZ, Sammlung Strobel, ED 329/4: Informationsberichte Strobel, 10.3.1952 und 7.4.1952.

128 BT ParlA, WP 1, Untersuchungsausschuss Nr. 47: Stenographisches Protokoll über die 22. Sitzung des 47. Ausschusses, 2.4.1952.

129 PAAA, Personalakte Gottfried Hecker, Bd. 49620: Haas an StS, 9.7.1951; BA, N 1086, Bd. 38a: Brill an Hummelsheim, 20.5.1952.

130 Michael Mansfeld, Die Geldakten des Herrn Rademacher und der AA-Schuss aus Bonn, *Frankfurter Rundschau*, 29.2.1952; BA, N 1467, Bd. 4: Notiz Mansfeld für Gerold, 6.3.1951.

131 BT ParlA, WP 1, Untersuchungsausschuss Nr. 47: Stenographische Protokolle der 13., 14. und 15. Sitzung des 47. Ausschusses, 11., 12. und 14.3.1952.

132 Ebd.: Stenographisches Protokoll der 13. Sitzung des 47. Ausschusses, 11.3.1952, S. 8; Stenographisches Protokoll der 14. Sitzung des 47. Ausschusses, 12.3.1952, S. 39.

133 PAAA, NL Becker, Bd. 9/2: Becker an Mau, 27.9.1948; zu Prittwitz' Nachkriegskarriere vgl. Piontkowitz (1978), S. 58, 288.

134 PAAA, NL Becker, Bd. 9/2: Aktennotiz [Becker?], 24.9.1948.

135 BT ParlA, WP 1, Untersuchungsausschuss Nr. 47: Stenographisches Protokoll der 13. Sitzung des 47. Ausschusses: Aussage Keller, 11.3.1952, S. 43; BA, B 136, Bd. 1847, Bl. 281: Aufzeichnung Klaiber, 14.2.1952; BA, N 1273: Woermann an Ernst von Weizsäcker, 11.3.1950.

136 AdL, N 11–65: Landgericht Nürnberg an AA, 30.1.1952.

137 PAAA, B 101, Bd. 9: Notiz Schwarzmann, 26.11.1951, [Marginalien von Dittmann und Schetter].

138 Richard Tüngel, Gesiebte Dokumente, *Die Zeit*, 31.1.1951.

139 PAAA, Personalakte Werner von Grundherr, Bd. 49105: Grundherr an Welck, 11.2.1952.

140 Helmut Hammerschmidt, Sendemanuskript Personalpolitik im neuen Auswärtigen Amt, *Bayerischer Rundfunk*, 17.3.1952; PAAA, B 101, Bd. 97: Ausarbeitung des AA zur Widerlegung der Vorwürfe, 24.3.1952; zu den Reaktionen auf Hammerschmidts Sendung vgl. Döscher (2005), S. 213 ff.

141 ADAP, E IV, Nr. 164: Bargen an AA, 11.11.1942.

142 BT ParlA, WP 1, Untersuchungsausschuss Nr. 47: Stenographisches Protokoll der 16. Sitzung des 47. Ausschusses, 19.3.1952, S. 77 f.

143 PAAA, B 100, Wiedergutmachungssache Werner von Grundherr, Bd. 765.

144 BT ParlA, WP 1, Untersuchungsausschuss Nr. 47: Stenographisches Protokoll der 17. Sitzung des 47. Ausschusses, 20.3.1952, S. 4; Grundherrs abgelehnter Antrag auf Parteimitgliedschaft dürfte damals noch nicht bekannt gewesen sein; PAAA, Handakten Direktoren, Bd. 33 (Unterlagen Pamperrien): Bormann an Ribbentrop, 13.9.1941.

145 PAAA, Personalakte Werner von Grundherr, Bd. 49105: Vermerk Schaffarczyk, 4.4.1952.

146 Ansprache Hallstein, 25.3.1952; abgedruckt in: Haas (1969), S. 422; vgl. auch PAAA, B 101, Bd. 97: Notizen Welck für Pressekonferenz am 25. März 1952, [o. D.].

147 PAAA, Personalakte Werner von Grundherr, Bd. 49105: Vermerk Welck, 21.3.1952.

148 PAAA, B 100, Wiedergutmachung Gerhard Lütkens, Bd. 2421: Bargen an Lieres, 15.2.1952.

149 PAAA, B 100, Bd. 2275: Antrag Bargen, 29.0.1952; PAAA, Personalakte Werner von Bargen, Bd. 45363: Vermerk Welck, 7.4.1952; Bargen beurlaubt, *Die Abendzeitung*, 7.4.1952.

150 PAAA, Personalakte Werner von Bargen, Bd. 45363: Pfeiffer an Kaufmann, 10.9.1952; Stellungnahme Kaufmann, 21.10.1952; Bd. 45364: Stellungnahme Franke, [o. D.].

151 Ebd., Bd. 45363: Aufzeichnung Nostitz, 22.4.1952.

152 PAAA, NL Becker, Bd. 16/1: Bargen an Becker, 9.5.1952; Becker an Bargen, 10.4.1952; Bargen an Becker, 25.4.1952.

153 Ebd.: Bargen an Becker, 12.6.1952; Rede Pfleiderer, 16.10.1951; abgedruckt in: Haas (1969), S. 172.

154 Mehnert an Becker, 5.5.1952; PAAA, NL Becker, Bd. 16/1.

155 IfZ, Sammlung Strobel, ED 329/4: Informationsbericht Strobel, 18.6.1952.

156 Schriftlicher Bericht des Untersuchungsausschusses 47, 18.6.1952; abgedruckt in Haas (1969), S. 282–423; vgl. dazu auch Döscher (2005), S. 234 ff.

157 PAAA, Sonderakten Leiter Zentralabteilung, HA Direktoren, Bd. 11: Nachtragsbericht

Schetter, 16.1.1952; PAAA, B 100, Bd. 337: Verwaltungsstreitsache Gaerte-AA; NARA, BDC collection, SS Officers Dossiers, A3343 SSO-001A, Felix Gaerte.

158   AAPD 1952, Nr. 193: Aufzeichnung des Rechtsberaters Kaufmann, 27.8.1952.

159   Stenographische Berichte, WP 1, 22.10.1952; abgedruckt in: Haas (1969), S. 424–487, hier: S. 455.

160   Stenographische Berichte, WP 1, 22.10.1952, S. 433, 445ff., 458 f.

Die Neuen, die Alten und die »Ehemaligen«

1   PAAA, B 120, Bd. 12: Schreiben an Peter Pfeiffer, 9.9.1969; Müller (1996), S. 273, 275. Für die aktuellen Zahlen: URL: http://www.auswaertiges-amt.de/diplo/de/AAmt/ AuswDienst/Mitarbeiter.html (28.2.2009).

2   Müller (1996), S. 165 f., 274; Maulucci (1998), S. 194.

3   PAAA, B 2, Bd. 32: Grundsätze, Richtlinien, Weisungen betr. Auswahl von Personal, 30.4.1952; AAPD 1949/50, Nr. 29: Besprechung mit dem Politischen Ausschuß der Alliierten Hohen Kommission, 23.1.1950.

4   Haas (1969), S. 26 f.

5   Ebd., S. 39.

6   Zahlenangaben nach: Müller (1996), S. 279; Haas (1969), S. 58; PAAA, B 2, Bd. 32: Runderlass, 17.11.1952; Grundsätze, Richtlinien, Weisungen betr. Auswahl von Personal, 30.4.1952; PAAA, B 101, Bd. 97: Notizen für Pressekonferenz am 25.3., [o. D.]; PAAA, B 110, Bd. 51: Protokoll über die Arbeitstagung für Behördenleiter der süd- und mittelamerikanischen Vertretungen vom 18. – 24.11.1954 in Montevideo, Ministerialdirektor Löns: Personal- und Verwaltungsfragen, S. 22.

7   Haas (1969), S. 183, 421; PAAA, B 2, Bd. 32: Übersicht Höherer Dienst, Beamte und Angestellte, Stand 1.8.1951; Übersicht Höherer Dienst, Beamte und Angestellte, Stand vom 1.5.1952; ebd.: Personalbestand höhere Beamte und Angestellte, Stand vom 1.7.1952; Runderlass, 17.11.1952; PAAA, NL Haas, Bd. 31: Personallisten Inland höherer Dienst (ohne Rechtsabteilung), Oktober 1951; Bd. 32: Personallisten Inland höherer Dienst (mit Rechtsabteilung), Oktober 1952; Bd. 33: Personallisten höherer Dienst, Auslandsvertretungen, September 1951; Bd. 34: Personallisten höherer Dienst, Auslandsvertretungen, September 1952; PAAA, B 101, Bd. 97: Notizen für Pressekonferenz am 25.3., [o. D.].

8   PAAA, B 101, Bd. 97: Angriffe auf das Auswärtige Amt, 25.3.1952; AAPD 1952, Nr. 115: Aufzeichnung Haas, 25.4.1952.

9   Zahlen und Vergleichswerte zit. nach: Löffler (2002), S.165 f.; Wengst (1984), S. 177 f.; Garner (1993), S. 766; Maulucci (1998), S. 414ff.

10   Für die Jahre 1951 und 1952 vgl. die Personalaufstellungen in PAAA, NL Haas, Bd. 31: Personallisten Inland höherer Dienst (ohne Rechtsabteilung), Oktober 1951; ebd., Bd. 32: Personallisten Inland höherer Dienst (mit Rechtsabteilung), Oktober 1952; ebd., Bd. 33: Personallisten höherer Dienst, Auslandsvertretungen, September 1951; ebd., Bd. 34: Personallisten höherer Dienst, Auslandsvertretungen, September 1952.

11   PAAA, B 118, Bd. 486: Verzeichnis der von 1933 bis 1945 in den Warte- bzw. Ruhestand versetzten sowie entlassenen Beamten des höheren Dienstes des Auswärtigen Amtes, 22.9.1952; PAAA, B 100, Bd. 92: Übersicht über den Stand der Wiedergutmachung, 25.8.1952, Wiederanstellungsfälle nach § 9 BWGöD; Biographisches Hand-

buch, Bd. 3 (2008), S. 724 f.; ebd., Bd. 2 (2005), S. 150 f., 289ff., 361 f., 366 f.; Haas (1974), S. 119–176.

12 Müller (1996), S. 281; PAAA, NL Haas, Bd. 18: Kommentierende Bemerkungen zum Artikel des Abg. Reismann im Wochenblatt für Wahrheit, Recht und Freiheit *Das Zentrum*, Nr. 1/1951: »Der Auswärtige Dienst in Bonn – geschlossene Gesellschaft«; PAAA, B 110, Bd. 51: Protokoll über die Arbeitstagung für Behördenleiter der süd- und mittelamerikanischen Vertretungen vom 18. – 24.11.1954 in Montevideo, Ministerialdirektor Löns: Personal- und Verwaltungsfragen, S. 22; PAAA, B 101, Bd. 242: Briefentwurf betr. Deutsche Missionschefs, die Mitglieder der NSDAP waren, 5.5.1962.

13 PAAA, B 102, Bd. 2940: Rundschreiben des Bundes der Verfolgten des Naziregimes, 22.12.1950.

14 PAAA, B 130, Bd. 8906A: Aufstellung der Abteilung I, 1.3.1961.

15 Zahlen nach: Müller (1996), S. 212, 280; Haas (1969), S. 58; PAAA, B 2, Bd. 32: Runderlass, 17.11.1952; Grundsätze, Richtlinien, Weisungen betr. Auswahl von Personal, 30.4.1952; PAAA, B 101, Bd. 97: Notizen für Pressekonferenz am 25.3., [o. D.]; PAAA, B 110, Bd. 51: Protokoll über die Arbeitstagung für Behördenleiter der süd- und mittelamerikanischen Vertretungen vom 18. – 24.11.1954 in Montevideo, Ministerialdirektor Löns: Personal- und Verwaltungsfragen, S. 22.

16 Zahlen nach: Haas (1969), S. 183; PAAA, B 2, Bd. 32: Übersicht Höherer Dienst, Beamte und Angestellte, Stand vom 1.8.1951; Übersicht Höherer Dienst, Beamte und Angestellte, Stand vom 1.5.1952; Personalbestand höhere Beamte und Angestellte vom 1.7.1952; Runderlass, 17.11.1952; PAAA, NL Haas, Bd. 31: Personallisten Inland höherer Dienst (ohne Rechtsabteilung), Oktober 1951; Bd. 32: Personallisten Inland höherer Dienst (mit Rechtsabteilung), Oktober 1952; Bd. 33: Personallisten höherer Dienst, Auslandsvertretungen, September 1951; Bd. 34: Personallisten höherer Dienst, Auslandsvertretungen, September 1952; PAAA, B 101, Bd. 97: Notizen für Pressekonferenz am 25.3., [o. D.]; Müller (1996), S. 214.

17 Für die Zahlen aus der Zeit vor 1945 vgl. Seite 159 (Kap. 3); Jacobsen (1985), S. 187 f.; Döscher (1987), S. 69.

18 Zit. nach: BT ParlA, WP 1, Untersuchungsausschuss Nr. 47: Stenographisches Protokoll der 5. Sitzung des 47. Ausschusses, 18.1.1952, S. 9 f.

19 Vgl. BT ParlA, WP 1, Untersuchungsausschuss Nr. 47: Stenographisches Protokoll der 6. Sitzung des 47. Ausschusses, 13.2.1952, S. 40; Stenographisches Protokoll der 8. Sitzung des 47. Ausschusses, 15.2.1952, S. 2, 6, 21 f., 33 f.; Stenographisches Protokoll der 9. Sitzung des 47. Ausschusses, 20.2.1952, S. 34 f., 36ff.; Stenographisches Protokoll der 10. Sitzung des 47. Ausschusses, 21.2.1952, S. 13 f., 34ff., 43; Stenographisches Protokoll der 14. Sitzung des 47. Ausschusses, 12.3.1952, S. 2.

20 PAAA, Personalakte Franz Krapf, Bd. 51910: Aufzeichnung, 3.11.1959, dort auch die Zitate; Auskunft des Berlin Document Center, 3.11.1954; Handakte Franz Krapf (in Privatbesitz von Familie Krapf-Mlosch, Bonn): Gesandter Melchers an VLR Hopmann, 1.12.1954; vgl. außerdem Döscher (2005), S. 82ff.

21 BT ParlA, WP 1, Untersuchungsausschuss Nr. 47: Stenographisches Protokoll der 6. Sitzung des 47. Ausschusses, 13.2.1952, S. 36.

22 BT ParlA, WP 1: Untersuchungsausschuss Nr. 47, Stenographisches Protokoll der 9. Sitzung des 47. Ausschusses, 15.2.1952, S. 6.

23 Für die folgenden Zahlen und Vergleichswerte vgl. PAAA, B 2, Bd. 33: Bundesinnenministerium an das Auswärtige Amt, 19.3.1952; Wengst (1984), S. 180; Maulucci (1998),

S. 424ff.; Löffler (2002), S. 184. Für die Bereitstellung zusätzlicher Informationen zum Personal des Bundeswirtschaftsministeriums, die einen direkten Vergleich erst ermöglicht haben, sind wir Prof. Dr. Bernhard Löffler zu großem Dank verpflichtet (schriftliche Mitteilung von Bernhard Löffler, 8.4.2009).

24 NARA II, RG 466, Entry 1, Box 39: Walter Hallstein an John McCloy, 5.3.1952; Memorandum, Personnel Problems of the new German Foreign Service, [o. D.]; Maulucci (2001), S. 124.

25 So wenigstens die Einschätzung von Ivone Kirkpatrick; TNA/PRO, FO 371/98021, C 1904/1: Ivone Kirkpatrick an das Foreign Office, 28.4.1952. Vgl. Maulucci (2001); ders. (1998), S. 342–391; dagegen Hahn (1993a).

26 MAE Paris, Série Europe, Allemagne, 1944–1970, Bd. 1190: Le passé du Ministre allemand de l'intérieur, 6.2.1960; NARA II, RG 59, Subject Numeric File 1967–1969, Box 2128: USBER, Berlin, an Department of State, 6.5.1969.

27 PAAA, Personalakte Peter Pfeifer, Bd. 54980: Schreiben betr. Stand der Vorbereitung für die Errichtung einer UN-Botschaft in New York, 1.2.1954.

28 Congressional Record, Proceedings and Debates of the 83rd Congress, Second Session, vol. 100 (1954), A 2294-A 2295: Ex-Nazi Party Member as U.N. Observer. Extension of Remarks of Hon. Jacob K. Javits of New York in the House of Representatives, 24.3.1954; vgl. außerdem IfZ, ED 135, NL Krekeler, Bd. 60: Generalkonsul Riesser an Botschafter Krekeler, 25.2.1954; Generalkonsul Riesser an Botschafter Krekeler, 30.3.1954.

29 Berner Briefe, *Der Spiegel*, 2.4.1958, dort auch Zitat; Der neue deutsche Botschafter in Bern, *Neue Zürcher Zeitung*, 26.2.1958 Abendausgabe; Mohr aus Deutschland, *Neue Berner Nachrichten*, 22.2.1958.

30 PAAA, Personalakte Ernst-Günther Mohr, Bd. 53833: Aufzeichnung, 8.1.1965; Mohr politisch nicht belastet, *Der Tagesspiegel*, 8.2.1958.

31 Berner Briefe, *Der Spiegel*, 2.4.1958; Holzapfel de bronze, *Die Zeit*, 17.4.1958; Diplomatie?, *Die Zeit*, 13.2.1958; Das Agrément für Mohr, *Neue Zürcher Zeitung*, 27.2.1958.

32 PAAA, Personalakte Ernst-Günther Mohr, Bd. 53832: Brentano an Heuss, 17.4.1959.

33 PAAA, Personalakte Friedrich Holzapfel, Bd. 50306: Holzapfel an Brentano, 15.2.1958; Holzapfel an Brentano, 28.2.1958; PAAA, Personalakte Ernst-Günther Mohr, Bd. 53832: Holzapfel an AA, 17.2.1958; Holzapfel an AA, 21.2.1958.

34 Für Thomsen siehe PAAA, Personalakte Hennig Thomsen, Bd. 58589: Botschafter Hess an AA, 7.5.1956. Für Mumm von Schwarzenstein siehe PAAA, B 101, Bd. 971: Aufzeichnung, 28.3.1963. Für Arnold siehe PAAA, B 101, Bd. 323: Gesichtspunkte, die für eine Versetzung von LR I. Dr. Arnold als Pressereferent an die Botschaft Washington sprechen, [o. D.].

35 Hans Arnold, Zeitzeugengespräch, Berlin, 26.3.2009.

36 PAAA, Personalakte Werner von Bergen, Bd. 45363: Botschaft Bagdad an AA, 31.7.1960, dort auch Zitat; Aufzeichnung, 27.7.1960; Döscher (2005), S. 40, 68ff.

37 Hansen (2002), S. 803; Mann mit Symbolwert, *Der Spiegel*, 9.6.1965.

38 BA, B 136, Bd. 6171: Fernschreiben aus Tel Aviv, 18.11.1965; Wer lügt?, *Die Zeit*, 26.11.1965; Zug um Zug, *Der Spiegel*, 14.7.1965; Sühne der Söhne, *Der Spiegel*, 28.7.1965.

39 PAAA, Personalakte Rolf Pauls, Bd. 54839, Bl. 201: Lebenslauf, [o. D.].

40 Mann mit Symbolwert, *Der Spiegel*, 9.6.1965; vgl. auch Deutschkron (1983), S. 316.

41 Oz (2005), S. 25; vgl. außerdem Hansen (2002), S. 804.

42 PAAA, B 130, Bd. Bd. 8904A: Aufzeichnung MD Dr. Pauls, 28.6.1965.

43 BA, B 136, Bd. 6171: Schröder an Erhard, 10.6.1965; Hansen (2002), S. 804; Gardner Feldman (1984), S. 163.

44 Vgl. BA, B 136, Bd. 6171: Schröder an Erhard, 10.6.965; PAAA, B 130, Bd. 8904A: Notiz Schröder, 29.5.1965.

45 Vgl. PAAA, B 130, Bd. 8904A: Kurzlebensläufe von Dr. Fritz Caspari, Dr. Heinrich Böx, Dr. Paul Frank, Karl Hermann Knoke und Dr. Rolf Friedemann Pauls, [o. D.].

46 PAAA, B 130, Bd. 8904A: Eidesstattliche Erklärung von Hans Speidel, 15.10.1949.

47 Israel-Botschafter, *Der Spiegel*, 23.6.1965; Deutschkron (1983), S. 317.

48 PAAA, B 36, Bd. 190: Fritz Löwenstein an Erhard, 21.8.1965; Hansen (2002), S. 804; Oz (2005), S. 26; Gardner Feldman (1984), S. 165.

49 PAAA, Personalakte Alexander Török, Bd. 58651: Botschaft Tel Aviv an AA, 9.11.1965; Botschaft Tel Aviv an AA, 14.11.1965; Wer lügt?, *Die Zeit*, 26.11.1965; Hansen (2002), S. 804; Deutschkron (1983), S. 318ff.

50 PAAA, Personalakte Alexander Török, Bd. 58651: AA an Botschaft Tel Aviv, 22.11.1965; AA an Pauls, 4.7.1966; Hansen (2002), S. 804.

51 Deutschkron (1983), S. 48.

52 Dahrendorf beklagt Diplomatenauswahl, *Frankfurter Rundschau*, 24.2.1968.

53 PAAA, B 101, Bd. 97: Angriffe auf das Auswärtige Amt, 25.3.1952.

54 NARA II, RG 59, Subject Numeric File 1964–1966, Box 2223: U.S. Embassy Bonn an Department of State, 30.6.1964.

55 Garner (1993), S. 764; ders. (1995), S. 32 f.; Schwarz (1991), S. 657ff.

56 Müller (1996), S. 227ff.; Döscher (2003), S. 110 f., 118 f.

57 TNA/PRO, FO 1049/1576: Aufzeichnung Mr. Wilson, 29.11.1949.

58 StBKAH, I/12.32, Bl. 225–231: Franz Blücher an Adenauer, 17.11.1950.

59 Ebd., Bl. 218–221: Adenauer an Blücher und Wellhausen, 23.11.1950.

60 Müller (1996), S. 84 f., 209, 222; BA, NL Blankenhorn, N 1351, Bd. 10: Tagebucheintrag, 19.6.1952; Adenauer an Globke, 16.4.1959, in: Adenauer, Briefe 1957–1959, S. 250–254.

61 MAE Paris, Série Europe, Allemagne, 1944–1970, Bd. 140, Bl. 11 f.: Haut Commissariat de la République Française en Allemagne an das Ministère des Affaires Etrangères, 16.1.1953, Müller (1996), S. 229 f.

62 Maulucci (1998), S. 424 ff.

63 PAAA, B 130, Bd. 8423: Minister Wuermeling an Brentano, 15.3.1958; Brentano an Adenauer, 24.4.1958; Bonner Rundschau, 14.2.1958; Brentano an MdB Even, 14.2.1958; MdB Even an Brentano, 19.2.1958; Großes Revirement im Auswärtigen Amt, *Die Zeit*, 6.2.1958; Der Diplomaten-Schub, *Frankfurter Allgemeine Zeitung*, 7.2.1958; Brentano und die CDU, *Die Zeit*, 6.3.1958; Des Knappen Wunderhorn, *Der Spiegel*, 25.6.1958; Krone, Tagebücher, Bd. 1 1945–1961: Eintrag 24.2.1958, S. 292.

64 NARA II, RG 59, Subject Numeric File 1967–1969, Box 2128: U.S. Embassy Bonn an das Department of State, 5.1.1967; Brandt bringt seine ›Brigarde‹ mit, *Die Welt*, 20.12.1966; Auswärtiges Amt im Kreuzfeuer, *Rheinische Post*, 8.3.1968; Arnold und Blachstein oder die Personalpolitik, *Frankfurter Allgemeine Zeitung*, 22.3.1968.

65 Außenseiter für Belgrad?, *Christ und Welt*, 15.3.1968; Arnold und Blachstein oder die Personalpolitik, *Frankfurter Allgemeine Zeitung*, 22.3.1968.

66 Vgl. Garner (1993), S. 38.

67 PAAA, B 101, Bd. 323: StS van Scherpenberg an Heinrich Krone, 6.10.1959.

68 Müller (1996), S. 245 ff.; Haas (1969), S. 35 f., 57.

69 Scheidemann (2000), S. 55 ff.

70 Garner (1995), S. 63, 192; Müller (1996), S. 240. Erste Frau auf dem Posten einer Legationsrätin I. Klasse bzw. seit 1952 einer Vortragenden Legationsrätin war die »Ehemalige« und frühere Parteigenossin Erica Pappritz; vgl. Müller/Scheidemann (2000), S. 189.

71 Haas (1969), S. 36; Müller (1996), S. 201.

72 Scheidemann (2000), S. 78.

73 Müller (1996), S. 220, Fußnote 186.

74 PAAA, B 101, Bd. 798: Frauen im Auswärtigen Amt, 22.10.1984; Stellungnahme Referat 101 zu dem Papier des Personalrats, 22.10.1984; Müller (2000), S. 19 f.

75 Scheidemann (2000), S. 35.

76 Zahlen nach Müller (1996), S. 192 ff.; End (1969), S. 80. Vgl. Zapf (1965a), S. 180; Deutsch/Edinger (1973), S. 139.

77 Röhl (1985), S. 206 f.; Bösch (2001), S. 110ff., 339ff.

78 PAAA, NL Haas, Bd. 18: Kommentierende Bemerkungen zum Artikel des Abg. Reismann im Wochenblatt für Wahrheit, Recht und Freiheit »Das Zentrum« Nr. 1 1951,[o. D.]; ebd., Bd. 5: Abschließender Bericht der Untersuchungsergebnisse von Oberlandesgerichtspräsident a.D. Schetter, 24.11.1951; PAAA, B 2, Bd. 32: Runderlass, 17.11.1952; PAAA, B 110, Bd. 51: Protokoll über die Arbeitstagung für Behördenleiter der süd- und mittelamerikanischen Vertretungen vom 18. – 24.11.1954 in Montevideo, Ministerialdirektor Josef Löns: Personal- und Verwaltungsfragen, S. 22; Müller (1996), S. 276. Zum Anteil von Katholiken im öffentlichen Dienst vgl. Morsey (1977a), S. 227 f.; Wengst (1984), S. 181; Löffler (2002), S. 154 f.

79 Müller (1996), S. 195, 277.

80 Albrecht von Kessel: Anderer Chef, anderer Wind, *Die Welt*, 4.7.1962; Haas (1969), S. 24, 42 f.

81 AdsD, NL Schmid, Mappe 1355: MdB Harald Koch an Schmid, 27.5.1952.

82 Adenauer, Teegespräche 1950–1954, Presse-Tee, 2.4.1952, S. 226–248, hier S. 246.

83 BA, NL Blankenhorn, N 1351, Bd. 2: Tagebucheintrag, 17.11.1949. Zur Rolle Blankenhorns beim personellen Aufbau des Amts vgl. IfZ, ED 448, NL Böker, Bd. 38: Inhaltsprotokoll Befragung Dr. Alexander Böker, München, 25.7.1987, S. 3; Ramscheid (2006), S. 120, 144ff., 181f., 396f.; Döscher (2005), S. 91, 101, 103; Müller (1996), S. 225.

84 BT ParlA, WP 1, Untersuchungsausschuss Nr. 47: Stenographisches Protokoll der 5. Sitzung des 47. Ausschusses, 18.1.1952, S. 6, 11.

85 Hans Arnold, Zeitzeugengespräch, Berlin, 26.3.2009; vgl. außerdem Staden (2001), S. 126.

86 IfZ, ED 135, NL Krekeler, Bd. 53: Notiz, 26.3.1952; Müller (1996), S. 234ff.; Döscher (2005), S. 294ff., 319; End (1969), S. 78 f.; Seelos (1953), S. 36ff.; Haas (1969), S. 56 f.

87 Vgl. beispielsweise BA, NL Blankenhorn, N 1351, Bd. 13: Tagebucheintrag, 22.8.1952; TNA/PRO, FO 371/85264, C 7174: U.K. High Commission an das Foreign Office, 6.11.1950; Ramscheid (2006), S. 133 f.; Döscher (2005), S. 302 f.; Haas (1969), S. 59; Lappenküper (1995), S. 645ff.; Kroll (1990), S.173 f.

88 TNA/PRO FO 371/118454, WG 1903/1: Aufzeichnung (P.F. Hancock), 3.1.1954; vgl. auch den entsprechenden Hinweis bei Wahrhaftig (1957), S. 33.

89 PAAA, Personalakte Georg Rosen, Bd. 56037: Lebenslauf des Legationssekretärs Dr. jur. Georg Rosen, [o. D.]; Vermerk betr. Einberufung des Botschaftsrats Dr. Rosen, London, in das Auswärtige Amt, 3.6.1953; StS Hallstein an Rosen, 8.6.1953; Rosen an AA, 10.6.1953; Aufzeichnung betr. Versetzung nach Montevideo, 21.3.1956; Rosen an Stahlberg, 28.4.1956.

90 PAAA, Personalakte Johann-Jürgen Blomeyer, Bd. 45960: Qualifikationsbericht Konsul Johann-Jürgen Blomeyer, 11.9.1951; Vermerk, 11.4.1953.

91 PAAA, Personalakte Max Bachmann, Bd. 45275: Schlange-Schöningen an Welck, 4.5.1953.

92 TNA/PRO, FO 371/85264, C 6898: Minutes.

93 Ebd., C 7174: U.K. High Commission an das Foreign Office, 6.11.1950.

94 Eisermann (1999), S. 62ff., 78.

95 PAAA, Personalakte Georg Rosen, Bd. 56037: Rosen an Haas, 24.11.1949.

96 PAAA, B 110, Bd. 51: Protokoll über die Arbeitstagung für Behördenleiter der süd- und mittelamerikanischen Vertretungen vom 18. – 24.11.1954 in Montevideo, Ministerialdirektor Löns: Personal- und Verwaltungsfragen, S. 22–29; PAAA, B 102, Bd. 7: AA an Bundesverband deutscher Volks- und Betriebswirte e.V., 1.8.1958.

97 AdL, A 31–67, Bl. 49 f.: MdB Hansheinrich Schmidt an Außenminister Schröder, 25.2.1963; Bl. 51: Außenminister Schröder an MdB Hansheinrich Schmidt, 19.4.1963; Bl. 52–55: MdB Hansheinrich Schmidt an Erich Mende, Stellungnahme zum Schreiben des Herrn Bundesministers vom 19.4.1963, 11.10.1963; AdL, A 31–47: MdB Hansheinrich Schmidt an Mende, 30.4.1962; Lebenslauf Manfred Schreiter, [o. D.]; PAAA, B 101, Bd. 324: Aufzeichnung Haas, 29.11.1955; Bd. 1003: Außenminister Schröder an Ministerialdirektor Raab, 17.11.1963.

98 PAAA, B 101, Bd. 768: Aufzeichnung betr. heutiger Artikel in Die Welt mit der Überschrift »Beamte des Auswärtigen Amtes protestieren gegen Parteikarrieren«, 13.4.1977; Überlegungen zur Lage der jüngeren Laufbahnbeamten des höheren Auswärtigen Diensts, 3.3.1977.

99 Staden (2001), S. 125; ähnlich Niels Hansen, Zeitzeugengespräch, Bonn, 4.3.2009.

100 PAAA, B 101, Bd. 323: StS van Scherpenberg an Heinrich Krone, 6.10.1959; End (1969), S. 53ff., Zitat S. 55; Müller (1996), S. 232ff., 259.

101 PAAA, NL von Braun, Bd. 110: Abschiedsrede StS Harkort, 31.5./1.6.1970.

102 Salis (1959), S. 15.

103 PAAA, B 6, Bd. 210: Blauer Dienst Nr. 26, Botschafterkonferenz Westeuropa vom 30. Juni – 2. Juli 1969, Referat Ministerialdirektor Dr. Federer: Fragen der Verwaltung, 30.7.1969, S. 38. Vgl. außerdem End (1969), S. 55.

104 PAAA, NL von Braun, Bd. 110: Abschiedsrede StS Duckwitz, 31.5./1.6.1970; PAAA, B 101, Bd. 798: Schreiben betr. Besprechung über grundsätzliche Personalangelegenheiten, 29.11.1971; Herwarth (1959), S. 236f.; sowie als neuere Einschätzung Müller (1996), S. 247.

105 PAAA, B 1, Bd. 23: Hausenstein an Hallstein, 23.5.1956; Lappenküper (1995), S. 668ff.

106 MAE Paris, Série Europe, Allemagne, 1944–1970, Bd. 146, Bl. 93–97: Haut Commissariat de la République Française an das Ministère des Affaires Etrangères, 24.7.1953.

107 Grewe (1967), S. 33; Lahr (1981), S. 357.

108 PAAA, B 10, Bd. 172: Schreiben des Staatssekretärs, 11.3.1952.

109 PAAA, B 102, Bd. 11: Peter Pfeiffer: Die langfristige Ausbildung des Nachwuchses für den Auswärtigen Dienst, 10.9.1951.

110 NARA II, RG 59, Subject Numeric File 1964–1966, Box 2223: U.S. Embassy Bonn an das Department of State, 30.6.1964.

111 Ebd., Subject Numeric File 1967–1969, Box 2131: US Embassy Bonn an das Department of State, 9.8.1967.

112 PAAA, B 1, Bd. 203: Vereinigung Deutscher Auslandsbeamten e.V. an Außenminister

Schröder, 26.3.1963; PAAA, B 101, Bd. 966: Aufzeichnung betr. Aufsatz in *Die Welt* vom 20.1.1962 »Mit 50 Jahren beginnt dann die Karriere...«, 24.1.1962; ebd., Bd. 768: Aufzeichnung betr. heutiger Artikel in *Die Welt* mit der Überschrift »Beamte des Auswärtigen Amtes protestieren gegen Parteikarrieren«, 13.4.1977; Müller (1996), S. 177ff.

113 Döscher (2005), S. 142; Tomaten und Eier, *Der Spiegel*, 24.03.1954. Zur französischen Haltung vgl. MAE, Paris, Série Europe, Allemagne, 1944–1970, Bd. 332: Consulat de France Mayence (Pierre Depeyre) an Ministre des Affaires Etrangères, 3.5.1950; Vermerk Direction d'Europe, Sous-Direction d'Europe Centrale, 27.6.1950.

114 Kröger (2006), S. 11 f.; vgl. beispielsweise PAAA, B 102, Bd. 2940: Erich Kraske an Peter Pfeiffer, 23.2.1950.

115 PAAA, B 102, Bd. 11: Peter Pfeiffer, Die langfristige Ausbildung des Nachwuchses für den Auswärtigen Dienst, 10.9.1951; vgl. auch Bemerkungen zu den Aufzeichnungen Pfeiffers, 8.10.1951; sowie Herwarth (1959), S. 236.

116 PAAA, NL von Braun, Bd. 164: Rede vor den Attachés, 23.9.1971.

117 Kröger (2006), S. 17 f.

118 PAAA, B 102, Bd. 888: Stellungnahme VLR Karl Th. Paschke zum Bericht der Arbeitsgruppe »Ausbildungsreform«, 15.6.1972.

119 Ebd., Bd. 6: Aufzeichnung betr. Auslese des Nachwuchses für den höheren Auswärtigen Dienst, 24.4.1953.

120 Exemplarisch ausgewertet: PAAA, B 101, Bd. 104–106.

121 Vgl. beispielsweise PAAA, B 101, Bd. 188: AA an Sutton, Combined Travel Board, screen für den 3. Speyerer Lehrgang, 5.5.1951.

122 PAAA, B 102, Bd. 2940: Rundschreiben betr. bevorzugte Einstellung in den Bundesdienst für politisch Verfolgte und Geschädigte, 22.12.1950; PAAA, B 130, Bd. 8906A: Aufstellung der Abteilung I, 1.03.1961.

123 TNA/PRO, FO 371/70692, C 6281: Foreign Office an die Political Division, Berlin, 11.8.1948.

124 TNA/PRO, FO 371/85567, CD 3717: Foreign Office an die High Commission, 10.1.1951.

125 PAAA, B 10, Bd. 171, Bl. 221: Schreiben Pfeiffer, 13.4.1950.

126 So berichtete beispielsweise Heinz Schneppen, Zeitzeugengespräch, Berlin, 26.3.2009.

127 PAAA, B 102, Bd. 12: Aufzeichnung, 19.5.1958.

128 Ebd., Bd. 888: Empfehlungen für die Neuordnung der Attachéausbildung, März 1972.

129 Vgl. u. a. ebd., Bd. 3024: Dozentenübersicht, [o. D., 1950].

130 Ebd., Bd. 3025: Listen der Vortragenden aus dem Auswärtigen Amt in den Ausbildungslehrgängen für den höheren Auswärtigen Dienst, Mai 1952. In der Liste sind auch Vortragende genannt, die einmalig auftraten.

131 Vgl. beispielsweise ebd.: 1. Lehrgang für Anwärter des höheren Auswärtigen Dienstes in Speyer, Mai 1952; vgl. auch Döscher (1995), S. 156–165 und 226 f.; sowie Biographisches Handbuch, Bd. 2 (2005), S. 124 f.

132 Vgl. beispielsweise PAAA, B 102, Bd. 116: Programm für die Zeit vom 26.11.–8.12.1956.

133 Vgl. beispielsweise ebd.: Programm der Vorlesungen für den 9. Attachélehrgang, 9.11.1955. Zu Müller-Roschach vgl. Browning (1978); Aus der Erinnerung, *Der Spiegel*, 22.7.1968.

134 Vgl. beispielsweise PAAA, B 102, Bd. 116: 9. Lehrgang, Studienplan, 31.3.1955.

135 Ebd., Bd. 3024: Dozentenübersicht, 6.9.1950; ebd., Bd. 116: Vorlesungsübersicht.

136 Ebd., Bd. 11: Aufzeichnung Peter Pfeiffer, 10.9.1951.

137 Ebd., Bd. 888: Bericht der Arbeitsgruppe »Empfehlungen für die Neuordnung der Attachéausbildung«, März 1972.
138 PAAA, B 2, Bd. 199: Schreiben des Staatssekretärs von Braun, 4.8.1970.
139 Ebd., Bd. 216, Bl. 18–25: Schreiben an den Staatssekretär betr. Heranbildung und Verwendung von Beamten mit zusätzlicher regionaler Ausbildung und Erfahrung, 2.4.1974.
140 PAAA, B 101, Bd. 797: Personalauswahl, Ausbildung und Spezialisierung. Auszug aus dem Referat von MDg Röding über Stand und Ziele der Reform des Auswärtigen Dienstes, gehalten am 9.9.1971.
141 Müller (1996), S. 251f.
142 PAAA, B 100, Bd. 303: Vermerk, 6.11.1963.
143 Teegespräch Nr. 32, 15.11.1960, in: Adenauer, Teegespräche 1959–1961, S. 371–386, hier S. 385; vgl. außerdem End (1969), S. 10ff.; Frank (1981), S. 363–372; Hamilton/Langhorne (1995), S. 217 ff., 231ff.

Wiedergutmachung und Erinnerung

1 Goschler (2005), S. 178; Garner (1995), S. 171f.; Frei (1996), S. 69–100.
2 BGBl. I 1951, S. 291.
3 Ebd., S. 137; zum BWGöD-Ausland vgl. Szabó (2000).
4 Maßgeblich war hier der § 26 des Deutschen Beamtengesetzes vom 26.1.1937, das in seiner entnazifizierten Fassung auch nach dem Krieg galt; Ausnahmen in der Frage der Staatsbürgerschaft waren möglich, mussten jedoch vom Innenministerium genehmigt werden; vgl. Szabó (2000), S. 250, 334.
5 PAAA, Personalakte Werner Schwarz, Bd. 57461; B100, Wiedergutmachungsakte Schwarz, Bd. 1864.
6 Holzhausens Geldakte aus dem alten Amt deutet allerdings auch auf eine hohe Identifizierung mit dem Regime hin; PAAA, Geldakte Rudolf Holzhausen, Bd. 6370: Stellungnahme Holzhausen, 21.2.1934.
7 PAAA, B 100, Bd. 92: Bericht Budde, 23.4.1953.
8 PAAA, Personalakte Eugen Budde, Bd. 1991: Prüfer an Büro RAM, 9.3.1939; B 100, Bd. 93: Hallstein an Schetter, 14.2.1952; B 130, Bd. 5439A: Vermerk Nostitz, 20.6.1952; BA, B 136, Bd. 1847, Bl. 93: Privatnotiz Globke für Löns und Blankenhorn, [o.D.].
9 PAAA, B 100, Bd. 92: Verzeichnis Lieres, 4.3.1952; Sonderakten Leiter Zentralabteilung, Bd. 11: Bericht Lieres, 25.9.1952.
10 PAAA, NL Melchers, Bd. 1: Inoffizielle Grundsätze bei der Einstellung von Beamten und Angestellten des höheren Dienstes bis 1950 im Auslande, 16.10.1951.
11 PAAA, B 100, Bd. 92: Auszug aus Kurzprotokoll des BT-Ausschusses für Beamtenrecht, 25.1.1952; zu den entsprechenden Beschlüssen der ersten Nordwestdeutschen Hochschulkonferenzen vgl. Szabó (2000), S. 233 ff.
12 Zit. nach: Szabó (2000), S. 284.
13 PAAA, Personalakte Hans Riesser, Bd. 12351: Neurath an Riesser, 17.3.1934; B 100, Bd. 2482: Bescheid Lieres, 10.7.1952, S. 3; Personalakte Hans Riesser, Bd. 55838: Lebenslauf Riesser, 23.3.1950; Riesser an Maltzan, 15.5.1949; Maltzan an Riesser, 4.6.1949; Riesser an Haas, 6.1.1950; vgl. dazu den autobiographischen Bericht von Riesser (1962), S. 217ff.

14 PAAA, Personalakte Werner Peiser, Bd. 54870. Neben seiner Tätigkeit als Vernehmer wirkte Peiser auch als Gutachter im Ärzteprozess mit.

15 Ebd.: Peiser an Pfeiffer, 27.8.1953.

16 Ebd.: Oellers an Pfeiffer, 20.11.1952.

17 Ebd.: Peiser an Welck, 20.10.1953.

18 Ebd.: Adalbert von Bayern an AA, 24.9.1954.

19 Ebd.: Vermerk Löns für Hallstein, 9.10.1954

20 Ebd.: Rupprecht von Keller an Viktor von der Lippe, 24.4.1951; darauf die Marginalie »Vertraulich, nach Abg: Herrn Dr. Hecker zum Verbleib«; Peiser an Salat, 29.2.1956.

21 Goschler (2005), S. 144.

22 PAAA, Personalakte Richard Hertz, Bd. 49952: Melchers an Hertz, 15.4.1950; Hertz an Melchers, 23.5.1950; Melchers an Hertz, 25.7.1950.

23 Ebd.: Haas an Staatssekretär, 18.5.1951.

24 Ebd.: Dittmann an Welck, 20.10.1951.

25 Ebd., Bd. 49953: Vermerk Lieres, 21.10.1953.

26 Ebd.: Vermerk Welck, 27.10.1953 mit Marginalie Löns »Vorschlag zu Dr. H. erscheint mir richtig. Seine Frau muss sich dann entscheiden«.

27 Ebd., Bd. 49952, Löns an Staatssekretär, 29.1.1954.

28 PAAA, Personalakte Franz Krapf, Bd. 51910: Vermerk V 3 an Ref. ZA 2, 16.9.1970.

29 PAAA, Personalakte Wolfgang von Welck, Bd. 59459: Eidesstattliche Erklärung Schroeder, 8.5.1963.

30 Ebd., Bd. 46440: Melchers an Broich-Oppert, 10.2.1950.

31 Ebd.: Neumann an Reuter, 28.6.1950.

32 Ebd., Kaiser an Globke, 20.7.1950; Kaiser an Globke, 8.8.1950; Ernst Lemmer an Adenauer, 15.8.1950; Haas, Aufzeichnung, 11.5.1951; SPD-Intrigenspiel in Berlin, *Aachener Volkszeitung*, 18.8.1950; vgl. Gnirs (1982), S. 282 f.

33 Marion Gräfin Dönhoff, Ein Vorläufer Johns, *Die Zeit*, 29.7.1954; Richard Tüngel, Herr Kanzler, säubern Sie!, ebd.; PAAA, NL Melchers, Bd. 8: Duckwitz an Melchers, 27.7.1954.

34 PAAA, Personalakte Wilhelm Melchers, Bd. 53456: Vermerk Kitt, 20.3.1953.

35 Stöver (1998), S. 322; vgl. Gieseking (2005), S. 77–93.

36 PAAA, Personalakte Wilhelm Melchers, Bd. 53457: Becker an Melchers, 15.1.1950; in einem 1976 verfassten Vorwort zu Margret Boveris Darstellung des Falls John relativiert Becker die dort erhobene »Verrats«-These, ohne seine eigene Rolle in den politischen Auseinandersetzungen um Johns Reaktivierung zu erwähnen; Becker, Geleitwort zu Boveri (1956), S. XVI.

37 PAAA, Personalakte Wilhelm Melchers, Bd. 53457: Melchers, Bemerkungen zum Aktenvermerk von Herrn Dr. Otto John, 30.10.1951.

38 PAAA, Personalakte Wolfgang Gans Edler Herr zu Putlitz, Bd. Nr. 55355: Putlitz an Melchers, 20.6.1950.

39 Ebd.: Melchers an Putlitz, 28.8.1950.

40 Ebd.: Werner von Holleben an Melchers, 27.9.1950; Driesen an Haas, 14.2.1951. In der Forschung hält sich die These von Putlitz' Erpressbarkeit hartnäckig; zuletzt Glees (1987), S. 121, 223; de Graaf (1991).

41 Zit. nach: Dubiel (1999), S. 66 f.

42 PAAA, Bewerbungsvorgang Fritz Kolbe, Bd. 51723: Kolbe an VfW, 9.5.1949; Bauer an VfW, 21.5.1949; Kocherthaler an VfW, 9.7.1949.

43 Ebd.: Gautier an Kolbe, 10.6.1949.

44 Ebd.: Lebenslauf Kolbe, 11.7.1949.

45 Ebd.: Böker an Theo Kordt, 27.7.1949; Theo Kordt an Böker, 2.8.1049.

46 Das Einsatzfeld in Lourenco Marques, dem heutigen Maputo, interessierte vor allem den DDR-Geheimdienst, der in den sechziger Jahren mehrere Dossiers zu Werz anlegte, ohne fündig zu werden; BStU, MfS HA IX/11/PA 614; BStU, MfS HA II/27623; Ribbentrop (1961), S. 67; Döscher (1987), S. 286 f. NARA, RG 226, Entry 190C, Box 7, Folder George Wood case; Personal des Auswärtigen Amtes nach dem Stande März 1945, nach dem Gedächtnis verfasst von Fritz Kolbe, 17.4.1945.

47 PAAA, Bewerbungsvorgang Fritz Kolbe, Bd. 51723: Kordt an Werz, 2.8.1949.

48 Ebd.: Werz an Kordt, 24.8.1949.

49 Ebd.: Kordt an Böker, 3.9.1949.

50 Ebd.: Kolbe an Organisationsbüro, 15.12.1949; Kolbe an Schlange-Schöningen, 6.3.1950.

51 Edward P. Morgan, The Spy the Nazis missed, *True*, 25.7.1950; PAAA, Bewerbungsvorgang Fritz Kolbe, Bd. 51723: Aufzeichnung Valentin, 12.10.1950; Delattre (2005), S. 283.

52 PAAA, Bewerbungsvorgang Fritz Kolbe, Bd. 51723: Allardt an Melchers, 25.7.1950.

53 Ebd.: Bauer an Allardt, 2.10.1950.

54 Ebd.: Melchers an Allardt, 9.6.1950; Vermerk Melchers für Schwarz und Kreutzwald, 5.8.1950; Vermerk Melchers für Schwarz und Kreutzwald, 25.10.1950.

55 Delattre (2005), S. 280, 372; skeptisch hingegen Ramscheid (2006), S. 176.

56 Zu Schmid vgl. Delattre (2005), S. 278; PAAA, Bewerbungsvorgang Fritz Kolbe, Bd. 51723: Personalbogen Kolbe, 10.2.1950.

57 Ebd.: Aufzeichnung Melchers, 25.10.1950; Puhl an Stackelberg, 21.7.1955; Stackelberg an Ref. 103, 30.7.1955.

58 Eugen Gerstenmaier, Worum es uns ging, *Die Zeit*, 24.7.1964.

59 Zit. nach: Delattre (2005), S. 293.

60 Fischer (2004), URL: http://archiv.bundesregierung.de/bpaexport/artikel/04/711804/multi.htm. (1.7.2010)

61 Theodor Heuss, Der 20. Juli 1944. Ansprache des Bundespräsidenten am 19. Juli 1954 im Auditorium Maximum der Freien Universität Berlin, in: Die großen Reden (1965), S. 247–262; Winkler (2000), S. 169ff.

62 PAAA, NL Melchers, Schachtel 2, Mappe 3: Melchers, Darstellung zum 20. Juli 1944 in der Wilhelmstraße, 28.2.1946; Schachtel 1, Mappe 1; NL Sasse, Mappe 112: Schmieden, Strukturwandel und Bedeutungsminderung des Auswärtigen Amtes (1933–1945); NL Melchers, Schachtel 1, Mappe 2: Melchers, Das Widerspiel der Kräfte im Auswärtigen Amt während des Krieges [o. D., Mai 1948]; Bayne (1946).

63 Reden Adenauers und Gerstenmaiers, Stadttheater Bonn, 20.7.1954, in: Bulletin des Presse- und Informationsamtes 134, S. 1205–1211. Diese frühe Literatur diskutiert in: Blasius (1994), S. 280 f.; von Klemperer (1992), S. 86–110.

64 Es findet sich kein Entwurf oder Vorabexemplar der Rede in den Akten. Nur die Pressemitteilung mit dem Redetext ist in PAAA, B 118, Bd. 100b abgelegt.

65 PAAA, NL Melchers, Schachtel 2, Bd. 3: Welck an Melchers, 9.6.1954; Melchers an Welck, 15.6.1954.

66 PAAA, B 118, Bd. 539: Aufzeichnung Klassen, 24.6.1954.

67 PAAA, B 100, Bd. 1729, Vermerk Welck, 14.7.1954; Welck an Marie-Louise von Scheliha, 13.7.1954; Welck, Hemdchen für den StS, 13.7.1954.

68 Sahm (1990), S. 247 f.; PAAA, B 100, Bd. 1729: Landesbezirksstelle für Wiedergutmachung Stuttgart an Marie Louise von Scheliha, 5.11.1951.

69 PAAA, B 100, Bd. 1729: Marie Louise von Scheliha, Anmeldung auf Wiedergutmachungsanspruch, 30.3.1952.

70 Lieres Bemühungen dokumentiert in ebd.: hier besonders sein Vermerk vom 20.7.1953, in dem er auf die schriftliche Aussage des Richters Alexander Kraell (ebd.) reagiert; vgl. auch den Vermerk vom 21.7.1953.

71 BA, NL Weizsäcker, N 1273, OStA Dr. Finck: StA Lüneburg an Becker, 18.4.1951, mit handschriftlicher Marginalie Ernst von Weizsäcker; Weizsäckers Erinnerungslücke erklärt sich möglicherweise dadurch, dass sich die AA-Leitung seinerzeit der Bitte von Reichsminister a.D. Raumer, Schelihas Onkel, verweigert hatte, RA Dr. Dix als Wahlverteidiger für Scheliha zu bestellen.

72 PAAA, B 100, Bd. 1729: Vermerk Stahlberg, 22.7.1954 [über Unterhaltung mit W.-U. von Hassell]; Bd. 1730: Poelchau an AA, 16.7.1955; Sahm (1990), 221 f.

73 Ebd.: Welck an Jesser, 31.8.1955.

74 Coppi/Danyel (1992), S. 83; Vinke (2003), S. 194–213, bes. S. 203–213.

75 Lieres war formal schon im März 1954 aus dem Dienst ausgeschieden, wurde vom AA aber weiterhin für Sonderaufträge hinzugezogen; vgl. PAAA, B 100, Bd. 1729: Paraphe Lieres auf Vermerk Fischer-Lossainen, 13.8.1954. Walter Jesser (1919–1993) war seit September 1953 im AA. Bei Kriegsausbruch befand er sich in Palästina, wo er von den Briten für knapp zwei Jahre interniert wurde. Er floh schließlich über Syrien, Beirut und die Türkei nach Deutschland. Von Juni 1943 bis Mai 1945 diente er im deutsch-arabischen Infanteriebataillon, nach dem Krieg wurde er in Jura promoviert und im September 1953 ins AA einberufen. Er entwickelte sich zu einem der Nahost-Spezialisten im AA und war von 1969 bis 1972 Botschafter in Kairo; PAAA, Personalakte Walter Jesser, Bd. 50724.

76 PAAA, B 100, Bd. 1729: Vermerk, 7.3.1955; Schriftsatz Dr. iur Hans Stein an AA, 8.7.1955; vgl. auch Sahm (1990), S. 250 f.

77 PAAA, B 100, Bd. 1730: Jesser an Bayerisches Staatsministerium der Justiz, 1.9.1955.

78 Ebd.: Jesser, Vermerk für Stackelberg, 3.9.1955; Stackelberg, Schnellbrief an Bundesinnenministerium, 13.9.1955; Schnellbrief Bundesinnenministerium an AA, 23.11.1955.

79 Ebd.: Jesser, Vermerk, 1.12.1955; Marie Louise von Scheliha an AA, 3.1.1956; Bd. 1731: Jesser, Entwurf Aufzeichnung, mit »cessat«-Vermerk, 10.1.1956; Aufzeichung Stackelberg für Dg 10, 12.1.1956, einschl. der Marginalien von Stahlberg und Löns; Brentano an den Chef des Bundespräsidialamts, 7.2.1956.

80 Roeder (1952); Coppi/Danyel (1992), S. 73–89; Zitat in: Steinbach (1994), S. 58, 64 f.; Haase (1994), S. 173; Cornelißen (2001), S. 556.

81 Sahm gehörte seit 1952 dem Auswärtigen Dienst an, vertrat die Bundesrepublik als Botschafter in London und an der Pariser NATO-Botschaft und war seit 1969 als Abteilungsleiter im Kanzleramt einer der wichtigsten außenpolitischen Berater Willy Brandts. Als Botschafter in Moskau von 1972 bis 1977 vertrat er auf diesem Schlüsselposten die Brandt'sche Ostpolitik. Nach weiteren Posten in Ankara und Genf trat Sahm 1982 in den Ruhestand. Er starb 2005.

82 Sahm (1990); PAAA, B 118, Bd. 1099: Sahm an StS Sudhoff, 19.5.1990.

83 PAAA, B 118, Bd. 1099: Sahm an Sudhoff, 29.5.1990; Zitat in: Sahm an Sudhoff, 12.10.1990.

84 Ebd.: Sudhoff an Sahm, 11.6.1990.

85 Sahm (1990), S. 147, 183 f., 283–296; gestützt von Stauffer (1998), S. 240–243.

86 PAAA, B 118, Bd. 1099: Referat 117 [Politisches Archiv], betr. Buchmanuskript von Herrn Botschafter a. D. Dr Ulrich Sahm […], 10.7.1990 – mit »cessat«-Vermerk.

87 PAAA, B 118, Bd. 1099: Referat 117 [Politisches Archiv], betr. Buchmanuskript von Herrn Botschafter a. D. Dr. Ulrich Sahm […], 10.7.1990 – mit »cessat«-Vermerk. An dieser Stelle sei auf Rezensionen der Scheliha-Biographie hingewiesen: Gregor Schöllgen, Mann des Widerstandes?, *FAZ*, 12.11.1990; Wolfgang Wagner, Mord und Rufmord an einem Diplomaten, *Hannoversche Allgemeine*, 6.12.1990; Axel von dem Bussche, Couragiert in den Tod, *Die Zeit* Nr. 7, 8.2.1991; Marion Gräfin Dönhoff, Ein unbedingt Wagender, *Die Zeit* Nr. 7, 8.2.1991; Hans Arnold, Ein junger Diplomat mit Mut, *Süddeutsche Zeitung*, 10.12.1991; Reuven Assor, Der Rufmord der Gestapo wirkte noch nach Jahrzehnten, *General-Anzeiger* (Bonn), 12.9.1991.

88 PAAA, B 118, Bd. 1099: Referat 117 [Politisches Archiv] an D1, Dg11, StS, betr. Buchmanuskript von Herrn Botschafter a. D. Dr. Ulrich Sahm […], 26.7.1990. Der Vermerk regte an, ein Gutachten zu dem Buch von einem ausgewiesenen Widerstandshistoriker einzuholen, um für die ggf. anstehenden Diskussionen gewappnet zu sein.

89 PAAA, B 118, Bd. 1099: StS Sudhoff an Sahm, 31.7.1990; Sahm an StS Sudhoff, 12.10.1990; StS Sudhoff über D1 an das Referat 100, 23.10.1990,. Sudhoff wollte die Angelegenheit bis zum 1.12.1990 geklärt haben.

90 Sahm (1990).

91 PAAA, B 118, Bd. 1099: Abteilung 1, LS Grabherr, an StS Sudhoff, betr. Ehrung des im Jahre 1942 hingerichteten […] LRI Rudolf von Scheliha, 28.11.1990. Marginalie Sudhoff, 4.12.1990: »Ich bitte, diesen Vorschlag zügig umzusetzen + mir Ergebnisse vorzulegen.«

92 PAAA, B 118, Bd. 1099: AA., Drahterlass an Botschaft Tel Aviv, Nr. 0238, 9.12.1992,. Mit Paraphe »G., 17.12.« war auf den Erlass der Hinweis gesetzt: »Herr Minister, die Initiative geht allein von Sahm aus!«

93 PAAA, B 118, Bd. 1099: Jörg Bremer an AA., Pressereferat 013, 21.12.1992.

94 PAAA, B 118, Bd. 1099: Abteilung I, Verfasser VLR I Pakowski, gez. Paschke, 14.12.1992; Waldner, Vermerk, Politisches Archiv, 2.2.1993.

95 BSG Urteil vom 11.9.1991, 9a RV 11/90, vgl. *Neue Juristische Wochenschrift* 45:1 (1992), S. 934–936, Zitat. S. 936. Das Urteil bezog sich hauptsächlich auf die Verurteilung von Wehrmachtdeserteuren.

96 PAAA, B 118, Bd. 1099: Landesamt für Besoldung und Versorgung Baden-Württemberg – Wiedergutmachungsstelle an das AA., betr. Antrag der Frau Marie-Louise von Scheliha, 15.2.1993.

97 PAAA, B 118, Bd. 1099: Braun, Referat 100, Vermerk für Referatsleiter, Dg10, D1, 4.3.1993.. Darauf die Marginalie des Dg10, 8.3. »Hier geraten wir offensichtlich in eine Zwickmühle«, sowie Antwort durch Paschke (D1), 12.3.: »Unabhängig von dieser Entwicklung sollten wir m. E. die Anfertigung und Anbringung der Plakette weiterbetreiben.«

98 PAAA, B 118, Bd. 1099: LR I Grau, Referat 106, Vermerk an StS, 22.7.1993. Dieses Dokument bezieht sich auf eine Weisung des Staatssekretärs vom 19.7.1995, die allerdings in der Akte nicht vorliegt.

99 PAAA, B 118, Bd. 1099: VLR I Dr. Reyels, Referat 106, an BMI, Ref. DIII4, 22.7.1993. Die Beurteilung macht sich die Urteilsbegründung des Bundessozialgerichts von November 1991 zu eigen (BSG Az 9a RV 11/90).

100 PAAA, B 118, Bd. 1099: Referat 117 (Historisches Referat), LR I Dr Biewer, über Dg11, D1, an StS und BM, 12.7.1993.

101 PAAA, B 118, Bd. 1099: Verwaltungsgericht Köln, 8. Kammer, Az. 8 K 5055/94, 25.10.1995.; Marianne Quoirin, Spätes Recht dank der Detektivarbeit eines Diplomaten, *Kölner Stadtanzeiger*, 26.10.1995.

102 Blauer Dienst, Nr. 6/95, 23.1.1996, S. 102–105.

103 Sahm (1990), S. 52–54, 105–107, 124–126; Kindler (1991), S. 138–148; Sahm (1994). Die Personalakte Stöbe fehlt.

Die Vergangenheit als außenpolitische Herausforderung

1 PAAA, Personalakte Herbert Blankenhorn, Bd. 45930: Vermerk Löns über Schnippenkötter an StS, 11.12.1957.

2 Stenographische Berichte, WP 1, 27.9.1951, S. 6697 f.

3 BA, NL Blankenhorn, Bd. 9a: Aufzeichnung zu einer Besprechung zwischen Adenauer und Goldmann, [o.V.], 6.12.1951; abgedruckt in: Jelinek (1997), S. 177; vgl. dazu auch Goschler (2005), S. 163.

4 Goschler (1992), S. 165.

5 PAAA, B 10, Bd. 150, Bl. 135: Janz an Trützschler, 5.1.1954.

6 PAAA, Personalakte Abraham Frowein, Bd. 48288.

7 PAAA, NL Melchers, Bd. 1: Aufzeichnung Melchers an Schwarz, 8.8.1950; zur Gruppe der AA-Nahostexperten vgl. Berggötz (1998), S. 108 f.

8 Blankenhorn (1980), S. 363–365; scharfe Kritik an antisemitischer Grundhaltung und überproportionalem Einfluss der Gruppe übt Jelinek (1994), S. 121 und S. 136 f.; ders. (2004), S. 218 f.; deren Bedeutung eher relativierend Berggötz (1998), S. 105–113, sowie Hansen (2002), S. 399 ff.; als vehementer Gegner einer Formalisierung der Beziehungen zu Israel trat in der Folgezeit vor allem Melchers auf; vgl. Hansen (2002), S. 407; zu Melchers Israel-Bild vgl. Berggötz (1998), S. 110ff.; zu Voigt vgl. Deutschkron (1983), S. 92; Hansen (2002), S. 402 f.

9 PAAA, B 10, Bd. 150: Aufzeichnung Trützschler, 2.1.1954; Aufzeichnung Trützschler, 2.2.1954.

10 Gardner Feldman (1984), S. 228 f.; Hansen (2002), S. 804; dazu der Artikel von Dan Ofri, Ich werde beweisen, dass ich nicht Mitglied der Pfeilkreuzler-Partei gewesen bin, *Jedioth Achronoth*, 9.11.1965.

11 PAAA, Personalakte Ernst Kutscher, Bd. 52336: Oppler an Voigt, 19.4.1949; Lentz an Direktor VfW, 29.4.1949.

12 Ebd. (gesamter Band).

13 Zit. nach: Steinkühler (1993), S. 270 f.; zur Krummhübeler Tagung siehe jetzt auch Weitkamp (2008), S. 275–286.

14 PAAA, Personalakte Ernst Kutscher, Bd. 52336: Kurzprotokoll über Sitzung der Spruchkammer Marburg, 26.8.1949.

15 Ebd., Bd. 52338: Vermerk Welck, 11.4.1952; Vermerk Aschner, 21.5.1952; Barou an Kutscher, 10.9.1952; Marx an Kutscher, 7.7.1952.

16 Ebd.: Vermerk Kempff, 17.10.1952.

17 Aufzeichnung Büro des Staatssekretärs, 11.11.1952; abgedruckt in: Jelinek (1997), S. 216 f.

18 Marion Gräfin Dönhoff, Der Fluch der bösen Tat – Die Araber und das deutsch-israelische Abkommen, *Die Zeit*, 16.12.1952; vgl. dazu auch Hansen (2002), S. 306.

19 Rosensaft schmiert Bonns Israelhilfe, *Der Weg*, 9.9.1952.

20 Hansen (2002), S. 291.

21 AAPD 1952, Nr. 204: Aufzeichnung Etzdorf, 16.9.1952.

22 PAAA, Personalakte Werner Otto von Hentig, Bd. 49855: Aufzeichnung Melchers, 9.7.1952.

23 BT ParlA, WP 1, Untersuchungsausschuss Nr. 47: Stenographisches Protokoll, 22.2.1952, S. 23 f.; PAAA, Personalakte Wilhelm Melchers, Bd. 53455: Dienstliche Erklärung Melchers, 12.2.1952.

24 PAAA, Personalakte Werner Otto von Hentig, Bd. 49855: Telegramme Pawelke an AA, 5.2.1953 und 7.2.1953.

25 Ebd.: Vermerk Dietrich, 9.2.1953.

26 IfZ, Sammlung Strobel, ED 329/5: Informationsbericht Strobel, 21.1.1953.

27 PAAA, Personalakte Werner Otto von Hentig, Bd. 49856: Aufzeichnung Hentig, 27.9.1952.

28 Ebd.: Frowein an Stackelberg, 6.4.1955.

29 Ebd.: Aufzeichnung Löns für StS [geändert in »von Stackelberg«], 21.4.1955; darauf Marginalien Marmann, Ref. 503.

30 In einer 1945 erstellten Liste für den OSS hatte Fritz Kolbe Strack als Diplomat eingestuft, dessen »alsbaldige Entfernung erwünscht sei«; NARA, RG 226, O.S.S. Field Station Files, E.190C, Box 07, Dulles Files – George Wood Case: Memorandum »Personal des Auswärtigen Amtes nach dem Stand von Ende März 1945«, [o. D., ca. April 1945].

31 Eine Kopie des erstinstanzlichen Urteils sowie einige Unterlagen zu Blankenhorns Anteil am Zustandekommen des Israel-Vertrags findet sich in seiner Personalakte; PAAA, Personalakte Herbert Blankenhorn, Bd. 45930; zum Strack-Prozess vgl. Ramscheid (2006), S. 297 ff.; Koerfer (1987) S. 291.

32 Vgl. den Leserbrief Werner Otto von Hentig, Nochmals Strack – Macht, nicht Staatsräson, *Die Welt*, 1./2.5.1959.

33 Obwohl Scherpenberg bis 1931 bzw. 1933 der SPD angehörte und auch seine Frau Parteimitglied war, wurde er 1937 dennoch zum Legationsrat befördert. Ein beamtenrechtliches Verfahren oder eine Beförderungssperre scheiterten offenbar an Hitlers Einspruch und der Tatsache, dass Scherpenberg mit einer Schacht-Tochter verheiratet war. Wegen einer unterlassenen Hochverratsanzeige wurde er im Februar 1944 inhaftiert und am 1.7.1977 vom VGH zu einer zweijährigen Gefängnisstrafe verurteilt; PAAA, Personalakten Albert Hilger van Scherpenberg, Bde. 13191 und 56582. Seinen Wiedergutmachungsantrag stützte Scherpenberg auf die Behauptung der Nichtbeförderung und der Entlassung aus dem Beamtenverhältnis; PAAA, B 100, Bd. 2501.

34 Vgl. Kühlem (2008), S. 204, 268; zur Eröffnung der Deutschen Botschaft Moskau siehe auch den Schriftwechsel Haas – Löns; PAAA, B 101, Bd. 161.

35 PAAA, Personalakte Eduard Mirow, Bd. 53749: Vermerk Welck, 28.9.1953; Personalakte Gustav Adolf Sonnenhol, Bd. 57865: Vermerk Welck, 28.9.1953.

36 PAAA, Personalakte Franz Nüßlein, Bd. 54513.

37 Ebd.: Vermerk Hopmann, Ref. 101, 26.9.1955.

38 Zur Kampagnenpolitik der DDR und anderer Ostblockstaaten vgl. Weinke (2002), S. 76–82; von Miquel (2004), S. 27–38; gegen Ende der sechziger Jahre bereitete die

DDR-Staatssicherheit eine weitere Kampagne gegen Nüßlein vor; BStU, MfS, HA IX/11, PA 1658, Bd. 1–2.

39 Ost-Berlin beschuldigt hohen Beamten des Bonner AA, *Frankfurter Rundschau*, 5.5.1950.

40 PAAA, Handakten Direktoren, Bd. 13: Staudacher an StS Scherpenberg, 7.5.1959.

41 Ebd.: Nüßlein an Dg10, 5.5.1959.

42 Ebd.: Aufzeichnung Marmann, Abt. 5, über D1 an StS und Minister, 9.5.1960.

43 Zur Ausstellung »Ungesühnte Nazijustiz« siehe jetzt Stephan Alexander Glienke, Die Ausstellung »Ungesühnte Nazijustiz« (1959–1962). Zur Geschichte der Aufarbeitung nationalsozialistischer Justizverbrechen, Baden-Baden 2008.

44 PAAA, Handakten Direktoren, Bd. 13: BfV an AA, 18.5.1960.

45 Ebd.: Marmann, Abt. 5, an StS, 8.6.1960.

46 Ebd.: Knappstein an Berger, 21.7.1960.

47 Ebd.: Justizminister NRW an AA, 12.7.1961 (Abschrift des Einstellungsbescheids vom 6.6.1961 in der Anlage); zur Nichtverfolgung von NS-Justizverbrechen in der Bundesrepublik vgl. Joachim Perels, Die schrittweise Rechtfertigung der NS-Justiz. Der Huppenkothen-Prozeß, in: Ders., Das juristische Erbe des »Dritten Reiches«. Beschädigungen der demokratischen Rechtsordnung, Frankfurt a.M./New York 1999, S. 181–202; Weinke (2002); von Miquel (2004).

48 PAAA, Handakten Direktoren, Bd. 13: Berger, Bericht über die Anschuldigungen gegen den VLR I. Klasse Dr. Franz Nüßlein, 7.12.1961.

49 Ebd.: Vermerk Raab, 12.3.1962.

50 Vgl. Kühlem (2008), S. 208; zur Kontinuität der Ostforschung vgl. jetzt Unger (2007); zu den sowjetischen Vorwürfen gegen Meissner: PAAA, B 83, Bd. 731: Vermerk Blumenfeld, 22.12.1970.

51 PAAA, B 130, Bd. 13768A: Aufzeichnung Scherpenberg, 15.2.1958.

52 Vgl. Knoch (2001), S. 511–516; Poliakov/Wulf (1955).

53 Weder die vollständig überlieferten Personalakten des alten Amtes noch die BDC-Recherchen enthalten Hinweise auf ein Parteiverfahren oder einen -ausschluss; PAAA, Personalakte Otto Bräutigam, Bd. 46238: US HICOG an Schwarzmann, 5.11.1952; trotzdem findet sich diese von Bräutigam gestreute Information auch im Biographischen Handbuch, Bd. 1 (2000), S. 249.

54 Vgl. Kabinettsprotokoll zur 97. Sitzung, 21.9.1955.

55 PAAA, Personalakte Otto Bräutigam, Bd. 46243: Aufzeichnung Bräutigam, 17.12.1955; Hopmann an Lüders, 20.12.1955.

56 Ebd.: Franken an Löns, 22.12.1955.

57 Zit. nach: Reitlinger (1979), S. 580.

58 PAAA, Personalakte Otto Bräutigam, Bd. 46243: Vermerk Bräutigam, 17.12.1955; Personalakte Werner von Bargen, Bd. 45363: Bargen an Hess, 30.1.1956.

59 PAAA, Personalakte Otto Bräutigam, Bd. 46242: Menzel an Brentano, 30.12.1955.

60 Mitteilung SPD-Pressestelle, 24.1.1956; Ehemaliger Mitarbeiter Rosenbergs im AA, *Frankfurter Rundschau*, 25.1.1956; Untersuchung gegen Bonner Ostexperten, *Der Tagesspiegel*, 25.1.1956; Peinliche Untersuchung im Auswärtigen Amt, *Bonner Rundschau*, 25.1.1956; SPD attackiert Bonner Beamte, *Kölner Stadtanzeiger*, 25.1.1956; Ist Bräutigam ein US-Agent?, *Freie Presse*, 26.1.1956; Bräutigam weist Vorwürfe zurück, *Frankfurter Allgemeine Zeitung*, 26.1.1956; Wie steht es im ›Fall Bräutigam‹?, *Trierischer Volksfreund*, 26.1.1956; Bräutigams Brief, *Christ und Welt*, 2.2.1956; Teilnahme an Judende-

portationen des ehemaligen Ribbentrop-Diplomaten Bräutigam [Bildreportage], *Stern*, April 1956.

61 Hermlin (1983), S. 302ff.

62 PAAA, Personalakte Otto Bräutigam, Bd. 46243: Bräutigam an Dittmann, 26.11.1951; Marginalie Dittmann für Wilde, 3.1.1952.

63 Ebd.: Twardowski an Haas, 12.7.1951; Bräutigam an Melchers, 24.2.1951; Aufzeichnung Keller, 18.11.1950; Bd. 46242: Kempner an Bräutigam, 16.1.1956; Bd. 46238: Interrogation protocol, 24.7.1945.

64 Ebd.: Vermerk Etzdorf, 21.3.1953.

65 Sämtliche Erklärungen in: Ebd.

66 Ebd.: Aufzeichnung Meyer von Achenbach, 30.10.1952.

67 Ebd., Bd. 46239: Hallstein an Gerstenmaier, 16.6.1953.

68 Ebd.: Gerstenmaier an Hallstein, 15.7.1953. Dass Welck der Inspirator des Schreibens war, geht aus der Korrespondenz Welck – Gerstenmaier hervor; Welck an Gerstenmaier, 13.7.1953.

69 Ebd., Bd. 46243: Aufzeichnung Welck, 25.1.1956.

70 Ebd.: Gutachten Lingemann, 3.6.1957; vgl. dazu auch Heilmann (1987), S. 125 f.

71 Ebd., Bd. 46242: Ormond an Lingemann, 28.1.1957; Ormond an Lingemann, 4.4.1956.

72 Ebd., Bd. 46243: Vermerk Löns für Staatssekretär über Gespräch mit Brentano, 1.10.1957; vgl. dazu auch Robert Strobel, Wohin mit Bräutigam?, *Die Zeit*, 10.10.1957.

73 PAAA, Personalakte Otto Bräutigam, Bd. 46243: Löns an Brentano, 29.11.1957; B 130, Bd. 8423: Versetzungserlasse Brentano betr. die Standorte Barcelona, Lissabon, Strassburg, Kuala Lumpur, Salisbury, Canberra, Teheran, New York, Den Haag, Washington, Kopenhagen, London, Moskau, Ottawa, Dublin, Hongkong, Mexico, Singapore, Madrid, Januar 1958.

74 PAAA, Personalakte Otto Bräutigam, Bd. 46239: Dittmann an AA, 26.2.1958; Ex-Nazi Becomes West German Consul to Hongkong, *The Guardian*, 28.2.1958; PAAA, Personalakte Otto Bräutigam, Bd. 46239: Telegramm von Stackelberg, 6.3.1958.

75 PAAA, Sonderakten der Leiter der Zentralabteilung, Bd. 31: Notiz Ullrich für Herrn D1, 16.11.1959; B 118, Bd. 76: Vertrauliche Aufzeichnung Ullrich für Herrn Dg11, 11.12.1958.

76 PAAA, Personalakte Otto Bräutigam, Bd. 46239: Ref. 001 an Ref. 101, 1.8.1959.

77 Beitrag Thilo Koch in der WDR/SFB-Sendung *Unteilbares Deutschland*, 16.1.1950; in: ebd.: Abschrift, 16.1.1950; Thilo Koch, Bräutigams Orden, *Die Zeit*, 22.1.1960.

78 Ebd.: Bräutigam an Scherpenberg, 26.1.1960; Bräutigam an Koch, 27.1.1960.

79 Ebd.: Scherpenberg an Bräutigam, 2.2.1960.

80 Helmut Thielicke, Leserbrief, *Die Zeit*, 19.2.1960.

81 PAAA, Personalakte Otto Bräutigam, Bd. 46239: Brentano an Koch, 9.3.1960.

82 Vgl. u. a. PAAA, B 11, Bd. 1288: Aufzeichnung Moltmann, 14.12.1955.

83 Perón als Beschützer Rudels und der Braunen Internationale, *Argentinisches Tageblatt*, 17.12.1955, S.1.

84 PAAA, B 11, Bd.1291: Vermerk Deussen, 17.12.1955.

85 Vgl. NARA II, RG 165, Shuster Files, Entry DU 27, box 8, file Thermann: Interrogation of Edmund Freiherr von Thermann, 30.7.1945; Gaudig/Veit (2004), S.87–120; Newton (1992); Rout/Bratzel (1986), S. 321ff.

86 HStA Düsseldorf, Gerichte Rep. 409, Bd.192: Vermerk über die Besprechung der Entnazifizierungskommission, 20.2.1947.

87 Vgl. ebd., Bd.200–201: Briefwechsel Jürges – Santander.

88 PAAA, B 11, Bd. 134 f.; Bd.1287: Moltmann an Deutsche Botschaft in Buenos Aires, 8.10.1955.

89 Werz war als Mitarbeiter des Konsulats von Lourenço Marques, Mosambik, während des Zweiten Weltkriegs selber Zielscheibe ähnlicher Vorwürfe geworden. Es war behauptet worden, er spiele eine wesentliche Rolle bei der Organisation der »Fünften Kolonne« und der nationalsozialistischen Spionage in Afrika; PAAA, MfAA C, 1141/73 und 1142/73; PAAA, NL Werz, 241, Bd. 2: Werz an Merkatz, 23.3.1956.

90 PAAA, B 83, Bd. 458: Werz an Giraldes, 12.12.1955.

91 Ebd., B 33, Bd. 12: Aufzeichnung Welck, Ref. 306, 8.12.1956.

92 Ebd., B 83, Bd. 812: Welck an BMJ, 14.12.1956.

93 HStA Düsseldorf, Gerichte Rep.409, 179: Marmann an den Oberbundesanwalt bei dem Bundesgerichtshof Karlsruhe, 8.1.1957; Vermerk Kühns, 17.1.1957.

94 Zit. nach: Deutschkron (1983), S. 119.

95 PAAA, B 83, Bd. 54: Aufzeichnung Raab, 24.5.1960, Marginalie Scherpenberg; die Auffassung Brochhagens, mit der israelischen Vorabinformation an Bauer sei gleichzeitig auch eine Benachrichtigung der Bundesregierung erfolgt, wird durch die vorliegende Überlieferung nicht gedeckt; Brochhagen (1994), S. 337. Zu Bauers Anteil an Eichmanns Entdeckung vgl. Wojak (2001), S. 16–217.

96 PAAA, B 83, Bd. 54: Aufzeichnung Raab, 24.5.1960; Ahrens, Telegramm an die Botschaften Kairo, Bagdad, Ankara, Amman, Beirut, Damaskus, Djidda, Tunis, Rabat, Tripolis, 24.5.1960.

97 Ebd.: Brückmann an AA, 4.6.1960.

98 Ebd.: Brückmann an AA, 7.6.1960.

99 Ebd.: Brentano an Janz, 21.6.1960.

100 Ebd.: Fernschreiben Ehlert an Redaktion der *Frankfurter Allgemeinen Zeitung*, 31.5.1960.

101 In ihrem Bericht vom 4.7.1958 hatte die Deutsche Botschaft mitgeteilt, die Suche nach Eichmann sei ergebnislos verlaufen, er werde im Vorderen Orient vermutet; ebd.: BfV an AA, 9.6.1960.

102 Ebd.: Limbourg, Ministerbüro an Direktor Abt. 5, 3.6.1960; Janz, Abt. 5 an Limbourg, 3.6.1960.

103 Ebd., Bd. 55: Aufzeichnung Raab für Staatssekretär und Minister, 27.7.1960; Verfasser der Stellungnahme war Legationsrat Gaerte, der eine SS-Vergangenheit hatte.

104 PAAA, B 130, Bd. 8502: Fernschreiben Rhamm an AA, 23.8.1960.

105 Ebd., B 83, Bd. 55: Brückmann an AA, 1.9.1960.

106 BfV, Ordner »Feststellung, ob Eichmann sich in Argentinien aufhält«: AA an BfV, 4.7.1958.

107 Neubacher, der sich von der Essener Kanzlei Achenbach vertreten ließ, verklagte das AA auf Zahlung von Versorgungsleistungen nach Art. 131; PAAA, B 100, Bd. 12: Vermerk, 12.10.1959.

108 In diesem Sinne Wojak (2001), S. 39; auch im Fall des Auschwitz-Arztes Josef Mengele, der seit 1949 unter dem Namen Helmut Gregor, ab 1956 unter richtigem Namen als Unternehmer in Buenos Aires lebte, wurde die Botschaft erst im März 1959 aufgrund eines Haftbefehls tätig. Mengele gelang es jedoch, sich rechtzeitig nach Paraguay abzusetzen; PAAA, B 83, Bd. 929.

109 Seit 1959 versuchte Brentano zu klären, inwieweit Rademachers Flucht im Jahr 1952

durch die Unterstützung von AA-Beamten ermöglicht worden war; PAAA, B 83, Bd. 67: Brentano an den Präsidenten des LG Berlin, [Entwurf o. D.]; ebd., Bd. 76: Brentano an Janz, 8.6.1960.

110 Ebd., Bd. 54: Junker an AA, 9.6.1960.

111 PAAA, Personalakte Werner von Bargen, Bd. 45363: Schaffarczyk an Botschaft Buenos Aires, 29.10.1952.

112 PAAA, B 83, Bd. 54: GStA Bamberg an Bayerisches Staatsministerium der Justiz, 15.6.1960; vgl. dazu auch die Äußerungen von Bundesjustizminister Schäffer während der parlamentarischen Aussprache; Stenographische Berichte, WP 3, 22.6.1960, S. 6797.

113 Eine Abschrift des Protokolls findet sich in der Wiedergutmachungsakte Klingenfuß; PAAA, B 100, Bd. 1072; Klingenfuß, der bei Kriegsausbruch Leiter der NSDAP-AO in Argentinien gewesen war, war maßgeblich an der Deportation der bulgarischen Juden beteiligt; Browning (1978), S. 134; die Verfolgungsbemühungen schildert Weinke (2002), S. 260ff.

114 PAAA, Neues Amt AV, Bd. 5532: Kempner an Rastalsky, 17.8.1951.

115 PAAA, B 83, Bd. 76: Junker an AA, 18.6.1958.

116 Ebd.: Janz an Marmann, 15.8.1958.

117 Ebd., Bd. 54: Brentano an Janz, 21.6.1960.

118 Stenographische Berichte, WP 3, 22.6.1960, S. 6797.

119 PAAA, B 83, Bd. 84: Aufzeichnung Janz für Staatssekretär und Minister, 20.6.1960. Die 1. Strafkammer des LG Bamberg setzte Klingenfuß mit Verweis auf das BGH-Urteil vom 1.3.1960 am 9.12.1960 außer Verfolgung.

120 Während der *Stern* durch den Abruck des Sassen-Transkripts von der öffentlichen Aufmerksamkeit um Eichmann profitierte, veröffentlichte Nannen gleichzeitig eine außerordentlich scharfe Polemik, in der er Eichmanns Entführung mit Nazi-Verbrechen verglich und den Israelis außerdem vorwarf, einen Schauprozess zu inszenieren, um die Bundesregierung zur Erhöhung ihrer Wiedergutmachungsleistungen zu zwingen; Nannen, Liebe Sternleser, *Stern*, 22.6.1960; Leiter der Israel-Mission Shinnar legte daraufhin bei Verlagsinhaber Bucerius Protest gegen die »abscheulichen Unterstellungen« ein; PAAA, B 83, Bd. 55: Shinnar an Bucerius, 28.6.1960.

121 Ebd.: Junker an AA, 29.11.1960.

122 Ebd.: Brentano an Janz, 1.12.1960.

123 BA Ludwigsburg, ZSL, GA 1–104 bis 1–111 (»Warndienst West«), Bd. 3: Brentano an Schäffer, 11.10.1958; vgl. dazu Weinke (2008), S. 31–34; Brunner (2004), S. 227.

124 BA, ALLPROZ 21, Bd. 243: Merten an RA Gordan, 20.3.1960. In diesem Zusammenhang kam es am 24. Juni 1960 zu einem Anwerbungsversuch durch den Bundesnachrichtendienst; PAAA, B130, Bd. 8502: Aufzeichnung Haeften, 6.7.1961.

125 Fleischer (2006), S. 516. Zur Spiegel-Berichterstattung im Vorfeld des Jerusalemer Prozesses vgl. Knoch (2001), S. 664–674.

126 PAAA, B 83, Bd. 54: Aufzeichnung Raab, 24.5.1960.

127 Ebd., Bd. 55: Aufzeichnung Raab, 29.6.1960.

128 Taylor (1994), S. 496, 585–587. Auch Kempner war der Meinung, Servatius sei keiner von den »NS-Stänkern« gewesen; Kempner (1986), S. 238 f.; Hausner hielt Servatius für einen unpolitischen Menschen, der aus beruflichem Ethos gehandelt habe; Hausner (1966), S. 302.

129 Für die in der Presse kolportierte Behauptung, Servatius habe nach der ersten Teilver-

öffentlichung im November 1960 zeitweise mit dem Gedanken gespielt, sein Mandat niederzulegen, findet sich in den Akten kein Anhaltspunkt; vgl. Große (1995), S. 51. Kritisch zu Servatius' Verteidigerstrategie vgl. Hansen (2002), S. 564 f.

130 PAAA, B 83, Bd. 55: Servatius an Vera Eichmann, 29.12.1960.

131 Ebd.: Servatius an ZRS, 23.11.1960 und 6.1.1961.

132 Obwohl das deutsche Konsulat in Linz bereits im Juni 1960 gemeldet hatte, Eichmann sei zweifelsfrei Deutscher geblieben, lehnte Adenauer noch im April 1961 gegenüber dem amerikanischen Sender NBC jede Rechtsverpflichtung mit dem Argument ab, Eichmann sei kein deutscher Staatsbürger mehr; Hansen (2002), S. 563 f.

133 Große (1995), S. 58; Shinnar hatte kurz vorher von einem israelischen Gesprächspartner erfahren, dass Servatius tatsächlich in Kontakt mit Vertretern des Ostblocks stand; Gespräch mit Dr. Shinnar in Zürich, 2.11.1960, abgedruckt in: Jelinek (1997), S. 539.

134 BA, B 305, Bd. 954: Vermerk Redenz, 25.11.1960; PAAA, B 83, Bd. 55: Aufzeichnung Janz, 25.11.1960.

135 BA, B 305, Bd. 956: Anlage zum Schreiben von Referat ZRS an Referat 990, 20.3.1961.

136 PAAA, B 83, Bd. 55: Klageschrift an das Landesverwaltungsgericht Köln, 28.1.1961.

137 Ebd.: Scheel an RA Gagern, 24.3.1961, S. 5. Zu den deutsch-französischen Verhandlungen über die letzten »Kriegsverurteilten«, die im Dezember 1962 auch Oberg und Knochen den Weg in die Freiheit ebneten, vgl. Moisel (2004), S. 167.

138 PAAA, B 83, Bd. 55: Rosen an Servatius, 2.1.1961; vgl. dazu auch Große (1995), S. 62.

139 An der Kampagne gegen Globke maßgeblich beteiligt war u. a. der frühere Abetz-Mitarbeiter und Kiesinger-Vertraute Karl-Heinz Gerstner, der nach dem Krieg in der DDR eine beachtliche Karriere als Journalist machte; Krause (2002), S. 232; im November 1967 suchte Kanzler Kiesinger über Gerstner den Kontakt zu Parteichef Ulbricht herzustellen, was aber misslang; Gassert (2006), S. 593; von Februar 1940 bis Mai 1940 war Gerstner als Wissenschaftlicher Hilfsarbeiter zunächst in der Rundfunkpolitischen Abteilung, danach bis Juni 1944 an der deutschen Botschaft in Paris eingesetzt – dort hielt er unter anderem Propagandavorträge in französischen Kriegsgefangenenlagern. Während der letzten Kriegsphase arbeitete er in der Verbindungsstelle zum OKW unter Krug von Nidda; PAAA, Personalakten Karl-Heinz Gerstner, Bde. 4383 f.

140 Ribbentrop (1961), S. 35.

141 BA Ludwigsburg, ZSL, GA 9-7 RH Israel: Bericht StA Zeug an OStA Wolf, Frankfurt a.M., 21.4.1961; Hausner (1966), S. 284. Zur Entdeckung und Beschlagnahme der AA-Akten vgl. George O. Kent (1974), S. 119–130; Eckert (2004), S. 77–92.

142 Brunner (2004), S. 201.

143 Institute of Jewish Affairs (1961), S. 5.

144 PAAA, B 118, Bd. 121: Aufzeichnung Raab, 30.4.1959; vgl. dazu auch Weitkamp (2008), S. 419. Die Episode wird geschildert bei Brunner (2004), S. 201 f.; die belastenden Dokumente zu Achenbach, die im Zuge des Eichmann-Prozesses von den israelischen Ermittlungsbehörden übergeben wurden, wurden auf Weisung des Ministerbüros in der alten Personalakte abgeheftet, ohne dass weitere Maßnahmen veranlasst wurden; PAAA, Personalakte Ernst Achenbach, Bd. 11: Limbourg an Direktor Abt. 1, 28.6.1961.

145 PAAA, B 83, Bd. 55: Aufzeichnung Gawlik, 16.9.1960.

146 Ebd.: Vermerk Gawlik für Ref. 503, 27.7.1960.

147 Ebd.: Vermerk Gawlik, ZRS an Ref. 503, 990, 991, 993, 19.01.1961, S.1; Aufzeichnung Gawlik für Raab, 9.2.1961.

148 PAAA, B 118, Bd. 33: Abt. 5 an Herrn D1, 20.3.1961.

149 Beratend war außerdem ein Vertreter des Münchner Instituts für Zeitgeschichte beteiligt; PAAA, B 83, Bd. 55: Aufzeichnung Marmann für Herrn D 5 über Herrn Dg 50, 30.3.1961; B 130, Bd. 5571A: Vermerk Abt. 7, 28.3.1961; ebd., Bd. 5571: Aufzeichnung Wehrstedt für Staatssekretär, 20.3.1961.

150 PAAA, B 118, Bd. 333: Vermerk Ref. 117 [Name unleserlich], 14.12.1961.

151 Ebd., B 12, Bd. 1714; PAAA, B 83, Bd. 55: Rundschreiben Brentano an diplomatischen und konsularischen Auslandsvertretung, 21.2.1961 und 3.3.1961, [VS]; B 7, Bd. 10: Informationsmappe für Öffentlichkeitsarbeit; vgl. dazu Hansen (2002), S. 566 f.

152 PAAA, B 118, Bd. 101: Ullrich an Amschy von Dziembowski, 5.5.1961; Bd. 113: Ref. 993 an Ref. 117, 13.4.1961.

153 Ebd., Bd. 121: Vermerk Ullrich, 11.4.1961.

154 PAAA, B 130, Bd. 13770A: Vermerk StS Lahr für Minister, 3.10.1961, [VS]. Erst im Dezember 1961 wurde die Abwicklung der Kredite, die nicht mit den unter der Bezeichnung »Aktion Geschäftsfreund« firmierenden kostenlosen Waffenlieferungen verwechselt werden dürfen, in Angriff genommen; Hansen (2002), S. 561 ff.; Blasius (1994a).

155 Zit. nach: Dubiel (1999), S. 83; zu Schröders Rede und dem kurz darauf gegründeten »Ausschuß für staatsbürgerliche Erziehung« vgl. auch Weiss (2006), S. 109.

156 Fischer (1961), S. 97.

157 PAAA, B 2, Ref. 117, Bd. 72, Fiche 157: Büro Staatsekretär, Schönfeld, Vermerk dem StS vorzulegen, 6.12.1961: Ullrich, »habe einen Anruf von Herrn Prof. Schieder, Köln, bekommen, der ihn auf das Buch von Fischer über die Frage der Kriegsschuld am ersten Weltkrieg angesprochen und dieses Werk als eine ›nationale Katastrophe‹ bezeichnet habe«; Theodor Schieder hat diesen Anruf in der Debatte um die Echtheit der Riezler-Tagebücher Anfang der achtziger Jahre »mit aller Entschiedenheit« bestritten; Theodor Schieder, Leserbrief, *Die Zeit*, 12.8.1983, S. 27.

158 PAAA, B 96, Bd. 602: Ritter an Gerhard Schröder, 17.1.1964; vgl. auch Ritter (1962) und Fischer (1988).

159 PAAA, B 118, Bd. 667: Walter Bußmann, Friedrich-Meinecke-Institut der Freien Universität Berlin, Gutachten über das Werk [Fischers], [o. D., Sept. 1962], weitergeleitet durch Ullrich an Büro StS, 13.9.1962, von StS Carstens paraphiert: Notiz »nach Kampen übermittelt«.

160 PAAA, B 96, Bd. 602: Handschriftliche Notiz von Carstens zum Telegram Heinrich Knappstein, Botschaft Washington, 22.1.1964.

161 Ebd.: Overbeck, Diplogerma Washington, 24.12.1963. Der Anruf Bergsträssers war auf Anregung Gerhard Ritters erfolgt. Zum Verlauf der Reiseaffäre Fischer auch ausführlich Cornelißen (2001), S. 605–611; Stelzel (2003), S. 69–73; auf die Rolle des Goethe-Instituts fokussiert Kathe (2005), S. 233–237.

162 Ebd.: Ritter an Gerhard Schröder, Hervorhebung im Original, 17.1.1964.

163 Ebd.: Botschafter Heinrich Knappstein an AA, 16.1.1964.

164 Ebd.: Haack, Aufzeichnung betr. Absage der Reise Professor Fischer, 6.3.1964.

165 PAAA, Neues Amt 49179: Der Vorgang in Personalakte Hanns-Erich Haack.

166 Ebd., B 96, Bd. 602: StS Carstens an Knappstein, persönlich und vertraulich, 24.2.1964.

167 Ebd.: Schröder Marginalie und Paraphe auf Ritter an Gerhard Schröder, 17.1.1964.

168 Ebd.: StS Carstens und StS Lahr, Marginalie und Paraphe, 22.1.1964, Hervorhebung im Original.

169 Ebd.: Ministerialdirigent Overbeck, Aufzeichnung, 20.1.1964; Legationsrat Dr. Schmidt, Referat IV 7, Vermerk, 21.1.1964.

170 Ebd.: Georg Federer, GK New York, an AA, 20.2.1964.

171 Ebd.: Knappstein an MD Sattler, 27.2.1964; siehe auch: Knappstein an Carstens, 9.3.1964.

172 Ebd.: Overbeck, Aufzeichnung, 3.3.1964; Fischer an Overbeck, 2.3.1964.

173 Ebd.: Bericht Nr. 167/64, GK Boston an AA, 16.3.1964.

174 Ebd.: Bericht Nr. 328/64, GK New York an AA, 9.4.1964.

175 Bonns falsch verstandene Staatsräson. Entrüstung in den USA über eine Entscheidung des AA, *Die Zeit*, 24.4.1964, S. 6; Bernd Nellessen, Maulkorb für einen Historiker? Warum Bonn Professor Fritz Fischer die Reise nach Amerika verwehrte, *Die Welt*, 3.6.1964.

176 PAAA, NL Sasse, Handakten: Presse- und Informationsamt der Bundesregierung, IV/3, Die Britische Presse über Veröffentlichungen von 4 Büchern englischer Autoren über Kaiser Wilhelm II., 6.4.1964; Waiblinger, Abt. II.3, an Johannes Ullrich, Politisches Archiv, 31.3.1964.

177 Stenographische Berichte, WP 4, 29.4.1964, S. 5959 f.; sowie 26.5.1964, S. 6137 f. Carstens scheint Haack verdächtig zu haben, Kahn-Ackermann ›präpariert‹ zu haben, was Haack aber bestritt; PAAA, Personalakte Haack Nr. 49179: Haack an Julius Raab, 11.5.1964.

Neue Diplomatie

1 Hamilton/Langhorne (1995), S. 136ff., 183ff., 231ff.; Krekeler (1965), S. 7ff., 35ff.

2 Naumann (1999), bes. S. 11–17, Zitat S. 15; Vocke (2001), S. 133f., 193ff., 291ff.; Maulucci (1998), S. 368–379; Schwarz (1980), S. 91–105, bes. S. 100ff. MAE Paris, Série Europe, Allemagne, 1944–1970, Bd. 1187, Bl. 167ff.: Ambassade de France à Bonn an Ministère des Affaires Etrangères, 4.9.1959.

3 Zu diesem Themenbereich entsteht am Seminar für Neuere Geschichte der Universität Marburg eine Disseration von Andrea Wiegeshoff (»Wir müssen alle etwas umlernen …« Zur Internationalisierung des Auswärtigen Dienstes der Bundesrepublik Deutschland (1945/51 – 1969)).

4 Zahlen nach: Rittberger/Zangl (2005), S. 85 f.

5 So schon 1949 Erich Kordt; PAAA, B 10, Bd. 126: Kordt an Pfeiffer, 19.12.1949.

6 PAAA, B 1, Bd. 22: Schreiben betr. Konferenz der Missionschefs vom 8. bis zum 10. Dezember 1955, 16.1.1956.

7 AAPD 1972, Nr. 355: Aufzeichnung des Vortragenden Legationsrats Vergau, 2.11.1972.

8 So Staatssekretär Hallstein: PAAA, B 110, Bd. 51: Protokoll über die Arbeitstagung der Behördenleiter der süd- und mittelamerikanischen Vertretungen vom 18. – 24. November 1954 in Montevideo.

9 PAAA, B 2, Bd. 165: Aufzeichnung, 21.9.1970; vgl. beispielsweise auch Lahr (1981), S. 357.

10 Kraske/Nöldeke (1957).

11 PAAA, B 6, Bd. 210: Blauer Dienst Nr. 21, Botschafterkonferenz Westeuropa vom 30. Juni-2. Juli 1969, Grundsatzreferat Ministerialdirektor Dr. Frank, Gedanken zur deutschen Europapolitik, 4.7.1969; PAAA, B 1, Bd. 259: Protokoll der Konferenz der

Missionschefs im asiatisch-pazifischen Raum vom 18. bis 23. Februar 1957 in Tokio, Ansprache Staatssekretär Hallstein.

12 PAAA, B 2, Bd. 94: Protokoll der Nahostkonferenz in Istanbul vom 3.–7. April 1956, S. 14; ähnlich auch PAAA, B 1, Bd. 121: Aufzeichnung VLR I Dumke, Politik gegenüber den Entwicklungsländern, [o. D.].

13 Vgl. hierzu beispielsweise PAAA, B 1, Bd. 231: Kulturelle Beziehungen zu den osteuropäischen Staaten, Möglichkeiten und politische Zielsetzung, 25.1.1965; Bd. 121: Denkschrift, Die außenpolitischen Aufgaben der Entwicklungspolitik, 8.12.1960; PAAA, B 13, Bd. 16: Ausarbeitung Abt. 4, Zusammenarbeit mit unterentwickelten Ländern, 24.4.1956; PAAA, B 2, Bd. 94: Protokoll der Nahostkonferenz in Istanbul vom 3.–7. April 1956, S. 14.

14 Jelinek (2004), S. 218, 273, 282 f.; ders. (1994), S. 121 f., 136 f.; dagegen Hansen (2002), S. 402 f.; Berggötz (1998), S. 105–113.

15 PAAA, B 1, Bd. 388: Aufzeichnung, Drei Jahre Kulturarbeit, 18.10.1969; PAAA, B 6, Bd. 210: Blauer Dienst Nr. 26, Protokoll der Botschafterkonferenz Westeuropa vom 30. Juni – 2. Juli 1969, Referat VLR I van Well, Deutschlandpolitik, 30.7.1969; Lahr (1981), S. 357.

16 Zur Stellung der Kulturabteilung im Amt, ihrem Aufbau und ihren Leitern vgl. PAAA, B 90–600, Bd. 1: VLR Dr. Paul Roth, Die frühere Kulturabteilung des Auswärtigen Amtes, [Frühjahr 1950]; PAAA, B 1, Bd. 387: Aufzeichnung betr. Planungsüberlegungen zur auswärtigen Kulturpolitik, 13.5.1968; ebd., Bd. 232: Aufzeichnung betr. Verbesserung der Organisation der Kulturabteilung, [o. D.]; Michels (2005), S. 243 ff.; Müller (1996), S. 115 f.; Döscher (2005), S. 244 f.

17 PAAA, B 6, Bd. 210: Blauer Dienst Nr. 26, Botschafterkonferenz Westeuropa vom 30. Juni – 2. Juli 1969, Referat VLR I van Well: Deutschlandpolitik, 30.7.1969; PAAA, B 1, Bd. 388: Aufzeichnung, Drei Jahre Kulturarbeit, 18.10.1969; vgl. Stoll (2005), S. 315 ff.; Michels (2005), S. 254 f.

18 PAAA, B 1, Bd. 231: Kulturelle Beziehungen zu den osteuropäischen Staaten, Möglichkeiten und politische Zielsetzung, 25.1.1965.

19 BT ParlA, WP 3: Auswärtiger Ausschuss, Kurzprotokoll 4. Sitzung des Unterausschusses Deutsche Institute und Schulen im Ausland, 18.2.1960.

20 PAAA, B 1, Bd. 260: Protokoll der Südafrikakonferenz des Auswärtigen Amts vom 12. bis 18. Oktober 1959 in Addis Abeba.

21 Paulmann (2005a), S. 2 f.

22 PAAA, B 2, Bd. 94: Protokoll der Nahostkonferenz in Istanbul vom 3.–7. April 1956, Vortragender Legationsrat Harkort: Wirtschaftspolitisches Generalreferat; ähnlich: PAAA, B 13, Bd. 16: Ausarbeitung Abt. 4 »Zusammenarbeit mit unterentwickelten Ländern«, 24.4.1956. Zum Zusammenhang von Entwicklungspolitik und Kolonialismus vgl. van Laak (2005).

23 PAAA, B 1, Bd. 260: Protokoll der Südafrikakonferenz des Auswärtigen Amts vom 12. bis 18. Oktober 1959 in Addis Abeba, MD Dr. Harkot, Handelspolitische Beziehungen mit Afrika, Handelspolitik der EWG.

24 PAAA, B 1, Bd. 121: Denkschrift, Die außenpolitische Aufgabe der Entwicklungspolitik, 8.12.1960.

25 PAAA, B 2, Bd. 88: Vermerk StS Lahr betr. Multilateralisierung der Entwicklungshilfe, 18.7.1962; PAAA, B 130, Bd. 13771A: StS Lahr über Multilateralisierung der Entwicklungshilfe, 16.7.1962.

26 PAAA, B 1, Bd. 231: Kurzprotokoll der 8. Sitzung des Kulturpolitischen Beirats des Auswärtigen Amts am 19. und 20. September 1963 in Bad Godesberg/Hotel Dreesen.

27 PAAA, NL von Braun, Bd. 110: Abschiedsrede Staatssekretär Harkorts, 31.5./1.6.1970; ACDP, 01–403–014/1: Schreiben MD Dr. Jansen an Legationsrat I Dr. Mertes, 9.12.1964; PAAA, B 1, Bd. 260: Protokoll der Südafrikakonferenz des Auswärtigen Amts vom 12. bis 18. Oktober 1959 in Addis Abeba, Vortrag MD Dr. Harkort; Müller (1996), S. 116.

28 PAAA, B 101, Bd. 724: Aufzeichnung betr. Aktion Fragebogen, 28.1.1971.

29 PAAA, B 1, Bd. 388: 15 Thesen zur Internationalen Kultur-, Wissenschafts- und Gesellschaftspolitik, vorgelegt vom Bundesminister des Auswärtigen am 25. Juni 1970; Kathe (2005), S. 291ff.

30 PAAA, B 1, Bd. 388: 15 Thesen zur Internationalen Kultur-, Wissenschafts- und Gesellschaftspolitik, vorgelegt vom Bundesminister des Auswärtigen am 25. Juni 1970.

31 Außenpolitik der Bundesrepublik Deutschland. Dokumente von 1949 bis 1994, Nr. 97, S. 342–345.

32 PAAA, B 101, Bd. 247: Rundschreiben betr. Aufklärungsmaterial bezüglich der antisemitischen Vorfälle in der Bundesrepublik, 10.3.1960.

33 Hamilton/Langhorne (1995), S. 142 f.; Krekeler (1965), S. 61; Seelos (1953), S. 76 f.

34 IfZ, ED 135, NL Krekeler, Bd. 104: Hausverfügung Nr. 5, 29.11.1951; Bd. 103: Botschafter Krekeler an MdB Rademacher, 24.10.1952.

35 PAAA, B 12, Bd. 3: Knappstein an Bundeskanzler Adenauer, 11.11.1959.

36 PAAA, B 2, Bd. 143: Aufzeichnung StS Carstens, 27.8.1966.

37 PAAA, B 1, Bd. 22: Schreiben betr. Konferenz der Missionschefs vom 8. bis zum 10. Dezember 1955, Staatssekretär Hallstein, Erläuterungen zu den Referaten von Prof. Kaufmann und Prof. Grewe.

38 Vgl. jeweils Einleitungen: Der Auswärtige Ausschuss des Deutschen Bundestages. Sitzungsprotokolle 1949–1953 (1998); 1953–1957 (2002); 1957–1961 (2003); 1961–1965 (2004); 1965–1969 (2006).

39 PAAA, B 1, Bd. 259: Protokoll der Konferenz der Missionschefs im asiatisch-pazifischen Raum vom 18. bis 23. Februar 1957 in Tokio, Diskussion I. Für ähnliche Einschätzungen zum Dissens in außenpolitischen Fragen vgl. Denkschrift des Staatsministers Dr. Anton Pfeiffer, 8.10.1949, in: Haas (1969), S. 101–110, hier S. 101; Seelos (1953), S. 75; BA, NL Blankenhorn, N 1351, Bd. 13, Bl. 180: Tagebucheintrag, 21.8.1952, verändert nachgedruckt in: Blankenhorn (1980), S. 136f.; BA, NL Blankenhorn, N 1351, Bd. 15b, Bl. 232 f.: Tagebucheintrag, 31.12.1952.

40 Haase (2007), S. 81ff.

41 Denkschrift des Deutschen Büros für Friedensfragen, Stuttgart, 9.5.1949, abgedruckt in: Haas (1969), S. 85–93, hier S. 93.

42 Denkschrift des Vortragenden Legationsrats Dr. von Etzdorf über die Schaffung eines »Deutschen Forschungsinstituts für internationale Fragen«, 28.2.1950, abgedruckt in: Haas (1969), S. 120–124.

43 Haase (2007), S. 100.

44 Eisermann (1999), S. 51–102.

45 Steltzer (1966), S. 231.

46 Eisermann (1999), S. 173–176.

47 Krekeler (1965), S. 58 f.

48 Zit. nach: Vocke (2001), S. 136 f.; vgl. ebd., S. 189ff., Kessel (2008), S. 26 f.

49 Maulucci (1998), S. 424ff.

50 Wengst (1984), S. 174ff.; Der Grad von Opportunismus ist ungeheuer, *Der Spiegel*, 3.4.1972.

51 PAAA, NL von Braun, Bd. 123: Rundbrief von Dr. Barthold Witte, 2.6.1976.

52 Zit. nach: Morsey (1977a), S. 203.

53 PAAA, Personalakte Kurt Oppler, Bd. 54645: Heinemann an Blankenhorn, 14.12.1949; Notiz Blankenhorn, 13.7.1950, dort auch Zitat; Heinemann an Adenauer, 21.9.1950; Bundesinnenministerium an Adenauer, 8.3.1951; Briefkonzept AA an Heinemann, 17.3.1951; VLR Dr. Wilde, 18.1.1952; VLR Dr. Wilde, 29.1.1952; Vermerk, 11.2.1952; PAAA, B 130, Bd. 8422: Strauß an Knappstein, 20.12.1958.

54 Vgl. beispielsweise PAAA, NL van Scherpenberg, Bd. 33: Scherpenberg an Brentano, 24.7.1959; vgl. außerdem Hahn (1993b), S. 238ff.; Maulucci (1998), S. 388ff.; ders. (2001), S. 118ff.

55 Ramscheid (2006), S. 211ff., 264 ff., 282ff.; Maulucci (1998), S. 380ff.; Hahn (1993a), S. 151ff.; 253ff. Vgl. auch Vocke (2001), S. 203ff.

56 Nur millimeterweise, *Der Spiegel*, 29.4.1964.

57 Peckert (1990), S. 82.

58 AdL, N1 – 2000: Generalkonsul a.D. Bräutigam an Dehler, 25.3.1965.

59 ACDP, 01–403–014/1: Vermerk, 16.6.1971.

60 ACDP, 01–403–014/1: MD Jansen an Strätling, 9.12.1964.

61 Der Grad von Opportunismus ist ungeheuer, *Der Spiegel*, 3.4.1972.

62 ACDP, I–400–012/2: Tagebucheinträge, 29.6.1969 und 23.10.1971.

63 Der Grad von Opportunismus ist ungeheuer, *Der Spiegel*, 3.4.1972.

64 Berkhan für bilaterale Verhandlungen mit dem Osten, *Frankfurter Allgemeine Zeitung*, 4.2.1969.

65 PAAA, DS 10, Bd. 4: StS Duckwitz an Grewe und Schnippenkötter, 4.2.1969.

66 Stumbling-block, *Der Spiegel*, 10.2.1969; Brandt bei Zarapkin, *Die Zeit*, 14.2.1969.

67 PAAA, DS 10, Bd. 4: Hans Graf Huyn an StS Carstens, 4.11.1965; Aufzeichnung Raab, 9.12.1965; Geiger (2008), S. 388ff.; Conze (2003a); Huyn (1966), S. 400ff.

68 PAAA, DS 10, Bd. 4: Paul Frank, Stellungnahme zu den mich betreffenden Stellen des Briefes von Graf Huyn vom 27. und 28. Oktober 1965 an den Herrn Staatssekretär; vgl. dazu auch Frank (1981), S. 123ff.

69 PAAA, DS 10, Bd. 4: Auszug aus Parlamentsprotokolle, Deutscher Bundestag, 5. Wahlperiode, 5. Sitzung, 24.11.1965; In die Wüste, *Der Spiegel*, 24.01.1966; Huyn (1966), S. 408.

70 Vgl. Hans Arnold, Zeitzeugengespräch, Berlin, 26.3.2009.

71 IfZ, ED 135, NL Krekeler, Bd. 48: Loyalität und Gewissen im Auswärtigen Dienst, 19.12.1957.

72 Kroll (1967), S. 525.

73 Kühlem (2008), S. 484ff.

74 Zit. nach: ebd., S. 544.

75 Kroll (1967), S. 530.

76 Beispielsweise der erste deutsche Vertreter in London, Hans Schlange-Schöningen; vgl. TNA/PRO, FO 371/85263, C 4144: Note for the Minister of State, 20.6.1950; TNA/PRO, FO 371/85262, C 3933: Office of the United Kingdom High Commissioner an das Foreign Office, 8.7.1950. Oder der erste Gesandte in Rom, Clemens von Brentano: Vgl. TNA/PRO, FO 371/93576, C 1903/54: British Embassy, Rome an das Foreign Office, 23.5.1951.

77   PAAA, B 110, Bd. 51: Protokoll über die Arbeitstagung der Behördenleiter der süd- und mittelamerikanischen Vertretungen vom 18.–24. November 1954 in Montevideo.

78   Vgl. beispielsweise Denkschrift des Staatsministers Dr. Anton Pfeiffer, 8.10.1949, in: Haas (1969), S. 101–110, hier S. 101; PAAA, B 1, Bd. 22: Schreiben betr. Konferenz der Missionschefs vom 8. bis zum 10. Dezember 1955, Ansprache des Außenministers; ebd., Bd. 121: Aufzeichnung VLR I Dumke, Politik gegenüber den Entwicklungsländern, [o. D.].

79   PAAA, B 10, Bd. 126: Erich Kordt an Pfeiffer, 19.12.1949; PAAA, B 1, Bd. 231: Gedanken über eine deutsche UNESCO-Politik, 18.9.1963.

80   Lahr (1981), S. 321.

81   PAAA, B 14, Bd. 1812: Oncken, NATO-Vertretung, an das AA, 10.6.1968.

82   Vgl. beispielsweise Kroll (1967), S. 426–442.

83   Vgl. beispielsweise PAAA, B 110, Bd. 51: Protokoll über die Arbeitstagung der Behördenleiter der süd- und mittelamerikanischen Vertretungen vom 18.–24. November 1954 in Montevideo; PAAA, B 1, Bd. 259: Protokoll der Konferenz der Missionschefs im asiatisch-pazifischen Raum vom 18. bis 23. Februar 1957 in Tokio.

84   PAAA, B 2, Bd. 165: Aufzeichnung Gesandter Plehwe, Mitarbeit in internationalen Organisationen, 21.9.1970.

85   AAPD 1969, Nr. 254: Aufzeichnung des Staatssekretärs Duckwitz, 2.8.1969.

86   PAAA, B 1, Bd. 512: Schreiben betr. Hauptversammlung der Deutschen UNESCO-Kommission, 21.6.1972.

87   Vgl. Allardt (1979), S. 266ff.

88   Vgl. PAAA, B 1, Bd. 259: Protokoll der Konferenz der Missionschefs im asiatisch-pazifischen Raum vom 18. bis 23. Februar 1957 in Tokio; PAAA, B 2, Bd. 142: Rundschreiben betr. Alleinvertretungspolitik, 19.1.1965; Bd. 143: Rundschreiben betr. Verhalten amtlicher Vertreter der Bundesrepublik Deutschland bei diplomatischen oder konsularischen Veranstaltungen mit Beteiligung amtlicher Vertreter der SBZ, 31.5.1966; NARA II, RG 59, Subject Numeric File 1970–1973, Box 2313: U.S. Embassy Bonn an Department of State, 5.3.1973.

89   NARA II, RG 59, Subject Numeric File 1964–1966, Box 2223: U.S. Embassy Bonn an Department of State, 30.6.1964, dort auch Zitat; End (1969), S. 82 f.

90   MAE Paris, Série Europe, Allemagne, 1944–1970, Bd. 1358: Ambassade de France en Pologne an das Ministère des Affaires Etrangères, 11.3.1964.

Wandel, Reform und alte Probleme

1   Zit. nach: Winkler (2005), Bd. 2, S. 240.

2   Gassert (2006), S. 88.

3   Zit. nach: Weinke (2002), S. 273.

4   Zu Gerstners Kriegsbiographie siehe PAAA, Personalakten Karl-Heinz Gerstner, Bde. 4383–4385; vgl. auch Gerstner (1999) sowie die Rezension von Götz Aly, Kritisch, optimistisch und verlogen, *Berliner Zeitung*, 26./27.2.2000.

5   Gassert (2006), S. 142.

6   Vgl. Gassert (2006), S. 142–145; das von Heinz Höhne aufgefundene Gesprächsprotokoll unterstützte Kiesingers Verteidigungsstrategie und ermöglichte ihm die Nominierung zum CDU-Kanzlerkandidaten; vgl. Gassert (2006), S. 489 f.; Weinke

(2002), S. 274; Herbert (1996), S. 503; Hildebrand (1984), S. 230 f.; Hodenberg (2006), S. 381.

7   PAAA, Personalakte Günther Diehl, Bd. 46998: Diehl an Kroll, 16.3.1948.

8   PAAA, Personalakte Georg von Lilienfeld, Bd. 52781: Kiesinger an Welck, 2.6.1953.

9   Zit. nach: Brandt (1984), S. 61 f.

10 AdsD, Depositum Bahr, Bd. 399 (1): Bahr an Minister, 20.12.1966.

11 AdsD, WBA, A 7, Mappe 13: Brandt an Kiesinger, 16.3.1967; vgl. auch Brandt (2003), S. 177.

12 AdsD, Depositum Bahr, Bd. 399 (1): Bahr an Minister, 19.5.1967.

13 PAAA, B 130, Bd. 8422: Aufzeichnung betrifft Botschafter Oppler [o.V.], 3.12.1958.

14 Ebd.: Strauß an Knappstein, 20.12.1958; vgl. Brentano an Adenauer, 8.12.1958; Brentano an Blank, 8.12.1958; Knappstein an Strauß, 16.12.1958.

15 AdsD, WBA, A 7, Mappe 8: Oppler an Brandt, 15.3.1967, [persönlich]; eine Entwurfsfassung des Briefs ist in Auszügen wiedergegeben bei Döscher (2005), S. 306–311.

16 AdsD, WBA, A 7, Mappe 8: Schütz an Oppler, 8.2.1967.

17 Ebd.: Oppler an Brandt, 15.3.1967, [Persönlich].

18 Yahil (1969), S. 31–38; Dose (1992); Herbert (1996), S. 324; Kirchhoff (2004).

19 Wiedergutmachung, *Der Spiegel*, 23.1.1967.

20 AdsD, WBA, A 7, Mappe 6: Knapp an Matthöfer, 16.1.1968; Arnold im Auftrag von Brandt an Knapp, 16.2.1968; Knapp an Arnold, 29.2.1968.

21 Brandt (2003), S. 171.

22 BA, B 136, Bd. 4690: Brandt an Kiesinger 4.3.1968; Duckwitz an Carstens, 19.6.1968.

23 Zu den Zielstellungen der Kommission gehörte auch die Ausarbeitung eines öffentlichkeitspolitischen Bericht der Kommission für die Reform des Auswärtigen Dienstes, Bonn 1971; zur Brandt-Herwarth-Reform vgl. auch End (1969), S. 112–124.

24 PAAA, B 101, Bd. 778.

25 Vgl. Beste Ehe, *Der Spiegel*, 2.3.1970. Hoppe hatte offenbar vor 1933 der SPD nahegestanden, ohne Mitglied gewesen zu sein. 1941 stellte er einen Antrag auf NSDAP-Mitgliedschaft, dem stattgegeben wurde; PAAA, Personalakte Wilhelm Hoppe, Bd. 50352: OMGUS-Fragebogen, 10.4.1947.

26 PAAA, Personalakte Jesco von Puttkamer, Bd. 55357. Der 1919 geborene spätere SPD-Mann ist nicht zu verwechseln mit seinem Verwandten gleichen Namens, der während des Krieges im Auftrag von SS-Oberführer Six die Informationsstelle des AA in Shanghai aufbaute; vgl. Freyeisen (2003); die Recherchen des MfS zum deutschen Botschafter in Tel Aviv beruhten auf einer Personenverwechslung; BStU, MfS HA IX/11 AB 1150.

27 Erste Frau auf einem Botschafterposten war die Juristin Ellinor von Puttkamer, die 1969 von Brandt zur Ständigen Vertreterin beim Europarat ernannt wurde; vgl. Müller/Scheidemann (2000).

28 PAAA, Personalakte Margarete Hütter, Bd. 50470; vgl. Frei (1996), S. 275; Müller/Scheidemann (2000).

29 AdsD, WBA, A 7, Mappe 1: Brandt an Kiesinger, 3.1.1968; ISA, Bd. 4183/13; Presseausschnitte in: PAAA, Personalakte Gustav Adolf Sonnenhol, Bd. 14573; nach Brandts Abgang flammte die Debatte um Sonnenhol kurzfristig wieder auf, als Scheel ankündigte, ihn zum Staatssekretär ernennen zu wollen.

30 BA, B 136, Bd. 3750: Duckwitz an Carstens, 5.2.1969.

31 AdsD, WBA, A 7, Mappe 6: Krapf an Brandt, 28.9.1968; Brandt an Krapf, 27.11.1968.

32 PAAA, Personalakte Franz Nüßlein, Bd. 54513: Lahr an Duckwitz, 12.1.1970.

33 Bald ein Ende der braunen Affären?, *Süddeutsche Zeitung*, 11.12.1968.

34 Die Angaben beruhen auf einer vollständigen Übersicht aller seit 1949 eingeleiteten westdeutschen Ermittlungsverfahren gegen AA-Angehörige und bei den Botschaften eingesetzte RSHA-Judenreferenten, die am Münchner Institut für Zeitgeschichte erarbeitet und für das AA-Projekt zur Verfügung gestellt wurde.

35 PAAA, NL Becker, Bd. 19: Aufzeichnung Hahn, 3.3.1948, [Entwurf].

36 Zit. nach: Weinke (2002), S. 275.

37 *Süddeutsche Zeitung*, 5.7.1968; *Bremer Nachrichten*, 6.7.1968; *Frankfurter Rundschau*, 6.7.1968; *Frankfurter Allgemeine Zeitung*, 5.7.1968; *Der Spiegel*, 6.10.1969; *Neue Zürcher Zeitung*, 6.7.1968; *Time*, 12.7.1968.

38 BA, B 136, Bd. 3174: Curtius an AA, 10.7.1968; Grundschöttel an Kiesinger, 16.7.1968.

39 Ebd.: Grundschöttel an Kiesinger, 16.7.1968.

40 Zit. nach: Gassert (2006), S. 638.

41 Zit. nach: Herbert (1996), S. 505.

42 Den Vorgang schildert Weitkamp (2008), S. 411 f.

43 BA, B 141, Bd. 25639: Vermerk Götz, 12.1.1967; Schnellbrief Schumacher an BMJ, 27.1.1967.

44 BA Ludwigsburg, ZSL, GA 41–2/4: Matschl, Vorläufiger Bericht, 5.5.1965, S. 1.

45 Ebd., GA 41–2/47: Matschl, Zweiter vorläufiger Bericht, 25.8.1965, S. 11.

46 PAAA, B 101, Bd. 326: Barth an AA, 27.2.1968.

47 Vor seinem 1938 erfolgten Eintritt in das AA war Müller, Pg seit Mai 1933, Mitglied der Rostocker Hochschulgruppe des Stahlhelms und des NS-Altherrenbundes, Referent in der Reichsstelle für Devisenbewirtschaftung und im Reichswirtschaftsministerium. Nach zweijähriger Tätigkeit an der Gesandtschaft in Teheran wechselte er im November 1941 zu D III; vgl. Biographisches Handbuch, Bd. 3 (2008), S. 309; PAAA, Personalakte Herbert Müller, Bd. 10313.

48 Dass Müller der Justiz bis dahin nicht aufgefallen war, hing möglicherweise auch damit zusammen, dass die Zentrale Stelle ihn in ihrer Gesamtaufstellung nicht als potenziellen Tatverdächtigen aufgeführt hatte; vgl. BA Ludwigsburg, ZSL, B 162, Bd. 17056: Verzeichnis Auswärtiges Amt und Missionen, [o. D.].

49 *Frankfurter Allgemeine Zeitung*, 18.4.1968; Browning, der Müllers Personalakte nicht auswerten konnte, übernimmt diese Behauptung, datiert den Namenswechsel allerdings auf 1953; Browing (1978), S. 204; zu vermuten ist, dass die Namensänderung im Zusammenhang mit der ersten Entsendung auf den Auslandsposten Belgrad beantragt wurde.

50 PAAA, Personalakte Herbert Müller-Roschach, Bd. 54088: Schröder an Müller-Roschach, 20.4.1966; Müller-Roschach an Federer, 10.5.1968; Notiz Federer über Dg ZA an ZA2, 13.5.1968; Vermerk Lohmann für Herrn DZ, 24.2.1970.

51 Ebd., Bd. 54092: Pressemeldungen, 17./18.7.1968; Presseerklärung Ruhfus, 18.7.1968.

52 Müller-Roschach wird von Bonn jetzt nicht abberufen, *Frankfurter Rundschau*, 25.7.1968.

53 Generalstaatsanwalt bestätigt: Schriftstücke belasten Müller-Roschach, *Die Welt*, 19.7.1968.

54 Auswärtige Amt glaubt nicht an eine Schuld Müller-Roschachs, *Stuttgarter Zeitung*, 2.8.1968; AA-Selbstjustiz, *Stuttgarter Zeitung*, 5.8.1968; *Frankfurter Allgemeine Zeitung*, 5.8.1968; AdsD, WBA, A 7, Mappe 7: Müller-Roschach an Brandt, 4.8.1968; PAAA, Per-

sonalakte Herbert Müller-Roschach, Bd. 54088: Federer an Botschaft Lissabon, 31.7.1968.

55 PAAA, Personalakte Herbert Müller-Roschach, Bd. 54088: Lohmann an Müller-Roschach, 17.10.1968.

56 AdsD, Depositum Bahr, Bd. 121 (1): Müller-Roschach an Bahr, 26.10.1968.

57 AdsD, WBA, A 7, Mappe 7: Müller-Roschach an Brandt, 10.11.1968.

58 PAAA, Personalakte Herbert Müller-Roschach, Bd. 54088: Vermerk Brandt, 24.11.1968.

59 Ebd.: Federer an Müller-Roschach, 28.11.1968.

60 Ebd., Bd. 54092: Brandt an Müller-Roschach, 13.12.1968.

61 Ebd., Bd. 54088: Müller-Roschach an Lahr, 1.2.1969, [Auszug in Abschrift]; Müller-Roschach an AA, 6.2.1969; Federer an Müller-Roschach, 6.2.1969; Aufzeichnung Federer, 14.2.1969.

62 Obwohl Müller laut Erkenntnissen der Kölner Zentralstelle in nur 4 von 48 Fällen Auswanderungsanträge deutscher Juden im »Interesse des Reichs« befürwortet hatte, konnte ihm der Tatbestand der Mordbeihilfe nicht nachgewiesen werden; Browning (1978), S. 204 f.

63 PAAA, Personalakte Herbert Müller-Roschach, Bd. 54088: Aufzeichnung Lohmann, 18.3.1969, [unter Verschluss].

64 Ebd.: Brandt an Müller-Roschach, 19.5.1969; Aufzeichnung Lohmann für StS, 12.5.1969; Döring an Petersen, 28.5.1969.

65 BA Ludwigsburg, ZSL, GA 1–104: Rückerl an JM BW, 22.3.1968.

66 Ebd.: Vernehmung Hans Sevcik, 27.3.1968.

67 Ist unterrichtet, *Der Spiegel*, 15.4.1968.

68 BA, B 141, Bd. 30542, Bd. 10: Protokoll des BMJ über das Treffen, 14.5.1968.

69 PAAA, B 83, Bd. 574: Gutschmann an Gawlik, 18.6.1968.

70 BA Ludwigsburg, ZSL, GA 1–104: Pfromm, Einstellungsverfügung zum Verfahren 8 Js 147/68, 1.1.1969, S. 6.

71 PAAA, B 83, Bd. 574: Vermerk Steinmann, 28.8.1968.

72 Ebd., Bd. 55: Gawlik an BMJ, 26.8.1969.

73 BA Ludwigsburg, ZSL, GA 1–104: Pfromm, Einstellungsverfügung zum Verfahren 8 Js 147/68, 1.1.1969, S. 6.

74 PAAA, B 118, 793: Übersicht der im Keller des AA, Kaiserstr. 125, gelagerten Akten der ZRS, [o. D., o. V.].

75 BA, B 305, Bd. 2541: Urteil des Kopenhagener Landgerichts, 18.7.1949; vgl. zur Strafverfolgung durch die dänische Justiz Herbert (1996), S. 419–434.

76 PAAA, Personalakte Georg Ferdinand Duckwitz, Bd. 47242; vgl. zum gescheiterten Wiederbewerbungsverfahren von Best Herbert (1996), S. 488ff. Bests Bewerbungsvorgang und die Unterlagen zu dem sich daraus ergebenden Verwaltungsstreitverfahren sind beim AA nicht mehr auffindbar.

77 BA, B 305, Bd. 2541: Ahrens an AA, 26.5.1964.

78 PAAA, Sonderband Werner Best, Bd. 946: Simon an Duckwitz, 13.3.1969.

79 Ebd.: Stinnes jr. an Hoppe, 20.3.1969.

80 Ebd.: Filipiak an den Vorsitzenden des 1. Strafsenats des Kammergerichts, 11.9.1969.

81 Ebd.: Handschriftliche Notiz Duckwitz, 25.3.1969.

82 Ebd.: Filipiak an den Vorsitzenden des 1. Strafsenats des Kammergerichts, 11.9.1969.

83 Zit. nach: Moisel (2004), S. 216.

84 Vgl. Meyer (2005), S. 446, FN 13; Herbert (1998). 1960 zog das AA die geplante Entsen-

dung Thierfelders an die deutsche Botschaft in Paris auf französischen Druck hin zurück; PAAA, Personalakte Rudolf Thierfelder, Bd. 58565: Buch an Thierfelder, 11.8.1960.

85 BA, All. Proz. 21/217, Bl. 289–301: Zeugenvernehmung Thierfelder, 17.5.1950; vgl. dazu auch Brunner (2004), S. 125.

86 Zit. nach: Moisel (2004), S. 223.

87 Unrecht geschehen, *Der Spiegel*, 20.4.1970; Ehrenerklärung für Achenbach, *Frankfurter Neue Presse*, 17.4.1970.

88 Brandt (2003), S. 145. Den britischen Politiker und Publizisten Lord Vansittart bezichtigte Brandt rückblickend des »umgekehrten Rassismus«; ebd., S. 133.

89 Deutschkron (2009), S. 315.

90 BA, N 1470, Bd. 323: Grossmann an Brandt, 30.4.1970.

91 Ebd.: Ritzel an Grossmann, 5.5.1970.

92 BA, N 1086, Bd. 38a: Brill an Hummelsheim, 20.5.1952.

93 PAAA, B 1, Bd. 485: Kommission für die Reform des Auswärtigen Dienstes, Aufgaben im Bereich der Auswärtigen Beziehungen, 10.1.1969.

94 BA, B 136, Nr. 4690: Brandt an Kiesinger, 4.3.1968.

95 Ebd.: Osterheld an Duckwitz, 10.4.1968.

96 Herwarth (1990), S. 373.

97 PAAA, Herwarth von Bittenfeld, Reformkommission, Handakte Botschafter von Herwarth: 3. Sitzung der Arbeitsgruppe zur Reform des Auswärtigen Dienstes, 1.12.1967.

98 PAAA, B 120, Bd. 33: Kommission für die Reform des Auswärtigen Dienstes, Schlussbericht, o. D. [März 1971]; vgl. auch Herwarth (1990), S. 374.

99 PAAA, B 120, Bd. 33: Kommission für die Reform des Auswärtigen Dienstes, Schlussbericht, o. D. [März 1971].

100 AdsD, Depositum Egon Bahr, Ordner 399, Mappe 1: Aufzeichnung Bahr, 15.7.1969, sowie Duckwitz an Brandt, 2.8.1969.

101 Grau/Schmidt-Bremme (2004), S. 28–41.

102 Ebd., S. 64.

Von der »Ungenauigkeit der Schuldzuweisungen« zur Einsetzung der Historikerkommission

1   Vgl. Biewer (2005).

2   Eckert (2004), S. 438.

3   Döscher (1987).

4   Ebd., S. 17.

5   Kent (1989).

6   Weinberg (1989).

7   Andreas Hillgruber, Hitlers Diplomaten?, *Frankfurter Allgemeine Zeitung*, 23.6.1987.

8   Michalka (1989).

9   Browning (1989).

10 Rudolf Augstein, »Wenn Ribbentrop und Führer mich wollen …«, *Der Spiegel*, 16.3.1987.

11 Vgl. Dönhoff (1993).

12 Harpprecht (2008), S. 471.

13 Theodor Eschenburg, Diplomaten unter Hitler, *Die Zeit*, 5.6.1987.

14 BA, Z 35, Bd. 80.

15 Carl-Friedrich von Weizsäcker, Der Vater und das Jahrhundert, *Die Zeit*, 5.6.1987.

16 In diesem Sinne Hampe/Röding (1987).

17 Biewer (2005), S. 151.

18 Siehe dazu die Urteilsschrift des OLG Düsseldorf in der Streitsache Hans-Jürgen Dös-cher ./. Malte von Bargen (AZ 15 U 232/88), 13.12.1989, S. 18; für die Überlassung dieses Dokuments bedankt sich die Kommission bei Herrn Prof. Dr. Hans-Jürgen Döscher.

19 Manfred Steinkühler, Zeitzeugengespräch, Berlin, 10.2.2010

20 Vgl. Kumpanei statt Kompetenz, *Welt Online*, 7.4.2000.

21 Zit. nach Hockenos (2008), S. 263; zum Bielefelder Sonderparteitag vgl. auch Fischer (2007), bes. S. 208–228.

22 Zit. nach: Biehler (2000), S. 2400.

23 In diesem Sinne Conze (2009), S. 809.

24 Eine Chronologie der Mediendebatte um die sogenannten Prügel-Photos liefert Hohl (2001).

25 Vgl. Vowinckel (2004).

26 Berman (2007), S. 70 f.

27 Deutscher Bundestag, Drucksache 14/5406, 5.3.2001.

28 Vgl. auch die polemische Darstellung bei Aly (2008), S. 51 f.

29 Nicht unter 200 Anschlägen pro Minute, *Frankfurter Allgemeine Zeitung*, 31.1.2001.

30 Zu Wickerts Werdegang im alten Amt vgl. Freyeisen (2003).

31 Im Personalbogen vom 13.5.1953 und Lebenslauf vom 13.5.1953 gab Wickert an, der SA nur bis 1934 angehört zu haben; dies wird jedoch durch den BDC-Screen vom 3.8.1955 widerlegt; PAAA, Personalakte Erwin Wickert, Bd. 59595.

32 Lappenküper (2005), S. 292 f.

33 Vgl. Hilwig (1998).

34 Lappenküper (2005), S. 370 f.

35 Ebd., S. 371.

36 Vgl. dazu die Beiträge in Frei/van Laak/Stolleis (2000).

37 *InternAA*, Ausgabe Mai 2003, S. 9.

38 Henseler an Fischer vom 11.5.2003 [Kopie befindet sich im Besitz der UHK].

39 Auskunft Dr. Martin Kröger, Ref. 117, 14.7.2009.

40 Simon an Henseler, 11.6.2003 [Kopie befindet sich im Besitz der UHK].

41 Henseler an Schröder, 17.6.2003 [Kopie befindet sich im Besitz der UHK].

42 Janetzke-Wenzel an StS über D1, 1-V, 14.8.2003 [Kopie befindet sich im Besitz der UHK].

43 Runderlass Scharioth an D1, 1-V, RL'in 101, RL 103, 22.9.2003 [Kopie befindet sich im Besitz der UHK].

44 Fischer an Henseler, 5.9.2003 [Kopie befindet sich im Besitz der UHK].

45 Die Ehre des Nachrufs verweigert, *Frankfurter Allgemeine Zeitung*, 18. Januar 2005.

46 Nicht- und Missachtung, *Frankfurter Allgemeine Zeitung*, 28.1.2005.

47 Vgl. Wojak (2009), S. 399 f.

48 Vgl. Unentschieden endete der lange Kampf um des Vaters Ehre. Die Schuld der NS-Juristen und die Not der Söhne – ein Beleidigungsprozess mit politischem Hinter-grund, *Frankfurter Rundschau*, 12.9.1990.

49 Vgl. Hauskrach im Auswärtigen Amt, *Süddeutsche Zeitung*, 29.3.2005.

50 Elbe an Fischer vom 29.3.2005 [Kopie befindet sich im Besitz der UHK].
51 Leserzuschriften zur Gedenkpraxis, *InternAA*, Sonderausgabe April 2005, S. 4.
52 Vgl. Krimis aus den Katakomben, *Der Spiegel*, 27.9.2004.
53 Leserbrief Michael Adonia Moscovi, *InternAA*, Sonderausgabe April 2005, S. 6.

Quellen- und Literaturverzeichnis

Ungedruckte Quellen

Amherst College Archives and Special Collections, Amherst (MA)
John J. McCloy Papers

Archiv der Bundesbeauftragten für die Unterlagen des Staatssicherheitsdienstes der ehemaligen Deutschen Demokratischen Republik (BStU), Berlin
MfS, Abteilung XII, Zentrale Auskunft, Speicher
MfS, Abteilung X, Internationale Verbindungen
MfS, Büro der Leitung
MfS, Hauptabteilung II, Spionageabwehr
MfS, Hauptabteilung VII, Abwehrarbeit in MdI und DVP
MfS, Hauptabteilung VIII, Beobachtung, Ermittlung
MfS, Hauptabteilung IX, Untersuchungsorgan
MfS, Hauptabteilung XX, Staatsapparat, Kultur, Kirche, Untergrund
MfS, Hauptverwaltung Aufklärung
MfS, Sekretariat des Ministers
MfS, Sekretariat des Stellvertreters Neiber
MfS, Zentrale Auswertungs- und Informationsgruppe

Archiv des Instituts für Zeitgeschichte (IfZ), München
ED 88, Sammlung Eberhard Zeller
ED 113, Nachlass Werner Otto von Hentig
ED 134, Nachlass Dirk Forster
ED 135, Nachlass Heinz Krekeler
ED 145, Nachlass Dieter Sattler
ED 157, Nachlass Erich und Theo Kordt
ED 179, Repertorium Carl Schmitt
ED 329, Nachlass Robert Strobel
ED 343, Nachlass Hans Hermann Kahle
ED 355, Nachlass Maximilian, Anton und Peter Pfeiffer
ED 357, Nachlass Wilhelm von Schoen
ED 388, Nachlass Georg Federer
ED 411, Nachlass Hans-Ulrich Behm
ED 418, Nachlass Rupprecht von Keller
ED 421, Nachlass Karl Gustav Wollenweber

ED 443, Nachlass Hans von Saucken
ED 448, Nachlass Alexander Böker
ED 449, Nachlass Margarete Bitter
SP 51, Entnazifizierung Franz von Papen
SP 59, Entnazifizierung Emil von Rintelen
ZS/A-32, Nachlass Eugen Ott
ZS, Zeugenschrifttum

Archiv des Liberalismus (AdL), Gummersbach

Arbeitskreise, AK I (Außen- und Verteidigungspolitik)
Bestand Walter Scheel, A 33 und A 35
Bundesfachausschuss Außenpolitik, A 44
Liberale Verbände bis zur Gründung der FDP
Nachlass Max Becker, N 11
Nachlass Franz Blücher, A 3
Nachlass Erika Fischer, N 14
Nachlass Erich Mende, A 26, A31
Nachlass Wolfgang Mischnick, A 40
Nachlass Thomas Dehler, N1 und N53

Archiv der sozialen Demokratie (AdsD), Bonn

Depositum Egon Bahr
Nachlass Peter Blachstein
Nachlass Rudolf Dux
Nachlass Fritz Eberhard (Helmut von Rauschenplat)
Nachlass Fritz Heine
Nachlass Gerhard Jahn
Nachlass Paul Löbe
Nachlass Hans-Otto Meissner
Nachlass Erwin Schöttle
Nachlass Carlo Schmid
Nachlass Herbert Wehner
SPD-Parteivorstand, Bestand Kurt Schumacher
Willy-Brandt-Archiv

Archives de l'occupation française en Allemagne et Autriche, Colmar (MAE-Colmar)

Gouvernement militaire français à Berlin

Archives diplomatiques du Ministère des Affaires Etrangères (MAE), Paris

Série Europe, Allemagne 1944–1970

Archiv für Christlich-Demokratische Politik (ACDP), Bonn

Bestand CDU/CSU-Fraktion, 8–001
Nachlass Günther Bachmann, 01–798
Nachlass Paul Binder, 01–105
Nachlass Kurt Birrenbach, 01–433
Nachlass Bruno Dörpinghaus, 01–009
Nachlass Felix von Eckardt, 01–010

Nachlass Eugen Gerstenmaier, 01–210
Nachlass Hans Globke, 01–070
Nachlass Alois Mertes, 01–403
Nachlass Hans Berger, 01–400
Nachlass Fritz Hellwig, 01–083
Nachlass Josef Jansen, 01–149
Nachlass Josef Kannengießer, 01–182
Nachlass Theophil Kaufmann, 01–071
Nachlass Kurt Georg Kiesinger, 01–226
Nachlass Hermann Kopf, 01–027
Nachlass Hans Kroll, 01–743
Nachlass Heinrich Krone, 01–028
Nachlass Rolf Lahr, 01–407
Nachlass Otto Lenz, 01–172
Nachlass Hans-Joachim von Merkatz, 01–148
Nachlass Horst Osterheld, 01–724
Nachlass Friedrich Wilhelm von Prittwitz und Gaffron, 01–138
Nachlass Gerhard Schröder, 01–483
Nachlass Hans Sterken, 01–752

Arthur W. Diamond Law Library (ADLL), Columbia University Law School, New York City (NY)
Telford Taylor Papers

Bayerisches Hauptstaatsarchiv (BayHStA), München
MSO Ministerium für Sonderaufgaben
Nachlass Margarete Bitter

Bundesarchiv, Berlin (BA Berlin)
Bestände des ehemaligen Berlin Document Center (BDC)
- Parteikorrespondenz
- Personalunterlagen von SS-Angehörigen
- Personalunterlagen von SA-Angehörigen
- Zentrale Mitgliederkartei der NSDAP
Bestand BY 6, Rat der Vereinigung der Verfolgten des Naziregimes/Sekretariat des Rates
Bestand R 43, Reichskanzlei
Bestand R 55, Reichsministerium für Volksaufklärung und Propaganda
Bestand R 83, Zentralbehörden der allgemeinen deutschen Zivilverwaltung in den während des Zweiten Weltkrieges besetzten Gebieten (ohne Osteuropa)
Bestand R 901, Auswärtiges Amt
Bestand R 4902, Deutsches Auslandswissenschaftliches Institut
Bestand R 9219, Deutsche Gesandtschaft Sofia
Bestand R 9216, Deutsche Botschaft in Paris
Bestand R 9203, Deutsche Gesandtschaft in Belgrad
Bestand R 9217, Deutsche Gesandtschaft Riga
Bestand R 9335, Konsulat in Temesvar
Bestand R 9313, Konsulat Kiew
Bestand NS 43, Außenpolitisches Amt der NDAP

Bestand NS 9, Auslandsorganisation der NSDAP
Bestand NS 30, Einsatzstab Reichsleiter Rosenberg
Nachlass Herbert von Dirksen (Teilnachlass 1)

Bundesarchiv, Hoppegarten (BA Hoppegarten)
Bestand DO 1, Ministerium des Innern
ZA VI 3328, A. 18 Personalakte der IG Farbenindustrie Berlin

Bundesarchiv (BA), Koblenz
Bestand B 102, Bundesministerium für Wirtschaft
Bestand B 106, Bundesministerium des Inneren
Bestand B 106 II, Geschäftsstelle des Bundespersonalausschuss
Bestand B 122, Bundespräsidialamt
Bestand B 136, Bundeskanzleramt
Bestand B 141, Bundesministerium der Justiz
Bestand B 305, Zentrale Rechtsschutzstelle
Bestand NS 8, Kanzlei Rosenberg
Bestand NS 19, Persönlicher Stab Reichsführer-SS
Bestand NS 20, Kleine Erwerbungen (NSDAP)
Bestand NS 43, Außenpolitisches Amt der NSDAP
Bestand R 43, Reichskanzlei
Bestand Z 8, Verwaltung für Wirtschaft des Vereinigten Wirtschaftsgebietes
Bestand Z 13, Direktorialkanzlei des Verwaltungsrates des Vereinigten Wirtschaftsgebietes
Bestand Z 35, Deutsches Büro für Friedensfragen
Bestand All Proz 21, Prozesse gegen Deutsche im europäischen Ausland
N 1086, Nachlass Herrmann Brill
N 1089, Nachlass Arnold Brecht
N 1234, Nachlass Fritz Baade
N 1239, Nachlass Heinrich von Brentano
N 1263, Nachlass Kurt Rheindorf
N 1273, Nachlass Ernst von Weizsäcker
N 1310, Nachlass Constantin Freiherr von Neurath
N 1351, Nachlass Herbert Blankenhorn
N 1467, Nachlass Michael Mansfeld
N 1470, Nachlass Robert M.W. Kempner
N 1480, Nachlass Günther Harkort

Bundesarchiv-Militärarchiv (BAMA), Freiburg
Bestand RH 19X, Oberbefehlshaber Süd, Südwest/Heeresgruppe C
Bestand RW 40, Territoriale Befehlshaber in Südosteuropa

Bundesarchiv Zentrale Stelle, Ludwigsburg (BA Ludwigsburg ZSL)
B 162, Zentrale Stelle der Landesjustizverwaltungen in Ludwigsburg
Zentralkartei
ZSL, Generalakten

Cornell University Law Library (CULL), Ithaca (NY)
Donovan Nuremberg Trials Collection

Harry S. Truman Library and Museum (Truman Library), Independence (MO)
Papers of Harry N. Howard

Hauptstaatsarchiv Düsseldorf (HstA Düsseldorf)
Bestand Staatskanzlei, NW 53
Entnazifizierungsakten
Nachlass Franz Blücher, RWN 96
Nachlass Maximilian von Gumppenberg, RWN 122
Nachlass Ewald Krümmer, RWN 213
Nachlass Friedrich Middelhauve, RWN 172
Sammlung Erinnerungsniederschriften und Sammlung Hüttenberger, RWN 139
Unterlagen Landgericht- und Staatsanwaltschaft Essen, Rep. 192 (Verfahren gegen den VLR Horst Wagner); Rep. 237 (Verfahren gegen LR Horst Wagner u. a.); Rep. 169/86–90 (Verfahren gegen früheren Unterstaatssekretär Andor Hencke)

Hauptstaatsarchiv Stuttgart (HstA Stuttgart)
Familienarchiv der Freiherrn von Neurath, Q 3/11

Israel State Archive (ISA)
Bestand Foreign Ministry

Seeley Mudd Manuscript Library (Mudd Library), Princeton University, Princeton (NJ)
Allen W. Dulles Papers

The National Archives and Records Administration (NARA), College Park (MD)
RG 43, Records of International Conferences, Commissions, and Expositions
RG 59, General Records of the Department of State
RG 64, Records of the National Archives and Records Administration
RG 65, Federal Bureau of Investigation
RG 84, Records of the Foreign Service Posts of the Department of State
RG 153, Office of the Judge Advocate General (Army)
RG 165, War Department General and Special Staffs
RG 226, Office of Strategic Services
RG 238, World War II War Crimes Records
RG 242, National Archives Collection of Foreign Records Seized
RG 260, U.S. Occupation Headquarters, World War II
RG 263, Central Intelligence Agency
RG 319, Records of the Army Staff
RG 331, Allied Operational and Occupation Headquarters, World War II
RG 338, Records of U.S. Army Operational, Tactical, and Support Organizations (World War II and Thereafter)
RG 466, Records of the U.S. High Commissioner for Germany

The National Archives, Public Record Office (TNA/PRO), Kew
FO 195, Foreign Office, Embassy and Consulates, Turkey (formerly Ottoman Empire), General Correspondence
FO 370, Foreign Office, Library and the Research Department, General Correspondence
FO 371, Foreign Office, Political Departments, General Correspondence from 1906

FO 372, Foreign Office, Treaty Department and successors: General Correspondence from
   1906
FO 395, Foreign Office, News Department: General Correspondence from 1906
FO 1049, Control Office for Germany and Austria and Foreign Office: Control Commission for Germany (British Element), Political Division

Niedersächsisches Landesarchiv – Staatsarchiv Stade (NLA-StA Stade)
Rep. 275 (Entnazifizierungsakten)

Parlamentsarchiv des Deutschen Bundestages (BT ParlA), Berlin
Erste Wahlperiode, 47. Ausschuss (Untersuchungsausschuss gem. Drucksache Nr. 2680)
Dritte Wahlperiode, Unterausschuss »Deutsche Institute und Schulen im Ausland« des
   Ausschusses für Auswärtige Angelegenheiten

Politisches Archiv des Auswärtigen Amtes (PAAA), Berlin
Bestand Abteilung I A (Politik)
Bestand Abteilung I B
Bestand Büro Chef AO
Bestand Büro Reichsaußenminister
Bestand Büro Reichsaußenminister 1936–1939
Bestand Büro Staatssekretär 1936–1944
Bestand Büro Unterstaatssekretär 1936–1943
Bestand Dienststelle Ribbentrop
Bestände der Dienststellen und Missionen im Ausland
Bestand Handakten: Eberhard Freiherr von Künsberg
Bestand Handakten: Paul Otto Schmidt
Bestand Handakten Reichsminister 1931–1939
Bestand Handelspolitische Abteilung
Bestand Kent
Bestand Kulturabteilung Geheimakten
Bestand Kulturabteilung KultPol L II/Scapini-Kommission
Bestand Kulturabteilung Propaganda
Bestand Personal- und Verwaltungsabteilung – Restbestände
Bestand Presseabteilung
Bestand Politische Abteilung
Bestand Politisches Archiv
Bestand RAM Film
Bestand Rechtsabteilung
Bestand Rechtsabteilung Personal und Geschäftsgang
Bestand Referat D/Abteilung Inland (Inland II AB, Inland II Geheim)
Bestand Sonderbevollmächtigter Südosten
Bestand Staatssekretär von Bülow 1930–1936
Bestand Unterstaatssekretär Luther
Bestand VAA beim Reichskommissar für die Ukraine

Bestand B 1, Büro Minister
Bestand B 2, Büro Staatssekretär
Bestand B 2-VS, Büro Staatssekretär

Bestand B 4, Kabinettsreferat

Bestand B 6, Informationsreferat Ausland, Informationsreferat (Öffentlichkeitsarbeit) Ausland

Bestand B 9, Planungsstab

Bestand B 10, Politische Abteilung

Bestand B 11, Länderabteilung und Referate 304–307 und 315–318 (Politische Abteilung)

Bestand B 12, Ostabteilung (Referate 700–712)

Bestand B 13, Allgemeine außenpolitische Fragen

Bestand B 14, NATO

Bestand B 36, Naher Osten und Nordafrika

Bestand B 38, Berlin und Deutschland als Ganzes

Bestand B 40, Ost-West-Beziehungen

Bestand B 82, Staats- und Verwaltungsrecht

Bestand B 83, Strafrecht, Steuer- und Zollrecht (Rechtsabteilung)

Bestand B 85, Sozialwesen, Arbeits- und Sozialrecht, Gesundheitsrecht, Grenzen der Bundesrepublik Deutschland, Geheimschutzabkommen (Rechtsabteilung)

Bestand B 90–600, Kulturpolitik

Bestand B 90-KA, Kulturabteilung

Bestand B 100, Allgemeine Personalangelegenheiten

Bestand B 101, Höherer Dienst

Bestand B 102, Aus- und Fortbildung

Bestand B 105, Deutsches Personal bei internationalen Behörden

Bestand B 107, Gesetz über den Auswärtigen Dienst, Frauenförderung etc.

Bestand B 110, Organisation

Bestand B 118, Politisches Archiv und Historisches Referat

Bestand B 120, Reformkommission für den Auswärtigen Dienst

Bestand B 130, VS-Registraturen des Auswärtigen Amts

Bestand DS 10, Handakten Direktoren

Ministerium für Auswärtige Angelegenheiten (MfAA) (der DDR)

Nachlass Werner von Bargen

Nachlass Sigismund von Braun

Nachlass Hellmut Becker

Nachlass Herbert von Dirksen

Nachlass Hasso von Etzdorf

Nachlass Wilhelm Haas

Nachlass Hans Bernd von Haeften

Nachlass Andor Hencke

Nachlass Hans Herwarth von Bittenfeld

Nachlass Siegfried Kasche

Nachlass Gerhard Köpke

Nachlass Theo Kordt

Nachlass Joachim Friedrich von Lieres und Wilkau

Nachlass Hans Georg Mackensen (Handakten)

Nachlass Wilhelm Melchers

Nachlass Rudolf Nadolny

Nachlass Gottfried von Nostitz

Nachlass Peter Pfeiffer

Nachlass Hans Riesser (im Nachlass Ernst Georg Lange)

Nachlass Heinz Günther Sasse
Nachlass Albert Hilger van Scherpenberg
Nachlass Rudolf Schleier
Nachlass Werner von Schmieden
Nachlass Hans Schroeder
Personal- und Geldakten, altes und neues Amt

Staatsarchiv der Freien und Hansestadt Hamburg (StA Hamburg)
Bestand 221–11, Staatskommissar für die Entnazifizierung und Kategorisierung

Staatsarchiv München (StA München)
Spk-Akten K 938 (Erich Kordt)
Spk-Akten K 949 (Franz Krapf)

Staatsarchiv Nürnberg (StA Nürnberg)
Schriftgut der Nürnberger Prozesse
– KV-Prozesse
– KV-Anklage
– KV-Verteidigung

Stiftung Bundeskanzler-Adenauer-Haus (StBKAH), Bad Honnef-Rhöndorf
Bestand I
Bestand III

United States Holocaust Memorial Museum (USHMM), Washington D.C.
Records of the Nachlass Landesbischof Theophil Wurm, D1
RG 06.019, Henry L. Cohen Collection relating to Nuremberg Case No. 11, the Ministries
   Case, 1946–1948
Robert M. W. Kempner Papers
Seymour Krieger Collection
William L. Christianson Papers relating to Nuremberg War Crime Trials

Yad Vashem Archive (YV), Jerusalem
Archiv der Righteous Among the Nations-Abteilung
Bestand JM Mikrofilme
Bestand M 9
Bestand M 21.1
Bestand M 68
Bestand O 8
Bestand O 68
Bestand P 13
Bestand TR 2
Bestand TR 3
Bestand TR 10
Bestand TR 11
Bestand TR 19

Handakte Franz Krapf (in Privatbesitz von Familie Krapf-Mlosch, Bonn)

Gedruckte Quellen

Adenauer. Rhöndorfer Ausgabe, hrsg. v. Rudolf Morsey und Hans-Peter Schwarz (1983–2009), Berlin/Paderborn.

Akten der Reichskanzlei (AdR). Weimarer Republik, hrsg. f. d. Historische Kommission der Bayerischen Akademie der Wissenschaften v. Karl-Dietrich Erdmann u. f. d. Bundesarchiv v. Hans Booms, München.

Die Kabinette Brüning I und II (1930–1932), Bd. 1: 30. März 1930 bis 28. Februar 1931, bearb. v. Tilmann Koops, Karl Dietrich Erdmann u. Hans Günter Hockerts (1982).

Kabinett Schleicher, 3. Dezember 1932 bis 30. Januar 1933, bearb. v. Anton Golecki, Karl Dietrich Erdmann u. Hans Günter Hockerts (1986).

Akten zur Auswärtigen Politik der Bundesrepublik Deutschland (AAPD), hrsg. i. A. des Auswärtigen Amts v. Institut für Zeitgeschichte, Haupthrsg. Hans-Peter Schwarz (1994–2005) und Horst Möller (2006–2009), München.

Adenauer und die Hohen Kommissare 1949–1951; 1952.

1949/50–1953; 1963–1978.

Akten zur Deutschen Auswärtigen Politik (ADAP) 1918–1945. Aus dem Archiv des Auswärtigen Amtes, Haupthrsg. Hans Rothfels, Baden-Baden/Göttingen/Frankfurt a. M.

Serie C: 1933–1937, 6 Bde.

Serie D: 1937–1945, 13 Bde.

Serie E: 1941–1945, 8 Bde.

Ergänzungsband zu den Serien A-E

Akten zur Vorgeschichte der Bundesrepublik Deutschland 1945–1949, hrsg. v. Bundesarchiv u. v. Institut für Zeitgeschichte (1976–1983), München.

Aly, Götz/Gruner, Wolf/Heim, Susanne (2008): Die Verfolgung und Ermordung der europäischen Juden durch das nationalsozialistische Deutschland 1933–1945, München.

Bd. 1: Deutsches Reich 1933–1937.

Bd. 2: Deutsches Reich 1938 – August 1939.

Amtsblatt des Alliierten Kontrollrats in Deutschland, hrsg. v. Alliierten Sekretariat (1945–1948), Berlin.

Aus dem Tagebuch eines Judenmörders, hrsg. v. Ausschuss für deutsche Einheit (1956), Berlin (Ost).

Außenpolitik der Bundesrepublik Deutschland. Dokumente von 1949 bis 1994 (1995), hrsg. v. Auswärtigem Amt, Referat Öffentlichkeitsarbeit, verantw. Reinhard Bettzuege, Köln.

Der Auswärtige Ausschuss des Deutschen Bundestages (AADB). Sitzungsprotokolle [= Quellen zur Geschichte des Parlamentarismus und der politischen Parteien, IV. Reihe: Deutschland seit 1945, Bd. 13], hrsg. v. Karl Dietrich Bracher, Klaus Hildebrand, Rudolf Morsey, Hans-Peter Schwarz und Walter Först, Düsseldorf.

Becker, Hellmut (1962): Plädoyer für Ernst von Weizsäcker, in: Ders.: Quantität und Qualität. Grundfragen der Bildungspolitik, Freiburg, S. 13–58.

Betænkning og beretninger fra de af Folketinget nedsatte kommissioner i hen-hold til Grundlovens § 45, hrsg. v. Parlamentarisk Kommission (1948), København.

Brandt Willy (1984): Auf der Zinne der Partei. Parteitagsreden 1960 bis 1983, Berlin u. a.

Bydgoszcz 3.–4. września 1939. Studia i dokumenty, hrsg. v. Tomasz Chinciński und Paweł Machcewicz (2008), Warschau.

Comisión Investigadora de Acitividades Antiargentinas, hrsg. v. Cámara de Diputados de la Nación (1941), Informe Nr. 1–4, Buenos Aires.

Diplomatische Dokumente der Schweiz, Bd. 12: 1937–1938, bearb. v. Oscar Gauye, Gabriel Imboden, Daniel Bourgeois (1994), Bern.

Documents on British Policy Overseas, hrsg. v. Rohan d'Olier Butler, M.E. Pelly und H.J. Yasamee, London.

Series I, Volume V: Germany and Western Europe, 11 August – 31 December 1945 (1990).

Documents on Germany under Occupation 1945–1954, bearb. v. Beate Ruhm von Open (1955), London.

Dokumente polnischer Grausamkeit, im Auftrage des Auswärtigen Amtes auf Grund urkundlichen Beweismaterials zusammengestellt, bearb. und hrsg. v. d. deutschen Informationsstelle (1940), Berlin.

Auch: Die polnischen Greueltaten an den Volksdeutschen in Polen, im Auftrage des Auswärtigen Amtes auf Grund urkundlichen Beweismaterials zusammengestellt, bearb. und hrsg. v. Hans Schadewaldt (1940), 2. Aufl., Berlin.

Dokumente zur Deutschlandpolitik (DzD), begr. v. Ernst Deuerlein, hrsg. v. Bundesministerium des Innern u. v. Bundesarchiv, München.

II. Reihe: Vom 9. Mai 1945 bis 4. Mai 1955, 4 Bde., bearb. v. Giesela Biewer, Hanns Jürgen Küsters u. Daniel Hofmann (1992–2003).

Domarus, Max (1973): Hitler. Reden und Proklamationen 1932–1945, Wiesbaden.

Dublon-Knebel, Irith (2007): German Foreign Office Documents on the Holocaust in Greece (1937–1944), Tel Aviv.

Europa unterm Hakenkreuz. Die Okkupationspolitik des deutschen Faschismus 1938–1945, 8 Bde., hrsg. von einem Kollegium unter Leitung von Wolfgang Schumann (1988–1996), Berlin/Heidelberg.

Foreign Relations of the United States (FRUS), Washington D.C.

Diplomatic Papers 1945, Bd. III: European Advisory Commission, Austria, Germany (1968).

1948, Bd. II: Germany and Austria (1973).

1949, Bd. III: Council of Foreign Ministers; Germany and Austria (1974).

1950, Bd. III: Western Europe (1977).

1950, Bd. IV: Central and Eastern Europe; the Soviet Union (1980).

»Führer-Erlasse« 1939–1945. Edition sämtlicher überlieferter nicht im Reichsgesetzblatt abgedruckter von Hitler während des Zweiten Weltkrieges schriftlich erteilter Direktiven aus den Bereichen Staat, Partei, Wirtschaft, Besatzungspolitik und Militärverwaltung, hrsg. v. Martin Moll (1997), Stuttgart.

Groscurth, Helmuth (1970): Tagebücher eines Abwehroffiziers 1938–1940. Mit weiteren Dokumenten zur Militäropposition gegen Hitler, Stuttgart.

Heuss, Theodor: Die großen Reden, Teil 1: Der Humanist, Tübingen 1965.

Howard, Harry (1948): Germany, the Soviet Union, and Turkey during World War II, in: Department of State Bulletin, July 18.

Jacobsen, Hans-Adolf (1984) (Hrsg.): »Spiegelbild einer Verschwörung«. Die Opposition gegen Hitler und der Staatsstreich vom 20. Juli 1944 in der SD-Berichterstattung. Geheime Dokumente aus dem ehemaligen Reichssicherheitshauptamt, Bd. 1, Stuttgart.

Jacobsen, Hans-Adolf (1979): Karl Haushofer. Leben und Werk, Bd. 2: Ausgewählter Schriftwechsel 1917–1946, Boppard am Rhein.

Jelinek, Yeshayahu A. (1997) (Hrsg.): Zwischen Moral und Realpolitik. Eine Dokumentensammlung, Gerlingen.

Kastner, Reysö Rudolf (1961): Der Kastner-Bericht über Eichmanns Menschenhandel in Ungarn, München.

Klein, Peter (Hrsg.) (1997): Die Einsatzgruppen in der besetzten Sowjetunion 1941–1942.

Die Tätigkeits- und Lageberichte des Chefs der Sicherheitspolizei und des SD, Berlin.

Landsberg. Ein dokumentarischer Bericht, hrsg. v. Information Services Division, Office of the U.S. High Commissioner for Germany (1951), Frankfurt.

Lappenküper, Ulrich (2005) (Hrsg.): Erwin Wickert. Das muß ich Ihnen schreiben. Beim Blättern in unvergessenen Briefen. München.

Mandellaub, Max (1948): Das Deutsche Auwärtige Amt und die Ausrottungspolitik gegen die Juden Europas während des zweiten Weltkriegs. Abschliessender Anklage-Schriftsatz, dem amerikanischen Militärgerichtshof IV im Fall 11 vorgelegt am 15. November 1948 in Nürnberg.

Nazi Conspiracy and Aggression (NCA), 8 Bde. mit Supplement, hrsg. v. Office of U.S. Chief of Counsel for Prosecution of Axis Criminality, Washington D.C.

The Papers of Lucius D. Clay, hrsg. v. Jean Edward Smith (1974), Bloomington.

Parliamentary Debates. House of Commons. Official report. Session of the Parliament of the United Kingdom of Great Britain and Northern Ireland, Begr.: Thomas C. Hansard, London.

Preliminary List of Persons accused or suspected of Crimes against Humanity, hrsg. v. Institute of Jewish Affairs/World Jewish Congress (1961), New York.

Poliakov, Leon/Wulf, Josef (1956): Das Dritte Reich und seine Diener. Dokumente, Berlin.

Poole, Dewitt C. (1946): Light on Nazi Foreign Policy, in: Foreign Affairs 25, S. 130–145.

Der Prozess gegen die Hauptkriegsverbrecher vor dem Internationalen Militär-Gerichtshof (IMT) Nürnberg, 14. November 1945–1. Oktober 1946. Amtlicher Text, Urkunden und anderes Beweismaterial, 42 Bde. (1947–1949), Nürnberg.

Quellen zur nationalsozialistischen Entnationalisierungspolitik in Slowenien [= Viri o nacisticni raznarodovalni politiki v Sloveniji] 1941–1945, hrsg. v. Tone Ferenc (1980), Maribor.

Reichsgesetzblatt (RGBl.), hrsg. v. Reichsministerium des Innern, Berlin.
Reichsgesetzblatt Teil I (1922–1945) – Inneres.

Roeder, Manfred (1952): Die Rote Kapelle, Hamburg.

Schacht, Hjalmar (1935): Rede des Reichsbankpräsidenten und beauftragten Reichswirtschaftsministers Dr. Hjalmar Schacht auf der Deutschen Ostmesse: Königsberger Rede, Berlin.

Sprawa 58 000 volksdeutschów. Sprostowanie hitlerowskich oszczerstw w sprawie strat ludności niemieckiej w Polsce w ostatnich miesiącach przed wybuchem wojny i w toku kampanii wrześniowej [= Documenta Occupationis 7], hrsg. v. Karol Marian Pospieszalski (1959), Posen.

Statistisches Jahrbuch für das Deutsche Reich, hrsg. vom Statistischen Reichsamt (1938), Berlin.

Steininger, Rolf (2007): Der Kampf um Palästina 1924–1939. Berichte der deutschen Generalkonsuln in Jerusalem, München.

Taylor, Telford (1949): Final Report to the Secretary of the Army on the Nuremberg War Crimes Trials under Control Council Law 10, Washington DC.

The Trial of Adolf Eichmann, Record of Proceedings in the District Court of Jerusalem, 8. Bde., hrsg. v. State of Israel, Ministry of Justice (1992–1995), Jerusalem.

Trials of War Criminals Before the Nuremberg Military Tribunals (TWC), 15 Bde., hrsg. v. Department of the Army, Washington D.C.

Judenverfolgung in Ungarn. Dokumentensammlung, vorgelegt von der United Restitution Organization, zsgest. v. Bruno Fischer (1959), Frankfurt a. M.

United States Congressional Record, Containing the Proceedings and Debates of the 83rd Congress, Second Session, vol. 100 (1954).

Das Urteil im Wilhelmstraßen-Prozeß. Der amtliche Wortlaut der Entscheidung im Fall Nr. 11 des Nürnberger Militärtribunals gegen von Weizsäcker und andere, mit abweichender Urteilsbegründung, Berichtigungsbeschlüssen, den grundlegenden Gesetzesbestimmungen, einem Verzeichnis der Gerichtspersonen und Zeugen, hrsg. v. Robert M.W. Kempner und Carl Haensel (1950), Schwäbisch-Gmünd.

Verhandlungen des Deutschen Bundestages. Stenographische Berichte, Bonn (1950ff.).

Vogel, Rolf (1977): Ein Stempel hat gefehlt. Dokumente zur Emigration deutscher Juden, II. Teil, München/Zürich.

Von Ribbentrop zu Adenauer. Eine Dokumentation über das Bonner Auswärtige Amt, hrsg. v. Ministerium für Auswärtige Angelegenheiten der DDR (1961), Erfurt.

Auch: From Ribbentrop to Adenauer. A Documentation of the West German Foreign Office, hrsg. v. Ministerium für auswärtige Angelegenheiten (1961), Erfurt.

Wirsing, Giselher (1943): Wir, die Europäer, in: Signal 6, 2. März 1943.

Zander, Friedrich (1937): Die Verbreitung der Juden in der Welt. Statistische Beiträge zu den Fragen der Zeit, Berlin.

Memoiren/Ego-Dokumente

Abetz, Otto Friedrich (1951): Das offene Problem. Ein Rückblick auf zwei Jahrzehnte deutscher Frankreichpolitik, Köln.

Alderman, Sidney (1951): Negotiating on War Crimes Prosecutions 1945, in: Dennett, Raymond/Johnson, Joseph E. (Hrsg.): Negotiating with the Russians. Boston, S. 48–98.

Allardt, Helmut (1979): Politik vor und hinter den Kulissen. Erfahrungen eines Diplomaten zwischen Ost und West, Düsseldorf u. a.

– (1974): Moskauer Tagebuch. Beobachtungen, Notizen, Erlebnisse, 3. Aufl., Düsseldorf u. a.

Bergmann, Gretel (2003): »Ich war die große jüdische Hoffnung«. Erinnerungen einer außergewöhnlichen Sportlerin, Karlsruhe.

Birrenbach, Kurt (1984): Meine Sondermissionen. Rückblick auf zwei Jahrzehnte bundesdeutscher Außenpolitik, Düsseldorf u. a.

Blankenhorn, Herbert (1980): Verständnis und Verständigung – Blätter eines politischen Tagebuchs 1949 bis 1979, Frankfurt a. M. u. a.

Bohlen, Charles E. (1973): Witness to History 1929–1969, New York.

Bräutigam, Otto (1968): So hat es sich zugetragen. Ein Leben als Soldat und Diplomat, Würzburg.

Brandt, Willy (2003): Erinnerungen, Berlin. (Erstausgabe 1989)

Byrnes, James F. (1947): Speaking Frankly, New York.

Carstens, Karl [1993]: Erinnerungen und Erfahrungen, hrsg. von Kai von Jena, Boppard am Rhein.

Churchill, Winston S. (2003): Der Zweite Weltkrieg. Mit einem Epilog über die Nachkriegsjahre, Frankfurt a. M. (engl. Erstausgabe 1948–1954)

Auch: – (1995): Der Zweite Weltkrieg, 2. Aufl., Bern u. a..

Ciano, Galeazzo [1946]: The Ciano diaries 1939–1943. The Complete, Unabridged Diaries of Count Galeazzo Ciano, Italian Minister for Foreign Affairs, hrsg. v. Hugh Gibson, New York.

Critchfield, James H. (2003): Partners at the Creation. The Men Behind Postwar Germany's Defense and Intelligence Establishments, Annapolis.

Deutschkron, Inge (2009): Ich trug den gelben Stern, und was kam danach?, Neuausg., München. (Erstausgabe 1978)

– (2001): Mein Leben nach dem Überleben, 3. Aufl., München.

Diehl, Günter (1994): Zwischen Politik und Presse. Bonner Erinnerungen 1949–1969, Frankfurt a. M.

Dirksen, Herbert von (1949): Moskau, Tokio, London. Erinnerungen und Betrachtungen zu 20 Jahren deutscher Außenpolitik 1919–1939, Stuttgart.

Dolibois, John (1989): Pattern of circles. An Ambassador's Story, Kent (OH).

Drenker, Alexander (1970): Diplomaten ohne Nimbus. Beobachtungen und Meinungen eines deutschen Presseattachés, Zürich u. a.

Einstein, Albert (1934): Mein Weltbild, Amsterdam.

End, Heinrich (1969): Erneuerung der Diplomatie. Der Auswärtige Dienst der Bundesrepublik Deutschland – Fossil oder Instrument?, Neuwied u. a.

Fischer, Joschka (2007): Die rot-grünen Jahre. Deutsche Außenpolitik – vom Kosovo bis zum 11. September, Köln.

François-Poncet, André (1962): Botschafter in Berlin 1931–1938, Berlin u. a.

Frank, Hans [1975]: Das Diensttagebuch des deutschen Generalgouverneurs in Polen 1939–1945, hrsg. v. Wolfgang Präg und Wolfgang Jacobmeyer, Stuttgart.

Frank, Paul (1981): Entschlüsselte Botschaft. Ein Diplomat macht Inventur, Stuttgart.

Gerstenmaier, Eugen (1981): Streit und Friede hat seine Zeit. Ein Lebensbericht, Frankfurt a. M. u. a.

Gerstner, Karl-Heinz (1999): Sachlich, kritisch und optimistisch. Eine sonntägliche Lebensbetrachtung, Berlin.

Gilbert, Gustave M. (1977): Nürnberger Tagebuch. Gespräche der Angeklagten mit dem Gerichtspsychologen, Frankfurt a. M. (dt. Erstausgabe 1962)

Goebbels, Joseph [1992]: Tagebücher 1923–1945, hrsg. v. Georg Reuth, München.

– [1987]: Die Tagebücher von Joseph Goebbels. Sämtliche Fragmente, Aufzeichnungen von 1924–1945, 4 Bde. mit Register, hrsg. v. Elke Fröhlich, München.

Grewe, Wilhelm G. (1979): Rückblenden 1976–1951, Frankfurt a. M. u. a.

– (1967): Diplomatie als Beruf, in: Doehring (1967), S. 9–42.

Haas, Wilhelm (1974): Lebenserinnerungen, Privatdruck.

– (1969): Beitrag zur Geschichte der Entstehung des Auswärtigen Dienstes der Bundesrepublik Deutschland, Bremen.

Hassell, Ulrich von [2004]: Römische Tagebücher und Briefe 1932–1938, hrsg. v. Ulrich Schlie, München.

– [1994]: Der Kreis schließt sich. Aufzeichnungen in der Haft 1944, hrsg. v. Malve von Hassell, Berlin.

– [1988]: Die Hassell-Tagebücher 1938–1944. Aufzeichnungen vom andern Deutschland, nach d. Hs. rev. u. erw. Ausg., hrsg. v. Friedrich Freiherr Hiller von Gaertringen, Berlin.

– [1946]: Vom andern Deutschland. Aus den nachgelassenen Tagebüchern 1938–1944, Zürich.

Hausenstein, Wilhelm (1961): Pariser Erinnerungen. Aus fünf Jahren Diplomatischen Dienstes 1950–1955, München.

Hausner, Gideon (1966): Justice in Jerusalem, New York.

Hencke, Andor (1979): Erinnerungen als Deutscher Konsul in Kiew in den Jahren 1933–1936 München.

– (1977): Augenzeuge einer Tragödie. Diplomatenjahre in Prag 1936–1939, München.

Henle, Günter (1968): Als Diplomat, Industrieller, Politiker und Freund der Musik, 2. Aufl., Stuttgart.

Hentig, Hartmut von (2007): Mein Leben – bedacht und bejaht. Kindheit und Jugend, München.

Hentig, Werner Otto von (1963): Mein Leben – eine Dienstreise, Göttingen.

Herbst, Axel (o. D.): Kein Heldenleben, 1918–1951, Privatdruck.

– (o. D.): Diener zweier Herren 1951–1968, Privatdruck.

– (o. D.): Ein Septennat an der Seine 1976–1983, Privatdruck.

Hermes, Peter (2007): Meine Zeitgeschichte 1922–1987, Paderborn u. a.

Hermlin, Stephan (1986): Äußerungen 1944–1982, 2. Aufl., Berlin/Weimar.

Auch: Hermlin, Stephan (1983): Äußerungen 1944–1982, Berlin/Weimar.

Herwarth, Hans von (1990): Von Adenauer zu Brandt. Erinnerungen, Berlin u. a.

(1982): Zwischen Hitler und Stalin. Erlebte Zeitgeschichte, Frankfurt a. M.

(1959): Der deutsche Diplomat. Ausbildung und Rolle in Vergangenheit und Gegenwart, in: Braunias/Stourzh (1959), S. 227–245.

Hilger, Gustav (1955): Wir und der Kreml. Deutsch-Sowjetische Beziehungen 1918–1941. Erinnerungen eines deutschen Diplomaten, Frankfurt a. M.

– (1953): The Incompatible Allies. A Memoir-History of German-Soviet Relations 1918–1941, New York.

Huyn, Hans Graf (1966): Die Sackgasse. Deutschlands Weg in die Isolierung, Stuttgart.

Kempner, Robert M. W. (1987): SS im Kreuzverhör. Die Elite, die Europa in Scherben brach, erw. Neuaufl., Nördlingen.

– (1983): Ankläger einer Epoche. Lebenserinnerungen, Frankfurt a. M..

Kessel, Albrecht von [2008]: Gegen Hitler und für ein anderes Deutschland. Als Diplomat in Krieg und Nachkrieg. Lebenserinnerungen, hrsg. von Ulrich Schlie, Wien u. a.

Kessel, Albrecht von [1992]: Verborgene Saat. Aufzeichnungen aus dem Widerstand 1933 bis 1945, hrsg. v. Peter Steinbach, Berlin.

Kirkpatrick, Sir Yvone (1959): The Inner Circle. Memoirs, London.

Kordt, Erich (1950): Nicht aus den Akten. Die Wilhelmstraße in Frieden und Krieg. Erlebnisse, Begegnungen und Eindrücke 1928–1945, Stuttgart.

– (1947): Wahn und Wirklichkeit. Die Außenpolitik des Dritten Reiches. Versuch einer Darstellung, Stuttgart.

Krekeler, Heinz L. (1965): Die Diplomatie, München u. a.

Kroll, Hans (1967): Lebenserinnerungen eines Botschafters, Köln u. a.

Krone, Heinrich [2003]: Tagebücher, Bd. 2: 1961–1966, bearb. v. Hans-Otto Kleinmann, Düsseldorf.

– [1995]: Tagebücher, Bd. 1: 1945–1961, bearb. v. Hans-Otto Kleinmann, Düsseldorf.

Kühlmann, Richard von (1948): Erinnerungen, Heidelberg.

Lahr, Rolf (1981): Zeuge von Fall und Aufstieg. Private Briefe 1943–1974, Hamburg.

Lenz, Otto [1989]: Im Zentrum der Macht. Das Tagebuch von Staatssekretär Lenz 1951–1953, bearb. v. Klaus Gotto, Düsseldorf.

Löbe, Paul (1954): Der Weg war lang. Lebenserinnerungen, 2. Aufl., Berlin.

Mansfeld, Michael (1967): Bonn, Koblenzer Straße. Der Bericht des Robert von Lenwitz, München.

Moltke, Helmuth James von [1988]: Briefe an Freya 1939–1945, hrsg. v. Beate Ruhm von Oppeln, München.

Nadolny, Rudolf (1985): Mein Beitrag. Erinnerungen eines Botschafters des Deutschen Reiches, Köln.

Neave, Airey (1978): On Trial at Nuremberg. Boston.

Neubacher, Hermann (1956): Sonderauftrag Südost 1940–1945. Bericht eines fliegenden Diplomaten, Göttingen u. a.

Pauls, Rolf Friedemann (1984): Deutschlands Standort in der Welt. Beobachtungen eines Botschafters, Stuttgart u. a.

Peckert, Joachim (1990): Zeitwende zum Frieden. Ostpolitik miterlebt und mitgestaltet, Herford.

Poelchau, Harald (1949): Die letzten Stunden. Erinnerungen eines Gefängnispfarrers, Berlin.

Prittwitz und Gaffron, Friedrich von (1952): Zwischen Petersburg und Washington. Ein Diplomatenleben, München.

Rahn, Rudolf (1949): Ruheloses Leben. Aufzeichnungen und Erinnerungen, Düsseldorf.

Ribbentrop, Joachim von [1954]: Zwischen London und Moskau. Erinnerungen und letzte Aufzeichnungen, hrsg. v. Annelies von Ribbentrop, Leoni a. Starnberger See.

　　Auch: – [1953]: Zwischen London und Moskau, Erinnerungen und letzte Aufzeichnungen, hrsg. v. Annelies von Ribbentrop, Leoni a. Starnberger See.

Riesser, Hans Eduard (1962): Von Versailles zur UNO. Aus den Erinnerungen eines Diplomaten, Bonn.

–　(1959): Haben die deutschen Diplomaten versagt? Eine Kritik an der Kritik von Bismarck bis heute, Bonn.

Riezler, Kurt [1972]: Tagebücher, Aufsätze, Dokumente, hrsg. v. Karl Dietrich Erdmann, Göttingen.

Schmidt, Paul Otto (1950): Statist auf diplomatischer Bühne 1923–1925. Erlebnisse des Chefdolmetschers im Auswärtigen Amt mit den Staatsmännern Europas, Bonn.

Seelos, Gebhard (1953): Moderne Diplomatie, Bonn.

Shinnar, Felix E. (1967): Bericht eines Beauftragten. Die deutsch-israelischen Beziehungen 1951–1966, Tübingen.

Speer, Albert (1975): Spandauer Tagebücher, Frankfurt a. M. u. a.

Spitzy, Reinhard (1986): So haben wir das Reich verspielt. Bekenntnisse eines Illegalen, München/Wien.

Staden, Berndt von (2001): Ende und Anfang. Erinnerungen 1939–1963, Vaihingen.

Steltzer, Theodor (1966): Sechzig Jahre Zeitgenosse, München.

Stern, Fritz (2006): Five Germanys I Have Known, New York.

Studnitz, Hans-Georg von (1963): Als Berlin brannte. Diarium der Jahre 1943–1945, Stuttgart.

Taylor, Telford (1992): The Anatomy of the Nuremberg Trials. A Personal Memoir, New York.

Thayer, Charles W. (1959): Die unruhigen Deutschen, 2. Auflage, Bern u. a.

　　Auch: – (1957): The Unquiet Germans. New York.

–　(1952): Hands Across the Caviar, Philadelphia.

Vogel, Georg (1969): Diplomat zwischen Hitler und Adenauer, Düsseldorf.

Wassiltschikow, Marie [1987]: Die Berliner Tagebücher der Marie »Missie« Wassiltschikow 1940–1945, Berlin.

Weizsäcker, Ernst Freiherr von [1974]: Die Weizsäcker-Papiere, Bd. 2: 1933–1950, hrsg. von Leonidas Hill, Berlin.

–　[1950]: Erinnerungen, hrsg. v. Richard von Weizsäcker, München.

Weizsäcker, Richard von: Vier Zeiten. Erinnerungen. Berlin 1997.

Wickert, Erwin [2005]: Das muß ich Ihnen schreiben. Beim Blättern in unvergessenen Briefen, hrsg. v. Ulrich Lappenküper, München.

Wiedemann, Fritz (1964): Der Mann, der Feldherr werden wollte. Erlebnisse und Erfahrungen des Vorgesetzten Hitlers im 1. Weltkrieg und seines späteren Persönlichen Adjutanten, Velbert u. a.

Zechlin, Walter (1960): Die Welt der Diplomatie, 2. Aufl., Frankfurt a. M.

– (1935): Diplomatie und Diplomaten, Stuttgart.

Zeitzeugengespräche

Botschafter a.D. Dr. Hans Arnold

Staatssekretär a.D. Dr. Klaus Blech

Prof. Dr. Hans-Jürgen Döscher

Botschafter a.D. Dr. Ekkehard Eickhoff

Botschafter a.D. Dr. Hansjörg Eiff

Botschafter a.D. Prof. Dr. Tono Eitel

Botschafter a.D. Hans Werner Graf Finck von Finckenstein

Botschafter a.D. Wilhelm Haas

Botschafter a.D. Dr. Niels Hansen

Staatssekretär a.D. Karl-Günther von Hase

Frau Marga Henseler

Botschafter a.D. Dr. Axel Herbst

Botschafter a.D. Dr. Peter Hermes

Botschafter a.D. Dr. Wilhelm Höynck

Botschafter a.D. Dr. Ernst Friedrich Jung

Botschaftsrat a.D. Dr. Claus von Kameke

Botschafter a.D. Jörg Kastl

Staatssekretär a.D. Dr. Hans Werner Lautenschlager

Botschafterin a.D. Dr. Eleonore Linsmayer

Generalkonsul Wolfgang Mössinger

Botschafterin a.D. Dr. Gisela Rheker

Botschafter a.D. Hermann Freiherr von Richthofen

Botschafter a.D. Dr. Heinz Schneppen

Botschafter a.D. Dr. Helmut Sigrist

Botschafter a.D. Dr. Immo Stabreit

Staatssekretär a.D. Berndt von Staden

Legationsrätin a.D. Wendelgard von Staden

Generalkonsul a.D. Dr. Manfred Steinkühler

Staatssekretär a.D. Dr. Jürgen Sudhoff

Botschafter a.D. Alexander Graf York von Wartenburg

Botschafter a.D. Dr. Hans-Georg Wieck

Presse

Aachener Volkszeitung, Aachen.

Die Abendzeitung, München.

Der Angriff, Berlin.

Argentinisches Tageblatt, Buenos Aires.

Der Aufbau, New York.

Berliner Börsen-Zeitung, Berlin.

Berliner Tageblatt, Berlin.
Berliner Volkszeitung, Berlin.
Berliner Zeitung, Berlin.
Bonner Rundschau, Bonn.
Bremer Nachrichten, Bremen.
Chicago Tribune/Chicago Daily Tribune, Chicago.
Christ und Welt, Stuttgart.
Deutsche Allgemeine Zeitung, Berlin.
Deutsche Rundschau, Berlin.
Financial Times Deutschland, Hamburg.
Frankfurter Allgemeine Zeitung, Frankfurt a. M.
Frankfurter Hefte, Frankfurt a. M.
Frankfurter Neue Presse, Frankfurt a. M.
Frankfurter Rundschau, Frankfurt a. M.
Freie Presse, Chemnitz.
The Guardian, London.
Human Events, Washington D.C.
Jedi'ot Acharonot, Tel Aviv.
Kölner Stadtanzeiger, Köln.
Der Mittag, Düsseldorf.
The Nation, New York.
Neue Juristische Wochenschrift, München.
Die Neue Ordnung, Bonn.
Die Neue Zeitung, München.
Neue Zürcher Zeitung, Zürich.
Neue Berner Nachrichten, Bern.
The New York Times, New York.
New Yorker Staats-Zeitung und Herold, New York.
Revue, München.
Rheinischer Merkur, Bonn.
The Saturday Evening Post, Philadelphia.
Sozialdemokratischer Pressedienst, Bonn.
Der Spiegel, Hamburg.
Der Stern, Hamburg.
Der Stürmer, Nürnberg.
Süddeutsche Zeitung, München.
Der Tag.
Der Tagesspiegel, Berlin.
Time, New York.
The Times, London.
Trierischer Volksfreund, Trier.
Vaterland, Luzern.
Völkischer Beobachter, München.
The Washington Post, Washington D.C.
Der Weg, Buenos Aires.
Die Welt, Berlin.
Die Zeit, Hamburg.

Forschungsliteratur

Adam, Uwe Dietrich (1972): Judenpolitik im Dritten Reich, Nachdruck, Düsseldorf.

Adler, Hans Günther (1974): Der verwaltete Mensch. Studien zur Deportation der Juden aus Deutschland, Tübingen.

Aegerter, Roland (1999) (Hrsg.): Politische Attentate des 20. Jahrhunderts, Zürich.

Arendt, Hannah (1958): The Origins of Totalitarianism, New York.

Ahrens, Ralf (2008): Übergangsjustiz, Prävention und Pragmatismus. Die amerikanische Strafverfolgung von NS-Verbrechen und die Dresdner Bank, in: Justizministerium des Landes Nordrhein-Westfalen (2008) (Hrsg.), S. 87–98.

– (2006): Unternehmer vor Gericht. Die Nürnberger Nachfolgeprozesse zwischen Strafverfolgung und symbolischem Tribunal, in: Lillteicher (2006), S. 128–153.

Albrecht, Clemens/Behrmann, Günter C./Bock, Michael/Homann, Harald/Tenbruck, Friedrich H. (1999): Die Intellektuelle Gründung der Bundesrepublik. Eine Wirkungsgeschichte der Frankfurter Schule, Frankfurt a. M./New York.

Alheit, Peter/Hoerning, Erika M. (1989) (Hrsg.): Biographisches Wissen. Beiträge zu einer Theorie lebensgeschichtlicher Erfahrung, Frankfurt a. M.

Aly, Götz (2008): Unser Kampf. 1968 – Ein irritierter Blick zurück. Frankfurt a. M.

– (2003): Rasse und Klasse. Nachforschungen zum deutschen Wesen, Frankfurt a. M.

– / Heim, Susanne (1995a): Vordenker der Vernichtung. Auschwitz und die deutschen Pläne für eine neue europäische Ordnung, Frankfurt a. M.

– (1995b): »Endlösung«. Völkerverschiebung und der Mord an den europäischen Juden, Frankfurt a. M.

– / Chroust, Peter/Heilmann, Hans-Dieter/Langbein, Hermann (1987): Biedermann und Schreibtischtäter. Materialien zur deutschen Täter-Biographie, Berlin.

Ancel, Jean (1986): Documents Concerning the Fate of Romanian Jewry During the Holocaust. New York.

– (2002): Toldot Ha'Shoa – Rumania, Jerusalem.

Anderson, Benedict (1983): Imagined Communities. Reflections on the Origins and Spread of Nationalism, London.

Angster, Julia (2003): Konsenskapitalismus und Sozialdemokratie. Die Westernisierung von SPD und DGB, München.

Agstner, Rudolf (2006): An Institutional History of the Austrian Foreign Office in the Twentieth Century, in: Bischof/Pelinka/Gehler (2006), S. 39–57.

Angrick, Andrej (2003): Besatzungspolitik und Massenmord. Die Einsatzgruppe D in der südlichen Sowjetunion 1941–1943, Hamburg.

Arad, Yitzhak (2004): Toldot Ha'Shoa – Brit Ha'moazot, Jerusalem.

Arnold, Klaus Jochen (2002): Verbrecher aus eigener Initiative? Der 20. Juli 1944 und die Thesen Christian Gerlachs, in: Geschichte in Wissenschaft und Unterricht 53, S. 4–19.

Asendorf, Manfred/Bockel, Rolf von (1997) (Hrsg.): Demokratische Wege. Deutsche Lebensläufe aus fünf Jahrhunderten, Stuttgart/Weimar.

Atkin,Nicholas (1995): France's Little Nuremberg. The Trial of Otto Abetz, in: Kedward/Wood (1995), S. 197–208.

August, Jochen (1997): Sonderaktion Krakau. Die Verhaftung der Krakauer Wissenschaftler am 6. November 1939, Hamburg.

Auswärtiges Amt (2004) (Hrsg.): Zum Gedenken an Georg Ferdinand Duckwitz 1904–1973, Berlin.

– (1995) (Hrsg.): 125 Jahre Auswärtiges Amt. Festschrift, Bonn.

Bethge, Eberhard (1989): Dietrich Bonhoeffer. Eine Biographie, 7. Aufl., München.

Bajohr, Frank (2006): »Im übrigen handle ich so, wie mein Gewissen es mir als National-sozialist vorschreibt.« Erwin Ettel. Vom SS-Brigadeführer zum außenpolitischen Redakteur der ZEIT, in: Matthäus/Mallmann (2006), S. 241–256.

Bankier, David (2009) (Hrsg.): Nazi Europe and the Find Solution, 2. Aufl., New York u. a.

Baring, Arnulf (1982): Machtwechsel. Die Ära Brandt-Scheel, München/Stuttgart.

– (1969): Außenpolitik in Adenauers Kanzlerdemokratie. Bonns Beitrag zur Europäischen Verteidigungsgemeinschaft, München/Wien.

Barkai, Avraham (1990): German Interests in the Haavara-Transfer Agreement 1933–1939, in: Leo Baeck Institute Yearbook 35, S. 245–266.

Baskin, Judith/Seeskin, Kenneth (2010) (Hrsg.): The Cambridge Guide to Jewish History, Religion, and Culture, Cambridge.

Bass, Gary Jonathan (2001): Stay the Hand of Vengeance. The Politics of War Crimes Tribunals, Princeton.

Bauer, Theresia/Kuller, Christiane/Kraus, Elisabeth/Süß, Winfried (2009) (Hrsg.): Gesichter der Zeitgeschichte. Deutsche Lebensläufe im 20. Jahrhundert, München.

Bauer, Yehuda (1994): Jews for Sale? Nazi-Jewish Negotiations 1933–1945, New Haven.

Bauernkämper, Arnd/Sabrow, Martin/Stöver, Bernd (1998) (Hrsg.): Doppelte Zeitgeschichte. Deutsch-deutsche Beziehungen 1945–1990, Bonn.

Bayne, E. A. (1946): Resistance in the German Foreign Office, in: Human Events 3/14, S. 1–8.

Beaumont, Roger (2000): The Nazis' March to Chaos, Westport.

Beck, Alfred M. (2005): Hitler's Ambivalent Attaché. Lt. Gen. Friedrich von Boetticher in America 1933–1941, Washington D.C.

Becker, Hellmut (1974): Der Außenseiter in der Kulturabteilung des Auswärtigen Amtes, in: Reissmüller (1974), S. 14–20.

Beier, Gerhard (1997): Löbe, Paul, in: Asendorf/Bockel (1997), S. 393–395.

Bell, Daniel (1960): The End of Ideology. On the Exhaustion of Political Ideas in the Fifties, Glencoe.

Ben Elissar, Eliahu (1969): La Diplomatie du IIIe Reich et les juifs 1933–1939, Paris.

Benz, Wigbert (2005): Paul Carell. Ribbentrops Pressechef Paul Karl Schmidt vor und nach 1945, Berlin.

Benz, Wolfgang (2009) (Hrsg.): Wie wurde man Parteigenosse? Die NSDAP und ihre Mitglieder, Frankfurt a. M.

– / Graml, Hermann/Weiß, Hermann (1998) (Hrsg.): Enzyklopädie des Nationalsozialismus, München.

– (1996a): Prolog. Der 30. Januar 1933. Die deutschen Juden und der Beginn der nationalsozialistischen Herrschaft, in: Ders. (1996c), S. 15–33.

– (1996b): Der Novemberpogrom 1938, in: Ders. (1996c), S. 499–544.

– (1996c) (Hrsg.): Die Juden in Deutschland 1933–1945. Leben unter nationalsozialistischer Herrschaft, 4. Aufl., München.

Berenbaum, Michael/Peck, Abraham J. (2002) (Hrsg.): The Holocaust and History. The Known, the Unknown, the Disputed, and the Reexamined, Bloomington.

Berg, Nicolas (2003): Der Holocaust und die westdeutschen Historiker. Erforschung und Erinnerung, Göttingen.

– (2002): Lesarten des Judenmords, in: Herbert (2002), S. 91–139.

Bergander, Hiska D. (2006): Die Ermittlungen gegen Dr. jur. et rer. pol. Manfred Roeder, einen »Generalrichter« Hitlers – Eine Untersuchung zur unbewältigten Rechtsgeschichte der NS-Justiz, Diss. Universität Bremen.

Berggötz, Sven Olaf (1998): Nahostpolitik in der Ära Adenauer. Möglichkeiten und Grenzen 1949–1963, Düsseldorf.

Berman, Paul (2007): Power and the Idealists, New York.

Bergmann, Werner (1997): Antisemitismus in öffentlichen Konflikten. Kollektives Lernen in der politischen Kultur der Bundesrepublik 1949–1989, Frankfurt a. M.

Bettzuege, Reinhard (1997) (Hrsg.): Auf Posten ... Berichte und Erinnerungen aus 50 Jahren deutscher Außenpolitik, 2. Aufl., München u. a.

Bevers, Jürgen (2009): Der Mann hinter Adenauer. Hans Globkes Aufstieg vom NS-Juristen zur Grauen Eminenz der Bonner Republik, Berlin.

Biddiscome, Perry (2007): The Denazification of Germany. A History 1945–1950, Stroud.

Biehler, Gernot (2000): Ämterpatronage im diplomatischen Dienst?, in: Neue Juristische Wochenschrift 53, S. 2400–2402.

Biewer, Ludwig (2005): Das Politische Archiv des Auswärtigen Amts. Plädoyer für ein Ressortarchiv, in: Archivalische Zeitschrift 87, S. 137–164.

– (1995): 125 Jahre Auswärtiges Amt. Ein Überblick, in: Auswärtiges Amt (1995), S. 87–106.

Biographisches Handbuch des deutschen Auswärtigen Dienstes 1871–1945, 3. Bde.; Bd. 1: A-F (2000); Bd. 2: G-K (2005); Bd. 3: L-R (2008), hrsg. v. Auswärtigen Amt, Paderborn u. a.

Bischof, Günter/Pelinka, Anton/Gehler, Michael (2006) (Hrsg.): Austrian Foreign Policy in Historical Context, New Brunswick.

Bitzegeio, Ursula (2009) (Hrsg.): Solidargemeinschaft und Erinnerungskultur im 20. Jahrhundert. Beiträge zu Gewerkschaften, Nationalsozialismus und Geschichtspolitik, Bonn.

Blasius, Rainer A. (2007a): Das alte Amt und die neue Zeit. Die Freiherren von Neurath und von Weizsäcker in der Außenpolitik des »Dritten Reiches«, in: Ders. (2007b), S. 104–131.

– (2007b) (Hrsg): Adel und Nationalsozialismus im deutschen Südwesten, Karlsruhe.

– (2004): Appeasement und Widerstand 1938, in: Steinbach/Tuchel (2004), S. 452–468.

– (1999): Fall 11. Der Wilhelmstraßen-Prozeß gegen das Auswärtige Amt und andere Ministerien, in: Ueberschär (1999), S. 187–198.

– (1998) Heißer Draht nach Washington? Die Botschafter der Bundesrepublik Deutschland in den Vereinigten Staaten von Amerika 1955 bis 1968, in: Historische Mitteilungen 11, S. 282–305.

– (1994a): Geschäftsfreundschaft statt diplomatischer Beziehungen. Zur Israel-Politik 1962/63, in: Ders. (1994b), S. 154–210.

– (1994b) (Hrsg.): Von Adenauer zu Ehrhard. Studien zur Auswärtigen Politik der Bundesrepublik Deutschland 1963, München.

– (1991): Ein konservativer Patriot im Dienste Hitlers. Ernst Freiherr von Weizsäcker, in: Filmer/Schwan (1991), S. 276–306.

Auch: – (1987): Ein konservativer Patriot im Dienste Hitlers. Ernst Freiherr von Weizsäcker, in: Filmer/Schwan (1987), S. 311–336.

– (1986): Über London den »großen Krieg« verhindern. Ernst von Weizsäckers Aktivitäten im Sommer 1939, in: Schmädeke/Steinbach (1986), S. 691–711.

– (1984): Adam von Trott zu Solz, in: Lill/Oberreuter (1984), S. 321–334.

– (1981): Für Großdeutschland – gegen den großen Krieg. Staatssekretär Ernst Freiherr von Weizsäcker in den Krisen um die Tschechoslowakei und Polen 1938/39, Köln/Wien.

Bloch, Michael (1992): Ribbentrop. New York.

Blom, J.C. Hans u. a. (2005) (Hrsg.): A. E. Cohen als geschiedschrijver van zijn tijd, Amsterdam.

Bloxham, Donald (2008): Milestones and Mythologies. The Impact of Nuremberg, in: Heberer/Matthäus (2008), S. 263–282.

– (2006): Pragmatismus als Programm. Die Ahndung deutscher Kriegsverbrechen durch Großbritannien, in: Frei (2006), S. 140–179.

– (2002): ›The Trial That Never Was‹. Why There Was No Second International Trial of Major War Criminals At Nuremberg, in: History 87, S. 41–60.

– (2001): Genocide on Trial. War Crimes Trials and the Formation of Holocaust History and Memory. Oxford.

Böhler, Jochen (2009): Der Überfall. Deutschlands Krieg gegen Polen, Frankfurt a. M.

– (2006): Auftakt zum Vernichtungskrieg. Die Wehrmacht in Polen 1939, Frankfurt a. M.

Bömelburg, Hans-Jürgen/Musial, Bogdan (2000): Die deutsche Besatzungspolitik in Polen 1939–1945, in Borodziej/Ziemer (2000), S. 43–111.

Bösch, Frank/Frei, Norbert (2006) (Hrsg.): Medialisierung und Demokratie im 20. Jahrhundert, Göttingen.

– (2001): Die Adenauer-CDU. Gründung, Aufstieg und Krise einer Erfolgspartei, 1945–1969, Stuttgart u. a.

Bohn, Robert (2009): Dänemark und Norwegen in der bundesdeutschen Nachkriegsdiplomatie, in: Ders./Cornelißen/Lammers (2009), S. 23–32.

– / Cornelißen, Christoph/Lammers, Karl Christian (2009) (Hrsg.): Vergangenheitspolitik und Erinnerungskulturen im Schatten des Zweiten Weltkriegs. Deutschland und Skandinavien seit 1945, Essen.

– (2000): Reichskommissariat Norwegen. Nationalsozialistische Neuordnung und Kriegswirtschaft, München.

– (1997) (Hrsg.): Die deutsche Herrschaft in den »germanischen« Ländern 1940–1945, Stuttgart.

– (1991a) (Hrsg.): Neutralität und totalitäre Aggression. Nordeuropa und die Großmächte im Zweiten Weltkrieg, Stuttgart.

– (1991b): Die Errichtung des Reichskommissariats Norwegen, in: Ders./Elvert/Rebas/Salewski (1991), S. 129–147.

– (1991) (Hrsg.), unter Mitarbeit v. Jürgen Elvert, Hain Rebas u. Michael Salewski: Neutralität und totalitäre Aggression. Nordeuropa und die Großmächte im Zweiten Weltkrieg, Stuttgart.

Borodziej, Wlodzimierz/Ziemer, Klaus (2000): Deutsch-polnische Beziehungen 1939–1945–1949. Eine Einführung, Osnabrück.

Bollier, Peter (1999): Gustloff, Wilhelm. 4. Februar 1936. Das Attentat auf Wilhelm Gustloff, in: Aegerter (1999), S. 42–75.

Boveri, Margret (1976): Der Verrat im 20. Jahrhundert, Reinbek b. Hamburg.
   Auch: Boveri, Margret (1956): Der Verrat im XX. Jahrhundert. Bd. 1: Für und gegen die Nation, Bd. 1, Reinbek b. Hamburg.

– (1948): Der Diplomat vor Gericht, Berlin.

Bower, Tom (1995): Blind Eye to Murder. Britain, America and the Purging of Nazi Germany. A Pledge Betrayed, Boston.

– (1982): The Pledge Betrayed. America and Britain and the Denazification of Postwar Germany, Garden City.

Bracher, Karl Dietrich/Funke, Manfred/Jacobsen, Hans-Adolf (1983) (Hrsg.): Nationalsozialistische Diktatur 1933–1945. Eine Bilanz, Düsseldorf.

- (1974): Die nationalsozialistische Machtergreifung, Bd. 1: Stufen der Machtergreifung, Frankfurt a. M. u. a.

- (1970): Die deutsche Diktatur. Entstehung – Struktur – Folgen des Nationalsozialismus, 3. Aufl., Köln/Berlin.

Bradsher, Greg (2002): A Time to Act. The Beginning of the Fritz Kolbe Story, 1900–1943, in: Prologue Magazine, S. 7–21.

Braham, Randolph L. (2000): The Politics of Genocide: The Holocaust in Hungary, Detroit.

- (1963): The Destruction of the Hungarian Jews: A Documentary Account, New York.

Brakelmann, Günter (2007): Helmuth James von Moltke 1907–1945. Eine Biographie, 2. Aufl., München.

Brandes, Detlef (1969): Die Tschechen unter deutschem Protektorat, Bd. 1: Besatzungspolitik, Kollaboration und Widerstand im Protektorat Böhmen und Mähren bis Heydrichs Tod (1939–1942), München.

Braun, Christian A./Mayer, Michael/Weitkamp, Sebastian (2008) (Hrsg.): Deformation der Gesellschaft? Neue Forschungen zum Nationalsozialismus, Berlin.

Braun, Christina von (2008): Stille Post. Eine andere Familiengeschichte, Berlin.

Braunias, Karl/Stourzh, Gerald (1959) (Hrsg.): Diplomatie unserer Zeit. La diplomatie contemporaine. Contemporary diplomacy, Graz u. a.

Brecht, Arnold (1953): Personnel Management, in: Litchfield (1953), S. 263–293.

Brechtken, Magnus (1997): Madagaskar für die Juden. Antisemitische Idee und politische Praxis 1885–1945, München.

Breitman, Richard/Goda, Norman J. W./Naftali, Timothy/Wolfe, Robert (2005): US Intelligence and the Nazis, New York.

Breyer, Wolfgang (2003): Dr. Max Merten. Ein Militärbeamter der deutschen Wehrmacht im Spannungsfeld zwischen Legende und Wahrheit, Diss. Universität Mannheim.

Brochhagen, Ulrich (1994). Nach Nürnberg. Vergangenheitsbewältigung und Westintegration in der Ära Adenauer, Hamburg.

Broszat, Martin (1990) (Hrsg.): Zäsuren nach 1945. Essays zur Periodisierung der deutschen Nachkriegsgeschichte, München.

- / Hencke, Klaus-Dietmar/Woller, Hans (1990) (Hrsg.): Von Stalingrad zur Währungsreform. Zur Sozialgeschichte des Umbruchs in Deutschland, München.

- / Schwabe, Klaus (1989) (Hrsg.): Die deutschen Eliten und der Weg in den Zweiten Weltkrieg, München.

- (1969): Der Staat Hitlers. Grundlegung und Entwicklung seiner inneren Verfassung, München.

- (1961): Nationalsozialistische Polenpolitik 1939–1945, Stuttgart.

Brown-Fleming, Suzanne (2006): The Holocaust and the Catholic Conscience. Cardinal Aloisius Muench and the Guilt Question in Germany, Notre Dame.

Browning, Christopher R. (2010): Die »Endlösung« und das Auswärtige Amt. Das Referat D III der Abeilung Deutschland 1940–1943, Darmstadt.
Auch: – (1978): The Final Solution and the German Foreign Office. A Study of Referat D III of Abteilung Deutschland 1940–1943, New York.

- (2003): Die Entfesselung der Endlösung. Nationalsozialistische Judenpolitik 1939–1942, München.

- (1999): Ganz normale Männer. Das Reserve-Polizeibataillon 101 und die »Endlösung« in Polen, Reinbek b. Hamburg.
- (1992): The Path to Genocide. Essays on Launching the Final Solution, New York.
- (1989): Rezension von H.-J. Döscher (1987), Das Auswärtige Amt im Dritten Reich. Diplomatie im Schatten der ›Endlösung‹, in: Francia 16, S. 255–256.
- (1977): Unterstaatssekretär Martin Luther and the Ribbentrop Foreign Office, in: Journal of Contemporary History 12, S. 313–344.

Brunner, Bernhard (2004): Der Frankreich-Komplex. Die nationalsozialistischen Verbrechen in Frankreich und die Justiz der Bundesrepublik Deutschland, Göttingen.

Brysac, Shareen Blair (2000): Resisting Hitler. Mildred Harnack and the Red Orchestra, Oxford.

Buchbender, Ortwin/Sterz, Reinhold (1982): Das andere Gesicht des Krieges. Deutsche Feldpostbriefe 1939–1945, München.

Burleigh, Michael (2000): Die Zeit des Nationalsozialismus. Eine Gesamtdarstellung, Frankfurt a. M.

Buscher, Frank M. (2006): Bestrafen und erziehen. »Nürnberg« und das Kriegsverbrecherprogramm der USA, in: Frei (2006), S. 94–139.
- (1989): The U.S. War Crimes Trial Program in Germany 1946–1955, Westport.

Cecil, Lamar (1985): Der diplomatische Dienst im kaiserlichen Deutschland, in: Schwabe (1985), S. 15–39.

Cecil, Lamar (1976): The German Diplomatic Service 1871–1914, Princeton.

Chalou, George C. (1992) (Hrsg.): The Secrets War. The Office of Strategic Services in World War II, Washington D.C.

Cohen, Asher (Hrsg.) (1996): Toldot Ha'Shoa – Zarfat, Jerusalem.

Cole, Robert (2006): Propaganda, Censorship, and Irish Neutrality in the Second World War, Edinburgh.

Conze, Eckart (2009): Die Suche nach Sicherheit. Eine Geschichte der Bundesrepublik Deutschland von 1949 bis in die Gegenwart, München.
- (2008): Marion Gräfin Dönhoff. Die Westbindung und die transatlantische Rezeption des deutschen Widerstandes, in: Haase/Schildt (2008), S. 173–185.
- (2006): Wege in die Atlantische Gemeinschaft. Amerikanisierung, Westernisierung und Europäisierung in der internationalen Politik der Bundesrepublik Deutschland, in: Rusconi/Woller (2006), S. 307–330.
- (2003a): Staatsräson und nationale Interessen: Die »Atlantiker-Gaullisten«-Debatte in der westdeutschen Politik- und Gesellschaftsgeschichte der 1960er Jahre, in: Lehmkuhl/Wurm/Zimmermann (2003), S. 197–226.
- (2003b): Aufstand des preußischen Adels. Marion Gräfin Dönhoff und das Bild des Widerstands gegen den Nationalsozialismus in der Bundesrepublik Deutschland, in: Vierteljahrshefte für Zeitgeschichte 51, S. 483–508.
- (2000): Von deutschem Adel, Stuttgart/München.

Conze, Vanessa (2005): Das Europa der Deutschen. Ideen von Europa in Deutschland zwischen Reichstradition und Westorientierung (1920–1970), München.

Cooper, John (2008): Raphael Lemkin and the Struggle for the Genocide Convention, New York.

Coppi, Hans/Danyel, Jürgen/Tuchel, Johannes (1994) (Hrsg.): Die Rote Kapelle im Widerstand gegen den Nationalsozialismus, Berlin.

Coppi, Hans/Danyel, Jürgen (1992): Abschied von Feindbildern. Vom Umgang mit der Geschichte der »Roten Kapelle«, in: Schilde (1992), 55–84.

Cornelißen, Christoph/Ritter, Gerhard (2001): Geschichtswissenschaft und Politik im 20. Jahrhundert, Düsseldorf.

Craig, Gordon A. (2001): Krieg, Politik und Diplomatie, erw. und aktual. Neuausg, Wien.

Czech, Danuta (1990): Auschwitz Chronicle 1939–1945, New York.

Dale Jones, Patricia (1998). Nazi Atrocities against Allied Airmen. Stalag Luft III and the End of British War Crimes Trials, in: The Historical Journal 41, 543–565.

Daniel, Silvia (2004): »Troubled Loyalty«? Britisch-deutsche Debatten um Adam von Trott zu Solz 1933–1969, in: Vierteljahrshefte für Zeitgeschichte 52, S. 409–440.

Danyel, Jürgen (1995) (Hrsg.): Die geteilte Vergangenheit. Zum Umgang mit National-sozialismus und Widerstand in beiden deutschen Staaten, Berlin.

–   (1994): Die Rote Kapelle innerhalb der deutschen Widerstandsbewegung, in: Coppi/Danyel/Tuchel (1994), S. 12–38.

Davis Cross, Mai'a K. (2007): The European Diplomatic Corps. Diplomats and Internatio-nal Cooperation From Westphalia to Maastricht, Basingstoke u. a.

de Graaff, Bob (1991): The Stranded Baron and the Upstart. At the crossroads – Wolfgang zu Puttlitz and Otto John, in: Intelligence and National Security 6, S. 669–700.

Delattre, Lucas (2004): Fritz Kolbe. Der wichtigste Spion des Zweiten Weltkriegs, Mün-chen/Zürich.

    Auch: Delattre (2005): Betraying Hitler. The Story of Fritz Kolbe. The Most Important Spy of the Second World War, London.

Deutsch, Karl W./Erdinger, Lewis J. (1973): Germany Rejoins the Powers, New York.

Deutschkron, Inge (1983): Israel und die Deutschen. Das besondere Verhältnis, Köln.

Dieckmann, Christoph/Quinkert, Babette/Sandkühler, Thomas (2003) (Hrsg. u. Red.): Kooperation und Verbrechen. Formen der »Kollaboration« im östlichen Europa 1939–1945, Göttingen.

Diefendorf, Jeffry/Frohn, Axel/Rupieper, Hermann-Josef (1993) (Hrsg.): American Foreign Policy and the Reconstruction of Germany, New York.

Doehring, Karl (1967) (Hrsg.): Festgabe für Ernst Forsthoff, München.

Dönhoff, Marion Gräfin (1993): Die Nürnberger Prozesse. Ein abschreckendes Bei-spiel, in: Dönhoff/Bender/Dieckmann/Michnik/Schorlemmer/Schröder/Wesel (1993), S. 79–89.

–   /Bender, Peter/Dieckmann, Friedrich/Michnik, Adam/Schorlemmer, Friedrich/Schrö-der, Richard/Wesel, Uwe (1993): Ein Manifest II. Weil das Land Versöhnung braucht, Reinbek b. Hamburg.

Dönhoff, Marion Gräfin (1976): Menschen, die wissen worum es geht, Hamburg.

Doering-Manteuffel, Anselm (2006): Strukturmerkmale der deutschen Geschichte des 20. Jahrhunderts, München.

–   (2000): Westernisierung. Politisch-ideeller und gesellschaftlicher Wandel in der Bun-desrepublik bis zum Ende der 60er Jahre, in: Schildt/Siegfried/Lammers (2000), S. 311–341.

–   (1999): Wie westlich sind die Deutschen? Amerikanisierung und Westernisierung im 20. Jahrhundert, Göttingen.

Döscher, Hans-Jürgen (2005): Seilschaften. Die verdrängte Vergangenheit des Auswärtigen Amts, Berlin.

–   (1995): Verschworene Gesellschaft. Das Auswärtige Amt unter Adenauer zwischen Neubeginn und Kontinuität, Berlin.

–   (1993): Martin Luther. Aufstieg und Fall eines Unterstaatssekretärs, in: Smelser/Syring/Zitelmann (1993), S. 179–192.

– (1991): SS und Auswärtiges Amt im Dritten Reich. Diplomatie im Schatten der »Endlösung«, Frankfurt a. M/Berlin.

– (1987): Das Auswärtige Amt im Dritten Reich. Diplomatie im Schatten der »Endlösung«, Berlin.

Dolibois, John E. (1989): Pattern of Circles. An Ambassador's Story, Kent.

Doß, Kurt (1977): Das deutsche Auswärtige Amt im Übergang vom Kaiserreich zur Weimarer Republik. Die Schülersche Reform, Düsseldorf.

Douglas, Lawrence (2001): The Memory of Judgement. Making Law and History in the Trials of the Holocaust, New Haven.

Dreyfus, Jena-Marc (2007): The Looting of Jewish Property in Occupied Western Europe. A Comparative Study of Belgium, France, and the Netherlands, in: Goschler/Ther (2007), S. 53–67.

Drobisch, Klaus/Wieland, Günther (1993): System der NS-Konzentrationslager 1933–1939, Berlin.

Dubiel, Helmut (1999): Niemand ist frei von der Geschichte. Die nationalsozialistische Herrschaft in den Debatten des Deutschen Bundestags, München.

Durand, Yves (1991): Vichy und der Reichseinsatz, in: Herbert (1991), S. 184–199.

Eckel, Jan (2005): Hans Rothfels. Eine intellektuelle Biographie im 20. Jahrhundert, Göttingen.

Eckert, Astrid M. (2006): »Im Fegefeuer der Entbräunung«. Deutsche Archivare auf dem Weg in den Nachkrieg, in: Verband deutscher Archivarinnen und Archivare e.V. (2006), S. 422–444.

– (2004): Kampf um die Akten. Die Westalliierten und die Rückgabe von deutschem Archivgut nach dem Zweiten Weltkrieg, Stuttgart.

Edinger, Lewis J. (1960): Post-Totalitarian Leadership. Elites in the German Federal Republic, in: The American Political Science Review 54, S. 58–82.

Eibl, Franz (2001): Politik der Bewegung. Gerhard Schröder als Außenminister 1961–1966, München.

Eisenberg, Carolyn Woods (1996): Drawing the Line. The American Decision to Divide Germany 1944–1949, New York.

Eisermann, Daniel (1999): Außenpolitik und Strategiediskussion. Die Deutsche Gesellschaft für Auswärtige Politik 1955–1972, München.

Eisert, Wolfgang (1993): Die Waldheimer Prozesse. Der stalinistische Terror in der DDR. Ein dunkles Kapitel der DDR-Justiz, Esslingen.

Elz, Wolfgang/Neitzel, Sönke (2003) (Hrsg.): Internationale Beziehungen im 19. und 20. Jahrhundert. Festschrift für Winfried Baumgart zum 65. Geburtstag, Paderborn.

Elzer, Herbert (2007): Die Schmeisser-Affäre. Herbert Blankenhorn, der »Spiegel« und die Umtriebe des französischen Geheimdienstes im Nachkriegsdeutschland 1946–1958, Stuttgart.

End, Heinrich (1969): Erneuerung der Diplomatie. Der Auswärtige Dienst der Bundesrepublik Deutschland – Fossil oder Instrument?, Neuwied u. a.

Erdmann, Karl Dietrich (1976): Die Zeit der Weltkriege, [= Gebhard Handbuch der deutschen Geschichte 4], 9. Aufl., Stuttgart

Espellage, Gregor (1994): Friedland bei Hessisch Lichtenau. Geschichte einer Stadt und Sprengstoffabrik in der Zeit des Dritten Reiches in zwei Bänden. Bd. II: Geschichte der Sprengstoffabrik Hessisch Lichtenau, Hessisch Lichtenau.

Eschenburg, Theodor (1961): Ämterpatronage, Stuttgart.

Falanga, Gianluca (2007): Berlin 1937. Die Ruhe vor dem Sturm, Berlin.

Favez, Jean-Claude (1989): Das Internationale Rote Kreuz und das Dritte Reich, München.

Feilchenfeld, Werner/Michaelis, Dolf/Pinner, Ludwig (1972): Haavara-Transfer nach Palästina und Einwanderung deutscher Juden 1933–1939, Tübingen.

Fest, Joachim (1995): Hitler. Eine Biographie, Frankfurt a. M./Berlin.

Fiebig-von Hase, Ragnhild/Lehmkuhl, Ursula (1997) (Hrsg.): Enemy Images in American History, Providence.

Filmer, Werner/Schwan, Heribert (1991) (Hrsg.): Richard von Weizsäcker. Profile eines Mannes, aktual. Neuausg., Düsseldorf u. a.

    Auch: – (1987): Richard von Weizsäcker. Profile eines Mannes, Düsseldorf.

Fink, Carole/Gassert, Philipp/Junker, Detlef (1998) (Hrsg.): 1968. The World Transformed, Washington D.C.

Finke, Hugo u. a. (1982): Entschädigungsverfahren und sondergesetzliche Entschädigungsregelungen, hrsg. v. Bundesminister der Finanzen in Zusammenarbeit mit Walter Schwarz, Bd. 6, München.

Fischer, Albert (1995): Hjalmar Schacht und Deutschlands Judenfrage. Der Wirtschaftsdiktator und die Vertreibung der Juden aus der deutschen Wirtschaft, Köln u. a.

Fischer, Fritz (1988): Twenty-Five Years Later. Looking Back at the Fischer Controversy and Its Consequences, in: Central European History 21, S. 207–223.

– (1961): Griff nach der Weltmacht. Die Kriegszielpolitik des kaiserlichen Deutschlands 1914/18, Düsseldorf.

Fleischer, Hagen (2006): »Endlösung« der Kriegsverbrecherfrage. Die verhinderte Ahndung deutscher Kriegsverbrechen in Griechenland, in: Frei (2006), S. 474–535.

– (1986): Im Kreuzschatten der Mächte. Griechenland 1941–1944. Okkupation-Resistance-Kollaboration, 2 Bde., Frankfurt a. M.

Fleischhauer, Ingeborg (1991): Diplomatischer Widerstand gegen »Unternehmen Barbarossa«. Die Friedensbemühungen der Deutschen Botschaft Moskau 1939–1941, Frankfurt a. M.

Förster, Stig (2007): Die Wehrmacht im NS-Staat. Eine strukturgeschichtliche Analyse, München.

Foschepoth, Josef/Steiniger, Rolf (1985) (Hrsg.): Britische Deutschland- und Besatzungspolitik 1945–1949, Paderborn.

Fraenkel, Ernst (1974): Der Doppelstaat, Frankfurt a. M./Köln.

Francois, Etienne/Schulze, Hagen (2001) (Hrsg.): Deutsche Erinnerungsorte, Bd. I, München.

Frank, G. (1980): Juan Perón vs. Spruille Braden. The Story Behind the Blue Book, Lanham.

Fratcher, William F. (1948): American Organization for Prosecution of German War Criminals, in: Missouri Law Review 13, S. 45–75.

Frei, Norbert (2006) (Hrsg.): Transnationale Vergangenheitspolitik. Der Umgang mit deutschen Kriegsverbrechen in Europa nach dem Zweiten Weltkrieg, Göttingen.

– (2002a): Adenauer's Germany and the Nazi Past. The Politics of Amnesty and Integration, New York.

– (2002b): Der Führerstaat. Nationalsozialistische Herrschaft 1933 bis 1945, 7. Aufl., München.

– (2001) (Hrsg.): Karrieren im Zwielicht. Hitlers Eliten nach 1945, Frankfurt a. M.

– / van Laak, Dirk/Stolleis, Michael (2000) (Hrsg): Geschichte vor Gericht. Historiker, Richter und die Suche nach Gerechtigkeit, München.

– (1996): Vergangenheitspolitik. Die Anfänge der Bundesrepublik und die NS-Vergangenheit, München.

– / Schmitz, Johannes (1989): Journalismus im Dritten Reich, 2. Aufl., München.

Frese, Matthias/Paulus, Julia/Teppe, Karl (2003) (Hrsg.): Demokratisierung und gesellschaftlicher Aufbruch. Die sechziger Jahre als Wendezeit der Bundesrepublik, Paderborn.

Frevert, Ute (1990): Frauen auf dem Weg zur Gleichberechtigung, in: Broszat (1990), S. 113–130.

Freyeisen, Astrid (2003): XGRS. Shanghai Calling. Deutsche Rundfunkpropaganda in Ostasien während des Zweiten Weltkriegs, in: Rundfunk und Geschichte 29, S. 38–46.

Freyeisen, Astrid (2000): Shanghai und die Politik des Dritten Reiches, Diss. Julius-Maximilians-Universität Würzburg.

Fricke, Gerd (1972): Kroatien 1941–1944, Freiburg.

Fricke, Karl Wilhelm (1979): Politik und Justiz in der DDR. Zur Geschichte der politischen Verfolgung 1945–1968, Köln.

Friedländer, Saul (2006): Das Dritte Reich und die Juden. Verfolgung und Vernichtung 1933–1945, Bonn.
Auch: – (2000): Das Dritte Reich und die Juden. Die Jahre der Verfolgung 1933–1939, München.

Friedman, Jonathan (2008): Law and Politics in the Subsequent Nuremberg Trials 1946–1949, in: Heberer/Matthäus (2008), S. 75–101.

Friese, Peter (2000): Kurt Hahn. Leben und Werk eines umstrittenen Pädagogen, Dorum.

Frommer, Benjamin (2005): National Cleansing: Retribution Against Nazi Collaborators in Postwar Czechoslovakia, Cambridge.

Fürstenau, Justus (1969): Entnazifizierung. Ein Kapitel deutscher Nachkriegspolitik, Neuwied.

Funke, Manfred (1978) (Hrsg.): Hitler, Deutschland und die Mächte. Materialien zur Außenpolitik des Dritten Reiches, durchges., um ein Reg. erw. Nachdr., Kronberg.

Gäbler, Bernd (2002): Die andere Zeitung. Die Sonderstellung der »Frankfurter Rundschau« in der deutschen Nachkriegspublizistik, in: Hachmeister/Siering (2002), S. 146–164.

Gardner Feldman, Lily (1984): The Special Relationship Between West Germany and Israel, Boston.

Garner, Curt (1995): Public Service Personnel in West Germany in the 1950s. Controversial policy decisions and theirs effects on social composition, gender structure, and the role of former Nazis, in: Journal of Social History 29, S. 25–80.

– (1993): Der öffentliche Dienst in den 50er Jahren. Politische Weichenstellung und ihre sozialgeschichtlichen Folgen, in: Schildt/Sywottek (1993), S. 759–790.

Gassert, Philipp (2006): Kurt Georg Kiesinger 1904–1988. Kanzler zwischen den Zeiten, Stuttgart/München.

Gaudig, Olaf/Veit, Peter (2004): Hakenkreuz über Südamerika. Ideologie, Politik, Militär, Berlin.

Gausmann, Frank (2008): Vergangenheitsbewältigung durch Recht? Kritische Anmerkungen zur Anklagestrategie in den Nürnberger Industriellenprozessen, in: Justizministerium des Landes Nordrhein-Westfalen in Zusammenarbeit mit Villa ten Hompel (2008), S. 50–68.

Geiger, Tim (2008): Atlantiker gegen Gaullisten. Außenpolitischer Konflikt und innerparteilicher Machtkampf in der CDU/CSU 1958–1969, München.

Geller, Jay Howard (1999): The Role of Military Administration in German-Occupied Belgium 1940–1944, in: Journal of Military History 63, S. 99–125.

Genschel, Helmut (1966): Die Verdrängung der Juden aus der Wirtschaft im Dritten Reich, Göttingen.

Gerbore, Pietro (1964): Formen und Stile der Diplomatie, Reinbek b. Hamburg.

Gerlach, Christian (2002): Wannsee Conference. The Fate of German Jewry and Hitler's Decision in Principle to Murder all of European Jewry, in: Dapim. Studies on the Shoa 17, S. 27–69.

- / Aly, Götz (2002): Das letzte Kapitel. Realpolitik, Ideologie und der Mord an den ungarischen Juden 1944/1945, Stuttgart/München.

- (1999): Kalkulierte Morde. Die deutsche Wirtschafts- und Vernichtungspolitik in Weißrußland 1941 bis 1944, Hamburg.

- (1998): Krieg, Ernährung, Völkermord. Forschungen zur deutschen Vernichtungspolitik im Zweiten Weltkrieg, Hamburg.

- (1995): Männer des 20. Juli und der Krieg gegen die Sowjetunion, in: Heer/Naumann (1995), S. 427–446.

Gibbons, Robert (1977): Allgemeine Richtlinien für die politische und wirtschaftliche Verwaltung der besetzten Ostgebiete, in: Vierteljahrshefte für Zeitgeschichte 25, S. 252–261.

Gienow-Hecht, Jessica C.E. (1999): Transmission Impossible. American Journalism as Cultural Diplomacy in Postwar Germany 1945–1955, Baton Rouge.

Gieseking, Erik (2005): Der Fall Otto John. Entführung oder freiwilliger Übertritt in die DDR?, Lauf an der Pegnitz.

Ginsburgs, George (1960): Laws of War and War Crimes on the Russian Front during World War II. The Soviet View, in: Soviet Studies 11, S. 253–285.

Glees, Anthony (1987): The Secrets of the Service. A story of Soviet Subversion of Western Inttelligence, New York.

Glienke, Stephan Alexander/Paulmann, Volker/Perels, Joachim (2008) (Hrsg.): Erfolgsgeschichte Bundesrepublik? Die Nachkriegsgesellschaft im langen Schatten des Nationalsozialismus, Göttingen.

Gnirs, Otto (1982): Die Wiedergutmachung im öffentlichen Dienst, in: Finke (1982), S. 265–303.

Goda, Norman L. (2007): Tales from Spandau. Nazi Criminals and the Cold War, Cambridge/New York.

Görtemaker, Manfred (2005): Thomas Mann und die Politik, Frankfurt a. M.

- (1999): Geschichte der Bundesrepublik Deutschland. Von der Gründung bis zur Gegenwart, München.

Goschler, Constantin/Ther, Philipp (2007) (Hrsg.): Robbery and Restitution. The Conflict over Jewish Property in Europe, New York.

- (2005): Schuld und Schulden. Die Politik der Wiedergutmachung für NS-Verfolgte seit 1945, Göttingen.

- (1992): Wiedergutmachung. Westdeutschland und die Verfolgten des Nationalsozialismus 1945–1954, München.

Gosewinkel, Dieter (1991): Adolf Arndt. Die Wiederbegründung des Rechtsstaats aus dem Geist der Sozialdemokratie (1945–1961), Bonn.

Graefenitz, Kurt-Fritz von (1954): Ausbildung für den Auswärtigen Dienst, in: Zeitschrift für Politik 1, S. 177–184.

Graf, Philipp (2008): Die Bernheim-Petition 1933. Jüdische Politik in der Zwischenkriegszeit, Göttingen.

Graml, Hermann (2001): Zwischen Stresemann und Hitler. Die Außenpolitik der Präsidialkabinette Brüning, Papen und Schleicher, München.

– (1988): Reichskristallnacht, München.

Grau, Ulrich/Schmidt-Bremme, Götz (2004): Gesetz über den Auswärtigen Dienst (Kommentar unter Berücksichtigung des Auslandsverwendungsgesetzes und der einschlägigen Tarifverträge), 2. Aufl., Baden-Baden.

Gravil R. (1992): The Denigration of Peronism, in: Hennessy (1992), S. 93–106.

Gray, William Glenn (2003): Germany's Cold War. The Global Campaign to Isolate East Germany 1949–1969, Chapel Hill.

Grebing, Helga (1986): Der »deutsche Sonderweg« in Europa 1806–1945. Eine Kritik, Stuttgart u. a.

Grewe, Wilhelm (1967): Diplomatie als Beruf, in: Doehring (1967), S. 9–42.

Griebel, Regina/Coburger, Marlies/Scheel, Heinrich (1992): Erfasst? Das Gestapo-Album zur Roten Kapelle, Halle.

Grossman, Alexander (1986): Nur das Gewissen. Carl Lutz und seine Budapester Aktion. Geschichte und Porträt, Wald.

Grose, Peter (2000): Operation Rollback. America's Secret War behind the Iron Curtain, Boston.

– (1994): Gentlemen Spy. The Life of Allen Dulles, Boston.

Gross, Raphael: (2006): Zum Fortwirken der NS-Moral. Adolf Eichmann und die deutsche Gesellschaft, in: Ders./Weiss (2006), S. 212–232.

– / Weiss, Yfaat (2006) (Hrsg.): Jüdische Geschichte als allgemeine Geschichte. Festschrift für Dan Diner zum 60. Geburtstag, Göttingen.

Große, Christina (1995): Der Eichmann-Prozeß zwischen Recht und Politik, Frankfurt a. M. u. a.

Grundmann, Siegfried (2004): Einsteins Akte. Wissenschaft und Politik. Einsteins Berliner Zeit, 2. Aufl., Berlin.

Gutman, Israel (1993) (Hrsg.): Enzyklopädie des Holocaust, Berlin.

Guttstadt, Corry (2008): Die Türkei, die Juden und der Holocaust, Hamburg.

Haack, Hanns-Erich (1949): Weizsäcker – verurteilt und gerechtfertigt, in: Deutsche Rundschau 75, S. 422–428.

Haas, Wilhelm (1969): Beitrag zur Geschichte der Entstehung des Auswärtigen Dienstes der Bundesrepublik Deutschland, Bremen.

Haase, Christian (2008): »Das deutsche Weltblatt« Die Zeit und die Außenpolitik der Bonner Republik, in: Ders./Schildt (2008), S. 28–58.

– / Schildt, Axel (2008) (Hrsg.): »Die Zeit« und die Bonner Republik. Eine meinungsbildende Wochenzeitung zwischen Wiederbewaffnung und Wiedervereinigung, Göttingen.

– (2007): Pragmatic Peacemakers. Institutes of International Affairs and the Liberalization of Germany 1945–73, Augsburg.

Haase, Norbert/Pampel, Bert (2001) (Hrsg.): Die Waldheimer »Prozesse« fünfzig Jahre danach, Baden-Baden.

– (1994): Der Fall »Rote Kapelle« vor dem Reichskriegsgericht, in: Coppi/Danyel/Tuchel (1994), S. 160–179.

Hachmeister, Lutz (2003): Die Rolle des SD-Personals in der Nachkriegszeit. Zur nationalsozialistischen Durchdringung der Bundesrepublik, in: Wildt (2003b), S. 347–369.

– (2002): Ein deutsches Nachrichtenmagazin. Der frühe »Spiegel« und sein NS-Personal, in: Hachmeister/Siering (2002), S. 87–120.

– / Siering, Friedemann (2002) (Hrsg.): Die Herren Journalisten. Die Elite der deutschen Presse nach 1945, München.

- (1998): Der Gegnerforscher. Die Karriere des SS-Führers Franz Alfred Six, München.

Haeften, Barbara von (1997): »Nichts Schriftliches von Politik«. Hans Bernd von Haeften. Ein Lebensbericht, München.

Hahn, Karl-Eckhard (1993a): Westbindung unter Vorbehalt: Bonner Diplomaten und die Deutschlandpolitik von 1949 bis 1959, in: Zitelmann/Weißmann/Großheim (1993), S. 151–172.

- (1993b): Wiedervereinigungspolitik im Widerstreit. Einwirkungen und Einwirkungsversuche westdeutscher Entscheidungsträger auf die Deutschlandpolitik Adenauers von 1949 bis zur Genfer Viermächtekonferenz 1959, Hamburg.

Hamilton, Keith/Langhorne, Richard (1995): The Practice of Diplomacy. Its Evolution, Theory and Administration, London/New York.

Hammermann, Gabriele (2002): Zwangsarbeit für den Verbündeten. Die Arbeits- und Lebensbedingungen der italienischen Militärinternierten in Deutschland 1943–1945, Tübingen.

Hampe, Karl-Alexander (2001): Das Auswärtige Amt in Wilhelminischer Zeit, Münster.

- (1995): Das Auswärtige Amt in der Ära Bismarck, Diss. Rheinische Friedrich-Wilhelms-Universität Bonn.

- / Röding, Horst (1987): Das Auswärtige Amt im Dritten Reich, in: Auswärtiger Dienst, Vierteljahresschrift der Vereinigung Deutscher Auslandsbeamter e.V. 50, S.83–90.

Hanke, Stefan/Kachel, Daniel (2004): Erich Kaufmann, in: Schmoeckel (2004), S. 387–424.

Hansen, Niels (2002): Aus dem Schatten der Katastrophe. Die deutsch-israelischen Beziehungen in der Ära Konrad Adenauer und David Ben Gurion, Düsseldorf.

Harpprecht, Klaus (2008): Die Gräfin. Marion Dönhoff. Eine Biographie, Reinbek b. Hamburg.

Hartmann, Christian/Hürter, Johannes/Lieb, Peter/Pohl, Dieter (2009) (Hrsg.): Der deutsche Krieg im Osten 1941–1944. Facetten einer Grenzüberschreitung, München.

Hartung, Ulrike (1997): Raubzüge in der Sowjetunion. Das Sonderkommando Künsberg 1941–1943, Bremen.

Hausmann, Frank-Rutger (2009): Ernst-Wilhelm Bohle. Gauleiter im Dienst von Partei und Staat, Berlin.

Hausner, Gideon (1967): Justice in Jerusalem, London u. a.

Hayes, Peter (2010): The Shoah and its Legacies, in: Baskin/Seeskin (2010), S. 233–257.

- / Roth, John (2010) (Hrsg.): The Oxford Handbook of Holocaust Studies, Oxford.

- (2009): Introduction, in: Neumann (2009), S. VII–XVII.

- (2004): Degussa im Dritten Reich. Von der Zusammenarbeit zur Mittäterschaft, München.

- / Wojak, Irmtrud (2000) (Hrsg.): »Arisierung« im Nationalsozialismus. Volksgemeinschaft, Raub und Gedächtnis, Frankfurt a. M.

Heberer, Patricia/Matthäus, Jürgen (2008) (Hrsg.): Atrocities on Trial. Historical Perspectives on Politics of Prosecuting War Crimes, Lincoln.

Hedtoft, Hans (1960): Zum Geleit, in: Bertelsen, Aage: Oktober 43. Ereignisse und Erlebnisse während der Judenverfolgung in Dänemark, München, S. 13–14.

Heer, Hannes/Naumann, Klaus (1995) (Hrsg.): Vernichtungskrieg. Verbrechen der Wehrmacht 1941 bis 1944, 2. Aufl., Hamburg

Heilbronner, Oded/Borut, Jacob (2000) (Hrsg.): German Antisemitism. A Reevaluation, Jerusalm.

Heilmann, Hans-Dieter (1987): Das Kriegstagebuch des Diplomaten Otto Bräutigam, in: Aly/Chroust/Heilmann (1987), S. 123–187.

Heineman, John L. (1979): Hitler's First Foreign Minister. Constantin Freiherr von Neurath. Diplomat and Statesman, Berkeley.

Heinemann, Ulrich (1997): Arbeit am Mythos. Der 20. Juli 1944 in Publizistik und wissenschaftlicher Literatur des Jubiläumsjahres 1994 (Teil 2), in: Geschichte und Gesellschaft 23, S. 475–501.

– (1995): Arbeit am Mythos. Neuere Literatur zum bürgerlich-aristokratischen Widerstand gegen Hitler und zum 20. Juli (Teil 1), in: Geschichte und Gesellschaft 21, S. 111–139.

– (1990): Ein konservativer Rebell. Fritz-Dietlof Graf von der Schulenburg und der 20. Juli, Berlin.

Heinemann, Winfried (1994): Außenpolitische Illusionen des nationalkonservativen Widerstands in den Monaten vor dem Attentat, in: Schmädeke/Steinbach (1994), S. 1061–1070.

Heinrichs, Helmut (1993) (Hrsg.): Deutsche Juristen jüdischer Herkunft, München.

Henke, Klaus-Dietmar (1996): Die amerikanische Besetzung Deutschlands, 2 Bde., München.

– (1991): Die Trennung vom Nationalsozialismus. Selbstzerstörung, politische Säuberung, ›Entnazifizierung‹, Strafverfolgung, in: Ders./Woller (1991), S. 21–83.

– / Woller, Hans (1991) (Hrsg.): Politische Säuberung in Europa. Die Abrechnung mit dem Faschismus und der Kollaboration nach dem Zweiten Weltkrieg, München.

Hennessy, Alistair/King, John (1992) (Hrsg.): The Land that England Lost. Argentina and Britain – A Special Relationship, London.

Hentig, Hans Wolfram von (1971) (Hrsg.): Werner Otto von Hentig. Zeugnisse und Selbstzeugnisse, Beiträge von Marion Gräfin Dönhoff, Golo Mann, Hermann Rauschning und Hartmut von Hentig, Ebenhausen b. München.

Hepp, Michael (1985) (Hrsg.): Die Ausbürgerung deutscher Staatsangehöriger 1933–1945 nach den im Reichsanzeiger veröffentlichten Listen, Bd. 1, München.

Herbert, Ulrich (2003a): Liberalisierung als Lernprozess, in: Ders. (2003b), S. 7–49.

– (2003b) (Hrsg.): Wandlungsprozesse in Westdeutschland. Belastung, Integration, Liberalisierung 1945–1980, 2. Aufl., Göttingen.
Auch: – (2002): Wandlungsprozesse in Westdeutschland. Belastung, Integration, Liberalisierung 1945–1980, Göttingen.

– (1998) (Hrsg.): Vernichtungspolitik 1939–1945. Neue Forschungen und Kontroversen, Frankfurt a. M.
Auch: – (2000): National Socialist Extermination Policies. Contemporary German Perspectives and Controversies, New York u. a.

– (1996): Best. Biographische Studien über Radikalismus, Weltanschauung und Vernunft 1903–1989, 3. Aufl., Bonn.

– (1995): Rückkehr in die »Bürgerlichkeit«? NS-Eliten in der Bundesrepublik, in: Weisbrod (1995), S. 157–174.

– (1991): Europa und der Reichseinsatz. Ausländische Zivilarbeiter, Kriegsgefangene und KZ-Häftlinge in Deutschland 1938–1945, Essen.

– (1986): Fremdarbeiter. Politik und Praxis des »Ausländer-Einsatzes« in der Kriegswirtschaft des Dritten Reiches, 2. Aufl., Berlin.

Herbst, Ludolf (1986) (Hrsg.): Westdeutschland 1945–1955. Unterwerfung, Kontrolle, Integration, München.

Herf, Jeffrey (2009): Propaganda for the Arab World, New Haven.

 – (2009): Nazi Germany's Propaganda Aimed at Arabs and Muslims During World War II and the Holocaust. Old Themes, New Archival Findings, in: Central European History 42, S. 709–736.

 – (2006), The Jewish Enemy. Nazi Propaganda during World War II and the Holocaust, Cambridge. Mass.

Hersh, Burton (1992): The Old Boys. The American Elite and the Origins of the CIA, New York.

Herwarth, Hans von (1959): Der deutsche Diplomat. Ausbildung und Rolle in Vergangenheit und Gegenwart, in: Braunias/Stourzh (1959), S. 227–245.

Herz, John H. (1957): Political Views of the West German Civil Service, in: Speier/Davison (1957), S. 96–135.

Hettling, Manfred/Nolte, Paul (1996) (Hrsg.): Nation und Gesellschaft in Deutschland. Historische Essays. Hans-Ulrich Wehler zum 65. Geburtstag, München.

Heuß, Anja (1997): Die Beuteorganisation des Auswärtigen Amtes. Das Sonderkommando Künsberg und der Kulturgutraub in der Sowjetunion, in: Vierteljahrshefte für Zeitgeschichte 45, S. 535–556.

Heyde, Philipp (1998): Das Ende der Reparationen. Deutschland, Frankreich und der Youngplan 1929–1932, Paderborn.

Hilberg, Raul (2007): Die Vernichtung der europäischen Juden, 3 Bde. 10. Aufl., Frankfurt a.M. Auch: – (2003): The Destruction of the European Jews, 3 Bde., 3. Aufl., New Haven;

 – (1990): Die Vernichtung der europäischen Juden, durchges. u. erw. Taschenbuchausgabe, Frankfurt a. M.;

 – (1985): The Destruction of the European Jews, New York, London.

Hildebrand, Klaus (2008): Das vergangene Reich. Deutsche Außenpolitik von Bismarck bis Hitler 1871–1945. Studienausgabe, München.

Auch: – (1999): Das vergangene Reich. Deutsche Außenpolitik von Bismarck bis Hitler 1871–1945, Berlin.

 – / Wengst, Udo/Wirsching, Andreas (2008) (Hrsg.): Geschichtswissenschaft und Zeiterkenntnis. Von der Aufklärung bis zur Gegenwart. Festschrift zum 65. Geburtstag von Horst Möller, München.

 – (2003): Das Dritte Reich, 6. neubearb. Aufl., München.

 – (1984): Von Erhard zur Großen Koalition 1963–1969, Stuttgart.

 – (1981): Monokratie oder Polykratie? Hitlers Herrschaft und das Dritte Reich, in: Hirschfeld/Kettenacker (1981), S. 73–97.

Hilger, Andreas (2006): »Die Gerechtigkeit nehme ihren Lauf?« Die Bestrafung der deutschen Kriegs- und Gewaltverbrecher in der Sowjetunion und der SBZ/DDR, in: Frei (2006), S. 180–246.

 – (2001): Die sowjetischen Straflager für verurteilte deutsche Kriegsgefangene. Wege in eine *terra incognita* der Kriegsgefangenengeschichte, in: Ders./Schmidt/Wagenlehner (2001), S. 93–142.

 – / Petrov, Nikita/Wagenlehner, Günther (2001): Der ›Ukaz 43‹. Die Entstehung und Problematik des Dekrets des Präsidiums des Obersten Sowjets vom 19. April 1943, in: Ders./Schmidt/Wagenlehner (2001), S. 177–209.

 – / Schmidt, Ute/Wagenlehner, Günther (2001) (Hrsg.): Sowjetische Militärtribunale. Bd.1: Die Verurteilung deutscher Kriegsgefangener 1941–1953, Köln.

Hill, Leonidas E. (1967): The Vatican Embassy of Ernst von Weizsäcker 1943–1945, in: Journal of Modern History 39, S. 138–159.

Hillgruber, Andreas (1984): Die gescheiterte Großmacht. Eine Skizze des Deutschen Reiches 1871–1945, Düsseldorf.

– (1972): Die »Endlösung« und das deutsche Ostimperium als Kernstück des rassenideologischen Programms des Nationalsozialismus, in: Vierteljahrshefte für Zeitgeschichte 20, S. 133–153.

Hilwig, Stuart J. (1998): The Revolt Against the Establishment. Students Versus the Press in West Germany and Italy, in: Fink/Gassert/Junker (1998), S. 321–349.

Hirsch, Francine (2008): The Soviets at Nuremberg. International Law, Propaganda, and the Making of the Postwar Order, in: American Historical Review 113, S. 701–730.

Hirschfeld, Gerhard/Jersak, Tobias (2004) (Hrsg.): Karrieren im Nationalsozialismus. Funktionseliten zwischen Mitwirkung und Distanz, Frankfurt a. M.

– / Kettenacker, Lothar (1981) (Hrsg.): Der Führerstaat. Mythos und Realität. Studien zu Struktur und Politik des Dritten Reiches, Stuttgart.

Hochgeschwender, Michael (1998): Freiheit in der Offensive? Der Kongreß für kulturelle Freiheit und die Deutschen, München.

Hockenos, Paul (2008): Joschka Fischer and the Making of the Berlin Republic. An Alternative History of Postwar Germany, New York.

Hocking, Brian/Spence, David (2005) (Hrsg.): Foreign Ministries in the European Union. Integrating Diplomats, Basingstoke u. a.

Hodenberg, Christina von (2006): Konsens und Krise. Eine Geschichte der westdeutschen Medienöffentlichkeit 1945–1973, Göttingen.

Hönicke, Michaela (1997): »Know Your Enemy«. American Wartime Images of Germany 1942/43, in: Fiebig-von Hase/Lehmkuhl (1997), S. 231–278.

Höning, Herbert (1991) (Hrsg.): Konservatismus im Umbruch. Wandlungen des Denkens zwischen Reichsgründung und Widerstand, Aachen.

Hösler, Joachim (2006): Slowenien. Von den Anfängen bis zur Gegenwart, Regensburg.

Hoffmann, Peter (2003): Stauffenberg. A Family History 1905–1944, 2. Aufl., Montreal.

– (1996): The History of the German Resistance 1933–1945, 3. Aufl., Montreal.

Hohl, Fabienne (2001): Verbrannt an der Fackel der Wahrheit, Medienheft, 28. November; URL: http://www.medienheft.ch/kritik/bibliothek/k17_HohlFabienne.html.

Hory, Ladislaus/Broszat, Martin (1964): Der kroatische Ustascha-Staat 1941–1945, Stuttgart.

Hoßfeld, Uwe (2005) (Hrsg.): Im Dienst an Volk und Vaterland. Die Jenaer Universität in der NS-Zeit, Köln u. a.

Hoyningen-Huene, Iris von (1992): Adel in der Weimarer Republik. Die rechtlich-soziale Situation des reichsdeutschen Adels 1918–1933, Limburg.

Hürter, Johannes (2009): Nachrichten aus dem »Zweiten Krimkrieg« (1941/42). Werner Otto Hentig als Vertreter des Auswärtigen Amts bei der 11. Armee, in: Hartmann/Hürter/Lieb/Pohl (2009), S. 369–391.

– (2006): Hitlers Heerführer. Die deutschen Oberbefehlshaber im Krieg gegen die Sowjetunion 1941/42, München.

Hüttenberger, Peter (1976): Nationalsozialistische Polykratie, in: Geschichte und Gesellschaft 2, S. 417–442.

Ihme-Tuchel, Beate (1999): Fall 7. Der Prozeß gegen die Südost-Generäle (gegen Wilhelm List und andere), in: Ueberschär (1999), S. 144–154.

Ingrim, Robert (1962): Hitlers glücklichster Tag, Stuttgart.

Jacobsen, Hans-Adolf/Smith, Arthur L. (2007): The Nazi Party and the German Foreign Office, New York.

– (1985): Zur Rolle der Diplomatie im Dritten Reich, in: Schwabe (1985), S. 171–199.

– (1968): Nationalsozialistische Außenpolitik 1933–1938, Frankfurt a. M./Berlin.

Jansen, Hans (1997): Der Madagaskar-Plan. Die beabsichtigte Deportation der europäischen Juden nach Madagaskar, München.

Janssen, Karl-Heinz/Tobias, Fritz (1994): Der Sturz der Generäle. Hitler und die Blomberg-Fritsch-Krise 1938, München.

Jarausch, Konrad/Siegrist, Hannes (1997) (Hrsg.): Amerikanisierung und Sowjetisierung in Deutschland 1945–1970, Frankfurt a. M.

Jelinek, Yeshayahu A. (2004): Deutschland und Israel 1945–1965. Ein neurotisches Verhältnis, München.

– (1994): Eine wechselvolle Reise – Die deutsch-israelischen Beziehungen 1952–1965, in: Langguth (1994), S. 115–140.

Jennings, S. Eric T. (2007): Writing Madagascar Back into the Madagascar Plan, in: Holocaust and Genoude Studies 21, 2, S. 187–217.

Jung, Susanne (1992): Die Rechtsprobleme der Nürnberger Prozesse. Dargestellt am Verfahren gegen Friedrich Flick, Tübingen.

Junker, Detelf (2001) (Hrsg.): Die USA und Deutschland im Zeitalter des Kalten Krieges. Ein Handbuch, Bd. I: 1945–1968, Stuttgart.

Justizministerium des Landes Nordrhein-Westfalen in Zusammenarbeit mit Villa ten Hompel (2008) (Hrsg.): Leipzig – Nürnberg – Den Haag. Neue Fragestellungen und Forschungen zum Verhältnis von Menschenrechtsverbrechen, justizieller Säuberung und Völkerstrafrecht, Geldern.

Kahn, David (2000): Hitler's Spies. German Military Intelligence in World War II, Cambridge.

Kameke, Claus von (2003): Einblicke. Das Auswärtige Amt zwischen 1871 und 2001, 3 Bde., Bonn.

Kárný, Miroslav (1996): Der Bericht des Roten Kreuzes über seinen Besuch in Theresienstadt, in: Theresienstädter Studien und Dokumente 3, S. 220–276.

Kathe, Steffen R. (2005): Kulturpolitik um jeden Preis. Die Geschichte des Goethe-Instituts von 1951 bis 1990, München.

Kedward, H. R./Wood, Nancy (1995) (Hrsg.): The Liberation of France. Image and Event, Oxford.

Kent, George O. (1989): Cooperation, Compliance, Resistance. German Diplomats in the Third Reich, in: Simon Wiesenthal Center Annual 6, S. 263–275.

– (1974): The German Foreign Ministry Archives, in: Wolfe (1974), S. 119–130.

Kershaw, Ian (2003): Der Hitler-Mythos. Führerkult und Volksmeinung, München.

Kersting, Franz-Werner u. a. (1993) (Hrsg.): Nach Hadamar. Zum Verhältnis von Psychiatrie und Gesellschaft im 20. Jahrhundert, Paderborn.

Kettenacker, Lothar (2000): Die Behandlung der Kriegsverbrecher als anglo-amierkanisches Rechtsproblem, in: Ueberschär (2000), S. 17–31.

Kiani, Shiadi (2008): Zum politischen Umgang mit Antisemitismus in der Bundesrepublik. Die Schmierwelle im Winter 1959/60, in: Glienke/Paulmann/Perels (2008), S. 115–145.

Kieffer, Fritz (2002): Judenverfolgung in Deutschland – eine innere Angelegenheit? Internationale Reaktionen auf die Flüchtlingsproblematik 1933–1939, Stuttgart.

Kirchhoff, Hans (2004): Georg Ferdinand Duckwitz. Die Zeit in Dänemark, in: Auswärtiges Amt (2004), S. 13–37.

Kitson, Simon (2005): The Hunt for Nazi Spies. Fighting Espionage in Vichy France, Chicago/London.

Kittel, Manfred (1993): Die Legende von der »Zweiten Schuld«. Vergangenheitsbewältigung in der Ära Adenauer, Berlin.

Klarsfeld, Serge (1989): Vichy – Auschwitz. Die Zusammenarbeit der deutschen und französischen Behörden bei der »Endlösung der Judenfrage« in Frankreich, Nördlingen.

– (1978): Le Mémorial de la Déportation des Juifs de France, Paris.

Klee, Ernst (2003): Das Personenlexikon zum Dritten Reich. Wer war was vor und nach 1945, Frankfurt a. M.

Klemp, Stefan (2005): »Nicht ermittelt«. Polizeibataillone und die Nachkriegsjustiz. Ein Handbuch, Essen.

Klemperer, Klemens von (1994): Die verlassenen Verschwörer. Der deutsche Widerstand auf der Suche nach Verbündeten 1938–1945, Berlin.

– (1992): German Resistance Against Hitler. The Search for Allies Abroad, Oxford.

Klinkhammer, Lutz (1993): Zwischen Bündnis und Besatzung. Das nationalsozialistische Deutschland und die Republik von Salò 1943–1945, Tübingen.

Klotz, Johannes/Gerlach, Christian (1998) (Hrsg.): Vorbild Wehrmacht? Wehrmachtsverbrechen, Rechtsextremismus und Bundeswehr, Köln.

Knipping, Franz/Müller, Klaus Jürgen (1995) (Hrsg.): Aus der Ohnmacht zur Bündnismacht. Das Machtproblem in der Bundesrepublik Deutschland 1945–1960, Paderborn u. a.

Knoch, Habbo (2001): Die Tat als Bild. Fotografien des Holocaust in der deutschen Erinnerungskultur, Hamburg.

Koch, Peter (1988): Willy Brandt. Eine politische Biographie, Frankfurt a. M.

Kochavi, Arieh J. (1998): Prelude to Nuremberg. Allied War Crimes Policy and the Question of Punishment, Chapel Hill.

Köhler, Henning (1985): Rezension von L. E. Hill (1981) (Hrsg.), Die Weizsäcker-Papiere 1900–1932; L. E. Hill (1974) (Hrsg.), Die Weizsäcker-Papiere 1933–1950; R. A. Blasius (1981), Für Großdeutschland – gegen den großen Krieg. Staatssekretär Ernst Frhr. von Weizsäcker in den Krisen um die Tschechoslowakei und Polen 1938/39, in: Francia 13, S. 904–907.

Koerfer, Daniel (1987): Kampf ums Kanzleramt. Erhard und Adenauer, Stuttgart.

Kogon, Eugen (1964): Die unvollendete Erneuerung. Deutschland im Kräftefeld 1945–1963. Politische und gesellschaftspolitische Aufsätze aus zwei Jahrzehnten, Frankfurt a. M.

Koop, Volker (2009): Hitlers fünfte Kolonne. Die Auslands-Organisation der NSDAP, Berlin.

Kordt, Erich (1948): Wahn und Wirklichkeit. Die Außenpolitik des Dritten Reiches. Versuch einer Darstellung, Stuttgart.

Kopper, Christopher (2006): Hjalmar Schacht. Aufstieg und Fall von Hitlers mächtigstem Bankier, München/Wien.

Kramer, Helmut (1998): Oberlandesgerichtspräsidenten und Generalstaatsanwälte als Gehilfen der NS-»Euthanasie«. Selbstentlastung der Justiz für die Teilnahme am Anstaltsmord, in: Redaktion Kritische Justiz (1998), S. 413–439.

Kraske, Erich/Nöldeke, Wilhelm (1957): Handbuch des Auswärtigen Dienstes, Tübingen.

Krause, Peter (2002): Der Eichmann-Prozess in der deutschen Presse, Frankfurt a. M. u. a.

Krausnick, Helmut (1981): Die Truppe des Weltanschauungskrieges. Die Einsatzgruppen der Sicherheitspolizei und des SD 1938–1942, Stuttgart.

Krekeler, Heinz L. (1965): Die Diplomatie, München u. a.

Kreuter, Maria-Luise (1998): Emigration, in: Benz/Graml/Weiß (1998), S. 329–342.

Kröger, Martin (2006): Schule der Diplomatie. Zur Geschichte des Ausbildung im Auswärtigen Dienst, in: Villa Borsig, hrsg. vom Auswärtigen Amt und dem Bundesamt für Bauwesen und Raumordnung, Köln, S. 11–21.

Kroener, Bernhard R./Müller, Rolf-Dieter/Umbreit, Hans (1988): Organisation und Mobilisierung des deutschen Machtbereichs, erster Halbband: Kriegsverwaltung, Wirtschaft und personelle Ressourcen 1939–1941 [= Das Deutsche Reich und der Zweite Weltkrieg 5, 1], Stuttgart.

Krohn, Claus-Dieter/Unger, Corinna R. (2006) (Hrsg.): Arnold Brecht (1884–1977). Demokratischer Beamter und politischer Wissenschaftler in Berlin und New York, Stuttgart.

– (2001): Remigranten und Rekonstruktion, in: Junker (2001), S. 803–813.

Kroll, Frank-Lothar (2008): Epochenbewusstsein, europäisches Einigungsdenken und transnationale Integrationspolitik bei Heinrich von Brentano, in: Hildebrand/Wengst/Wirsching (2008), S. 409–423.

– (1990): Deutschlands Weg nach Europa. Der Wiederaufbau des Auswärtigen Dienstes und die Errichtung deutscher Generalkonsulate in Paris und London 1950, in: Historische Mitteilungen 3, S. 161–180.

Krug, Hans-Joachim (1974): Eugen Ott, in: Schwalbe/Seemann (1974), S. 107–114.

Krüger, Peter (1989): »Man läßt sein Land nicht im Stich, weil es eine schlechte Regierung hat«. Die Diplomaten und die Eskalation der Gewalt; in: Broszat/Schwabe (1989), S. 180–225.

– (1985): Struktur, Organisation und außenpolitische Wirkungsmöglichkeiten der leitenden Beamten des Auswärtigen Dienstes 1921–1933, in: Schwabe (1985), S. 101–169.

– / Hahn, Erich J.C. (1972): Der Loyalitätskonflikt des Staatssekretärs Bernhard Wilhelm von Bülow im Frühjahr 1933, in: Vierteljahrshefte für Zeitgeschichte 20, S. 376–410.

Krüger, Wolfgang (1982): Entnazifiziert! Zur Praxis der politischen Säuberung in Nordrhein-Westfalen, Wuppertal.

Kruip, Gudrun (1999): Das »Welt«-»Bild« des Axel Springer Verlags. Journalismus zwischen westlichen Werten und deutschen Denktraditionen, München.

Krusenstjern, Benigna von (2009): »daß es Sinn hat zu sterben – gelebt zu haben«. Adam von Trott zu Solz 1909–1944. Biographie, 2. Aufl., Göttingen.

Kühlem, Kordula (2008): Hans Kroll (1998–1967). Eine diplomatische Karriere im 20. Jahrhundert, Düsseldorf.

Kühne, Thomas (2000) (Hrsg.): Von der Kriegskultur zur Friedenskultur? Zum Mentalitätswandel in Deutschland seit 1945, Münster.

Kühnhardt, Ludger (2002): Atlantik-Brücke. Fünfzig Jahre deutsch-amerikanische Partnerschaft 1952–2002, Berlin u. a.

Küsters, Hanns Jürgen (2000): Der Integrationsfriede. Viermächte-Verhandlungen über die Friedensregelung mit Deutschland 1945–1990, München.

Kulka, Otto Dov (1984): Die Nürnberger Rassengesetze und die deutsche Bevölkerung, in: Vierteljahrshefte für Zeitgeschichte 32, S. 582–624.

Kuller, Christiane (2008): »Kämpfende Verwaltung«. Bürokratie im NS-Staat, in: Süß/Süß (2008), S. 227–245.

Kwiet, Konrad (1996): Nach dem Pogrom. Stufen der Ausgrenzung, in: Benz (1996c), S. 545–659.

– (1968): Reichskommissariat Niederlande. Versuch und Scheitern nationalsozialistischer Neuordnung, Stuttgart.

Kunst, Hermann/Kohl, Helmut/Egen, Peter (1980) (Hrsg.): Dem Staate verpflichtet. Festgabe für Gerhard Schröder, Stuttgart u. a.

Laak, Dirk van (2005): Über alles in der Welt. Deutscher Imperialismus im 19. und 20. Jahrhundert, München.

– (2002): Gespräche in der Sicherheit des Schweigens. Carl Schmitt in der politischen Geistesgeschichte der frühen Bundesrepublik, 2 Bde., Berlin.

Lambauer, Barbara (2005): Opportunistischer Antisemitismus. Der deutsche Botschafter Otto Abetz und die Judenverfolgung in Frankreich, in: Vierteljahrshefte für Zeitgeschichte 53, S. 241–273.

– (2001): Otto Abetz et les Français ou l'Envers de la Collaboration, Paris.

Langguth, Gerd (1994) (Hrsg.): »Macht bedeutet Verantwortung«. Adenauers Weichenstellung für die heutige Politik, Köln.

Lappenküper, Ulrich (1995): Wilhelm Hausenstein. Adenauers erster Missionschef in Paris, in: Vierteljahrshefte für Zeitgeschichte 43, S. 635–678.

Large, David Clay (2002): Berlin. Biographie einer Stadt, München.

Lebel, Jennie (2008): Tide and Wreck. History of the Jews of Vadar Macedonia, Bergenfield.

Lees, Lorraine M. (2000): Dewitt Clinton Poole. The Foreign Nationalities Branch, and Political Intelligence, in: Intelligence and National Security 15, S. 81–103.

Lehmkuhl, Ursula/Wurm, Clemens A./Zimmermann, Hubert (2003) (Hrsg.): Deutschland, Großbritannien, Amerika. Politik, Gesellschaft und Internationale Geschichte im 20. Jahrhundert, Stuttgart.

Lehnstaedt, Stephan/Lehnstaedt, Kurt (2009): Fritz Sauckels Nürnberger Aufzeichnungen. Erinnerungen aus seiner Haft während des Kriegsverbrecherprozesses, in: Vierteljahrshefte für Zeitgeschichte 57, S. 117–150.

Lemke, Michael (1995): Instrumentalisierter Antifaschismus und SED-Kampagnenpolitik im deutschen Sonderkonflikt 1960–1968, in: Danyel (1995), S. 61–86.

Leniger, Markus (2006): Nationalsozialistische Volkstumsarbeit und Umsiedlungspolitik 1933–1945. Von der Minderheitenbetreuung zur Siedlerauslese, Berlin.

Ley, Michael/Schoeps, Julius H. (1997): Der Nationalsozialismus als politische Religion, Bodenheim.

Lieb, Peter (2007): Konventioneller Krieg oder NS-Weltanschauungskrieg? Kriegführung und Partisanenbekämpfung in Frankreich 1943/44, München.

Liebmann, Irina (2008): Wäre es schön? Es wäre schön! Mein Vater Rudolf Herrnstadt, Berlin 2008.

Liehr, Reinhard/Maihold, Günther/Vollmer, Günter (2003) (Hrsg.): Ein Institut und sein General. Wilhelm Faupel und das Ibero-Amerikanische Institut in der Zeit des Nationalsozialismus, Frankfurt a. M.

Lieven, Dominic C. B.: (1995): Abschied von Macht und Würden. Der europäische Adel 1815–1914, Frankfurt a. M.

Lill, Rudolf/Oberreuter, Heinrich (1984) (Hrsg.): 20. Juli. Portraits des Widerstands, Düsseldorf/Wien.

Lillteicher, Jürgen (2006) (Hrsg.): Profiteure des NS-Systems? Deutsche Unternehmen und das Dritte Reich, Berlin.

Lindenberger, Thomas (2006) (Hrsg.): Massenmedien im Kalten Krieg. Akteure, Bilder, Resonanzen, Köln u. a.

Lindner, Rolf (1997): Freiherr Ernst Heinrich von Weizsäcker, Staatssekretär Ribbentrops von 1938 bis 1943, Lippstadt.

Lingen, Kerstin von (2004): Kesselrings letzte Schlacht, Paderborn u. a.

Linne, Karsten/Wohlleben, Thomas (1993) (Hrsg.): Patient Geschichte. Für Karl Heinz Roth, Frankfurt a. M.

Lippman, Matthew (1997): The Good Motive Defense. Ernst von Weizsäcker and the Nazi Ministries Case, in: Touro International Law Review 7, S. 57–175.

– (1992): The Other Nuremberg. American Prosecutions of Nazi War Criminals in Occupied Germany, in: Indiana International and Comparative Law Review 3, S. 1–100.

Litchfield, Edward H. (1953) (Hrsg.): Governing Postwar Germany, Ithaka.

Löffler, Bernhard (2002): Soziale Marktwirtschaft und administrative Praxis. Das Bundeswirtschaftsministerium unter Ludwig Erhard, Stuttgart.

Lohmann, Albrecht (1973): Das Auswärtige Amt [= Ämter und Organisationen der Bundesrepublik Deutschland 1], 2. überarb. Aufl., Düsseldorf.

Lommatzsch, Erik (2009): Hans Globke (1898–1973). Beamter im Dritten Reich und Staatssekretär Adenauers, Frankfurt a. M.

Longerich, Peter (2001): Der ungeschriebene Befehl. Hitler und der Weg zur »Endlösung«, München.

– (1998): Politik der Vernichtung. Eine Gesamtdarstellung der nationalsozialistischen Judenverfolgung, München.

– (1989a): Die braunen Bataillone. Geschichte der SA, München.

– (1989b) (Hrsg.): Die Ermordung der europäischen Juden. Eine umfassende Dokumentation des Holocaust 1941–1945, München u. a.

– (1987): Propagandisten im Krieg. Die Presseabteilung des Auswärtigen Amtes unter Ribbentrop, München.

Lüdicke, Lars (2010): Constantin von Neurath. Eine politische Biographie, Diss. Universität Potsdam.

Lüdtke, Alf (1991): Funktionseliten. Täter, Mit-Täter, Opfer? Zu den Bedingungen des deutschen Faschismus, in: Ders. (Hrsg.): Herrschaft als soziale Praxis, Historische und sozial-anthropologische Studien, Göttingen, S. 559–590.

Madajczyk, Czeslaw (1986): Historycy polscy o pierwszej i drugiej wojnie 'swiatowej.

Maguire, Peter (2001): Law and War. An American Story, New York.

Mai, Gunther (1995). Der Alliierte Kontrollrat in Deutschland 1945–1948, München.

Malinowski, Stephan (2004): Vom König zum Führer. Deutscher Adel und Nationalsozialismus, 2. Aufl., Frankfurt a. M.

Mallmann, Klaus-Michael/Angrick, Andrej (2009) (Hrsg.): Die Gestapo nach 1945, Darmstadt.

– / Böhler, Jochen/Matthäus, Jürgen (2008): Einsatzgruppen in Polen. Darstellung und Dokumentation, Darmstadt.

– / Cüppers, Martin (2006a): Beseitigung der jüdisch-nationalen Heimstätte in Palästina. Das Einsatzkommando bei der Panzerarmee Afrika 1942, in: Matthäus/Mallmann (2006), S. 153–176.

– / Cüppers, Martin (2006b): Halbmond und Hakenkreuz. Das Dritte Reich, die Araber und Palästina, 2. Aufl., Darmstadt.

– / Paul, Gerhard (2004) (Hrsg.): Karrieren der Gewalt. Nationalsozialistische Täterbiographien, Darmstadt.

Malone, Henry O. (1986): Adam von Trott zu Solz. Werdegang eines Verschwörers 1909–1938, Berlin.

Manoschek, Walter (2000): The Extermination of the Jews in Serbia, in: Herbert (2000), S. 163–185.

– (1995): »Serbien ist judenfrei«. Militärische Besatzungspolitik und Judenvernichtung in Serbien 1941/42, 2. Aufl., München.

Mantelli, Brunello (2003): Braccia italiane per l'economia die guerra del Terzo Reich. Lavoratori civili, internati militari, deportati 1938–1945, in: Geschichte und Region [= Storia e regione], Jahrbuch der Arbeitsgruppe Regionalgeschichte Bozen 12/1, S. 39–71.

Margaliot, Abraham/Cochavi, Yehoyakim (1998) (Hrsg.): Toldot Ha'shoa – Germania, Jerusalem.

Marrus, Michael R. (2006): A Jewish Lobby at Nuremberg: Jacob Robinson and the Institute of Jewish Affairs 1945–46, in: Reginbogin/Safferling (2006), S. 63–71.

– (1997): The Nuremberg War Crimes Trial 1945–1946. A Documentary History, Boston.

Marschang, Bernd/Stuby, Gerhard (1996) (Hrsg.): No habrá olvido [= Es gibt kein Vergessen]. Ein Leben in Diplomatie und Wissenschaft. Festschrift für Luis Quinteros-Yañez zum 70. Geburtstag, Hamburg.

Marshall, Barbara (1997): Willy Brandt. A Political Biography, New York.

Matic, Igor-Philip (2002): Edmund Veesenmayer. Agent und Diplomat der nationalsozialistischen Expansionspolitik, München.

Matthäus, Jürgen/Mallmann, Klaus-Michael (2006) (Hrsg.): Deutsche, Juden, Völkermord. Der Holocaust als Geschichte und Gegenwart, Darmstadt.

– (1996): »Weltanschauliche Forschung und Auswertung«. Aus den Akten des Amtes VII im Reichssicherheitshauptamt, in: Jb. für Antisemitismusforschung 5, S. 287–330.

Matuszewski, Thaddeus/Kozimor, Jolanta (2007): Plundered and Rebuilt – Ograbione Muzeum. The Polish Military Museum during the Second World War and After, Warschau.

Mauch, Christof (1999): Schattenkrieg gegen Hitler. Das Dritte Reich im Visier der amerikanischen Geheimdienste, Stuttgart.

Maulucci, Thomas W. (2009): Herbert Blankenhorn in the Third Reich, in: Central European History 42, S. 253–278.

– (2001): The Foreign Office of the Federal Republic of Germany and the Question of Relations with Communist States, 1953–1955, in: Diplomacy & Statecraft 12, S. 113–134.

– (1998): The Creation and the Early History of the West German Foreign Office, 1945–1955, Diss. Yale-University.

Mayer, Michael (2010): Staaten als Täter. Ministerialbürokratie und »Judenpolitik« in NS-Deutschland und Vichy-Frankreich. Ein Vergleich, München.

Mazower, Mark (2008): Hitler's Empire. How the Nazis Ruled Europe, New York.

– (1995): Militärische Gewalt und nationalsozialistische Werte. Die Wehrmacht in Griechenland 1941 bis 1944, in: Heer/Naumann (1995), S. 157–190.

– (1993): Inside Hitler's Greece. The experience of occupation, 1941–1944, New Haven.

McKale, Donald M. (1987): Curt Prüfer. German Diplomat from the Kaiser to Hitler, Kent.

– (1989): Rewriting History. The Original and Revised World War II Diaries of Curt Prüfer, Nazi Diplomat, Kent.

Mecklenburg, Frank/Stiefel, Ernst C. (1991): Deutsche Juristen im amerikanischen Exil (1933–1950), Tübingen.

Meinel, Christoph (1994) (Hrsg.): Medizin, Naturwissenschaft, Technik und Nationalsozialismus. Kontinuitäten und Diskontinuitäten, Stuttgart.

Meinen, Insa (2009): Die Shoah in Belgien, Darmstadt.

Mendelsohn, John (1988): Trial by Document. The Use of Seized Records in the United States Proceedings at Nürnberg, New York/London.

Mendelsohn, Peter de (1951): Der verhinderte Hochverräter. Wege und Irrwege neuerer deutscher Memoirenliteratur, in: Der Monat 3, S. 495–509.

Messerschmidt, Manfred (1995): Vorwärtsverteidigung. Die »Denkschrift der Generäle« für den Nürnberger Gerichtshof, in: Heer/Naumann (1995), S. 531–550.

– (1969): Die Wehrmacht im NS-Staat. Zeit der Indoktrination, Hamburg.

Meyer, Ahlrich (2005): Täter im Verhör. Die »Endlösung« der Judenfrage in Frankreich 1940–1944, Darmstadt.

– (2000): Die deutsche Besatzung in Frankreich 1940–1944. Widerstandsbekämpfung und Judenverfolgung, Darmstadt.

Meyer, Franz Sales (1997): Vorgeschichte zum Neubau für das Auswärtige Amt in Bonn 1951, in: Bettzuege (1997), S. 25–27.

Meyer, Hermann Frank (2007): Blutiges Edelweiß. Die 1. Gebirgs-Division im Zweiten Weltkrieg, Berlin.

Mężyński, Andrzej (2000): Kommando Paulsen. Organisierter Kunstraub in Polen 1942–45, Köln.

Michalka, Wolfgang (1990): »Vom Motor zum Getriebe«. Das Auswärtige Amt und die Degradierung einer traditionsreichen Behörde 1933–1945, in: Ders. (Hrsg.): Der Zweite Weltkrieg. Analysen – Grundzüge – Forschungsbilanz, München, S. 249–259.

– (1989): Rezension von H.-J. Döscher (1987), Das Auswärtige Amt im Dritten Reich. Diplomatie im Schatten der ›Endlösung‹, in: PVS-Literatur 30, S. 360–361.

– (1980): Ribbentrop und die Deutsche Weltpolitik 1933–1940. Außenpolitische Konzeptionen und Entscheidungsprozesse im Dritten Reich, München.

Michels, Eckart (2005): Zwischen Zurückhaltung, Tradition und Reform: Anfänge westdeutscher Auswärtiger Kulturpolitik in den 1950er Jahren am Beispiel der Kulturinstitute, in: Paulmann (2005b), S. 241–258.

Michman, Dan (2006): Täteraussagen und Geschichtswissenschaft. Der Fall Dieter Wisliceny und der Entscheidungsprozeß zur ›Endlösung‹, in: Matthäus/Mallmann (2006), S. 205–219.

– (1998) (Hrsg.): Belgium and the Holocaust, Jerusalem.

Miquel, Marc von (2004): Ahnden oder amnestieren? Westdeutsche Justiz und Vergangenheitspolitik in den sechziger Jahren, Göttingen.

Möding, Nori/Plato, Alexander von (1989): Nachkriegspublizisten. Eine erfahrungsgeschichtliche Untersuchung, In: Alheit/Hoerning (1989), S. 38–69.

Moeller, Robert G. (2001): War Stories. The Search for a Usable Past in the Federal Republic of Germany, Berkeley.

Moisel, Claudia (2006): Résistance und Repressalien. Die Kriegsverbrecherprozesse in der französischen Zone und in Frankreich, in: Frei (2006), S. 247–282.

– (2004): Frankreich und die deutschen Kriegsverbrecher. Politik und Praxis der Strafverfolgung nach dem Zweiten Weltkrieg, Göttingen.

Mommsen, Hans (2002): The Civil Service and the Implementation of the Holocaust. From Passive to Active Complicity, in: Berenbaum/Peck (2002), S. 219–227.

– (1996): Der deutsche Widerstand gegen Hitler und die Überwindung der nationalstaatlichen Gliederung Europas, in: Hettling/Nolte (1996), S. 65–79.

– (1994): Außenpolitische Illusionen des nationalkonservativen Widerstands in den Monaten vor dem Attentat, in: Schmädeke/Steinbach (1994), S. 1061–1070.

– (1991): Der Nationalsozialismus und die deutsche Gesellschaft. Ausgewählte Aufsätze, Reinbek b. Hamburg.

– (1983): Die Realisierung des Utopischen. Die Endlösung der Judenfrage im Dritten Reich, in: Geschichte und Gesellschaft 9, S. 381–420.

– (1976): Der Nationalsozialismus. Kumulative Radikalisierung und Selbstzerstörung des Regimes, in: Meyers Enzyklopädisches Lexikon, Bd. 16, Mannheim, S. 785–790.

– (1966): Beamtentum im Dritten Reich. Mit ausgewählten Quellen zur nationalsozialistischen Beamtenpolitik [Schriftenreihe der Vierteljahrshefte für Zeitgeschichte 13], Stuttgart.

Morsey, Rudolf (1977a): Personal- und Beamtenpolitik im Übergang von der Bizonen- zur Bundesverwaltung (1947–1959), in: Ders. (1977b), S. 191–238.

– (1977b) (Hrsg.): Verwaltungsgeschichte. Aufgaben, Zielsetzungen, Beispiele, Berlin.

Mühl-Benninghaus, Sigrun (1996): Das Beamtentum in der NS-Diktatur bis zum Ausbruch des Zweiten Weltkrieges. Zu Entstehung, Inhalt und Durchführung der einschlägigen Beamtengesetze, Düsseldorf.

Mühle, Robert W. (1996): Ein Diplomat auf verlorenem Posten. Roland Köster als deutschen Botschafter in Paris 1932–1935, in: Francia 23/3, S. 23–48.

– (1995): Frankreich und Hitler. Die französische Deutschland- und Außenpolitik 1933–1935, Paderborn.

Müller, Claus M. (1997): The Missing Link. Die fehlenden sechs Jahre. Von der »Stunde Null« zur Wiedergeburt des Auswärtigen Amtes, in: Bettzuege (1997), S. 18–23.

– (1996): Relaunching German Diplomacy. The Auswärtiges Amt in the 1950s, Münster.

Müller, Klaus-Jürgen (1980): General Ludwig Beck. Studien und Dokumente zur politisch-militärischen Vorstellungswelt und Tätigkeit des Generalstabschefs des deutschen Heeres 1933–1938, Boppard am Rhein.

Müller, Ulrich (1991): Die Internierungslager in und um Ludwigsburg 1945–1949, in: Ludwigsburger Geschichtsblätter 45, S. 171–195.

Müller, Ursula (2000): Vision und Gegenwart, in: Dies./Scheidemann (2000), S. 17–33.

– / Scheidemann, Christiane (2000) (Hrsg.): Gewandt, geschickt und abgesandt. Frauen im Diplomatischen Dienst, München.

Münkel, Daniela (2005a): »Alias Frahm«. Diffamierungskampagnen gegen Willy Brandt in der rechtsgerichteten Presse, in: Dies. (2005b), S. 211–235.

– (2005b): Bemerkungen zu Willy Brandt, Berlin.

Mund, Gerald (2009): Quellenedition »Deutschland und das Protektorat Böhmen und Mähren. Aus den deutschen diplomatischen Akten von 1939 bis 1945«. 13. Münchner Bohemisten-Treffen, 20.3.2009, Exposé Nr. 16., URL: http://www.collegium-carolinum.de/vera/boht2009/2009-16-Mund.pdf.

– (2003): Herbert von Dirksen 1882–1955. Ein deutscher Diplomat in Kaiserreich, Weimarer Republik und Drittem Reich. Eine Biografie, Diss. Christian-Albrechts-Universität Kiel.

Murphy, David E. (2005): What Stalin Knew. The Enigma of Barbarossa, New Haven.

– / Kondrashev, Sergei A./Bailey, George (1997): Battleground Berlin. CIA vs. KGB in the Cold War, New Haven.

Naimark, Norman M. (1995): The Russians in Germany. A History of the Soviet Zone of Occupation 1945–1949, Cambridge.

Naasner, Walter (1994): Neue Machtzentren in der deutschen Kriegswirtschaft 1942–1945. Die Wirtschaftsorganisation der SS, das Amt des Generalbevollmächtigten für den Arbeitseinsatz und das Reichsministerium für Bewaffnung und Munition, Reichsministerium für Rüstung und Kriegsproduktion im nationalsozialistischen Herrschaftssystem, Boppard am Rhein.

Naumann, Klaus (2000): Integration und Eigensinn – Die Sicherheitseliten der frühen Bundesrepublik zwischen Kriegs- und Friedenskultur, in: Kühne (2000), S. 202–218.

– (1999): Sicherheitselite und außenpolitischer Stil. Elitenwandel und Konsensbildung in der Frühgeschichte der Bundesrepublik, in: Mittelweg 36.8 (1999), S. 4–22.

Nehlsen, Hermann/Brun, Georg (1996) (Hrsg.): Münchner rechtshistorische Studien zum Nationalsozialismus, Frankfurt a. M.

Nelles, Dieter/Nolzen, Armin (2003): Adam Trott zu Solz' Treffen mit Willy Brandt in Stockholm im Juni 1944. Kontakte zwischen dem Kreisauer Kreis und dem linkssozialistischen Exil, in: Dieckmann/Quinkert/Sandkühler (2003), S. 243–259.

Neumann, Franz (2009): Behemoth. The Structure and Practice of National Socialism 1933–1944, Chicago (erstmals 1942).

Neumann, Robert G. (1951): Neutral States and the Extradition of War Criminals, in: The American Journal of International Law 45, S. 495–508.

Newton, Ronald C. (1992): The »Nazi Menace« in Argentina 1931–1947, Stanford.

Nicosia, Francis R. (2008): Zionism and Anti-Semitism in Nazi Germany, New York.

Niethammer, Lutz (1999): Deutschland danach. Postfaschistische Gesellschaft und nationales Gedächtnis, Bonn.

– (1986): Zum Wandel der Kontinuitätsdiskussion, in: Herbst (1986), S. 65–83.

– (1982): Die Mitläuferfabrik. Die Entnazifizierung am Beispiel Bayerns, Berlin.

Nipperdey, Thomas (1986): Nachdenken über die deutsche Geschichte. Essays, München.

Nix, Dietmar K. (1992) (Hrsg.): Nationalismus als Versuchung. Reaktionen auf ein modernes Weltanschauungsmodell, Aachen.

Noack, Paul (1977): Das Scheitern der Europäischen Verteidigungsgemeinschaft. Entscheidungsprozesse vor und nach dem 30. August 1954, Düsseldorf.

Nolte, Ernst (1995): Der Faschismus in seiner Epoche. Action française – italienischer Faschismus – Nationalsozialismus, 7. Aufl., München.

Ó Drisceoil, Donal (2006): Review Essay »Neither Friend nor Foe? Irish Neutrality in the Second World War«, in: Contemporary European History 15, S. 245–253.

Olick, Jeffrey K. (2005): In the House of the Hangman. The Agonies of German Defeat 1943–1949, Chicago.

Olshausen, Klaus (1973): Zwischenspiel auf dem Balkan. Die deutsche Politik gegenüber Jugoslawien und Griechenland von März bis Juli 1941, Stuttgart.

Oppelland, Torsten (2002): Gerhard Schröder (1910–1989). Politik zwischen Staat, Partei und Konfession, Düsseldorf.

Oppler, Kurt (1952): Leistungsprinzip in der deutschen Beamtengesetzgebung, in: Der deutsche Beamte 2, S. 79–80.

– / Rosenthal-Pelldram, Erich (1950) (Hrsg.): Die Neugestaltung des öffentlichen Dienstes, Frankfurt a. M.

Otto, Gerhard/Houwink ten Cate, Johannes (1999) (Hrsg.): Das organisierte Chaos. Ämterdarwinismus und Gesinnungsethik – Determinanten nationalsozialistischer Besatzungsherrschaft, Berlin.

Overesch, Manfred (1995): Ein neutralisiertes Gesamtdeutschland? Konzeptionen deutscher Außenpolitik zu Beginn der fünfziger Jahre, in: Knipping/Müller (1995), S. 43–56.

– (1978): Gesamtdeutsche Illusion und westdeutsche Realität. Von den Vorbereitungen für einen deutschen Friedensvertrag zur Gründung des Auswärtigen Amts der Bundesrepublik Deutschland 1946–1949/51, Düsseldorf.

Overy, Richard (2005): Verhöre. Die NS-Eliten in den Händen der Alliierten 1945, Berlin. Auch: – (2001): Interrogations. The Nazi Elite in Allied Hands 1945, New York.

Oz, Amos (2005): Israel und Deutschland. Vierzig Jahre nach Aufnahme diplomatischer Beziehungen, Bonn.

Paulmann, Johannes (2006): Die Haltung der Zurückhaltung. Auswärtige Selbstdarstellung nach 1945 und die Suche nach einem erneuerten Selbstverständnis in der Bundesrepublik, Bremen.

– (2005a): Auswärtige Repräsentationen nach 1945, in: Ders. (2005b), S. 1–32.

– (2005b) (Hrsg.): Auswärtige Repräsentationen. Deutsche Kulturdiplomatie nach 1945, Köln u. a.

Payk, Marcus M. (2008): Der Geist der Demokratie. Intellektuelle Orientierungsversuche im Feuilleton der frühen Bundesrepublik. Karl Korn und Peter de Mendelssohn, München.

Petersen, Neal H. (1992): From Hitler's Doorstep. Allen Dulles and the Penetration of Germany, in: Chalou (1992), S. 273–294.

Peterson, Edward (1978): The American Occupation of Germany. Retreat to Victory, Detroit.

Petrick, Fritz (1997): Dänemark, das »Musterprotektorat«?, in: Bohn (1997), S. 121–134.

Petropoulos, Jonathan (2006): Royals and the Reich. The Princes von Hessen in Nazi Germany, Oxford/New York.

Pingel, Falk (1993): Die NS-Psychiatrie im Spiegel des historischen Bewußtseins und sozialpolitischen Denkens in der Bundesrepublik, in: Kersting u. a. (1993), S. 174–201.

Piontkowitz, Heribert (1978): Anfänge westdeutscher Außenpolitik 1946–1949. Das Deutsche Büro für Friedensfragen, Stuttgart.

Piper, Ernst (2007): Alfred Rosenberg. Hitlers Chefideologe, München.

Plöger, Christian (2009): Von Ribbentrop zu Springer. Zu Leben und Wirkung von Paul Karl Schmidt alias Paul Carell, Marburg.

Plum, Günter (1996a): Wirtschaft und Erwerbsleben, in: Benz (1996c), S. 268–313.

– (1996b): Deutsche Juden oder Juden in Deutschland?, in: Benz (1996c), S. 35–74.

Pöppmann, Dirk (2003): Robert Kempner und Ernst von Weizsäcker im Wilhelmstraßenprozess, in: Jahrbuch zur Geschichte und Wirkung des Holocaust 8, S. 163–197.

Pospieszalski, Karol Marian (1983): Der 3. September 1939 in Bydgoszcz im Spiegel deutscher Quellen, in: Polnische Weststudien 2, S. 329–355.

Poulsen, Henning (1991): Die Deutsche Besatzungspolitik in Dänemark, in: Bohn (1991a), S. 369–380.

Priemel, Kim Christian (2008): Flick. Eine Konzerngeschichte vom Kaiserreich bis zur Bundesrepublik, 2. Aufl., Göttingen.

Pross, Christian (1988): Wiedergutmachung, Frankfurt a. M.

Prusin, Alexander Victor (2003): »Fascist Criminals to the Gallows!« The Holocaust and Soviet War Crimes Trials December 1945 – February 1946, in: Holocaust and Genocide Studies 17, S. 1–30.

Pyta, Wolfram (2007): Hindenburg. Herrschaft zwischen Hohenzollern und Hitler, München.

Rabinbach, Anson (2005): The Challenge of the Unprecedented. Raphael Lemkin and the Concept of Genocide, in: Jahrbuch des Simon-Dubnow-Instituts 4, S. 397–420.

Radlmayer, Stefan (2001): Der Nürnberger Lernprozeß. Von Kriegsverbrechern und Starreportern, Frankfurt a. M.

Ramscheid, Birgit (2006): Herbert Blankenhorn (1904–1991). Adenauers außenpolitischer Berater, Düsseldorf.

Rauh-Kühne, Claudia (2001): »Wer spät kam, den belohnte das Leben«. Entnazifizierung im Kalten Krieg, in: Junker (2001), S. 112–123.

– (1995): Die Entnazifizierung und die deutsche Gesellschaft, in: Archiv für Sozialgeschichte 35, S. 35–70.

Raulff, Ulrich (2009): Kreis ohne Meister. Stefan Georges Nachleben, München.

Ray, Roland (2000): Annäherung an Frankreich im Dienste Hitlers? Otto Abetz und die deutsche Frankreichpolitik 1930–1942, München.

Recker, Marie-Luise (2010): Die Außenpolitik des Dritten Reiches, München.

Redaktion Kritische Justiz (1998) (Hrsg.): Die juristische Aufarbeitung des Unrechtsstaats, Baden-Baden.

Reese, Mary Ellen (1990): General Reinhard Gehlen. The CIA Connection, Fairfax.

Regelsberger, Elfriede (2005): Germany, in: Hocking/Spence (2005), S. 132–145.

Regenbogin, Herbert R./Safferling, Christoph J.M. (2006) (Hrsg): The Nuremberg Trials. International Criminal Law Since 1945/Die Nürnberger Prozesse. Völkerstrafrecht seit 1945, München.

Reichhardt, Hans Joachim (1990) (Hrsg.): Die Entstehung der Verfassung von Berlin. Eine Dokumentation, Bd.1, Berlin/New York.

Reif, Heinz (2001): Die Junker, in: Francois/Schulze (2001), S. 520–536.

– (1999): Adel im 19. und 20. Jahrhundert, München.

Reissmüller, Wilhelm von (1974) (Hrsg.): Der Diplomat. Eine Festschrift zum 70. Geburtstag von Hans Herwarth, Ingolstadt.

Reitlinger, Gerald (1979): Die Endlösung. Hitlers Versuch der Ausrottung der Juden Europas 1939–1945, 5. Aufl., Berlin.

– (1957): Die SS. Tragödie einer deutschen Epoche, Wien u. a.

Remy, Steven P. (2002): The Heidelberg Myth. The Nazification and Denazification of a German University, Cambridge, Mass.

Reuss, Matthias (1995): Die Mission Hausenstein 1950–1955. Ein Beitrag zur Geschichte der deutsch-französischen Beziehungen nach dem Zweiten Weltkrieg, Sinzheim.

Richter, Timm C. (2006) (Hrsg.): Krieg und Verbrechen. Situation und Intention. Fallbeispiele, München.

Riesser, Hans E. (1959): Haben die deutschen Diplomaten versagt? Eine Kritik an der Kritik von Bismarck bis heute, Bonn.

Ringshausen, Gerhard (2008): Widerstand und christlicher Glaube angesichts des Nationalsozialismus, 2. Aufl., Berlin.

Rittberger, Volker/Zangl, Bernhard (2005): Internationale Organisationen. Politik und Geschichte, 3 Aufl., Wiesbaden.

Ritter, Gerhard (1962): Eine neue Kriegsschuldthese. Zu Fritz Fischers Buch ›Griff nach der Weltmacht‹, in: Historische Zeitschrift 194, S. 646–668.

Ritter, Harry, Jr. (1969): Hermann Neubacher and the German occupation of the Balkans 1940–1945, Diss. University of Virginia, Unveröffentlichtes Manuskript, Virginia.

Robertson, Esmonde M. (1962): Zur Wiederbesetzung des Rheinlandes 1936. Dokumentation, in: Vierteljahreshefte für Zeitgeschichte 10, S. 178–205.

Röding, Horst (1990): Werben um Vertrauen. Die Entstehungsgeschichte des Auswärtigen Amtes, in: Informationen für die Truppe 4, S. 49–63.

Röhl, John C.G. (2002): Kaiser, Hof und Staat. Wilhelm II. und die deutsche Politik, München.

– (1985): Schlussbericht. Glanz und Ohnmacht des deutschen diplomatischen Dienstes 1871–1945, in: Schwabe (1985), S. 201–217.

Rogers, Daniel E. (2008): Restoring a German Career, 1945–1950. The Ambiguity of Being Hans Globke, in: German Studies Review 31/2, S. 303–325.

Römer, Felix (2008): Der Kommissarbefehl. Wehrmacht und NS-Verbrechen an der Ostfront 1941/42. München u. a.

Roseman, Mark (2002): Die Wannsee-Konferenz. Wie die NS-Bürokratie den Holocaust organisierte, München.

Rosenbaum, Allan S. (1993): Prosecuting Nazi War Criminals, Boulder.

Rosenkötter, Bernhard (2003): Treuhandpolitik. Die »Haupttreuhandstelle Ost« und der Raub polnischer Vermögen 1939–1945, Essen.

Rosskopf, Annette (2002): Friedrich Karl Kaul. Anwalt im geteilten Deutschland (1906–1981), Berlin.

Roth, Tuya (2007): Hans Schafgans. Zeitgenössische Fotografien Bonner Architektur der fünfziger und sechziger Jahre, Diss. Rheinische Friedrich-Wilhelms-Universität Bonn.

Rothkirchen, Livia (2005): The Jews of Bohemia and Moravia: Facing the Holocaust, Lincoln, Nebraska.

Rother, Bernd (2001): Spanien und der Holocaust, Tübingen.

Rout Leslie B./Bratzel, John F. (1986): The Shadow War. German Espionage and United States Counterspionage in Latin America during World War II, Maryland.

– / – (1984): Heinrich Jürges and the Cult of Disinformation, in: The International Historical Review 6, S. 611–623.

Ruck, Michael (2006): Die Tradition der deutschen Verwaltung, in: Doering-Manteuffel (2006), S. 95–108.

Rückerl, Adalbert (1980): The Investigation of Nazi Crimes 1945–1978. A Documentation, Hamden.

Rüping, Hinrich (2006): Zwischen Recht und Politik. Die Ahndung der NS-Taten in den beiden deutschen Staaten nach 1945, in: Regenbogin/Safferling (2006), S. 199–208.

Rusconi, Gian Enrico/Woller, Hans (2006) (Hrsg.): Parallele Geschichte? Italien und Deutschland 1945–2000, Berlin.

Rutz, Rainer (2007): Signal. Eine deutsche Auslandsillustrierte als Propagandainstrument im Zweiten Weltkrieg, Essen.

Sahm Ulrich (1994): Ilse Stöbe, in: Coppi/Danyel/Tuchel (1994), S. 262–276.

– (1990): Rudolf von Scheliha. 1897–1942. Ein deutscher Diplomat gegen Hitler, München.

Salis, Jean Rudolf von (1959): Geschichte und Diplomatie, in: Braunias/Stourzh (1959), S. 13–36.

Salter, Michael/Charlesworth, Lorie (2006a): Prosecuting and Defending Diplomats as War Criminals. Ribbentrop at the Nuremberg Trials, in: Liverpool Law Review 27, S. 67–96.

– / – (2006b): Ribbentrop and the Ciano Diaries at the Nuremberg Trial, in: Journal of International Criminal Justice 4, S. 103–127.

Santander, S. (1953): Técnica de una traición. Juan D. Perón y Eva Duarte – Agentes del nazismo en la Argentina, Montevideo.

Sauer, Thomas (1999): Westorientierung im deutschen Protestantismus? Vorstellungen und Tätigkeit des Kronberger Kreises, München.

Schäfer, Kristin A. (2006): Werner von Blomberg. Hitlers erster Feldmarschall. Eine Biographie, Paderborn u. a.

Schanetzky, Tim (2001): Unternehmer. Profiteure des Unrechts, in: Frei (2001), S. 69–118.

Schausberger, Norbert (1978): Österreich und die nationalsozialistische Anschluß-Politik, in: Funke (1978), S. 728–756.

Scheidemann, Christiane (2000): Frauen im Diplomatischen Dienst. Eine historische Einführung, in: Müller/Dies. (2000), S. 35–79.

– (2000b): Margarete Bitter – Sie beherrschte sieben Sprachen, in: Müller/Dies. (2000), S. 85–92.

Schelach, Menachem (1990): Toldot Ha'Shoa –Yugoslavia, Jerusalem.

Schenk, Dieter (2000): Hitlers Mann in Danzig. Albert Forster und die NS-Verbrechen in Danzig-Westpreußen, Bonn.

Scheuch, Erwin K (1966): Führungsgruppen und Demokratie in Deutschland, in: Die Neue Gesellschaft 13, S. 356–370.

Schick, Christa (1990): Die Internierungslager, in: Broszat/Hencke/Woller (1990), S. 301–325.

Schieder, Martin (2005): Im Blick des anderen. Die deutsch-französischen Kunstbeziehungen 1945–1959, Berlin.

Schilde, Kurt (1992) (Hrsg.): Eva-Maria Buch und die »Rote Kapelle«. Erinnerungen an den Widerstand gegen den Nationalsozialismus, Berlin.

Schildt, Axel (2008): Immer mit der Zeit. Der Weg der Wochenzeitung DIE ZEIT durch die Bonner Republik – eine Skizze, in: Haase/Schildt (2008), S. 9–27.

– / Siegfried, Detlef/Lammers, Karl Christian (2000) (Hrsg.): Dynamische Zeiten. Die 60er Jahre in den beiden deutschen Gesellschaften, Hamburg.

– (1999): Zwischen Abendland und Amerika. Studien zur westdeutschen Ideenlandschaft der 50er Jahre, München.

– / Sywottek, Arnold (1998) (Hrsg.): Modernisierung im Wiederaufbau. Die westdeutsche Gesellschaft der 50er Jahre, ungekürzte, durchges. und aktual. Studienausg., Bonn.
Auch: – /– (1993): Modernisierung im Wiederaufbau. Die westdeutsche Gesellschaft der 50er Jahre, Bonn.

Schlie, Ulrich (2006) (Hrsg.): Horst Osterheld und seine Zeit, Wien u. a.

– (1994): Kein Friede mit Deutschland. Die geheimen Gespräche im Zweiten Weltkrieg 1939–1941, Berlin u. a.

Schmädeke, Jürgen/Steinbach, Peter (1994) (Hrsg.): Der Widerstand gegen den Nationalsozialismus. Die deutsche Gesellschaft und der Widerstand gegen Hitler, 3. Aufl., München/Zürich
Auch: – /– (1986): Der Widerstand gegen den Nationalsozialismus, 2. Aufl., Neuausg., (1. Aufl. dieser Ausg.), München;
– /– (1985): Der Widerstand gegen den Nationalsozialismus. Die deutsche Gesellschaft und der Widerstand gegen Hitler [Die Internationale Konferenz zum 40. Jahrestag des 20. Juli 1944: »Die Deutsche Gesellschaft und der Widerstand gegen Hitler – eine Bilanz nach 40 Jahren« vom 2. – 6. Juli 1984 in Berlin], München.

Schmalhausen, Bernd (2002): Josef Neuberger (1902–1977). Ein Leben für eine menschliche Justiz, Baden-Baden.

Schmider, Klaus (2002): Partisanenkrieg in Jugoslawien 1941–1944, Hamburg.

Schmidt, Rainer F. (2002): Die Außenpolitik des Dritten Reiches 1933–1939, Stuttgart.

Schmidt, Ute (2001): Spätheimkehrer oder ›Schwerstkriegsverbrecher‹? Die Gruppe der 749 ›Nichtamnestierten‹, in: Hilger/Schmidt/Wagenlehner (2001), S. 273–350.

Schmoeckel, Mathias (2004) (Hrsg.): Die Juristen der Universität Bonn im »Dritten Reich«, Köln u. a.

Schnabel, Reimund (1957): Macht ohne Moral. Eine Dokumentation über die SS, Frankfurt a. M.

Schneider, Ulrich (1985): Nach dem Sieg. Besatzungspolitik und Militärregierung 1945, in: Foschepoth/Steininger (1985), S. 47–64.

Schneppen, Heinz (2008): Odessa und das Vierte Reich. Mythen der Zeitgeschichte, Berlin.

Schöllgen, Gregor (1991): Ulrich von Hassell, in: Höning (1991), S. 56–71.

– (1990): Ulrich von Hassell 1881–1944. Ein Konservativer in der Opposition, München.

Schönwald, Matthias (1998): Deutschland und Argentinien nach dem Zweiten Weltkrieg.

Politische und wirtschaftliche Beziehungen und deutsche Auswanderung 1945–1955, Paderborn u. a.

Scholtyseck, Joachim (2005): »Bürgerlicher Widerstand« gegen Hitler nach sechzig Jahren Forschung, in: Jahrbuch zur Liberalismus-Forschung 17, S. 45–57.

Schrafstetter, Susanna (2010): A Nazi Diplomat Turned Apologist for Apartheid. Gustav Sonnenhol, Vergangenheitsbewältigung and West German Foreign Policy towards South Africa, in: German History 28, S. 44–66.

– (2009): Von der SS in den Apartheidsstaat. Gustav A. Sonnenhol und die deutsche Südafrikapolitik, in: Bauer/Kuller/Kraus/Süß (2009), S.151–163.

Schrecker, Ellen (1998): Many are the Crimes. McCarthyism in America, Boston u. a.

Schroeder, Friedrich-Christian (2001): Das Sowjetrecht als Grundlage der Prozesse gegen deutsche Kriegsgefangene, in: Hilger/Schmidt/Wagenlehner (2001), S. 69–92.

Schroth, Georg (2004): Beziehungsgeflechte ehemaliger Höherer Beamter des Auswärtigen Amtes nach 1945. Der sogenannte ›Freundeskreis‹ und die Wiedererrichtung des Auswärtigen Amtes in der Bundesrepublik, unveröfftl. Magisterarbeit, Humboldt-Universität Berlin.

Schwabe, Klaus (1985) (Hrsg.): Das Diplomatische Korps 1871–1945, Boppard am Rhein.

Schwalbe, Hans/Seemann, Heinrich (1974) (Hrsg.): Deutsche Botschafter in Japan 1860–1973, Tokio.

Schwartz, Thomas A. (1991). America's Germany. John J. McCloy and the Federal Republic of Germany, Cambridge.

– (1990): Die Begnadigung deutscher Kriegsverbrecher. John McCloy und die Häftlinge von Landsberg, in: Vierteljahrshefte für Zeitgeschichte 38, S. 375–414.

Schwarz, Hans-Peter (1991): Adenauer. Der Aufstieg 1876–1952, 3. durchges. Aufl., Stuttgart.

– (1980): Die neuen außenpolitischen Denkschulen der fünfziger Jahre, in: Kunst/Kohl/Egen (1980), S. 91–105.

Schwarz, Stephan (2007): Ernst Freiherr von Weizsäckers Beziehungen zur Schweiz 1933–1945. Ein Beitrag zur Geschichte der Diplomatie, Bern u. a.

Schwarzmüller, Theo (2001): Zwischen Kaiser und Führer. Generalfeldmarschall August von Mackensen. Eine politische Biographie, München.

Schwerin, Detlef Graf von (1991): Die Jungen des 20. Juli 1944, Berlin.

Seabury, Paul (1956): Die Wilhelmstrasse, 1930–1945, Frankfurt a. M.

Seckendorf, Martin (1998): Ein einmaliger Raubzug. Die Wehrmacht in Griechenland 1941 bis 1944, in: Klotz/Gerlach (1998), S. 96–124.

Seelos, Gebhard (1953): Moderne Diplomatie, Bonn.

Senfft, Alexandra (2007): Schweigen tut weh. Eine deutsche Familiengeschichte, Berlin.

Siegler, Fritz von (1953): Die höheren Dienststellen der Deutschen Wehrmacht 1933–1945, i. A. des Instituts für Zeitgeschichte, München.

Simon, Gerd (2001): Wissenschaftspolitik im Nationalsozialismus und die Universität Prag, Tübingen (http://w210.ub.uni-tuebingen.de/dbt/volltexte/2001/217/pdf/gift002_komplett.pdf).

– (o. D.): Die Island-Expedition des Ahnenerbes der SS, Tübingen (http://homepages.uni-tuebingen.de/gerd.simon/island.pdf).

Singer, Donald L. (1980): German Diplomats at Nuremberg. A Study of the Foreign Office Defendants of the Ministries Case, Diss. American University Washington, D.C.

Smelser, Ronald/Davies, Edward J. (2007): The Myth of the Eastern Front. The Nazi Soviet War in American Popular Culture, New York.

- / Zitelmann, Rainer u. a. (1993a) (Hrsg.): Die Braune Elite. 22 biographische Skizzen, Bd. II, Darmstadt.
- / Syring, Enrico/Zitelmann, Rainer (1993b) (Hrsg.): Die Braune Elite II. 21 weitere Biographische Skizzen, Darmstadt.

Smith, Bradley F. (1982): The American Road to Nuremberg. The Documentary Record 1944–1945, Stanford.
- (1979): Der Jahrhundert-Prozeß. Die Motive der Richter von Nürnberg. Anatomie einer Urteilsfindung, Frankfurt a. M.
- (1977): Reaching Judgment at Nuremberg, New York.

Söllner, Alfons (1982/1986) (Hrsg.): Zur Archäologie der Demokratie in Deutschland. Analysen politischer Emigranten im amerikanischen Geheimdienst, Bd. 1: 1943–1945; Bd. 2: 1946–1949, Frankfurt a. M.

Sontheimer, Kurt (1994): Antidemokratisches Denken in der Weimarer Republik. Die politischen Ideen des deutschen Nationalismus zwischen 1918 und 1933, 4. Aufl., München.

Später, Jörg (2003): Vansittart. Britische Debatten über Deutsche und Nazis 1902–1945, Göttingen.

Speier, Hans/Davison, Walter Phillips (1957) (Hrsg.): West German Leadership and Foreign Policy, Evanston.

Spevack, Edmund (2001): Allied Control and German Freedom. American Political and Ideological Influences on the Framing of the West German Basic Law (Grundgesetz), Münster.

Stauffer, Paul (1998): »Sechs furchtbare Jahre…« Auf den Spuren Carl J. Burckhardts durch den Zweiten Weltkrieg, Zürich.
- (1991): Zwischen Hoffmannsthal und Hitler. Carl J. Burckhardt. Facetten einer außergewöhnlichen Existenz, Zürich.

Steinacher, Gerald (2009): Berufsangabe: Mechaniker. Die Flucht von Gestapo-Angehörigen nach Übersee, in: Mallmann/Angrick (2009), S. 56–70.
- (2008): Nazis auf der Flucht. Wie Kriegsverbrecher über Italien nach Übersee entkamen, Innsbruck u. a.

Steinbach, Peter (2004): Der 20. Juli 1944. Gesichter des Widerstands, Berlin.
- / Tuchel, Johannes (2004) (Hrsg.): Widerstand gegen die nationalsozialistische Diktatur 1933–1945, Bonn.
- (1994): Die Rote Kapelle – 50 Jahre danach, in: Coppi/Danyel/Tuchel (1994), S. 54–67.

Steinkühler, Manfred (1993): Antijüdische Aktion. Die Arbeitstagung der Judenreferenten der deutschen Missionen am 3. und 4. April 1944, in: Linne/Wohlleben (1993), S. 256–279.
- (1988): Unfähig zur moralischen Auseinandersetzung mit der eigenen nationalsozialistischen Vergangenheit? Unser Auswärtiger Dienst, in: 1999. Zeitschrift für Sozialgeschichte des 20. und 21. Jahrhunderts 2, S. 79–88.

Stelzel, Philipp (2003): Fritz Fischer and the American Historical Profession. Tracing the Transatlantic Dimension of the Fischer-Kontroverse, in: Storia della Storiografia 44, S. 67–84.

Stern, Fritz (2006): Five Germanys I Have Known, New York.

Stoermer, Monika (2005): Albert Einstein und die Bayerische Akademie der Wissenschaften, in: Akademie Aktuell 1, S. 4–7.

Stöver, Bernd (2007): Der Kalte Krieg 1947–1991. Geschichte eines radikalen Zeitalters, Bonn.
- (1998): Der Fall Otto John, in: Bauernkämper/Sabrow/Stöver (1998), S. 312–327.

Stoll, Ulrike (2005): Kulturpolitik als Beruf. Dieter Sattler (1906–1968) in München, Bonn und Rom, Paderborn u. a.

Stolleis, Michael (2002): Geschichte des öffentlichen Rechts in Deutschland. Weimarer Republik und Nationalsozialismus, brosch. Sonderausgabe, München.

Stolper, Toni (1960): Ein Leben in Brennpunkten unserer Zeit. Wien, Berlin, New York. Gustav Stolper 1888–1947, Tübingen.

Stoltzfus, Nathan/Friedlander, Henry (2008) (Hrsg.): Nazi Crimes and the Law, Cambridge.

Streit, Christian (1991): Keine Kameraden. Die Wehrmacht und die sowjetischen Kriegsgefangenen 1941–1945, Bonn.

Stuby, Gerhard (2008): Vom »Kronjuristen« zum »Kronzeugen«. Friedrich Wilhelm Gaus – Ein Leben im Auswärtigen Amt der Wilhelmstraße, Hamburg.

– (2000): Friedrich W. Gaus. Vom Kronjuristen des Deutschen Reiches zum Kronzeugen der Anklage, in: 1999. Zeitschrift für Sozialgeschichte des 20. und 21. Jahrhunderts 15, S. 78–99.

– (1996): Friedrich Wilhelm Gaus. Graue Eminenz oder Notar des Auswärtigen Amtes? Eine biographische Skizze, in: Marschang/Stuby (1996), S. 123–152.

Süß, Dietmar/Süß, Winfried (2008) (Hrsg.): Das »Dritte Reich«. Eine Einführung, München.

Syring, Enrico (1993): Walther Hewel. Ribbentrops Mann beim Führer, in: Smelser/Zitelmann (1993), 150–165.

Szabó, Anikó (2000): Vertreibung, Rückkehr, Wiedergutmachung. Göttinger Hochschullehrer im Schatten des Nationalsozialismus, Göttingen.

Szatkowski, Tim (2007): Karl Carstens. Eine politische Biographie, Köln u. a.

Szefer, Andrzej (1983): Jak powstała niemiecka specjalna księga gończa Sonderfahndungsbuch Polen, in: Zaranie Śląskie 46, S. 213–240.

Taschka, Sylvia (2006): Diplomat ohne Eigenschaften? Die Karriere des Hans-Heinrich Dieckhoff 1884–1952, Stuttgart.

Tauber, Kurt P. (1967): Beyond Eagle and Swastika. German Nationalism since 1945, 2 Bde., Middletown.

Taylor, Telford (1994): Die Nürnberger Prozesse. Hintergründe, Analysen und Erkenntnisse aus heutiger Sicht, 2. Aufl., München.

Teschke, John P. (1999): Hitler's Legacy. West Germany Confronts the Aftermath of the Third Reich, New York.

Thamer, Hans Ulrich (2004). Verführung und Gewalt. Deutschland 1933–1945, München.

– (1999): Monokratie-Polykratie. Historiographischer Überblick über eine kontroverse Debatte, in: Otto/Houwink ten Cate (1999), S. 21–54.

Thielenhaus, Marion (1985): Zwischen Anpassung und Widerstand. Deutsche Diplomaten 1938–1941. Die politischen Aktivitäten der Beamtengruppe um Ernst von Weizsäcker im Auswärtigen Amt, 2. Aufl., Paderborn.

Auch: – (1984): Zwischen Anpassung und Widerstand. Deutsche Diplomaten 1938–1941. Die politischen Aktivitäten der Beamtengruppe um Ernst von Weizsäcker im Auswärtigen Amt, Paderborn.

Thies, Jochen (1976): Architekt der Weltherrschaft. Die Endziele Hitlers, Düsseldorf.

Thomsen, Erich (1971): Deutsche Besatzungspolitik in Dänemark 1940–1945, Düsseldorf.

Tönsmeyer, Tatjana (2003): Das Dritte Reich und die Slowakei 1939–1945. Politischer Alltag zwischen Kooperation und Eigensinn, Paderborn u. a.

Tooze, J. Adam (2007): Ökonomie der Zerstörung. Die Geschichte der Wirtschaft im Nationalsozialismus, München.

Traverso, Enzo (1995): The Jews & Germany, Lincoln u. a.

Treue, Wilhelm (1965): Zum nationalsozialistischen Kunstraub in Frankreich. Der »Bargatzky-Bericht«, in: Vierteljahrshefte für Zeitgeschichte 13, S. 285–337.

Tschuy, Theo (1995): Carl Lutz und die Juden von Budapest, Zürich.

Tuchel, Johannes (2009): Zur Verfolgung von Gewerkschaftern nach dem 20. Juli 1944. Die Gestapo-Ermittlungen und der Schauprozess gegen Wilhelm Leuschner vor dem nationalsozialistischen »Volksgerichtshof«, in: Bitzegeio (2009), S. 329–362.

– 1994): Die Gestapo-Sonderkommission »Rote Kapelle«, in: Coppi/Danyel/Tuchel (1994), S. 145–159.

Ueberschär, Gerd R. (2000) (Hrsg.): Der Nationalsozialismus vor Gericht. Die alliierten Prozesse gegen Kriegsverbrecher und Soldaten 1943–1952, 2. Aufl., Frankfurt a. M.

Auch: – (1999): Der Nationalsozialismus vor Gericht. Die alliierten Prozesse gegen Kriegsverbrecher und Soldaten 1943–1952, Frankfurt a. M.

– / Vogel, Winfried (1999): Dienen und Verdienen. Hitlers Geschenke an seine Eliten, Frankfurt a. M.

Uhlig, Ralph (1986): Die Deutsch-Englische Gesellschaft 1949–1983. Göttingen.

Umbreit, Hans (1968): Der Militärbefehlshaber in Frankreich 1940–1944, Boppard am Rhein.

Unger, Corinna R. (2007): Ostforschung in Westdeutschland. Die Erforschung des europäischen Ostens und die Deutsche Forschungsgemeinschaft 1945–1975, Stuttgart.

– (2006): Wissenschaftlicher und politischer Berater der US-Regierung im und nach dem Zweiten Weltkrieg, in: Krohn/Unger (2006), S. 129–150.

Unger, Corinna R. (2003): Vom Beamtenrecht zur politischen Kultur. Die Vorschläge Arnold Brechts zur Reform des öffentlichen Dienstes der Bundesrepublik, in: Kritische Justiz 36, S. 82–94.

Verband deutscher Archivarinnen und Archivare e. V. (2006): Das deutsche Archivwesen und der Nationalsozialismus. 75. Deutscher Archivtag 2005 in Stuttgart, Essen.

Vinke, Hermann (2003) Cato Bontjes van Beek: »Ich habe nicht um mein Leben gebettelt«. Ein Porträt, Zürich.

Vocke, Harald (2001): Albrecht von Kessel. Als Diplomat für Versöhnung mit Osteuropa, Freiburg u. a.

Vogel, Thomas (2000a): Die Militäropposition gegen das NS-Regime am Vorabend des Zweiten Weltkrieges und während der ersten Kriegsjahre (1939 bis 1941), in: Ders. (2000b), S. 187–222.

– (2000b) (Hrsg.): Aufstand des Gewissens. Militärischer Widerstand gegen Hitler und das NS-Regime 1933–1945. Begleitband zur Wanderausstellung des Militärgeschichtlichen Forschungsamtes, 5. überarb. und erw. Aufl., Hamburg u. a.

Vogelsang, Thilo (1954): Neue Dokumente zur Geschichte der Reichswehr 1930–1933, in: Vierteljahrshefte für Zeitgeschichte 4, S. 397–436.

Vogt, Helmut (2004): Wächter der Bonner Republik. Die Alliierten Hohen Kommissare 1949–1955, Paderborn.

– (1999): »Der Herr Minister wohnt in einem Dienstwagen auf Gleis 4.« Die Anfänge des Bundes in Bonn 1949/1950, Bonn.

Vollmer, Günter (2003): Die falsche Geschichte des Ibero-Amerikanischen Instituts. Heinrich Jürges und die Spione aus Lankwitz, in: Liehr/Maihold/Vollmer (2003), S. 409–524.

Vollnhals, Clemens (1991) (Hrsg.): Entnazifizierung. Politische Säuberung und Rehabilitierung in den vier Besatzungszonen 1945–1949, München.

Vowinckel, Annette (2004): Der kurze Weg nach Entebbe. Über das Nachleben des Nationalsozialismus in der Wahrnehmung des Nahostkonflikts in Deutschland 1967–1976, in: Zeithistorische Forschungen 1, S. 236–254.

Wachs, Philipp-Christian (2000): Der Fall Theodor Oberländer 1905–1998), Frankfurt a. M. u. a.

Wahrhaftig, Samuel L. (1957): The Development of German Foreign Policy Institutions, in: Speier/Davison (1957), S. 7–56.

Wala, Michael (2001): Weimar und Amerika. Botschafter Friedrich von Prittwitz und Gaffron und die deutsch-amerikanischen Beziehungen von 1927 bis 1933, Stuttgart.

– (1993): »Ripping Holes in the Iron Curtain«. The Council on Foreign Relations and Germany 1945–1950, in: Diefendorf/Frohn/Rupieper (1993), S. 1–20.

Wamhof, Georg (2009) (Hrsg.): Das Gericht als Tribunal. Oder: Wie der Vergangenheit der Prozess gemacht wurde, Göttingen.

Watt, Cameron (1985): Großbritannien und die zukünftige Kontrolle Deutschlands, in: Foschepoth/Steiniger (1985), S. 15–25.

Wawrzinek, Bert (2003): Manfred von Killinger (1886–1944). Ein politischer Soldat zwischen Freikorps und Auswärtigem Amt, Oldendorf.

Weber, Hellmuth von (1947): Pflichtenkollision im Strafrecht, in: Festschrift für Wilhelm Kiesselbach zu seinem 80. Geburtstag, hrsg. v. seinen Mitarbeitern im Zentral-Justizamt für die Britische Zone, Hamburg, S. 233ff.

Weber, Hermann (1993): Robert M. W. Kempner. Vom Justitiar in der Polizeiabteilung des Preußischen Innenministeriums zum stellvertretenden US-Hauptankläger in Nürnberg, in: Heinrichs (1993), S. 793–812.

Weber, Petra (2000): Justiz und Diktatur, München.

Webster, Ronald (2001): Opposing Victors' Justice. German Protestant Churchmen and Convicted War Criminals in Western Europe after 1945, in: Holocaust and Genocide Studies 15, S. 47–69.

Wehler, Hans-Ulrich (2003): Deutsche Gesellschaftsgeschichte, Bd. 4: Vom Beginn des Ersten Weltkrieges bis zur Gründung der beiden deutschen Staaten 1914–1949, München.

– (1995): Deutsche Gesellschaftsgeschichte, Bd. 3: Von der Deutschen Doppelrevolution bis zum Beginn des Ersten Weltkrieges 1849–1914, München.

Wein, Martin (1990): Die Weizsäckers. Geschichte einer deutschen Familie, 6. Aufl., Stuttgart.

Weinberg, Gerhard L. (1989): Rezension von H.-J. Döscher (1987), Das Auswärtige Amt im Dritten Reich. Diplomatie im Schatten der ›Endlösung‹, in: Journal of Modern History 61, S. 420–422.

Weinberg, Gerhard L. (1954): Germany and the Soviet Union 1939–1941, Leiden.

Weisbrod, Bernd (1995) (Hrsg.): Rechtsradikalismus in der politischen Kultur der Nachkriegszeit. Die verzögerte Normalisierung in Niedersachsen, Hannover.

Weindling, Paul (2000): From International to Zonal Trials. The Origins of the Nuremberg Medical Trials, in: Holocaust and Genocide Studies 14, S. 367–389.

Weinke, Annette (2009a): Eine Gesellschaft ermittelt gegen sich selbst. Die Geschichte der Zentralen Stelle Ludwigsburg 1958–2008, 2. Aufl., Darmstadt.

Auch: – (2008): Eine Gesellschaft ermittelt gegen sich selbst. Die Geschichte der Zentralen Stelle Ludwigsburg 1958–2008, Darmstadt.

– (2009b): Täter, Opfer, Mitläufer. Vermittlungs- und Bewältigungsstrategien in westdeutschen NS-Prozessen, in: Wamhof (2009), S. 55–77.

– (2006): Die Nürnberger Prozesse, München.

– (2002): Die Verfolgung von NS-Tätern im geteilten Deutschland. Vergangenheitsbewältigung 1949–1969 oder: Eine deutsch-deutsche Beziehungsgeschichte im kalten Krieg, Paderborn u. a.

– (2001): Die Waldheimer »Prozesse« im Kontext der strafrechtlichen Aufarbeitung des NS-Diktatur in der SBZ/DDR, in: Haase/Pampel (2001), S. 27–48.

Weiss, Matthias (2006): Öffentlichkeit als Therapie. Die Medien- und Informationspolitik der Regierung Adenauer zwischen Propaganda und Aufklärung, in: Bösch/Frei (2006), S. 73–120.

– (2001): Journalisten. Worte als Taten, in: Frei (2001), S. 241–299.

Weiß, Hermann (2002) (Hrsg.): Biographisches Lexikon zum Dritten Reich, Frankfurt a. M.

Weitkamp, Sebastian (2008a): Braune Diplomaten. Horst Wagner und Eberhard von Thadden als Funktionäre der »Endlösung«, Bonn.

– (2008b): SS-Diplomaten. Die Polizei-Attachés und SD-Beauftragten an den deutschen Auslandsmissionen, in: Braun/Mayer/Weitkamp (2008), S. 49–74.

– (2006): »Mord mit reiner Weste«. Die Ermordung des Generals Maurice Mesny im Januar 1945, in: Richter (2006), S. 31–40.

Weitz, John (1992): Hitlers Diplomat. Joachim von Ribbentrop, London.

Welsh, Helga A. (1991): ›Antifaschistisch-demokratische Umwälzung‹ und politische Säuberung in der sowjetischen Besatzungszone Deutschlands, in: Henke/Woller (1991), S. 84–107.

Welzbacher, Christian (2009): Edwin Redslob. Biographie eines unverbesserlichen Idealisten, Berlin.

Wember, Heiner (1992): Entnazifizierung nach 1945. Die deutschen Spruchgerichte in der britischen Zone, in: Geschichte in Wissenschaft und Unterricht 43, S. 405–426.

– (1991): Umerziehung im Lager. Internierung und Bestrafung von Nationalsozialisten in der britischen Besatzungszone Deutschlands, Essen.

Wengst, Udo (1988): Beamtentum zwischen Reform und Tradition. Beamtengesetzgebung in der Gründungsphase der Bundesrepublik Deutschland 1948–1953, Düsseldorf.

– (1984): Staatsaufbau und Regierungspraxis 1948–1953. Zur Geschichte der Verfassungsorgane der Bundesrepublik Deutschland, Düsseldorf.

Werkentin, Falco (1997): Politische Strafjustiz in der Ära Ulbricht. Vom bekennenden Terror zur verdeckten Repression, 2. überarb. Aufl., Berlin.

Wette, Wolfram (2002): Die Wehrmacht. Feindbilder, Vernichtungskrieg, Legenden, Frankfurt a. M.

Wetzel, Juliane (1996): Auswanderung aus Deutschland, in: Benz (1996c), S. 413–498.

Wiaderny, Bernard (2002): Der polnische Untergrundstaat und der deutsche Widerstand 1939–1944, Diss. Freie Universität Berlin.

Wicke, Markus (2002): SS und DRK. Das Präsidium des Deutschen Roten Kreuzes im nationalsozialistischen Herrschaftssystem 1937–1945, Potsdam.

Wiehn, Erhard R. (1990): Oktoberdeportation 1940, Konstanz.

Wieland, Claus-Dietrich (1987): Carl Schmitt in Nürnberg (1947), in: 1999. Zeitschrift für Sozialgeschichte des 20. und 21. Jahrhunderts 2, S. 98–122.

Wielenga, Friso (2000): Vom Freund zum Partner. Die Niederlande und Deutschland seit 1945, Münster.

Wiesen, Jonathan S. (2001): West German Industry and the Challenge of the Nazi Past, Chapel Hill.

Wildt, Michael (2007): Volksgemeinschaft als Selbstermächtigung. Gewalt gegen Juden in der deutschen Provinz 1919 bis 1939, Hamburg.

- (2003a): Generation des Unbedingten. Das Führungskorps des Reichssicherheitshauptamtes, durchges. und aktual. Neuausg., Hamburg.
  Auch: – (2002): Generation des Unbedingten. Das Führungskorps des Reichssicherheitshauptamtes, Hamburg.
- (Hrsg.) (2003b): Nachrichtendienst, politische Elite, Mordeinheit. Der Sicherheitsdienst des Reichsführers SS, Hamburg.
- Willis, F. Roy (1962): The French in Germany 1945–1949, Stanford.
- Winkler, Heinrich August (2005): Der lange Weg nach Westen, Bd. II: Deutsche Geschichte vom »Dritten Reich« bis zur Wiedervereinigung, Bonn.
- (2000): Der lange Weg nach Westen, Bd. 1: Deutsche Geschichte vom Ende des Alten Reiches bis zum Untergang der Weimarer Republik, München.
- Wistrich, Robert (1987): Wer war wer im Dritten Reich? Ein biographisches Lexikon, Frankfurt a. M.
- Wojak, Irmtrud (2009): Fritz Bauer 1903–1968. Eine Biographie, 2. durchges. Aufl., München.
- (2001): Eichmanns Memoiren. Ein kritischer Essay, Frankfurt a. M.
- Wolfe, Robert (1974) (Hrsg.): Captured German and Related Records. A National Archives Conference, Athens.
- Wollstein, Günter (1980): Rudolf Nadolny. Außenminister ohne Verwendung, in: Vierteljahrshefte für Zeitgeschichte 28, S. 47–93.
- (1973): Vom Weimarer Revisionismus zu Hitler. Das Deutsche Reich und die Großmächte in der Anfangsphase der nationalsozialistischen Herrschaft in Deutschland, Bonn.
- Wrochem, Oliver von (2006): Erich von Manstein. Vernichtungskrieg und Geschichtspolitik, Paderborn.
- Wuermeling, Henric L. (2004): »Doppelspiel«. Adam von Trott zu Solz im Widerstand gegen Hitler, München.
- Yahil, Leni (1969): The Rescue of Danish Jewry. Test of a Democracy, Philadelphia.
  Auch: – (1966): The Rescue of Danish Jewry. Test of a Democracy, Jerusalem.
- Yavnai, Lisa (2008): U.S. Army War Crimes Trials in Germany 1945–1947, in: Heberer/Matthäus (2008), S. 49–71.
- (2006): Military Justice. War Crimes Trials in the American Zone of Occupation in Germany 1945–1947, in: Regenbogin/Safferling (2006), S. 191–195.
- Yisraeli, David (1972): The Third Reich and the Transfer Agreement, in: Journal of Contemporary History 6, S. 129–148.
- Zala, Sacha (2001): Geschichte unter der Schere politischer Zensur. Amtliche Aktensammlungen im internationalen Vergleich, München.
- Zapf, Wolfgang (1966): Wandlungen der deutschen Elite. Ein Zirkulationsmodell deutscher Führungsgruppen 1919–1961, 2. Aufl., München.
  Auch: – (1965a): Wandlungen der deutschen Elite. Ein Zirkulationsmodell deutscher Führungsgruppen 1919–1961, München.
- (1965b) (Hrsg.): Beiträge zur Analyse der deutschen Oberschicht, 2. Aufl., München.
- Zaun, Harald (1992): Friedrich Wilhelm von Prittwitz und Gaffron. Demission als Votum gegen das NS-Regime, in: Nix (1992), S. 43–67.
- Zelger, Renate (1996): Der Staatsrechtler Erich Kaufmann – von der konstitutionellen Monarchie bis zur parlamentarischen Demokratie, in: Nehlsen/Brun (1996), S. 313–323.
- Zellhuber, Andreas (2006): »Unsere Verwaltung treibt einer Katastrophe zu ...«. Das Reichsministerium für die besetzten Ostgebiete und die deutsche Besatzungsherrschaft in der Sowjetunion 1941–1945, München.

Zielinski, Bernd (1995): Staatskollaboration. Vichy und der »Arbeitseinsatz« für das Dritte Reich, Münster.

Ziemke, Earl F. (1975): The U.S. Army in the Occupation of Germany 1944–1946, Washington.

Zimmermann, Moshe (2008): Deutsche gegen Deutsche. Das Schicksal der Juden 1938–1945, Berlin.

– (2006) (Hrsg.): On Germans and Jews under the Nazi Regime. Essays by Three Generations of Historians, Jerusalem.

– (2005a): Deutsch-jüdische Vergangenheit. Der Judenhass als Herausforderung, Paderborn.

– (2005b): Mohammed als Vorbote der NS-Judenpolitik? Zur wechselseitigen Instrumentalisierung von Antisemitismus und Antizionismus, in: Tel Aviver Jahrbuch für deutsche Geschichte 33, S. 290–305.

– (2000): The Rise and Decline of Antisemitism in Germany, in: Heilbronner/Borut (2000), S. 19–28.

– (1984) (Hrsg.): Germany after 1945, Jerusalem.

Zimmermann, Susanne/Zimmermann, Thomas (2005): Die Medizinische Fakultät der Universität Jena im Dritten Reich. Ein Überblick, in: Hoßfeld (2005), S. 127–164.

– (1994): Berührungspunkte zwischen dem Konzentrationslager Buchenwald und der Medizinischen Fakultät der Universität Jena, in: Meinel (1994), S. 54–61.

Zink, Harold (1957): The United States in Germany 1944–1955, Princeton.

Zitelmann, Rainer/Weißmann, Karlheinz/Großheim, Michael (1993) (Hrsg.): Westbindung. Chancen und Risiken für Deutschland, Frankfurt a. M. u. a.

Websites

Auswärtiges Amt
Die Mitarbeiterinnen und Mitarbeiter
URL: http://www.auswaertiges-amt.de/diplo/de/AAmt/AuswDienst/Mitarbeiter.html [28.2.2009]

The Avalon Project – Documents in Law, History and Diplomacy.
International Conference on Military Trials: London, 1945, Agreement and Charter, August 8, 1945
URL:http://avalon.law.yale.edu/imt/jack60.asp [02.02.2009]
The Moscow Conference. October 1943
URL: http://avalon.law.yale.edu/wwii/moscow.asp [02.02. 2009]
Nuremberg Trials Final Report Appendix D: Control Council Law No. 10
URL: http://avalon.law.yale.edu/imt/imt10.asp [20.02.2009]

British National Archives
War Crimes of the Second World War. Military Records Information 27
URL: http://www.nationalarchives.gov.uk/catalogue/RdLeaflet.asp?sLeafletID=33&j=1 [2.2.2009]

German History in Documents and Images (German Historical Institute, Washington D.C.)
Directive to the Commander in Chief of the U.S. Occupation Forces (JCS 1067) (April 1945)
URL: http://germanhistorydocs.ghi-dc.org/docpage.cfm?docpage_id=2968 [07.12.2008]

Ibiblio.org – the public's library and digital archive
Text of Resolution on German War Crimes Signed By Representatives of Nine Occupied
    Countries, 12 January 1942
URL: http://www.ibiblio.org/pha/policy/1942/420112a.html [05.02.2009]

Harry S. Truman Library
Oral History Interview with Harry N. Howard
URL: http://www.trumanlibrary.org/oralhist/howardhn.htm#transcript (17.6.2010)

Volkswagen Group Italia S.P.A.
The history of VOLKSWAGEN GROUP ITALIA S.P.A.
URL: http://www.volkswagengroup.it/en_storia.asp [29.10.2008]

100(0) Schlüsseldokumente (Bayerische Staatsbibliothek, München)
Kröger, Martin: Vortragsnotiz des Unterstaatssekretärs des Auswärtigen Amtes Martin
    Luther zum Empfang des bulgarischen Außenministers Popoff durch den Reichs-
    außenminister am 24. November 1941 [Rolle des Auswärtigen Amtes im Holocaust],
    30. Dezember 1941.
URL: http://1000dok.digitale-sammlungen.de/dok_0102_lut.pdf

Verzeichnis der Abkürzungen

AA	Auswärtiges Amt
AADB	Auswärtiger Ausschuss des Deutschen Bundestages
AAPD	Akten zur Auswärtigen Politik der Bundesrepublik Deutschland
ACDP	Archiv für Christlich-Demokratische Politik
a. D.	außer Dienst
ADAP	Akten zur Deutschen Auswärtigen Politik
AdE	Ausschuß für deutsche Einheit
AdL	Archiv des Liberalismus
ADLL	Arthur W. Diamond Law Library
AdR	Akten der Reichskanzlei
AdsD	Archiv der sozialen Demokratie
AFN	American Forces Network
AHA	Außenhandelsamt (der AO der NSDAP)
AHK	Alliierte Hohe Kommission
AJC	American Jewish Congress
AO	Auslandsorganisation (der NSDAP)
AOK	Armeeoberkommando
BA	Bundesarchiv
BAM	Bundesaußenminister
BAMA	Bundesarchiv-Militärarchiv
BayHStA	Bayerisches Hauptstaatsarchiv
BBC	British Broadcasting Corporation
BDC	Berlin Document Center
BfV	Bundesamt für Verfassungsschutz
BND	Bundesnachrichtendienst
BOB	Berlin Operation Base
BRAM	Büro Reichsaußenminister
BSts	Büro Staatssekretär
BStU	Bundesbeauftragter für die Unterlagen des Staatssicherheitsdienstes der ehemaligen Deutschen Demokratischen Republik
BT ParlA	Parlamentsarchiv des Deutschen Bundestages
BVN	Bund der Verfolgten des Naziregimes
CIA	Central Intelligence Agency
CIC	Counter Intelligence Corps
CROWCASS	Central Registry of War Crimes and Security Suspects
CULL	Cornell University Law Library

DBfF	Deutsches Büro für Friedensfragen
DEG	Deutsch-Englische Gesellschaft
DfAA	Dienststelle für Auswärtige Angelegenheiten
DGAP	Deutsche Gesellschaft für Auswärtige Politik
dpa	Deutsche Presse-Agentur
DR	Dienststelle Ribbentrop
DRK	Deutsches Rotes Kreuz
DzD	Dokumente zur Deutschlandpolitik
EKD	Evangelische Kirche in Deutschland
EWG	Europäische Wirtschaftsgemeinschaft
FAZ	Frankfurter Allgemeine Zeitung
FO	Foreign Office
FRUS	Foreign Relations of the United States
GAD	Gesetz über den Auswärtigen Dienst
Ges	Gesandtschaft / Gesandter
Gestapa	Geheimes Staatspolizeiamt
GG	Grundgesetz
GK	Generalkonsul
GPU	Gossudarstwennoje Polititscheskoje Uprawlenije
GR	Gesandtschaftsrat
HIAG	Hilfsgemeinschaft auf Gegenseitigkeit (der ehemaligen Angehörigen der Waffen-SS)
HICOG	High Commissioner for Germany
HSSPF	Höherer SS- und Polizeiführer
HstA	Hauptstaatsarchiv
IfZ	Institut für Zeitgeschichte
IMT	International Military Tribunal
i. R.	im Ruhestand
ISA	Israel State Archive
ISG	Internationale Studiengruppe
JCC	Jewish Claims Conference
K	Konsul
KdS	Kommandeur der Sicherheitspolizei und des SD
KS	Konsulatssekretär
LR	Legationsrat
LS	Legationssekretär
MAE	Archives diplomatiques du Ministère des Affaires Etrangères
MBD	Ministerialbürodirektor
MBF	Militärbefehlshaber
MD	Ministerialdirektor
MfAA	Ministerium für Auswärtige Angelegenheiten
MfS	Ministerium für Staatssicherheit
MIS	US Military Intelligence Service
NARA	National Archives and Records Administration
NCA	Nazi Conspiracy and Aggression
NKWD	Narodny Kommissariat Wnutrennich Del
NL	Nachlass
NLA StA	Niedersächsisches Landesarchiv – Staatsarchiv

NSKK	Nationalsozialistisches Kraftfahrerkorps
OCCWC	Office of the Chief of Counsel for War Crimes
OECD	Organization for Economic Cooperation and Development
OEEC	Organization for European Economic Cooperation
OKH	Oberkommando des Heeres
OKW	Oberkommando der Wehrmacht
OLG	Oberlandesgericht
OMGUS	Office of Military Government, United States
OSS	Office for Strategic Services
ÖTV	Gewerkschaft öffentliche Dienste, Transport und Verkehr
PAAA	Politisches Archiv des Auswärtigen Amtes
Pg	Parteigenosse
PFLP	Popular Front for the Liberation of Palestine
RAM	Reichsaußenminister
RFM	Reichsministerium der Finanzen
RGBl.	Reichsgesetzblatt
RM	Reichsmark
RMVP	Reichsministerium für Volksaufklärung und Propaganda
RSHA	Reichssicherheitshauptamt
RWM	Reichswirtschaftsministerium
SBZ	Sowjetische Besatzungszone
StA	Staatsarchiv
Stasi	Staatssicherheit
StBKAH	Stiftung Bundeskanzler-Adenauer-Haus
Sts	Staatssekretär
SWP	Stiftung Wissenschaft und Politik
SZ	Süddeutsche Zeitung
TNA/PRO	The National Archives, Public Record Office
TWC	Trials of War Criminals Before the Nuremberg Military Tribunals
UHK	Unabhängige Historikerkommission
UNWCC	United Nations War Crimes Commission
USHMM	United States Holocaust Memorial Museum
VAA	Vertreter des Auswärtigen Amtes
VfW	Verwaltung für die Vereinigten Wirtschaftsgebiete
VK	Vizekonsul
VLR	Vortragender Legationsrat
VS	Verschlusssache
WEU	Westeuropäische Union
WJC	World Jewish Congress
WTB	Wolff's Telegraphisches Büro
YV	Yad Vashem
z.b.V.	zur besonderen Verwendung
ZRS	Zentrale Rechtsschutzstelle
ZSL	Zentrale Stelle Ludwigsburg

Amtsbezeichnungen im höheren Auswärtigen Dienst

Auswärtiges Amt	Allgemeine Verwaltung
Staatssekretär	Staatssekretär
Ministerialdirektor (Botschafter)*	Ministerialdirektor
Ministerialdirigent (Botschafter, Gesandter, Generalkonsul)	Ministerialdirigent
Vortragender Legationsrat I. Klasse (Botschafter, Gesandter, Generalkonsul)	Leitender Ministerialrat
Vortragender Legationsrat I. Klasse (Botschafter, Gesandter, Botschaftsrat I. Klasse, Generalkonsul)	Ministerialrat bzw. Leitender Regierungsdirektor
Vortragender Legationsrat (Botschafter, Botschaftsrat, Generalkonsul)	Regierungsdirektor
Legationsrat I. Klasse	Oberregierungsrat
Legationsrat	Regierungsrat
Legationssekretär	Regierungsassessor

* Die in Klammern stehenden Amtsbezeichnungen sind bei den Auslandsvertretungen üblich. Gesandte sind ständige Vertreter der Botschafter (nach Döscher (2005), S. 360).

Namenregister

FSC
www.fsc.org

MIX

Papier aus ver-
antwortungsvollen
Quellen

FSC® C014496

Verlagsgruppe Random House FSC-DEU-0100
Das für dieses Buch verwendete
FSC®-zertifizierte Papier *EOS*
liefert Salzer Papier, St. Pölten, Austria.

2. Auflage
Umschlaggestaltung: Hauptmann & Kompanie, Werbeagentur, Zürich
Herstellung: Gabriele Kutscha
Satz: Leingärtner, Nabburg
Druck und Einband: GGP Media GmbH, Pößneck
Printed in Germany
ISBN 978-3-89667-430-2

www.blessing-verlag.de